I S B N : 2-85319-111-7

Dictionnaire
de termes nouveaux
des sciences et
des techniques

Çonseil international de la langue française
Ŀ F

Association internationale regroupant des représentants des pays d'expression française des différentes régions du monde, notamment dans le domaine des sciences et des techniques, le Conseil international de la langue française s'est donné pour tâche de gérer et d'aménager les ressources linguistiques des communautés francophones tout en organisant leur dialogue avec les autres langues nationales ou régionales qu'elles parlent.

Une grande part de l'action du CILF se traduit par ses publications ou celles qu'il soutient : revues de terminologie : *la Banque des mots*, de linguistique : *le Français moderne*, de grammaire : l'*Information grammaticale*.

● Collection de dictionnaires destinés à donner une terminologie de référence aux pays d'expression française et des outils de traduction : plus de 30 ouvrages parus à ce jour.

● Collection *Techniques vivantes* de manuels de formation en agronomie tropicale et en mécanique pour donner accès à la science et à la technique aux pays du Tiers monde.

● Collection *Fleuve et Flamme* de tradition orale des pays d'Afrique, de l'Océan Indien et des Caraïbes, destinée à la lecture publique, à la diffusion des cultures du Tiers Monde, à l'alphabétisation.

Par ses travaux sur la langue des sciences et des techniques, le Conseil international de la langue française met en œuvre une conception moderne du rôle de notre commun moyen d'expression.

Sans rien renier d'un passé prestigieux, le français se doit aujourd'hui de mettre ses capacités d'expression au service du développement économique et social de plus de trente Etats du monde.

Le Conseil a choisi d'assumer cette tâche tout d'abord au stade de la dénomination et de l'étude des concepts.

La langue n'étant pas faite pour être figée dans les dictionnaires, il s'agit ensuite de la mettre au service des usagers sous des formes moins abstraites comme par exemple les manuels de formation à la rédaction desquels s'attache le CILF.

La langue française ne saurait en outre vivre isolément. Si sa légitime aspiration demeure d'exprimer l'universel, il convient qu'elle puisse également servir de trait d'union entre les langues régionales ou nationales de nos peuples et quelques grandes langues d'extension mondiale.

Ainsi le Conseil international espère-t-il, au-delà des communautés dont il tente d'exprimer les aspirations, faciliter la communication internationale dans un esprit qui s'éloigne autant du chauvinisme que du purisme.

Aussi, sa devise pourrait, démarquant quelque peu celle des Saint-Simoniens du siècle dernier, s'exprimer ambitieusement dans la formule lapidaire : «ouvrir les langues aux nations».

Secrétariat : 103, rue de Lille - 75007 Paris - France
Tél. : 705.07.93 et 705.04.05

Dictionnaire de termes nouveaux des sciences et des techniques

sous la direction de G. QUEMADA

CONSEIL INTERNATIONAL DE LA LANGUE FRANÇAISE
103, rue de Lille - 75007 Paris

AGENCE DE COOPÉRATION CULTURELLE ET TECHNIQUE
13 quai André Citroën - 75015 Paris

L'Agence de Coopération Culturelle et Technique, organisation intergouvernementale, créée par le Traité de Niamey en mars 1970, rassemble des pays liés par l'usage commun de la langue française, à des fins de coopération dans les domaines de l'éducation, de la culture, des sciences et de la technologie, et, plus généralement, dans tout ce qui concourt au développement de ses Etats membres et au rapprochement des peuples.

Les activités de l'Agence dans les domaines de la coopération scientifique et technique et du développement se groupent en cinq programmes prioritaires aux objectifs complémentaires :
— inventaire et exploitation des ressources naturelles du monde francophone (y compris l'énergie, notamment ses formes non conventionnelles) ;
— normalisation du stockage des données et développement des échanges dans le domaine de la recherche appliquée, par la mise en place de réseaux de banques de données scientifiques et technologiques ;
— valorisation de la production agricole par la promotion de l'agro-industrie en milieu rural ;
— promotion sociale des communautés rurales (avec un accent particulier sur la formation des jeunes) à travers des actions de développement rural intégré ;
— développement des régions rurales situées en zones géographiques particulièrement défavorisées (pays du Sahel, Haïti).

Toutes les actions menées dans le cadre de ces cinq programmes sont complémentaires et ont pour finalité le développement du monde rural. Celles résultant des deux premiers se situent en amont et tendent à renforcer les structures de la recherche appliquée et à favoriser la concertation et le transfert des données scientifiques et des technologies dans des domaines précis prioritaires pour le développement. Les actions du troisième programme se placent à un niveau intermédiaire et œuvrent pour l'implantation d'un tissu industriel intégré au milieu rural : petites et moyennes entreprises disséminées dans ce milieu, valorisant la production de la terre et de la mer et procurant du travail à une population en rapide croissance. Les deux derniers projets, enfin, se situent en aval de l'action : ils associent les populations elles-mêmes à l'amélioration globale de leur condition par une formation intimement liée à l'action, s'adressant particulièrement aux jeunes et concernant des domaines aussi vitaux pour les ruraux que leur habitat, leur santé et leur éducation.

PAYS MEMBRES
Belgique, Bénin, Burundi, Canada, République Centrafricaine, Comores, Congo, Côte d'Ivoire, Djibouti, Dominique, France, Gabon, Guinée, Haïti, Haute-Volta, Liban, Luxembourg, Mali, Ile Maurice, Monaco, Niger, Rwanda, Sénégal, Seychelles, Tchad, Togo, Tunisie, Vanuatu, Viet-Nam, Zaïre.

ETATS ASSOCIES
Cameroun, Guinée-Bissau, Laos, Maroc, Mauritanie, Sainte Lucie.

GOUVERNEMENTS PARTICIPANTS
Nouveau-Brunswick, Québec.

Secrétariat : 13 quai André Citroën - 75015 Paris - France
Tél. : 575-62-41 - Télex ACCT 201 916 F

élaboré sous la direction de :
Gabrielle QUEMADA (INALF, CNRS)

avec la collaboration de :
Marcel DIKI-KIDIRI (CNRS)
Geneviève GOLDENBERG (CILF)
Colette MURCIA (CILF)

Jocelyne BECK	**Keith JONES**
Michèle DESLAURIERS	**Silvia PAVEL**
Louiselle GAGNON	**Christina SADAT-SHAFAI**

Françoise TSOUNGUI

Joëlle BUAT   **Denise MUNCH**

et les contributions
du Bureau des Traductions du Canada,
de l'Office fédéral des langues d'Allemagne
et de l'Université de Madrid

Publié par le Conseil international de la langue française
avec le concours du Secrétariat d'Etat du Canada

Le présent ouvrage attendu depuis longtemps est le fruit d'une collaboration de linguistes et de scientifiques dont l'origine remonte à l'année 1972.

Lors du colloque organisé au CNRS en 1971 par le Conseil international de la langue française, il avait été demandé qu'une attention particulière fût portée à la néologie scientifique et technique. Il existait à l'époque quelques travaux ponctuels et parcellaires sur la néologie en général, mais pas sur ce domaine presque inexploré de la science et de la technique.

Devant la demande exprimée par les pays d'expression française à notre institution «de forger» les mots et expressions dont notre langue aurait eu le besoin, il a paru sage de commencer à inventorier la néologie spontanée telle qu'elle apparaissait au travers des principaux périodiques et ouvrages de recherche, sans toutefois chercher à couvrir systématiquement les supports écrits de la science et de la technique car la tâche eût été écrasante.

Ainsi est née La Clé des Mots, *revue de terminologie, publiée de 1973 à 1979 en 66 livraisons. 9 400 entrées ont été ainsi publiées en sept années.*

Le travail de dépouillement et de recherche nécessité par cette publication a été supporté par le CILF avec des moyens en personnel et en crédits infiniment réduits. A plusieurs reprises, notre institution a cherché à s'adjoindre la collaboration d'universités ou de centres de recherche publics ou privés. A chaque fois, la tentative a tourné court, aucun de nos partenaires n'ayant eu la volonté de s'astreindre aux tâches très ingrates de recherche et de vérification de la néologie que nécessitait une telle entreprise.

Heureusement, hors de France, le Conseil international de la langue française a vu son effort soutenu par le Bureau des traductions du Canada, l'Office fédéral des langues d'Allemagne, l'Université de Madrid et les services de traduction de la Communauté Economique Européenne à Luxembourg qui ont donné au Conseil les traductions en anglais, allemand et espagnol.

La matière rassemblée au cours de ces années a paru cependant suffisamment riche et intéressante pour mériter un retraitement linguistique complet auquel l'Institut National de la langue française (INALF) a bien voulu s'intéresser en mettant à la disposition du CILF la compétence de Madame Gabrielle Quémada. Qu'elle soit ici vivement remerciée pour s'être chargée de diriger l'équipe modeste du CILF qui s'est attelée à ce travail, fort austère avec un dévouement, certes pas nouveau, mais qu'il me plaît ici de souligner. Qu'on me permette de faire une mention spéciale de Madame Colette Murcia pour qui ce dictionnaire a largement dépassé les limites de sa vie professionnelle. Je lui sais gré d'y avoir consacré ses forces sans les mesurer.

Nous avons jugé que la présentation des seuls articles de dictionnaire, rédigés à l'occasion du retraitement de la néologie scientifique et technique serait insuffisante eu égard à la documentation amassée et qu'il serait opportun d'apporter des compléments d'information aussi bien en reclassant cette terminologie selon les principes du traitement par thésaurus de la documentation scientifique et technique, qu'en adjoignant pour les usagers les traductions collectées en anglais, allemand, espagnol et en établissant une liste des formants utilisés pour la création de cette néologie. Une bibliographie a été également établie avec soin, qui, pour des raisons techniques, n'a pu être publiée, mais qui peut être consultée au CILF par tous les utilisateurs qui en éprouveraient le besoin.

Le travail accompli en deux années au CILF aurait été condamné à stagner si le gouvernement fédéral du Canada (Bureau des traductions) n'avait apporté à notre institution une contribution financière permettant de mener à bien l'édition du livre. La mention qui figure en couverture de l'ouvrage est donc destinée à exprimer au Bureau des traductions du Canada les remerciements qu'il m'est agréable de faire figurer dans ces lignes.

Que le lecteur veuille donc faire bon accueil à cette entreprise de coopération. Innovant dans ses cinq parties, cet ouvrage ne saurait être parfait. Tel qu'il est, le Conseil international de la langue française le livre au public, heureux par avance que sa pratique soit l'occasion pour chacun de ses utilisateurs de développer des liens et travaux avec notre institution.

Hubert JOLY
Secrétaire général du
Conseil international
de la langue française

AVANT-PROPOS

I. ORIGINES

L'objectif de cet ouvrage est de proposer à un plus large public la présentation enrichie et diversifiée de l'ensemble de documents réunis par **La Clé des Mots**, entre 1973 et 1979, sous forme de fiches. Tous les mots répertoriés proviennent des dépouillements originaux effectués au Conseil international de la langue française.

Le Dictionnaire de termes nouveaux des sciences et des techniques répond à la demande des utilisateurs et des spécialistes qui souhaitaient pouvoir exploiter plus complètement et plus commodément la somme d'informations ainsi accumulée.

Les sollicitations de tous ceux qui s'intéressent aux vocabulaires spéciaux, utilisateurs ou chercheurs, traducteurs et néologues, nous ont amenés à élaborer quatre répertoires distincts mais complémentaires. Cette présentation cherche à privilégier certaines voies d'accès prioritaires pour l'utilisation immédiate des matériaux et, éventuellement, leur intégration dans une documentation cumulative.

II. COMPOSITION DU VOLUME

Il se présente en deux parties d'inégale importance. La première regroupe, autour du **Dictionnaire alphabétique**, les relevés qui en complètent directement l'usage : la **Table méthodique** ainsi que ses annexes, **Tableau classificatoire général** et **Liste alphabétique exhaustive des descripteurs utilisés**, d'une part, et l'**Index cumulatif des traductions**, d'autre part. La seconde partie, plus linguistique, est constituée par le **Répertoire de formants morphosémantiques** et son **Introduction méthodologique**.

III. LE DICTIONNAIRE ALPHABETIQUE

C'est la base lexicographique de l'ensemble de l'ouvrage auquel il a donné son titre. Dictionnaire descriptif, il rassemble une nomenclature dont toutes les unités relèvent, à des degrés divers, d'emplois spécialisés, sans volonté d'exhaustivité ni de pondération linguistique ou thématique des données.

Délimitation de la nomenclature

A l'exception de quelques dénominations néologiques ayant fait l'objet d'arrêtés ministériels, les termes répertoriés proviennent du dépouillement d'un corpus textuel aléatoire mais représentatif d'un niveau de communication déterminé. Il se situe dans cette tranche aujourd'hui démesurément élargie de l'information technico-scientifique où le spécialiste, le praticien et le rédacteur spécialisé s'expriment à l'intention de leurs homologues ou de lecteurs déjà informés. Plusieurs degrés de banalisation (c'est-à-dire d'élargissement du domaine d'emploi du terme, avec ou sans modification de la réalité de référence) y trouvent donc place. En revanche, en sont exclus les énoncés d'un niveau de vulgarisation systématique ou trop généralisante, lorsque les dénominations utilisées ne correspondent à aucun des usages scientifiques ou techniques réels, comme en sont exclus les textes dont la haute spécialisation ne permet pas d'accéder aux notions ou aux réalités mises en cause.

Tous les textes dépouillés ont été rédigés entre 1965 et 1978.

Statut néologique des unités lexicales

Il n'est pas sans ambigüité de principe. Faute d'inventaires lexicaux cumulatifs, comme les banques de données informatisées les autorisent d'ores et déjà, les nomenclatures de référence restent celles des répertoires imprimés existants. Malheureusement, bien peu de publications se hasardent dans les zones incertaines et foisonnantes de la néologie des sciences, et plus encore des techniques. Les encyclopédies et les dictionnaires courants, on le sait, ne peuvent prendre en charge cette tenue à jour. Pourtant leurs nomenclatures accueillent aujourd'hui plus largement les emplois banalisés des langues de spécialité dont les usages du français se sont, de tous temps, abondamment nourris. Mais la dynamique dénominative est devenue tellement productive que de tels ouvrages demeurent impuissants à en rendre compte. Par ailleurs, cette néologie fait une très large place aux formes dérivées, aux dénominations syntagmatiques et aux emprunts dont les dictionnaires généraux s'efforcent, par principe, d'alléger leurs colonnes. Quant à la néologie passive, par laquelle une forme existante est investie d'un nouveau sens, elle représente une ressource si considérable qu'un regroupement de toutes les acceptions spécifiques rendrait certaines de leurs rubriques inconsultables.

En fait, le statut des unités de la nomenclature, comme celui de tous les matériaux rassemblés par les mêmes voies, peut être défini sans équivoque. Les désignations ne représentent nécessairement ni des datations (premières apparitions), ni même des innovations immédiates, mais toujours des **néologismes lexicographiques par carence d'attestations antérieures, compléments virtuels ou effectifs des nomenclatures d'un corpus de référence constitué d'encyclopédies ou de dictionnaires.** Ainsi, aucun des termes proposés dans le Dictionnaire ne figurait dans les ouvrages suivants à la date où son emploi a été relevé : **Grand Larousse Encyclopédique** (1960-1964) et son **Supplément 1** (1969), **Dictionnaire de la Langue française** de P. Robert et son **Supplément** (1969-1970), **Petit Robert** (1967), **Grand Larousse de la Langue Française** (1971-1978).

Variété linguistique des unités lexicales

La nomenclature donne une idée assez représentative de l'intense productivité des mécanismes néologiques actuellement en activité, du rendement relatif des différentes ressources morphosémantiques exploitées et des formules ou modèles syntaxiques les plus usités. Les variétés des emprunts étrangers si souvent allégués occupent une place relative qui paraît vite secondaire à côté de tous les autres moyens mis en œuvre par les langues de spécialité avec un rendement d'une toute autre portée.

On peut vérifier, ici encore, qu'avant de créer des mots nouveaux, ou à côté de créations élaborées, les terminologies des sciences et des techniques ont toujours recours aux procédés classiques de la métaphorisation et de la métonymie pour charger de nouveaux sens certains mots expressifs faisant image. Non seulement dans des domaines traditionnels, où ils sont déjà très nombreux, mais aussi dans les secteurs les plus modernes : à côté de *chenille* (agric.), *carotte, couronne* (métall.), *chapeau de fer* (mines), *gendarme* (bourse), *bain de blanc* (chim.), citons par ex. *collerette, cravate, jupe* (manut.), *chandelle, cuiller, cirque* (mécan.), *barque, barquette, bergerie, îlot, mur, pont* (commerce), *colis, serpillière* (pétrole), *cascade, cavalier, tic-tac* (électr., inform.), *coup de canon* (plast.), *coup d'ongle* (géol.), *furet* (nucl.), *soupe* (biol.).

La place importante occupée par les dénominations syntagmatiques ou phraséologiques, si caractéristiques des technologies modernes, se confirme [*chaudière mixte, − solaire ; bloc chaudière, fourgon − ; chaudière à marche continue, − à marche modulée, − à marche par tout ou rien ; onduleur à modulation de largeur d'impulsions*]. Ce qui conduit à enregistrer à la fois des tours dont la syntaxe reste encore exceptionnelle sinon déconcertante : *composé couronne, chimie hôtelier-client, table copie directe*, des composés syntagmatiques d'expansion variable comme nous venons d'en citer et des séries développées à partir de bases-thèmes usuelles, très révélatrices des domaines en expansion : *barrière −, béton −, charge −, effet −, ligne −, mémoire −, système −, − actif, − active, − dynamique*, etc.

Les mots construits français sont parmi les plus représentés. Les nombreux dérivés formés sur les modèles les plus courants, par ex. *décideur* ou *déconsigneuse*, comprennent aussi de nouvelles créations comme *avionner* ou *essencerie*, termes du Sénégal, particularismes dont il serait bien nécessaire de compléter l'inventaire. Pour être moins nombreuses, les constructions directes ou juxtaposées n'en sont pas moins présentes : *casse-voûtes, crochet-peseur* ou *caisse-outre, cellule-cible* ou *coupé-cousu*.

Comme on pouvait le penser, la place occupée par les formations savantes, dérivées ou composées, est encore plus notable dans le niveau de langue que nous avons exploré. D'autant qu'elles se confondent avec les nombreuses créations internationales, innovées hors de France, mais issues du fonds gréco-latin commun : *acantholyse, gnotoxénie, microaérophilie, protopléon, pléiotope, zoopériphyton*, etc. Leur nombre et leur fréquence ont confirmé la richesse et la variété des formants savants ainsi mis en œuvre, et la productivité de certains types est si forte qu'elle entraîne des créations pseudo-savantes à partir d'éléments français adaptés : *accidentologie, déprimogène, ejectodiffuseur, suicidogène, traductologie, transversoprofilographe*, par ex.

A ces éléments générateurs de séries, s'ajoutent des innovations plus particulières, mais dont l'accumulation parvient à son tour à infléchir le mouvement néologique. Le Dictionnaire a consigné par ex. un certain nombre d'emprunts naturalisés qui s'intègrent au fonds français, *laser* dans *ciseau laser*, *radar* dans *radarastronomie*, ou qui accroissent le capital morphologique, *—ing* dans *banding, —al* dans *binaural*, et des calques qui contribuent à implanter des constructions peu conformes à la syntaxe «normale» du français et encore ressentis comme inhabituels, même pour les sigles dans leurs formulations développées : *tête haute activité oxyde* (HAO) d'après *Highly-oxydizing head*.

Assimilables aux nombreuses constructions savantes, les troncations en tous genres constituent un ensemble dont les sciences et les techniques se sont enrichies dans des proportions telles qu'il tend aujourd'hui à accréditer tous les types de remodelages morphosyntaxiques. Cela permet à n'importe quel segment du signe originel de rester porteur, dans une nouvelle construction, de la totalité du sémantisme : *autobus → bus → labobus, musibus, transbus*. La nomenclature en porte les traces les plus diverses : *DCOmètre, UFOlogue, BENELUXisation, magnétuscrit, banana* (d'après Ba_2 Na Nb_5 O_{15}) ou *frandisme* (où *d* représente Tchad, d'après *tchadisme*).

Ceci expliquera, sans plus de commentaires, pourquoi après avoir proposé la nomenclature des mots nouveaux sous la double présentation alphabétique et méthodique, nous avons consacré la seconde partie de l'ouvrage à l'inventaire des éléments formants dont elle procède pour une très large part.

Structure des rubriques

De type traditionnel, le Dictionnaire se compose d'une suite de rubriques normalisées, constituées pour l'essentiel des mentions suivantes :

1. **Vedette** ; **catégorie gram.** ; **date** du contexte dans lequel elle a été relevée .... >	**addende** n.m. 74
2. **Classificateur thématique** .... >	Mathématiques appliquées.
3. **Définition** .... >	Quantité à laquelle dans une addition est ajoutée une autre quantité appelée incrément.
4. **Corrélations** .... >	V. cumulande
5. **Traductions** en allemand (genre). .... > anglais .... > espagnol .... >	De : Summand (m.) En : addend, addendum Es : symenoto
6. **Numéro de référence** dans le fichier de La Clé des mots .... >	[6713]

1. La vedette

Elle représente, suivant les cas, une unité lexicale simple : *bec, campagne*, construite : *céramisation, héliogéothermie* ou syntagmatique : *accident de référence, accéléromètre piezo-résistif, limites d'ATTERBERG*, un sigle : *DCO* (Demande Chimique en Oxygène), un acronyme ou un mot-valise : *vapo* (valeur polaire), *cermet* (céramique/métal), ou un emprunt plus ou moins aménagé : *grit, scripte*.

A l'exception du regroupement des flexions verbales sous la forme de l'infinitif, les vedettes n'ont pas été lemmatisées. Elles témoignent d'emplois attestés et datés, saisis dans leurs particularités, leurs variations et leur évolution : *volante*, n.f., *boues jaunes*, n.f.plur. Une graphie normalisée d'après les règles de R. Thimonnier accompagne le cas échéant la vedette : *dermopuncture*, n.f. 74 *dermoponcture* ; *chariot-palan*, n.m. 74 *charriot-palan* ; *micro-poussière*, n.f. 78 *micropoussière* ; *désambiguïser*, v. 75 *désambigüiser*. On notera qu'aucune normalisation graphique n'intervient dans les définitions considérées comme textes cités.

2. Le classificateur thématique

Il est attaché à la vedette pour en localiser le domaine d'emploi et donner ainsi accès à la **Table méthodique** (voir page suivante). Celle-ci se propose d'organiser l'ensemble des dénominations en fonction des **classificateurs**. Pour ce faire, ils peuvent être complétés par des **sous-classificateurs** lorsque l'abondance ou la variété des termes relevant du même classificateur impose une ventilation plus diversifiée : *bâtiment et travaux publics* > *construction* s.v. auto-silo ; *bâtiment et travaux publics* > *matériel de chantier* s.v. brise-béton.

3. La définition

Etablie ou cautionnée par des spécialistes, elle reste liée à la date de l'attestation du terme et à l'emploi dont il relève. Le caractère évolutif de certaines désignations néologiques entraîne, même sans véritable modification du concept ou de la réalité de référence, des changements possibles dans les énoncés définitoires (élargissement du générique par exemple : *corps céleste, astre*, remplacés par *objet spatial*). Un ensemble de termes d'un même domaine ne constitue pas une terminologie, et celle-là seule reçoit de sa cohérence interne la rigueur normative du métalangage qui en définit les unités. La création néologique volontaire de véritables taxinomies a d'illustres exemples dans la formation du vocabulaire des sciences. On notera seulement ici l'importance des regroupements sériels qui révèle, pour telle spécialité, le particularisme sémantique de certains éléments morphologiques : *—ite* «structure minérale» à côté de «maladie inflammatoire» et de «habitant de» ou «qui appartient à» (voir le **Répertoire de formants**). A l'inverse, les «mots de doctrine», surtout pour les théories encore mal diffusées ou très personnalisées, par ex. en sciences humaines et sociales, ne peuvent être définis que par leurs initiateurs. Le niveau de spécialisation fait varier sensiblement les modèles de définitions. Sans pratiquer de normalisation arbitraire, nous nous sommes efforcés d'utiliser des définisseurs explicités par les dictionnaires d'usage quand ils ne figurent pas eux-mêmes dans notre nomenclature.

4. Les corrélations

Termes associés par synonymie ou antonymie à la vedette, ou simples mots corrélés dans le même domaine, ils créent un jeu de renvois qui fournit, le cas échéant, d'utiles compléments à la définition.

5. Les traductions

Elles ont toujours été établies dans le sens français → langue étrangère, en allemand par l'Office fédéral des langues d'Allemagne, en anglais par le Bureau des traductions du Canada, en espagnol par l'Université de Madrid.

Elles ne sont pas également représentées dans toutes les rubriques.

6. Le numéro de la fiche Clé des Mots correspondante

Relai possible pour des compléments contextuels, il est destiné à ceux qui souhaiteraient se reporter à l'environnement (distribution, cooccurrents) du terme cité, aux conditions et aux niveaux techniques, scientifiques ou socio-professionnels de son emploi dans le support où il a été relevé. La consultation des archives de la **Clé des Mots** est ainsi facilitée par le numéro d'identification de la fiche, ou de la micro-fiche, sur laquelle le terme figurait.

IV. TABLE MÉTHODIQUE

La détermination du domaine de connaissance, d'expérience ou de pratique dont relève chaque terme dans son contexte nous a conduits à attacher à toutes les vedettes des «étiquettes» thématiques empruntées à un cadre général de classement de type documentaire, le **Macrothésaurus des sciences et des techniques** établi par le Bureau National de l'Information Scientifique et Technique et coédité par le CILF. L'ensemble structuré de ces «étiquettes», qui sont appelées ici **classificateurs** et **sous-classificateurs** pour les distinguer des autres descripteurs, permet d'ordonner la nomenclature du Dictionnaire et de regrouper les termes de même appartenance. Tous les **classificateurs** (plus d'une centaine) et tous les **sous-classificateurs** (plus d'un millier) figurent dans le **Macrothésaurus** (qui totalise 5800 descripteurs), mais ils correspondent seulement à trois ou quatre niveaux de spécialisation sur les 16 qui sont proposés. La volonté de faciliter la consultation de la **Table méthodique**, qui répond à des besoins plus lexicographiques que scientifiques ou documentaires, nous a amenés à ne pas reproduire la structure hiérarchisée des descripteurs du **Macrothésaurus** (nos mentions permettent en toute hypothèse de s'y référer sans difficulté). Conformément à nos besoins, nous avons limité les relations de dépendance à celles qui unissent le **classificateur** à ses **sous-classificateurs**, et les **sous-classificateurs** entre eux, comme le montre le tableau présenté ci-après.

Classificateur et **sous-classificateur** ne représentent donc pas, en ce cas, un système de double descripteur comme aurait pu l'être l'association de «Politique» et d'«Agriculture» pour le mot *agripouvoir*, par ex., qui figure dans la **Table méthodique** à *Economie rurale*, sous-classificateur d'*Economie*. Par ailleurs, une mention supplémentaire non redondante, comme «Profession», par exemple, pourrait paraître intéressante. Mais la distribution thématique de termes empruntés isolément à des vocabulaire spéciaux comporte toujours une part d'arbitraire que seule peut compenser (ou permettre de corriger) la référence constante et exclusive à un schéma de classement dont les caractéristiques propres sont par ailleurs connues. La multiplication de descripteurs non corrélés ne pourrait qu'ajouter à la confusion des repères classificatoires, même si, au passage, elle satisfait quelques curieux. Si l'on veut bien se souvenir des difficultés rencontrées par les ouvrages encyclopédiques alphabétiques, et bien davantage encore par les dictionnaires généraux, pour hiérarchiser ou ordonner entre elles les mentions de spécialités, on comprendra que nous nous soyons pliés à une classification générale existante, souvent très contraignante et parfois même paradoxale.

Classificateur	Sous-classificateurs	Vedettes
Bâtiment et travaux publics	– Aménagement intérieur	assis debout, confortement, etc.
	– Construction	alvéole technique, auto-silo, etc.
	– Eléments d'ouvrage du bâtiment	américaine (à l'—), architecture textile, etc.
	– Equipement technique	capacité d'accueillement, cuiller, etc.
	– Matériel de chantier	brise-béton, brise-roche, etc.
	– etc.	etc.

La **Table méthodique** est un répertoire alphabétique dont les **classificateurs** constituent les vedettes entraînant à leur suite toutes les dénominations qui leur ont été rattachées [*Aquaculture* : aquacole, conchylicole, etc. ; *Hydrobiologie* : bionomiste, hydrophyte, etc.]. Lorsque des **sous-classificateurs** ont été nécessaires, ceux-ci font office de sous-vedettes [*Economie* dispose de 42 sous-classificateurs : *Activité commerciale, Commercialisation, Coût, Crédit, Développement, Echanges internationaux,* etc.]. Ils sont présentés alphabétiquement et chacun d'eux introduit les mots qui le concernent en propre : [*Agent toxique* : amatoxine, cytotoxicité, etc. ; *Etiologie et pathogénie* : agressologie, chenilose, etc]. La **Table méthodique** propose ainsi, pour l'ensemble de la nomenclature, un accès rapide aux enchaînements fonctionnels qui ont été établis entre le classificateur, les sous-classificateurs et les termes. Elle est complétée par un **Tableau classificatoire général** et par un **Index alphabétique exhaustif des descripteurs.**

Tableau classificatoire général

Il est lui-même fondé sur les **classificateurs,** puisque ceux-ci font office d'opérateurs alphabétiques pour toute la partie méthodique. Le **Tableau** est un élargissement du classement de la **Table méthodique** jusqu'au niveau le plus général, représenté ici par les quatre grands domaines de connaissance et d'activité proposés par le **Macrothésaurus** sous les intitulés «Sciences et Techniques», «Sciences sociales et humaines», «Activités», «Termes communs».

Dans la **Table méthodique,** les **classificateurs** sont donnés comme les incluants des **sous-classificateurs,** alors que dans le **Tableau général** chaque **classificateur** se voit, à son tour, rattaché au terme superordonné dont il dépend, chaînon ultime des descripteurs utilisés.

Pour le domaine «Sciences et Techniques», huit sous-domaines permettent de mieux localiser les **classificateurs** [*Agriculture* pour Agronomie, Aquaculture, etc. ; *Sciences bio-médicales* pour Anatomie, Biochimie, etc. ; *Sciences de la terre et de l'espace* pour Géochimie, Géologie, etc.]. L'association du **Tableau général** et de la **Table méthodique** permet, pour un mot donné, *athérogénèse* par ex., de suivre l'ensemble des descripteurs existants, du plus lointain, le domaine «Sciences et Techniques», jusqu'au plus proche, le sous-classificateur Pathologie cardio-vasculaire, par l'intermédiaire du sous-domaine Sciences bio-médicales et, grâce au classificateur Pathologie animale, comme on le voit ici :

TABLEAU GENERAL			TABLE METHODIQUE	
Domaines →	Sous-domaines →	Classificateurs →	Sous-classificateurs →	Unités
	- Agriculture	Agronomie Aquaculture etc.		
Sciences et techniques →	- *Sciences bio-médicales* →	Anatomie *Pathologie animale* → etc.	*Pathologie cardio-vasculaire*	→ *Athérogénèse*
	- Sciences de la terre et de l'espace	Géochimie Géologie etc.		
	- etc.	etc.		
Sciences sociales et humaines		Anthropologie Démographie etc.		
Activités		Arts Jeu etc.	Architecture Arts graphiques etc.	
Termes communs		Localisation Matériaux etc.		

Trait d'union entre les deux présentations, le **classificateur** est donc à la fois la dernière mention du **Tableau**, et la première de la **Table méthodique**. Cela nous a permis d'alléger la **Table méthodique** des mentions portées en propre dans le **Tableau général**. Elles auraient été par trop répétitives, «Sciences et Techniques», par exemple, pour un apport informatif minime. La fonction du **Tableau** est autre, il permet d'aborder le contenu du Dictionnaire à partir des interrogations les plus généralisantes. Par exemple, l'Agriculture est-elle représentée ? Combien de **classificateurs** sont proposés pour Sciences mathématiques ? Quelle est l'importance des Sciences sociales et humaines ? Il permet aussi de disposer d'un regroupement méthodique des **classificateurs** alors que la **Table méthodique** en propose une présentation alphabétique. Par simple lecture, il apparaît que le domaine «Activités» regroupe des **classificateurs** d'une localisation moins évidente : *Arts, Jeu, Recherche-développement, Sport, Vie quotidienne*, et que pour disposer de toutes les dénominations rattachées aux Sciences de la terre et de l'espace, il faut consulter les entrées suivantes de la **Table méthodique** : *Géochimie, Géologie, Géophysique, Géophysique interne, Sciences de l'espace, Techniques sciences de la terre.*

La présentation synoptique du **Tableau** fait apparaître les principales lignes de force des données recensées. Ainsi, à l'échelle de nos relevés et en dehors de toute quantification des données, il est visible que la dynamique néologique s'est exercée plus intensément dans les Sciences bio-médicales et dans les Techniques industrielles. Si l'on veut poursuivre cette observation de surface dans la **Table méthodique**, on notera que parmi les 26 **classificateurs** des Sciences bio-médicales figure la Pathologie animale et que 19 **sous-classificateurs** ont été nécessaires pour en répartir les termes. Dans l'hypothèse d'une analyse mieux instruite, l'informatisation de la composition du Dictionnaire permet de cumuler, d'associer ou de sélectionner à volonté toutes les indiciations existantes.

Le **Tableau général** et la **Table méthodique** sont complétés par une **Liste alphabétique exhaustive des descripteurs** utilisés dans l'un et dans l'autre.

Liste alphabétique des descripteurs utilisés

Dans cet intitulé, «descripteur» est un générique qui désigne toutes les mentions classificatoires empruntées au **Macrothésaurus**, quel que soit leur niveau (et il en existe quatre, rappelons-le, parmi lesquels seuls les **classificateurs** sont des opérateurs alphabétiques de classement). Tout ce qui est en amont des **classificateurs (Tableau général)** y conduit, tout ce qui est en aval **(Dictionnaire, Table méthodique)** en dépend. La **liste alphabétique** permet, quel que soit le descripteur à partir duquel s'exprime une interrogation, de retrouver le **classificateur** correspondant et, par là, d'avoir accès à l'ensemble de la présentation méthodique. Pour ce faire, les 4 niveaux de descripteurs sont interclassés alphabétiquement et associés aux divers renvois qui conduisent au **classificateur** ou qui rattachent le **classificateur** à son ou ses génériques : *domaine* → sous-domaines [*Sciences et techniques* → Agriculture, Sciences biomédicales, Sciences et techniques générales, Sciences mathématiques, Sciences physiques, Sciences de la terre et de l'espace, Techniques communes, Techniques industrielles] ; *sous-domaine* → classificateur [*Sciences bio-médicales* → Anatomie, Biochimie, Biogéographie, Biologie moléculaire, etc.] ; *domaine* → classificateur [*Activités* → Arts, Jeu, Recherche et Développement, Sport, Vie quotidienne] ; *sous-classificateur* → classificateur [*Climatologie* → Géophysique] ; *classificateur* → sous-domaine [*Anatomie* → Sciences bio-médicales] ; *classificateur* → domaine [*Jeu* → «Activités»].

V. INDEX CUMULATIF DES TRADUCTIONS

Il regroupe les traductions qui figurent en fin de rubrique dans le **Dictionnaire alphabétique**. Les 3 formes étrangères, anglais (*En*), espagnol (*Es*) et allemand (*De*) sont interclassées alphabétiquement et toujours suivies du terme français non marqué. Ce regroupement aide à visualiser la variabilité des dénominations selon les diverses langues et pourrait permettre d'observer de manière contrastive comment s'exercent les mécanismes dénominatifs et traductifs : *Adion* (De), *adion* (En), *adion* (Es) en français *adion* ; ou *albitiziert* (De), *albitizado* (Es), *albitisé* ; mais *adhesive* (En) pour le français *pégueux*, ou *A-frame rack* (En), en français *sapin ; alignment tool* (En), en français *ligneur*, etc.

VI. REPERTOIRE DE FORMANTS MORPHOSEMANTIQUES

Parmi les très nombreuses extensions qu'il était possible de donner au **Dictionnaire alphabétique**, nous avons choisi la plus fondamentale, qui est sans doute aussi la plus complexe : la détermination exhaustive des formants morphosémantiques de toutes les unités construites de sa nomenclature.

Ce **Répertoire** propose donc un inventaire analytique des éléments morphosémantiques mis en œuvre pour former les nouvelles unités construites, dérivées et composées, sigles et acronymes, et met ainsi en évidence les ressources que privilégie aujourd'hui la dynamique dénominative. Il se compose d'une suite alphabétique de rubriques constituées par les formants, leur localisation sémantique et l'ensemble de toutes les constructions dans lesquelles ils sont représentés. Chaque formant est proposé avec ses variantes morphographiques et la mention de toutes les voyelles ou consonnes de liaison qui lui sont éventuellement adjointes. Sa place dans l'unité lexicale (initiale, intermédiaire ou finale) est indiquée par le ou les tirets [*—bactérie* n.f. : sidérobactérie, super-bactérie ; *—bactéri(e)—* n.f. : sidérobacterial ; *bactério—* cf bactérie : bactérioscopie ; *bacto—* cf bactérie : bactospéine].

La détermination exhaustive des éléments formateurs d'une nomenclature référencée, datée, et établie pour d'autres objectifs ne pouvait se prévaloir d'aucun modèle existant. Il convenait donc de signaler à l'utilisateur quels en étaient les buts et les limites, de lui indiquer les options linguistiques dont procédait le **Répertoire** et les modalités de réalisation qui en découlaient. C'est l'objet de l'**Introduction méthodologique** qui figure en tête de la seconde partie de l'ouvrage. Les lecteurs intéressés voudront bien s'y reporter.

VII. DIVERSITE ET UNITE DE L'OUVRAGE

Si l'ouvrage propose quatre relevés distincts c'est, bien sûr, pour affiner les données propres à chacun d'eux, en rappelant qu'une saisie informatisée autorise leur indexation en fonction de tous les paramètres figurant dans l'ensemble des mentions chronologiques, grammaticales, sémantiques, morphologiques, définitoires, thématiques ou traductives. Mais déjà, il est possible, par de simples jeux de lecture à travers le volume, d'enrichir les informations données grâce à des regroupements non matérialisés faute d'espace typographique.

La complémentarité de l'alphabétique et du méthodique, en règle générale, va de soi. Pourtant le statut des dénominations scientifiques ou techniques isolées de leurs propres terminologies, c'est-à-dire coupées de tout système cohérent de notions, devient problématique en son principe. C'est pourquoi les regroupements thématiques ne sont pas destinés ici à recréer des ensembles terminologiques mais à corriger ce que le désordre alphabétique occulte nécessairement, l'appartenance de certains termes à des réalités communes ou conjointes et leurs corrélations fonctionnelles. Ces réserves théoriques étant faites, indiquons brièvement quelques uns des rapprochements possibles.

D'une manière très générale, chacun des relevés apporte quelques précisions à l'estimation de la vitalité, de la diffusion et du rendement des divers modèles morphosyntaxiques et morphosémantiques de dénomination, propos initial de l'ouvrage. Le rapport entre les usages morphosémantiques et la répartition thématique révèle certains traits spécifiques dont les spécialistes du domaine concerné ne sont pas toujours conscients. S'il appartient aux linguistes de les répertorier, il appartiendrait aux spécialistes, qui sont seuls qualifiés, de préciser les niveaux de communication et d'usage dont relèvent les termes cités afin de rendre ces informations plus opérationnelles. N'y aurait-il pas, dans un tel dialogue, un point de départ concret pour l'une des enquêtes nécessaires sur les langues scientifiques et techniques ?

Le complément apporté aux sémantismes des formants par les définitions du **Dictionnaire alphabétique**, permet de mesurer, documents à l'appui, la distance qui sépare le sens global d'une dénomination de la somme des traits sémiques de ses divers composants et, faute d'en posséder des modèles typologiques, de cerner très concrètement ce «complément de sens».

L'interclassement alphabétique de l'**Index cumulatif des traductions** aide à compléter certaines données morphosémantiques du **Répertoire de formants**. La similitude des formes, comme les traductions d'*albitisé* déjà citées, par exemple, signale l'aptitude effective de certains types de formants à la communication plurilingue. En associant la **Table méthodique**, il est aussi possible de vérifier la distribution des constructions savantes, la mesure de leur universalité ou des écarts constants, l'influence de variables comme la langue (qui génère ou qui accueille), ou les domaines d'emploi, leurs préférences et leurs influences spécifiques, etc. Il serait intéressant de suivre l'implantation d'*andragogue* et de sa famille, en regard de l'anglais *adult education specialist* et de répertorier les formants et les modèles syntaxiques qui donnent au français une aptitude certaine à la dénomination synthétique, caractère qui lui est généralement dénié.

Peut-être pourrait-on trouver aussi dans ces divers relevés quelques éléments propres à alimenter le débat en cours sur l'aptitude du français actuel à la communication scientifique et technique ? C'était bien la problématique fondamentale de cet ouvrage et il trouverait là sa meilleure justification.

Gabrielle QUEMADA

PREMIERE PARTIE

Dictionnaire alphabétique

Table méthodique
Tableau général
Liste alphabétique des descripteurs

Index cumulatif des traductions
anglais - allemand - espagnol

Dictionnaire alphabétique

ABRÉVIATIONS ET SIGNES CONVENTIONNELS

adj.	adjectif	*De.*	*allemand*
adv.	adverbe	*En.*	*anglais*
f.	féminin	*Es.*	*espagnol*
m.	masculin	*(m.)*	*masculin (pour l'allemand)*
n.	neutre	*(f.)*	*féminin (pour l'allemand)*
pl.	pluriel	*(n.)*	*neutre (pour l'allemand)*
v.	verbe	*(U.K.)*	*anglais du Royaume-Uni*
		(U.S.A.)	*anglais des Etats-Unis*

( ) développement d'un sigle

[ ] numéro de la fiche de La Clé des mots

> introduit le sous-classificateur inclus dans le classificateur

→ renvoie à chacun des éléments qui composent un syntagme

V. voir

75 pour 1975 : date d'attestation du contexte

SOUS-VEDETTE : graphie recommandée

5

A

AA n.m. 73
géophysique interne
Lave rugueuse, non encore altérée, d'une coulée de type hawaïen.
De. Aa (n.)
En. aa [183]

ABIOGÈNE adj. 77
biochimie
Produit à partir d'une matière non vivante.
V. abiogénique
De. abiogen
En. abiogenetic
Es. abiogeno [7639]

ABIOGÉNIQUE adj. 74
biochimie
Produit à partir d'une matière non vivante.
V. abiogène ; biomonomère
De. abiogenetisch
En. abiogenetic [1781]

ABONDANCE ISOTOPIQUE n.f. 73
physique > physique des particules
Pourcentage du nombre des atomes d'un isotope donné d'un élément par rapport au nombre total des atomes de cet élément dans un échantillon.
De. Isotopenhäufigkeit (f.)
En. isotopic abundance [1247]

ABRADABLE adj. 77
mécanique appliquée > enlèvement de matière
Qui peut faire l'objet d'une abrasion.
De. abschleifbar [7777]

ABRASIMÈTRE n.m. 72
économie > industrie de l'imprimerie
Appareil destiné à mesurer la résistance à l'abrasion.
De. Gerät (n.) zur Messung der Abriebfestigkeit
En. abrasiometer [713]

ABRASION → vibro- — .

ABRASIVITÉ n.f. 74
propriété > propriété mécanique
Propriété d'une substance qui use par frottement un produit de dureté inférieure ou égale à la sienne.
De. Standzeit (f.)
En. abrasivity
Es. abrasividad [4943]

ABRÉGÉ → titre — .

ABRI → coupe d' — ; plante d'— .

ABRIBUS n.m. 75
transport et manutention > infrastructure des transports
Abri destiné aux voyageurs de transports en surface.
De. Schutzhäuschen (n.)
En. bus shelter [4589]

ABRIQUAI n.m. 74
transport et manutention > infrastructure des transports
Abri destiné au stationnement de cycles. [2315]

ABSOLU → filtre — .

ABSORBANT COULANT n.m. 78
matériau > adsorbant
Produit qui coule par simple gravité au fond de l'eau, après avoir augmenté sa propre densité en absorbant les hydrocarbures.
V. absorbant flottant
En. sinking agent [9125]

ABSORBANT FLOTTANT n.m. 78
matériau > adsorbant
Produit qui agglomère les hydrocarbures et permet leur récupération mécanique à la surface de l'eau.
V. absorbant coulant ; serpillière
En. floating absorbent; oil-sorbent product [9126]

ABSORBEUR n.m. 74
génie biomédical > anesthésie
Récipient dont le contenu absorbe certains composants de l'air expiré.
De. Absorber (m.)
En. canister [2137]

ABSORBEUR ACOUSTIQUE ACTIF n.m. 73
matériau > adsorbant
Dispositif qui dissipe l'énergie sonore par interférence totale de l'onde sonore incidente.
V. absorbeur acoustique passif ; silencieux réactif
En. active sound absorber
Es. absorbedor acústico activo [2417]

ABSORBEUR ACOUSTIQUE PASSIF n.m. 73
matériau > adsorbant
Matériau qui dissipe l'énergie sonore sous forme de chaleur.
V. absorbeur acoustique actif ; silencieux dissipatif
En. passive sound absorber
Es. absorbedor acústico pasivo [2418]

ABSORBEUR D'ÉNERGIE n.m. 77
environnement et sécurité > dispositif de sécurité
Dispositif de sécurité destiné à freiner la chute d'un travailleur. [7778]

ABSORPTIOMÉTRIE n.f. 76
instrumentation > mesure de rayonnement ionisant
Méthode de mesure utilisant l'absorption d'un rayonnement.
De. Absorptionsmessung (f.)
En. absorptiometry
Es. absorciometría [5747]

ABSTRAT n.m. 75
information > traitement documentaire
Liste de mots-clés représentant sous une forme normalisée les
informations contenues dans un document en vue de son
insertion dans une chaîne documentaire.
V. autoextrait
En. abstract [4590]

ACANTHOLYSE n.f. 74
pathologie animale > pathologie cutanée
Altération des filaments d'union intercellulaire de la couche de
Malpighi qui entraîne la formation de bulles dans cette même
couche.
De. Akantholyse (f.)
En. acantholysis
Es. acantólisis [4197]

ACARIFUGE n.m./adj. 77
matériau > pesticide
Répulsif à l'égard des acariens.
De. Milbenvertreibungsmittel (n); milbenvertreibend
En. mite repellent
Es. acarífugo [7915]

ACCÉLÉRÉE → résine pré- — ; retenue —.

ACCÉLÉROCOMPTEUR n.m. 76
instrumentation > appareil électronique de mesure
Dispositif constitué d'un accéléromètre et d'un enregistreur
destiné à mesurer la fatigue subie par les structures d'un
mobile pendant les différentes phases d'un déplacement.
[8573]

ACCÉLÉROMÈTRE PIÉZORÉSISTIF n.m. 73
instrumentation > appareil électronique de mesure
Capteur modulateur destiné à l'étude et à la mesure des chocs
à haut niveau et fréquence élevée.
De. piezobeständiger Beschleunigungsmesser (m.)
En. piezoresistant acceleration meter; piezo-resistive accelerometer [893]

ACCENT FLOTTANT n.m. 77
informatique > équipement d'entrée-sortie
Caractère d'imprimerie qui, sur un dispositif d'impression, est
particularisé par une touche ou un code spécifique le rendant
indépendant des lettres auxquelles il est généralement associé. [8715]

ACCEPTANCE n.f. 76
propriété > propriété organoleptique
Fait, pour un individu ou une population déterminé(e)
d'accepter la consommation d'un produit.
De. Ankommen (n.) eines Produktes
En. acceptance
Es. aceptación [5749]

ACCÈS MULTIPLE n.m. 74
télécommunications > communication spatiale
Possibilité pour deux ou plusieurs stations terrestres d'avoir
accès en même temps au même satellite.
De. Mehrfachzugriff (m.)
En. multiple-access [3129]

ACCIDENT DE RÉFÉRENCE n.m. 75
technique nucléaire
Simulation d'accident pouvant survenir dans un dispositif
donné (réacteur nucléaire) en vue de calculer les paramètres de
dimensionnement (de la chaudière).
En. design basis accident (D.B.A.) [4020]

ACCIDENTOLOGIE n.f. 73
environnement et sécurité > accident
Étude des accidents de la circulation.
En. accidentology [187]

ACCORDÉON → coups d' —.

ACCOUPLEMENT → module d' — multiple.

ACCRÉTION n.f. 73
géophysique > géomorphologie
Juxtaposition dans une chaîne de montagnes d'une zone
externe récente venant s'accoler à une zone interne antérieurement consolidée.
En. accretion
Es. acreción [3308]

ACCROCHE n.f. 76
économie > promotion des ventes
Élément principal destiné à attirer l'attention dans une
annonce publicitaire.
De. Aufhänger (m.)
En. hook [6949]

ACCUEIL → trame d' — .

ACCUEILLEMENT → capacité d' — .

ACCULTURATIF adj. 71
sociologie
Relatif à un changement complet de milieu (acculturation).
En. acculturative
Es. aculturativo [5081]

ACCUMULATION → transporteur à —.

ACCUMULATION DE VALEURS n.f. 69
gestion, organisation, administration > contrat
Valeur totale des biens exposés à un même sinistre pour un
même assuré, susceptible de donner lieu à paiement d'une
surprime au-delà d'un certain montant.
V. densité de valeur
De. Gesamtwert (m.) aller Risiken [1959]

ACCUMULIQUE adj. 76
géologie > pédologie
Se dit des assemblages micromorphologiques caractérisés par
une accumulation d'argile.
V. albique ; dystrochrique ; fragique
De. Akkumulations- [7640]

ACHEMINEUR n.m. 75
télécommunications > radiotechnique
Personne qui élabore un réseau de transport de courrier.
En. despatcher ; dispatcher [4198]

ACHOLÉPLASME n.m. 74
organisme vivant > microorganisme
Mollicute qui vit dans des milieux de culture privés de
cholestérol.
V. mollicute ; mycoplasme ; spiroplasme
De. Acholeplasma (n.)
En. acholeplasma [4199]

ACHROMATICITÉ n.f. 75
physique > optique
État de ce qui est sans couleur.
V. chromaticité
De. Achromasie (f.)
En. achromaticity
Es. acromaticidad [5750]

ACHRONIE n.f. 77
histoire
Situation dans laquelle l'écoulement du temps n'est pas pris en
considération.
De. Achronie (f.)
Es. acronia [8191]

ACIER AUTOPROTÉGÉ n.m. 74
matériau > matériau métallique
Alliage utilisé dans la construction qui résiste à la corrosion en se revêtant d'une très fine couche d'oxyde.
De. bewitterter Stahl (m.)
En. weathered steel [1425]

ACIER ÉBONITÉ n.m. 74
matériau > matériau métallique
Acier enduit d'ébonite.
De. Stahl (m.) mit Ebonitüberzug (m.)
En. ebonite-coated steel ; rubber-coated steel [1603]

ACIER SUCRÉ n.m. 73
matériau > matériau métallique
Acier chargé en additifs nobles, tel le nickel, qui lui confèrent de bonnes performances en matière de limites élastiques.
De. legierter Stahl (m.) [1782]

ACOUSTIQUE → absorbeur — actif ; absorbeur — passif ; anti- — ; bouée — ; spectrométrie — .

ACQUIS → semis — .

ACRIDOFAUNE n.f. 77
faune
Partie de la faune constituée d'acridiens.
Es. acridofauna [8574]

ACROCENTRIQUE adj. 72
génétique > information génétique
Se dit d'un chromosome dont le centromère est situé près d'une extrémité.
V. médiocentrique
De. akrozentrisch
En. acrocentromeric [3]

ACROLECTE n.m. 74
linguistique
Variété de langue pratiquée par les classes sociales aisées d'une communauté linguistique donnée.
V. basilecte
De. Akrolekt (m.)
En. acrolect
Es. acrolecto [4223 bis]

ACRONYME n.m. 70
linguistique
Mot prononçable constitué de séquences d'initiales d'autres mots.
V. acronymie
En. acronym
Es. acrónimo [894]

ACRONYMIE n.f. 74
linguistique
Formation d'un acronyme.
V. acronyme
De. Akronymie (f.)
En. acronymy
Es. acronimia [2596]

ACROPHASE n.f. 76
physiologie > rythme biologique
Localisation du sommet de la fonction utilisée pour l'approximation du rythme biologique.
De. Akrophase (f.)
En. acrophase
Es. acrofase [7087]

ACROSOMIAL → tube — .

ACROSOMIQUE adj. 74
cellule et constitution cellulaire > cellule
Relatif à l'extrémité d'un spermatozoïde (acrosome).
De. Akrosom -
Es. acrosómico [7363]

ACROTHERMAL adj. 70
environnement et sécurité > environnement
Se dit d'une eau dont la température est supérieure à 50 °C.
V. hyperthermal ; subthermal [7088]

ACTIF → absorbeur acoustique — ; afficheur — ; autoguidage — ; autoguidage semi- — ; câble — ; laboratoire audio- — comparatif ; laboratoire audio- — semi-comparatif ; laboratoire audio- — simplifié ; optiquement — ; satellite — ; site — ; vocabulaire — .
V. active

ACTINOTHERMIQUE → indice — .

ACTION → ligne d' — ; science d' — .

ACTIONNEUR n.m. 74
mécanique appliquée > organe de machine
Organe qui permet de mettre en marche un système ou de modifier son comportement.
De. Antriebsvorrichtung (f.)
En. actuator [3841]

ACTIVATION n.f. 74
économie > monnaie
Mise en œuvre d'une procédure organisée à l'avance.
De. Aktivierung (f.)
En. activation [1426]

ACTIVATION → analyse par — .

ACTIVATION NEUTRONIQUE n.f. 74
technique nucléaire
Opération qui consiste à irradier un échantillon dans un réacteur nucléaire pour en déterminer les caractéristiques.
De. Neutronenaktivierung (f.)
En. neutron activation
Es. activación neutrónica [2316]

ACTIVE → barrière — ; électronique médicale — ; euthanasie — ; immunothérapie — ; infographie inter- — ; marge — ; sécurité — ; transe — .
V. actif

ACTIVITÉ n.f. 73
chimie > chimie du solide et du fluide
Produit de la concentration moléculaire d'un corps dissous par un facteur de correction.
De. Aktivität (f.)
En. activity ; relative fugacity [2140]

ACTIVITÉ → tête haute — oxyde.

ACTIVITÉ DE SUBSTITUTION n.f. 75
éthologie
Comportement inapproprié qui se produit lorsqu'une surexcitation ne peut se libérer par la voie usuelle.
De. Ersatzhandlung (f.)
En. displacement activity [5471]

ACTOGENÈSE n.f. 74
éthologie
Processus de formation des actes d'un individu.
De. Aktogenese (f.)
En. actogenesis
Es. actogénesis [3310]

ACTOGRAMME n.m. 78
physiologie > neurophysiologie
Enregistrement des activités locomotrices (d'un animal).
V. actographie ; actographique
En. activity record
Es. actograma [9263]

ACTOGRAPHIE n.f. 73
physiologie > neurophysiologie
Méthode d'enregistrement de l'activité motrice.
V. actogramme ; actographique
En. actography [7225]

ACTOGRAPHIQUE adj. 73
physiologie > neurophysiologie
Propre à l'actographie.
V. actogramme ; actographie [1783]

ACTUALISATEUR n.m. 73
linguistique
Élément qui permet d'actualiser une unité de discours.
En. actuator
Es. actualizador [3665]

ACTUATEUR n.m. 74
mécanique des fluides appliquée
Dispositif de réglage automatique permettant la fermeture de vannes.
De. Betätigungsvorrichtung (f.)
En. actuator [2597]

ADACPORT n.m. 73
transport et manutention > infrastructure des transports
Aéroport destiné à recevoir des avions à décollage et atterrissage courts.
De. Kurzstartflugplatz (m.)
En. STOLport ; stolport [3131]

ADAPTIVITÉ n.f. 77
cybernétique > automatique
Aptitude d'un appareil à exécuter une tâche dans un environnement variable.
De. Anpaßbarkeit (f.)
En. adaptiveness [8297]

ADAV n.m. 76 (AVION À DÉCOLLAGE ET ATTERRISSAGE VERTICAUX)
transport et manutention > engin de transport
Aéronef capable de décoller et d'atterrir à la verticale grâce à un système de sustentation indépendant ou lié au système de propulsion.
En. V.T.O.L. [6820]

ADDENDE n.m. 74
mathématiques appliquées
Quantité à laquelle, dans une addition, est ajoutée une autre quantité appelée incrément.
V. cumulande
De. Summand (m.)
En. addend ; addendum
Es. sumendo [6713]

ADHÉSIF À CHAUD n.m. 72
économie > industrie de transformation des matières plastiques
Colle sans solvant, fondue et appliquée à chaud et dont la prise se fait par resolidification.
De. Heißkleber (m.)
En. hotmelt ; hot plastic paint [2141]

ADHÉSIVAGE n.m. 73
mécanique appliquée > revêtement
Opération qui consiste à enduire une des faces d'un matériau d'une couche adhésive.
En. glueing ; gluing [2142]

ADHÉSIVATION n.f. 74
mécanique appliquée > assemblage
Opération qui consiste à coller des surfaces à l'aide d'un adhésif.
En. glueing ; gluing [2317]

ADIATHERMIQUE adj. 77
propriété > propriété thermique
Impénétrable aux rayonnements thermiques.
De. wärmerückhaltig
En. heat-retaining
Es. adiatérmico [7641]

ADION n.m. 76
chimie > chimie du solide et du fluide
Ion adsorbé.
De. Adion (n.) ; Haftion (n.)

En. adion
Es. adión [6162]

ADJACENTE → zone — .

ADLITTORAL adj. 76
géophysique > géomorphologie
Se dit d'un espace situé au-dessus du niveau supérieur des mers à marée, soumis par intermittence à l'humectation des embruns.
V. circalittoral ; infralittoral ; médiolittoral ; supralittoral
De. adlittoral
En. adlittoral [6163]

ADLOCUTION n.f. 75
linguistique
Opération du discours qui permet de signifier à quelqu'un qu'on s'adresse à lui.
V. délocution
De. Anrede (f.)
Es. adlocución [4592]

ADOPTABILITÉ n.f. 75
réglementation, législation > droit
Ensemble des conditions requises pour adopter un enfant.
[4224 bis]

ADRÉNO-RÉCEPTEUR n.m. 78
ADRÉNORÉCEPTEUR
constituant des organismes vivants
Récepteur sur lequel se fixe l'adrénaline.
V. bêta-bloquant
De. Adrenorezeptoren (m.pl.)
En. adrenergic receptor ; adrenoreceptor ; adrenoceptor
Es. adrenoreceptor [9264]

ADOSSANT (en —) adj. 74
agronomie > technique culturale
Se dit d'un labour en planches qui commence la planche par son milieu et la termine au bord par une dérayure.
V. refendant (en —) [4593]

ADRESSE n.f. 68
information > traitement de l'information
Indicatif désignant une unité d'un ordinateur dans les instructions d'un programme.
De. Spricherplatz (m.) ; Befehlsadresse (f.)
En. address
Es. dirección [367]

ADRESSE → bus d' — ; point- — .

ADRESSER → machine à — .

ADULTOCENTRISME n.m. 74
psychologie > pathologie mentale
Tendance à considérer les choses du point de vue supposé raisonnable et logique de l'adulte.
De. Adultozentrismus (m.)
En. adultomorphism ; enelicomorphism
Es. adultocentrismo [2951]

ADVECTION n.f. 74
physique > mécanique
Part due au mouvement de la variation réelle en un point donné des propriétés d'un fluide.
De. Advektion (f.)
En. advection [1248]

AÉRATEUR DE SURFACE n.m. 71
économie > industrie anti-pollution
Machine destinée à épurer un liquide par pénétration d'air à travers sa couche superficielle.
V. aération de surface ; aération prolongée
De. Oberflächenbelüfter (m.)
En. surface aerator [8435]

AÉRATEUR EXUTOIRE n.m. 77
action sur l'environnement > ventilation
Dispositif permettant d'évacuer de l'air, des gaz, de la fumée.
En. smoke and heat vent [8436]

AÉRATION DE SURFACE n.f. 71
économie > industrie anti-pollution
Technique d'épuration d'un liquide par pénétration d'air à sa surface.
V. aérateur de surface ; aération prolongée
De. Oberflächenbelüftung (f.)
En. surface aeration [8437]

AÉRATION PROLONGÉE n.f. 71
économie > industrie anti-pollution
Technique d'épuration utilisant le principe d'oxydation totale par aération.
V. aération de surface ; aérateur de surface
En. extended aeration [8438]

AÉRIEN → chargeur — .

AÉRIENNE → phase — .

AÉRIFIÉ adj. 72
matériau > tissu (textile)
Se dit d'un tissu dont les mailles ou la trame sont suffisamment lâches et souples pour permettre à l'air de circuler.
De. atmungsaktiv ; luftdurchlässig [2318]

AÉRO → couplage- - élastique.

AÉRO-CELLULAIRE adj. 74
AÉROCELLULAIRE
propriété > propriété physico-chimique
Se dit d'un matériau poreux dont les cellules sont remplies d'air.
De. mit Lufteinschlüssen
En. aero-cellular [3842]

AÉROCLASSIFICATION n.f. 74
chimie > chimie du solide et du fluide
Classement des corps solides par différence de leurs vitesses de déplacement dans l'air ou par différence de vitesse d'entrainement dans un courant de gaz.
Es. aeroclasificación [2319]

AÉROCONTAMINANT n.m. 76
environnement et sécurité > pollution
Agent de contamination diffusé par le milieu atmosphérique.
En. air contaminant
Es. aerocontaminante [6950]

AÉRODYNAMIQUE → traînée — .

AÉROFLOTTATION n.f. 75
opération > séparation physique
Procédé d'épuration des eaux usées opéré à l'aide d'un courant gazeux.
V. électroflottation
En. air-flotation
Es. aereoflotación [5472]

AÉROGÈNE adj. 75
circonstance opératoire
Engendré ou transmis par l'air.
De. aus der Luft
En. aerogenic
Es. aerógeno [5220]

AÉROGÉNÉRATEUR n.m. 74
énergie (technologie) > conversion d'énergie
Machine qui permet de transformer l'énergie éolienne en énergie électrique.
De. Windgenerator (m.)
En. aerogenerator
Es. aerogenerador [3487]

AÉROGLISSIÈRE n.f. 74
économie > industrie chimique
Enceinte fermée conçue pour le transport de produits pulvérulents.
En. air slide [1961]

AÉROPHONE n.m. 77
arts > musique
En Afrique, type d'instrument à vent.
De. Aerophon (n.)
En. aerophone [8192]

AÉRORÉFRIGÉRÉ adj. 77
action sur l'environnement > échange de chaleur
Refroidi en utilisant l'air comme fluide réfrigérant.
V. hydroréfrigéré
De. Luftgekühlt
En. air-cooled
Es. refrigerado por aire [8193]

AÉROSURFACE n.f. 74
transport et manutention > infrastructure des transports
Emplacement utilisé par des avions à titre exceptionnel ou temporaire.
De. Start- und Landeplatz (m.)
En. aerosurface [6023]

AÉROTHERMOCHIMIE n.f. 70
physique > mécanique
Discipline étudiant les problèmes des écoulements en aérodynamique à grande vitesse qui sont le siège de réactions chimiques avec transfert de chaleur et de masse.
De. Aerothermochemie (f.)
En. aerothermochemistry [1606]

AFFACTURAGE n.m. 74
gestion, organisation, administration > gestion financière
Opération ou technique de gestion financière par laquelle, dans le cadre d'une convention, un organisme spécialisé gère les comptes-clients d'entreprises en acquérant leurs créances, en assurant le recouvrement pour son propre compte et en supportant les pertes éventuelles sur des débiteurs insolvables.
De. Factoring (n.)
En. factoring [1962]

AFFECTIF → socio- — .

AFFICHAGE ÉLECTROLYTIQUE n.m. 78
électronique > radiotechnique
Procédé de visualisation de l'information par dépôt d'un film d'argent à la surface de l'électrode transparente d'une cellule à électrolyse.
V. afficheur électrolytique
De. elektrolytische Anzeige (f.)
En. electrolytic display [8849]

AFFICHEUR → tube — .

AFFICHEUR ACTIF n.m. 77
électronique > radiotechnique
Afficheur qui produit lui-même les rayonnements lumineux qu'il diffuse sous l'action d'un courant ou d'un champ électrique.
V. afficheur passif [8575]

AFFICHEUR ÉLECTROLYTIQUE n.m. 78
électronique > radiotechnique
Afficheur passif qui fonctionne par dépôt d'un film d'argent à la surface de l'électrode transparente d'une cellule à électrolyse.
V. affichage électrolytique ; afficheur passif
De. Elektrolytische Anzeige (f.)
En. electrochemical display ; electrochemical plating display [8987]

AFFICHEUR PASSIF n.m. 77
électronique > radiotechnique
Afficheur qui ne produit pas directement les rayonnements lumineux qu'il diffuse mais ne fait que transmettre, en la modulant, la lumière qu'il reçoit d'une source extérieure.
V. afficheur actif [8576]

AFFICHEUR RÉFLECTIF n.m. 78
électronique > radiotechnique
Afficheur passif susceptible de diffuser, par réflexion, tout ou partie des rayonnements qu'il reçoit d'une source lumineuse extérieure.
V. afficheur passif ; afficheur transflectif ; afficheur transmissif
En. *reflection display ; reflective display* [8988]

AFFICHEUR TRANSFLECTIF n.m. 78
électronique > radiotechnique
Afficheur passif susceptible de diffuser, par transmission ou par réflexion, tout ou partie des rayonnements qu'il reçoit d'une source lumineuse extérieure.
V. afficheur passif ; afficheur réflectif ; afficheur transmissif [8989]

AFFICHEUR TRANSMISSIF n.m. 78
électronique > radiotechnique
Afficheur passif susceptible de diffuser, par transmission, tout ou partie des rayonnements qu'il reçoit d'une source lumineuse extérieure.
V. afficheur passif ; afficheur réflectif ; afficheur transmissif
En. *transmission display ; transmissive display* [8990]

AFFINITÉ → chromatographie d' — .

AFFLEURAGE n.m. 76
mécanique appliquée > enlèvement de matière
Opération qui consiste à mettre au même niveau deux éléments contigus par enlèvement de matière.
De. *Bündigmachen (n.)* [7364]

AFFLEUREUSE n.m. 75
mécanique appliquée > machine outil
Outil qui sert à mettre au même niveau deux pièces de bois contiguës.
En. *router plane* [5221]

AFFRANCHISSEMENT n.m. 73
électrotechnique > circuit d'alimentation électrique
Transformation du défaut fluctuant (ou non franc) d'un câble en défaut franc.
De. *Brenneinrichtung (f.)*
En. *burning* [195]

AFFRANCHISSEUSE n.f. 76
automatisme > équipement automatique
Machine destinée à affranchir le courrier ou le matériel à expédier.
De. *Freistempler (m.)*
En. *franking machine ; postage meter ; postal meter*
Es. *franqueadora* [5752]

AFRICANISTIQUE n.f. 76
linguistique
Étude des langues et des civilisations africaines.
De. *Afrikanistik (f.)*
En. *africanistics*
Es. *africanística* [6821]

AFRICANITUDE n.f. 74
sociologie
Ensemble des valeurs culturelles et spirituelles de l'Afrique Noire [1427]

AFRICANOPHONE adj. 76
linguistique
Qui parle habituellement une langue africaine.
V. africanophonie
En. |*African-speaking*
Es. *africanófono* [5886]

AFRICANOPHONIE n.f. 76
linguistique
Ensemble des communautés qui parlent des langues africaines.
V. africanophone
En. *African-speaking peoples*
Es. *africanofonía* [5887]

AGAROSE n.m. 74
constituant des organismes vivants
Polysaccharide dépourvu de groupement acide, constituant principal de la gélose.
De. *Agarose (f.)*
En. *agarose*
Es. *agarosa* [4227 bis]

ÂGE → quatrième — .

AGÉISME n.m. 77
sociologie
Discrimination à l'encontre des personnes âgées.
En. *ageism ; agism* [8298]

AGENCIER n.m. 74
information > diffusion de l'information
Journaliste attaché à une agence de presse.
De. *Agenturjournalist (m.)*
En. *news agency correspondent* [3668]

AGENT DE PONTAGE n.m. 74
matériau > produit chimique
Composé chimique destiné à éliminer les effets de l'eau à l'interface des deux matières d'un matériau composite et à améliorer ses propriétés physiques.
En. *bridging agent* [2776]

AGENT DE SURFACE n.m. 74
matériau > agent de surface
Produit qui a la propriété d'abaisser la tension superficielle d'un liquide.
De. *oberflächenaktiver Stoff (m.)*
En. *surface-active agent ; surfactant* [3488]

AGENT MOUILLANT n.m. 73
matériau > produit chimique
Corps dont la présence permet d'abaisser la tension à l'interface entre les phases.
De. *Netzmittel (m.)*
En. *wetting agent ; wetting-out agent* [1249]

AGGLUTINOSCOPE n.m. 77
génie biomédical > appareillage médical
Appareil qui permet d'observer un phénomène d'agglutination.
De. *Agglutinoskop (n.)*
En. *agglutinoscope*
Es. *aglutinoscopio* [8194]

AGILE EN FRÉQUENCE adj. 77
électronique > équipement électronique
Se dit d'un dispositif qui émet des impulsions de puissance à une fréquence variant aléatoirement d'une impulsion à l'autre à l'intérieur d'une bande de modulation la plus large possible.
V. agilité de fréquence
En. *frequency-agile* [8713]

AGILITÉ DE FRÉQUENCE n.f. 75
électronique > équipement électronique
Caractéristique d'un dispositif agile en fréquence.
V. agile en fréquence ; vivacité de fréquence [4378]

AGONISTE adj. 76
physique > physique des particules
Se dit d'une molécule qui, présentant une ressemblance avec un médiateur défaillant, peut en reproduire les effets.
V. antagoniste [4487]

AGONISTE adj. 77
pharmacologie > toxicologie
Se dit d'une drogue ayant avec un récepteur des relations de complémentarité.
V. antagoniste
En. *agonistic* [8714]

AGRADATION n.f. 67
géologie > pédologie
Processus de transformation des argiles dans lequel une argile instable passe par fixation de substances à une argile stable.

En. aggradation
Es. agradación [6165]

AGRÉGOCOAGULOMÈTRE n.m. 77
génie biomédical > appareillage médical
Appareil qui permet de déterminer la sensibilité des plaquettes sanguines à l'agrégation et le temps des coagulations.
En. agregocoagulómetro [8577]

AGRESSANT n.m. 76
environnement et sécurité > pollution
Substance susceptible de provoquer des dommages.
De. Schadstoff (m.)
En. contaminant [7226]

AGRESSIF adj. 74
propriété > propriété chimique
Se dit d'un agent qui attaque certaines substances.
De. ätzend
En. aggressive ; highly corrosive
Es. agresivo [4594]

AGRESSIVITÉ n.f. 72
environnement et sécurité > pollution
Pouvoir corrosif.
De. Aggressivität (f.)
En. aggressiveness [7917]

AGRESSOLOGIE n.f. 71
pathologie animale > étiologie et pathogénie
Science qui traite de toute agression de l'organisme par un ou plusieurs agents physiques, chimiques, psychiques ou biologiques.
De. Aggressologie (f.)
En. aggressology [2777]

AGRICOLE → artisano- — .

AGRIPOUVOIR n.m. 77
économie > économie rurale
Pouvoir économique conféré par une agriculture puissante.
De. Agrarmacht (f.) [7501]

AGRI-SYLVICULTURE n.f. 78
AGRISYLVICULTURE
agronomie > technique culturale
Type de culture associant une plantation d'arbres à des semis de plantes.
Es. agrisilvicultura [9128]

AGRITOURISME n.m. 77
vie quotidienne > loisirs
Type de tourisme pratiqué en milieu rural.
De. Ferien (f.pl.) auf dem Bauernhof [8054]

AGRO-ARCHÉOLOGUE n. 78
AGROARCHÉOLOGUE
histoire
Archéologue qui étudie les système agricoles anciens.
De. Agrararchäologe (m.)
En. agricultural archaeologist ; agroarchaeologist [9129]

AGROBIOLOGIE n.f. 74
agronomie > technique culturale
Biologie appliquée à l'agriculture.
De. Agrobiologie (f.)
En. agrobiology [1784]

AGRO-CLIMATOLOGIE n.f. 72
AGROCLIMATOLOGIE
géophysique > climatologie
Étude des incidences du climat sur les activités et les productions agricoles.
De. Agrarklimatologie (f.)
En. agroclimatology
Es. agroclimatología [8440]

AGROÉCOSYSTÈME n.m. 72
écologie > écosystème
Écosystème dominé par l'action permanente de l'homme en

tant qu'agriculteur.
De. Agroökosystem (n.)
En. agroecosystem [8]

AGRO-INDUSTRIE n.f. 75
économie > industrie agricole et alimentaire
Type d'industrie qui traite certaines productions agricoles.
De. Landwirtschaftsindustrie (f.)
En. agro-industry
Es. industria agraria [4126 bis] [4229 bis]

AGROMONÉTAIRE adj. 75
économie > économie rurale
Se dit de mesures financières appliquées à l'agriculture.
De. agrarmonetär
En. agro-monetary
Es. agromonetario [4595]

AGROPHARMACIE n.f. 74
pharmacologie > activité pharmacologique
Étude des substances et préparations destinées à la protection ou à l'amélioration de la production agricole.
De. Agropharmazeutik (f.)
En. control products study
Es. agrofarmacología [3132]

AGROSTOLOGUE n. 74
agronomie > production végétale
Botaniste spécialisé dans l'étude des graminées et des formations végétales à base de graminées.
De. Agrostologe (m.)
En. agrostologist [8578]

AGROTECHNICIEN n.m. 77
économie > industrie agricole et alimentaire
Technicien des industries agroalimentaires.
De. Agrotechniker (n.)
Es. técnico agricola [7502]

AGRO-TERTIAIRE n.m. 77
AGROTERTIAIRE
économie > économie rurale
Secteur économique consacré à la gestion de l'agriculture.
De. landwirtschaftlicher Dienstleistungsbereich (m.) [7503]

AGRUMICOLE adj. 79
agronomie > production végétale
Qui produit des agrumes.
De. Zitrusfrüchteanbau
En. citrus-producing [9265]

AHERMATYPIQUE adj. 77
organisme vivant > animal
Se dit des coraux qui ne construisent pas de récifs et vivent à toutes profondeurs.
V. hermatypique
En. ahermatypic [8055]

AIDE ESTIMATEUR n.m. 71
AIDE-ESTIMATEUR
économie > industrie de la céramique
Spécialiste de l'estimation des défauts de fabrication d'un carreau après le polissage.
En. assistant estimator [1610]

AIDE SENIOR n.f. 78
AIDE-SENIOR
économie > travail (main-d'œuvre)
En Belgique, aide familiale attachée aux personnes âgées.
De. Altenpflegerin (f.) ; Altenpfleger (m.) [9266]

AIGRETTAGE n.m. 72
physique > électricité
Formation des petits arcs à la surface d'un conducteur lorsque la différence de potentiel conducteur-sol est élevée.
De. Büschelentladung (f.)
En. corona discharge [6301]

AIGUILLE → machine à — flottante.

AIGUILLES → fraisage- — ; fraise- — .

AILE SANS PILOTE n.f. 73
transport et manutention > engin de transport
Type d'appareil en forme d'aile unique naviguant sans pilote.
De. unbemanntes Nurflügelluftfahrzeug (n.) [1963]

AILE SUPERCRITIQUE n.f. 74
mécanique appliquée > organe de machine
Aile d'avion bombée dessous et plate dessus, de forme inverse d'une aile classique.
De. superkritischer Flügel (m.)
En. supercritical wing ; supercritical wing profile [2144]

AILE-TROMPE n.f. 73
mécanique appliquée > organe de machine
Aile creuse à son bord de fuite qui utilise le phénomène de trompe pour recevoir les gaz d'échappement des réacteurs.
En. augmenter wing with jet flap [371]

AILE VOLANTE n.f. 76
sport
Type de planeur ultraléger où le pilote n'est maintenu que par un harnais.
V. libériste
De. Nurflügelflugzeug (n.)
En. sailwing [6437]

AIR → — - — ; chauffe- — ; directeur d' — ; film d' — ; portée d' — ; presse à — ; rideau d' — ; veine d' — .

AIR-AIR adj. 75
mécanique appliquée > véhicule
Se dit d'un engin tiré à partir d'un dispositif en vol en direction d'un autre mobile en vol.
V. air-sol
De. Luft/Luft-
En. air-to-air
Es. aire-aire [5222]

AIRE n.f. 74
géologie > gitologie
Gisement métallifère de dimensions linéaires horizontales supérieures à 100 km.
V. champ ; corps minéralisé ; district ; province
En. area [3489]

AIRE > école à — ouverte.

AIRE ANTHROPOLOGIQUE PROTÉGÉE n.f. 75
environnement et sécurité > protection
Zone consacrée au maintien de modes de vie menacés par la civilisation moderne.
V. aire de nature sauvage ; paysage cultivé ; préparc ; réserve naturelle dirigée ; réserve naturelle intégrale
De. geschützte Kulturlandschaft (f.)
En. protected nature reserve [4944]

AIRE DE LANCEMENT n.f. 73
transport et manutention > infrastructure des transports
Plate-forme où sont réunis les équipements qui assurent le support de l'engin spatial, l'accès, la protection et la préparation, l'alimentation par les installations au sol.
De. Startplattform
En. launch pad ; launching pad [538]

AIRE DE NATURE SAUVAGE n.f. 75
environnement et sécurité > protection
Zone conservée à l'état de nature en vue de sa protection et de la recréation des populations.
V. aire anthropologique protégée ; paysage cultivé ; préparc ; réserve naturelle dirigée ; réserve naturelle intégrale
De. Naturdenkmal (n.)
En. wilderness area [4945]

AIRE DE REFUGE n.f. 70
sociologie
Zone urbaine délaissée par la majorité des habitants à cause des conditions peu favorables qu'elle présente et où vont s'établir les minorités qui ne peuvent accéder au niveau de vie général.
V. aire intersticielle ; aire marginale
De. Ausweichzone (f.)
En. refuge area
Es. área de refugio [5082]

AIRE INTERSTITIELLE n.f. 70
sociologie
Zone urbaine de résidence détériorée par son contact avec un centre industriel ou commercial et marquée par la désorganisation sociale.
V. aire de refuge ; aire marginale
De. Zwischenbezirke (m.)
En. interstitial area
Es. área interstical [5083]

AIRE MARGINALE n.f. 70
sociologie
Territoire adjacent à deux aires culturelles différentes et qui reçoit des influences de l'une et de l'autre.
V. aire de refuge ; aire interstitielle
De. Grenzgebiet (n.)
En. marginal area
Es. área marginal [5084]

AIR PONIQUE adj. 75
agronomie > technique culturale
Se dit d'une culture de végétaux dont les racines sont exposées à l'air et arrosées par une solution nutritive.
De. Luftkultur (f.)
En. ponic air
Es. aeropónico [4946]

AIR PRIMAIRE n.m. 75
énergie (technologie) > combustion
Air nécessaire à la combustion du foyer.
V. air secondaire
De. Erstluft (f.)
En. primary air [4201]

AIR SECONDAIRE n.m. 75
énergie (technologie) > combustion
Air amené au-dessus de la zone de combustion pour enflammer l'oxyde de carbone produit.
V. air primaire
De. Zweitluft (f.)
En. secondary air [4202]

AIR-SOL adj. 75
mécanique appliquée > véhicule
Se dit d'un engin tiré à partir d'un dispositif de lancement aérien en direction du sol.
De. Luft/Boden-
En. air-ground ; air-to-surface
Es. aire-tierra [5223]

AIRSTAT n.m. 77
action sur l'environnement > échange de chaleur
Dispositif destiné à maintenir dans certaines conditions l'atmosphère d'une enceinte.
De. Temperaturregler (m.) [7779]

AISÉ → axe — .

AJUSTEMENT → sur- — .

ALARME AVEUGLE n.f. 75
environnement et sécurité > dispositif de sécurité
Dispositif d'alarme ne comportant pas d'affichage visuel du seuil d'alarme. [4230 bis]

ALARMONE n.f. 76
biochimie
Signal biochimique hormonal élaboré par un organisme en réponse à une agression.
De. Alarmon (n.)
En. alarmone [8299]

ALBIQUE adj. 76
géologie > pédologie
Se dit d'un horizon pédologique blanchi par le lessivage ou la dégradation.
V. accumulique ; dystrochrique ; fragique
En. albic
Es. álbico [7642]

ALBITISÉ adj. 78
géologie > roche
Se dit d'une roche dont le feldspath a été transformé en albite (albitisation).
De. albitisiert
En. albitised
Es. albitizado [8993]

ALCOOL → bio- — .

ALCOOLEPTIQUE n.m. 74
génie biomédical > pharmacothérapie
Produit pharmaceutique employé en thérapeutique pour amoindrir les symptômes de l'alcoolisme.
De. Alkoholeptikum (n.)
Es. alcoholéptico [4231 bis]

ALCOOLOGIE n.f. 74
pharmacologie > toxicologie
Étude des effets de l'alcool sur l'individu et la société.
V. alcoologue
De. Alkohologie (f.)
En. alcohology
Es. alcohología [3490]

ALCOOLOGUE n. 74
pharmacologie > toxicologie
Spécialiste des problèmes de l'alcoolisme.
V. alcoologie
De. Alkohologe (m.)
En. alcohologist
Es. alcohólogo [4127 bis]

ALCOOLOMANE n. 74
pharmacologie > toxicologie
Alcoolique qui éprouve un besoin constant d'alcool entraîné par l'accoutumance.
De. Alkoholiker (m.)
En. alcohol addict
Es. alcohómano [4128 bis]

ALÉATION n.f. 70
génie biomédical > analyse biologique
Prélèvement au hasard.
De. Chaotisierung (f.) ; Randomisation (f.)
En. randomization [2778]

ALGACÉ adj. 73
organisme vivant > végétal
Qui ressemble à une algue.
V. algal
De. algenartig
En. algal [1964]

ALGAL adj. 73
organisme vivant > végétal
Qui se rapporte à une algue.
V. algacé ; unialgal
De. Algen-
En. algal [1965]

ALGICIDE n.m. 74
matériau > pesticide
Produit qui détient les algues ou empêche leur prolifération.
De. Algenvernichtungsmittel (n.) ; Algizid (n.)
Es. algaecide ; algicide [3669]

ALGORITHMISATION n.f. 75
logique
Transcription en langage algorithmique.
De. Übersetzung in eine algorithmische Sprache

En. algorithmization
Es. algoritmización [4947]

ALGOTHÈQUE n.f. 76
organisme vivant > végétal
1) Collection d'algues.
2) Endroit où sont conservées les algues.
De. Algensammlung (f.)
Es. algoteca [7366]

ALGUES BLANCHES n.f. pl. 79
gestion, organisation, administration > aménagement du territoire
Algues artificielles fixées sur un tapis synthétique lesté et maintenu au fond de l'eau en vue d'éviter l'érosion des plages.
De. weiße Algen (f.) [9267]

ALIBILE adj. 74
botanique
Susceptible d'être mangé, broûté par les animaux.
En. alibil [8715]

ALIGNEMENT n.m. 74
économie > crédit
Fait de s'aligner sur les conditions de la concurrence en matière de crédit.
En. matching
Es. alinación [3491]

ALIMENTAIRE → chaîne — .

ALIMENT SEMI-HUMIDE n.m. 74
matériau > produit alimentaire
Produit alimentaire de conserve partiellement déshydraté et enrichi.
En. semimoist food
Es. alimento semihúmedo [7918]

ALLÈGEMENT n.m. 71
arts > peinture (arts)
Enlèvement partiel du vernis de façon à laisser intacte la mince pellicule qui a pénétré dans la couche picturale lors du vernissage du tableau.
De. Firnisabnahme (f.)
En. partial varnish removal [7643]

ALLERGÉNICITÉ n.f. 74
immunologie
Caractère d'une substance susceptible de provoquer une réaction allergique.
En. allergenicity
Es. alergicidad [2320]

ALLITISATION n.f. 77
géochimie
Libération de l'alumine de l'édifice cristallin des silicates, à la suite d'une forte hydrolyse et de l'intense renouvellement des solutions.
En. allitization ; allite formation [6951]

ALLO-ANTICORPS n.m. 72
ALLOANTICORPS
immunologie
Anticorps provenant de l'immunisation d'un individu d'une espèce donnée par des antigènes d'un autre individu de la même espèce.
De. allogener Antikörper (m.)
En. allo-antibody [9]

ALLOANTIGÈNE n.m. 76
immunologie
Antigène génétiquement différent d'un autre antigène.
En. alloantigen
Es. aloantígeno [6438]

ALLOCATION DYNAMIQUE n.f. 75
informatique > unité centrale
Attribution en cours de traitements et sous le contrôle d'un système d'exploitation, de zones distinctes dans la mémoire centrale d'un ordinateur afin de permettre des utilisations

simultanées de cette mémoire.
De. dynamische Zuweisung (f.)
En. dynamic allocation
Es. distribución dinámica [5474]

ALLOCHROMATIQUE adj. 75
physique > optique
Se dit d'un minéral dont la couleur a pour origine des
substances d'origine étrangère.
V. idiochromatique
De. allochromatisch
En. allochromatic
Es. alocromático [5475]

ALLOCHTONIE n.f. 74
géologie > pédologie
Formation d'un sol sur des matériaux transportés et/ou
remaniés.
De. allochthone (Boden-) Bildung (f.)
En. allochtonous development
Es. aloctonía [3670]

ALLOGAME adj. 72
physiologie > reproduction (physiologie)
Se dit de végétaux dont la fécondation naturelle fait intervenir
préférentiellement des individus différents.
De. allogamisch
En. allogamous [1250]

ALLOGÉNIQUE adj. 73
tissu (biologie) >tissu animal
Se dit d'un tissu ou d'un organe provenant d'un individu de la
même espèce mais de constitution antigénique différente.
De. allogen
En. homologous (graph)
Es. alogénico [2421]

ALLOGRAPHE n.m. 75
information > document
Représentation concrète ou l'une des représentations concrè-
tes d'un graphème.
De. Allograph (m.)
En. allograph
Es. alógrafo [5753]

ALLOGREFFE n.f. 75
génie biomédical > chirurgie
Greffe réalisée entre un donneur et un receveur appartenant à
la même espèce mais différant par un ou plusieurs gènes et
antigènes d'histocompatibilité.
V. autogreffon ; isogreffe ; xénogreffe
En. allograft ; homograft
Es. aloinjerto [6439]

ALLO-IMMUNISATION FOETO-MATERNELLE
n.f. 72
ALLO-IMMUNISATION FŒTOMATERNELLE
génétique > immunogénétique
Production d'anticorps leucocytaire et antiplaquettaire par la
mère, quel que soit le groupe sanguin du fœtus.
De. Alloimmunisierung (f.)
En. alloimmunization [539]

ALLOPOLLEN n.m. 77
physiologie > physiologie végétale
Pollen d'une fleur transplanté sur le pistil d'une autre fleur.
De. Fremdpollen (m.)
Es. alopolen [7367]

ALLOPRÈNE n. m. 73
chimie > composé chimique
Composé chimique à base de résine de caoutchouc chloré.
[1428]

ALLOSTÉRIQUE adj. 76
constituant des organismes vivants
Propre à l'allostérie.
De. allosterisch
En. allosteric
Es. alostérico [5609]

ALLOTEMENT n.m. 75
zootechnie
Répartition en lots de jeunes animaux d'élevage pour faciliter
leur traitement et leur engraissement.
De. Zuweisung (f.)
En. allotment [4765]

ALLOTISSEMENT n.m. 74
transport et manutention > transport
Opération qui consiste à entreposer des marchandises, dans un
ordre qui facilite leur reconnaissance par leur propriétaire et
leur enlèvement une fois accomplies les formalités douanières.
De. empfängerorientierte Lagerung (f.)
En. allotment [1429]

ALLOTYPE n.m. 74
systématique
Premier spécimen du sexe opposé à celui de l'holotype
permettant la description d'une espèce.
V. paratype ; syntype
De. Allotyp (m.)
En. allotype
Es. alotipo [3492]

ALLOTYPE n.m. 72
immunologie
Protéine plasmatique acquise génétiquement et présentant des
différences par rapport au type habituel.
V. allotypie
En. allotype [540]

ALLOTYPIE n.f. 73
immunologie
Différence antigénétique existant entre les protéines sériques
chez une même espèce animale.
V. allotype
De. Allotypie (f.)
Es. alotipia [2422]

ALLUME-VITRINE n.m. 78
action sur l'environnement > éclairage
Dispositif permettant d'éclairer une vitrine uniquement lors
du passage d'une personne à proximité.
En. window illumination system [9130]

ALLURE n.f. 73
économie > travail (main-d'œuvre)
Vitesse instantanée de production d'un effet utile.
V. allure-étalon
De. Leistungsgrad (m.)
En. pace ; rate ; tempo [1071]

ALLURE-ÉTALON n.f. 73
économie > travail (main-d'œuvre)
Allure de référence correspondant à celle d'un ouvrier moyen.
V. allure
De. Normalleistung (F.)
En. standard pace ; standard rating [1072]

ALPAGER adj. 77
zootechnie
Propre à l'alpage.
De. almwirtschaftlich [8056]

ALPHA-BLOQUANT n.m. 78
ALPHABLOQUANT
pharmacologie > médicament
Substance inhibitrice des récepteurs alpha-adrénergiques.
V. bêta-bloquant
*En. alpha-adrenergic blocking agent ; alpha-receptor blocking
drug* [9268]

ALPHA DE ROSSI n.m. 71
technique nucléaire
Inverse de la constante de tension d'un réacteur qui serait
obtenue si aucun neutron retardé n'était émis.
De. Rossi-Alpha (m.)
En. Rossi alpha particle
Es. alfa de Rossi [2600]

ALSACIANITÉ n.f. 76
sociologie
Qualité de ce qui est alsacien.
V. antillanité ; arabité ; catalanité ; créolité ; indianité ;
lusitanité
De. Elsässertum (n.)
En. Alsatianity ; Alsatianness
Es. alsacianidad [6715]

ALTAZIMUTAL adj. 77
sciences de l'espace
Se dit d'un instrument qui permet de suivre un astre en
hauteur et en azimut.
De. altazimuthal
En. altazimutal
Es. altoazimutal [8579]

ALTÉRAGÈNE n.m. 72
environnement et sécurité > environnement
Substance ou facteur qui provoque une altération de l'environ-
nement.
V. altéralogie
De. Umweltveränderungsfaktor (m.) [10]

ALTÉRALOGIE n.f. 74
environnement et sécurité > environnement
Étude des altérations de l'environnement.
V. altéragène ; altéramétrie
En. alteralogy
Es. alterología [3312]

ALTÉRAMÉTRIE n.f. 76
environnement et sécurité > environnement
Étude et mesure des critères, normes et données relatifs aux
altérations de l'environnement.
V. altéralogie
En. alterametry [6166]

ALTÉRITE n.f. 77
géophysique > géomorphologie
Produit plus ou moins friable de l'altération d'une roche en
place.
En. alterite
Es. alterita [6952]

ALTERNANCE → enseignement par — .

ALTERNANT n.m. 76
enseignement
Étudiant qui poursuit des études alternées avec des stages
professionnels.
V. enseignement par alternance
En. alternant ; sandwich student [6302]

ALTERNOSTAT n.m. 73
électrotechnique > transformateur électrique
Autotransformateur à bobinage torique dont le rapport de
transmission est progressivement variable.
En. variac [1252]

ALTICOLE adj. 76
botanique
Qui vit en altitude.
Es. altícolo [7504]

ALTISURFACE n.f. 74
transport et manutention > infrastructure des transports
Type d'aérosurface située en montagne.
V. aérosurface [6023]

ALUCHROMISTE n. 74
arts > peinture (arts)
Artiste qui applique puis fixe chimiquement des teintes semi-
transparentes sur une plaque d'aluminium anodisée.
En. aluchromist [1967]

ALUMINIER n.m. 74
transport et manutention > engin de transport
Navire destiné au transport de l'alumine.

De. Bauxit-Frachter (m.)
En. alumina carrier [3134]

ALVÉOLAIRE → espace — ; plancher — .

ALVÉOLE n.m. 75
mécanique appliquée > organe de machine
Sillon hélicoïdal creusé dans l'un des rotors d'un hélicomoteur.
V. lobe
De. konkaver Zahn (m.)
En. guide-slot
Es. alveolo [4948]

ALVÉOLE TECHNIQUE n.f. 70
bâtiment et travaux publics > construction
Local qui regroupe les appareils individuels de chauffage et de
production d'eau chaude des appartements du même palier
d'un immeuble collectif.
De. technische Zelle (f.) [1612]

AMAGNÉTIQUE adj. 74
propriété > propriété magnétique
Se dit de certains aciers ou fontes au manganèse ou au nickel
qui ne donnent aucun point de transformation au-dessus de la
température ordinaire.
De. amagnetisch
En. non-magnetic
Es. amagnético ; no magnético [2423]

AMAS n.m. 78
mathématiques
Collection d'objets hiérarchisés.
V. amassement
Es. nubes [8580]

AMAS → super — .

AMASSEMENT n.m. 78
mathématiques
Ensemble d'amas.
V. amas
Es. arrumazón [8581]

AMATOXINE n.f. 73
pathologie animale > agent toxique
Toxine présente dans l'amanite.
De. Amatoxin (n.)
En. amanita toxin [716]

AMBIGÜIMÈTRE n.m. 76
AMBIGÜIMÈTRE
instrumentation > équipement optique
Appareil permettant d'obtenir un ensemble de produits de
convolution de deux grandeurs analogiques et utilisé pour le
calcul de la fonction d'ambiguïté d'un signal.
V. convolueur [7368]

AMBILATÉRALITÉ n.f. 72
physiologie > neurophysiologie
Absence de dominance fonctionnelle d'un côté du corps sur
l'autre. [4129 bis]

AMBILOCAL adj. 77
sociologie
Se dit de la résidence qu'un couple marié peut établir à
proximité de celle des parents de l'un ou de l'autre des
conjoints.
V. matrilocalité ; patrilocalité
En. ambilocal [7369]

AMBIOLOGIE n.f. 77
psychologie > psychophysiologie
Étude de l'ambiance (cadre, milieu, conditions) dans laquelle
vivent les individus. [7919]

AMBIOPHONIE n.f. 75
physique > acoustique
Stéréophonie qui utilise quatre voies séparées transmettant
chacune un signal sonore différencié afin de créer une
ambiance musicale totale.

V. ambiophonique ; tétraphonie
De. Quadrophonie (f.)
En. quadriphonic system ; ambiophony ; quadriphony ; tetraphony
Es. ambifonia [4203]

AMBIOPHONIQUE adj. 75
physique > acoustique
Relatif à l'ambiophonie.
V. ambiophonie
De. quadro- ; Quadro-
En. ambiophonic [5610]

AMBIOTHÉRAPIE n.f. 77
génie biomédical > psychothérapie
Traitement psychothérapeutique consistant à placer le malade dans l'ambiance la plus propre à favoriser sa guérison.
En. milieu therapy
Es. ambientoterapia [7920]

AMBULANCE n.f. 76
zootechnie
Type d'élevage consistant, pour celui qui possède un troupeau et pas de terres, à échanger la fumure de ses animaux contre l'autorisation de pacage sur certaines parcelles.
De. Wanderschäferei (f.) [6025]

AMBULATION n.f. 72
arts > photographie
Effet de variation du cadrage des images obtenu par déplacement de l'appareil de prise de vues.
De. Fachaufnahme (f.)
En. dolly shot ; follow shot ; tracking shot ; travelling shot ; truck shot [717]

AMBULATOIRE adj. 76
médecine > équipement médical
Relatif à un malade qui n'est pas hospitalisé.
De. ambulant
En. ambulatory ; ambulant
Es. ambulatório [5476]

AMÉLOGÉNINE n.f. 74
constituant des organismes vivants
Protéine de l'émail dentaire jeune. [2145]

AMÉNAGEMENT → macro- — ; micro- — .

AMENÉE → bande d' — .

AMENEUR n.m. 74
matériel agricole
Organe en forme de râteau qui reprend le fourrage au sortir du ramasseur et l'engage face au piston de la presse.
De. Zubringer (m.)
En. rake [4598]

AMENSALISME n.m. 74
écologie > synécologie
Relation qui s'établit entre deux ou plusieurs organismes du fait de leur coexistence dans un biotope et qui entraîne des dommages unilatéraux.
En. amensalism
Es. amensalismo [2601]

AMÉRICAIN → moulin — .

AMÉRICAINE (à l' —) adj. 74
bâtiment et travaux publics > élément d'ouvrage du bâtiment
Se dit d'une porte composée de panneaux jointifs articulés entre eux qui, après une montée verticale jusqu'en haut de la baie s'effacent horizontalement sous le plafond au moyen de guidages courbes.
V. portefeuille (en—) [2420]

AMÉRINDOPHONE adj. 75
linguistique
Qui parle une langue indienne ou esquimaude d'Amérique.
En. amerindophone
Es. amerindófono [4599]

AMÉRISANT adj. 72
matériau > additif
Se dit d'un additif alimentaire utilisé pour donner une saveur amère.
En. bittering ; embittering [200]

AMINERGIQUE adj. 73
tissu (biologie) > tissu animal
Qui agit par libération d'une amine.
De. aminergisch
En. aminergic
Es. amienergico [3844]

AMINO-FONCTIONNEL adj. 74
AMINOFONCTIONNEL
matériau > polymère (matériau)
Qui possède la fonction amine.
En. aminic
Es. amino-funcional [2780]

AMINOSUCRE n.m. 68
constituant des organismes vivants
Sucre comportant des groupes amines.
De. Aminozucker (m.)
En. aminosugar [1613]

AMMONIATION n.f. 73
technologie des matériaux > génie chimique
Opération consistant à introduire de l'ammoniac ou une solution azotée dans un produit.
De. Ammonierung (f.)
En. ammoniation [1073]

AMNÉMONIQUE → aphasie — .

AMNIOCENTÈSE n.f. 74
génie biomédical > analyse biologique
Ponction du sac amniotique et prélèvement du liquide amniotique en vue d'en analyser les caractères chimiques, spectrophotométriques et cytogénétiques.
De. Amnioskopie (f.)
En. amniocentesis [3135]

AMODAL adj. 71
sociologie
Relatif à une réalité qui ne présente aucun caractère spécifique saillant.
V. multimodal ; unimodal
En. amodal
Es. amodal [4021]

AMORCEUR n.m. 72
matériau > produit chimique
Agent chimique qui déclenche une réaction. [1430]

AMORPHISATION n.f. 74
géologie > métamorphisme
Passage (d'un cristal) à l'état amorphe.
De. Amorphisation (f.)
Es. amorfización [7645]

AMPÈREMÉTRIQUES → pinces — .

AMPHIBARGE n.f. 75
transport et manutention > engin de transport
Plate-forme de transport amphibie sur coussins d'air destiné au trafic portuaire des marchandises.
De. amphibischer Leichter (m.)
En. amphibarge [4949]

AMPLIFICATEUR À TURBULENCE n.m. 73
électronique > circuit électronique
Élément binaire d'un circuit logique fonctionnant par la mise en turbulence sur commande d'un jet laminaire de fluide.
De. Turbulenzverstärker (m.)
En. turbulence amplifier [372]

AMPLIFIÉE → téléphonie — .

AMYLOGRAPHE n.m. 75
technologie des matériaux > génie alimentaire
Appareil destiné à mesurer le pouvoir enzymatique des farines.
De. Amylograph (m.)
En. amylograph
Es. amilógrafo [4767]

ANABOLISANT n.m. 75
pharmacologie > médicament
Stéroïde apparenté à la testostérone, favorisant l'anabolisme
des protéines.
De. anaboles Steroid (n.) ; Anabolikum (n.) [5226]

ANACLINAL adj. 77
géophysique > hydrographie
Se dit des artères du réseau hydrographique dont la direction
d'écoulement est contraire au pendage.
En. a aclinal
Es. anaclinal [6953]

ANACULTURE n.f. 73
microbiologie
Culture bactérienne en bouillon rendue stérile et utilisée pour
la vaccination prophylactique.
De. Anakultur (f.)
En. anaculture ; formalinized whole culture
Es. anacultivo [4600]

ANAGÉNÉTIQUE adj. 75
génétique > génétique des populations
Se dit d'une évolution progressive des êtres vivants sans
diversification à l'intérieur de l'espèce.
V. cladogénétique
En. anagenetic
Es. anagenético [4130 bis]

ANAGNOSOLOGIE n.f. 76
psychologie > pathologie mentale
Analyse de la lecture.
En. reading analysis [6575]

ANAGRAPHIQUE adj. 73
cartographie
Se dit d'une représentation graphique établie en tenant
compte de l'origine d'un courant.
V. catagraphique
De. anagraphisch
Es. anagráfico [2602]

ANALLERGISANT adj. 74
immunologie
Propre à éviter une réaction allergique.
De. anallergisch
En. anallergic [1968]

ANALOGIQUE → concentrateur — .

ANALOGUE STRUCTURAL n.m. 78
pharmacologie > médicament
Composé chimique différant d'un médicament soit par remplacement d'une ou de plusieurs fonctions chimiques présentes
par des fonctions plus ou moins semblables, soit par des
modifications du squelette carboné.
V. prodrogue
En. structural analogue
Es. análogo estructural [9269]

ANALYSATEUR → patron- — .

ANALYSE → perle d' — .

ANALYSE CANONIQUE n.f. 78
statistique
Analyse de données qui a pour but d'étudier les relations
existant entre deux groupes de caractères quantitatifs déterminés.
V. analyse discriminante
En. canonical correlation analysis [8716]

ANALYSE DE CORRÉLATION n.f. 72
statistique
Recherche de l'existence et de la nature d'une relation
susceptible d'exister entre deux variables.
De. Korrelationsanalyse (f.)
En. correlation analysis [11]

ANALYSE DES VALEURS n.f. 74
économie > coût
Méthode d'analyse permettant d'établir la relation entre les
fonctions d'un produit et le coût de sa production.
De. Wertanalyse (f.)
En. cost effectiveness analysis [3671]

ANALYSE DE SYSTÈME n.f. 72
gestion, organisation, administration > gestion
Recensement de ceux des éléments d'une situation donnée qui
paraissent entretenir entre eux des relations telles qu'elles
permettent de représenter cette situation sous la forme d'un
système de variables.
De. Systemanalyse (f.)
En. systems analysis
Es. análisis de sistema [3314]

ANALYSE DISCRIMINANTE n.f. 78
statistique
Analyse de données qui permet d'expliquer un caractère
qualitatif à l'aide de caractères quantitatifs.
V. analyse canonique
De. Diskriminanzanalyse (f.)
En. discriminatory analysis
Es. análisis discriminante [8717]

ANALYSE ÉCOSYSTÉMIQUE n.f. 78
écologie > écosystème
Analyse consistant à mesurer les quantités d'énergie transfé-
rées entre les sections consommatrices de l'écosystème.
De. Ökosystemanalyse (f.)
En. ecosystem analysis [8850]

ANALYSE PAR ACTIVATION n.f. 72
chimie > chimie analytique
Méthode d'analyse chimique basée sur l'identification et la
mesure des rayonnements caractéristiques des nucléides formés par activation.
En. activation analysis [7690]

ANALYSE TEXTURALE n.f. 76
chimie > chimie analytique
Étude de l'architecture et de la nature chimique des particules
par des techniques de visualisation.
De. Texturanalyse (f.)
Es. análisis textura [7505]

ANALYSEUR CONCEPTUEL n.m. 75
information > traitement de l'information
Faculté de la mémoire dont la fonction est de représenter les
concepts et leurs relations indépendamment de tout langage.
*V. analyseur linguistique ; analyseur perceptif ; analyseur
syntaxique*
De. Begriffsanalyse (f.)
En. conceptual analyser
Es. analizador conceptual [5477]

ANALYSEUR DE RÉPONSES n.m. 76
électronique > radiotechnique
Appareil qui permet à un professeur d'interroger collective-
ment ses élèves par la méthode de questionnement à choix
multiple et de connaître immédiatement la réponse de chacun
d'entre eux.
En. response recorder
Es. analizador de respuestas [5889]

ANALYSEUR D'ÉTATS LOGIQUES n.m. 77
informatique > organe de transmission de données
Appareil permettant d'obtenir une représentation de signaux
logiques sous forme d'états « 0 » ou « 1 » ou bien « bas » ou
« haut ».
V. analyseur logique [8300]

ANALYSEUR LINGUISTIQUE n.m. 75
information > traitement de l'information
Faculté de la mémoire dont la fonction est de déceler les rapports entre les éléments constituants d'une ou de plusieurs phrases entendues ainsi que les faits de langue qui s'y rattachent.
V. analyseur conceptuel ; analyseur perceptif ; analyseur syntaxique
De. linguistische Analyse (f.)
En. linguistic analyzer
Es. analizador lingüístico [5478]

ANALYSEUR LOGIQUE n.m. 76
informatique > organe de transmission de données
Appareil qui permet une représentation des états logiques d'un équipement électronique complexe permettant une analyse logique détaillée ainsi que la localisation rapide d'un défaut du logiciel ou du matériel.
V. analyseur d'états logiques
De. Logikanalysator (m.) [8301]

ANALYSEUR PERCEPTIF n.m. 75
information > traitement de l'information
Faculté de la mémoire dont la fonction est de déceler les relations entre les différents éléments d'une impression visuelle.
V. analyseur conceptuel ; analyseur linguistique ; analyseur syntaxique
De. Wahrnetmungsanalyse (f.)
En. perceptual analyzer
Es. analizador perceptivo [5479]

ANALYSEUR SYNTAXIQUE n.m. 75
information > traitement de l'information
Faculté de la mémoire dont la fonction est d'identifier les relations de dépendance syntaxique entre les éléments qui constituent une phrase.
V. analyseur conceptuel ; analyseur linguistique ; analyseur perceptif
De. syntaktische Analyse (f.)
En. syntactic analyzer
Es. analizador sintáxico [5480]

ANALYSTE FONCTIONNEL n.m. 78
opération > exploitation
Technicien qui effectue la description fonctionnelle du projet, définit les ressources nécessaires à mettre en œuvre pour sa réalisation et assure la maintenance des applications.
V. analyste organique
De. Systemanalytiker (m.)
En. systems analyst [9270]

ANALYSTE ORGANIQUE n.m. 78
opération > exploitation
Technicien qui définit, à partir de l'analyse fonctionnelle du projet, et des caractéristiques techniques de l'équipement, les moyens à mettre en œuvre pour le traitement des applications et qui assure la maintenance des projets.
V. analyste fonctionnel
En. line analyst ; system designer [9271]

ANANERAIE n.f. 75
agronomie > production végétale
Plantation d'ananas.
De. Ananasplantage (f.)
En. pineapple plantation [6167]

ANAUTOGÈNE adj. 74
organisme vivant > animal
Se dit d'un moustique qui ne peut pondre qu'après avoir pris un ou plusieurs repas sanguins.
De. anautogen
En. anautogenous
Es. anautógeno [3315]

ANAVENIN n.m. 74
immunologie
Venin qui a perdu une partie de ses propriétés toxiques mais conservé ses propriétés antigéniques.

De. Toxoid (n.)
En. toxoid [1787]

ANCHIZONE n.f. 76
géologie > métamorphisme
Zone géologique superficielle dans laquelle la composition minéralogique des roches subit un léger changement avant toute action métamorphique.
V. catazone ; épizone
De. Anchizone (f.) [7506]

ANCHOITAGE n.m. 74
technologie des matériaux > génie alimentaire
Autodégradation enzymatique du poisson en saumure.
De. Anchovierung (f.)
En. anchoving [1074]

ANCRAGE n.m. 77
génie biomédical > appareillage médical
Surface d'appui, préparée sur ou dans une dent pour recevoir et stabiliser un élément prothétique, par scellement ou vissage.
V. encadrement
De. Verankerung (f.)
En. anchoring ; anchorage
Es. anclado [7921]

ANCRAGE → zone d' — .

ANCRAGE DYNAMIQUE n.m. 74
télécommunications > radiotechnique
Dispositif électronique permettant aux navires de forage pétrolier de diriger les travaux à partir d'un point déterminé sans autre liaison avec le fond que les tiges de forage.
De. dynamische Verankerung (f.)
En. acoustic anchor ; dynamic anchor
Es. anclado dinámico [3845]

ANCRAGE MOBILE n.m. 73
bâtiment et travaux publics > opération de construction
Dispositif de mise en tension du béton constitué par une pièce métallique cylindrique portant un filetage extérieur sur lequel se visse la tige de la traction du vérin de mise en tension.
En. movable anchorage [2147]

ANCRÉ → chargement — .

ANDAIN n.m. 74
économie > industrie métallurgique
Dépôt de matériaux parallèle à un axe d'avancement. [4601]

ANDAINAGE n.m. 74
foresterie
Fait de rassembler en cordons, le bois abattu et débité en vue d'en faciliter le transport.
De. Stapelung (f.)
En. stacking [2952]

ANDIQUE adj. 77
géologie > pédologie
Se dit d'un sol présentant certaines propriétés des andosols.
V. andosol
En. ando [8302]

ANDOLISATION n.f. 77
géologie > pédologie
Transformation d'un sol en andosol.
V. andosol ; andosolisation
En. andosolization
Es. andolización [8582]

ANDORRANISATION n.f. 74
politique
Passage sous le contrôle des responsables andorrans.
En. andorranization [2781]

ANDOSOL n.m. 70
géologie > pédologie
Type de sol produit par l'altération des roches volcaniques, notamment des cendres, et caractérisé par sa teneur élevée en un gel d'allophanes.

V. andique ; andolisation ; andosolisation
De. Andoboden (m.)
En. andosoil [541]

ANDOSOLISATION n.f. 77
géologie > pédologie
Transformation d'un sol en andosol.
V. andolisation ; andosol
En. andosolization
Es. andolización [8303]

ANDRAGOGIE n.f. 71
enseignement
Ensemble des moyens permettant à un adulte de développer
les connaissances postscolaires, scientifiques ou techniques
intéressant sa profession.
V. andragogique ; andragogue
De. Erwachsenenbildung (f.)
En. adult education
Es. educación de adultos [6716]

ANDRAGOGIQUE adj. 78
enseignement
Relatif à l'andragogie.
V. andragogie ; andragogue
De. andragogisch ; erwachsenenpädagogisch [8851]

ANDRAGOGUE n. 78
enseignement
Spécialiste de l'éducation dispensée aux adultes.
V. andragogie ; andragogique
De. Andragoge (m.) ; Erwachsenenpädagoge (m.)
En. adult education specialist ; adult educator [8852]

ANDROCRATIE n.f. 70
sociologie
Suprématie politique et sociale de l'homme.
V. gynécrate
De. Mannerherrschaft (f.)
En. androcracy
Es. androcracia [5089]

ANDROLOGUE n. 75
pathologie animale > pathologie urogénitale
Médecin spécialiste de la morphologie et de la fonction de
l'appareil génital masculin et de leurs anomalies.
De. Androloge (m.)
En. andrologist
Es. andrólogo [5754]

ANÉMOCLINOMÉTRIQUE adj. 74
géophysique > météorologie
Propre à mesurer l'inclinaison du vent par rapport au plan
horizontal.
De. anemoklinometrisch
En. anemoclinometric
Es. anemoclinométrico [5890]

ANÉMOLOGIQUE adj. 74
énergie (technologie) > énergie éolienne
Relatif à l'étude du vent comme source d'énergie.
En. anemological
Es. anemológico [2954]

ANÉMOMORPHOSE n.f. 73
géophysique > géomorphologie
Forme modelée sous l'effet du vent.
De. Anemomorphose (f.)
En. anemomorphosis
Es. anemomorfosis [7227]

ANERGIÉ adj. 74
pathologie végétale
Se dit d'un organisme devenu incapable de réagir à une
substance ou à un agent pathogène à l'égard desquels il était
antérieurement sensibilisé.
De. anergisch
En. anergic
Es. anérgico [2424]

ANGLE → boîte d' — .

ANGLE BLANC n.m. 74
technologie des matériaux > formage
Trace de pliage de certaines matières plastiques rigides
transparentes qui se manifeste en lignes opaques.
De. Knickspur (f.) [1877]

ANGLE D'ATTAQUE n.m. 73
géophysique > physique du globe
Angle entre la trajectoire d'une particule piégée et la direction
du champ magnétique terrestre.
De. Anstellwinhel (m.)
En. pitch angle
Es. angulo de ataque [7922]

ANGLEUR n.m. 76
mécanique appliquée > machine-outil
Outil qui permet de modifier l'angle de dépouille d'une fraise à
chanfreiner par simple action sur une vis. [7089]

ANGOLOGIE n.f. 74
information > théorie de l'information
Étude du message et de sa perception par un public.
Es. angología [3494]

ANIDÉIQUE adj. 69
physiologie > neurophysiologie
Dépourvu de tout contenu de pensée.
En. anideaistic ; idealess [5090]

ANILINE → point d' — .

ANIMATEUR GRAPHIQUE n.m. 73
arts > photographie
Spécialiste de la production des génériques de films.
De. Vorspanngestalter (m.)
En. graphic animation designer [1075]

ANIMATION → vidéo- — .

ANIONICITÉ n.f. 74
propriété > propriété chimique
Propriété d'une substance qui contient des ions chargés
négativement (anions).
De. Anionengehalt (m.)
En. anionicity
Es. anionicidad [3847]

ANIONIQUE → copolymère —

ANISOSMOTIQUE adj. 77
physiologie > homéostasis
Se dit d'un équilibre osmotique créé lorsque les concentrations
du milieu intérieur et du milieu extérieur sont différentes.
V. isosmotique
De. anisosmotisch
En. anisosmotic
Es. anisosmótico [8058]

ANISOTROPIE DIÉLECTRIQUE NÉGATIVE n.f. 73
propriété > propriété physico-chimique
Propriété d'un matériau dont la capacité réductive spécifique
dans la direction parallèle à l'axe moléculaire est inférieure à la
valeur de cette constante dans la direction perpendiculaire à
cet axe.
V. anisotropie diélectrique positive
De. negative Dielektrizitätsanisotropie (f.)
En. negative dielectric anisotropy
Es. anisotropía dieléctrica negativa [2783]

ANISOTROPIE DIÉLECTRIQUE POSITIVE n.f. 73
propriété > propriété physico-chimique
Propriété d'un matériau dont la capacité inductive spécifique
dans la direction parallèle à l'axe moléculaire est supérieure à
la valeur de cette constante dans la direction perpendiculaire à
cet axe.
V. anisotropie diélectrique négative
De. positive Dielektrizitätsanisotropie (f.)

En. positive dielectric anisotropy
Es. anisotropía dieléctrica positiva [2784]

ANISOTROPIE OPTIQUE n.f. 77
propriété > propriété physico-chimique
Qualité d'une substance dont les propriétés optiques varient suivant la direction qui sert à les évaluer.
De. optische Anisotropie (f.)
En. optical anisotropy
Es. anisotropía óptica [8304]

ANNEAU DE STOCKAGE n.m. 73
technique nucléaire
Chambre torique vidée, utilisée avec certains synchrotrons pour garder des particules en circulation sur une orbite stable, jusqu'à leur utilisation.
De. Speicherring (m.)
En. storage ring [895]

ANNUAIRE ÉLECTRONIQUE n.m. 75
informatique > mémoire (ordinateur)
Annuaire disposé dans une mémoire, de grande capacité, d'un ordinateur qui en assure la gestion et qui est accessible, modifiable, et utilisable par l'intermédiaire d'un terminal muni d'un écran de visualisation.
De. elektronisches Fernsprechverzeichnis (n.)
En. electronic dictionary ; electronic directory
Es. anuario electrónico [5481]

ANODE CONTINUE n.f. 73
électrotechnique > composant électrotechnique
Anode constituée d'un mélange de coke, de pétrole et de brai de houille, régénérée au fur et à mesure de son usure.
En. continuous anode [896]

ANODISATION DURE n.f. 73
technologie des matériaux > traitement de surface
Électrolyse dans laquelle l'oxygène se combine au métal pour former une couche d'oxyde dont la porosité et la dureté peuvent être contrôlées par variation de la température du bain d'électrolyte.
De. Harteloxieren (n.)
Es. anodización dura [2785]

ANORDIR (s' —) v. 75
localisation
Accroître sa position en latitude dans les pays de l'hémisphère nord.
En. to make more northern [6576]

ANOROGÉNIQUE adj. 75
géophysique interne
Se dit d'un phénomène tectonique qui n'engendre pas de formation de relief.
De. anorogen
En. anorogenetic ; anorogenic
Es. anorogénico [9272]

ANOSOGNOSIE n.f. 75
psychologie > pathologie mentale
Incapacité pour un malade d'admettre la réalité d'une atteinte morbide.
De. Anosognosie (f.)
En. anosognosia
Es. anosognosia [5227]

ANOXIQUE adj. 76
biochimie
Caractérisé par une diminution de la saturation en oxygène.
De. anoxisch
En. anoxic
Es. anóxico [5755]

ANTAGONISTE adj. 76
physique > physique des particules
Se dit d'une molécule qui, présentant une ressemblance avec un médiateur, peut occuper sa place et en inhiber les effets.
V. agoniste [4488]

ANTAGONISTE adj. 77
pharmacologie > toxicologie
Se dit d'une drogue capable de s'opposer partiellement ou totalement aux effets résultant du complément d'un récepteur avec une drogue agoniste.
V. agoniste
De. antagonistisch
En. antagonistic
Es. antagonista [8719]

ANTÉMÉMOIRE n.f. 74
informatique > mémoire (ordinateur)
Mémoire intermédiaire de haute performance placée entre la mémoire centrale et l'unité centrale d'un ordinateur et mise en œuvre par une technique implicite.
De. Pufferspeicher (m.)
En. cache memory
Es. antememoria [7507]

ANTENNECTOMIE n.f. 72
génie biomédical > chirurgie
Ablation d'antenne ou d'antennule.
De. Antennektomie (f.) ; Entfernen (n.) der Fühler
En. antenna removal ; antenna ablation
Es. antenoctomia [4603]

ANTENNOGRAMME → électro- .

ANTENNULAIRE adj. 72/73
zoologie
Relatif aux antennes.
De. Antennen-
En. antennal ; antennular ; antennulary ; antennary
Es. antenulario [3495]

ANTHROPISATION n.f. 74
écologie > écosystème
Action de l'homme amenant une transformation du milieu naturel.
V. anthropisé
En. anthropization [7228]

ANTHROPISÉ adj. 77
écologie > écosystème
Qui s'est transformé sous l'influence de l'homme.
V. anthropisation
En. anthropogen [8059]

ANTHROPOLOGIQUE → aire — protégée.

ANTHROPONOMIQUE adj. 77
sociologie
Relatif à la distribution des êtres humains dans les rapports sociaux.
En. anthroponomical
Es. antroponómico [9131]

ANTHROPOTHANATOLOGIE n.f. 77
anthropologie
Étude de la mort humaine dans toutes ses dimensions.
De. Anthropothanatologie (f.)
En. anthropothanatology
Es. antropotanatología [8306]

ANTI → bouteille — - coup de liquide ; film — - buée.

ANTI-ACOUSTIQUE adj. 76
ANTIACOUSTIQUE
environnement et sécurité > isolation acoustique
Qui s'oppose à la propagation des bruits.
V. antibruit
De. antiakustisch
En. acoustical
Es. antiacústico [9273]

ANTIAGRÉGANT adj. 77
pharmacologie > médicament
Qui empêche l'agrégation plaquettaire.
En. antiaggregating
Es. antiagregante [8307]

ANTIARC adj. 73
propriété > propriété thermique
Se dit d'un matériau qui résiste à l'action des chalumeaux oxy-arc.
De. schweißbeständig [1431]

ANTIARYTHMISANT n.m. 78
pharmacologie > médicament
Médicament qui s'oppose aux phénomènes d'hyperexcitabilité myocardique.
En. antiarrhythmic drug [9274]

ANTIBALLANT n.m. 76
transport et manutention > engin de levage
Dispositif permettant d'atténuer les oscillations pendulaires des charges manutentionnées par un engin de levage.
En. antioscillatory [6303]

ANTIBIO-SUPPLÉMENTATION n.f. 76
ANTIBIOSUPPLÉMENTATION
zootechnie
Addition d'antibiotiques à des aliments destinés au bétail.
V. antibiosupplémenté
De. Antibiotikszusatz (m.)
En. antibiotic supplementation [6026]

ANTIBIOSUPPLÉMENTÉ adj. 73
zootechnie
Auquel on a ajouté des antibiotiques.
V. antibio-supplémentation
Es. antibiosuplementado [2426]

ANTIBIOTYPE n.m. 75
microbiologie
Ensemble des caractères de résistance d'un germe aux antibiotiques.
De. Antibiotyp (m.)
En. antibiotic-resistant type ; antibiotype
Es. antibiotipo [4768]

ANTIBLEU adj. 77
matériau > pesticide
Se dit d'un produit de protection pour bois qui possède une action fongistatique. [7781]

ANTIBRUIT adj. 72
environnement et sécurité > isolation acoustique
Destiné à faire écran au bruit.
V. anti-acoustique
De. geräuschdämmend ; schallschluckend
En. antinoise [201]

ANTICAPTEUR n.m. 77
économie > industrie énergétique
Dispositif réfléchissant le rayonnement solaire, au lieu de le capter. [8995]

ANTICIPÉE → retenue — .

ANTICLINE adj. 75
cellule et constitution cellulaire > constitution cellulaire
Se dit d'une paroi qui, au cours de la croissance d'un organe, se produit perpendiculairement à la surface de celui-ci.
V. péricline
De. antiklin [7508]

ANTICOAGULÉ → sang — .

ANTICOMITIAL n.m. 74
pharmacologie > médicament
Médicament destiné à combattre une crise épileptique en la prévenant ou en en diminuant la fréquence ou la gravité.
En. antiepileptic drug [4022]

ANTICOPIE adj. 74
reprographie
Se dit d'un procédé de traitement d'un document évitant la possibilité de reproduire ce document.
En. anticopy
Es. anticopia [2427]

ANTICORPS → allo- — .

ANTICORRELÉ adj. 78
statistique
Correlé négativement.
De. negativ korreliert
En. negatively correlated
Es. anticorrelacionado [9132]

ANTI-DÉFLAGRANCE n.f. 75
ANTIDÉFLAGRANCE
propriété > propriété technologique
Propriété d'un produit ou d'un matériau non déflagrant.
De. Unentzündlichkeit (f.) [5754]

ANTIDICTIONNAIRE n.m. 76
information > traitement documentaire
Dictionnaire de mots vides.
V. dictionnaire négatif ; mot-vide
Es. antidiccionario [7370]

ANTIDUNE n.f. 77
géophysique > géomorphologie
Forme de relief mobile de dimensions métriques ou décamétriques, peu dissymétrique, construite par un courant d'eau et dont la migration s'effectue dans un sens contraire au courant.
En. antidune
Es. antiduna [6954]

ANTIÉTINCELLE adj. 72
électrotechnique > protection électrique
Se dit d'un dispositif électrique conçu pour éviter toute formation d'étincelles, par exemple lors de la rupture d'un courant.
De. funkenentladungsfrei
En. antispark [13]

ANTIGÉLIF n.m. 73
matériau > additif
Adjuvant permettant d'éviter que le béton une fois durci, ne se désagrège progressivement par suite de gels successifs.
V. pare-gel
De. Luftporenbilder (m.) ; luftporenbildendes Betonzusatsmittel (n.)
En. freeze-resisting agent
Es. antigélico [4233 bis]

ANTI-GÉNÉSIQUE adj. 74
ANTIGÉNÉSIQUE
pharmacologie > médicament
Propre à empêcher les fonctions de la génération.
En. contraceptive [4969]

ANTI-HORMONE n.f. 73
ANTIHORMONE
pharmacologie > médicament
Anticorps formé contre une hormone protéique d'une autre espèce animale, ou parfois contre une hormone protéique de la même espèce.
De. Antihormon (n.)
En. antihormone
Es. antihormona [2603]

ANTILLANITÉ n.f. 74
sociologie
Qualité de ce qui est antillais.
V. alsacianité ; arabité ; catalanité ; créolité ; foulanité ; indianité ; lusitanité
En. antilleanity
Es. antillanidad [2786]

ANTIMAGISTRAL adj. 75
enseignement
Se dit d'un enseignement qui vise à faire découvrir à l'élève par lui-même, la connaissance visée.
En. active ; participative
Es. antimagistral [4604]

ANTIMASSANT adj. 77
matériau > additif
Se dit d'un additif permettant d'éviter l'agglomération d'un

produit pulvérulent.
De. klumpenverhindernd [7782]

ANTIMOTTANT n.m. 73
technologie des matériaux > agglomération des matériaux
Substance empêchant le mottage des engrais granulés. [898]

ANTIMYCOTIQUE n.m. 75
matériau > pesticide
Produit utilisé pour empêcher la formation et le développement des moisissures.
De. Fungizid (n.)
En. antimycotic
Es. antimicótico [6028]

ANTINUTRITIONNEL adj. 78
physiologie > nutrition
Impropre à la nutrition.
En. antinutritional [8720]

ANTI-OVIPOSITION adj. 77
ANTIOVIPOSITION
zootechnie
Se dit d'une substance ou d'une préparation capable d'empêcher un insecte de déposer ses œufs sur leur support habituel.
De. die Eiablage verhindernd
En. anti-oviposition
Es. anti-ovoposición [8060]

ANTIPANIQUE adj. 77
environnement et sécurité > dispositif de sécurité
Se dit d'un dispositif permettant aux panneaux d'une porte coulissante de s'ouvrir vers l'extérieur.
De. Antipanik- [8441]

ANTIPATINAGE n.m. 73
mécanique appliquée > organe de machine
Fait de réduire le glissement des zones motrices d'un véhicule ferroviaire.
De. Antiskating-Gleitschutz (m.)
En. antiskid [1432]

ANTIPILONNEMENT adj. 72
exploitation des ressources minérales
Se dit d'un dispositif ou d'une action s'opposant aux effets du pilonnement.
V. pilonnement
De. Stampfausgleichsystem (n.)
En. antithumping [5758]

ANTIPSYCHOTIQUE adj. 74
pharmacologie > médicament
Qui combat la psychose.
De. Antipsychose- ; antipsychotisch
En. antipsychotic
Es. antipsicótico [4235 bis]

ANTIQUARK n.m. 77
physique > physique mathématique
Antiparticule du quark.
De. Antiquark (n.)
En. antiquark
Es. antiquark [8584]

ANTIREFOULEUR n.m. 73
action sur l'environnement > ventilation
Dispositif destiné à éviter le refoulement d'un fluide. [2955]

ANTIRETOUR adj. 73
mécanique des fluides appliquée
Se dit d'un clapet dont la fermeture s'opère par l'inversion du sens d'écoulement du fluide transporté.
De. Rückschlag-
En. check ; non-return ; one-way ; reflux [1615]

ANTISATYRE → téléphone — .

ANTISCOPE n.m. 74
instrumentation > instrument d'optique
Épiscope pour projection horizontale ou verticale.
V. épiscopie [2956]

ANTISTATIQUE → cristal — .

ANTITROPISTIQUE adj. 70
physiologie > physiologie végétale
Relatif à un facteur agissant à l'encontre d'un tropisme.
De. tropismushemmend
En. antitropic
Es. antitropístico [6029]

ANTITUMORAL adj. 72
pharmacologie > médicament
Se dit d'une substance qui combat une tumeur ou en empêche la formation.
De. Tumorhemmend-
En. antitumoural (U.K.) ; antitumoral (U.S.A.) [202]

ANTITUSSIF adj. 74
pharmacologie > médicament
Se dit d'un médicament qui calme ou supprime la toux.
De. Hustenhindernd-
En. antitussive [1971]

ANTIVIBRANT adj. 73
propriété > propriété mécanique
Qui amortit les vibrations.
De. schwingungsdämpfend
En. anti-vibration ; damping [1077]

ANUCLÉOLAIRE adj. 78
cellule et constitution cellulaire > constitution cellulaire
Privé de nucléoles.
En. anucleolate [9133]

ANXIOLYTIQUE adj. 74
pharmacologie > médicament
Se dit d'un médicament destiné à réduire l'anxiété.
De. angatbekämpfend ; angatlösend
En. anxiolytic
Es. anxiolítico [3316]

APHANITIQUE adj. 77
géologie > minéralogie
Se dit d'une roche dont les minéraux ne sont pas visibles à l'œil nu.
De. aphanitisch
En. aphanitic ; felsitic
Es. afanítico [8197]

APHASIE AMNÉMONIQUE n.f. 77
psychologie > pathologie mentale
Aphasie caractérisée par la difficulté où se trouve le sujet à évoquer le mot pour traduire sa pensée.
De. amnetische Aphasie (f.)
En. amnemonic aphasia ; amnesic aphasia ; amnestic aphasia
Es. afasia amnemónica [8442]

APHASIE CROISÉE n.f. 72
psychologie > pathologie mentale
Aphasie déterminée par des lésions droites chez les droitiers.
En. crossed aphasia [62]

APHICIDE adj. 76
matériau > pesticide
Se dit d'une substance qui provoque la mort des pucerons.
En. aphicidal [6440]

APHYRIQUE adj. 78
géologie > roche
Se dit de la structure d'une roche formée de cristaux minuscules et qui peut n'avoir pas subi de cristallisation profonde.
De. aphyrisch
En. aphyric
Es. afírico [9134]

APHYTAL adj. 75
géophysique > géomorphologie
Se dit d'une des deux divisions majeures du monde marin caractérisée par l'absence d'éclairement donc de végétation.
De. vegetationslos
En. aphytal
Es. yermo [4769]

APOCHONDRE n.m. 75
physique > physique des particules
Point de la trajectoire d'un électron éjecté par effet photoélectrique d'un grain de poussière interstellaire le plus éloigné de ce grain [4131 bis]

APOCRINE adj. 75
anatomie > anatomie animale
Qualifie une glande sudoripare s'ouvrant soit dans le follicule pileux, soit à l'orifice pilo-sébacé.
V. eccrine
De. apokrin
En. apocrine
Es. apocrino [4605]

APOMICTIQUE adj. 77
génétique > information génétique
Qui se reproduit par formation d'embryon sans union des gamètes mâle et femelle (apomixie).
De. apomiktisch
En. apomictic
Es. apomíctico [8585]

APONÉVRECTOMIE n.f. 75
génie biomédical > chirurgie
Excision d'une aponévrose ou d'un fragment d'aponévrose.
De. Aponeurektomie (f.)
En. aponeurectomy
Es. aponeurectomía [5228]

APOTHICONYME n.m. 75
économie > activité commerciale
Nom que l'on attribue à une boutique. [4490]

APPAIRAGE n.m. 75
transport et manutention > transport
Opération destinée à mettre en relation l'offre et la demande de transport.
En. pairing [5891]

APPAREIL DE REPRISE n.m. 75
transport et manutention > engin de manutention
Appareil destiné à la reprise de produits en vrac préalablement stockés sur le sol.
De. Rückladegerät (n.)
En. reclaimer ; reclaiming machine ; reclaiming unit [5759]

APPARENT → soudage à arc non- — .

APPARTENANCE → groupe d' — .

APPARTENANT → bi- — ; mono- — .

APPAUVRISSEUR DE TIR n.m. 73
opération > exploitation
Dispositif réduisant le débit du carburant distribué aux réacteurs d'un avion pendant le tir.
De. Treibstoffdrosselvorrichtung (f.)
En. inlet guide vane, I.G.V. [376]

APPEL → prix d' — .

APPELEUR n.m. 76
télécommunications > équipement télécommunications
Appareil permettant d'appeler des numéros de téléphone préenregistrés.
De. Anrufautomat (m.)
En. magicall [5612]

APPÉTITIF n.m. 76
matériau > additif
Substance ajoutée à un appât pour inciter l'animal à consom-
mer celui-ci.
De. appetitanlegendes Mittel ; Appetizer (m.)
En. food lure [7923]

APPLICATION → logiciel d' — ; programme d' — .

APPOINTEUSE n.f. 72
mécanique appliquée > usinage
Machine permettant d'appointer, de tailler un outil de coupe, utilisée notamment pour la rectification des arêtes de coupe d'un foret. [7509]

APPRENANT n.m. 75
enseignement
Individu en situation d'apprentissage.
De. Lernender (m.)
En. learner [6170]

APPRÊTURE n.f. 75
matériau > matériau de revêtement
Composition de revêtement liquide, habituellement transparente, destinée à combler une surface poreuse avant l'application d'une couche de finition.
De. Einlaßmittel (n.)
En. size ; sizing [6441]

APPROCHE → détecteur d' — .

APPROFONDIE → option — .

APROSEXIQUE n. 75
psychologie > pathologie mentale
Individu qui souffre d'une diminution de la capacité d'attention volontaire.
V. hypoprosexique ; paraprosexique
En. aprosexic [4950]

APROTIQUE adj. 73
propriété > composition
Se dit d'un solvant qui n'échange pas de protons avec les substances dissoutes.
V. protique
De. aprotisch
En. aprotic
Es. aprótico [3317]

APPROXIMER v. 74
automatisme > équipement automatique
S'approcher d'une quantité sans l'atteindre.
De. sich nähern
En. to approximate
Es. aproximar [5229]

AQUABULLE n.f. 78
recherche et développement > exploration scientifique
Module léger de pénétration et d'exploration sous-marine en forme de ballon ceinturé d'une armature métallique.
En. aquabulle [9135]

AQUACOLE adj. 75
aquaculture
Qui se rapporte à l'élevage et à la multiplication des animaux et des plantes aquatiques à des fins domestiques, alimentaires, médicinales, d'agrément (aquaculture).
De. Wassertierzucht-
En. aquicultural [4379]

AQUARIOLOGIE n.f. 73
écologie > antécologie
Discipline traitant de la stabulation et du comportement des organismes en aquarium.
De. Aquariologie (f.)
En. aquariology ; aquarium study [1972]

AQUASONDE n.f. 77
géophysique > météorologie
Sonde destinée à mesurer la quantité et l'état de l'eau présente dans les nuages.
De. Aquasonde (f.) [8308]

AQUATHERMIQUE adj. 75
énergie (technologie) > énergétique
Propre à la production d'eau chaude.
En. aquathermal [6823]

ARABITÉ n.f. 74
sociologie
Qualité de ce qui est arabe.
V. alsacianité ; antillanité ; catalanité ; créolité ; foulanité ; indianité ; lusitanité
Es. arabidad [1790]

ARABOGRAPHE n./adj. 75
sociologie
Qui pratique l'écriture arabe.
V. arabologue
En. arabographer
Es. arabógrafo [4606]

ARABOLOGUE n. 75
sociologie
Spécialiste de la culture et de la civilisation arabes.
V. arabographe
De. Arabologe (m.)
En. arabist
Es. arabólogo [4607]

ARACHIDIER adj. 72
agronomie > production végétale
Relatif aux arachides.
De. Erdnuß-
En. peanut [2150]

ARAIGNÉE n.f. 72
technique nucléaire
Dispositif constitué de crayons destinés à ralentir une réaction nucléaire.
De. Brennstoffkassette (Reaktor (m.)) [17]

ARAMIDE n.f. 74
matériau > fibre
Polyamide aromatique.
De. Aramid (n.) [2151]

ARBORESCENCE n.f. 75
information > document
Schéma destiné à mettre en évidence les rapports hiérarchiques des termes à l'intérieur d'une collection.
De. Begriffshierarchie (f.)
En. arborescence [5613]

ARBOVIROSE n.f. 72
pathologie animale > pathologie infectieuse
Infection à arbovirus transmise aux vertébrés par des arthropodes.
De. Arbovirusinfektion (f.) ; Enzephalitis (f.)
En. arborvirus ; arbovirus infection
Es. arbovirosis [3136]

ARC → soudage à — non-apparent.

ARCATURE n.f. 75
géologie > modification superficielle
Type de débiture résultant du façonnement en arcades pour l'érosion glaciaire, à partir de fractures de broutage, de la face aval d'un dos rocheux.
V. débiture
En. arcading [5760]

ARCEAU → cosse- — .

ARC INSULAIRE n.m. 74
géophysique > géomorphologie
Archipel à tracé arqué et séparé du continent par une mer marginale.
De. Inselkette (f.)
En. island arc
Es. arco insular [3496]

ARC INTERNE n.m. 76
technique des plasmas
Type d'arc de plasma où la puissance électrique est dissipée entre les deux électrodes.
V. arc superposé ; arc transféré
En. interior arc [6578]

ARC SUPERPOSÉ n.m. 76
technique des plasmas
Type d'arc de plasma dans lequel la tuyère intervient comme électrode principale.
V. arc interne ; arc transféré
En. superposed arc
Es. arco superpuesto [6579]

ARC TRANSFÉRÉ n.m. 76
technique des plasmas
Type d'arc de plasma dans lequel la pièce à traiter participe au circuit électronique.
V. arc interne ; arc superposé
En. transferred arc
Es. arco transferido [6580]

ARCHE → buse- — .

ARCHÉOGRAPHE n.m. 74
histoire
Spécialiste de la recherche et de l'étude des livres ou manuscrits anciens.
De. Archäograph (m.)
Es. arqueógrafo [2428]

ARCHÉOLOGUE → agro- — .

ARCHÉOMAGNÉTICIEN n.m. 75
géophysique > physique du globe
Spécialiste de l'étude du magnétisme des matériaux archéologiques.
V. paléomagnéticien
De. Archäomagnetiker (m.)
En. archaeomagnetician ; archaeomagnetism specialist
Es. arqueomagnetólogo [4952]

ARCHÉOMÈTRE n.m. 77
histoire
Spécialiste d'archéométrie.
V. archéométrie ; archéométrique
De. Archäometer (m.)
En. archaeometrist [8061]

ARCHÉOMÉTRIE n.f. 77
histoire
Application des sciences physiques et de l'informatique à l'archéologie.
V. archéomètre ; archéométrique
De. Archäometrie (f.)
En. archaeometry [8062]

ARCHÉOMÉTRIQUE adj. 77
histoire
Propre à l'archéométrie.
V. archéomètre ; archéométrie
De. archäometrisch
En. archaeometric [8063]

ARCHITECTONIE n.f. 73
anatomie > anatomie animale
Étude de la structure du cortex cérébral.
En. architectonics [718]

ARCHITECTONIQUE → béton — .

ARCHITECTURE → hélio- — .

ARCHITECTURE DISTRIBUÉE n.f. 75
informatique > système opératoire
Structure de systèmes de traitement de l'information dans laquelle les sous-systèmes sont logiquement et physiquement reliés entre eux mais éloignés géographiquement de l'ordina-

teur central auquel ils peuvent être reliés.
V. architecture répartie [7784]

ARCHITECTURE RÉPARTIE n.f. 75
informatique > système opératoire
Structure de systèmes de traitement de l'information dans
laquelle des sous-systèmes sont éloignés géographiquement de
l'ordinateur central auquel ils peuvent être reliés.
V. architecture distribuée ; informatique répartie [7785]

ARCHITECTURE TEXTILE n.f. 78
**bâtiment et travaux publics > élément d'ouvrage du bâti-
ment**
Architecture utilisant des surfaces portantes à structures
légères.
De. Textilarchitektur (f.)
En. soft architecture ; fabric architecture [8996]

ARCHITECTURE UNIFIÉE DE RÉSEAU n.f. 75
information > diffusion de l'information
Unification conceptuelle des problèmes et des techniques de
mise en œuvre d'un système de téléinformatique qui définit et
formalise des responsabilités fonctionnelles entre les niveaux
d'application, d'interprétation et de transmission.
En. systems network architecture
Es. arquitectura unificada de red [4380]

ARCHITECTUROLOGIE n.f. 76
arts > architecture
Étude de l'architecture.
De. Architekturologie (f.)
En. architecturology
Es. arquitecturología [5761]

ARCOLOGIE n.f. 77
arts > architecture
Type d'architecture qui traite l'habitat en fonction du milieu.
V. arcologique
De. Ökoarchitektur (f.)
En. arcology
Es. arcología [8721]

ARCOLOGIQUE adj. 77
arts > architecture
Propre à l'arcologie.
V. arcologie
De. ökoarchitektonisch
En. arcological
Es. arcológico [8722]

ARÉNITITE n.f. 73
géologie > sédimentologie
Ensemble des roches détritiques terrigènes consolidées de la
classe granulométrique des arénites.
Es. arenitita [2323]

ARÉNIVORE adj. 74
zoologie
Qui se nourrit en milieu sableux.
En. arenivorous
Es. arenívoro [2788]

ARÉOLOGIE n.f. 76
linguistique
En dialectologie, étude des aires linguistiques.
De. Dialektgeographie (f.) [7371]

ARGAMASSE n.f. 75
matériau > matériau composite
Matériau de construction constitué de terre, de bouse de vache
et de paille.
De. Lehmmörtel (m.)
Es. adobe [5092]

ARGILE → mousse d' — .

ARGILOSITÉ n.f. 74
propriété > composition
Teneur en argile. [4133 bis]

ARGUMENT n.m. 69
mathématiques appliquées
Une des variables d'une fonction par rapport à laquelle une
table de variation de cette fonction a été établie.
De. Argument (n.)
En. argument
Es. argument [545]

ARIDIFICATION n.f. 76
environnement et sécurité > environnement
Passage d'une zone à un stade plus aride par l'action de
l'homme.
V. aridisation ; désertification
En. dessication
Es. aridificación [6955]

ARIDISATION n.f. 76
environnement et sécurité > environnement
Passage d'une zone à un stade plus aride notamment sous
l'action de causes naturelles.
V. aridification ; désertisation
En. dessication [6956]

ARIDOCULTURE n.f. 74
agronomie > technique culturale
Culture pratiquée en zone aride.
De. Anbau (m.) in Trockengebieten ; Trockenfarmerei (f.)
En. dry farming
Es. aridocultura [7229]

ARIDOSOL n.m. 74
géologie > pédologie
Sol minéral des régions arides, à faible contenu organique,
souvent salé, toujours sec.
De. Aridosol (m.)
En. aridisol
Es. aridosol [8723]

ARISTOTHANASIE n.f. 72
histoire
Disparition de la classe sociale supérieure.
De. Aristothanasie (f.)
En. aristothanasia
Es. aristotanasia [1254]

ARITHMÉTIQUE FLOTTANTE n.f. 75
mathématiques appliquées
Arithmétique des nombres exprimés en virgule flottante.
V. virgule flottante
En. floating point arithmetic
Es. aritmética de punto flotante [5614]

ARMALCOLITE n.f. 74
géologie > minéralogie
Minéral lunaire constitué de fer, de magnésium, de titane et
d'oxygène.
De. Armalcolit (n.)
En. armalcolite
Es. armalcolita [2429]

ARME BINAIRE n.f. 73
économie > industrie chimique
Arme chimique dans laquelle les munitions ne contiennent au
départ que des substances peu nocives placées en conteneurs
séparés, l'agent neurotoxique mortel n'étant produit qu'après
le tir de l'engin.
En. binary weapon [1434]

ARMÉE → terre — .

ARMEMENT n.m. 72
électrotechnique > protection électrique
Pièce métallique de protection placée en partie inférieure et
supérieure d'une chaîne d'isolateurs et jouant le rôle d'éclateur.
De. Schirmarmatur (f.)
En. protector [6304]

ARMOIRE DE CONTRÔLE n.f. 73
environnement et sécurité > pollution
Appareil destiné à mesurer en continu le pourcentage d'un gaz

dans l'atmosphère.
De. Schaltschrank (m.)
En. control panel ; panel cabinet [1617]

AROMAGRAMME n.m. 71
chimie > chimie analytique
Chromatogramme d'un produit naturel faisant apparaître les constituants de son arôme.
Es. aromagrama [2324]

AROMATHÉRAPIE n.f. 73
génie biomédical > pharmacothérapie
Utilisation médicale des huiles essentielles [1791]

AROMATICIEN n.m. 74
chimie > composé chimique
Chimiste spécialisé dans le domaine des composés aromatiques [1973]

AROMATICITÉ n.f. 73
chimie > constitution de la matière
Caractère aromatique d'une molécule.
De. Aromatizität (f.)
En. aromaticity [1619]

ARÔME DE FUMÉE LIQUIDE n.m. 74
matériau > additif
Solution de condensats obtenus de façon synthétique ou naturelle, mêlée à l'eau ou à l'huile et appliquée sur le produit alimentaire à fumer.
De. Flüssigaroma (n.)
En. liquid smoke [4237]

ARRACHE-POTEAUX adj. 75
transport et manutention > engin de levage
Se dit d'un cric à fût montant destiné à arracher et soulever des poteaux, pieux... enfoncés dans le sol. [4492]

ARRACHE-TUYÈRE n.m. 74
technologie des matériaux > équipement industrie de transformation
Engin d'arrachement qui permet de retirer les tuyères des hauts-fourneaux pour les remonter.
De. Düsenziehmaschine (f.)
En. snout-drawer [3318]

ARRACHEUR → vibro- — .

ARRANGEMENT n.m. 76
gestion, organisation, administration > relations entre groupes
Accord dépourvu de toute formalisation mais pouvant reposer sur une déclaration n'ayant pas entraîné de contestation sur le champ.
De. Absprache (f.)
En. understanding
Es. arreglo [5762]

ARRÊTE-FLAMMES n.m. 75
environnement et sécurité > protection contre l'incendie
Dispositif de protection contre les flammes faisant partie d'un réservoir rempli de produits inflammables.
De. Flammenschutz (m.)
En. flame arrester
Es. antillama [4608]

ARROSAGE n.m. 74
mécanique appliquée > enlèvement de matière
Circulation de diélectrique entre l'électrode et une pièce métallique usinée par étincelage.
De. Berieselung (f.)
En. flooding [4770]

ARTÉRIEL → caloduc — .

ARTICULÉ → autobus — .

ARTIFICIEL → palais — ; top — .

ARTIFICIELLE → tête — .

ARTISANO-AGRICOLE adj. 74
ARTISANOAGRICOLE
histoire
Se dit d'une civilisation où l'agriculture et l'artisanat constituent les activités économiques dominantes.
De. Handwerks- und Agrar-
En. agro-artisanal [8198]

ARTS-MÉNAGISTE n. 76
vie quotidienne > équipement ménager
Fabricant d'appareils ménagers. [4238 bis]

ASEPTISEUR n.m. 73
action sur l'environnement > assainissement
Appareil destiné à rendre l'air aseptique.
De. Desinfektionsgerät (n.)
En. aseptizing apparatus ; aseptizing device [902]

ASIADOLLAR n.m. 72
économie > monnaie
Devise créée sur les places financières d'Asie par des emprunts ou des crédits libellés en dollars.
V. eurodollar ; eurofranc
De. Asiendollar (m.)
En. asiadollar
Es. asiadólar [208]

ASIEN n.m. 73
localisation
Indien ou Pakistanais fixé en Afrique Orientale.
En. Asian [903]

ASISMIQUE → déplacement — .

ASPERSEUR n.m. 74
matériel agricole
Petit arroseur rotatif, fonctionnant sous basse pression à portée ne dépassant pas 20 m.
De. Drehstrahlregner (m.) ; Berieseler (m.)
En. sprinkler
Es. rociador [4610]

ASPIRANTURE n.f. 75
recherche et développement > recherche
En U.R.S.S., cycle de formation d'une durée de trois ans se terminant par la soutenance d'une thèse et préparant aux carrières de la recherche.
De. Aspirantur (f.)
En. postgraduate study ; postgraduate work [4954]

ASPIRÉ-SOUFFLÉ n.m. 72
technologie des matériaux > formage
Procédé de formage du verre utilisant à la fois l'aspiration dans un moule et le soufflage d'une cavité au sein de la masse du verre.
V. soufflé - soufflé
De. Saug-Blasverfahren (m.)
En. suck and blow method ; vacuum and blowing method [379]

ASPIRO-BROSSEUR n.m. 75
ASPIROBROSSEUR
vie quotidienne > équipement ménager
Aspirateur muni de brosses cylindriques tournant à grande vitesse.
De. Kehrsauger (m.)
En. brushing vacuum-cleaner ; vacuum brushing cleaner [5231]

ASSEMBLABLE adj. 77
propriété > propriété technologique
Se dit d'éléments que l'on peut assembler. [7924]

ASSEMBLAGE → halle d' — .

ASSEMBLER v. 70
informatique > programmation
Traduire en instructions-machine et attribuer des emplacements de mémoire aux instructions et aux données.
V. assembleur
De. assemblieren

En. to assemble
Es. ensamblar [6718]

ASSEMBLEUR n.m. 69
informatique > programmation
Programme qui ordonne à un ordinateur de traduire un langage, instruction par instruction, en code-machine.
De. Assembler (m.)
En. assembler
Es. ensamblador [380]

ASSERTORICITÉ n.f. 76
logique
Caractère d'un jugement assertorique.
De. Assertorizität (f.) [8199]

ASSIMILAT n.m. 77
botanique
Produit d'une assimilation.
De. Assimilat (n.)
En. assimilate [7925]

ASSIS DEBOUT n.m. 73
ASSIS-DEBOUT
bâtiment et travaux publics > aménagement intérieur
Siège très haut utilisé notamment pour le dessin technique.
De. Stehsitz (m.) [2152]

ASSISTÉ → wagon — en plaine.

ASSISTÉE → récupération — .

ASSOCIATION n.f. 77
agronomie > technique culturale
Préparation comprenant plusieurs matières actives présentées sous forme d'une spécialité prête à l'emploi.
De. Kombinationspräparat (n.) [7926]

ASSOCIATION MOLÉCULAIRE n.f. 69
chimie > chimie du solide et du fluide
Phénomène par lequel deux ou plusieurs molécules s'unissent pour former un ensemble unique et stable sans que s'établisse de liaison de valence.
De. Molekularverbindung (f.)
En. molecular association [18]

ASSOCIATIONNISME → néo- — .

ASSOCIATIONNISTE → néo- — .

ASSURABILITÉ n.f. 77
gestion, organisation, administration > contrat
Caractère de ce qui peut-être assuré.
De. Versicherbarkeit (f.) ; Versicherungsfahigkeit (f.)
En. insurability [8443]

ASSURAGE n.m. 74
sport
Opération qui consiste à assurer un alpiniste à l'aide d'un dispositif.
De. Sichern (n.)
En. making fast [4204]

ASSURANCE MULTIRISQUE n.f. 74
gestion, organisation, administration > contrat
Assurance de plusieurs risques par un même contrat.
En. comprehensive insurance [1437]

ASTACOLOGIE n.f. 78
organisme vivant > animal
Domaine de la science consacré à l'étude des écrevisses.
V. astacologue [8064]

ASTACOLOGUE n. 78
organisme vivant > animal
Spécialiste de l'astacologie.
V. astacologie
De. Krebstierforscher (m.)

En. astacologist
Es. astacólogo [9275]

ASTÉRIÉ adj. 75
propriété > composition
Se dit d'une pierre précieuse taillée qui, exposée à la lumière, diffuse des étoiles.
En. asteriated ; star
Es. stellata [5482]

ASTHMOMÈTRE n.m. 76
instrumentation > mesure de temps
Chronographe comportant un cadran qui permet, à partir d'un comptage court de fonctions respiratoires, de lire directement les valeurs correspondantes, par minute.
En. asthmometer
Es. asmómetro [6030]

ASTRE OCCLUS n.m. 72
sciences de l'espace
Astre de conception relativiste d'où aucun rayonnement électromagnétique ne peut sortir par suite d'une densité telle que toute onde issue de l'intérieur focalise en un point situé à distance finie.
De. schwarges Loch (n.)
En. black hole [4955]

ASTROCHIMIE n.f. 74
sciences de l'espace
Étude chimique des corps célestes.
De. Astrochimie (f.)
En. astrochemistry [2325]

ASTROÉLECTRONIQUE n.f. 74
sciences de l'espace
Application de l'électronique à l'astronomie.
De. Astroelektronik (f.)
Es. astroelectrónica [2430]

ASTROPHOTOMÈTRE n.m. 73
sciences de l'espace
Télescope électronique qui permet de déterminer notamment les traces de poussière de l'environnement lunaire et la luminescence de la lumière zodiacale.
De. Astrophotometer (n.)
En. astronomical photometer ; astrophotometer [1080]

ASYMPTOTIQUE → disponibilité — .

ASYNCHRONOSE n.f. 77
pathologie animale > trouble fonctionnel
Trouble biologique dû à des déphasages horaires.
De. Asynchronose (f.)
Es. asincrónosis [7646]

ATACTIQUE adj. 73
propriété > configuration
Se dit d'un polymère dans lequel les atomes ou groupements constituants sont disposés irrégulièrement.
De. ataktisch
En. atactic [905]

ATELIER À CHAUD n.m. 74
économie > industrie métallurgique
Atelier d'une usine où les opérations provoquent une hausse excessive de la température.
V. atelier à froid [2153]

ATELIER À FROID n.m. 74
économie > industrie métallurgique
Atelier d'une usine où les opérations ne provoquent aucune hausse de la température.
V. atelier à chaud [2154]

ATELIER PROTÉGÉ n.m. 76
médecine > équipement médical
Atelier adapté aux possibilités de travail des déficients physiques ou mentaux.
V. hôpital de jour

De. beschützende Werkstätte (f.)
En. sheltered workshop [5483]

ATHÉROGÉNÈSE n.f. 75
pathologie animale > pathologie cardiovasculaire
Naissance et développement des athéromes.
En. atherogenesis
Es. aterogénesis [6172]

ATLANTISER v. 75
politique
Soumettre aux décisions du Pacte atlantique. [4239 bis]

ATLANTOGRAPHE n. 76
cartographie
Spécialiste qui dresse un atlas linguistique.
De. Atlantograph (m.) [7372]

ATMOSPHÈRE → dynamique de l' — .

ATMOSPHÉRIQUE → fenêtre — ; feuilletage — .

ATMOSPHILE n.m./adj. 77
chimie > affinité chimique
[Se dit d'un] élément qui présente des affinités géochimiques avec les constituants de l'atmosphère terrestre.
V. chalcophile ; lithophile ; sidérophile
De. atmophil (adj.)
En. atmophile
Es. atmófilo [7647]

ATOME n.m. 73
mathématiques
Partie non vide obtenue lorsqu'est donnée une famille de sous-ensembles non vide d'un ensemble E et recouvrant E, en prenant l'intersection de tous les éléments de cette famille.
Es. átomo [2432]

ATOME → quasi- — .

ATOPIE n.f. 76
psychologie > psychophysiologie
Impossibilité de se fixer dans un lieu.
En. atopy
Es. atopia [5892]

ATTACHEMENT n.m. 75
transport et manutention > engin de manutention
Accessoire pour chariot élévateur à fourche amovible, solidaire du tablier élévateur destiné à assurer la préhension, le maintien ou le déplacement de charges unitaires en cours d'opération de manutention.
De. Zusatzgerät (n.)
En. attachment [6173]

ATTAQUE → angle d' — .

ATTENDRISSAGE n.m. 77
économie > industrie agricole et alimentaire
Opération consistant à attendrir un morceau de viande soit par un traitement mécanique, soit par un procédé chimique ou physique.
En. tenderizing [7927]

ATTERBERG → limites d' — .

ATTITUDE → contrôle d' — .

ATTRITION n.f. 72
économie > travail (main-d'œuvre)
Usure des effectifs d'une entreprise.
De. Ausfall (m.)
En. attrition [212]

ATYPISME n.m. 72
sociologie
Déviation d'un individu par rapport aux valeurs, aux normes reconnues par la société.
De. atypisches Verhalten (n.)

En. atypism
Es. atipismo [5093]

AUDIO → laboratoire — - actif comparatif ; laboratoire — - actif semi-comparatif ; laboratoire — - actif simplifié ; laboratoire — - passif.

AUDIOCONFÉRENCE n.f. 78
information > moyen d'information
Type de téléconférence permettant aux participants éloignés les uns des autres de communiquer par des circuits téléphoniques.
V. téléconférence
De. Fernsprechkonferenz (f.)
En. audioteleconferencing
Es. audioconferencia [8997]

AUDIO-DISQUE n.m. 78
AUDIODISQUE
instrumentation > système électroacoustique
Disque réalisé par reproduction numérique des sons et lu par laser.
En. digital disc [9137]

AUDIOGÈNE adj. 73
pathologie animale > pathologie neurologique
Provoqué par une stimulation sonore importante.
En. audiogenic
Es. audiógeno [6305]

AUDIOMÉTRISTE n. 73
instrumentation > mesure de phénomènes physiologiques
Spécialiste de l'exploration et de la mesure de l'acuité auditive.
De. Spezialist (m.) für Audiometrie
En. audiometrist [906]

AUDIO-ORAL adj. 73
AUDIOORAL
enseignement
Se dit des méthodes pédagogiques qui font appel à l'expression orale des élèves.
De. audiooral
En. audio-oral [721]

AUDIOPHONIQUE adj. 76
instrumentation > transducteur
Se dit d'un matériel acoustique propre à renforcer les sons.
[4134 bis]

AUDIOPROTHÈSE → crypto- — .

AUDIO-TUTORIEL adj. 74
AUDIOTUTORIEL
information > moyen d'information
Se dit d'une méthode d'enseignement individualisée dans laquelle le cours est programmé, enregistré sur bandes magnétiques et accompagné de documents écrits ou audiovisuels.
En. audio-tutorial [3319]

AUDIOTYPISTE n. 72
économie > travail (main-d'œuvre)
Dactylographe qui travaille avec des écouteurs et une machine à dicter.
De. Phonotypistin (f.)
En. audio-typist ; dictaphone typist [1081]

AUDIOVISUALISER v. 74
information > moyen d'information
Transmettre une information, un enseignement par le son et l'image.
De. audiovisualisieren
En. to audiovisualize [1793]

AUDIOVISUALISTE n. 74
information > moyen d'information
Spécialiste de la communication audiovisuelle.
De. Audiovisions-Fachmann (m.)
En. audio-visual expert [1794]

AUDIT EXTERNE n.m. 75
gestion, organisation, administration > gestion
Vérification et certification des documents comptables d'une société par une personne ou un organisme extérieur à celle-ci.
En. external audit [4956]

AUDITIVES → lunettes — .

AUGE MARGINALE n.f. 74
géophysique > hydrogéologie
Lagune qui s'étendait à la limite des domaines marin et continental aux ères primaire et secondaire.
En. marginal lagoon
Es. artesa marginal [3320]

AURORE ÉQUATORIALE n.f. 74
géophysique > aéronomie
Phénomène lié à la précipitation de protons dans la basse atmosphère équatoriale après des orages magnétiques. [1795]

AUSTÉNITÉ n.f. 74
propriété > composition
Teneur en austénite.
De. Austenität (f.)
En. austenity
Es. austenidad [3673]

AUSTÉNITISATION n.f. 76
technologie des matériaux > traitement thermique
Procédé de trempe permettant de maintenir stable l'austénite d'un acier dont on veut améliorer les propriétés mécaniques.
De. Austenitizieren (n.)
Es. austenización [7373]

AUTHIGÈNE adj. 77
géophysique > géomorphologie
Se dit d'un matériel formé directement sur le fond des océans par précipitation chimique, coprécipitation, action des bactéries.
V. authigenèse
De. authigen
En. authigenic
Es. autígeno [8065]

AUTHIGENÈSE n.f. 77
géophysique > géomorphologie
Formation de matériel authigène.
V. authigène
De. Authigenese (f.)
En. authigenesis
Es. autigénesis [8201]

AUTO → carte — - relève ; cintre — - lanceur ; développement — - centré

AUTO → centre - — .

AUTOASSEMBLAGE n.m. 78
biochimie
Fait de s'associer spontanément.
V. autoassembler (s'—)
En. self-assembly
Es. autoensamblado [8998]

AUTOASSEMBLER (s'—) v. 78
biochimie
S'associer spontanément.
V. autoassemblage
Es. autoensamblar [8999]

AUTO-BANQUE n.f. 74
AUTOBANQUE
transport et manutention > infrastructure des transports
Comptoir de banque pour automobilistes.
De. Autoschalter (m.)
En. drive-in bank
Es. autobanco [3497]

AUTOBROUILLAGE n.m. 77
électronique > radiotechnique
Brouillage réalisé par un dispositif de saisie ou de traitement de l'information en vue de masquer à un système étranger les informations traitées. [8586]

AUTOBUS ARTICULÉ n.m. 78
transport et manutention > engin de transport
Autobus comportant une remorque rattachée au véhicule principal par un dispositif articulé permettant au voyageur de passer de l'un à l'autre.
De. Gelenkbus (m.) ; Gelenkomnibus (m.)
En. articulated bus [9000]

AUTOCABRAGE n.m. 76
transport et manutention > exploitation des transports
Mouvement de cabré spontané d'un avion.
De. Aufbäumen (n.)
En. pitch-up [6824]

AUTOCALIBRER v. 75
cybernétique > intelligence artificielle
Déterminer automatiquement, par comparaison avec un étalon interne, les valeurs correctes d'une échelle de lecture ou toute autre grandeur intervenant pour la mesure ou la détermination de paramètres précis.
De. selbsttätig kalibrieren
En. to autocalibrate
Es. autocalibrar [5233]

AUTOCHAUFFANT adj. 78
conditionnement (emballage) > emballage
Se dit d'un conditionnement de boissons permettant de les chauffer au moment de leur consommation grâce à une réaction chimique exothermique déclenchée par décapsulage du contenant.
De. selbsterwärmend
En. self-heating
Es. autocalentador [9001]

AUTOCIDE → lutte — .

AUTOCLAVABLE adj. 75
génie biomédical > stérilisation
Se dit d'un appareil ou d'un objet qui peut être stérilisé à l'autoclave.
En. autoclavable [4241 bis]

AUTOCLAVAGE n.m. 73
économie > industrie des matériaux de construction
Chauffage de produits en béton dans l'atmosphère de vapeur saturante sous pression d'un autoclave.
De. Autoklavbehandlung (f.)
En. autoclaving [214]

AUTOCLAVÉ adj. 75
économie > industrie des matériaux de construction
Passé à l'autoclave.
De. im Autoklav-
En. autoclaved [5234]

AUTOCLIMATISATION n.f. 77
action sur l'environnement > climatisation
Régulation climatique d'un bâtiment par l'utilisation de matériaux de construction appropriés et l'utilisation des conditions de son environnement.
V. autoclimatisé
De. Selbstklimatisierung (f.)
Es. autoclimatización [8724]

AUTOCLIMATISÉ adj. 77
action sur l'environnement > climatisation
Se dit d'un habitat qui a subi une autoclimatisation.
V. autoclimatisation
De. selbstklimatisiert
Es. autoclimatizado [7928]

AUTOCOLLANT n.m. 73
économie > promotion des ventes
Vignette qui peut être collée sur une surface quelconque sans

humidification préalable et dont la substance collante est protégée par un film qu'on retire au moment de l'emploi.
De. Selbstkleber (m.)
En. sticker [1438]

AUTOCOLONISATION n.f. 77
histoire
Processus par lequel un pays s'associe au mouvement de colonisation dont il est l'objet.
De. Eigenkolonisation (f.)
En. self-colonization
Es. autocolonización [8309]

AUTOCOMBUSTIBILITÉ n.f. 74
énergie (technologie) > combustion
Caractère de ce qui est autocombustible.
V. autocombustible [7091]

AUTOCOMBUSTIBLE adj. 74
énergie (technologie) > combustion
Se dit d'une substance dont la combustion ne nécessite aucun appoint de combustible.
V. autocombustibilité [7092]

AUTOCOMBUSTION n.f. 74
environnement et sécurité > lutte contre la pollution
Combustion spontanée.
De. Selbstentzündung (f.) ; Selbstverbrennung (f.)
En. autoignition ; spontaneous combustion [2326]

AUTOCOMMUTATEUR n.m. 72
télécommunications > équipement télécommunications
Dispositif effectuant spontanément l'acheminement d'un message sur une ligne disponible. [215]

AUTOCONCURRENCE DIRECTE n.f. 73
économie > marché
Concurrence qu'une entreprise se fait à elle-même, en fabriquant des produits diversifiés qui s'adressent à un même type de clientèle.
V. autoconcurrence indirecte
De. Eigenkonkurrenz (f.)
En. direct self-competition
Es. autoconcurrencia directa [3321]

AUTOCONCURRENCE INDIRECTE n.f. 73
économie > marché
Concurrence qu'une entreprise se fait à elle-même en concédant à une autre entreprise la licence d'un procédé original de fabrication ou en fabriquant, en aval de son produit principal, un produit intermédiaire qui entre en compétition avec ceux de ses propres clients.
V. autoconcurrence directe
De. indirekte Eigenkonkurrenz (f.)
En. indirect self-competition
Es. autoconcurrencia indirecta [3322]

AUTO-CONSTRUCTION n.f. 77
AUTOCONSTRUCTION
bâtiment et travaux publics > procédé de construction
Action de construire une habitation par soi-même, sans moyens, le plus souvent à l'aide de matériaux récupérés.
De. Eigenbau (m.)
Es. autoconstrucción [7787]

AUTOCONVERGENCE n.f. 75
électronique > composant électronique
Convergence de faisceaux électroniques obtenue sans réglage.
V. autoconvergent
De. Selbstkonvergenz (f.)
En. self-convergence
Es. autoconvergencia [5235]

AUTOCONVERGENT adj. 75
électronique > composant électronique
Se dit d'un tube (de télévision en couleurs) qui obtient sans réglage une convergence des faisceaux électroniques sur les perforations du masque.
V. autoconvergence
De. selbstkonvergierend

En. self-convergent
Es. autoconvergente [5236]

AUTOCOPIANT adj. 72
matériau > papier
Se dit d'un papier qui reproduit des tracés par transmission de pression.
De. selbstkopierend
En. self-copying [722]

AUTOCORRECTEUR n.m. 76
opération > exploitation
Dispositif électronique de régulation de la carburation d'un moteur par intervention sur le débit d'essence.
De. elektronisches Steuergerät (n.)
Es. autocorrector [7510]

AUTOCORRECTION n.f. 77
électronique > circuit électronique
Processus de correction automatique.
De. Selbstkorrigieren (n.)
En. self-correction [8066]

AUTOCREUSET n.m. 76
technologie des matériaux > équipement industriel de transformation
Couche de sel solide protégeant les parois d'un récipient contre la corrosion provoquée par le sel liquide.
En. self-crucible [5616]

AUTODÉCHARGE n.f. 75
physique > électricité
Perte de charge d'un dispositif générateur d'énergie à travers ses propres ramifications sans que ce dispositif soit relié à des circuits utilisant son énergie.
De. Selbstentladung (f.)
En. self-discharge
Es. autodescarga [5340]

AUTO-DÉCHARGEANT adj. 78
AUTODÉCHARGEANT
transport et manutention > transport
Se dit d'un engin de transport dont le déchargement s'effectue automatiquement.
De. selbstlöschend
En. self-unloading [9139]

AUTODÉFROISSABILITÉ n.f. 76
matériau > tissu (textile)
Propriété d'une étoffe de se défroisser sans avoir recours à un agent extérieur.
V. autodéfroissable
De. Knitterrückbildungsvermögen (n.)
En. crease resistance ; crush resistance [6958]

AUTODÉFROISSABLE adj. 72
matériau > tissu (textile)
Qui se défroisse seul ou permet de se défroisser seul.
V. autodéfroissabilité
De. selbstglättend [21]

AUTO-DÉVELOPPEMENT n.m. 77
AUTODÉVELOPPEMENT
économie > développement (économie)
Croissance économique fondée prioritairement sur les ressources du pays.
V. développement auto-centré
De. Eigenentwicklung (f.)
En. independent development ; self-reliance
Es. autodesarrollo [8587]

AUTODIDAXIE n.f. 74
enseignement
Acquisition de connaissances par soi-même, sans l'intervention d'un maître.
V. didaxie
De. Autodidaktentum (n.); Selbstunterricht (m.)
En. self-culture
Es. autodidaccia [2789]

AUTODIRECTEUR n.m. 76
électronique > équipement électronique
Dispositif de bord électromagnétique, optique ou acoustique
qui sert à guider automatiquement un missile ou une torpille
vers l'objectif.
De. Zielsuchgerät (n.); Zielsuchkopf (m.)
En. homing device ; homing head ; seeker head
Es. autodirector [5237]

AUTODUNE n.f. 73
mécanique appliquée > véhicule
Véhicule à moteur conçu pour se déplacer sur le sable.
V. motodune
En. dune buggy [6443]

AUTODURCISSANT adj. 77
matériau > liant
Se dit d'un matériau de moulage qui se solidifie sans l'interven-
tion d'un durcisseur.
De. selbsthärdend
En. self-hardening
Es. autoendurecedor [8445]

AUTO-ÉCLAIRCIE n.f. 78
AUTOÉCLAIRCIE
foresterie
Élimination quinquennale des arbres morts.
De. Selbstlichtung (f.)
En. self-thinning [9002]

AUTOÉCOLOGIE n.f. 74
écologie > autécologie
Écologie d'une espèce donnée, à l'échelle d'une ou de plu-
sieurs de ses populations.
De. Autoökologie (f.)
En. autoecology
Es. autoecología [2604]

AUTOÉLÉVATRICE n.f. 75
exploitation des ressources minérales
Unité de forage en mer constituée d'un ponton qui flotte
pendant les déplacements et repose sur le fond en position de
travail par l'intermédiaire de colonnes rétractables.
De. Hubinsel (f.)
En. jack-up ; self-jacking platform [7648]

AUTO-ÉMULSIFIANT adj. 75
AUTOÉMULSIFIANT
matériau > agent de surface
Qui permet d'obtenir une émulsion par simple agitation, sans
modifier la constitution chimique des substances testées.
De. selbstemulgierend
En. autoemulsive [6174]

AUTO-ÉNERGÉTIQUE adj. 77
AUTOÉNERGÉTIQUE
énergie (technologie) > énergie solaire
Qui utilise une énergie renouvelable.
V. écohabitat [8725]

AUTO-ENFOUISSEMENT n.m. 78
AUTOENFOUISSEMENT
économie > industrie nucléaire
Procédé de stockage des déchets radioactifs consistant à les
enfermer dans un conteneur qui s'enfonce de lui-même dans le
sol sous l'effet de certains phénomènes physiques.
De. Eigenversinken (n.) ; Selbstversinken (n.)
En. self-burial [8853]

AUTOÉTUVAGE n.m. 74
opération > séchage
Traitement thermique permettant d'accélérer le durcissement
du béton par l'utilisation de la chaleur d'hydratation.
De. Selbstwarbehandlung (f.)
En. isothermal curing ; self-curing
Es. autosecado [2433]

AUTOEXTRAIT n.m. 76
information > traitement documentaire
Résumé automatique d'un document constitué d'une sélection

de ses phrases les plus significatives extraites par ordinateur.
V. abstrat
De. maschinell erstelltes Referat (n.)
En. auto-abstract [7375]

AUTOFERTILISANT adj. 75
agronomie > technique culturale
Se dit d'un récipient dont les parois sont constituées d'une
matière fertilisante.
De. selbstdüngend
En. auto-fertilizing
Es. autofertilizante [5763]

AUTOFOCALISATEUR adj. 74
matériau > fibre
Dont l'indice de réfraction décroît continûment à partir de
l'axe de la fibre, et de plus en plus rapidement au fur et à
mesure que la distance à cet axe augmente.
De. Selbstfokussierer
En. self-focusing
Es. autofocalizador [2605]

AUTOFREINAGE n.m. 77
opération > exploitation
Opération par laquelle une certaine résistance est opposée au
dévissage d'une pièce mécanique.
De. Selbstsicherung (f.)
En. self-locking [7230]

AUTOFREINÉ → écrou — .

AUTO-GAVAGE n.m. 77
AUTOGAVAGE
vie quotidienne > alimentation
Surconsommation d'aliments obtenue en agissant sur le fonctionnement des centres de régulation de l'appétit. [8588]

AUTOGÈNE → broyage — .

AUTOGIRATION n.f. 66
physique > mécanique
Phénomène de giration spontanée des pales d'un appareil à
voilure tournante qui ralentit sa chute.
De. Autorotation (f.) ; Eigendrehung (f.)
En. autorotation
Es. autogiración [5893]

AUTO-GREFFON n.m. 72
AUTOGREFFON
génie biomédical > chirurgie
Tissu prélevé en un point d'un organisme en vue d'une greffe
sur un autre point du même organisme.
V. allogreffe ; isogreffe ; xénogreffe
De. Autoplastik (f.)
En. autograft ; autoplastic graft [381]

AUTOGRIMPANT adj. 76
bâtiment et travaux publics > opération de construction
Se dit d'un coffrage qui peut être hissé le long des parois au
fur et à mesure de l'avancement des travaux.
En. progressive [6959]

AUTO-GRUE n.f. 73
AUTOGRUE
transport et manutention > engin de levage
Grue montée sur une automobile.
De. Mobilkran (m.)
En. tractor crane ; motor crane truck [1256]

AUTOGUIDAGE ACTIF n.m. 73
télécommunications > communication spatiale
Guidage d'une fusée au moyen de détecteurs et de calculateurs
embarqués.
V. autoguidage passif ; autoguidage semi-actif
En. active homing [908]

AUTOGUIDAGE PASSIF n.m. 73
télécommunications > communication spatiale
Guidage automatique d'une fusée à l'aide d'un détecteur
sensible aux signaux émis par une cible.

V. autoguidage actif ; autoguidage semi-actif
En. passive homing [909]

AUTOGUIDAGE SEMI-ACTIF n.m. 73
télécommunications > communication spatiale
Guidage d'une fusée avec assistance d'un radar au sol qui
partage avec le radar embarqué les tâches de détection de la
cible et de détermination de la trajectoire.
V. autoguidage actif ; autoguidage passif
En. semiactive homing [910]

AUTOHYPNOSE n.f. 76
génie biomédical > psychothérapie
État d'hypnorelaxation du sujet qui a, lui-même, recours à des
formules établies à cet effet dans un contexte suggestif.
V. hétérohypnose
De. Autohypnose (f.) ; Selbsthypnose (f.)
En. autohypnosis
Es. autohipnosia [6960]

AUTO-LAVEUR n.m. 74
AUTOLAVEUR
opération > nettoyage
Appareil destiné à laver la verrerie de laboratoire.
De. Laborwaschautomat (m.) [3675]

AUTOLAVEUSE n.f. 76
vie quotidienne > équipement ménager
Machine qui combine les opérations de brossage, lessivage et
aspiration.
De. Waschautomat (m.) [7231]

AUTO-LISSANT n.m. 75
AUTOLISSANT
matériau > matériau de revêtement
Enduit qui s'étend en surfaces lisses.
De. selbstglättend
En. self-levelling coat [5094]

AUTOLOGUE adj. 75
génie biomédical > chirurgie
Se dit d'une greffe de cellules ou de tissu pratiquée sur le
donneur lui-même.
V. autogreffon
De. autolog
En. autologous
Es. autologo [4493]

AUTOLYSOSOME n.m. 77
microbiologie
Vacuole autophagique.
De. Autolysosom (n.)
En. autolysosome ; autophagic vacuole ; cytosegrosome [9140]

AUTOMATE → micro- — .

AUTOMATICIEN n.m. 74
automatisme > équipement automatique
Fabricant de matériel d'automatique.
En. automatician [3676]

AUTOMATISEUR n.m. 74
automatisme > équipement automatique
Promoteur de l'automatisation industrielle. [5341]

AUTOMÉDICATION n.f. 73
pharmacologie > toxicologie
Utilisation de médicaments par des malades en dehors de toute
prescription médicale.
De. Selbstmedikation (f.)
En. self-medication [723]

AUTOMÉTRIE n.f. 77
instrumentation > mesure de phénomènes physiologiques
Mesure de paramètres physiologiques effectuée par un sujet
sur lui-même.
V. autométrique
De. Autometrie (f.) ; Selbstmessen (n.)
Es. autometria [8589]

AUTOMÉTRIQUE adj. 73
instrumentation > mesure des phénomènes physiologiques
Propre à l'autométrie.
V. autométrie
De. Selbstmeß-
En. autometric
Es. autométrico [7232]

AUTOMODELANT adj. 72
vie quotidienne > vêtement
Se dit d'une matière qui s'adapte aux formes sur lesquelles elle
est appliquée.
De. selbstformend
En. self-fitting ; self-molding [547]

AUTONETTOYAGE n.m. 73
opération > nettoyage
Nettoyage effectué par l'appareil lui-même sans aucun apport
extérieur.
De. Selbstreinigung (f.)
En. self-cleaning
Es. autolimpiado [2434]

AUTOPATINABLE adj. 73
propriété > propriété physico-chimique
Se dit d'un acier qui se recouvre spontanément d'une couche
protectrice contre la corrosion atmosphérique.
V. patinable
De. selbstpatinierbar
En. self-patinating [1257]

AUTOPOINTÉ adj. 76
automatisme > équipement automatique
Se dit d'un dispositif orientable qui inclut ses propres
éléments de contrôle de pointage.
En. tracking [6445]

AUTOPORT n.m. 75
transport et manutention > infrastructure des transports
Centre de transit établi sur une autoroute à proximité d'une
frontière.
De. Autohof (m.)
En. autoport [5344]

AUTOPROTÉGÉ → acier — .

AUTOPROTONISATION n.f. 74
chimie > chimie du solide et du fluide
Fait pour une substance de libérer spontanément des protons
dans certaines conditions.
En. autoprotonation
Es. autoprotonización [6446]

AUTORADIOGRAPHIQUE adj. 77
radiographie
Relatif à la radiographie d'objets radioactifs.
V. radioautographie
De. autoradiographisch
En. autoradiographic
Es. autoradiográfico [8726]

AUTORÉGRESSIFS → méthode des filtres — .

AUTO-RÉTICULATION n.f. 75
AUTORÉTICULATION
chimie > réaction chimique
Réticulation d'un agent chimique sans apport d'additifs.
En. selfcrosslinking
Es. autoreticulación [6825]

AUTORITÉ n.f. 75
mécanique des fluides appliquée
Paramètre permettant de quantifier la progressivité d'une
vanne de contrôle.
En. authority
Es. autoridad [5239]

AUTOROUTIÈRE n.f. 74
mécanique appliquée > véhicule
Véhicule destiné aux autoroutes.
En. superhighway vehicle [2958]

AUTO-SCELLAGE n.m. 74
AUTOSCELLAGE
géologie > modification superficielle
Ensemble des transformations par lesquelles une roche perméable devient imperméable.
En. self-sealing
Es. autoimpermeabilización [3323]

AUTOSCOPIE n.f. 73
information > moyen d'information
Autoobservation d'un professeur en classe permise par enregistrement sur magnétoscope et destinée à des fins pédagogiques.
En. autoscopy [725]

AUTOSECTORIELLE → stratégie — .

AUTO-SEMBLABLE adj. 78
AUTOSEMBLABLE
mathématiques
Se dit d'un objet fractal qui garde toujours la même physionomie quelle que soit l'échelle d'examen.
V. autosimilitude ; fractal [9003]

AUTO-SERRAGE n.m. 75
AUTOSERRAGE
automatisme > commande automatique
Dispositif qui permet d'effectuer un serrage sans intervention manuelle, par contact.
V. autoserrant [4494]

AUTOSERRANT adj. 73
automatisme > commande automatique
Qui s'effectue par autoserrage.
V. auto-serrage
De. selbstsperrend
En. self-tightening [1620]

AUTO-SILO n.m. 75
AUTOSILO
bâtiment et travaux publics > construction
Parc à voitures géant qui comporte de nombreux étages.
V. silo à voitures
De. Hochgarage (f.)
En. multi-storey car park (U.K.) ; parking-silo (U.S.A.)
Es. autosilo [4773]

AUTOSIMILITUDE n.f. 78
mathématiques
Propriété de ce qui est autosemblable.
V. auto-semblable ; fractal
De. Selbstähnlichkeit (f.)
En. self-similarity
Es. autosimilitud [9004]

AUTO-SUBSISTANCE n.f. 77
AUTOSUBSISTANCE
économie > système économique
Système économique dans lequel la production d'un pays ou d'une région suffit à la consommation de ses habitants.
V. autosuffisant ; auto-suffisant
De. Selbstversorgung (f.)
Es. self-subsistence ; self-subsistency
Es. autosubsistencia [8311]

AUTOSUFFISANCE n.f. 77
économie > système économique
Système économique dans lequel la production d'un pays ou d'une région suffit à la consommation de ses habitants.
V. auto-subsistance ; auto-suffisant
En. self-sufficiency
Es. autosuficiencia [8727]

AUTO-SUFFISANT adj. 74
AUTOSUFFISANT
économie > système économique
Se dit d'un pays qui pratique l'autosuffisance.
V. auto-subsistance ; autosuffisance
De. autark
En. autarkic ; autarkical ; self-sufficient ; self-supporting
Es. auto-suficiente [3848]

AUTOSURVEILLÉ adj. 76
automatisme > équipement automatique
Se dit d'un dispositif actif qui inclut ses propres éléments de contrôle.
De. selbstgesteuert
En. computer-supervised [8728]

AUTOTESTÉ adj. 78
instrumentation > essai et contrôle
Se dit d'un système ou d'une machine dont le fonctionnement est contrôlé par un dispositif de mesure incorporée.
De. selbstgeregelt
En. self-tested [8854]

AUTOTRACTÉ adj. 77
économie > industrie mécanique
Se dit d'un dispositif de transport automatisé permettant de déplacer une unité de transport dans une installation de production.
En. self-propelled [8067]

AUTOTRANSPLANTATION n.f. 75
génie biomédical > chirurgie
Procédé chirurgical de restauration des parties mutilées ou manquantes par transfert de tissus prélevés sur le sujet lui-même.
V. autogreffon
De. Autotransplantation (f.)
En. autografting ; autotransplantation
Es. autotransplante [5484]

AUTOTREMPE n.f. 76
technologie des matériaux > traitement thermique
Trempe obtenue par refroidissement à l'air libre, sans autre intervention.
V. ultratrempe
De. Selbsthärten (n.)
En. air-hardening
Es. autotemplado [6175]

AUTOVINIFICATEUR n.m. 74
technologie des matériaux > génie alimentaire
Appareil combinant l'action d'un levurage puissant à une réfrigération et un lessivage automatique afin d'obtenir une fermentation accélérée des vins.
De. automatische Weinbereitungsanlage (f.)
En. automatic vinifier [4135 bis]

AUTOXYDATION n.f. 75
chimie > réaction chimique
Oxydation spontanée par l'intermédiaire de corps qui fixent directement l'oxygène de l'air. [4242 bis]

AUTO-ZÉRO adj. 77
AUTOZÉRO
cybernétique > automatique
Se dit du réglage ou du calibrage automatique du zéro qui, dans un appareil, précède une opération de mesure.
En. auto-zero [8590]

AUXÈSE n.f. 74
botanique
Croissance.
En. auxesis
Es. auxesis [2435]

AUXILIAIRE → égo- — .

AUXOTROPHE adj. 77
physiologie > nutrition
Se dit de microorganismes qui ont besoin de facteurs de

croissance.
V. auxotrophie
De. auxotroph
En. auxotrophic
Es. auxotrofo [8068]

AUXOTROPHIE n.f. 76
physiologie > nutrition
Mode particulier de nutrition de certains végétaux dont le développement ne se produit que grâce à l'apport de facteurs de croissance sous forme dissoute.
V. auxotrophe ; photohétérotrophie
De. Auxotrophie (f.)
En. auxotrophy
Es. auxotrofia [8069]

AVANCE → duo — - retard .

AVANCE-BANDE n.m. 75
économie > industrie mécanique
Dispositif destiné à faire avancer des tôles et des bandes métalliques en cours de traitement.
En. feeding device [4023]

AVANT-GARDISME n.m. 74
sociologie
Doctrine qui préconise la prise d'une position d'avant-garde, considérée comme une valeur en soi.
De. Avantgardismus (m.)
En. avant-gardism
Es. vanguardismo [2156]

AVANT-TEXTE n.m. 71
information > document
Ensemble constitué par les brouillons, les manuscrits, les épreuves, les variantes qui précède un ouvrage et peut faire système avec lui.
V. extra-texte ; intra-texte
De. im Text (m.) ; verwertete Vorarbeiten (f.)
En. draft text
Es. pre-texto [4957]

AVERSIF adj. 76
zoologie
Qui provoque une répulsion.
De. Aversions-
En. aversive [7929]

AVERSION n.f. 74
génie biomédical > psychothérapie
Thérapeutique consistant à associer au stimulus conditionné un stimulus inconditionnel douloureux afin de faire disparaître un certain comportement.
V. inondation ; modelage
De. Aversion (f.)
En. aversion
Es. aversión [3677]

AVEUGLE adj. 72
matériau > encre
Se dit d'une encre visible par l'œil humain mais non par un lecteur optique.
V. lisible
En. blind [726]

AVEUGLE adj. 74
mécanique appliquée > joint d'assemblage
Se dit d'un rivet qui permet un rivetage sur une pièce dont une des faces est inaccessible.
En. pop [3324]

AVEUGLE (en —) adj. 73
mécanique appliquée > assemblage
Se dit d'une opération d'assemblage qui s'effectue sans que l'opérateur ait accès à toutes les pièces.
En. blind [904]

AVEUGLE → alarme — ; dégustation — ; en double — .

AVIANISÉ adj. 73
organisme vivant > microorganisme
Se dit d'un virus modifié par passages en série sur œur de poule en incubation ou sur culture d'embryons de poulets.
V. caprinisé ; lapinisé
En. avianized [4611]

AVIEN adj. 74
organisme vivant > animal
Relatif à l'ensemble des oiseaux.
De. Vogel-
En. avian [1796]

AVIFUGE n.m. 73
matériau > pesticide
Produit qui éloigne les oiseaux.
En. bird repellent [1259]

AVIONNER v. 74
transport et manutention > transport
Au Sénégal, transporter par avion. [4206]

AVIS DE SORT n.m. 75
transport et manutention > transport
Indication de livraison effectuée, établie au retour des camions de livraison.
V. dossier-voiture
En. notice of receipt [4207]

A.V.I.V. (Aliment Végétal Imitant la Viande) n.m. 77
AVIV
matériau > produit alimentaire
Produit alimentaire de synthèse fabriqué à partir de protéines extraites des végétaux.
En. artificial meat ; simulated meat product ; T.V.P. (Textured Vegetable Protein) [8729]

AVUNCULOLOCALITÉ n.f. 70
sociologie
Coutume selon laquelle un nouveau couple habite sur les mêmes lieux que l'oncle maternel du mari.
V. bilocalité ; matrilocalité ; néolocalité ; patrilocalité
En. avunculocality [5240]

AXE AISÉ n.m. 75
instrumentation > mesure magnétique
Direction contenue dans le plan de la couche magnétique suivant laquelle un film mince magnétique est aimanté et sur laquelle l'aimantation permanente peut avoir deux positions d'équilibre stable en sens opposés.
V. axe difficile ; axe facile
De. Achse (f.) leichter Magnetisierbarkeit
En. easy axis ; easy direction [5345]

AXE DIFFICILE n.m. 72
instrumentation > mesure magnétique
Direction contenue dans le plan perpendiculaire à la couche magnétique suivant laquelle un film mince magnétique est aimanté et sur laquelle l'aimantation permanente est presque nulle.
V. axe aisé ; axe facile
De. Achse (f.) schwerer Magnetisierbarkeit
En. hard axis ; hard direction [5346]

AXE FACILE n.m. 72
instrumentation > mesure magnétique
Direction contenue dans le plan de la couche magnétique suivant laquelle un film mince magnétique est aimanté et sur laquelle l'aimantation permanente peut avoir deux positions d'équilibre stable en sens opposés.
V. axe difficile ; axe aisé
De. Achse (f.) leichter Magnetisierbarkeit (f.)
En. easy axis ; easy direction [5347]

AXÈNE adj. 74
génie biomédical > stérilisation
Se dit d'un animal dont l'organisme n'abrite ni bactérie, ni champignon ou virus, saprophyte ou pathogène.
En. axenic [2158]

AXÉNICITÉ n.f. 76
génie biomédical > animal de laboratoire
Caractère axénique d'un être vivant.
V. axénique [7376]

AXÉNIQUE adj. 78
génie biomédical > animal de laboratoire
Se dit d'un être vivant dont l'organisme est dépourvu de
population bactérienne.
V. gnotoxénique ; holoxénique ; hétéroxénique
En. germ-free ; axenic
Es. axénico [9276]

AXÉNISATION n.f. 72
génie biomédical > animal de laboratoire
Purification d'un organisme par élimination de la population
bactérienne.
V. axénique
De. Reinigung (f.)
En. axenization [382]

AXIAL → décalage — .

AXISYMÉTRIQUE adj. 72
mécanique appliquée > moteur
Se dit d'un système où la répartition symétrique se fait par
rapport à l'axe du cylindre.
De. achsensymmetrisch
En. axisymmetric [383]

AXODENDRITIQUE adj. 78
cellule et constitution cellulaire > cellule
Se dit d'une synapse reliant un axone et une dendrite.
V. axosomatique
De. axodendritsch
En. axodendritic
Es. axodentrítico [8855]

AXOSOMATIQUE adj. 78
cellule et constitution cellulaire > cellule
Se dit d'une synapse reliant un axone et le corps cellulaire
(soma) d'un neurone.
V. axodendritique
De. axosomatisch
En. axosomatic
Es. axosomático [8856]

AZOBACTER n.m. 74
organisme vivant > microorganisme
Bactérie du sol capable d'oxyder l'azote de l'air.
En. nitrobacter [1797]

AZOTÉ → calorico- — .

AZURANT OPTIQUE n.m. 75
technologie des matériaux > coloration
Agent de blanchiment optique essentiellement constitué d'un
produit blanc doué d'une fluorescence bleue.
V. azureur optique
De. Wasch-Blau (n.)
En. blueing ; bluing [4495]

AZUREUR OPTIQUE n.m. 75
technologie des matériaux > coloration
Agent de blanchiment optique accentuant par effet de lumines-
cence, l'intensité du blanc et la vivacité des nuances.
V. azurant optique
De. Aufheller (m.)
En. optical bleach ; optical brightening agent [6826]

B

BACTÉRIDIEN → charbon — .

BACTÉRIE → super- — .

BACTÉRIOSCOPIE n.f. 75
génie biomédical > analyse biologique
Recherche de bactéries dans un milieu organique, naturel ou
pathologique, au moyen du microscope.
De. Bakterioskopie (f.)
En. bacterioscopy
Es. bacterioscopia [5349]

BACTOSPÉINE n.f. 75
matériau > pesticide
Substance à base de bacillus thurigiensis qui provoque la mort
des chenilles processionnaires.
En. bactospein
Es. bactoespeina [4024]

BAGUE DE JONCTION n.f. 78
microbiologie
Formation résultant de l'accolement de la membrane de la
cellule-hôte avec la membrane extérieure de la grégarine.
De. Verlindungsring (m.) [9141]

BAIL → cession- — .

BAIN DE BLANC n.m. 76
technologie des matériaux > génie chimique
Bain constitué d'acides sulfurique et nitrique.
En. white pickling [6176]

BAINITIQUE adj. 74
matériau > matériau métallique
De la nature de la bainite.
De. Zwischenstufen-
En. bainitic
Es. bainitico [4775]

BAISSE n.f. 76
économie > industrie du cuir
Diminution de l'épaisseur du derme d'une peau due au
couteau sans trace de coutelure.
En. score [6827]

BAISSE → monte- — .

BAISSÉE n.f. 77
géophysique > hydrographie
Phénomène de descente de la surface de l'eau entre la pleine
mer et la basse mer suivante.
De. Fallen (n.)
En. ebb ; falling [6961]

BAISSIER → marché — .

BALAFONGISTE n.m. 74
arts > musique
Joueur de balafon(g).
De. Balafonspieler (m.)
En. balaphon player [2436]

BALANCE-DARD n.f. 74
instrumentation > essai et contrôle
Tige métallique comportant des dynamomètres, introduite
horizontalement dans le culot d'une maquette de soufflerie.
De. Luftkraftwaage (f.)
En. sting [2959]

BALANCELLE n.f. 78
technologie des matériaux > génie alimentaire
Type d'étuve où l'on fait détendre la pâte à pain.
En. tray-type ι roofer [9277]

BALANCEMENT n.m. 73
exploitation des ressources minérales
Type d'exploitation d'un réservoir souterrain faisant alterner
les volumes respectifs de l'eau et des hydrocarbures. [1798]

BALAYAGE → échographe à — ; guide- — .

BALEINE → dos de — .

BALLASTÉ adj. 75
électronique > technique des semiconducteurs
Se dit d'un dispositif utilisé comme générateur de tension (transistor, alimentation...) et muni d'un montage stabilisateur de tension. [5241]

BALLES → presse à — .

BALLON LOBÉ n.m. 78
instrumentation > équipement aérospatial
Type de ballon stratosphérique dont l'enveloppe en matière plastique est tendue sur des sangles reliées entre elles aux pôles du ballon.
En. lobed balloon [9005]

BANALISABLE adj. 75
transport et manutention > manutention
Se dit de cahiers de stockage permettant d'appliquer la méthode de banalisation.
V. banalisation [4496]

BANALISATION n.f. 75
transport et manutention > manutention
Méthode de stockage dans laquelle l'affectation des charges n'est pas fixe et peut se faire dans n'importe quel emplacement libre d'un lieu de stockage.
V. banalisable [4497]

BANALISÉ adj. 72
transport et manutention > exploitation des transports
Se dit d'un véhicule mis à la disposition d'une communauté.
En. unmarked [912]

BANANA n.m. 78
chimie > composé chimique
Niobate ferroélectrique ($Ba_2NaNb_5O_{15}$) utilisé dans un oscillateur paramétrique optique.
En. barium sodium niobate
Es. banana [8730]

BANCAIRE → terminal — .

BANCAIRISATION n.f. 74
gestion, organisation, administration > gestion financière
Degré d'utilisation des services bancaires. [2327]

BANCO n.m. 74
matériau > matériau composite
Matériau constitué de terre argileuse et de paille hachée séchée.
En. laterite mud ; mud
Es. adobe [4243bis]

BANC-TITRE n.m. 74
instrumentation > système électroacoustique
Appareil composé d'une caméra et d'une table destiné à filmer essentiellement des titres.
De. Filmtitelkamera (f.) ; Titelkamera (f.)
En. caption stand [2159]

BANDE → avance- — ; double — .

BANDE D'AMENÉE n.f. 70
transport et manutention > manutention
Sur une chaîne de montage, bande sans fin permettant de déplacer des objets.
De. Zubringerband (n.)
En. conveyor belt [1442]

BANDE PASSANTE, n.f. 73
physique > onde ou rayonnement
Plage de fréquence continue pour laquelle le système de transformation admet une distorsion maximale donnée de la valeur nominale.
De. Durchlassbereich (m.)
En. pass-band [1083]

BANDE PHOTOGRAPHIQUE n.f. 76
instrumentation > photographie
Photographie aérienne d'une position étroite de terrain en aviation de reconnaissance.

De. Bildreihe (f.)
En. strip
Es. banda fotográfica [8446]

BANDEROLAGE n.m. 70
conditionnement (emballage) > fermeture
Opération qui consiste à entraver de bandes métalliques ou de films plastiques étirables une unité de manutention.
De. Umreifung (f.)
En. strapping
Es. cinchadura [3140]

BANDEROLEUSE n.f. 73
conditionnement (emballage) > fermeture
Machine destinée à effectuer un banderolage.
De. Umreifungsmaschine (f.) für Sammelpackungen [1622]

BANDING n.m. 77
chimie > chimie analytique
Marquage par des colorants des différentes bandes constitutives d'un chromosome ou d'un chromatide.
De. Bänderung (f.)
En. banding [8447]

BANDOTHÈQUE n.f. 73
conditionnement (emballage) > emballage
Ensemble des bandes magnétiques destinées à l'ordinateur d'un centre de calcul.
De. Magnetbandarchiv (n.) ; Magnetbandbibliothek (f.)
En. tape library ; tape tin
Es. cintoteca [1444]

BANLIEUSARDISATION n.f. 77
gestion, organisation, administration > aménagement du territoire
Transformation d'un environnement en banlieue.
De. Ausweitung (f.) der Vororte
En. suburbanization
Es. suburbianización [8070]

BANQUE → auto- — .

BANQUE DE DONNÉES n.f. 72
information > centre d'information
Ensemble de fichiers voisins ou apparentés (collections de données).
De. Datenbank (f.)
En. data bank
Es. banco de datos [2160]

BANQUETTE n.f. 77
environnement et sécurité > lutte contre la pollution
Trottoir latéral bordant un collecteur d'eaux usées.
De. Bankette (f.) [7649]

BANTOÏDE adj. 76
linguistique
Qui possède certaines caractéristiques bantoues.
De. bantoid
En. bantoid [7650]

BANTUISTIQUE n.f. 67
BANTOUISTIQUE
linguistique
Étude des langues et des cultures bantoues.
En. bantuistics [3849]

BARBACANE DÉVELOPPÉE n.f. 77
génie hydraulique
Barbacane par tube-drain enfoncée horizontalement sur plusieurs mètres au-delà de la partie extérieure d'un puits et le plus possible à la base de la nappe.
V. pécélisation ; pécéliser ; tube-drain [9278]

BARGES → porte- — .

BAROCHORE adj. 77
botanique
Dont la semence tombe sous le seul effet de son poids.
En. barochorous [8592]

BAROCLINE adj. 75
géophysique > météorologie
Se dit d'un modèle d'atmosphère où la densité est fonction de
la pression et de la température.
V. barotrope
De. baroklin
En. barocline ; baroclinic
Es. baroclina [5097]

BAROCONTACT n.m. 73
cybernétique > automatique
Dispositif dont le contact est commandé par une pression
préréglée.
En. pressure switch [1447]

BARO-HÔPITAL n.m. 74
BAROHÔPITAL
médecine > équipement médical
Centre de traitement équipé de caissons barométriques.
En. barohospital [3141]

BAROPHILE adj. 76
microbiologie
Adapté aux fortes pressions.
De. barophil
En. barophilic
Es. barófilo [6031]

BARO-RELAIS n.m. 74
BARORELAIS
sciences de l'espace
Dispositif dont le déclenchement est commandé à un niveau
de pression prédéterminé.
En. barometric relay [3679]

BAROTROPE adj. 75
géophysique > météorologie
Se dit d'un modèle d'atmosphère où la densité est uniquement
fonction de la pression.
V. barocline
De. barotrop
En. barotropic
Es. barotrópico [5098]

BARQUE DE VENTE n.f. 74
économie > activité commerciale
Présentoir distributeur en carton ondulé, destiné à une
période promotionnelle limitée et posé à même le sol ou sur
pied métallique.
V. bergerie ; corolle ; îlot de vente ; mur de produits ; pont
de produits ; prolongateur de rayon
En. floor stand ; merchandiser [3850]

BARQUETTEUSE n.f. 73
conditionnement (emballage) > emballage
Machine destinée à la fabrication des barquettes et plateaux
d'emballage en carton. [1623]

BARRAGE IMMATÉRIEL n.m. 74
environnement et sécurité > dispositif de sécurité
Dispositif invisible d'une machine qui l'arrête dès que l'opéra-
teur franchit la limite de sécurité.
V. barrage optique
De. Lichtschranke (f.) [1624]

BARRAGE OPTIQUE n.m. 74
environnement et sécurité > dispositif de sécurité
Dispositif constitué d'un rideau lumineux capté par une
cellule photosensible et qui provoque l'arrêt de la machine en
cas de rupture du rideau.
V. barrage immatériel
De. Lichtschranke (f.)
En. optical barrier [1625]

BARRAGE PHOTOÉLECTRIQUE n.m. 74
environnement et sécurité > dispositif de sécurité
Dispositif constitué d'un émetteur photoélectrique et d'un
récepteur et dont le franchissement engendre un signal
d'alarme.
De. Lichtschranke (f.)

En. photoelectric barrier
Es. barrera fotoeléctrica [3499]

BARRAGE-RIDEAU n.m. 74
environnement et sécurité > dispositif de sécurité
Dispositif de sécurité constitué d'un émetteur photoélectrique
et d'un récepteur.
De. lichtelektrische Sperre (f.) [2960]

BARREAU → méthode — -tube.

BARRE-CODE n.f. 76
information > traitement de l'information
Bâtonnet vertical utilisé pour la codification de caractères
d'impression afin de faciliter le tri automatique de documents.
En. bar code
Es. código de barra [6447]

BARRE DE PANIQUE n.f. 73
environnement et sécurité > dispositif de sécurité
Barre équipant une porte de secours et dont la simple pression
commande l'ouverture automatique de la porte et le déclenchement d'un signal sonore.
De. Alarmauslösestange (f.)
En. panic bar [1448]

BARRE-POUSSOIR n.f. 74
transport et manutention > manutention
Dispositif d'une table de manutention qui provoque le déplacement des charges mises en contact avec lui, par entraînement
latéral.
En. push bar [3680]

BARRETTE n.f. 76
géotechnique
Elément de paroi moulée d'un soutènement.
En. supporting wall-unit [6307]

BARRIÈRE → détecteur- .

BARRIÈRE ACTIVE n.f. 74
électrotechnique > protection électrique
Type de barrière de sécurité intrinsèque qui émet un signal
identique à celui qu'il reçoit sans qu'il y ait de point
commun entre les circuits d'entrée et de sortie, et qui possède
sa propre alimentation.
V. barrière de sécurité intrinsèque
En. active isolation device
Es. barrera activa [2438]

BARRIÈRE DE CORAIL adj. 71
**gestion, organisation, administration > aménagement du
territoire**
Se dit d'une urbanisation qui se développe le long d'un axe
circulaire créant une barrière à la poussée urbaine vers la
province.
V. doigts de gants
En. coral reef [6962]

BARRIÈRE DE DIFFUSION n.f. 73
économie > industrie nucléaire
Paroi poreuse utilisée pour la séparation des isotopes par
diffusion gazeuse.
V. diffusion gazeuse
De. Diffusionsbarriere (f.) ; Diffusionsschranke (f.) ; Diffusions-
wand (f.)
En. diffusion barrier ; barrier ; membrane [1978]

BARRIÈRE DE FISSION n.f. 73
physique > physique des particules
Dans le modèle de la goutte liquide, barrière de potentiel qui
s'oppose à la fission d'un noyau atomique.
De. Potentialschwelle (f.)
En. fission barrier [727]

BARRIÈRE DE SÉCURITÉ INTRINSÈQUE n.f. 74
électrotechnique > protection électrique
Dispositif qui, interposé sur les lignes de transmission, limite
la tension de l'énergie transportée lorsque celle-ci se trouve
être supérieure au seuil de sécurité.

En. intrinsic safety isolation device
Es. barrera de seguridad intrínseca [2439]

BARRIÈRE GALVANIQUE n.f. 74
électrotechnique > protection électrique
Type de barrière active de sécurité intrinsèque consistant en l'interposition de bobinages, dans un circuit qui assure l'isolement électrique entre les signaux d'entrée et de sortie.
V. barrière active
En. dry cell isolation device [2440]

BARRIÈRE OPTOÉLECTRONIQUE n.f. 74
électrotechnique > protection électrique
Type de barrière active de sécurité intrinsèque consistant en l'utilisation d'un mince faisceau lumineux qui élimine la surtension en cas de court-circuit ou de rupture brusque d'un conducteur.
V. barrière active
En. optical-electronic isolation device
Es. barrera optoelectrónica [2441]

BARRIÈRE PASSIVE n.f. 74
électrotechnique > protection électrique
Type de barrière de sécurité intrinsèque qui consiste en l'interposition de diodes Zener dans un circuit afin de limiter la valeur de tension.
V. barrière de sécurité intrinsèque ; barrière Zener
En. passive isolation device
Es. barrera passiva [2442]

BARRIÈRE ZENER n.f. 74
électrotechnique > protection électrique
Type de barrière passive de sécurité intrinsèque qui consiste en l'interposition de diodes Zener dans un circuit afin de limiter la valeur de tension.
V. barrière de sécurité intrinsèque ; barrière passive
En. Zener isolation device
Es. barrera Zener [2443]

BARRURE n.f. 77
technologie des matériaux > filature
Défaut affectant une ou plusieurs rangées de mailles dans un tissu ou un tricot.
De. Webfehler (m.) [7651]

BARYTAGE n.m. 75
technologie des matériaux > génie chimique
Adjonction de sulfate de baryum à la boue de forage.
V. baryter
En. baryte mud weighting [5764]

BARYTER v. 75
technologie des matériaux > génie chimique
Effectuer un barytage pour augmenter la densité de la boue de forage et en contrôler une éventuelle éruption.
V. barytage
De. baritieren [7788]

BASCULE INTÉGRATRICE n.f. 73
instrumentation > mesure de masse
Dispositif permettant de peser en continu des matériaux en vrac sur un transporteur à bande avec transmission à distance des indications de poids et de débit.
V. dosomètre
En. totalizing scale [1626]

BASCULEUR-PRÉSENTOIR n.m. 75
conditionnement (emballage) > palette
Appareil composé d'un bâti fixe et d'un berceau fourche pivotant autour d'un axe et permettant d'incliner une caisse-palette en vue de prélever son contenu.
V. basculeur-videur [4384]

BASCULEUR-VIDEUR n.m. 75
conditionnement (emballage) > palette
Appareil permettant de vider une caisse-palette grâce à un grand angle de basculement.
V. basculeur-présentoir [4385]

BAS DE GAMME adj. 75
automatisme > équipement automatique
Se dit d'un modèle qui se situe dans la partie inférieure d'une gamme de caractéristiques donnée.
V. haut de gamme ; milieu de gamme
De. einfach
En. bottom-of-the-line ; bottom-of-the-range [5350]

BAS DE TIRAGE n.m. 74
électrotechnique > circuit d'alimentation électrique
Appareil destiné à être monté à l'extrémité d'un câble à dérouler en vue de l'assembler à la câblette.
V. câblette [3142]

BASE → composante de — ; programme général de — .

BASE DE DONNÉES n.f. 74
information > centre d'information
Ensemble de données formant tout ou partie d'un autre ensemble de données et constitué au moins par un fichier, défini par une application ou un système de traitement de l'information déterminés.
De. Datenbasis (f.)
En. data base
Es. base de datos [6177]

BASE DE FRAGMENTATION n.f. 74
gestion, organisation, administration, > horaire
Résultat de la répartition de la valeur-travail en fractions égales entre les ouvriers.
V. valeur-travail
De. Gewinnbeteiligungsgrundlage (f.) der Arbeiter [1979]

BASE DE TEMPS n.f. 74
électronique > radiotechnique
Dispositif qui délivre des impulsions d'horloge calibrées, utilisées comme signaux de synchronisation ou d'échantillonnage pour des opérations de logique séquentielle ou de mesure.
De. Zeitbasis (f.)
En. time base [5617]

BASE MOLLE n.f. 73
chimie > composé chimique
Base qui renferme un atome faiblement électro-négatif et facilement polarisable.
En. soft base [1627]

BASILECTE n.m. 74
linguistique
Variété de langue pratiquée par les classes défavorisées d'une communauté linguistique donnée.
V. acrolecte
De. Basilekt (m.)
En. basilect [4244 bis]

BASIQUE → rutilo- — .

BASSE → viseur tête- — .

BASSIN n.m. 73
économie > industrie du verre
Cuvette formée dans une plaque de verre par suite d'un polissage excessif en un endroit.
De. Becken (n.) ; Vertiefung (f.)
En. dish roller mark
Es. cuenca [3326]

BATAILLE (en —) adj. 74
transport et manutention > infrastructure des transports
Se dit d'un mode de parcage de véhicules perpendiculaire à leur axe de progression.
En. in perpendicular rows
Es. en bateria [6308]

BÂTARD → enduit- — .

BATEAU → moulage — .

BATEYAGE n.m. 72
exploitation des ressources minérales
Traitement des alluvions par batée.
En. wash-troughing
Es. bateado [4025]

BATHYPHOTOMÈTRE n.m. 68
instrumentation > mesure optique
Instrument destiné à mesurer les variations d'une intensité lumineuse en fonction de la profondeur.
De. Bathyphotometer (n.)
En. bathy-photometer [1628]

BATHYSONDE n.f. 76
instrumentation > capteur de mesure
Appareil destiné à mesurer les caractéristiques physiques et chimiques de l'eau de mer en fonction de la profondeur.
De. Bathysonde (f.)
En. bathysounder
Es. batisonda [7512]

BATHYTHERMIQUE adj. 76
instrumentation > mesure thermique
Relatif à la variation de la température en fonction de la profondeur.
V. bathythermogramme
En. bathythermic ; bathythermal
Es. batitérmico [6581]

BATHYTHERMOGRAMME n.m. 76
instrumentation > mesure thermique
Enregistrement des variations de la température en fonction de la profondeur.
V. bathythermique
En. bathythermogram
Es. batitermograma [6582]

BÂTILONG n.m. 78
géotechnique
Dispositif constituant une extension de la benne-forage et permettant de creuser à de grandes profondeurs. [9279]

BÂTIMENT → casier- — .

BÂTIMENT INTÉGRÉ n.m. 75
stockage > entrepôt
Entrepôt dont les structures de stockage participent à l'édifice.
V. casier-bâtiment ; silo de stockage
En. integrated building [6032]

BÂTISSAGE n.m. 74
opération > séparation physique
Dans un séparateur, édification d'un gâteau de filtration.
[7093]

BATTADE n.f. 75
génie biomédical > physiothérapie
Technique de massage comportant la percussion répétée de masses musculaires avec le tranchant de la main.
De. Klopfen (n.)
En. beating
Es. batido [3851]

BATTAGE n.m. 75
techniques des sciences de la terre
Opération consistant à enfoncer dans la neige sur une profondeur de 10 cm à la fois une sonde normalisée, par une succession de coups dont le nombre mesure la résistance de cette neige.
De. Einrammen (n.)
En. ramming [3681]

BATTANT(S) → oscillo - — ; faisceaux — .

BATTEUR n.m. 75
géotechnique
Engin de battage de pieux.
De. Ramme (f.)
En. pile driver ; pile engine [5099]

BAUQUE n.f. 72
végétation
Ensemble de graminées sociales (brachypodes, agropyrum) se développant souvent après un incendie.
En. regrowth [4208]

BAVETTE n.f. 74
transport et manutention > engin de levage
Plaque mobile placée à l'extrémité d'un pont de liaison.
V. niveleur de quai ; pont de liaison [4026]

BAVEUR n.m. 74
génie hydraulique
Tube capillaire généralement posé à même le sol, parfois enterré ou suspendu et utilisé pour l'irrigation au goutte à goutte.
V. goutteur ; irrigation au goutte à goutte ; juteur
De. Regner (m.)
En. trickler [4612]

BÉBÉ-BULLE n.m. 74
génétique > immunogénétique
Bébé né dans un milieu totalement stérile. [2609]

BEC n.m. 74
technologie des matériaux > équipement industrie de transformation
Orifice de grande dimension situé à la partie supérieure d'un convertisseur et servant aux opérations d'enfournement, de soufflage d'oxygène, de décrassage et de prise de température.
En. spout [4027]

BEC → caisse à — .

BECQUEREL (Bq) n.m. 75
physique > physique des particules
Unité d'activité radioactive égale à une désintégration par seconde d'un quelconque corps radioactif.
En. becquerel (ray)
Es. becquerel [4613]

BECQUET n.m. 75
conditionnement (emballage) > fermeture
Défaut permanent du serti d'une boîte métallique. [5351]

BÉNÉLUXISATION n.f. 76
politique
Passage sous le contrôle des autorités du Bénélux.
En. beneluxization [5894]

BÉNINOIS n.m./adj. 78
localisation
Du Bénin.
De. beninisih ; Beniner [8593]

BENNAGE n.m. 77
transport et manutention > manutention
Mise en œuvre d'une benne. [7930]

BENNE → châssis - — .

BENNE-PINCE n.f. 73
transport et manutention > engin de manutention
Benne à griffes destinée à la prise d'objets.
De. Greiferkübel (m.)
En. claw clamshell
Es. cuchara prensora [2444]

BENNE PRENEUSE n.f. 73
transport et manutention > engin de manutention
Benne de pont roulant destinée à la prise de produits en vrac.
De. Greifer (m.)
En. grab ; grabbing bucket ; grab bucket ; grapple [1084]

BENNIER n.m. 74
transport et manutention > engin de manutention
Spécialiste affecté à la commande d'une benne.
En. crane man [3852]

BERBÉROPHONE adj. 74
linguistique
Qui parle la langue berbère.
De. berberischsprechend
En. Berber-speaking [6448]

BERCEAU n.m. 74
opération > exploitation
Plaque support épousant la forme d'un pot en vue d'en permettre l'étiquetage automatique.
De. Etikettierwiege (f.)
En. support cradle [4028]

BERCEAU À CHARGES LONGUES n.m. 73
conditionnement (emballage) > palette
Palette destinée à la pose de tubes, frêts et autres objets de longueur importante.
De. Langlastbehälter (m.) [1262]

BERGERIE n.f. 74
économie > activité commerciale
Meuble de magasin à rayons multiples pour la vente en service traditionnel avec assistance d'une vendeuse.
V. barque de vente ; corolle ; îlot de vente ; mur de produits ; pont de produits ; prolongateur de rayon
De. Verkaufsstand (m.)
En. four-sided counter [3853]

BERLINOISE n.f./adj. 75
bâtiment et travaux publics > élément d'ouvrage du bâtiment
[Se dit d'une] ossature de blindage destinée à l'exécution simultanée du blindage et du terrassement ainsi qu'à l'équilibrage de la poussée des terres.
En. berlinoise [5765]

BÊTA-BLOQUANT n.m. 78
BÊTABLOQUANT
pharmacologie > médicament
Substance inhibitrice des récepteurs bêta adrénergiques.
V. alphabloquant
En. beta-adrenergic blocking agent ; beta-receptor blocking agent [9280]

BÉTAILLER adj. 75
économie > économie rurale
Réservé au bétail.
En. cattle ; livestock [4778]

BÉTON → brise - — .

BÉTON ARCHITECTONIQUE n.m. 73
matériau > matériau de construction
Élément de construction en béton qui participe à la construction architecturale d'un ouvrage.
De. Architekturbeton (m.)
En. architectural concrete
Es. hormigón arquitectónico [1085]

BÉTON CLOUABLE n.m. 74
matériau > matériau de construction
Agglomérat de granulats en matière plastique constitué à l'aide d'un liant et pouvant être cloué.
De. nagelbarer Beton (m.)
En. nailable concrete [2962]

BÉTON COLLOÏDAL n.m. 75
matériau > matériau de construction
Béton obtenu en liant les grains de plus grande dimension par un mortier colloïdal ou un coulis colloïdal.
En. ciment-bound macadam ; ciment-penetration macadam ; colloidal concrete
Es. hormigón coloidal [6449]

BÉTON DE REMPLISSAGE n.m. 74
matériau > matériau de construction
Béton non porteur constituant une paroi entre des éléments de structure préexistants.
De. Füllbeton (m.)

En. filler concrete
Es. hormigón de relleno [2963]

BÉTON-GAZ n.m. 76
matériau > matériau de construction
Béton cellulaire dans lequel les bulles sont engendrées par réaction chimique, ordinairement entre une poudre d'aluminium et la pâte liante.
De. Gasbeton (m.)
En. gas concrete ; porous concrete [6583]

BÉTONNIER n.m. 73
économie > industrie des matériaux de construction
Spécialiste du traitement et des applications du béton dans la construction.
De. Betonbauer (m.) [4630]

BÉTON PEIGNÉ n.m. 77
matériau > matériau de construction
Béton raclé à l'aide d'un peigne métallique. [8594]

BÉTON PORTEUR n.m. 74
matériau > matériau de construction
Béton destiné à la fabrication des éléments porteurs dans la construction et caractérisé par ses propriétés de résistance.
De. Tragbeton (m.)
En. load-bearing concrete
Es. hormigón sustentador [2964]

BÉTON PROJETÉ n.m. 75
matériau > matériau de construction
Béton frais mis en place par projection à grande vitesse sur la surface à recouvrir.
De. Spritzbeton (m.)
En. pneumatically-placed concrete [4958]

BÉTON VIBRÉ n.m. 77
matériau > matériau de construction
Béton auquel un procédé de mise en place et de serrage a communiqué un mouvement vibratoire.
De. Rüttelbeton (m.)
En. vibrated concrete
Es. hormigón vibrado [8448]

BI → chauffage — - jonction ; impression — - directionnelle ; sécurité — - manuelle.

BI-APPARTENANT n.m. 76
médecine > santé publique
Médecin hospitalier qui se consacre à la fois à des activités de soins et d'enseignement.
V. mono-appartenant
En. clinical teacher [9281]

BIBERONNERIE n.f. 74
médecine > équipement médical
Salle équipée pour la préparation des biberons dans un centre spécialisé pour garder les enfants. [2445]

BIBLIOTHÈQUE → table — .

BICIRCADIEN adj. 73
physiologie > rythme biologique
Se dit d'un cycle dont la durée est de 48 heures.
De. bizirkadisch
En. bicircadian [1086]

BICÔNE DE POLISSAGE n.m. 73
technologie des matériaux > traitement de surface
Pièce réalisée en acier dont la forme constituée de cônes opposés permet de polir les coins et les formes irrégulières.
En. biconal buffer [914]

BICOORDONNÉE → navigation — .

BIDIMENSIONNEL → échographe — .

BIDONVILLIEN n.m. 74
sociologie
Habitant d'un bidonville.

De. Barackenviertelbewohner (m.)
En. slum dweller [2965]

BIDONVILLISATION n.f. 73
gestion, organisation, administration > aménagement du territoire
Transformation d'un environnement dû à la croissance des bidonvilles.
De. Ausbreitung (f.) der Elendsviertel [1450]

BIDULLE n.m. 77
conditionnement (emballage) > fermeture
Type de bouchon en plastique destiné aux bouteilles de champagne.
De. Kunststoffstopfen (m.)
En. plastic closure [7789]

BIELLIPSOÏDE → projecteur — .

BIENNIE n.f. 75
gestion, organisation, administration > planification
Période de deux ans.
De. Biennium (n.)
En. biennium
Es. bienio [5101]

BIENS D'EXPRESSION n.m.pl. 74
télécommunications > équipement télécommunications
Matériels permettant de recevoir des émissions de radio ou de télévision, ou de restituer des images ou des sons précédemment enregistrés.
De. Gerät (n.). der U-elektronik [3500]

BIFURQUÉ adj. 77
médecine > médecine sociale
Se dit d'une aiguille à deux pointes utilisée pour la vaccination.
En. bifurcated
Es. bifurcado [7094]

BIGLOTTE n. 73
linguistique
Personne qui parle deux langues non acquises simultanément.
De. biglotte (m.)
En. non-native bilingual [7655]

BIGYROTROPISME n.m. 74
physique > physique des particules
Propriété du noyau atomique qui possède à la fois un moment bipolaire magnétique et électrique.
De. Bigyrotropie (f.)
En. bigyrotropism
Es. bigirotropismo [3227]

BIL (Basal Ice Layer) n.m. 73
géophysique > glaciologie
Type de glace qui constitue la base des glaciers.
De. Bil
En. basal ice layer [1265]

BILACUNE n.f. 74
physique > physique du solide et du fluide
Ensemble de deux lacunes accolées dans un cristal.
Es. laguna duble [7656]

BILAN RADIATIF n.m. 78
opération > bilan
État rendant compte des échanges énergétiques par rayonnement.
De. Strahlungsbilanz (f.)
En. radiation balance
Es. balance radiante [8595]

BILANTIEL adj. 68
gestion, organisation, administration > gestion financière
Relatif à un bilan.
De. Bilanz- ; bilanzmäßig [1981]

BILINGUISATION n.f. 75
linguistique
Fait de rendre bilingue.

V. bilinguiser
De. zweisprachige Ausbildung (f.)
En. bilinguization
Es. bilingüización [6309]

BILINGUISER v. 74
linguistique
Rendre bilingue
V. bilinguisation
De. Zweisprachigkeit einführen
En. to bilingualize
Es. bilingüizar [2610]

BILLAGE n.m. 76
technologie des matériaux > traitement de surface
Traitement de surface consistant à projeter sur la pièce de petites billes (en général en verre).
De. Kugelstrahlen (n.)
En. glass-bead blasting [6720]

BILLE DE MANUTENTION n.f. 74
économie > industrie mécanique
Bille d'acier qui, associée à d'autres et incorporée à la surface d'une table, permet de faire avancer des charges sur cette table.
V. table de transfert à billes
De. Förderkugel (f.), Földertischkugel (f.)
En. ball
Es. bola de manutención [3143]

BILLER → tour à — .

BILLES → mur à — ; table de transfert à — .

BILLETISTE n. 76
économie > activité commerciale
Employé d'une agence de voyages qui délivre un billet après avoir réuni les informations nécessaires à son établissement.
V. billetterie
En. ticket agent [5895]

BILLETTE n.f. 73
matériau > produit métallurgique
Cible constituée d'un crayon en alliage Al-Li utilisée dans l'enrichissement du tritium par le procédé de fusion-extraction. [1266]

BILLETTERIE n.f. 75
économie > activité commerciale
Lieu où sont effectuées les opérations relatives à la conception, l'émission et la délivrance des billets.
V. billetiste
En. ticket office [4959]

BILLETTERIE n.f. 75
économie > activité commerciale
Ensemble des opérations relatives à la conception, l'émission et la délivrance des billets.
V. billetiste
De. Kartenausgabe (f.)
En. ticketing
Es. billeteria [4959]

BILOCALITÉ n.f. 70
sociologie
Coutume selon laquelle un nouveau couple peut choisir entre la résidence habitée par la famille de l'époux ou celle de l'épouse.
V. avunculolocalité ; matrilocalité ; néolocalité ; patrilocalité.
En. bilocality
Es. bilocalidad [5243]

BIMATURISME n.m. 78
physiologie > développement (physiologie)
Différence dans le cycle de développement entre les mâles et les femelles d'une même espèce.
En. bimaturism
Es. bimaturismo [9142]

BI-MODE adj. 74
BIMODE
transport et manutention > engin de transport
Se dit d'un véhicule pouvant circuler à la fois sur une voie
propre et sur la voie banalisée. [2446]

BINAIRE(S) → arme — ; étoiles —s serrées.

BINAIRE DÉCALÉ n.m. 75
mathématiques appliquées
Code binaire utilisé pour numériser des grandeurs physiques
analogiques négatives et positives et qui attribue la valeur
binaire zéro, non au zéro réel, mais à la grandeur la plus
négative possible.
V. binaire pur
En. binary offset
Es. binario desfasado [5352]

BINAIRE PUR n.m. 75
mathématiques appliquées
Code binaire utilisé pour numériser des grandeurs physiques
analogiques uniquement positives.
V. binaire décalé
En. pure binary ; straight binary
Es. binario puro [5353]

BINAURAL adj. 72
physiologie > neurophysiologie
Se dit d'une excitation ou d'une sensation auditive concernant
les deux oreilles.
De. binaural
En. binaural
Es. biaural [2447]

BINON n.m. 70
informatique > programmation
L'un ou l'autre des caractères d'un jeu de caractères compre-
nant deux caractères.
De. Binärwort (n.) ; Bit (n.)
En. binary character
Es. carácter binario [31]

BIO → intégration — - cartographique.

BIOACCUMULATION n.f. 76
écologie > synécologie
Accumulation d'éléments dans les tissus vivants dont la
concentration augmente à mesure qu'on remonte la chaîne
alimentaire.
De. Bioakkumulation (f.)
En. bioaccumulation
Es. bioacumulación [7790]

BIO-ALCOOL n.m. 77
BIOALCOOL
chimie > composé chimique
Alcool obtenu par hydrolyse chimique ou enzymatique de la
matière végétale.
De. Bioalkohol (m.)
En. biomass alcohol
Es. bioalcohol [8312]

BIOCARBURANT n.m. 77
matériau > combustible
Carburant tiré de la biomasse végétale.
De. Biokraftstoff (m.)
En. biomass motorfuel
Es. biocarburante [8313]

BIOCÉRAMIQUE n.f. 75
matériau > céramique
Variété de céramique utilisée en chirurgie pour les prothèses
internes.
De. Biokeramik (f.)
En. bioceramics
Es. biocerámica [4386]

BIOCHALEUR n.f. 78
biochimie
Chaleur produite par la dégradation biochimique de substances organiques.
De. Biowärme (f.) [8596]

BIOCLASTE n.m. 76
géologie > roche
Dans une roche, fragment d'élément organique généralement
fossile.
V. bioclastique
De. bioklastisches Gestein (n.)
En. bioclast
Es. bioclasto [7657]

BIOCLASTIQUE adj. 76
géologie > roche
Se dit d'une roche formée essentiellement par des fragments
ou des éléments d'une roche préexistante provenant de la
dégradation provoquée par des organismes.
V. bioclaste
De. bioklastisch
En. bioclastic
Es. bioclastico [7658]

BIOCOMPATIBLE adj. 73
génie biomédical > appareillage médical
Se dit de matériaux dont un organisme vivant peut s'accommo-
der.
V. biomatériau
De. biologisch verträglich
En. biocompatible [387]

BIOCONVERSION n.f. 76
biochimie
Conversion d'une forme d'énergie en une autre forme d'éner-
gie par voie biologique.
De. Biomwandlung (f.)
En. bioconversion
Es. bioconversión [7233]

BIOCRISTAL n.m. 77
physique > physique du solide et du fluide
Cristal qui entre dans la composition de la matière vivante.
De. Biokristall (m.)
En. biocrystal
Es. biocristal [7234]

BIOCUISINE n.f. 74
vie quotidienne > alimentation
Système alimentaire autarcique à base de cultures de bactéries
conçu pour les voyages interplanétaires. [2449]

BIODÉTÉRIOGÈNE adj. 77
biochimie
Se dit d'un agent susceptible de dégrader des tissus biologi-
ques.
En. biodeteriogenic
Es. biodeteriógeno [9006]

BIODÉTRITIQUE adj. 77
géologie > modification superficielle
Formé de détritus d'organismes vivants.
De. biodetritisch
En. bioclastic
Es. biodetrítico [8449]

BIODISPONIBILITÉ n.f. 74
pharmacologie > médicament
Proportion de médicament libérée à partir de la forme
pharmaceutique administrée, qui devient disponible pour
produire l'effet thérapeutique attendu.
En. bioavailability
Es. biodisponibilidad [2328]

BIODISQUE n.m. 75
économie > industrie anti-pollution
Partie d'un dispositif d'épuration des eaux, où les microorganismes travaillent sur des disques tournant autour d'un
axe horizontal et plongeant en partie dans l'eau à épurer.

De. Bioscheike (f.)
En. biological disc ; biological disk
Es. biodisco [7095]

BIOÉNERGÉTICIEN n.m. 77
biochimie
Spécialiste des études consacrées à la bioénergie.
V. bioénergie [7096]

BIOÉNERGIE n.f. 77
biochimie
Énergie utilisée, transformée et dépensée par les êtres vivants.
V. bioénergéticien [7097]

BIO-GAZ n.m. 75
BIOGAZ
environnement et sécurité > pollution
Gaz fabriqué à partir de la décomposition de matières organiques.
En. bio-gas [6829]

BIOGÈNE adj. 76
géochimie
Se dit des éléments d'origine biologique intervenant dans la sédimentation marine.
De. biogen
En. biogenous
Es. biógeno [6310]

BIOGÉOCHIMIE n.f. 78
biochimie
Biochimie de l'environnement terrestre.
De. Biogeochemie (f.)
En. biogeochemistry
Es. biogeoquímica [8731]

BIOGÉODYNAMIQUE adj. 76
environnement et sécurité > environnement
Se dit d'un système de transformation des paysages par interaction permanente des phénomènes naturels.
De. biogeodynamisch
En hiogeodynamic
Es. biogeodinámico [5896]

BIOGHOURT n.m. 73
matériau > produit alimentaire
Type de fromage maigre fabriqué avec les cultures L. acidophilus et L. bifidus.
De. Bioghurt (m. ou n.) [1267]

BIOHERME n.m. 73/74
géophysique > géomorphologie
Récif formé d'organismes vivants.
V. biostrome
En. bioherm
Es. biohermes [7235]

BIO-HISTOIRE n.f. 76
BIOHISTOIRE
histoire
Histoire de l'espèce humaine liée à son évolution biologique.
En. biohistory
Es. biohistoria [6721]

BIOHYDROCARBURE n.m. 77
chimie > composé chimique
Hydrocarbure tiré de la biomasse végétale.
De. Biokohlenwasserstoff (m.)
En. biomass hydrocarbon
Es. biohidrocarburo [8314]

BIO-IONISEUR n.m. 76
économie > industrie anti-pollution
Appareil produisant des ions négatifs qui combattent les effets de la pollution atmosphérique. [4136 bis]

BIOLOGIQUE → soupe — ; spectre — .

BIOMATÉRIAU n.m. 75
génie biomédical > appareillage médical
Matériau destiné à être implanté dans un organisme vivant.
V. biocompatible
De. Biomaterial (n.)
En. biological material ; biomaterial
Es. biomaterial [4780]

BIOME n.m. 74
écologie > écosystème
Grande unité géographique caractérisée par des formes biologiques et des espèces, animales et végétales, qui y sont dominantes.
De. Biom (n.)
En. biome [2792]

BIOMÉCANIQUE n.f. 77
environnement et sécurité > protection
Étude des structures et organes d'un véhicule en fonction des lésions subies par les victimes d'accidents.
De. Biomechanik (f.)
Es. biomecánica [7513]

BIOMEMBRANE n.f. 74
cellule et constitution cellulaire > constitution cellulaire
Membrane biologique.
De. Biomembran (f.)
Es. biomembrana [7377]

BIOMIMÉTIQUE adj. 75
biochimie
Se dit d'une réaction chimique dont le processus est analogue à un processus biochimique.
En. biomimetic
Es. biomimético [6584]

BIOMONOMÈRE n.m. 74
biochimie
Molécule susceptible de se polymériser pour constituer la substance de la matière vivante.
V. abiogénique ; biopolymère
De. Biomonomer (n.)
En. biomonomer [1801]

BION n.m. 76
géologie > paléontologie
Corps sphéroïde apparu dans la substance prébiotique originelle.
V. soupe biologique
De. Bion (n.)
En. bion
Es. bión [5897]

BIONOMISTE n.m. 74
hydrobiologie
Spécialiste de l'étude des lois de la vie (bionomie).
En. bionomist ; ecologist [6586]

BIOPÉRIODICITÉ n.f. 76
physiologie > rythme biologique
Caractère d'un phénomène qui se produit selon un rythme biologique.
V. biopériodique ; biorythme ; biorythmique
De. Biorhythmik (f.)
En. bioperiodicity
Es. bioperiodicidad [3033]

BIOPÉRIODIQUE adj. 76
psychologie > rythme biologique
Qui se produit selon un rythme biologique.
V. biopériodicité ; biorythme ; biorythmique
En. bioperiodic
Es. bioperiódico [6034]

BIOPHARMACIE n.f. 76
pharmacologie > activité pharmacologique
Partie de la pharmacie ayant pour objet la préparation de produits à caractère biologique (sérums, vaccins, etc.).
En. biopharmaceutics
Es. biofarmacía [6963]

BIOPHOTOMÈTRE n.m. 76
instrumentation > mesure optique
Instrument destiné à mesurer l'opacité d'un milieu en cours de
fermentation.
De. Biophotometer (n.)
En. biophotometer
Es. biofotómetro [6311]

BIOPOLYMÈRE n.m. 74
biochimie
Corps composé de biomonomères qui constitue la substance de
la matière vivante.
V. abiogénique ; biomonomère [1801]

BIOPOTENTIEL n.m. 75
physique > électricité
Potentiel électrique qui accompagne, chez les êtres vivants, les
phénomènes biologiques.
De. elektrophysiologisches Potential (n.)
En. biopotential
Es. biopotencial [6035]

BIOPSIÉ adj. 75
génie biomédical > chirurgie
Qui a fait l'objet d'un prélèvement in vivo.
De. bioptisch
En. biopsed [5898]

BIOPULPECTOMIE n.f. 75
pathologie animale > pathologie odontostomatologique
Amputation vitale de la pulpe et du ou des canaux radiculaires
à une distance d'environ 3 mm de l'apex laissant à demeure
un moignon vivant.
V. biopulpotomie
En. pulpectomy [6722]

BIOPULPOTOMIE n.f. 75
pathologie animale > pathologie odontostomatologique
Amputation de la partie coronaire de la pulpe (à l'exclusion
des filets radiculaires) avant coiffage des moignons restants.
V. biopulpectomie
En. pulpotomy
Es. biopulpotomía [6723]

BIOPROTÉINE n.f. 78
constituant des organismes vivants
Protéine microbienne obtenue par une culture de bactéries ou
de levures.
De. Bioprotein (n.)
En. petroprotein
Es. bioproteina [9282]

BIORÉACTEUR n.m. 77
économie > industrie anti-pollution
Enceinte dans laquelle est pratiquée la fermentation aérobie
des boues et ordures ménagères en vue de les transformer en
compost biologiquement sain.
De. Bioreaktor (n.)
Es. bioreactor [7514]

BIORYTHME n.m. 72
physiologie > rythme biologique
Rythme propre à un organisme vivant.
V. biorythmique ; biopériodicité ; biopériodique
De. Biorhythmus (m.)
En. biorhythm [221]

BIORYTHMIQUE adj. 73
physiologie > rythme biologique
Relatif à un biorythme.
V. biorythme ; biopériodicité ; biopériodique
De. biorhythmisch
En. biorhythmic [3144]

BIOSÉMIOTIQUE n.f. 74
information > communication
Discipline qui étudie les systèmes de communication des
animaux inférieurs fondés sur des signes biologiques pertinents.
De. Biosemiotik (f.)

En. biosemiotics
Es. biosemiótica [5485]

BIOSÉQUENCE n.f. 77
géologie > pédologie
Succession de sols dont les caractères distinctifs sont liés à
l'influence des êtres vivants notamment de la végétation.
V. chronoséquence ; clinoséquence ; lithoséquence ; climasé-
quence ; hydroséquence ; toposéquence
De. Biosequenz (f.)
Es. biosecuencia [7378]

BIOSTRATIGRAPHIE n.f. 75
géologie > paléontologie
Partie de la paléontologie qui étudie les fossiles des différentes
couches géologiques d'un site.
V. biostratigraphique
En. biostratigraphy [4245 bis]

BIOSTRATIGRAPHIQUE adj. 75
géologie > paléontologie
Propre à la biostratigraphie.
V. biostratigraphie
De. biostratigraphisch
En. biostratigraphical ; biostratigraphic
Es. bioestratigráfico [6587]

BIOSTROME n.m. 73/74
géophysique > géomorphologie
Récif ou complexe récifal fossile strictement stratiforme.
V. bioherme
De. Biostrom (m.) ; geschichtete organonene Riffbank (f.)
Es. bioestroma [7659]

BIOSYNTHÉTIQUE adj. 73
biochimie
Relatif à la synthèse d'une substance chimique au cours du
métabolisme.
De. biosynthetisch
En. biosynthetic
Es. biosintético [7932]

BIOTECHNOLOGIE n.f. 76
médecine > santé publique
Technologie appliquée aux phénomènes biologiques. [5354]

BIOTÉLÉMÉTRIE n.f. 76
électronique > électronique médicale
Technique de transmission à distance de données biologiques en
vue de dispenser des soins urgents à un blessé.
V. biotélémétrique
En. biotelemetry
Es. biotelemetría [5619]

BIOTÉLÉMÉTRIQUE adj. 76
électronique > électronique médicale
Relatif à la mesure à distance de données biologiques.
V. biotélémétrie
En. biotelemetric
Es. biotelemétrico [6830]

BIOTHERMIQUE adj. 73
physiologie > physiologie végétale
Relatif à une émission de chaleur par des organismes vivants.
En. biothermal
Es. biotérmico [6964]

BIOTROPHE adj. 69
écologie > synécologie
Se dit d'un parasite qui établit avec l'hôte des relations
équilibrées.
V. nécrotrophe
Es. biotrofo [7379]

BIOTURBATION n.f. 76
géologie > sédimentologie
Transformation ou dégradation des sédiments sous l'action
d'organismes se déplaçant ou creusant des cavités à l'intérieur
de ceux-ci. [7660]

BIO-USINE n.f. 76
économie > industrie anti-pollution
Usine d'épuration biologique.
De. biologische Kläranlage (f.) ; biologische Reinigungsanlage (f.)
En. biological plant [6312]

BIOZONE n.f. 73/74
géologie > paléontologie
Couche de sédiments caractérisée par les espèces fossiles qui
s'y trouvent.
V. lithozone
De. Biozone (f.)
En. biozone
Es. biozona [7236]

BIPHASÉ adj. 76
matériau > fibre
Se dit d'une fibre formée de deux matériaux différents et
associés.
En. bicomponent (U.S.A.) ; bicomposant [7098]

BI-PLI n.m. 75
BIPLI
mécanique appliquée > revêtement
Ensemble de deux placages collés l'un à l'autre en disposant
perpendiculairement le fil.
De. Doppelfurnier (n.) ; Zweilagenfurnier (n.)
En. two-ply
Es. malla y contramalla [7237]

BIPROPRIÉTÉ n.f. 77
réglementation, législation > droit
Droit de propriété dont jouissent deux acquéreurs à la fois,
l'un ayant la nu-propriété du bien acquis, l'autre en ayant
l'usufruit pendant une certaine durée. [7380]

BISMUTHÉMIE n.f. 75
pathologie animale > pathologie hémolymphopoiétique
Présence anormale de bismuth dans le sang.
De. Wismutämie (f.)
En. bismuthemia
Es. bismutemía [5899]

BI-SOCIATION n.f. 76
BISOCIATION
psychologie > psychophysiologie
Action de bi-socier.
V. bi-socier
En. bisociation [6450]

BI-SOCIER v. 76
BISOCIER
psychologie > psychophysiologie
Rapprocher des concepts qui jusqu'alors n'étaient pas en
contact.
V. bi-sociation
En. to bisociate [6451]

BI-STANDARD n.m./adj. 75
BISTANDARD
télécommunications > radiotechnique
[Se dit d'un] récepteur de télévision en couleurs pouvant
recevoir des programmes émis en 625 lignes dans les bandes
décimétriques (UHF) ainsi que des programmes émis en
819 lignes dans les bandes métriques (VHF).
V. mono-standard
En. bistandard [5620]

BIT À TORE n.m. 75
électronique > technique des semiconducteurs
Chiffre élémentaire de la numération d'information, est un tore
mémoire, lors d'un traitement d'information, est un tore
magnétique.
V. bit semiconducteur
De. Magnetkern-Bit (n.)
En. core bit
Es. bit tórico [5245]

BIT SEMICONDUCTEUR n.m. 75
électronique > technique des semiconducteurs
Chiffre élémentaire de la numération binaire dont le support
mémoire, lors d'un traitement d'information est un semi-
conducteur.
V. bit à tore
De. Halbleiter-Bit (n.)
En. semi-conductor bit
Es. bit semiconductor [5246]

BITUME DE DISTILLATION n.m. 77
matériau > liant
Bitume obtenu après distillation du pétrole brut.
De. Distillationsbitumen (n.)
En. refinery bitumen [8203]

BITUME FLUIDIFIÉ n.m. 77
matériau > liant
Bitume mélangé avec un diluant plus ou moins volatil en vue
d'abaisser sa viscosité.
De. Verschnittbitumen (n.)
En. cutback bitumen ; cutback liquid asphalt [8204]

BITUME FLUXÉ n.m. 77
matériau > liant
Bitume amolli par l'addition d'une huile de fluxage de faible
volatilité.
De. Straßenöl (n.)
En. fluxed bitumen [8205]

BITUME SOUFFLÉ n.m. 77
matériau > liant
Bitume oxydé par soufflage d'air dans un bitume, ou un
bitume fluxé à chaud.
De. geblasenes Bitumen (n.) [8207]

BITUMINISATION n.f. 74
économie > industrie nucléaire
Procédé de solidification des déchets radioactifs par traitement
avec du bitume.
De. Bituminierung (f.)
Es. bituminización [2450]

BIZONAL adj. 77
politique
Propre à deux zones à la fois.
De. bizonal
En. bizonal
Es. bizonal [8071]

BLANC n.m. 76
électronique > radiotechnique
Technique de guerre électronique selon laquelle une émission
de brouillage est interrompue périodiquement pendant un
temps très court afin de contrôler l'émission de l'adversaire.
En. look-through [6965]

BLANC(S) adj. → angle — ; à cœur — ; collage — ;
ouverture main-fer — ; paquets —s ; point — ; produit — ;
salant — ; ventre — .

BLANC n.m. → bain de — .

BLANCHE(S) → algues —s ; charges —s ; couche — ;
liqueur — ; musique — ; piqûre — ; rouille — ; salle — .

BLANTER v. 77
instrumentation > équipement optique
Polir une lentille à l'aide d'une pâte abrasive.
En. to black [7933]

BLINDÉS → grains — .

BLISTÈRE n.m. 73
conditionnement (emballage) > emballage
Étui de protection et de conditionnement en plastique.
De. Blisterverpackung (f.)
En. blister [1631]

BLOC n.m. 76
économie > économie de l'énergie
Portion qu'un pays délimite dans ses eaux territoriales et peut
concéder à une société pétrolière pour la prospection ou
l'exploitation du plateau continental.
De. Block (m.)
En. block [5766]

BLOC n.m. 76
arts > photographie
Ensemble de plus de deux bandes de clichés.
De. Block (m.)
En. block [6036]

BLOC n.m. 75
transport et manutention > infrastructure des transports
Ensemble des installations techniques d'un aéroport.
En. ground facilities [6966]

BLOC → copolymère — ; train- — .

BLOCAGE n.m. 74
mécanique appliquée > assemblage
Système dans lequel deux ou plusieurs pièces sont rendues
solidaires ou maintenues l'une par rapport à l'autre dans des
positions respectives permanentes.
De. Blockbildung (f.) ; Blockierung (f.)
En. sealing
Es. bloqueado [3683]

BLOCAGE SONIQUE n.m. 74
mécanique des fluides appliquée
Régime de fonctionnement d'une tuyère caractérisé par une
vitesse d'écoulement au col égale à la vitesse du son.
De. aerodynamische Verblockung (f.)
En. sonic block ; sonic blocking ; sonic cutoff [1983]

BLOC À QUILLE n.m. 75
économie > industrie métallurgique
Type d'éprouvette de traction.
De. Kielklotz (m.)
En. keelblock [4137 bis]

BLOC CHAUDIÈRE n.m. 75
BLOC-CHAUDIÈRE
technique nucléaire
Ensemble énergétique intégré remplissant la fonction d'une
chaudière.
En. nuclear steam supply system [4615]

BLOC DE TEMPS n.m. 76
gestion, organisation, administration > horaire
Temps nécessaire à la réalisation d'une opération donnée.
De. Stückzeit (f.)
En. time frame [6724]

BLOC FONCTION n.m. 74
BLOC-FONCTION
électronique > composant électronique
Élément fonctionnel d'un ensemble électronique.
De. Modul (m.)
En. function unit
Es. bloque funcional [3502]

BLOC ISOLÉ n.m. 77
géologie > roche
Roche abandonnée sur le fond sous-marin par un iceberg ou
un glacier lors de leur fonte.
En. dropstone [8208]

BLOCOMÉTRIE n.f. 77
instrumentation > mesure de dimension
Étude de la dimension des matériaux de travaux publics de
grande taille.
V. blocométrique [7791]

BLOCOMÉTRIQUE adj. 77
instrumentation > mesure de dimension
Relatif aux dimensions de fragments rocheux.
V. blocométrie [7792]

BLOC-PORTE n.m. 72
bâtiment et travaux publics > élément d'ouvrage du bâtiment
Ensemble préfabriqué constitué par le châssis et les parties
mobiles d'une porte.
De. einbaufertige Tür (f.)
En. door-unit [388]

BLOQUANT → alpha- — ; bêta- — .

BLOQUEUR → échantillonneur — .

BOCAL → bouteille- — .

BOIS → jardin à — .

BOISSON RAFRAÎCHISSANTE n.f. 74
matériau > produit alimentaire
Boisson non alcoolisée, gazeuse.
De. Erfrischungsgetränk (n.)
En. soft drink
Es. refresco [3503]

BOÎTE À LUMIÈRE n.f. 74
instrumentation > essai et contrôle
Boîte équipée de réflecteurs et d'une cellule photoélectrique
destinée à la vérification de comprimés avant leur emballage.
De. lichtelektrisches Zählwerk (n.)
En. lamp house [3854]

BOÎTE D'ANGLE n.f. 75
mécanique appliquée > organe de machine
Dispositif qui permet de relier deux ou plusieurs arbres de
transmission généralement orthogonaux.
De. Winkeltrieb (m.)
En. angle conduit box [5355]

BOÎTE DE VERCELLI n.f. 76
matériel agricole
Décortiqueur à main de grains de riz.
De. Schältrommel (f.)
En. Vercelli box [5621]

BOÎTE LOGIQUE n.f. 74
électronique > radiotechnique
Dispositif dans un système de guidage électronique qui
interprète des signaux émis et assure la commutation du
signal de guidage sur le fil correspondant au trajet à suivre.
De. Logik (f.) [1802]

BOL n.m. 73
mécanique appliquée > organe de machine
Rotor d'une centrifugeuse.
De. Mantel (m.)
En. bowl ; rotor [1986]

BOMBAGE n.m. 75
conditionnement (emballage) > emballage
Type de déformation des parois d'un emballage.
V. bombé ; flochage ; floche
De. Auswölbung (f.)
En. bulging
Es. abombamiento [5356]

BOMBARDIER À EAU n.m. 72
environnement et sécurité > protection contre l'incendie
Avion ou hélicoptère muni de réservoirs en vue de circonscrire
les feux de forêt.
De. Wasserbomber (m.)
En. water bomber [1987]

BOMBÉ adj. 75
conditionnement (emballage) > emballage
Se dit d'une boîte métallique dont les deux fonds sont
convexes.
V. bombage ; flochage ; floche
De. aufgewölbt
En. bulging [5357]

BONDONNAGE n.m. 75
conditionnement (emballage) > fermeture
Opération consistant à boucher un tonneau ou un tank avec
une bonde.
De. *Verspunden (n.) ; Verspundung (f.)*
En. *plugging up* [4498]

BORD (à —) adj. 76
transport et manutention > transport
Se dit d'une marchandise prise en charge à bord du navire du
port de déchargement.
En. *ex ship ; free overside* [6819]

BORD → effet de — ; franco long du — ; sèche- — .

BORDURETTE n.f. 74
transport et manutention > exploitation des transports
Séparateur de pierre ou de béton qui permet, sur une
chaussée, d'isoler une voie de circulation routière d'une autre
voie. ·
De. *erhöhter Fahrspur-Begrenzungsstreifen (m.) ; erhöhter
Fahrspur-Trenzungsstreifen (m.)* [1988]

BORGNE → four — .

BORNE DE RÉSERVATION n.f. 74
transport et manutention > exploitation des transports
Dispositif à 2 positions permettant d'assurer la réservation
d'un emplacement de stationnement. [2451]

BORNIER n.m. 75
électrotechnique > circuit d'alimentation électrique
Dispositif muni de bornes électriques.
De. *Klemmenbrett (n.)*
En. *terminal board ; terminal strip* [5358]

BOSSAGES → soudage par — .

BOTTE n.f. 74
agronomie > technique culturale
Type de soc utilisé en motoculture.
En. *shoe coulter ; shoe colter* [4616]

BOUCHARDÉ → enduit — .

BOUCHE-RAINURE n.m. 74
environnement et sécurité > protection
Pièce destinée à boucher les rainures de machines afin de les
protéger.
De. *Nutstopfen (m.)*
En. *groove filler* [3328]

BOUCHON COURONNE n.m. 74
BOUCHON-COURONNE
conditionnement (emballage) > fermeture
Capsule métallique crantée sertie sur le goulot d'une bouteille.
De. *Kronenkorken (m.) ; Kronkorken (m.)*
En. *crown cork ; crown cap* [3329]

BOUCHON-JAUGEUR n.m. 7
conditionnement (emballage) > fermeture
Dispositif servant à la fois de bouchon et d'indicateur de chute
de niveau.
De. *Verschluß (m.) mit Meßstab*
En. *fluid-level indicator* [7793]

BOUCHONNABLE adj. 77
agronomie > production végétale
Dont on peut faire des bouchons. [8072]

BOUCHON VASEUX n.m. 77
géophysique > hydrogéologie
Concentration de sédiments en suspension dans une embou-
chure et déplacés alternativement vers l'amont et l'aval par la
marée.
V. crème de vase
De. *Schlammpropfen (m.)*
En. *silt plug* [6178]

BOUCLE n.f. 75
opération > exploitation
Ruban en réserve pour l'alimentation d'une machine.
En. *kink ; snarl* [4030]

BOUCLE À CLIQUET n.f. 75
transport et manutention > manutention
Dispositif de serrage incorporé directement sur sangle et
commandé par levier pour arrimage de charges sur véhicule de
transport.
V. tour à biller [4248 bis]

BOUCLE FERMÉE n.f. 74
cybernétique > automatique
Système dans lequel un ordinateur reçoit des informations
provenant du processus qu'il est chargé de contrôler et, après
traitement, réagit directement, sur ce processus.
V. boucle ouverte
De. *geschlossene Schleife (f.) ; Regelkreis (m.)*
En. *closed loop* [2611]

BOUCLE INFORMATIQUE n.f. 73
informatique > équipement d'entrée-sortie
Ensemble constitué par des terminaux reliés à un ordinateur
central.
En. *EDP system* [2453]

BOUCLE OUVERTE n.f. 74
cybernétique > automatique
Système dans lequel les paramètres de commande de l'ordina-
teur proviennent de l'homme et sont fixés à priori ou adaptés
et corrigés à tout moment.
V. boucle fermée
De. *oppene Schleife (f.)*
En. *open loop* [2612]

BOUÉE ACOUSTIQUE n.f. 75
instrumentation > structure marine
Bouée qui réagit à des ondes sonores par l'émission d'un signal
déterminé.
De. *akustische Boje (f.)*
En. *acoustic buoy*
Es. *boya acústica* [5622]

BOUES JAUNES n.f.pl. 76
environnement et sécurité > pollution
Résidus de la fabrication d'acide phosphorique à partir du
phosphate et principalement constitués de sulfate de calcium.
De. *Gelbschlamm (m.)* [7381]

BOUEUX n.m. 70
exploitation des ressources minérales
Technicien des boues de forage.
En. *mud man*
Es. *barrólogo* [3504]

BOUFFANT n.m. 76
technologie des matériaux > fabrication du papier
Épaisseur du papier.
De. *Papierdicke (f.)*
En. *bulk ; body of paper* [5767]

BOUGIE LUISANTE n.m. 78
mécanique appliquée > organe de machine
Type de bougie d'allumage dont le filament reste incandescent
lorsque le moteur tourne et que le courant est coupé.
De. *Glühkerze (f.)*
En. *glow plug* [66]

BOULAGE n.m. 74
technologie des matériaux > formage
Opération de préparation d'une barre à forger (ou ébauche),
consistant à faire sur celle-ci, par tournage, des gorges larges
et peu profondes.
De. *Schleifschalenbearbeitung (f.)* [2613]

BOULEUSE n.f. 77
technologie des matériaux > génie alimentaire
Dispositif destiné à façonner la pâte en boules. [7661]

BOULOCHAGE n.m. 76
matériau > polymère (matériau)
Formation de petits agglomérats de fibres emmêlées adhérant au textile ou tricot par une ou plusieurs fibres.
De. Pillingeffekt (m.)
En. pilling [6831]

BOULONNEUSE n.f. 75
mécanique appliquée > machine-outil
Outil qui sert à serrer ou à desserrer des boulons.
En. bolting machine [4031]

BOURBIER n.m. 74
opération > séchage
Dans un sécheur à cylindres, volume limité par deux surfaces cylindriques tangentes et par un plan tangent commun. [2454]

BOURGEON FIXÉ n.m. 75
anatomie > anatomie végétale
Bourgeon qui ne fleurit pas et reste au stade végétatif.
V. bourgeon sensible
En. blind bud
Es. brote fijo [4032]

BOURGEON SENSIBLE n.m. 75
anatomie > anatomie végétale
Bourgeon qui présente des caractéristiques lui permettant de fleurir après avoir été soumis à un traitement (le plus souvent par le froid).
V. bourgeon fixé
En. dormant bud
Es. brote sensible [4033]

BOURGUIGNON n.m. 77
géophysique > glaciologie
Bloc de glace plus petit qu'un fragment d'iceberg souvent transparent qui émerge de moins de 1 mètre et s'étend sur une superficie de 20 m² environ.
De. Eishümpel (m.)
En. growler [8209]

BOURRELET D'INTERCIRCULATION n.m. 76
mécanique appliquée > véhicule
Élément de raccord entre les voitures d'un train. [7382]

BOURSE DE DÉCHETS n.f. 75
économie > industrie anti-pollution
Service organisant entre les industriels, le commerce ou l'échange des sous-produits et des matériaux récupérables, pour réduire la pollution et promouvoir l'économie des matières premières.
De. Abfallbörse (f.)
En. surplus materials exchange ; waste materials exchange [7238]

BOUTEILLE n.f. 76
instrumentation > structure marine
Dans certaines structures gravitaires d'exploitation en mer, colonne en béton servant au stockage de la production ou au passage des canalisations et dont le diamètre décroît à l'approche de la surface pour réduire l'action des éléments et les efforts sur l'ouvrage.
En. bottle ; bottle-shaped column [6725]

BOUTEILLE ANTI-COUP DE LIQUIDE n.f. 78
BOUTEILLE ANTICOUP DE LIQUIDE
action sur l'environnement > échange de chaleur
Pièce d'une pompe à chaleur qui retient sous phase liquide le réfrigérant en excédent.
En. liquid separator ; suction accumulator [8857]

BOUTEILLE-BOCAL n.f. 75
conditionnement (emballage) > emballage
Bouteille à large ouverture.
V. bouteille buvante
De. weithalsige Flasche (f.)
En. wide-mouthed bottle [4209]

BOUTEILLE BUVANTE n.f. 74
conditionnement (emballage) > emballage
Bouteille à large ouverture.

V. bouteille-bocal
De. weithalsige Flasche (f.)
En. wide-mouthed bottle [4035]

BOUTEILLE OPTIQUE n.f. 77
physique > physique des particules
Conteneur immatériel réalisé par un ou plusieurs faisceaux de lumière et destiné à piéger des particules sous l'action de la pression de rayonnement.
En. optical bottle
Es. botella óptica [8597]

BOUTEROLLAGE n.m. 76
mécanique appliquée > assemblage
Opération qui consiste à bouteroller un rivet.
V. bouteroller
De. Döppern (n.)
En. heading [7794]

BOUTEROLLER v. 76
mécanique appliquée > assemblage
Former la tête d'un rivet à l'aide d'une bouterolle.
V. bouterollage
De. döppern
En. to head [7795]

BOUTEUR n.m. 73
géotechnique
Engin de terrassement constitué par un tracteur à chenilles équipé à l'avant d'une lame, servant à pousser des terres ou d'autres matériaux.
En. bulldozer [1453]

BOUTIQUE FRANCHE n.f. 74
économie > activité commerciale
Boutique située dans une zone où les marchandises vendues ne sont pas soumises au paiement de droits ou de taxes.
De. Zollfreiladen (n.)
En. duty-free shop ; tax-free shop
Es. tienda libre de impuestos [6037]

BOUTON n.m. 76
économie > industrie agricole et alimentaire
Grumeau provenant de la contamination atmosphérique au moment du conditionnement et se trouvant à la surface des laits concentrés sucrés. [7383]

BOUTON → usine presse- — .

BOVIPESTIQUE adj. 73
organisme vivant > microorganisme
Se dit d'un virus pestique propre à l'espèce bovine.
V. capripestique ; suipestique
De. Rinderpest- [4617]

BRACELET SONORE n.m. 75
arts > musique
Type d'instrument de musique paléolithique formé d'anneaux plats qui s'entrechoquent.
En. bracelet rattle
Es. brazalete sonoro [4781]

BRACHIATEUR adj. 73
physiologie > physiologie de l'appareil locomoteur
Se dit d'un singe arboricole qui se déplace par un balancement à bout de bras sur les branches.
De. Schwingkletterer-
En. brachiating [1088]

BRACHISTOCHRONE n.f. 76
transport et manutention > exploitation des transports
Route aérienne à durée minimum.
De. minimum-Flugweg (m.)
En. brachistochrone
Es. braquistochrono [6452]

BRACHYBLASTE n.m. 78
anatomie > anatomie végétale
Rameau court comportant une structure écailleuse envelop-pant la base des verticilles foliaires.

En. brachyblast
Es. braquiblasto [9284]

BRACHYGRAPHIE n.f. 75
information > traitement de l'information
Abréviation des mots qui consiste à les représenter convention-nellement par une lettre ou un groupe de lettres.
De. Abkürzungswesen (n.)
En. brachygraphy
Es. braquigrafía [5487]

BRASAGE FORT n.m. 74
économie > industrie métallurgique
Brasage dans lequel un joint, généralement pelliculaire est obtenu avec un métal d'apport dont la température de fusion est supérieure à 450 °C.
V. brasage tendre
De. Hartlöten (n.)
En. brazing [2970]

BRASAGE TENDRE n.m. 74
économie > industrie métallurgique
Brasage dans lequel la température de fusion du métal d'apport est inférieure à 750 °C.
V. brasage fort
De. Weichlöten (n.)
En. soft soldering ; soldering ; sweating [2971]

BRAS ECTOTYLE n.m. 74
physiologie > reproduction (physiologie)
Tentacule de céphalopode transformé en organe copulateur lors de la période de reproduction.
En. hectocotylus [2972]

BRAS-ESCLAVE n.m. 73
télécommunications > télécommande
Partie d'un maître-esclave manipulée de l'extérieur par un opérateur et placée au contact du milieu dangereux.
V. bras manipulateur ; maître-esclave
En. slave arm [1632]

BRAS MANIPULATEUR n.m. 74
télécommunications > télécommande
Dispositif d'un sous-marin destiné à poser des objets au fond de la mer.
V. bras-esclave
De. Greifarm (m.)
En. mechanical claw [1989]

BRAS PLONGEANT n.m. 75
conditionnement (emballage) > fermeture
Organe mobile de ficelage entraînant le lien autour d'un colis.
En. swing arm [4138 bis]

BRASSEUR n.m. 76
technologie des matériaux > génie alimentaire
Dispositif qui brasse les produits alimentaires dans un mélangeur.
V. brassoir
De. Rührwerk (n.)
En. stirrer [6180]

BRASSOIR n.m. 75
technologie des matériaux > génie alimentaire
Dispositif permettant le brassage du caillé dans les cuves de fabrication du fromage.
V. brasseur
De. Rührwerk (n.)
En. stirrer [4618]

BRAS SPIRAL n.m. 75
sciences de l'espace
L'un des deux bras d'une galaxie spirale.
De. Spiralarm (m.)
En. spiral arm
Es. brazo espiral [4782]

BRAS-TRANSFERT n.m. 76
automatisme > équipement automatique
Robot industriel composé d'un bras et de pinces de serrage

servant à l'alimentation et à l'évacuation des petites pièces sur machines et au chargement et positionnement sur chaînes de montage.
De. Bedienungsarm (m.)
En. pick and place ; transfer arm pick and place [7239]

BRÈCHE n.f. 74
économie > activité commerciale
Rupture d'alignement des produits dans une présentation.
De. Lücke (f.)
En. breach [3856]

BRETELLE n.f. 72
électrotechnique > composant électrotechnique
Dans une ligne aérienne, court élément de conducteur sans tension mécanique, destiné à réaliser une connexion électrique entre deux tronçons d'un conducteur de ligne.
En. jumper
Es. tirante [6313]

BREVETABILITÉ n.f. 73
réglementation, législation > droit
Aptitude d'un procédé, d'une technique... à recevoir un brevet.
De. Patentierbarkeit (f.)
En. patentability [731]

BRILLANT → point — .

BRIN DE RETOUR n.m. 74
économie > industrie mécanique
Partie d'un tapis roulant qui se trouve en position inférieure et retournée.
En. bottom lining [7139 bis]

BRIQUE n.f. 76
conditionnement (emballage) > emballage
Emballage parallélépipédique de capacité variable dans lequel peut être conditionné le lait. [7384]

BRIQUETTE n.f. 76
agronomie > technique culturale
Petite brique de tourbe en sachet plastique servant à élever des plants forestiers. [7385]

BRIS → détecteur de — de glace.

BRISE-BÉTON n.m. 72
bâtiment et travaux publics > matériel de chantier
Outil de chantier à percussion destiné à briser les blocs de béton.
V. brise-roche
De. Betonbrecher (m.)
En. concrete-breaker [391]

BRISE-ROCHE n.m. 77
bâtiment et travaux publics > matériel de chantier
Outil de chantier à percussion destiné à briser la roche.
V. brise-béton
De. Felsmeißel (m.)
En. rock-breaker ; stone-crusher
Es. rompe-roca [7796]

BROMATOLOGIQUE adj. 73
vie quotidienne > alimentation
Relatif à la science qui traite des aliments (bromatologie).
De. Nähr-
En. bromatologic ; bromatological
Es. bromatológico [3332]

BROSSÉ → enduit — .

BROSSEUR → aspiro- — .

BROUILLARD SALIN n.m. 74
environnement et sécurité > environnement
Vapeur d'eau saturée en un sel pour simuler un milieu corrosif.
De. Salzsprühnebel (m.)
En. saline mist
Es. niebla salina [2455]

BROUILLÉ → livre — .

BROUSSE TIGRÉE n.f. 74
végétation
Faciès du complexe végétation-sol qui apparaît sur vues verticales sous forme de taches et de bandes de fourrés alternant avec le sol dénudé. [8732]

BROUTAGE → fracture de — .

BROUTURE GLACIAIRE n.f. 68
géophysique > glaciologie
Micromarque provoquée par la pression ou le choc d'un outil morainique sur une roche en place et souvent accompagnée d'un détachement de petites écailles.
V. fracture de broutage
De. glacial chattermark [4499]

BROWNIEN → bruit — .

BROWNIENNE → musique — .

BROYABILITÉ n.f. 73
opération > broyage
Aptitude d'un produit à être broyé.
De. Mahlbarkeit (f.)
En. grindability [733]

BROYAGE AUTOGÈNE n.m. 74
opération > broyage
Méthode de broyage où la matière à broyer, en mouvement, travaille elle-même à sa désintégration.
De. autogene Zerkleinerung (f.)
En. autogenous crushing
Es. trituración autógena [2614]

BROYAGE CRYOGÉNIQUE n.m. 74
opération > broyage
Méthode de broyage de produits soumis à un traitement aux basses températures.
V. cryobroyage
De. Tiefstemperaturzerkleinerung (f.)
En. cryogenic crushing
Es. trituración criogénica [3857]

BROYAT n.m. 76
botanique
Produit obtenu par broyage.
De. Zerkleinerungsprodukt (n.)
En. homogenate
Es. molido [5488]

BRUCELLIQUE adj. 73
pathologie animale > pathologie infectieuse
Atteint de brucellose.
De. von der Brucellose befallen
En. brucellosis-infected ; brucellous
Es. brucélico [4619]

BRUIT n.m. 76
information > traitement documentaire
Phénomène de restitution de documents non pertinents lors de l'interrogation d'un système documentaire automatique.
De. Geräusch (n.) ; Ballast (n.)
En. noise
Es. ruido [7240]

BRUIT → contre- — .

BRUIT BROWNIEN n.m. 78
physique > acoustique
Type de bruit scalant ; caractérisé par le mouvement brownien.
V. bruit scalant ; bruit thermique
De. Brownisches Rauschen (n.)
En. brownian noise
Es. ruido browniano [9007]

BRUIT COLORÉ n.m. 75
physique > acoustique
Perturbation parasite aléatoire qui présente une intensité différente suivant la position qu'elle occupe dans une bande de fréquences définie.
V. bruit rose
En. coloured noise (U.K.) ; colored noise (U.S.A.)
Es. ruido coloreado [8599]

BRUIT D'OBSCURITÉ n.m. 74
instrumentation > mesure optique
Courant électronique engendré spontanément en l'absence de toute lumière incidente, par un sélecteur de rayonnement.
De. Detektorelektronenrauschen (n.)
Es. ruido de oscuridad [2615]

BRUIT EN CRÉNEAUX n.m. 77
physique > physique des rayonnements
Bruit produit par les fluctuations de courant transitant au voisinage d'un défaut cristallin macroscopique.
En. burst noise ; popcorn noise
Es. ruido en almena [8450]

BRUIT ROSE n.m. 76
physique > acoustique
Bruit dont la densité spectrale est inversement proportionnelle à la fréquence.
V. bruit coloré
En. pink noise [5623]

BRUIT SCALANT n.m. 78
physique > acoustique
Bruit restant identique à lui-même quelle que soit la vitesse d'écoute.
V. bruit brownien ; bruit thermique
En. scaling noise [9008]

BRUIT THERMIQUE n.m. 78
physique > acoustique
Type de bruit blanc produit par les mouvements aléatoires des électrons dans une résistance électrique.
V. bruit brownien ; bruit scalant
De. Wärmerauschen (n.) ; thermisches Geräusch
En. thermal noise
Es. ruido térmico [9009]

BRUMÉE n.f. 75
géophysique > météorologie
Mélange de brume et de fumée.
De. Smog (m.)
En. smog [6588]

BRUMISATEUR n.m. 73
conditionnement (emballage) > emballage
Appareil de petite taille permettant de vaporiser un produit destiné à la peau.
De. Zerstäuber (m.)
En. vaporizer ; atomizer [919]

BRUMISATION n.f. 70
agronomie > technique culturale
Pulvérisation de gouttelettes d'eau très fines permettant l'humidification de l'atmosphère et leur dépôt sur les végétaux.
De. Versprühen (n.) ; Zerstäubung (f.)
En. atomization ; vaporization [1992]

BRUN → produit — .

BRUNIFIANT adj. 77
géologie > pédologie
Se dit d'un milieu de pédogénèse tendant à produire des sols bruns.
V. brunification
De. braunend [8858]

BRUNIFICATION n.f. 72
géologie > pédologie
Processus de formation de complexes argile-fer ou argile-fer-humus produisant des sols bruns.
V. brunifiant
De. Bräunung (f.) [3333]

BRUT → revenu primaire — .

BRUXOMANIE n.f. 74
pathologie animale > pathologie névrosique
Névrose caractérisée par une tendance à grincer des dents.
De. nervöses Zähneknirschen (n.)
En. bruxomania ; bruxism [2162]

BRUYANCE n.f. 74
environnement et sécurité > nuisance
Caractère de ce qui est bruyant.
En. noisiness [2796]

BUÉE → film anti- — .

BUIATRIE n.f. 73
médecine > spécialité médicale
Partie de la médecine vétérinaire consacrée au traitement des bovins.
De. Buiatrik (f.)
En. buiatrics
Es. buiatría [392]

BUISSON n.m. 75
géophysique > météorologie
Ensemble des gouttes d'eau soulevées de la surface de la mer lors d'une trombe marine.
En. bush ; foot-devil [5361]

BULLAGE n.m. 74
physiologie > physiologie cardiovasculaire
Introduction de gaz en bulles dans le sang.
De. Durchperlen (f.)
En. bubbling [1803]

BULLAGE n.m. 70
économie > industrie pétrolière
Formation de bulles dans la boue de forage par diffusion accidentelle d'air ou de gaz.
V. débullage
De. Blasenbildung (f.) [7663]

BULLE n.f. 74
bâtiment et travaux publics > construction
Module de plastique pouvant être utilisé comme bureau, salon d'accueil, stand de démonstration. [2163]

BULLE n.f. 75
électronique > composant électronique
Ilot de magnétisation ayant la forme d'un cylindre d'axe vertical de section circulaire, aimanté en sens inverse d'un champ magnétique créé sur un support, et servant de support à une information élémentaire (bit).
En. bubble [4620]

BULLE(S) → bébé- — ; mémoire à —s .

BULLETINAGE → fiche de — .

BULLOSCOPIE n.f. 75
opération > séparation physique
Étude des qualités d'un filtre par observation des bulles d'air, s'échappant à une pression donnée de ce filtre immergé dans un liquide. [4500]

BUREAU EN ESPACE OUVERT n.m. 74
économie > travail (main-d'œuvre)
Bureau dans lequel les postes de travail sont séparés par des cloisons à hauteur d'homme.
V. bureau évolutif ; bureau paysager ; espace alvéolaire ; espace semi-ouvert
De. Großraumbüro (n.) [3146]

BUREAU ÉVOLUTIF n.m. 72
économie > travail (main-d'œuvre)
Bureau à structures mobiles.
V. bureau en espace ouvert ; bureau paysager
En. modular office [3147]

BUREAU-MODULE n.m. 78
économie > travail (main-d'œuvre)
Bureau conçu à partir d'un module de base dont la multiplica-

tion, la superposition et la juxtaposition permettront de former une cellule de travail homogène.
V. bureau paysager ; espace alvéolaire
En. module [9143]

BUREAU PAYSAGER n.m. 79
BUREAU PAYSAGÉ
économie > travail (main-d'œuvre)
Bureau aménagé en cellules constituées par des cloisons amovibles, de faible hauteur ou des ensembles de plantes vertes.
V. bureau en espace ouvert ; bureau évolutif ; bureau-module ; cloisonnette ; espace semi-ouvert ; plateau-paysage
De. Großraumbüro (n.)
En. landscaped office [1634]

BUREAUTIQUE n.f. 77
économie > travail (main-d'œuvre)
Ensemble des techniques et des procédés propres à automatiser les activités de bureau relatives au secrétariat et à la correspondance.
De. Büronik (f.)
En. office automation [8210]

BUS n.m. 76
informatique > organe de transmission de données
Ensemble de conducteurs qui, dans une unité de traitement de l'information, sont utilisés comme voie de transmission des informations à partir d'une ou plusieurs sources vers une ou plusieurs destinations.
V. bus d'adresse ; bus de contrôle ; bus de données ; bus électrique ; bus numérique ; bus optique ; pavé
De. Vielfachleitung (f.)
En. bus ; bus bar [6453]

BUS → radio- — .

BUS D'ADRESSE n.m. 77
informatique > organe de transmission de données
Bus par lequel transitent les adresses.
V. bus ; pavé
De. Adreßbus (m.)
En. address bus [8211]

BUS DE CONTRÔLE n.m. 77
informatique > organe de transmission de données
Ensemble hétérogène de signaux qui permettent au microprocesseur et aux circuits périphériques de fonctionner en harmonie.
V. bus ; pavé
De. Steuerbus (m.) ; Überwachungsleitung (f.)
En. control bus [8212]

BUS DE DONNÉES n.m. 77
informatique > organe de transmission de données
Bus par lequel transitent les données.
V. bus ; pavé
De. Datenbus (m.)
En. data bus [8213]

BUSE-ARCHE n.f. 75
bâtiment et travaux publics > structure mécanique
Coffrage comprimé de section surbaissée utilisé comme armature d'un pont.
De. Bogendurchlaßrohr (n.)
En. tube-like arch [4961]

BUS ÉLECTRIQUE n.m. 76
informatique > organe de transmission de données
Ensemble de conducteurs utilisés comme voie de transmission de signaux électriques émanant, d'une ou plusieurs sources et destinés à un ou plusieurs récepteurs.
V. bus ; bus numérique ; bus optique
De. elektrisches Datenbus (m.) ; Sammelschlene (f.)
En. wire data bus [9144]

BUSELURE n.f. 75
mécanique appliquée > assemblage
Corps creux possédant un axe de révolution dont la forme

intérieure présente des variations de diamètres.
De. Düse (f.) [4784]

BUS NUMÉRIQUE n.m. 77
informatique > organe de transmission de données
Ensemble de conducteurs utilisés comme voie de transmission
de signaux numériques émanant d'une ou plusieurs sources et
destinés à un ou plusieurs récepteurs.
V. bus ; bus électrique ; bus optique
De. digitaler Datenbus (m.)
En. digital data bus [9145]

BUS OPTIQUE n.m. 76
informatique > organe de transmission de données
Ensemble de conducteurs utilisés comme voie de transmission
de signaux optiques émanant d'une ou plusieurs sources et
destinés à un ou plusieurs récepteurs.
V. bus ; bus électrique ; bus numérique
De. optischer Datenbus (m.)
En. fiber optic data bus (U.S.A.); fibre optic data bus (U.K.).
[9146]

BUTANÉ adj. 76
matériau > gaz manufacturé
Se dit d'un gaz enrichi au butane. [5624]

BUTANISATION n.f. 74
opération > mélange (opération)
Opération consistant à réaliser un mélange de gaz à base de
butane.
De. Butangasmischung (f.)
En. butanization
Es. butanización [3334]

BUTÉE n.f. 75
géophysique > glaciologie
Masse sur laquelle a buté un glacier.
En. abutment
Es. tope [6038]

BUTINAGE n.m. 76
transport et manutention > manutention
Opération qui consiste à prélever une marchandise en stock.
V. piquage
De. Entnahme (f.) vom Lager
En. picking [7934]

BUTINEUR n.m. 74
transport et manutention > engin de manutention
Type de transtockeur commandé par un opérateur et destiné à
rassembler les différents produits d'une livraison.
V. transtockeur [1805]

BUTTE-ROUE n.m. 75
transport et manutention > exploitation des transports
Bordure relevée d'une chaussée, délimitant la largeur disponible à la circulation.
En. wheel-dike [6039]

BUTYROMÉTRIQUE adj. 76
technologie des matériaux > génie alimentaire
Relatif à une mesure des matières grasses du lait effectuée à
l'aide d'un butyromètre.
De. Butyrometer-.
Es. butirométrico [7386]

BUVANTE → bouteille —.

C

CABINE → protège- — .

CABINE-TAXI n.f. 74
transport et manutention > engin de transport
Cabine mobile d'un réseau de transport urbain dont les
déplacements commandés par les voyageurs au moyen d'un
pupitre sont contrôlés par ordinateur.
De. Kabinentaxi (n.) [2164]

CÂBLAGE n.m. 74
télécommunications > câble de transmission
Mise en place d'un réseau de télécommunications permettant
des échanges intensifs d'informations avec l'extérieur et avec
chacune des unités qui composent l'ensemble desservi.
De. Verkabelung (f.)
En. cabling [6314]

CÂBLE ACTIF n.m. 74
télécommunications > câble de transmission
Câble qui a une fonction de distribution et une fonction
d'alimentation du réseau en émissions.
V. câble interactif ; câble passif
En. active C.A.T.V.
Es. cable activo [2797]

CÂBLE INTERACTIF n.m. 74
télécommunications > câble de transmission
Câble actif qui permet également une télécommunication entre
abonnés.
V. câble actif ; câble passif
De. Querverbindungskabel (n.)
En. interactive C.A.T.V.
Es. cable interactivo [2798]

CÂBLE PASSIF n.m. 74
télécommunications > câble de transmission
Câble qui n'a qu'une fonction de distribution.
V. câble actif ; câble interactif
De. Verteilungskabel (n.)
En. passive C.A.T.V.
Es. cable pasivo [2799]

CÂBLE-RUBAN n.m. 74
électrotechnique > circuit d'alimentation électrique
Assemblage de plusieurs câbles conducteurs en parallèle
recouvert d'une enveloppe isolante composée de deux rubans
soudés entre eux et avec les conducteurs.
De. Flachkabel (n.)
En. ribben cable [1806]

CÂBLES → porte- — .

CÂBLE SEC n.m. 74
électrotechnique > circuit d'alimentation électrique
Câble à isolation synthétique.
De. Trockenkabel (n.)
En. synthetically-insulated cable [2618]

CÂBLETTE n.f. 74
électrotechnique > circuit d'alimentation électrique
Câble léger servant à tirer et à poser les conducteurs des lignes
à haute tension.
V. bas de tirage
De. Zugdraht (m.)
En. cablet [3148]

CÂBLEUSE n.f. 75
**technologie des matériaux > équipement industrie de trans-
formation**
Machine destinée à la fabrication des câbles. [4140 bis]

CÂBLO-DIFFUSION n.f. 74
CÂBLODIFFUSION
télécommunications > télédistribution
Diffusion d'images de télévision par câble.
V. câblodistribution
De. Kabelfernsehen (n.)
En. cable television ; cable T.V. ; C.A.T.V. [2973]

CÂBLODISTRIBUTEUR n.m. 78
télécommunications > télédistribution
Distributeur d'images de télévision par câble.
V. câblo-diffusion ; câblodistribution
De. Kabelfernsehunternehmen (n.)
En. cable operator ; cable television operator [9285]

CÂBLODISTRIBUTION n.f. 78
télécommunications > télédistribution
Distribution d'images de télévision par câble.
V. câblo-diffusion ; câblodistributeur [8733]

CABRADE n.f. 75
génie biomédical > anesthésie
Mouvement de redressement qu'esquisse le corps d'un sujet
au début d'une anesthésie générale.
En. *bucking* [3858]

CACHE → mémoire — .

CACHECTIQUE → viande — .

CACHETIER n.m. 73
économie > travail (main-d'œuvre)
Agent dont le travail est payé au cachet.
En. *honorarium artist ; freelance artist ; stipendiary* [921]

CADENCEUR n.m. 75
électronique > équipement électronique
Dispositif permettant de régler une cadence de tir.
En. *rate-regulator* [6247]

CADRATINAGE n.m. 72
impression
Opération qui consiste à décaler des lignes en alinéa ou à
former des blancs à l'aide de cadratins.
De. *Spatiierung (f.)*
En. *quadding* [3685]

CADRE → fixe- — .

CAGE n.f. 75
mécanique des fluides appliquée
Chemise ajourée d'un type de vanne industrielle dans laquelle
glisse un piston qui dégage les ouvertures selon le débit désiré.
En. *housing* [4786]

CAGE → composé- — ; molécule — ; roue — .

CAISSE À BEC n.f. 73
conditionnement (emballage) > emballage
Contenant gerbable comprenant une partie allongée et semi-
ouverte. [1269]

CAISSE-OUTRE n.f. 73
conditionnement (emballage) > emballage
Contenant en carton muni d'une doublure intérieure étanche
permettant de transporter des liquides.
V. carton-outre
De. *Kiste (f.) Pappschachtel* [1636]

CAISSE-PALETTE n.f. 73
conditionnement (emballage) > palette
Type de contenant destiné à recevoir une palette et sa charge
en vue d'en faciliter la manutention et le stockage.
V. entourage-palette
De. *Boxpalette (f.)*
En. *box pallet* [922]

CAL n.m. 76
tissu (biologie) > tissu végétal
Masse de cellules indifférenciées obtenues à partir de cultures
de tissus.
En. *callus* [5489]

CALCINATION → point de — .

CALCULER → disque à — .

CALCULETTE n.f. 75
automatisme > équipement automatique
Calculatrice de poche construite autour d'une pièce de circuit
intégré.
De. *Taschenrechner (m.)*
En. *hand-held calculator ; miniature calculator ; minicalculator ; pocket calculator ; pocket-size calculator* [5102]

CALCULMÈTRE n.m. 77
automatisme > équipement automatique
Appareil qui comprend un multimètre numérique, une imprimante et une calculatrice programmable. [8734]

CALEFACTEUR n.m. 75
technologie des matériaux > génie alimentaire
Dispositif d'une chaîne industrielle de vérification qui assure
le chauffage de la vendange.
En. *holding tank* [3505]

CALEPINAGE n.m. 75
économie > industrie du bâtiment et des travaux publics
Opération consistant à noter les mesures et les agencements
d'éléments de construction en vue de faciliter leur pose.
De. *Anfertigung (f.) von Planzeichnungen*
En. *short specs registration* [5362]

CALEXTRACTEUR adj. 75
action sur l'environnement > échange de chaleur
Se dit d'un dispositif d'extraction de la chaleur.
En. *heat extractor* [4963]

CALFEUTRE n.m. 77
environnement et sécurité > isolation thermique
Matériau servant à boucher les interstices pour empêcher l'air
de passer.
De. *Abdiehtungsmaterial (n.)*
En. *caulking ; calking* [8073]

CALIBRATEUR n.m. 75
instrumentation > appareil électronique de mesure
Dispositif qui fournit des grandeurs calibrées utilisées pour
l'étalonnage d'appareils de mesure, de composants électroni-
ques... ou destinées à servir de références de mesures.
V. calibration
De. *Kalibriergerät (n.)*
En. *calibrater ; calibrator*
Es. *calibrador* [5490]

CALIBRATION n.f. 75
instrumentation > appareil électronique de mesure
Opération qui consiste à étalonner ou à fournir des références
à des appareils de mesure.
V. calibrateur
De. *Kalibrieren (n.)*
En. *calibration*
Es. *calibrado* [5491]

CALIFORNIEN → muret — .

CALME → soleil — .

CALODIE n.f. 75
instrumentation > mesure thermique
Quantité de chaleur reçue par jour et par cm^2.
En. *calodie* [6454]

CALODUC n.m. 73
action sur l'environnement > échange de chaleur
Dispositif de conduction de la chaleur constitué d'un tube où
se vaporise et se condense un liquide et d'une mèche pour le
retour de ce liquide.
De. *Wärmeleiter (m.)* [2619]

CALODUC ARTÉRIEL n.m. 73
action sur l'environnement > échange de chaleur
Caloduc dans lequel la structure véhiculant le fluide chaud est
de grande dimension par rapport aux réseaux capillaires
utilisés.
V. caloduc
En. *arterial heat pipe* [2975]

CALOGÈNE → électro- — .

CALOPULSEUR n.m. 77
action sur l'environnement > échange de chaleur
Dispositif destiné à pulser de l'air chaud dans une enceinte.
[7516]

CALORICO-AZOTÉ adj. 74
vie quotidienne > alimentation
Qui concerne la présence conjointe de calories et d'azote.
De. Kalorien-Stickstoff-
En. caloric-nitrogenous
Es. calórico-nitrogenado [3336]

CAMBIAL adj. 70
tissu > tissu végétal
Relatif au cambium.
De. Kambium-
En. cambial [6181]

CAMÉRA → gamma- — .

CAMÉRA À IMAGES INTÉGRALES n.f. 75
instrumentation > système électroacoustique
Caméra électronique ultrarapide qui permet de suivre, avec des résolutions temporelles de quelques picosecondes, l'évolution spatiale de phénomènes peu lumineux dans des domaines spectraux très variés et d'en obtenir des photographies à un instant de leur évolution. [4387]

CAMÉRA DE CONTACT n.f. 74
instrumentation > système électroacoustique
Caméra silencieuse utilisée dans des reportages sur le vif afin de permettre un contact direct avec les sujets filmés.
En. contact camera [3859]

CAMÉRA DE TÉLÉVISION THERMIQUE n.f. 78
instrumentation > photographie
Caméra utilisant un tube de prise de vue à cible non refroidi opérant dans le spectre de fréquence infrarouge.
En. infrared television camera [8859]

CAMÉRA-STYLO n.f. 71
arts > photographie
Style cinématographique qui reprend à son compte les techniques du roman ou du reportage. [3506]

CAMION → franco — .

CAMION MIROITIER n.m. 77
transport et manutention > transport
Type de camion utilisé pour le transport de glaces de grandes dimensions.
En. plate truck [7797]

CAMION TRANSPLANTOIR n.m. 74
matériel agricole
Camion utilisé pour la plantation et le déplacement d'arbres.
De. Motorisiertes Baumverpflanzgerät (n.)
En. dibbler
Es. camión transplantador [2976]

CAMPAGNE n.f. 75
économie > industrie métallurgique
Période pendant laquelle on fait subir le même traitement à une suite de pièces dans une fabrication industrielle en série. [4388]

CANADIENNE n.f. 74
conditionnement (emballage) > emballage
Plateau dans lequel sont dessinées les alvéoles destinées à recevoir des œufs en vue de leur transport.
De. Stiege (f.)
En. egg crate [2456]

CANALETA n.f. 73
énergie (technologie) > énergie solaire
Élément de toiture en plan incliné utilisé pour le captage de l'énergie solaire à des fins domestiques. [2620]

CANAL NOYÉ n.m. 78
géophysique interne
Dispositif consistant en un canal fermé rempli d'eau, utilisé pour la simulation dynamique d'une avalanche en laboratoire. [9010]

CANARD n.m. 73
mécanique appliquée > usinage
Signe de façonnage utilisé pour spécifier un état géométrique de surface correspondant au mode d'usinage à adopter pour obtenir une certaine qualité de surfaçage des pièces.
De. Förmzeichen (n.) [7241]

CANCÉROGÉNICITÉ n.f. 76
pathologie animale > pathologie tumorale
Propriété d'une substance susceptible d'engendrer ou de favoriser le développement d'un cancer.
De. Kanzerogenität (f.) ; kanzerogene Wirkung (f.)
En. carcinogenicity
Es. cancerogenicidad [5625]

CANETTERIE n.f. 77
économie > industrie agricole et alimentaire
Partie d'une brasserie où s'effectue la mise en bouteilles de la bière.
De. Flashenkeller (m.)
En. bottling department [7935]

CANEVAS → point de — .

CANNABINOÏDE n.m. 76
pharmacologie > médicament
Substance chimique à effet psychotrope extraite du chanvre indien. [6967]

CANNELURE → papier —.

CANON n.m. 74
électronique > électronique industrielle
Moyeu de bouton de commande.
De. Hülse (f.)
En. cannon [3860]

CANON → coup de — .

CANON À MOUSSE n.m. 74
environnement et sécurité > protection contre l'incendie
Dispositif sous pression permettant de produire de la mousse à partir d'un liquide.
En. foam gun [2457]

CANONIQUE → analyse — .

CAOUTCHOUTIER n.m. 77
économie > industrie du caoutchouc
Industriel spécialisé dans le traitement et l'utilisation du caoutchouc.
De. Kautschukverarbeiter (m.) [7517]

CAOUTCHOUTIQUE adj. 75
matériau > polymère (matériau)
De la nature du caoutchouc.
De. Kautschukzusatz (mit —)
En. rubberized [5248]

CAPACITATION n.f. 74
cellule et constitution cellulaire > cellule
Transformation de l'acrosome du spermatozoïde de certains mammifères qui provoque la fécondation.
En. capacitation [1271]

CAPACITÉ adj. 78
cellule et constitution cellulaire > cellule
Se dit d'un spermatozoïde rendu apte à la fécondation par transformation de son acrosome au cours de son séjour dans le vagin et dans l'utérus.
V. capacitation
En. capacitated [9286]

CAPACITÉ AU CHAMP n.f. 76
géologie > pédologie
Quantité d'eau retenue par le sol après la fin d'une période de pluie et un ressuyage partiel.
De. Feldkapazität (f.)
En. degree of wetness
Es. capacidad de retención de campo [5768]

CAPACITÉ D'ACCUEILLEMENT n.f. 71
bâtiment et construction > équipement technique
Distance de rappel théorique (d'une crémone), somme des biseaux de l'organe de verrouillage et de sa gâche obtenue sans jeu horizontal entre eux [224]

CAPACITÉ DE COLMATAGE n.f. 71
chimie > chimie analytique
Masse de particules pouvant être retenue par un appareil jusqu'à ce qu'une des limites de fonctionnement définie par le constructeur soit atteinte.
De. Absaugfähigkeit (f.) ; Ansaugfähigkeit (f.)
En. dust-holding capacity [38]

CAPITAL SYMBOLIQUE n.m. 77
sociologie
Capital qui, comme le prestige et le renom attachés à une feuille ou à un nom, peut se reconvertir en capital économique.
De. symbolisches Kapital (n.) [8451]

CAPITAUX FÉBRILES n.m.pl. 74
économie > marché financier
Capitaux spéculatifs passant d'une place à une autre, prêts à se placer à court terme, suivant la variation des taux d'intérêt et l'appréciation des risques de change.
De. heißes Geld (n.)
En. hot money [1994]

CAPRINISÉ adj. 73
organisme vivant > microorganisme
Se dit d'un virus modifié par passages en série chez la chèvre.
V. avianisé ; capripestique ; lapinisé
En. caprinized [4621]

CAPRIPESTIQUE adj. 73
organisme vivant > microorganisme
Se dit d'un virus pestique propre à l'espèce caprine.
V. bovipestique ; caprinisé ; suipestique
De. Ziegenpest- [4622]

CAPSULE QUART DE TOUR n.f. 73
conditionnement (emballage) > fermeture
Capsule d'un bocal de produits alimentaires qui s'ouvre en un quart de tour.
De. Drehverschluß (m.)
En. twist-off cap ; twist-off capsule [1272]

CAPTEUR n.m. 73
instrumentation > repérage
Dispositif électronique permettant de capter des sources de rayonnements électromagnétiques.
En. detector [552]

CAPTEUR À RUISSELLEMENT n.m. 77
énergie (technologie) > énergie solaire
Capteur solaire constitué d'une double tôle inclinée entre les parois de laquelle circule un fluide caloporteur dont l'écoulement est freiné par une série d'ondulations verticales et horizontales.
En. water-trickle collector [7242]

CAPTEUR DE FINESSE n.m. 73
instrumentation > mesure mécanique
Appareil dont le principe de fonctionnement est fondé sur la diffraction de la lumière et qui est destiné à mesurer le degré de finesse des ciments. [1091]

CAPTEUR SOLAIRE PLAN n.m. 77
énergie (technologie) > énergie solaire
Dispositif qui intercepte directement le rayonnement solaire (sans concentration optique) pour le transformer en chaleur en utilisant l'effet de serre.
V. effet de serre
De. Flachkollektor (m.) ; Solarflachkollektor (m.)
En. flat-plate collector [8452]

CARACTÈRE DISCRET n.m. 71
statistique
Caractère quantitatif qui ne peut prendre que des valeurs isolées.

De. diskretes Merkmal (n.)
En. discrete characteristic
Es. caraterística discreta [394]

CARACTÈRE GÉNÉTIQUE n.m. 68
géologie > pédologie
Caractère d'un horizon ou d'un profil résultant d'un processus lié à la genèse du sol et dont il devient le témoin.
V. caractère morphologique
En. genetic character [225]

CARACTÈRE MORPHOLOGIQUE n.m. 68
géologie > pédologie
Caractère d'un horizon ou d'un profil directement observable et enregistré objectivement.
V. caractère génétique
En. morphological character [226]

CARAQUÉNOIS n.m./adj. 77
localisation
De Caracas.
En. Caraqueño ; Caracan
Es. Caraqueño [7798]

CARATAGE n.m. 73
exploitation des ressources minérales
Quantité de carats contenus dans un trépan diamanté.
V. sous-caratté
De. Karatzahl (f.)
En. caratage ; carat count ; carat weight [6589]

CARATTÉ → sous- — .

CARAVANAGE n.m. 73
vie quotidienne > loisirs
Fait d'utiliser une caravane.
V. caravaneur
De. Caravaning (n.)
En. caravaning [6456]

CARAVANEUR n.m. 75
vie quotidienne > loisirs
Personne qui voyage et habite dans une caravane.
V. caravanage
De. Caravaner (m.)
En. caravanist [6457]

CARBODUC n.m. 75
transport et manutention > canalisation-conduite
Conduite destinée à l'acheminement du charbon pulvérulent.
En. powder duct ; powder pipeline [5103]

CARBONATEUR n.m. 77
technologie des matériaux > génie alimentaire
Appareil destiné à assurer l'absorption de gaz carbonique par de l'eau dans l'industrie des boissons gazeuses.
De. Saturationgefäß (n.)
En. carbonator [7936]

CARBONYLATION n.f. 73
technologie des matériaux > génie chimique
Opération industrielle consistant à fixer un groupe carbonyle et de l'eau (ou un alcool) sur l'acétylène en présence de nickel-carbonyle.
De. Carbonylierung (f.)
En. carbonylation [2165]

CARBURANT adj. 74
énergie (technologie) > combustion
Se dit de la flamme d'un chalumeau oxyacétylénique lorsque le rapport entre la consommation d'oxygène et celle d'acétylène est inférieur à 1.
V. dur
En. carburizing flame
Es. carburante [6315]

CARBURIER n.m. 76
économie > industrie métallurgique
Fabricant de carbures métalliques. [4624]

CARBURIGÈNE adj. 75
énergie (technologie) > combustion
Qui provoque une combustion
De. brennbar
En. carburigen
Es. carburígeno [4142 bis]

CARDIAQUE → rythmeur — .

CARDIATOMIE n.f. 77
génie biomédical > chirurgie
Incision du cardia.
De. Kardiotomie (f.)
En. cardiotomy
Es. cardiatomía [8214]

CARDINALITÉ n.f. 74
informatique > programmation
Pour un système, possibilité de réception simultanée d'informations différentes et aptitude à prendre successivement des états distincts.
De. Mächtigkeit (f.)
Es. cardinalidad [5249]

CARDIOGRAMME → phono- — .

CARDIOÏDE adj. 74
instrumentation > système électroacoustique
Se dit d'un microphone qui capte les sons dans un champ déterminé par une courbe cycloïde en forme de cœur (cardioïde).
De. Kardioide-
En. cardioid
Es. cardioide [2978]

CARDIO-SÉLECTIF adj. 78
CARDIOSÉLECTIF
pharmacologie > médicament
Se dit d'un médicament qui agit sélectivement sur le cœur.
En. cardioselective
Es. cardioselectivo [9287]

CARENCE → délai de — .

CARENCÉ adj. 72
psychologie > psychophysiologie
Se dit d'un sujet chez qui on a provoqué une carence affective.
En. deprived [5626]

CARIOLOGIE n.f. 76
pathologie animale > pathologie odontostomatologique
Étude de la carie dentaire.
En. cariology
Es. cariología [6590]

CAROTIDOGRAMME n.m. 78
instrumentation > mesure des phénomènes physiques
Enregistrement du pouls des vaisseaux carotidiens.
V. jugulogramme ; mécanographie
De. Karotidogramm (n.)
En. carotid tracing
Es. carotidograma [9288]

CAROTTE n.f. 75
technologie des matériaux > métallurgie extractive
Formation constituée par le métal figé au trou de coulée.
V. couronne
De. Gußstopfen (m.)
En. plug [4210]

CAROTTEUSE n.f. 72
géotechnique
Appareil destiné à prélever des carottes.
De. Kernbohrer (m.)
En. core cutter [396]

CARPE → queue de — .

CARRIÉRISATION n.f. 70
économie > travail (main-d'œuvre)
Établissement d'un individu dans une vie professionnelle avec prévision de promotion et de durée.
En. careerization [5250]

CARTE → relais- — .

CARTE AUTO-RELÈVE n.f. 73
CARTE AUTORELÈVE
économie > travail (main-d'œuvre)
Carte permettant à un abonné d'un service public de relever lui-même ses index de consommation s'il est absent lorsque le releveur passe.
De. Selbstablesekarte (f.)
En. meter-reading card [2168]

CARTE DE CODAGE n.f. 74
information > support documentaire
Carte qui comporte une information codée.
De. Codierkarte (f.)
En. card
Es. tarjeta codificada [2979]

CARTE—IMAGE n.f. 76
informatique > traitement de données
Carte, issue d'une console de visualisation, sur laquelle sont représentés des graphismes obtenus par ordinateur grâce à un programme de génération graphique et de contrôle permettant l'analyse sur ordinateur de certaines structures et engendrant des géométries répétitives pas à pas. [8735]

CARTOGRAPHIE n.f. 75
électronique > radiotechnique
Méthode d'analyse graphique qui permet d'apprécier le fonctionnement des circuits logiques par l'indication graphique de chaque adresse en état sous la forme d'un point discret sur un écran.
En. cartography
Es. cartografía [5492]

CARTOGRAPHIQUE → intégration bio- — .

CARTON CYLINDRE n.m. 74
CARTON-CYLINDRE
conditionnement (emballage) > emballage
Tube d'emballage en carton.
De. Karton-Versandrolle (f.)
En. cylinder board [2322]

CARTON DOUBLE-DOUBLE n.m. 73
matériau > carton
Carton constitué de deux feuilles doubles.
V. ondulé double-double
De. doppelter Duplexkarton (m.)
En. double-double face corrugated fibreboard [1995]

CARTON-OUTRE n.m. 78
conditionnement (emballage) > emballage
Contenant muni d'une enveloppe intérieure étanche permettant de transporter des liquides.
V. caisse-outre
En. bag-in-box ; bag-in-box package [9147]

CARTOTHÉCAIRE n. 75
information > centre d'information
Personne préposée à une cartothèque.
De. Kartothekar (m.)
En. map librarian [6458]

CARTOUCHE n.f. 76
information > support documentaire
Boîtier destiné à être monté sur un mécanisme d'entraînement approprié et contenant un support d'informations qui peut être traité sans être détaché du boîtier.
De. Kassette (f.)
En. cartridge [4625]

CARTOZONAGE n.m. 73
instrumentation > repérage
Identification quantitative des zones homologues sur une carte
établie d'après les données de la télédétection.
V. photozonage [1807]

CASCADABLE adj. 75
opération > exploitation
Se dit d'un dispositif qui peut être relié en série (en cascade)
avec un autre dispositif.
V. cascadage ; cascader
De. kaskadierbar
En. cascadable [5770]

CASCADAGE n.m. 77
opération > exploitation
Opération consistant à cascader des dispositifs électroniques,
électriques...
V. cascadable ; cascader
En. cascading [8600]

CASCADER v. 75
opération > exploitation
Monter des dispositifs électroniques, électriques en série (en
cascade).
V. cascadable ; cascadage
De. kaskadieren
En. to cascade ; to cascade-connect [5770]

CASE → symbole à — .

CASIER-BÂTIMENT n.m. 76
stockage > entrepôt
Casier de stockage conçu pour supporter les efforts provenant
de la toiture et du bardage.
V. bâtiment intégré ; magasin-tour ; silo de stockage [6040]

CASIER DYNAMIQUE n.m. 75
stockage > dépôt de stockage
Dispositif de stockage dont chaque alvéole contient une suite
de charges stockées selon la méthode premier entré-premier
sorti qui se déplacent soit par gravité, soit mécaniquement.
V. stockage dynamique
De. Durchlaufregal (n.)
En. live storage rack [6041]

CASSE → robinet — vide.

CASSERIE n.f. 73
économie > industrie agricole et alimentaire
Établissement artisanal ou industriel dans lequel les coquilles
d'œufs sont brisées en vue de fabriquer des ovoproduits.
En. egg-shelling plant [2169]

CASSÉTOTHÈQUE n.f. 74
instrumentation > collection
Ensemble de cassettes.
De. Kassettothek (f.)
En. cassette library [2802]

CASSETTE → vidéo- — .

CASSE-VOÛTES n.m. 73
stockage > ensilage
Dispositif destiné à éliminer les voûtes de grains ou de poudre
causant le colmatage des silos.
V. voûtage
De. Gewölbebrecher (m.) [1274]

CASSOIR n.m. 75
économie > industrie agricole et alimentaire
Appareil destiné à casser les lingots de sucre en morceaux.
[5493]

CASTANÉICOLE adj. 72
agronomie > culture spéciale
Relatif à la culture du châtaignier. [3861]

CASTROLOGIE n.f. 73
histoire
Étude des châteaux et des forteresses.
De. Festungskunde (f.) [1996]

CATAGRAPHIQUE adj. 73
cartographie
Se dit d'une représentation graphique établie en tenant
compte du sens vers lequel se dirige un courant.
V. anagraphique
De. katagraphisch
Es. catagráfico [2624]

CATALANISANT adj. 75
linguistique
Spécialiste de la langue et de la civilisation catalanes.
V. catalanité
Es. catalano parlante [5251]

CATALANITÉ n.f. 77
sociologie
Caractère de ce qui est catalan.
V. alsacianité ; antillanité ; arabité ; créolité ; indianité ;
lusitanité
Es. catalanidad [8075]

CATALOGRAPHE n.m. 71
information > diffusion de l'information
Auteur de catalogues.
V. catalographique
De. Katalograph (m.)
En. cataloguer ; catalogue librarian [2803]

CATALOGRAPHIQUE adj. 77
information > diffusion de l'information
Relatif à l'établissement d'un catalogue.
V. catalographe
De. Katalogiesierungs-
Es. catalográfico [7387]

CATALYSE DURE n.f. 73
technologie des matériaux > génie chimique
Catalyse dans laquelle le centre de catalyse polarise le substrat
par une interaction électrostatique ou en formant une liaison
polaire.
De. harte Katalyse (f.)
En. hard catalysis [1275]

CATASONDE n.f. 75
instrumentation > équipement aérospatial
Petite station automatique parachutée d'un aéronef.
En. dropsonde ; parachute radiosonde
Es. catasonda [5771]

CATASTROPHE n.f. 75
modèle
Modification radicale et brutale d'une situation dont l'évolu-
tion avait été progressive.
De. Katastrophe (f.)
En. catastrophe
Es. catástrofe [4965]

CATATOXIQUE adj. 73
génie biomédical > pharmacothérapie
Se dit de certains stéroïdes qui attaquent les agents pathogènes
en accélérant leur dégradation métabolique.
V. syntoxique
En. catatoxic [736]

CATAZONE n.f. 76
géologie > métamorphisme
Zone de plus haute intensité de métamorphisme connue,
caractérisée par des températures et des pressions hydrostati-
ques très élevées.
V. anchizone ; épizone
De. Katazone (f.)
En. katazone ; catazone
Es. catazona [6833]

CATÉNANE n.f. 76
biologie moléculaire
Molécule liée à d'autres comme les maillons d'une chaîne.
[8315]

CATHAROMÈTRE n.m. 73
chimie > chimie analytique
Appareil de détection des éléments en chromatographie en phase gazeuse dont le principe est fondé sur la conductibilité thermique de ceux-ci.
De. *Wärmeleitfähigkeitsmessrelle (f.)*
En. *catharometre* [1459]

CATHODOLUMINESCENCE n.f. 76
physique > optique
Luminescence produite par des électrons rapides bombardant une cathode.
De. *Kathodolumineszenz (f.)*
En. *cathodoluminescence*
Es. *catodoluminiscencia* [6727]

CATIONIQUE → copolymère — .

CAUCASOÏDE n.m. 75
antropologie
Type qui présente certains caractères du type caucasien.
De. *Kaukasoide (m.)*
En. *caucasoid*
Es. *caucasoide* [3686]

CAUDOPHAGIE n.f. 75
éthologie
Comportement d'animaux élevés dans des espaces exigus, se traduisant par des morsures de la queue de leurs congénères.
En. *caudophagia ; caudophagy ; tail-biting*
Es. *caudofagia* [4788]

CAVAGE n.m. 76
géotechnique
Action de creuser.
En. *deflation* [6728]

CAVALIER adj. 77
informatique > traitement de données (informatique)
Se dit du résultat obtenu ou de la technique d'enregistrement ou de production des éléments d'une image dans un ordre déterminé par un programme d'ordinateur. [8601]

CAVITANT adj. 77
physique > mécanique
Qui produit un mouvement de cavitation.
De. *kavitierend*
En. *cavitating* [7801]

CAVITON n.m. 77
physique > physique des particules
Dépression stable et localisée de la densité dans laquelle sont piégées des ondes de plasma de haute fréquence.
V. collapson
De. *Kaviton (n.)*
En. *caviton*
Es. *cavitón* [8215]

C.C.D. (Composant à Couplage de Charge) n.m. 74
électronique > composant électronique
Type de composant utilisant une électronique de charge au lieu d'une électronique de courant.
En. *charging circuit unit ; charging connection component ; charging connection unit* [3688]

C.C.R. (Coefficient de Capitalisation des Résultats) n.m. 74
économie > marché financier
Coefficient par lequel il convient de multiplier le bénéfice par action pour retrouver le cours coté.
De. *Kurs-Gewinn-Verhältnis (n.)*
En. *price-earning ratio* [3508]

CÉ n.m. 75
mécanique appliquée > organe de machine
Partie d'un appareil en forme de C notamment des instruments de mesure et de contrôle des pièces.
En. *C frame ; frame* [7802]

CÉCIDOLOGIE n.f. 75
pathologie végétale
Étude des différents types de galles.
De. *Zezidiologie (f.)*
En. *cecidiology ; cecidology*
Es. *cecidología* [6184]

CEDEX (Courrier d'Entreprise à Distribution Exceptionnelle) n.m. 73
gestion, organisation, administration > gestion
Système de distribution du courrier permettant aux grandes entreprises d'avoir leur courrier tôt sous réserve qu'elles le fassent prendre elle-mêmes au bureau principal de la ville (ou de l'arrondissement) où elles ont leur siège.
V. cidex ; isa ; postadex ; postet
En. *commercial mailbox system (U.S.A.)* [924]

CEILOMÈTRE n.m. 72
instrumentation > équipement aérospatial
Détecteur de plafond nuageux.
De. *Wolkenhöhenmesser (m.)*
En. *ceilometer* [5900]

CEINTURÉ → pneu — .

CÉLÉRIMÈTRE n.m. 77
instrumentation > mesure acoustique
Appareil permettant de mesurer la vitesse de déplacement d'une onde dans un milieu donné.
En. *velocimeter*
Es. *celerímetro* [8216]

CÉLÉROMÈTRE n.m. 71
transport et manutention > exploitation des transports
Appareil indicateur de vitesse. [4501]

CÉLIBATAIRE → machine — .

CELLODERME n.m. 75
matériau > carton
Carton fort et épais utilisé en reliure et en ébénisterie.
De. *Hartpappe (f.)*
En. *millboard* [4143 bis]

CELLULAIRE → aéro- — .

CELLULARISÉ adj. 78
transport et manutention > transport
Se dit d'un navire aménagé en vue du transport de conteneurs.
En. *containerized*
Es. *celurarizado* [9289]

CELLULE → proto- — .

CELLULE À DIAPHRAGME n.f. 73
chimie > électrochimie
Cellule électrolytique utilisant une paroi poreuse qui sépare les électrodes.
De. *Diaphragmazelle (f.)*
En. *diaphragm cell* [1092]

CELLULE À RÉSONANCE n.f. 73
géophysique > aéronomie
Récipient en pyrex dans lequel on peut créer une certaine quantité d'atomes H qui diffusent le rayonnement solaire y pénétrant.
En. *resonance cell* [1638]

CELLULE-CIBLE n.f. 75
génétique > génétique cellulaire
Erythrocyte aplati de diamètre supérieur à la normale caractérisé par une disposition particulière de l'hémoglobine qui lui donne l'aspect d'une cible.

De. *Kokardenzelle (f.)*
En. *target cell ; target corpuscle* [3862]

CELLULE DE CHARGE n.f. 74
électronique > radiotechnique
Cellule qui produit un signal électrique lorsqu'elle reçoit une charge mécanique.
De. *Lastaufnehmer (m.)*
En. *charge cell*
Es. *célula de carga* [3863]

CELLULE GRANULAIRE n.f. 78
cellule et constitution cellulaire > cellule animale
Cellule nerveuse privée d'axone et munie de deux dendrites verticales et opposées hérissées d'épines cytoplasmiques.
V. cellule périglomérulaire
En. *granule cell*
Es. *célula granular* [8861]

CELLULE HELA n.f. 74
pathologie animale > pathologie tumorale
Cellule cancéreuse humaine (prélevée sur la malade Henrietta Lacks).
De. *He La-Zellstamm (m.)*
En. *He La cell* [2980]

CELLULE NOIRE n.f. 76
énergie (technologie) > conversion d'énergie
Cellule au silicium, utilisée pour la transformation de l'énergie solaire en courant électrique.
De. *schwarze Solarzelle (f.)*
En. *black cell* [6459]

CELLULE PÉRIGLOMÉRULAIRE n.f. 78
cellule et constitution cellulaire > cellule
Cellule nerveuse à axone court et dont le panache dendritique se ramifie dans un glomérule.
V.cellule granulaire
En. *periglomerular cell* [8862]

CELLULE PHOTOCONDUCTIVE n.f. 77
physique > électricité
Cellule qui utilise la photoconductivité.
En. *photoconductive cell*
Es. *fotoconductor* [8009]

CELLULE SOUCHE n.f. 72
CELLULE-SOUCHE
génétique> génétique cellulaire
Élément cellulaire jeune non encore individualisé morphologiquement et susceptible de donner naissance aux éléments de différentes lignées. [227]

CELLULOLYTIQUE adj. 77
organisme vivant > microorganisme
Propre à détruire la cellulose.
En. *cellulolytic* [8602]

CELTICITÉ n.f. 77
linguistique
Caractère de ce qui est celte.
De. *Keltentun (n.)*
En. *celticity* [7937]

CELTISATION n.f. 75
histoire
Acquisition des caractères celtes.
De. *Keltisierung (f.)*
En. *celtization*
Es. *celtización* [6591]

CELTOPHONE adj. 77
linguistique
Qui parle une langue celte.
De. *Keltischsprachig*
En. *Celtic-speaking* [7938]

CENDRES → grave- — volantes.

CÉNOGRAMME n.m. 74
écologie > synécologie
Graphique obtenu en disposant par ordre croissant de taille les espèces d'une communauté classées par groupe trophique.
En. *cenogram* [6969]

CÉNOSPHÈRE n.f. 75
environnement et sécurité > pollution
Gouttelette de mazout cokéifiée en surface et dont la partie liquide s'est échappée.
En. *cenosphere* [4789]

CENTENAIRE adj. 72
statistique
Se dit d'un événement dont la probabilité d'apparition annuelle est de 1%.
De. *Jahrhundert-*
En. *centenary ; centennial* [5772]

CENTRAL → français — .

CENTRALE À TOUR n.f. 76
énergie (technologie) > énergétique
Type de centrale électrosolaire dans laquelle la chaudière, placée au sommet d'une tour reçoit le rayonnement concentré par les miroirs.
V. centrale distribuée
De. *Solar - Tower - Kraftwerk (n.)*
En. *central tower power plant* [7244]

CENTRALE DES UTILITÉS n.f. 73
économie > industrie métallurgique
Poste d'une usine destiné à l'approvisionner d'eau, de vapeur, de gaz...
De. *Versorgungsanlage (f.)* [1460]

CENTRALE DISTRIBUÉE n.f. 77
énergie (technologie) > énergétique
Type de centrale électrosolaire dans laquelle chaque collecteur est muni de sa propre chaudière.
V. centrale à tour
En. *solar-thermal distributed receiver system* [7939]

CENTRALISATEUR DE TEMPÉRATURES n.m. 74
instrumentation > essai et contrôle
Appareil de commande permettant de contrôler la température de nombreux éléments chauffants électriques.
De. *Temperaturzentralisator (m.)*
En. *temperature centralizer*
Es. *centralizador de temperaturas* [2981]

CENTRE-AUTO n.m. 74
économie > activité commerciale
Magasin qui offre à la vente tout ce qui a rapport à l'automobile.
De. *Auto-Center (n.)*
En. *autocenter (U.S.A.)* [1461]

CENTRE SUPRAOPTIQUE n.m. 74
anatomie > anatomie animale
Centre qui se trouve au-dessus des noyaux optiques du cerveau.
De. *supraoptisches Zentrum (n.)*
En. *supraoptic center (U.S.A.) ; supraoptic centre (U.K.)*
Es. *centro supraóptico* [3689]

CENTRÉ → développement auto- — ; socio- — .

CENTRIFUGABILITÉ n.f. 76
opération > centrifugation
Propriété d'une substance centrifugable.
V. centrifugable [4250]

CENTRIFUGABLE adj. 75
opération > centrifugation
Qui peut être séparé au moyen de la force centrifuge.
V. centrifugabilité
De. *zentrifugierbar*
En. *centrifugable ; centrifugalizable*
Es. *centrifugable* [6185]

CENTRIFUGAT n.m. 74
opération > centrifugation
Produit liquide résultant d'une centrifugation. [7101]

CENTRIOLAIRE adj. 77
cellule et constitution cellulaire > constitution cellulaire
Propre à un centriole.
En. *centriolar* [8736]

CÉPHALISATION n.f. 77
cybernétique > intelligence artificielle
Processus par lequel les machines deviennent de plus en plus
intelligentes.
En. *cephalization*
Es. *cefalización* [8316]

CÉRAMISATION n.f. 78
économie > industrie de la céramique
Transformation d'une matière composite en céramique.
Es. *ceramización* [8603]

CÉRAMISÉ adj. 75
matériau > verre
Se dit d'un verre doté des propriétés de la céramique.
De. *Keramik-*
En. *ceramic* [5901]

CÉRAMOLOGIE n.f. 74
matériau > céramique
Science ayant pour objet l'étude de la céramique.
V. céramologue
En. *ceramography*
Es. *ceramología* [4037]

CÉRAMOLOGUE n. 74
matériau > céramique
Spécialiste de céramologie.
V. céramologie
De. *Keramologe (m.)*
Es. *ceramólogo* [7518]

CERCLE → tendeur hors — .

CERCLE DE QUALITÉ n.m. 74
économie > travail (main-d'œuvre)
Groupe dans lequel le personnel d'une entreprise est représenté et auquel est confiée la surveillance de la qualité du produit.
De. *Güteprüfgruppe (f.)*
En. *quality control team* [1808]

CERCLEUSE n.f. 74
transport et manutention > manutention
Machine qui effectue le cerclage des palettes chargées.
V. habille-palette
De. *Palettenumreifungsmaschine (f.)*
En. *strapping machine* [1939]

CERENKOV → effet — .

CERMET n.m. 71
matériau > matériau composite
Matériau composite fritté composé d'au moins un métal et un produit céramique.
De. *Metall-keramik (f.)* ; *Sinterwerkstoff (m.)*
En. *cermet* ; *ceramal* [229]

CÉRULOPLASMINE n.f. 73
constituant des organismes vivants
Protéine plasmatique de nature glycoprotéinique.
De. *Ceruloplasmin (n.)*
En. *ceruloplasmin* [925]

CERVEAU DÉDOUBLÉ adj. 77
génie biomédical > chirurgie
Se dit d'un sujet dont on a sectionné les fibres nerveuses du corps calleux pour empêcher les deux hémisphères du cerveau d'échanger leurs informations.
En. *split brain* [7388]

CERVEAUX → exode des — .

CESSION → essai de — .

CESSION-BAIL n.f. 74
économie > crédit
Technique de crédit dans laquelle l'emprunteur transfère au prêteur, dès le départ, la propriété d'un bien que l'emprunteur rachète progressivement, suivant une formule de location assortie d'une promesse unilatérale de vente.
En. *lease-back*
Es. *transferencia* [1640]

CHAÎNE n.f. 70
information > traitement de l'information
Suite linéaire d'éléments tels que les caractères ou les éléments physiques.
V. chaîne unitaire ; chaîne vide
De. *Kette (f.)*
En. *string*
Es. *cadena* [43]

CHAÎNE ALIMENTAIRE n.f. 71
écologie > synécologie
Ensemble d'organismes qui se succèdent dans l'ordre de leur consommation à partir des types photosynthétiques et chimiosynthétiques.
De. *Nahrungskette (f.)*
En. *food chain*
Es. *cadena alimenticia* [5627]

CHAÎNE COMPACTE n.f. 76
instrumentation > système électroacoustique
Ensemble électronique et acoustique haute-fidélité, composé d'un amplificateur, d'un dispositif d'accord, d'une platine et éventuellement d'une cassette d'enregistrements magnétiques.
[4502]

CHAÎNE UNITAIRE n.f. 70
information > traitement de l'information
Chaîne qui ne contient qu'un élément.
V. chaîne ; chaîne vide
De. *Einwortkette (f.)*
En. *unit string*
Es. *cadena unitaria* [44]

CHAÎNE VIDE n.f. 70
information > traitement de l'information
Chaîne qui ne contient aucun élément.
V. chaîne ; chaîne unitaire
De. *Nullkette (f.)*
En. *null string*
Es. *cadena vacía* [45]

CHAÎNE VITALE n.f. 73
opération > exploitation
Chaîne de régulation commandant un élément d'une installation industrielle et dont l'arrêt serait fatal à cette installation.
En. *vital chain*
Es. *cadena vital* [2982]

CHALCOGÉNURE n.m. 72
chimie > composé chimique
Sel dérivé d'un corps simple (oxygène, soufre, sélénium, tellure).
De. *chalkophiles Element (n.)*
En. *chalcogenide* [46]

CHALCOPHILE n.m. 77
chimie > affinité chimique
Élément qui présente des affinités avec les sulfures.
V. atmophile ; lithophile ; sidérophile
De. *chalhophiles Element (n.)* [7664]

CHALEUR → extra- — .

CHALIN n.m. 74
matériau > matériau de construction
Résidu calcaire après concassage au four à chaux. [3338]

CHAMBRE À ÉMULSION n.f. 78
instrumentation > mesure de rayonnement ionisant
Détecteur de rayons cosmiques constitué de sandwichs de plomb et d'émulsions photographiques développées après exposition aux rayons cosmiques.
De. Emulsionskammer (f.)
En. emulsion chamber
Es. cámara de emulsión [9291]

CHAMBRE À ÉTINCELLES n.f. 77
technique nucléaire
Chambre à trace dans laquelle les trajectoires des particules ionisantes sont rendues visibles grâce à une suite d'étincelles.
En. spark chamber
Es. cámara de chispas [8604]

CHAMBRE À FEU n.f. 74
environnement et sécurité > protection contre l'incendie
Enceinte permettant de réaliser des essais d'inflammabilité et de comportement au feu.
V. chambre chaude
En. firing chamber [2804]

CHAMBRE CHAUDE n.f. 74
environnement et sécurité > protection contre l'incendie
Enceinte équipée de panneaux radiants pour faire des essais de résistance à la chaleur et au feu.
V. chambre à feu
En. hot chamber
Es. cámara caliente [2806]

CHAMBRE DE CONTRÔLE n.f. 73
gestion, organisation, administration > gestion
Service destiné à rassembler tous les éléments d'information sur une situation en vue d'assister la prise de décision des gestionnaires.
En. control room [1093]

CHAMBRE DE PLONGÉE n.f. 74
économie > industrie chimique
Enceinte contenant de la matière fondue pour souffler différents objets à l'aide de mandrins plongeants.
V. mandrin plongeant ; souffleuse à plongeur [3149]

CHAMBRE DE POUSSE n.f. 77
technologie des matériaux > génie alimentaire
Partie d'un groupe de panification destinée à assurer la fermentation de la pâte.
De. Gärschrank (m.)
En. proof cabinet [7665]

CHAMBRE DE RENDEZ-VOUS n.f. 77
économie > travail (main-d'œuvre)
Vestiaire dans lequel les égoutiers déposent leurs vêtements de ville et revêtent leurs scaphandres.
De. Umkleideraum (m.) [7666]

CHAMBRE MAGMATIQUE n.f. 73
géophysique interne
Poche située dans le soubassement d'un volcan et à l'intérieur de laquelle s'accumule le magma.
De. Magmatasche (f.)
En. magma chamber [397]

CHAMBRE MULTIFILS PROPORTIONNELLE n.f. 73
technique nucléaire
Chambre dans laquelle la trajectoire de nouvelles particules peut être détectée grâce à une suite d'étincelles se produisant entre des séries de fils parallèles.
V. chambre à étincelles
Es. cámara de hilos múltiples [2459]

CHAMBREUR n.m. 76
technologie des matériaux > génie alimentaire
Enceinte dans laquelle le lait séjourne à température voisine de celle de la pasteurisation pendant un temps limité pour assurer une homogénéité.
De. Uperizationskammer (f.) [7390]

CHAMP n.m. 74
géologie > gîtologie
Gisement métallifère de 1 à 10 km de dimensions linéaires horizontales.
V. aire ; corps minéralisé ; district ; province
En. field
Es. campo [3509]

CHAMP → capacité au — ; désorption de — ; moulin à —.

CHAMPIGNON → plancher- — .

CHAMPLEVURE n.f. 75
géophysique > géomorphologie
Forme en V ou en U allongée, obtenue sous l'excavation de la roche en place, par l'érosion glaciaire préférentielle, à l'emplacement de l'une de ses faiblesses dans le sens de l'écoulement.
De. Auswaschung (f.)
En. glacial scour ; scouring [5628]

CHANDELLE n.f. 76
géophysique > géomorphologie
Point haut de 3 à 4 mètres d'un fond sous-marin dont les matériaux particulièrement résistants n'ont pas pu être entamés par la drague.
V. dinosaure
En. candela [6834]

CHANDELLE n.f. 75
économie > industrie mécanique
Support métallique généralement à trois points d'appui destiné au levage de véhicules.
De. Hübstange (f.) ; Wagenheber (m.)
En. lift [5902]

CHANDELLE DE RENFORT n.f. 74
économie > industrie mécanique
Élément vertical de renfort de caisses et de conteneurs.
De. Verstärkungsstütze (f.)
En. reinforcing prop [1809]

CHANGE → lettre de — - relevé.

CHANTOURNEUR n.m. 74
transport et manutention > manutention
Dispositif de manutention à courroies destiné à retourner et à redresser les pots.
En. tippling belt conveyor [4038]

CHAPEAU DE FER n.m. 73
géologie > gîtologie
Zone d'oxydation et de cémentation d'un gisement métallique, généralement ferrifère.
De. eiserner Hut (m.) ; Oxydationszone (f.)
En. gossan ; gozzan ; iron hat ; ironstone
Es. montera [4503]

CHAPISTE n.m. 77
bâtiment et travaux publics > opération de construction
Poseur de chapes de béton.
De. Estrichleger (m.)
En. floor layer ; floor coverer [7805]

CHARBON BACTÉRIDIEN n.m. 73
pathologie animale > pathologie infectieuse
Maladie due à la bactéridie charbonneuse. [4774]

CHARBON VERT n.m. 74
économie > industrie énergétique
Énergie obtenue en brûlant des plantes.
V. énergie verte
De. Energieerzeugung (f.) durch Pflanzenverbrennung
En. green coal
Es carbón verde [3865]

CHARGE n.f. 74
zootechnie
Nombre de têtes de bétail à l'hectare susceptibles d'être supporté sans détérioration par un pâturage.

De. *Herbivoren-Zahl (f.) pro Flächeneinheit*
En. *carrying capacity* [3150]

CHARGE n.f. 76
agronomie > culture spéciale
Ensemble des matières étrangères contenues dans une quantité donnée de paddy.
De. *Besatz (m.)*
En. *dockage*
Es. *carga* [5773]

CHARGE n.f. 74
mécanique appliquée > organe de machine
Partie d'un système de transmission qui reçoit le mouvement de rotation et le couple à partir d'une partie motrice.
V. moteur premier
De. *Last (f.)*
En. *load* [3339]

CHARGE(S) → berceau à —s longues ; cellule de — ; essai de microfissuration sous — ; moniteur de — ; porte- —s.

CHARGÉ → liquide — .

CHARGEMENT ANCRÉ n.m. 75
transport et manutention > transport
Méthode de chargement consistant en une fixation directe sur le châssis porteur du véhicule des feuillards destinés à entourer les charges.
V. chargement flottant contrôlé ; chargement flottant libre
De. *Verlader (n.) mit Verankerung am Chassis*
En. *fixed load* [4144 bis]

CHARGEMENT FLOTTANT CONTRÔLÉ n.m. 75
transport et manutention > transport
Méthode de chargement consistant à ancrer en plusieurs points du plancher du véhicule le cerclage des marchandises transportées.
V. chargement ancré ; chargement flottant libre
De. *Verladen (n.) mit Verankerung an der Ladefläche*
En. *controlled free load* [4145 bis]

CHARGEMENT FLOTTANT LIBRE n.m. 75
transport et manutention > transport
Méthode de chargement de produits lourds dont le centre de gravité bas assure une bonne adhérence sur le plancher du véhicule.
V. chargement ancré ; chargement flottant contrôlé
De. *Verladen (m.) ohne Verankerung*
En. *free-floating load* [4146 bis]

CHARGEMENT SUR RÉSIDUS n.m. 77
économie > industrie pétrolière
Procédé consistant à traiter l'eau de lavage des cuves d'un pétrolier avant de la rejeter à la mer, puis à charger la cargaison de pétrole brut sur les résidus pollués conservés à bord.
En. *load on top* [8076]

CHARGES BLANCHES n.f. pl. 76
matériau > produit chimique
Ensemble des aluminosilicates utilisés dans l'industrie. [7102]

CHARGEUR → jockey — ; tracto- — .

CHARGEUR AÉRIEN n.m. 78
transport et manutention > engin de manutention
Transporteur à courroie roulant au-dessus du poste de chargement.
En. *overhead loader* [8863]

CHARGEUSE-PELLETEUSE n.f. 73
bâtiment et travaux publics > matériel de chantier
Engin automoteur comportant à l'avant un équipement de chargeuse et à l'arrière un équipement de pelle rétro.
V. rétrochargeuse
De. *Löffelbagger (m.)*
En. *backhoe loader*
Es. *pala-cargadora* [48]

CHARIOT FRONTAL n.m. 73
CHARRIOT FRONTAL
transport et manutention > engin de manutention
Chariot de manutention dont le dispositif de prise de charge est situé à l'avant.
V. chariot latéral
De. *Frontlader (m.)*
En. *front-loading truck* [1094]

CHARIOT LATÉRAL n.m. 73
CHARRIOT LATÉRAL
transport et manutention > engin de manutention
Chariot de manutention dont le dispositif de charge est situé sur le côté.
V. chariot frontal
De. *Seitengabelstapler (m.)*
En. *side-loading truck* [1095]

CHARIOT-PALAN n.m. 74
CHARRIOT-PALAN
transport et manutention > engin de manutention
Dispositif mobile auquel est fixé tout le système de levage d'un palan.
De. *Laufkatze (f.)*
En. *hoist-truck* [3690]

CHARIOT-PLIEUR n.m. 73
CHARRIOT PLIEUR
économie > industrie textile
Machine destinée à assurer le déroulement de rouleaux d'étoffe ou de tricot et leur étalement régulier en plis.
En. *pleater* [1096]

CHARME n.m. 75
physique > physique mathématique
Nombre quantique introduit pour expliquer certains phénomènes des interactions faibles.
V. couleur ; charmé
De. *Charme (m.)*
En. *charm* [4211]

CHARMÉ adj. 77
physique > physique mathématique
Se dit d'une particule à charme.
V. charme
En. *charmed* [8453]

CHARMONIUM n.m. 77
physique > physique mathématique
Système lié d'un quark et d'un antiquark charmé.
V. paracharmonium
De. *Charmonium (n.)*
En. *charmonium* [8605]

CHARRUE n.f. 76
électrotechnique > composant électrotechnique
Dispositif mobile de prise de courant sur un conducteur dont l'accès est protégé.
En. *plough (U.K.) ; plow (U.S.A.)* [6317]

CHARRUE RIGOLEUSE n.f. 73
opération > immersion
Sorte de charrue destinée à enterrer les câbles sous-marins.
V. ensouilleuse
De. *Kabellegepflug (m.)*
En. *cable-burying ; plough* [554]

CHASSE-CÔNE n.m. 76
mécanique appliquée > machine-outil
Instrument qui permet de détacher les emmanchements coniques de leur broche grâce à un système de deux cônes différentiels. [7103]

CHÂSSIS-BENNE n.m. 74
bâtiment et travaux publics > matériel de chantier
Châssis sur lequel est installée une benne et qui est attelée à une partie automotrice.
Es. *chasis de volquete* [3512]

CHÂTEAU n.m. 73
économie > industrie nucléaire
Conteneur blindé utilisé pour le stockage ou le transport de matières radioactives.
En. cask (U.S.A.) ; flask (U.K.) [555]

CHAUD → adhésif à — ; atelier à — ; fil — ; médium — ; toit — .

CHAUDE → chambre — .

CHAUDE DE RETRAIT n.f. 72
mécanique appliquée > assemblage
Procédé qui consiste à neutraliser une déformation due au retrait après soudage en pratiquant un retrait dirigé qui entraîne une déformation symétrique. [3340]

CHAUDIÈRE → bloc — ; fourgon- — .

CHAUDIÈRE À MARCHE CONTINUE n.f. 77
action sur l'environnement > échange de chaleur
Chaudière dans laquelle la quantité de combustible consommée à l'heure n'est jamais inférieure aux deux tiers de la consommation nominale.
V. chaudière à marche modulée ; chaudière à marche par tout ou rien ; chaudière mixte ; chaudière solaire [8454]

CHAUDIÈRE À MARCHE MODULÉE n.f. 77
action sur l'environnement > échange de chaleur
Chaudière dont le générateur ne s'arrête pas même lorsque la consommation de combustible à l'heure est inférieure aux deux tiers de la consommation nominale.
V. chaudière à marche continue ; chaudière à marche par tout ou rien ; chaudière mixte ; chaudière solaire [8455]

CHAUDIÈRE À MARCHE PAR TOUT OU RIEN n.f. 77
action sur l'environnement > échange de chaleur
Chaudière qui ne fonctionne qu'à son allure et à sa consommation nominales.
V. chaudière à marche continue ; chaudière à marche modulée ; chaudière mixte ; chaudière solaire [8456]

CHAUDIÈRE MIXTE n.f. 74
action sur l'environnement > échange de chaleur
Chaudière assurant à la fois le chauffage central et la production d'eau chaude sanitaire.
V. chaudière à marche continue ; chaudière à marche modulée ; chaudière à marche par tout ou rien ; chaudière solaire
De. Heizkessel-Boilerkombination (f.)
En. dual-purpose boiler
Es. caldera mixta [3866]

CHAUDIÈRE SOLAIRE n.f. 74
action sur l'environnement > échange de chaleur
Appareil destiné à produire de la chaleur en utilisant l'énergie solaire.
V. chaudière à marche continue ; chaudière à marche modulée ; chaudière à marche par tout ou rien ; chaudière mixte
De. Sonnenkessel (m.)
En. solar furnace
Es. caldera solar [3513]

CHAUDIÉRISTE n.m. 75
action sur l'environnement > échange de chaleur
Spécialiste de l'étude et de la fabrication des chaudières. [3867]

CHAUFFAGE n.m. 70
agronomie > technique culturale
Opération qui consiste à mettre une plante dans des conditions artificielles de milieu et de température.
De. Frühtreiben (n.) ; Verfrühung (f.)
En. forcing
Es. forzamento ; activación [1998]

CHAUFFAGE BI-JONCTION n.m. 77
CHAUFFAGE BIJONCTION
action sur l'environnement > échange de chaleur
Chauffage électrique intégré mettant en œuvre des appareils de chauffage direct et raccordé pour partie au circuit électri-
que du logement et pour partie à un circuit collectif.
V. chauffage direct ; chauffage mixte [7806]

CHAUFFAGE DIRECT n.m. 74
action sur l'environnement > échange de chaleur
Mode de chauffage par lequel l'énergie est transformée en chaleur directement et sur place au moment des besoins.
V. chauffage bi-jonction ; chauffage mixte
De. Direktheizung (f.)
En. direct heating
Es. calefacción directa [3341]

CHAUFFAGE MIXTE n.m. 77
action sur l'environnement > échange de chaleur
Mode de chauffage électrique intégré associant un chauffage de fond collectif par câbles et un chauffage de complément individuel.
V. chauffage bi-jonction ; chauffage direct [7807]

CHAUFFAGE SYNERGÉTIQUE n.m. 78
action sur l'environnement > échange de chaleur
Mode de chauffage consistant à récupérer les déperditions de chaleur.
De. synergetische Heizung (f.)
En. balanced heat recovery
Es. calefacción sinergética [8864]

CHAUFFE-AIR n.m. 74
action sur l'environnement > échange de chaleur
Appareil destiné à chauffer l'air.
De. Lufterhitzer (m.)
En. air heater [1641]

CHAUFFE DIRECTE n.f. 76
action sur l'environnement > échange de chaleur
Technique de chauffe dans laquelle le charbon pulvérisé est soufflé directement du broyeur vers les brûleurs.
V. chauffe indirecte ; chauffe semi-directe
En. direct firing [6593]

CHAUFFE INDIRECTE n.f. 76
action sur l'environnement > échange de chaleur
Technique de chauffe dans laquelle le charbon pulvérisé est déversé dans une trémie intermédiaire avant d'être distribué dans le circuit des brûleurs.
V. chauffe directe ; chauffe semi-directe
En. indirect firing [6594]

CHAUFFERIE EN TERRASSE n.f. 74
action sur l'environnement > échange de chaleur
Système de chauffage consistant à établir des batteries de chaudières au sommet des immeubles.
De. im Dachspeicher installierte Heizanlage (f.)
En. penthouse heating plant [3868]

CHAUFFE SEMI-DIRECTE n.f. 76
CHAUFFE SEMIDIRECTE
action sur l'environnement > échange de chaleur
Technique de chauffe dans laquelle le charbon pulvérisé est débarrassé de l'air de ventilation puis distribué aux brûleurs après mélange avec de l'air primaire.
V. chauffe directe ; chauffe indirecte
En. semidirect firing [6595]

CHÉMORÉCEPTEUR n.m. 72/73
physiologie > neurophysiologie
Récepteur de stimulations chimiques capable de déclencher diverses réactions physiologiques dans l'organisme.
De. Chemorezeptor (m.)
En. chemoreceptor [3514]

CHEMOSTAT n.m. 78
CHÉMOSTAT
instrumentation > laboratoire
Appareil permettant la culture de microorganismes dans des conditions physiochimiques constantes.
En. chemostat [8866]

CHÉMOTOPIE n.f. 77
physiologie > neurophysiologie
Discrimination qualitative des odeurs par un codage spatiofréquentiel du message olfactif.
De. Chemotopie (f.) [7667]

CHENILLARD n.m. 74
matériel agricole
Tracteur dont les organes de propulsion sont composés de deux chenilles passant chacune autour de deux roues.
De. Raupenschlepper (m.)
En. caterpillar tractor ; cat crawler ; tracklayer [4629]

CHENILOSE n.f. 73
pathologie animale > étiologie et pathogénie
Syndrome présenté par des chiens qui ont fait un séjour prolongé dans un chenil.
De. Zwinger-Psychose (f.)
En. kennelosis [399]

CHÉTOTAXIE n.f. 77
zoologie
Disposition des soies sur certaines parties de l'exosquelette.
En. chaetotaxy
Es. quetotaxia [7940]

CHEVILLE n.f. 78
agronomie > technique culturale
Ligne partielle de plantation intercalée entre deux courbes de niveau plantées et écartées de plus de 16 m. [8737]

CHEVILLEUSE n.f. 76
mécanique appliquée > machine-outil
Outil pneumatique qui sert à planter des chevilles. [7104]

CHICANAGE n.m. 74
action sur l'environnement > échange de chaleur
Action consistant à placer un dispositif de barrage en zigzags.
De. Schutzblende (f.)
En. baffling [1999]

CHIFFRES → programme lettres- — .

CHIMÉRISME n.m. 73
génétique > information génétique
Présence dans un même individu de deux ou plusieurs populations cellulaires différentes.
De. Chimärismus (m.)
En. chimerism
Es. quimerismo [2460]

CHIMIE DOUCE n.f. 74
technologie des matériaux > génie chimique
Chimie qui utilise des réactions biochimiques et catalytiques.
En. soft chemistry (U.S.A.)
Es. química suave [3151]

CHIMIE HÔTELIER-CLIENT n.f. 74
technologie des matériaux > génie chimique
Partie de la chimie fondée sur l'utilisation des structures géométriques et des charges électriques des molécules organiques en vue de permettre l'insertion d'autres molécules de structures et de charges complémentaires.
En. host-guest chemistry
Es. química anfitrión-huesped [3152]

CHIMIOSTÉRILISANT n.m. 76
matériau > produit chimique
Substance chimique qui amoindrit ou annule le pouvoir reproducteur chez certaines espèces.
De. Chemosterilans (n.)
En. chemosterilant
Es. quimioesterilizante [6596]

CHIMIOTAXONOMIE n.f. 76
systématique
Classification des plantes en fonction de leurs constituants chimiques.
En. biochemical systematics ; chemotaxonomy
Es. quimiotaxonomía [6597]

CHIMIQUE → grainage — ; pâte — ; pâte mi- — .

CHIMISATION n.f. 74
circonstance opératoire
Application de la chimie à un autre domaine d'activités.
En. chemichalization [3153]

CHIMISÉ adj. 75
circonstance opératoire
Se dit d'un domaine d'activités qui subit une utilisation abusive de la chimie. [4251]

CHIMISORBER v. 73
chimie > chimie du solide et du fluide
Fixer superficiellement des molécules avec établissement de liens chimiques covalents ou électrovalents.
De. chemisorbieren
En. to chemisorb [1098]

CHINOIS → syndrome — .

CHIOT n.m. 73
économie > industrie métallurgique
Ouverture traversant le garnissage réfractaire et les parties métalliques de la sole. [2000]

CHIRURGIE SUR ÉTABLI n.f. 77
génie biomédical > chirurgie
Technique chirurgicale qui permet d'isoler hors du corps, sur établi stérile, l'organe à opérer.
De. extrakorporale Chirurgie (f.)
En. bench surgery [7668]

CHLORACNÉ n.m. 76
pathologie animale > pathologie cutanée
Acné provoqué par les composés organochlorés.
En. chloracne [6598]

CHLORIER n.m. 73
économie > industrie chimique
Industriel spécialisé dans la production du chlore.
De. Chlorhersteller (m.)
En. chlorine producer [1642]

CHLOROMÈTRE n.m. 73
chimie > chimie analytique
Dispositif servant au dosage du chlore.
De. Chlorometer (n.)
En. chlorometre [1277]

CHLOROSANT adj. 76
pathologie végétale
Qui provoque le jaunissement d'un végétal.
En. chlorosis-inducing
Es. clorosante [5629]

CHLOROSITÉ n.f. 76
propriété > composition
Chlorinité rapportée à un litre d'eau de mer à 20 °C.
De. Chlorosität (f.)
En. chlorosity
Es. clorosidad [6187]

CHLOROSTAT n.m. 75
mécanique des fluides appliquées
Dispositif régulateur du débit de chlore dans l'eau (d'une piscine, etc.).
De. Chlorapparat (m.) ; Chlorostat (m.)
En. chlorine metering system
Es. clorostato [4966]

CHOC → super- — .

CHOCS (à —) adj. 76
mécanique appliquée > machine-outil
Se dit d'un outil à percussion (clé, boulonneuse, visseuse...), fonctionnant à l'aide d'air comprimé et destiné au serrage ou au desserrage des boulons.
De. Schlag- [7391]

CHOLESTÉRIQUE adj. 73
chimie > chimie du solide et du fluide
Se dit d'une phase mésomorphe où les molécules sont disposées parallèlement les unes aux autres sous forme de couches comme dans la structure du cholestérol.
En. cholesteric
Es. colestérico [2809]

CHORONYMIE n.f. 75
linguistique
Étude des noms des différentes parties de l'espace.
En. choronymy [5775]

CHOUQUAGE n.m. 73
technique nucléaire
Dans un réacteur à eau bouillante, ensemble d'oscillations non contrôlées dans la vaporisation de l'eau provoquant des oscillations de puissance qui, dans certains cas, s'amplifient et nécessitent l'arrêt du réacteur.
En. chugging [2461]

CHROMABLE adj. 74
propriété > propriété physico-chimique
Qui peut être chromé.
De. verchrombar
En. chromable
Es. cromable [3515]

CHROMATICITÉ n.f. 75
physique > optique
Caractéristique colorimétrique d'un stimulus de couleur repérable soit par les coordonnées trichromatiques x et y, soit par l'ensemble de la longueur d'onde dominante et de la pureté.
V. achromaticité ; chromie
De. Farbart (f.)
En. chromaticity
Es. cromaticidad [5776]

CHROMATOGRAPHIE D'AFFINITÉ n.f. 73
chimie > chimie analytique
Procédé d'analyse consistant à piéger les macromolécules à l'aide d'un appât qui reconnaît tout ce qui présente une activité biochimique propre vis-à-vis de lui.
De. Verteilungschromatographie (f.)
En. distribution coefficient ; partition chromatography ; partition coefficient
Es. cromatografia de afinidad [3156]

CHROMATOGRAPHISTE n. 76
chimie > chimie analytique
Spécialiste de la séparation des constituants d'un mélange fondée sur leur absorption sélective par des solides pulvérulents (chromatographie).
De. Chromatograph (m.)
En. chromatographer
Es. cromatografista [8077]

CHROMIE n.f. 75
physique > optique
Attribut de la sensation visuelle rassemblant la tonalité chromatique et la saturation.
V. chromaticité
En. chromaticness [5777]

CHROMOSOME INHIBITEUR n.m. 78
génétique > information génétique
Chromosome porteur de gènes susceptibles de supprimer la capacité des cellules à induire des tumeurs.
De. krebshemmendes Chromosom (n.)
En. inhibiting chromosome
Es. cromosoma inhibidor [8867]

CHROMOSTATIQUE adj. 74
propriété > propriété optique
Se dit d'une matière colorante stable.
De. farbbeständig
Es. cromostático [3516]

CHRONAUTOGRAPHE n.m. 75
instrumentation > essai et contrôle
Appareil enregistreur sur disque indiquant les temps de marche ou d'arrêt de toute machine électrique ou mécanique.
De. Fahrtschreiber (m.)
En. start/stop controller
Es. cronoautógrafo [4389]

CHRONESTHÉSIE n.f. 76
écologie > adaptation biologique
Sensibilité aux variations temporelles. [7105]

CHRONOBIOLOGIE n.f. 72
physiologie > rythme biologique
Étude des variations des phénomènes biologiques en fonction des données temporelles.
V. chronobiologiste
En. chronobiology
Es. cronobiología [2333]

CHRONOBIOLOGISTE n. 75
physiologie > rythme biologique
Spécialiste de chronobiologie.
V. chronobiologie
De. Chronobiologe (m.)
En. chronobiologist
Es. cronobiólogo [8738]

CHRONOCOMPARATEUR n.m. 76
instrumentation > essai et contrôle
Appareil permettant le contrôle de la marche instantanée des appareils horaires et facilitant leur réglage.
En. timing machine
Es. cronocomparador [5903]

CHRONOCONTACT n.m. 77
électrotechnique > circuit d'alimentation électrique
Type de minuterie dont la mise en connexion peut être programmée dans le temps.
En. interval timer [7941]

CHRONOGÉNÉTIQUE n.f. 75
génétique > génétique des populations
Étude des lois de la transmission des caractères héréditaires en fonction du temps.
De. Chronogenetik (f.)
En. chronogenesis
Es. cronogenético [4252]

CHRONOMÉTRIER n.m. 76
économie > industrie mécanique
Horloger fabriquant des chronomètres ou collaborant à leur fabrication.
De. Chronometerhersteller (m.)
En. chronometer maker [5904]

CHRONON n.m. 75
génétique > information génétique
Durée de l'information du gène.
V. ergon
De. Chronon (n.)
En. chronon
Es. cronón [4630]

CHRONOPHARMACOLOGIE n.f. 73
pharmacologie > tolérance médicamenteuse
Partie de la pharmacologie qui étudie les variations des effets d'un médicament en fonction du moment de la journée où il est administré.
V. chronopharmacologique
De. Chronopharmakologie (f.)
En. chronopharmacology [739]

CHRONOPHARMACOLOGIQUE adj. 76
pharmacologie > tolérance médicamenteuse
Relatif à la chronopharmacologie.
V. chronopharmacologie
De. chronopharmakologisch
En. chronopharmacological
Es. cronofarmacológico [7106]

CHRONOPHYSIOLOGIE n.f. 76
physiologie > rythme biologique
Étude des variations des phénomènes physiologiques en fonction des données temporelles.
V. chronobiologie [7107]

CHRONOPHYTOTRON n.m. 74
agronomie > technique culturale
Enceinte expérimentale permettant d'étudier les réactions des végétaux aux variations des facteurs de l'environnement, en fonction du temps.
De. Chronophytotron (n.)
Es. cronofitotrón [7392]

CHRONOPOTENTIOMÉTRIE n.f. 74
électrotechnique > mesure électrique
Méthode de mesure des variations de tension en fonction du temps.
En. chronopotentiometry
Es. cronopotenciometría [6460]

CHRONORÉVERBÉROMÈTRE n.m. 76
instrumentation > mesure acoustique
Appareil permettant de mesurer la durée de réverbération du son dans une construction.
V. réverbéromètre [7108]

CHRONOSÉQUENCE n.f. 75
géologie > pédologie
Suite de sols ou de végétations dont la gradation des caractères est réglée par la durée de leur évolution.
V. bioséquence ; climaséquence ; clinoséquence ; hydroséquence ; lithoséquence ; toposéquence
De. seitliche Sequenz (f.)
Es. cronosecuencia [7393]

CHRONOSTRATIGRAPHIQUE adj. 77
géologie > géochronologie
Relatif à la datation d'une strate.
De. chronostratigrafish
En. chronostratigraphic ; time-stratigraphic
Es. cronoestratigráfico [8608]

CHRONOSUSCEPTIBILITÉ n.f. 74
physiologie > rythme biologique
Sensibilité d'un organisme à un agent physique ou chimique, nocif, en fonction de données temporelles.
En. chronosusceptibility
Es. cronosusceptibilidad [2984]

CHRONOTHÉRAPEUTIQUE n.f. 76
génie biomédical > pharmacothérapie
Traitement appliqué en fonction de la synchronisation du médicament et des rythmes de l'organisme.
V. chronothérapie
De. Chronotherapeutik (f.)
En. chronotherapy
Es. cronoterapeutico [6042]

CHRONOTHÉRAPIE n.f. 78
génie biomédical > pharmacothérapie
Traitement appliqué en fonction de la synchronisation du médicament et des rythmes de l'organisme.
V. chronothérapeutique
De. Chronotherapie (f.)
En. chronotherapy
Es. cronoterapia [9292]

CHUTE → pare- — .

CIBLE → cellule- — .

CICATRISATION n.f. 74
technologie des matériaux > génie chimique
Reconstitution d'une couche d'oxydes protecteurs à la surface d'un métal après détérioration partielle.
De. Schutzoxydbildung (f.)
En. healing
Es. cicatrización [3343]

CIDEX (Courrier Individuel à Distribution Exceptionnelle) n.m. 73
gestion, organisation, administration > gestion
Système de distribution du courrier destiné aux habitants des bourgs éloignés ou des grands ensembles sous réserve que chaque destinataire aille relever lui-même le contenu de sa boîte à l'entrée de l'immeuble ou du bourg.
V. CEDEX ; ISA ; POSTADEX ; postet
En. individual mailbox system (U.S.A.) [928]

CIEL n.m. 74
conditionnement (emballage) > fermeture
Partie supérieure d'une capsule de surbouchage des bouteilles.
De. Kapseldach (n.)
En. crown [3517]

CILIOTOXICITÉ n.f. 77
pharmacologie > toxicologie
Toxicité qui s'exerce à l'égard des cellules portant les cils de la muqueuse de la trachée et des bronches.
V. ciliotoxique
De. Flimmerhärchentoxizität (f.)
En. ciliotoxicity [7808]

CILIOTOXIQUE adj. 74
pharmacologie > toxicologie
Relatif à la ciliotoxicité.
V. ciliotoxicité
En. ciliotoxic
Es. ciliotóxico [7942]

CIMENT-COLLE n.m. 75
matériau > matériau de construction
Liant en poudre composé de ciment blanc ou gris et d'une matière adhérente à mélanger avec de l'eau au moment de l'emploi.
En. cement glue [5108]

CINÉHOLOGRAPHIE n.f. 78
arts > photographie
Technique permettant l'animation d'hologrammes.
De. Kineholografie (f.)
En. cine-holography
Es. hinoholografia [9149]

CINÉMATHÉCAIRE adj. 75
information > centre d'information
Relatif à une cinémathèque. [4631]

CINÉMA-VÉRITÉ n.m. 74
arts > photographie
Type de reportage filmé sur le vif.
En. cinema-verite [6188]

CINÉPHILIQUE adj. 75
arts > photographie
Relatif aux cinéphiles.
En. cinephile [5253]

CINÉTIQUE → pharmaco- — .

CINÉTOSOMIEN adj. 77
physiologie > physiologie cellulaire
Relatif à un cinétosome.
En. kinetosomal
Es. cinetosómico [8740]

CINORTHÈSE n.f. 73
génie biomédical > physiothérapie
Manipulation articulaire.
De. Kinorthese (f.) [3870]

CINTRE AUTO-LANCEUR n.m. 73
CINTRE AUTOLANCEUR
bâtiment et travaux publics > opération de construction
Cintre de béton qui peut être lancé sans échafaudage. [3345]

CIRCALITTORAL adj. 75
géophysique > géomorphologie
Se dit de l'espace sous-marin correspondant à la partie

inférieure du système phytal, limité vers le bas par la profondeur maximale où peuvent vivre les algues fixées.
V. infralittoral ; médiolittoral ; supralittoral
De. circalitoral
En. lower sublittoral
Es. circalitoral [4790]

CIRCANNUEL adj. 76
physiologie > rythme biologique
Se dit d'un cycle dont la durée est d'un an.
De. Jahres-
En. circannian ; circannual
Es. anual [6043]

CIRCINATION n.f. 75
anatomie > anatomie végétale
Enroulement de haut en bas d'un organe d'une plante. [7521]

CIRCUIT → à coupure de — ; demi- — ; à établissement de — .

CIRCUITERIE n.f. 72
télécommunications > radiocommunication
Ensemble des circuits.
De. Schaltung (f.)
En. circuitry [1643]

CIRCUIT OCTOPÔLE n.m. 78
électronique > circuit électronique
Circuit qui permet de passer des 4 fils du combiné aux 2 fils de la ligne téléphonique.
En. four-wire network ; two-wire network [8868]

CIRCUIT REDONDANT n.m. 75
électronique > circuit électronique
Circuit utilisé en double pour les composants et en triple pour les circuits logiques et ensembles constituant un ordinateur.
De. Redundanzkreis (m.)
En. redundant circuit
Es. circuito redundante [5495]

CIRCUIT ROUGE n.m. 73
économie > échanges internationaux
Passage réservé aux personnes ayant à faire une déclaration en douane.
V. circuit vert
De. roter Durchgang (m.)
En. red channel [1279]

CIRCUIT VERT n.m. 73
économie > échanges internationaux
Passage réservé aux personnes n'ayant rien à déclarer en douane.
V. circuit rouge
De. grüner Durchgang (m.)
En. green channel [1280]

CIRCULARISATION n.f. 75
télécommunications > communication spatiale
Manœuvre qui tend à rendre circulaire la trajectoire d'un satellite.
En. circularization
Es. circularización [3691]

CIRCULATION → thermo- — .

CIRCULATION SEMI-MÉCANIQUE n.f. 74
CIRCULATION SEMIMÉCANIQUE
action sur l'environnement > ventilation
Circulation d'air dans une enceinte, l'une des deux phases d'introduction ou d'extraction étant assurée mécaniquement, l'autre demeurant naturelle.
En. semi-mechanical ventilation [2811]

CIRCUMPACIFIQUE adj. 78
localisation
Situé autour de l'Océan Pacifique.
De. pazifikumschließend
En. circum-Pacific
Es. circumpacífico [9150]

CIRCUM-SÉLÈNE adj. 73
CIRCUMSÉLÈNE
sciences de l'espace
Qui est ou a lieu autour de la lune.
En. lunar [740]

CIRONNÉ adj. 75
technologie des matériaux > génie alimentaire
Se dit d'un fromage dont la croûte est transformée en poussière par des cirons.
En. mite-ripened [6045]

CIRQUE n.m. 73
économie > industrie du bâtiment et des travaux publics
Atelier mobile de construction destiné à effectuer les travaux de pose en ligne.
V. pose en ligne [2812]

CISAILLÉ adj. 70
mécanique des fluides appliquée
Se dit d'un liquide qui a subi un cisaillement.
V. cisaillement
Es. cizallado [7522]

CISAILLE COCHEUSE n.f. 76
mécanique appliquée > découpage-découpe
Type de cisaille électroportative qui permet la coupe rectiligne des tôles de grosse épaisseur, à l'état froid ou chaud. [7523]

CISAILLE-GUILLOTINE n.f. 73
mécanique appliquée > découpage - découpe
Type de cisaille dont la lame est animée de mouvements verticaux.
De. Guillotine-Schlagschere (f.) ; Rahmenblech-Schlagschere (f.)
En. guillotine shear [1281]

CISAILLEMENT n.m. 74
transport et manutention > infrastructure des transports
Raccordement de deux voies ferrées.
De. Gleiskreuzung (f.)
En. crossing of lines ; crossing of tracks [2625]

CISAILLEMENT n.m. 70
mécanique des fluides appliquée
Dans un film de lubrifiant, glissement d'une lame élémentaire de lubrifiant par rapport à la lame adjacente.
V. cisaillé
Es. cizalladura [7524]

CISAILLEMENT DU VENT n.m. 78
géophysique > météorologie
Variation brusque de la force ou de la direction du vent.
De. Wirdscherung (f.)
En. windshear
Es. cizallamiento eólico [9011]

CISAILLEUR n.m. 76
mécanique appliquée > découpage - découpe
Ouvrier qui travaille sur une machine à cisailler.
En. shearer ; shearman
Es. cizallador [5496]

CISEAU-LASER n.m. 73
économie > industrie textile
Laser contrôlé par ordinateur, utilisé notamment pour la coupe des tissus.
En. laser scissors [1282]

CISTAIE (.f. 77
agronomie > ensemble végétal
Végétation constituée de cistes. [6972]

CITÉ DE TRANSIT n.f. 74
bâtiment et travaux publics > construction
Lot d'habitation destiné à abriter des personnes dans l'attente d'un logement définitif.
De. Durchgangswohnsiedlung (f.) [2003]

CITERNE SEMI-MEMBRANE n.f. 74
CITERNE SEMIMEMBRANE
transport et manutention > transport
Citerne destinée au transport maritime du gaz liquéfié où les pressions exercées par son contenu sont reportées sur une membrane. [2335]

CITERNIER n.m. 74
économie > industrie des transports
Constructeur de citernes.
En. cistern maker
Es. cisternista [4039]

CITIFICATION n.f. 75
gestion, organisation, administration > aménagement du territoire
Transformation d'un environnement dû à l'influence des villes et de l'urbanisation.
De. Verstädterung (f.)
En. citification [7247]

CLADDÉ adj. 75
technique nucléaire
Se dit d'une pièce ayant reçu un apport de métal par soudage qui modifie ses propriétés mécaniques superficielles.
De. plattiert
En. clad [5109]

CLADOGÉNÉTIQUE adj. 75
génétique > génétique des populations
Se dit d'une évolution des êtres vivants par diversification des embranchements.
V. anagénétique
En. cladogenetic
Es. cladogenético [4147 bis]

CLAIRANCE n.f. 74
biochimie
1) Rapport entre le débit urinaire par minute d'une substance et sa concentration dans le plasma;
2) Coefficient d'épuration plasmatique brute d'un corps, par voie extrarénale aussi bien que rénale.
En. clearance [2336]

CLAIRIÉRÉ adj. 77
agronomie > ensemble végétal
Coupé de clairières.
De. gelichtet
En. open [8078]

CLAIRPLANTÉ adj. 74
agronomie > ensemble végétal
Planté peu serré.
De. dünnbewachsen
En. wide-spaced [7248]

CLAN n.m. 73
mathématiques
Famille des parties d'un ensemble E contenant E et stable par complémentation et par réunion finie.
V. atome ; minterme
Es. clan [2463]

CLAPAGE n.m. 75
géotechnique
Opération qui consiste à mettre des pierres en tas.
V. clapé
De. Aufschütten (n.)
En. piling [6600]

CLAPÉ adj. 76
géotechnique
Se dit de matériaux amoncelés, mis en tas.
V. clapage
En. heaped ; piled [6601]

CLAQUADE n.f. 75
génie biomédical > physiothérapie
Technique de massage comportant la percussion répétée de masses musculaires avec le plat de la main.
De. Klatschen (n.)
En. clapping
Es. cacheteo [3871]

CLAQUAGE n.m. 75
géotechnique
Formation de poches de coulis dans un terrain traité en vue de sa consolidation.
De. Taschenbildung (f.)
En. segregation [5778]

CLAQUAGE THERMIQUE n.m. 72
technologie des matériaux > traitement thermique
Processus de destruction lente d'un matériau dû à la chaleur.
De. thermischer Durchbruch (m.)
En. thermal breakdown ; thermal rupture [742]

CLARIFLOCULATEUR n.m. 75
opération > séparation physique
Appareil qui opère les phases de décantation et de floculation.
V. clarifloculation
De. Klärflockungsanlage (f.)
En. clarifier-flocculator
Es. clariflocurador [5110]

CLARIFLOCULATION n.f. 76
opération > séparation physique
Opération regroupant la floculation, la décantation et l'épaississement des boues.
V. clarifloculateur [4504]

CLARIFIXATION n.f. 76
technologie des matériaux > génie alimentaire
Opération consistant à homogénéiser la crème par passage dans une turbine à la partie supérieure du bol et à la réintroduire dans le lait.
De. Klärung (f.) [7394]

CLARKE n.m. 74
géochimie
Teneur moyenne d'un élément dans une zone donnée.
V. élément majeur
De. Clark-Zahl (f.) ; Elementgehalt (m.)
En. clarke ; crustal abundance
Es. clarke [2628]

CLASSE GRANULAIRE n.f. 73
instrumentation > mesure de dimension
Classe mesurant le diamètre des matériaux et définie par deux dimensions d'ouverture de maille.
V. granularité
En. grain-size bracket [2464]

CLASSE JAUNE n.f. 76
enseignement
Classe d'automne ayant lieu en pleine nature destinée à explorer un milieu différent et à créer une cohésion au sein du groupe.
En. Autumn outdoor education class [7249]

CLASSÈME n.m. 73
linguistique
Ensemble des sèmes génériques.
De. semantischer Aspekt (m.)
En. classeme [6730]

CLASSE NOMINALE n.f. 67
linguistique
Catégorie grammaticale caractérisée par l'emploi d'un des affixes qui permettent à certaines langues négro-africaines de répartir les noms selon la nature des êtres ou des choses qu'ils désignent.
En. nominal class [3872]

CLASSE PRÉPROFESSIONNELLE n.f. 75
enseignement
Classe de préparation à l'entrée au lycée d'enseignement professionnel.
De. Berufsschulvorklasse (f.)
En. preprofessional class [4040]

CLASSE TRANSPLANTÉE n.f. 77
enseignement
Classe qui se tient dans un établissement scolaire étranger pendant un certain laps de temps. [8079]

CLASSETTE n.f. 74
économie > travail (main-d'œuvre)
Valise pour dossiers suspendus ou fiches. [2813]

CLASSEUR → turbo- — .

CLASSIER n.m. 78
information > traitement documentaire
Employé chargé du classement de documents.
En. file clerk ; filing clerk [9012]

CLASSOLOGUE n.m./f. 73
information > traitement documentaire
Spécialiste de la théorie des méthodes de classement.
En. classification system specialist ; records system specialist [1463]

CLATHRATE n.m. 72
chimie > chimie minérale
Composé d'insertion sans formule définie.
De. Käfigeinschlußverbindung (f.) ; Klathrat (n.)
En. clathrate [1283]

CLAUDE → cycle de — .

CLAUSTRE n.m. 73
bâtiment et travaux publics > élément d'ouvrage du bâtiment
1) Élément, généralement en béton ou en terre cuite, avec lequel on construit des parois ajourées servant à clore un local qui doit être ventilé en permanence.
2) Paroi ainsi constituée. [50]

CLAVIER OPTIQUE PROGRAMMÉ n.m. 74
informatique > équipement d'entrée-sortie
Dispositif permettant la projection de microfiches sur un écran.
De. Datensichtgerät (n.)
En. programmed keyboard entry ; visual display unit ; V.D.U.
Es. teclado óptico [3158]

CLÉ n.f. 73
information > traitement de l'information
Caractère ou groupe de caractères qui permet d'identifier un objet en le repérant.
De. Schlüssel (m.)
En. key
Es. clave [2465]

CLÉ → mot- — ; titre- — .

CLICHEUR n.m. 76
arts > photographie
Appareil servant à tirer des clichés. [7943]

CLIENT → chimie hôtelier- — .

CLIMASÉQUENCE n.f. 75
géologie > pédologie
Suite de sols ou de végétations caractérisée par la variation des climats ou des microclimats ayant exercé une influence sur leur formation.
V. bioséquence ; chronoséquence ; clinoséquence ; hydroséquence ; lithoséquence ; toposéquence
De. klimatische Sequenz (f.) [7395]

CLIMATOLOGIE → agro- — .

CLIMATOMORPHIQUE adj. 74
géologie > pédologie
Se dit d'un sol dont les qualités sont déterminées par le climat et la végétation.
De. klimatomorph
En. zonal ; mature
Es. climatomórfico [3873]

CLIMATOPE n.m. 74
écologie > milieu (écologie)
Ensemble des facteurs d'un biotope relevant du climat.
V. édaphotope
De. klimaabhängige Faktoren (m.pl.)
Es. climatopo [3692]

CLINICISATION n.f. 77
génie biomédical > diagnostic
Fait de placer sous le contrôle de la médecine clinique. [7396]

CLINOSÉQUENCE n.f. 77
géologie > pédologie
Succession de sols dont la gradation des caractères est réglée par la variation du degré de la pente sur laquelle ils se sont formés ou par des phénomènes qui lui sont liés.
V. bioséquence ; chronoséquence ; climaséquence ; hydroséquence ; lithoséquence ; toposéquence
De. Gefällesequenz (f.)
Es. clinosecuencia [7397]

CLIOMÉTRICIEN n.m. 74
histoire
Spécialiste qui utilise l'ordinateur pour traiter les données de l'histoire (cliométrie).
V. cliométriste ; quantohistorien
De. Kliometriker (m.) [2466]

CLIOMÉTRISTE n. 73
histoire
Spécialiste qui utilise l'ordinateur pour traiter les données de l'histoire (cliométrie).
V. cliométricien
En. cliometrician
Es. cliometrista [5367]

CLIPPÉ adj. 77
conditionnement (emballage) > fermeture
Fixé au moyen de clips.
V. clippeuse ; clipsage ; clipser
De. angeklammert ; mit Klammer befestigt [8741]

CLIPPEUSE n.f. 77
conditionnement (emballage) > fermeture
Machine destinée à la fermeture automatique de certains emballages à l'aide de clips.
V. clippé ; clipsage ; clipser
De. Clipapparat (m.)
En. sealer ; sealing unit [7810]

CLIPSAGE n.m. 76
conditionnement (emballage) > fermeture
Opération qui consiste à poser des clips.
V. clippé ; clippeuse ; clipser
En. clipage ; clipsage [5631]

CLIPSER v. 74
conditionnement (emballage) > fermeture
Fixer au moyen d'agrafes ou de broches munies de ressort (clips).
V. clippé ; clippeuse ; clipsage
En. to clip [5111]

CLIPSEUSE → ensacheuse- — .

CLIQUE n.f. 73
mathématiques
Sous-graphe d'un graphe dont tous les sommets sont adjacents entre eux. [4338]

CLIQUET → boucle à — .

CLOCHE → grande — ; scie- — .

CLOISONNETTE n.f. 78
économie > travail (main-d'œuvre)
Cloison de faible hauteur utilisée pour compartimenter l'espace d'un bureau paysager.
V. bureau paysager
En. low divider ; divider screen ; screen [9151]

CLOISONNEUSE n.f. 74
conditionnement (emballage) > emballage
Machine destinée à munir des caisses et cartons de cloisons.
En. partitionning machine [4148 bis]

CLONAGE n.m. 73
physiologie > reproduction (physiologie)
Transport d'un noyau cellulaire dans la cellule d'un autre organisme en vue d'une modification complète de son patrimoine génétique.
De. Klonieren (n.)
En. cloning ; clonal reproduction ; clonal propagation [1099]

CLÔTURE INFRAROUGE n.f. 73
environnement et sécurité > dispositif de sécurité
Dispositif constitué par le faisceau reliant un émetteur d'infrarouge et un récepteur et dont le franchissement déclenche un signal d'alarme.
De. Infrarot-Lichtschranke (f.)
En. infrared barrier [1464]

CLOUABLE → béton — .

CLOUEUR n.m. 73
mécanique appliquée > assemblage
Appareil destiné à clouer.
En. nailing machine [930]

COACTIF adj. 73
gestion, organisation, administration > gestion
Relatif à des éléments qui agissent ensemble sur un même organe ou un même phénomène.
V. coaction
De. zusammenwirkend
En. coactive
Es. coactivo [5632]

COACTION n.f. 73
gestion, organisation, administration > gestion
Fait d'agir ensemble.
V. coactif
De. Zusammenwirken (n.)
En. coaction
Es. coacción [5633]

COALESCER v. 73
chimie > chimie du solide et du fluide
Pour les gouttelettes d'une émulsion, s'unir pour former des gouttelettes plus volumineuses.
En. to coalesce [2339]

COALESCEUR adj. 76
propriété > propriété chimique
Qui favorise la formation de granules par union des particules colloïdales.
En. coalescer [6731]

COAXIALITÉ n.f. 75
économie > industrie métallurgique
Propriété d'un objet qui a le même axe qu'un autre objet (coaxial).
De. Koaxialität (f.)
En. coaxiality
Es. coaxialidad [5368]

COCCIDIOSTAT n.m. 74
pharmacologie > médicament
Produit vétérinaire utilisé dans la lutte contre la coccidiose.
De. Coccidiostaticum (n.)
En. coccidiostat
Es. coccidiostato [3693]

COCCIFORME adj. 73
microbiologie
En forme de grain.
De. Kokkolid-
En. coccoid ; coccoidal [231]

COCHEUSE → cisaille — .

COCON n.m. 76
technologie des matériaux > traitement thermique
Enceinte calorifugée permettant les traitements thermiques dans des atmosphères contrôlées. [6319]

COCONNAGE n.m. 74
économie > industrie mécanique
Opération consistant à donner à un moteur une enveloppe en forme de cocon.
En. shielding [2340]

COCULTURE n.f. 74
génie biomédical > culture de cellule et de tissu
Culture simultanée de microorganismes.
En. coculture
Es. cocultura [6732]

CODAGE → carte de — ; vidéo- — .

CODE → barre- — .

CODEC n.m. 76
informatique > organe de transmission de données
Appareil pour la transmission de données fonctionnant en bande de base sur lignes non pupinisées du réseau local.
En. codec ; coder-decoder
Es. codec [7251]

CODE SOUFROI (SOURCE FROIDE) n.m. 73
gestion, organisation, administration > recherche opérationnelle
Code de calcul d'optimisation des caractéristiques du circuit de refroidissement d'une centrale thermique. [2985]

CODET n.m. 77
information > traitement de l'information
Représentation codée d'un objet dans un répertoire ou code.
De. Code-Element (n.)
En. code element [7252]

CODOMINANT adj. 76
botanique
Se dit d'une espèce dont les cimes se situent dans la strate supérieure du couvert et dont la croissance est limitée par les dominants et les autres codominants.
De. mitherrschend
En. co-dominant
Es. codominante [7897]

CO-ÉDUCATION n.f. 69
COÉDUCATION
enseignement
Éducation fondée sur des communautés d'enfants et d'adolescents s'éduquant les uns les autres. [4390]

COEFFICIENT DE PRODUCTION n.m. 74
économie > production
Proportion des quantités de matériaux nécessaires à la fabrication d'une certaine quantité d'un produit donné.
En. production coefficient
Es. coeficiente de producción [2341]

COÉPOUSE n.f. 76
sociologie
L'une des épouses dans un mariage polygyne.
En. co-wife [5634]

COÉSITE n.m. 74
géologie > minéralogie
Polymorphe de haute pression du quartz.
V. stishovite
De. Coësit (m.)
En. stishovite ; stipoverite ; coesite [2006]

CŒUR → double — ; résonnance à — excité .

CŒUR BLANC (à —) adj. 76
matériau > matériau métallique
Se dit de la fonte dont la cassure est blanche, le carbone étant

à l'état de carbone de fer ou cémentite.
En. whitehart [7811]

CŒUR ÉQUIVALENT (à —) adj. 78
physique > physique des particules
Se dit d'une molécule qui, après excitation électronique de
haute énergie, possède une structure électronique externe
identique à celle d'une autre molécule.
En. equivalent core [8869]

CŒUR FLOTTANT (à —) adj. 78
agronomie > technique culturale
Se dit d'un mode de plantation consistant à ne pas recouvrir de
terre le collet des plantes. [9152]

COEXTRUDAT n.m. 76
matériau > polymère (matériau)
Un des polymères entrant dans la composition de la matière
extrudée.
De. Koextrudat (n.)
En. coextrusion [5779]

COEXTRUSION n.f. 73
technologie des matériaux > formage
Extrusion dans laquelle la matière coextrudée est composée de
deux polymères.
De. Coextrusion (f.)
En. coextrusion [931]

COFFRET DE SÉCURITÉ n.m. 73
environnement et sécurité > protection
Coffret de protection destiné à assurer la sécurité d'un
branchement électrique de chantier.
En. safety panel [1465]

COFLOCULATION n.f. 76
opération > séparation physique
Floculation conjointe de diverses matières en suspension.
En. cofloculation
Es. cofloculación [6046]

COFUSION n.f. 73
technologie des matériaux > génie chimique
Fusion simultanée de plusieurs constituants.
De. Verschmelzen (n.)
En. co-fusion [1285]

COGNEMENT n.m. 76
physique > mouvement alternatif
Phénomène vibratoire dû à l'interaction des caractéristiques
dynamiques d'une machine-outil, du processus de coupe et de
la pièce à usiner.
En. knock [6835]

COGNITIF → socio- — .

COHÉRENCE n.f. 73
logique
Propriété d'une axiomatique non contradictoire.
De. Konsistenz (f.)
En. consistency [2177]

COHÉRENTE → émission — .

COHÉRINE n.f. 73
constituant des organismes vivants
Peptide de 40 acides animés extrait de la posthypophyse de
bœuf.
De. Kohärin (f.) [232]

COHÉSIF adj. 78
génétique > génétique moléculaire
Qui se lie sous l'effet d'une force d'attraction.
En. cohesive
Es. cohesivo [9293]

COHYPONYME n.m. 75
linguistique
Unité lexicale qui, dans la hiérarchie des inclusions successives, est de même niveau qu'une autre.

V. hyponymie
De. Syn-Hyponym (n.)
En. cohyponym
Es. cohipónimo [6047]

COIFFAGE n.m. 75
économie > industrie mécanique
Opération consistant à assembler les éléments mécaniques
d'une automobile à la carrosserie.
En. assembly [6733]

COIFFE (en —) adj. 77
géologie > structure géologique
Se dit d'une structure résultant de lessivages verticaux de
formations conglomératiques.
En. capping [8217]

COIN n.m. 78
physique > physique du solide et du fluide
Type de dislocation obtenue par translation le long d'un axe
perpendiculaire au plan de coupe.
V. désinclinaison ; désinclinaison coin ; despiralisation ;
lame (en —)
En. wedge
Es. cuña [8609]

COIN → désinclinaison — ; pièce de — .

COKIER adj./n.m. 76
opération > cokéfaction
[Se dit d']un spécialiste de la production de coke. [4253]

COKRIGEAGE n.m. 76
géophysique > météorologie
Méthode d'interpolation spatiale d'un ensemble de variables
prenant en compte la configuration géométrique des points
d'observation, la structure spatiale propre à chaque variable
ainsi que la structure spatiale des corrélations entre ces
variables.
V. krigeage
En. cokriging [6836]

COL DE LIAISON n.m. 75
technologie des matériaux > fonderie (technique)
Étranglement entre la pièce fondue et la masselotte.
En. washburn riser [4791]

COLIS n.m. 75
instrumentation > structure marine
Bloc préfabriqué, sous-ensemble constitutif d'un quartier
d'habitation de plate-forme de forage en mer comprenant soit
des équipements techniques, soit des locaux destinés à abriter
le personnel.
En. bunkhouse [5781]

COLISABLE adj. 73
transport et manutention > manutention
Susceptible d'être colisé.
V. colisé [1466]

COLISÉ adj. 76
transport et manutention > manutention
Se dit d'un objet apte à être groupé avec d'autres pour en faire
des colis.
V. colisable [5905]

COLLAGE À 1 → défaut de — .

COLLAGE À 0 → défaut de — .

COLLAGE BLANC n.m. 74
mécanique appliquée > assemblage
Défaut de soudage consistant en un apport de métal fondu sur
du métal non fondu, mais dont l'oxyde qui le recouvre a été
porté à l'état liquide.
V. collage noir
En. hot forging [6320]

COLLAGE ÉPIDERMIQUE n.m. 75
physique > physique du solide et du fluide
Phénomène superficiel qui fait adhérer un matériau sur un autre, ou une couche d'oxyde sur une autre, par réaction chimique ou par attrition moléculaire provoquant une résistance au glissement relatif de deux corps flottants.
De. Oberflachenhaftung (f.)
En. epidermic bond [4792]

COLLAGE NOIR n.m. 74
mécanique appliquée > assemblage
Défaut de soudage consistant en ce que la température de fusion des oxydes métalliques qui recouvre les pièces à souder n'a pas été atteinte.
V. collage blanc
En. cold forging [6321]

COLLAPSE n.m. 75
opération > séchage
Affaissement de texture de la zone dite sèche lors de la lyophilisation d'un produit.
En. collapse [4391]

COLLAPSON n.m. 77
physique > physique des particules
Caviton instable dont l'énergie de rayonnement piégé se concentre dans une région de plus en plus petite.
V. caviton
En. collapsing caviton [7218]

COLLE → ciment- — .

COLLE CONTACT n.f. 77
COLLE-CONTACT
mécanique appliquée > assemblage
Colle néoprène utilisée en double encollage. [8457]

COLLECTE ÉOLIENNE n.f. 73
action sur l'environnement > assainissement
Procédé de ramassage des ordures par système pneumatique. [558]

COLLERETTE n.f. 73
opération > marquage
Étiquette placée autour du col d'une bouteille au-dessus de l'étiquette de corps.
V. contre-étiquette ; cravate ; étiquette de corps
De. Brustetikett (m.) [1286]

COLLETEUSE n.f. 75
technologie des matériaux > confection
Machine à coudre servant à la confection des cols de chemises.
De. Kragennähmaschine (f.)
En. collar-sewing machine [4213]

COLLEUSE → contre- — .

COLLIER n.m. 74
conditionnement (emballage) > emballage
Dispositif qui regroupe plusieurs unités d'un même produit permettant de les porter à l'aide de poignées.
De. Tragband (n.)
En. collar
Es. collar [4042]

COLLOÏDAL → béton — .

COLMATAGE → capacité de — .

COLORATION n.f. 75
physiologie > neurophysiologie
Phénomène d'assimilation progressive ou régressive par lequel une voyelle communique certaines de ses caractéristiques acoustiques aux consonnes contiguës.
De. Färbung (f.)
En. coloration
Es. coloración [4505]

COLORÉ → bruit — .

COLORISTE n. 77
technologie des matériaux > coloration
Spécialiste des teintures en matière capillaire.
En. canitist ; hair dyer ; hair dyer and tinter [7944]

COLOSCOPE n.m. 73
génie biomédical > endoscopie
Endoscope à tube souple qui permet l'exploration du gros intestin.
V. coloscopie ; jéjunoscope
De. Koloskop (n.)
En. coloscope [55]

COLOSCOPIE n.f. 74
génie biomédical > endoscopie
Examen visuel de l'intérieur du colon avec un coloscope.
V. coloscope
Es. coloscopia [2342]

COMBINAISON RÉFLECTORISÉE n.f. 73
vie quotidienne > vêtement
Combinaison de motocycliste comportant des bandes composées de microbilles de verre qui réfléchissent la lumière.
En. reflectorized suit [1645]

COMBUSTIBLE → hydro- — .

COMBUSTION HUMIDE n.f. 72
énergie (technologie) > combustion
Combustion à co-courant combinée à une injection d'eau qui, par sa vaporisation, permet un transfert de chaleur et de pression d'amont en aval du front de combustion.
V. combustion sursaturée
En. wet combustion
Es. combustión humeda [6602]

COMBUSTION SURSATURÉE n.f. 72
énergie (technologie) > combustion
Combustion humide dans laquelle une partie de l'eau injectée ne peut être vaporisée et se propage sous forme liquide dans la totalité du volume chaud.
V. combustion humide
En. superwet combustion
Es. combustión sobresaturada [6603]

COMÉTÉSIMAL n.m. 72
sciences de l'espace
Conglomérat riche en hydrate de méthane, en ammoniac et en eau, présent dans les comètes.
V. planétésimal
De. Kometesimalsubstanz (f.)
En. cometesimal [3694]

COMMANDABILITÉ n.f. 74
automatisme > commande automatique
Aptitude d'un système à être commandé.
De. Steuerbarkeit (f.)
En. controllability
Es. controlabilidad [5254]

COMMANDÉ → mélangeur — .

COMMANDE CONTINUE n.f. 77
cybernétique > automatique
Commande d'un manipulateur industriel permettant à l'outil de suivre une trajectoire connue à l'avance.
V. commande point à point
En. contouring control
Es. mando continuo [8318]

COMMANDE POINT À POINT n.f. 77
cybernétique > automatique
Commande d'un manipulateur industriel permettant à l'outil de se déplacer d'un point à un autre sans définition de trajectoire.
V. commande continue
En. point-to-point control ; positioning control [8319]

COMMERCIAL → tissu — .

COMMUN → mode — ; réjection de mode — .

COMMUNAUTAIRE → télévision — .

COMMUNAUTARISATION n.f. 74
politique
Attribution d'un caractère communautaire.
En. communalization [3159]

COMMUNICATION → stratégie de — .

COMMUNICATIONNEL adj. 75
information > communication
Relatif à la communication.
De. kommunikationsbezogen
En. communicational [4632]

COMMUNICATIQUE n.f. 75
information > communication
Ensemble des études et des recherches consacrées à la communication qui utilise des procédés techniques (télévision, vidéo...).
De. Kommunikationswesen (n.)
En. communication science
Es. ciencia de las comunicaciones [4043]

COMMUNICOLOGISTE n. 75
information > communication
Spécialiste qui étudie les procédés et les techniques de la communication.
V. communicologue
De. Vertrete (m.) der Kommunikations-Wissenschaften
En. communicologist [4967]

COMMUNICOLOGUE n. 75
information > communication
Spécialiste qui étudie les procédés et les techniques de la communication.
V. communicologiste
De. Kommunikationsfachmann (m.)
En. communicator [4044]

COMMUNITÉ n.f. 78
économie > industrie mécanique
Caractère de ce qui est commun à plusieurs matériels concernant la conception, la fabrication ou la maintenance.
De. Gemeinsamkeit (f.) ; Kommunalität (f.)
En. communality ; community [8742]

COMMUTATEUR → concentreur- — .

COMMUTATION DE PAQUETS n.f. 75
information > traitement de l'information
Mode de transmission qui consiste à acheminer une unité d'informations, d'un émetteur à un destinataire en le propageant de nœud en nœud d'un réseau de téléinformatique.
V. paquet
De. Paketvermittlung (f.)
En. packet switching [7254]

COMMUTATION TEMPORELLE n.f. 75
électronique > circuit électronique
Procédé de commutation téléphonique qui consiste en un échantillonnage temporel des signaux, une transmission en mode multiplex de ces différents échantillons imbriqués et une recomposition en bout de ligne après passage dans des répéteurs et regénérateurs de signaux.
V. commutation spatiale
En. electronic time switching
Es. conmutación temporal [6192]

COMMUTATION SPATIALE n.f. 75
électronique > circuit électronique
Procédé de commutation téléphonique qui consiste en une transmission d'un signal modulé, non échantillonné par la mise en œuvre d'une motrice spatiale (tridimensionnelle) de commutation.
V. commutation temporelle
En. space division
Es. conmutación espacial [6191]

COMOBILITÉ n.f. 78
physique > physique des particules
Propriété d'une particule ou d'un observateur d'être fixe par rapport au référentiel choisi. [6973]

COMPACT n.m. 77
matériau > combustible
Agglomérat de particules de combustible enrobées d'une couche protectrice au sein d'une matrice carbonée, dans un réacteur nucléaire à haute température.
En. fuel rod
Es. compacta [8080]

COMPACTABLE adj. 77
opération > compactage
Qui peut être réduit de volume par compression.
V. compactibilité
De. verdichtbar
En. compactible
Es. compactable [7812]

COMPACTE → chaîne —; sub- — .

COMPACTIBILITÉ n.f. 77
opération > compactage
Propriété d'un matériau compactable.
V. compactable
De. Verdichtbarkeit (f.)
Es. compactabilidad [7813]

COMPACTION n.f. 73
physique > mécanique
Création d'un état compact par l'action naturelle de tassement de roches au cours du temps.
De. Verdichtung (f.) ; Verfestigung (f.)
En. compaction [58]

COMPACTOMÈTRE n.m. 75
opération > compactage
Appareil permettant de mesurer le degré de compactage d'un matériau.
V. guide-balayage
De. Bodenverdichtungsmeßgerät (n.)
En. compactometer
Es. compactómetro [4793]

COMPARATIF → laboratoire audio-actif — ; laboratoire audio-actif semi- — .

COMPATIBILITÉ → mode — ; pseudo- — .

COMPATIBILITÉ THERMODYNAMIQUE n.f. 76
propriété > propriété thermodynamique
Aptitude de deux ou plusieurs polymères à former une ou plusieurs phases stables, homogènes et indissociables. [7109]

COMPATIBLE → histo- — .

COMPENSATION n.f. 75
arts > photographie
Déplacement de certains groupes de lentilles destiné à compenser le changement de mise au point que nécessite l'emploi d'un objectif à 200 m.
V. compensation mécanique ; compensation optique ; compensation optomécanique
En. compensation
Es. compensación [4045]

COMPENSATION MÉCANIQUE n.f. 75
arts > photographie
Compensation obtenue au moyen d'une came avec des groupes de lentilles non couplés.
V. compensation ; compensation optique ; compensation optomécanique
En. mechanical compensation
Es. compensación mecánica [4046]

COMPENSATION OPTIQUE n.f. 75
arts > photographie
Compensation obtenue avec des groupes de lentilles couplés.

V. compensation ; compensation mécanique ; compensation optomécanique
En. optical compensation
Es. compensación óptica [4047]

COMPENSATION OPTOMÉCANIQUE n.f. 75
arts > photographie
Combinaison de la compensation optique et de la compensation mécanique.
V. compensation mécanique ; compensation optique
En. opticomechanic compensation
Es. compensación opto-mecánica [4048]

COMPÈRE n.m. 75
génie biomédical > psychothérapie
Individu qui participe à une séance de psychothérapie à l'insu du sujet traité.
En. paid participant ; stooge [2986]

COMPÉTENT → immuno- — .

COMPLÉTAGE n.m. 74
gestion, organisation, administration > gestion
Fait de compléter un dossier, une carte.
De. Komplettierung (f.) ; Vervollständigung (f.)
En. completion [2816]

COMPLEXAGE n.m. 73
technologie des matériaux > fabrication du papier
Opération par laquelle on associe, à l'intérieur d'un complexe, un ou plusieurs matériaux, en vue d'obtenir un produit qui réunisse les quantités des composants. [2180]

COMPLEXATION n.f. 72
chimie > réaction chimique
Formation d'un complexe.
De. Komplexbildung (f.)
En. chelation [560]

COMPLEXIFICATOIRE → paragraphie — .

COMPORTEMENTALISTE n. 74
génie biomédical > psychothérapie
Spécialiste de l'étude et de la thérapeutique des comportements.
De. Verhaltensforscher (m.)
En. behaviorist (U.S.A.); behaviourist (U.K.) [3519]

COMPORTEMENT INFRACTIONNEL n.m. 77
psychologie > pathologie mentale
Comportement d'un conducteur (alcoolisme, délinquance...) qui le porte à commettre une infraction. [6604]

COMPOSANTE DE BASE n.f. 77
sciences de l'espace
Niveau minimal du rayonnement solaire, pris comme référence, observable sur une fréquence radioélectrique déterminée, pratiquement constant à l'échelle séculaire.
V. soleil calme
De. Grundkomponent (f.)
En. base level ; basic component
Es. componente básico [7526]

COMPOSÉ → train planétaire — .

COMPOSÉ-CAGE n.m. 78
chimie > chimie du solide et du fluide
Composé chimique sans formule définie renfermant des cavités internes qui fonctionnent comme des pièges à molécules ou à atomes.
V. molécule-cage
En. cage compound [9013]

COMPOSÉ COURONNE n.m. 77
COMPOSÉ-COURONNE
chimie > composé chimique
Type de sels d'uranium dans lequel l'atome de métal est entouré dans un plan par 6 à 8 groupements organiques composés chacun de quelques dizaines d'atomes.
En. crown compund [7814]

COMPOSITE n.m. 71
matériau > matériau composite
Matériau résultant de l'emploi de deux ou plusieurs composants de structures différentes étroitement liés entre eux.
De. Komposit (n.)
En. composite [59]

COMPTEUR RÉCIPROQUE n.m. 75
instrumentation > appareil électronique de mesure
Dispositif de comptage qui permet une mesure rapide d'un phénomène relativement lent en prenant comme grandeur à mesurer, non pas le phénomène lui-même, mais une valeur proportionnelle à son inverse.
De. Reziprokwert-Zähler (m.)
En. reciprocal counter
Es. contador recíproco [5782]

CONATIONAL adj. 76
politique
Relatif à la coopération entre plusieurs états.
De. transnational ; übernational
En. internationalist ; internationalistic [6974]

CONCENTRAT n.m. 74
chimie > chimie du solide et du fluide
Produit d'une concentration.
De. Konzentrat (n.)
En. concentrate
Es. concentrado [3874]

CONCENTRATEUR n.m. 74
chimie > chimie du solide et du fluide
Appareil destiné à concentrer des acides, des sirops.
De. Konzentrator (m.)
En. concentrator
Es. concentrador [2629]

CONCENTRATEUR n.m. 74
automatisme > équipement automatique
Dispositif destiné à regrouper des données d'origines diverses en vue de les transmettre en blocs à l'ordinateur.
De. Datenkonzentrator (m.)
En. data concentrator
Es. concentrador [3696]

CONCENTRATEUR n.m. 75
énergie (technologie) > énergie solaire
Miroir concave qui fait converger vers son foyer la lumière réfléchie sur sa face par un héliostat.
En. concentrator [7398]

CONCENTRATEUR ANALOGIQUE n.m. 77
télécommunications > radiotechnique
Appareil de traitement d'informations analogiques permettant d'acheminer vers un dispositif central, par une seule ligne de télétransmissions, les messages provenant de sources (terminaux, abonnés téléphoniques, etc.) généralement voisines.
V. concentrateur numérique
De. Analogkonzentrator (m.)
En. analogic concentrator ; analog concentrator
Es. concentrador analógico [8610]

CONCENTRATEUR NUMÉRIQUE n.m. 77
télécommunications > radiotechnique
Appareil de traitement d'informations numériques permettant d'acheminer vers un dispositif central, par une seule ligne de télétransmissions, les messages provenant de sources (terminaux, abonnés, téléphoniques, etc.) généralement voisines.
V. concentrateur analogique
De. Digitalkonzentrator (m.)
En. digital concentrator
Es. concentrador digital [8611]

CONCENTREUR n.m. 76
écologie > autécologie
Organisme capable de concentrer certaines substances contenues dans les sols ou les eaux.
En. concentrator [6193]

CONCENTREUR -COMMUTATEUR n.m. 75
télécommunications > radiotechnique
Dispositif géré par ordinateur qui, dans un réseau de commutation des messages, est relié au centre de commutation et dessert des téléimprimeurs.
De. Leitungsumschalter (m.)
En. concentrator-switcher
Es. concentrador-conmutador [4049]

CONCENTRICITÉ n.f. 76
propriété > propriété mécanique
Caractère de ce qui est concentrique.
De. Konzentrität (f.)
En. concentricity
Es. concentricidad [5498]

CONCENTRIQUE → diversification — .

CONCEPTER v. 76
économie > promotion des ventes
Créer et mettre au point les éléments d'une campagne ou d'un message publicitaire.
En. to conceptualize [6837]

CONCEPTUEL → analyseur — ; post- — .

CONCHAGE n.m. 75
technologie des matériaux > génie alimentaire
Opération destinée à parfaire le malaxage et à favoriser l'aération de la pâte de cacao.
De. Konchieren (n.)
En. conching [4794]

CONCHE n.f. 72
économie > industrie agricole et alimentaire
Broyeur utilisé en chocolaterie permettant une grande finesse de désagrégation et un malaxage parfait de la pâte de cacao.
De. Conche (f.) ; Konche (f.)
En. conche [6048]

CONCHYLICOLE adj. 73
aquaculture
Relatif à l'élevage des coquillages.
De. Muschelzucht-.
En. conchological [2181]

CONCURRENCE ILLICITE n.f. 73
réglementation législation > droit
Acte contraire aux lois, décrets, règlements ou usages commerciaux et modifiant les conditions normales de la concurrence.
V. concurrence parasitaire
De. unerlaubter Wettbewerb (m.)
En. unlawful competition
Es. competencia ilícita [2344]

CONCURRENCE PARASITAIRE n.f. 73
réglementation législation > droit
Acte d'un commerçant ou d'un industriel qui, même sans avoir l'intention de nuire, tire ou s'efforce de tirer profit d'un renom légitimement acquis par un tiers, sans aller jusqu'à susciter une confusion entre ce tiers et lui.
V. concurrence illicite
Es. competencia parasitaria [2345]

CONDITIONNEUR n.m. 76
télécommunications > radiotechnique
Étage d'un système de traitement de l'information ayant pour fonction d'améliorer les caractéristiques de l'information saisie avant son traitement. [7110]

CONDUCTION IONIQUE n.f. 75
physique > physique des particules
Transport continu de charges dans un corps, dû au déplacement des ions du réseau cristallin sous l'apport continu d'une énergie extérieure.
De. Ionenleitung (f.) ; Ionenleitfähigkeit (f.)
En. ionic conduction
Es. conducción iónica [4150 bis]

CONDUITE → ligne de — .

CÔNE → chasse- — .

CÔNE CREUX n.m. 73
opération > projection de matière
Forme d'un jet de fluide dont la projection normale permet de couvrir une surface annulaire.
V. cône plein ; jet plat
De. Hohlkegel (m.)
En. hollow cone [1647]

CÔNE PLAT n.m. 78
physique > physique du solide et du fluide
Désinclinaison positive valant 180°.
V. désinclinaison
En. flattened cone [8612]

CÔNE PLEIN n.m. 73
opération > projection de matière
Forme d'un jet de fluide dont la projection normale permet de couvrir une surface circulaire.
V. cône creux ; jet plat
De. Vollkegel (m.)
En. solid cone [1648]

CONFIDENTIALITÉ n.f. 74
information > traitement de l'information
Caractère confidentiel d'une information.
De. Vertraulichkeit (f.)
En. confidentiality
Es. confidencialidad [3520]

CONFIGURABILITÉ n.f. 76
informatique > mémoire (ordinateur)
Aptitude d'un système de traitement de l'information à fonctionner suivant différentes configurations.
De. Konfigurabilität (f.)
En. configurability
Es. configurabilidad [6734]

CONFINEMENT → temps de — ; volume de — .

CONFLUENCE → modèle de — .

CONFORMATEUR n.m. 76
électronique > électronique industrielle
Dispositif électronique qui met en forme les signaux recueillis par un détecteur afin d'en permettre la mesure ou l'utilisation.
De. Signalformer (m.) [7527]

CONFORMÈRE n.m. 73
chimie > constitution de la matière
Chacun des isomères de conformation d'un même composé organique.
En. conformational isomer ; conformer [1101]

CONFORTEMENT n.m. 72
bâtiment et travaux publics > aménagement intérieur
Ensemble des travaux de consolidation qui améliorent l'état d'un bâtiment.
En. improvement ; betterment [4050]

CONFUSION DES MÂLES n.f. 77
agronomie > technique culturale
Type de lutte génétique consistant à mystifier les insectes mâles afin de les empêcher de féconder les femelles.
En. male confusion [8320]

CONGÉ-FORMATION n.m. 74
économie > travail (main-d'œuvre)
Autorisation d'absence permettant de suivre un stage de formation pendant les heures de travail.
De. Bildungsurlaub (m.)
En. training leave [3160]

CONGRUENCE n.f. 75
génie biomédical > psychothérapie
Condition de cohérence interne de la relation psychothérapique entre le thérapeute et le patient.
En. congruence ; congruity
Es. congruencia [4051]

CONIFÉRIEN adj. 75
agronomie > production végétale
Relatif aux conifères.
De. Koniferen-.
En. coniferous [6049]

CONJUGATEUR n.m. 76
électronique > électronique industrielle
Bloc électro-magnétique ou électronique qui permet d'asservir en vitesse deux machines électriques et de les faire travailler en régime synchrone.
De. Synchronisator (m.) [7255]

CONNAISSANCE → ethno- — .

CONNECTIQUE n.f. 76
électronique > optique électronique
Technique d'établissement des connexions électroniques.
De. Anschlusstechnik (f.)
En. wiring termination [5636]

CONNEXION ENROULÉE n.f. 73
électrotechnique > circuit d'alimentation électrique
Connexion obtenue par enroulement d'un conducteur massif autour d'une borne ayant des angles vifs.
De. Wickelverbindung (f.)
En. wire-wrap connection ; wire-wrapped connection ; wire-wrapping connection [2631]

CONNEXIONNISME n.m. 76
psychologie > psychophysiologie
En psychologie du comportement, théorie selon laquelle une réponse à une stimulation se fait par connexion directe.
V. connexionniste
En. connectionism
Es. conexionismo [6463]

CONNEXIONNISTE adj. 76
psychologie > psychophysiologie
Se dit d'un type d'apprentissage qui renforce la connexion entre une stimulation et une réponse.
V. connexionnisme
En. connectionist [6464]

CONNIVENCE n.f. 74
information > communication
Procédé utilisé intentionnellement par un locuteur et consistant à se servir d'une forme de langue qui le ferait classer comme appartenant à un groupe autre que le sien si les destinataires ne savaient qu'il n'appartient pas à ce groupe.
V. masquage
De. connivence (U.S.A.) ; connivance (U.K.)
Es. connivencia [5783]

CONROTATOIRE adj. 73
chimie > chimie du solide et du fluide
Se dit de mouvements dans le même sens de rotation de liaison autour d'autres liaisons que l'on doit effectuer pour ouvrir ou fermer un cycle.
V. disrotatoire
En. conrotary [561]

CONSCIENTISANT adj. 77
psychologie > psychophysiologie
Qui favorise une prise de conscience.
V. conscientisateur ; conscientisation ; conscientisé
De. bewußtseinbildend
En. consciousness-raising [8081]

CONSCIENTISATEUR adj. 76
psychologie > psychophysiologie
Qui favorise une prise de conscience.
V. conscientisant ; conscientisation ; conscientisé
De. bewußtseinfördernd
En. consciousness-raising [6975]

CONSCIENTISATION n.f. 74
psychologie > psychophysiologie
Prise de conscience.
V. conscientisant ; conscientisateur ; conscientisé

De. Bewußtseinswerdung (f.)
En. consciousness
Es. concientización [3521]

CONSCIENTISÉ adj. 75
psychologie > psychophysiologie
Rendu conscient.
V. conscientisant ; conscientisateur ; conscientisation
De. bewußt geworden ; ins Bewußtsein gedrungen
Es. concientizado [8743]

CONSEIL D'ENSEIGNEMENT n.m. 75
enseignement
Assemblée composée du chef d'établissement ou du censeur et des professeurs chargés de l'enseignement d'une discipline donnée, décidant de l'emploi des crédits consacrés à cette discipline et du choix des manuels.
En. education council [4968]

CONSEILLER D'ÉDUCATION n.m. 75
environnement et sécurité > surveillance
Surveillant général d'un collège d'enseignement général ou d'un collège d'enseignement technique.
V. conseiller principal d'éducation
En. education counsellor [4969]

CONSEILLER PRINCIPAL D'ÉDUCATION n.m. 75
environnement et sécurité > surveillance
Surveillant général d'un lycée ou collège d'enseignement secondaire.
V. conseiller d'éducation
En. senior education counsellor [4970]

CONSERVATIF adj. 76
propriété > propriété chimique
Se dit des constituants de l'eau de mer dont les rapports à la chlorinité conservent la même valeur dans le temps et dans l'espace.
De. beständig
En. conservative [6605]

CONSERVE SEMI-RIGIDE n.f. 74
CONSERVE SEMIRIGIDE
conditionnement (emballage) > emballage
Denrée alimentaire conservée dans un emballage semi-rigide.
V. conserve souple
De. halbfestverpackte Konserve (f.)
En. semi-rigid package ; semi-rigid packaging
Es. conserva semirrígida [3161]

CONSERVE SOUPLE n.f. 74
conditionnement (emballage) > emballage
Denrée alimentaire conservée dans un emballage souple.
V. conserve semi-rigide
De. Weichpackungskonserve (f.)
EN. flexible package ; flexible packaging [3162]

CONSIGNATEUR DE DONNÉES n.m. 73
informatique > traitement de données (informatique)
Enregistreur automatique.
De. Datenregistriergerät (n.)
En. data logger [4633]

CONSIGNATEUR D'ÉVÉNEMENTS n.m. 77
CONSIGNATEUR D'ÉVÈNEMENTS
informatique > traitement de données (informatique)
Dispositif électronique permettant d'enregistrer les changements d'état d'une installation et notamment les situations anormales nécessitant une intervention.
V. consignateur de données
En. event recorder [7946]

CONSOCIATION n.f. 74
écologie > communauté (écologie)
Unité constitutive des associations comportant une espèce dominante caractéristique.
De. Konsociation (f.)
En. consociation
Es. consocietas [8459]

CONSOLE GRAPHIQUE n.f. 73
informatique > équipement d'entrée-sortie
Unité fonctionnelle contenant les dispositifs qui permettent à l'opérateur de communiquer à un système de traitement de l'information des éléments de représentation graphique (un point, un segment, un axe, etc.) utilisés pour constituer une image.
De. Datensichtgerät (n.)
En. graphic console ; graphics console [1102]

CONSOLIDATION DYNAMIQUE n.f. 77
géotechnique
Procédé qui consiste à utiliser l'énergie cinétique produite par la chute d'une très lourde masse de terre pour compacter un sol.
De. dynamisches Verdichten (n.)
Es. consolidación dinámica [7528]

CONSOMMABLE → poison — .

CONSOMMATEUR PRIMAIRE n.m. 74
écologie > synécologie
Organisme qui se nourrit aux dépens d'organismes autotrophes.
V. consommateur secondaire ; producteur primaire ; producteur secondaire
De. Pflanzenfresser (m.)
En. herbivore ; phytophagan
Es. consumidor primario [2632]

CONSOMMATEUR SECONDAIRE n.m. 74
écologie > synécologie
Organisme qui se nourrit de consommateurs primaires.
V. consommateur primaire ; producteur primaire ; producteur secondaire
De. Fleischfresser (m.)
En. carnivore
Es. consumidor secundario [2633]

CONSOMMATIQUE n.f. 74
économie > marché
Ensemble des études et des recherches en matière de consommation.
V. consommatisme ; consumérisme
Es. consomática [3522]

CONSOMMATISME n.m. 77
économie > marché
Action des consommateurs en vue de faire valoir leurs intérêts.
V. consommatique ; consumérisme
De. Verbraucherschutz (m.)
En. consumerism ; Naderism [8321]

CONSTANTE DE STRUCTURE FINE n.f. 76
physique > physique des particules
Nombre calculable à partir de la charge de l'électron, de la vitesse de la lumière et de la constante de Planck.
De. Feinstrukturkonstante (f.)
En. fine-structure constant
Es. constante de estructura fina [6838]

CONSTANTE SOLAIRE n.f. 74
sciences de l'espace
Éclairement énergétique normal, relatif au rayonnement total du soleil à la distance de 1 ua.
De. Solarkonstante (f.)
En. *solar constant*
Es. constante solar [3697]

CONSTRUCTIBILITÉ n.f. 74
géotechnique
Aptitude d'un terrain à porter des constructions.
De. Bebaubarkeit (f.)
En. constructibility [5369]

CONSTRUCTION → auto- — ; jeu de — .

CONSUMÉRISME n.m. 73
économie > marché
Action des consommateurs, notamment, au moyen d'associa-

tions et organisations, en vue de faire prendre leurs points de vue en considération par les pouvoirs publics et par les professionnels.
V. consommatisme ; consommatique
En. consumerism [3523]

CONTACT → caméra de — ; colle — ; détecteur de — ; tapis- — ; volu- — .

CONTACTEUR DE SURVITESSE n.m. 74
mécanique appliquée > organe de machine
Bouton d'accélération qui permet d'augmenter la vitesse d'une voiture électrique.
De. Beschleunigungsknopf (m.)
En. overspeed contactor [3524]

CONTACT GLISSANT n.m. 77
électrotechnique > circuit d'alimentation électrique
Contact dont l'élément mobile se déplace parallèlement à la surface de contact et qui permet d'alimenter en électricité un engin en mouvement.
De. Schleifkontakt (m.)
En. self-cleaning contact ; sliding contact ; wiping contact [8322]

CONTACT NORMALEMENT FERMÉ n.m 78
électrotechnique > circuit d'alimentation électrique
Contact électrique qui coupe un circuit.
V. contact normalement ouvert
De. Trennkontakt (m.) ; Öffner (m.)
En. normally-closed contact [8744]

CONTACT NORMALEMENT OUVERT n.m. 78
électrotechnique > circuit d'alimentation électrique
Contact électrique qui établit un circuit.
V. contact normalement fermé
De. Arbeitskontakt (m.) ; Schließer (m.)
En. normally-open contact [8745]

CONTEMPORANISTE n.m. 77
histoire
Spécialiste d'histoire contemporaine.
En. modern historian [8613]

CONTENEUR(S) → porte- — ; porte- —s ; roule- — .

CONTENEURISATION n.f. 73
conditionnement (emballage) > emballage
Ensemble des opérations relatives à l'utilisation des conteneurs.
En. containerization [1103]

CONTENEUR SEC n.m. 75
conditionnement (emballage) > emballage
Conteneur destiné au transport des produits solides.
En. dry bulk container
Es. contenedor seco [4052]

CONTEXTUALISATION n.f. 73
linguistique
Fait de placer un mot en contexte pour aider à sa compréhension. [1469]

CONTINENTALISATION n.f. 73
géophysique > climatologie
Acquisition des caractères du climat continental.
De. Kontinentalisierung (f.)
En. continentalization
Es. continentalización [5637]

CONTINU → contrôle — ; débarquement — ; embarquement — ; transport semi- — .

CONTINUE → anode — ; chaudière à marche — ; commande — .

CONTOUR D'OREILLE n.m. 76
génie biomédical >appareillage médical
Prothèse acoustique miniaturisée qui se dissimule derrière l'oreille.
V. lunettes auditives

De. H.d.O. Gerät (n.)
En. behind-the-ear aid ; post-aural aid [6194]

CONTRACTANT → produit — .

CONTRAINTES → déviateur de — .

CONTRASTE → en double — ; visibilité par — .

CONTRASTOMÈTRE n.m. 75
instrumentation > photographie
Appareil permettant d'établir les valeurs des contrastes.
En. contrast meter
Es. contrastómetro [6839]

CONTRE-BRUIT n.m. 75
CONTREBRUIT
environnement et sécurité > isolation acoustique
Bruit alimenté par sources réparties de façon à éliminer un autre bruit.
En. counternoise
Es. anti-ruido [3698]

CONTRE-COLLEUSE n.f. 74
CONTRECOLLEUSE
mécanique appliquée > assemblage
Machine destinée à former un matériau par collage de plusieurs éléments entre eux.
De. Kaschiermaschine (f.)
En. laminator [2634]

CONTRE-EMBALLAGE n.m. 74
conditionnement (emballage) > emballage
Emballage supplémentaire destiné à protéger le contenu d'un emballage primaire placé à l'intérieur de celui-ci.
En. lining
Es. contraembalaje [2346]

CONTRE-ÉTIQUETTE n.f. 73
opération > marquage
Étiquette placée sur une bouteille du côté opposé à celui qui porte l'étiquette du corps.
V. collerette ; cravate ; étiquette de corps
De. Rückenetikett (m.) [1289]

CONTRE-INFORMATION n.f. 75
politique
Information qui s'oppose à l'information officielle.
De. Gegeninformation (f.)
En. counterinformation [5371]

CONTRE-ION n.m. 74
chimie > constitution de la matière
Ion de charge contraire à celle d'ions de référence. [7112]

CONTRE-MESURE n.f. 75
CONTREMESURE
électronique > radiotechnique
Brouillage d'une bande de fréquences, radio ou radar, afin de perturber des communications ou d'éviter des détections radar.
En. jamming [4393]

CONTRE-MOBILITÉ n.f. 77
CONTREMOBILITÉ
économie > travail (main-d'œuvre)
Mobilité dans l'emploi rapprochant l'individu de son milieu de départ. [8323]

CONTRE PIÈCE n.f. 73
CONTREPIÈCE
économie > industrie de transformation des matières plastiques
Élément d'un mécanisme fonctionnant en sens contraire d'un élément donné ou situé systématiquement par rapport à un élément donné.
De. Gegenstück (n.)
En. reverse piece [1290]

CONTRETYPAGE n.m. 74
reprographie
Établissement d'une copie d'un phototype positif ou négatif de même polarité que ce phototype.
Es. contratipado [5500]

CONTRÔLE → armoire de — ; bus de — ; chambre de — .

CONTRÔLÉ → chargement flottant — .

CONTRÔLE CONTINU n.m. 74
environnement et sécurité > lutte contre la pollution
Mesure permanente ou régulière d'un phénomène.
En. monitoring [1470]

CONTRÔLE D'ATTITUDE n.m. 74
télécommunications > communication spatiale
Opération qui consiste à maintenir perpétuellement le rayonnement des antennes d'un satellite en direction de la terre.
De. Lageregelung (f.)
En. attitude control [3163]

CONTRÔLEUR n.m. 75
informatique > traitement de données (informatique)
Unité de calcul utilisée pour la saisie intensive de données en milieu centralisé, dotée de sa propre mémoire à disques et d'une unité de minidisques et permettant d'effectuer l'enregistrement, la vérification et la recherche de données.
En. controller
Es. controlador [5784]

CONTRÔLOGRAPHE n.m. 73
instrumentation > essai et contrôle
Appareil de contrôle permettant d'enregistrer un certain nombre de données propres à un véhicule et à son conducteur (vitesse instantanée, temps de conduite, ...).
En. running recorder [1650]

CONVECTEUR → éjecto - — .

CONVENTIONNALISME n.m. 74
linguistique
Conception selon laquelle le langage serait fondé sur une convention implicite entre les membres de la collectivité.
De. Konventionalismus (m.)
En. conventionalism
Es. convencionalismo [4395]

CONVERGENCE n.f. 75
physiologie > neurophysiologie
Opération intellectuelle consistant à réduire à une seule, les réponses possibles à un problème donné.
V. divergence
De. Konvergenz (f.)
En. convergence
Es. convergencia [4214]

CONVERGENT → quatuor — ; trafic — ; trafic divergent - — .

CONVERSATIONNEL n.m. 74
informatique > système opératoire
Périphérique permettant de dialoguer avec un ordinateur central ou d'autres périphériques.
De. Dialoggerät (n.)
En. conversational terminal
Es. conversacional [3875]

CONVERSATIONNEL adj. 75
information > communication
Se dit d'un discours qui relève de la communication familière, courante.
De. familiäres
En. coloquial ; conversational
Es. coloquial (discurso) [4255]

CONVIVIAL adj. 75
sociologie
Propre à la convivialité.
V. convivialité [5259]

CONVIVIALITÉ n.f. 74
sociologie
Type de relations entre personnes fondé sur la réciprocité et la solidarité.
V. convivial
En. *gregariousness ; togetherness* [1651]

CONVOLUEUR n.m. 76
instrumentation > équipement optique
Appareil permettant d'obtenir le produit de convolution de deux grandeurs analogiques.
V. ambigüimètre
Es. *convolucionador* [7399]

CONVOLUTEUR n.m. 76
électronique > radiotechnique
Dispositif qui réalise la convolution de deux signaux électriques.
V. déconvolué ; déconvolution
En. *convolutor*
Es. *convolucionador* [8746]

COORDINOGRAPHE n.m. 77
automatisme > équipement automatique
Appareil qui permet l'enregistrement des coordonnées d'un point quelconque d'un graphique, d'une courbe, d'un dessin ou d'une photographie.
De. *Koordinatograph (m.)*
Es. *coordinógrafo* [8747]

COPIE → table — directe.

COPIEUR n.m. 74
reprographie
Machine qui effectue des copies.
De. *Kopiergerät (n.)*
En. *copying machine ; duplicating machine ; duplicator*
Es. *copiadora* [3876]

COPOLYMÈRE ANIONIQUE n.m. 74
chimie > composé chimique
Copolymère obtenu par l'intermédiaire de l'anion.
V. copolymère cationique
De. *anionische Kopolymere (n. pl.)*
En. *anionic copolymer*
Es. *copolímero aniónico* [2468]

COPOLYMÈRE BLOC n.m. 73
COPOLYMÈRE-BLOC
chimie > composé chimique
Copolymère formé par association de segments de polymères de deux monomères différents.
V. copolymère séquencé ; copolymère greffé
De. *Blockkopolymere (n. pl.)*
En. *block copolymer* [1104]

COPOLYMÈRE CATIONIQUE n.m. 74
chimie > composé chimique
Copolymère obtenu par l'intermédiaire du cation.
V. copolymère anionique
De. *kationische Kopolymere (n. pl.)*
En. *cationic copolymer*
Es. *copolímero catiónico* [2469]

COPOLYMÈRE GREFFÉ n.m. 73
chimie > composé chimique
Copolymère formé par un polymère d'un monomère A auquel se rattachent des chaînons latéraux de polymère d'un monomère B.
V. copolymère bloc
De. *Pfropfkopolymere (n. pl.)*
En. *graft copolymer* [1105]

COPOLYMÈRE SÉQUENCÉ n.m. 73
chimie > composé chimique
Copolymère formé par association de segments de polymères de deux monomères différents.
V. copolymère bloc
De. *Blockpolymer (n.)* [2008]

COPRÉSENCE n.f. 76
psychologie > psychophysiologie
Situation d'interaction sociale dans laquelle un individu exécute une activité en présence d'un observateur.
En. *observer-actor situation* [6195]

COPTISATION n.f. 76
politique
Passage sous le contrôle des autorités coptes.
De. *Koptisierung (f.)*
En. *coptization*
Es. *coptización* [6323]

COPY-TEST n.m. 77
économie > promotion des ventes
Procédé d'investigation destiné à s'assurer de la compréhension, de la valeur d'attention et de mémorisation, de la crédibilité et de l'intérêt d'un message publicitaire.
En. *copy-test* [8460]

COQUILLE n.f. 75
mécanique appliquée > organe de machine
Partie mobile, généralement dentée, de l'organe de préhension d'une pelle mécanique.
De. *Schale (f.)*
En. *jaw ; shell* [4507]

COQUILLE n.f. 75
sciences de l'espace
Enveloppe sphérique formée de poussière entourant le soleil.
En. *shell* [6606]

COQUILLE MAGNÉTIQUE n.f. 77
géophysique > physique du globe
Surface sphérique entourant la Terre et sur laquelle se déplacent les particules piégées sous l'effet des mouvements de rebond et de dérive.
En. *magnetic shell*
Es. *envoltura magnética* [6607]

COQUILLE NIDAMENTAIRE n.f. 74
organisme vivant > animal
Coquille de mollusque secrétée par la femelle qui l'abandonne après y avoir déposé sa ponte.
En. *nidamental shell* [2989]

CORAIL → barrière de — .

CORBEILLAGE n.m. 74
anatomie > anatomie animale
Aspect des vaisseaux d'un viscère qui, écartés par le développement d'une tumeur, se déposent en corbeille. [2183]

CORBUSÉRIEN adj. 70
arts > architecture
Propre à Le Corbusier.
De. *Corbusier-* [4798]

CORNET POLAIRE n.m. 75
géophysique > physique du globe
Zone de pénétration, de forme évasée, du plasma solaire dans la magnétosphère.
En. *dayside cleft ; magnetospheric dayside cusp ; polar cusp* [6608]

CORNEUSE n.f. 74
conditionnement (emballage) > emballage
Machine destinée à poser les fonds sur des cadres d'emballages à fruits. [3526]

CORNIFICATION SUPERFICIELLE n.f. 74
technologie des matériaux > fabrication des pâtes à papier
Resolidification des substances ramollies sur la surface des

fibres de la pâte à papier.
En. superficial cornification [3164]

CORNIFORME n.m. 76
arts > arts graphiques
Représentation iconographique symbolique des cornes de bovins. [7113]

COROLLE n.f. 74
économie > activité commerciale
Type de présentoir en forme de cône creux.
V. barque de vente ; bergerie ; îlot de vente ; mur de produits ; pont de produits ; prolongateur de rayon
De. sektorformige Warenauslage (f.) [3877]

CORPOCOMPTEUR n.m. 74
génie biomédical > appareillage médical
Appareil servant à mesurer la radioactivité d'un organisme entier.
En. total body counter ; whole-body counter ; whole-body gamma spectrometer [2635]

CORPS → étiquette de — .

CORPS GRIS n.m. 76
physique > corps noir
Radiateur thermique dont l'émissivité spectrale est indépendante de la longueur d'onde et est inférieure à 1. [7114]

CORPS MINÉRALISÉ n.m. 74
géologie > gîtologie
Gisement métallifère de dimensions linéaires horizontales inférieures à 1 km.
V. aire ; champ ; district ; province
En. mineralized body [3527]

CORRECTIF → minerai — .

CORRECTION EN LIGNE n.f. 73
informatique > traitement de données (informatique)
Réaction d'un lecteur optique qui s'arrête de lui-même pour identification par l'opérateur d'un caractère mal formé.
V. rejet simple ; réservation
En. in-line correction
Es. corrección en línea [2636]

CORRECTION MONÉTAIRE n.f. 73
gestion, organisation, administration > politique économique
Technique d'indexation systématique des rapports économiques qui lient entre eux les individus, les sociétés et l'État en vue de réduire les distorsions et les déséquilibres provoqués par l'inflation.
De. Währungsausgleich (m.) [2009]

CORRÉLATION → analyse de — .

CORRESPONDANT → professeur — .

CORROYEUSE n.f. 78
mécanique appliquée > machine-outil
Machine qui sert à dégrossir du bois. [8087]

CORSISATION n.f. 75
politique
Passage sous le contrôle de responsables corses.
De. Korsikanisierung (f.)
En. corsican controlling [4971]

CORTÈGE OPHIOLITHIQUE n.m. 77
géologie > structure géologique
Association de roches constituée de sédiments, de laves et d'ophiolites.
En. ophiolitic suite [8616]

CORTICALE → couche — .

CORVICIDE n.m. 76
matériau > pesticide
Substance ou préparation qui provoque la mort des corvidés nuisibles aux cultures.
V. corvifuge
De. Rabengift (n.)
En. corvicide
Es. corvicida [5372]

CORVIFUGE adj. 73
matériau > pesticide
Répulsif à l'égard des corvidés.
En. crow repellent [933]

COSMÉTOPHARMACIE n.f. 77
pharmacologie > activité pharmacologique
Étude des produits relevant à la fois de la cosmétologie et de la pharmacie.
De. kosmetische Pharmazie (f.) [8324]

COSMIQUE → horloge — .

COSMOFIRME n.f. 73
gestion, organisation, administration > relations entre groupes
Firme multinationale exerçant son activité dans de nombreux pays.
De. Weltunternehmung (f.) [1652]

COSMOGARE n.f. 73
instrumentation > équipement aérospatial
Station orbitale destinée à assurer les fonctions de gare pour les expéditions planétaires.
De. Weltraumbahnhof (n.)
En. space station [407]

COSMOPORT n.m. 77
instrumentation > équipement aérospatial
Station orbitale destinée à entreposer les véhicules de l'espace.
De. Baumstation (f.) ; Weltraumstation (f.) [7400]

COSSE-ARCEAU n.f. 74
bâtiment et travaux publics > structure mécanique
Gaine en métal ou en plastique sertie sur la bouche du câble d'une élingue destinée à en protéger l'arrondi et à laisser souples les branches inférieures.
En. heart-shaped thimble [1653]

COSSETTE n.f. 75
économie > industrie agricole alimentaire
Fraction de caillé découpée en forme parallélépipédique allongée et servant à la fabrication du cheddar.
De. Würpel (m.)
En. curd grain ; curd granule [4634]

COSTIÈRE n.f. 75
agronomie > technique culturale
Plate-bande adossée à un mur, une palissade ou une haie.
En. sloping bed
Es. arriate [4055]

COTATION n.f. 74
économie > marché financier
Cotation de la base de la barre d'or sur le marché.
De. Notierung (f.)
En. fixing
Es. cotización [3528]

COTHÉRAPEUTE n. 75
génie biomédical > psychothérapie
L'un des sexothérapeutes d'un couple traitant des patients atteints de dysfonctionnements sexuels.
V. cothérapie ; sexothérapeute ; sexothérapie [4257]

COTHÉRAPIE n.f. 75
génie biomédical > psychothérapie
Traitement des dysfonctionnements sexuels pratiqué par un couple de sexothérapeutes.
V. cothérapeute ; sexothérapeute ; sexothérapie [4258]

CO-TRAITANCE n.f. 77
COTRAITANCE
économie > travail (main-d'œuvre)
Exécution par un artisan ou par un industriel en collaboration avec un autre artisan ou un autre industriel d'un travail demandé par un tiers. [8748]

COUCHAGE → sauce de — .

COUCHE → papier support de — .

COUCHÉ n.m. 74
matériau > matériau de revêtement
Revêtement à base de résines d'un récipient métallique.
En. coating [2185]

COUCHE BLANCHE n.f. 74
mécanique appliquée > enlèvement de matière
Couche de métal resolidifié qui constitue l'une des quatre couches d'une pièce de métal usinée par étincelage.
De. weiße Schicht (f.)
En. whitening [4799]

COUCHE CORTICALE n.f. 74
mécanique appliquée > usinage
Couche à gros grains de métal grossièrement recristallisé se formant sous certaines conditions à la surface de pièces au cours de l'usinage.
De. Kortikalschicht (f.)
Es. capa cortical [3349]

COUCHE DE JUNGE n.f. 77
géophysique > géosphère
Couche d'aérosols de plusieurs kilomètres d'épaisseur située dans la stratosphère à une altitude d'environ 20 km.
De. Junge-Schicht (f.)
En. stratospheric aerosol layer [8325]

COUCHÉE → piste pré- — .

COUCHE ÉPAISSE n.f. 76
électronique > composant électronique
Revêtement de composant d'épaisseur supérieure à 10 microns.
De. Dickfilm (m.)
En. thick-film resistor ; thick-film [6324]

COUCHE MÉLANGÉE n.f. 73
géophysique > hydrogéologie
Couche d'eau océanique d'une épaisseur de l'ordre de 100 m au sein de laquelle les mélanges sont faciles.
En. mixed layer [1471]

COUDE PORTE-VENT n.m. 74
technologie des matériaux > équipement industrie transformation
Tuyère en forme de coude qui amène l'air dans un haut-fourneau.
De. Kniestück (n.)
En. gooseneck [3350]

COUDEUSE n.f. 74
bâtiment et travaux publics > matériel de chantier
Appareil utilisé dans l'industrie du bâtiment pour plier ou couder les barres de fer, tuyaux métalliques, etc.
De. Biegemaschine (f.)
En. bending machine [4259]

COUDIÈRE n.f. 78
environnement et sécurité > protection
Partie d'un équipement sportif protégeant l'articulation du coude.
De. Elbogenschutz (m.)
En. elbow pad [9294]

COULANT → absorbant — .

COULE FRAÎCHE n.f. 74
matériau > produit alimentaire
Ovoproduit se présentant sous la forme de liquide réfrigéré.
V. ovoproduit [2347]

COULEUR n.f. 75
physique > physique mathématique
Nombre quantique introduit pour expliquer une anomalie du modèle des quarks.
V. charme
En. color (U.S.A.) ; colour (U.K.)
Es. color [4215]

COULEUR → fausse — .

COULOIR ROULANT n.m. 74
exploitation des ressources minérales
Système de transport de matériaux constitué d'une rame d'éléments métalliques en forme de gouttière, reliés entre eux par des joints souples et roulant sur une voie ferrée en circuit fermé. [2010]

COUP → bouteille anti- — de liquide ; robinet — de poing.

COUP DE CANON n.m. 75
économie > industrie de transformation des matières plastiques
Procédé d'injection à très grande vitesse de tout le volume de matière plastifiée nécessaire à l'obtention d'une pièce.
De. Kanonenschußverfahren (n.)
En. gun injection shot
Es. cañonazo [4800]

COUP DE CUILLER n.m. 75
physique > mécanique
Fracture profonde d'un matériau due à un cisaillement supérieur à une valeur donnée s'exerçant dans un plan coïncidant avec une moindre résistance d'un matériau hétérogène.
En. scoop of spoon [4801]

COUP D'ONGLE n.m. 77
géologie > modification superficielle
Petite excavation concave en forme de croissant à dénivelée généralement décimétrique creusée sur une pente par l'érosion. [8326]

COUPÉ-COUSU n.m. 74
vie quotidienne > vêtement
Article confectionné à partir de morceaux découpés dans des pièces de tricot (ou de tissu) de largeur normalisée. [3351]

COUPE D'ABRI n.f. 78
foresterie
Coupe modifiant le couvert d'un peuplement pour favoriser les plantations ou semis en sous-étage.
De. Schirmhieb (m.)
En. shelter woodcutting ; shelter wood-felling [9295]

COUPE-SOUDURE n.f. 75
mécanique appliquée > découpage-découpe
Opération qui effectue simultanément la coupe et la soudure d'un film plastique d'emballage en vue de réaliser le banderolage de produits groupés.
V. guillotine de soudure
De. kombiniertes Abschneiden/Verschließen
En. cut-and-peal [4973]

COUPE SUR L'ÉCHO n.f. 76
arts > photographie
Type de chevauchement cinématographique qui s'effectue à la fin du dernier mot ou du dernier accord musical et garde la résonance du son entendu au début du plan suivant.
En. echo fade-in [5638]

COUPLAGE AÉRO-ÉLASTIQUE n.m. 77
COUPLAGE AÉROÉLASTIQUE
physique > mécanique
Phénomène de résonance entre les fréquences propres de déformation des structures et les variations d'efforts aérodynamiques induites par ces déformations alternées.
De. Flattern (n.)
En. flutter
Es. acoplamiento aero elástico [7815]

COUPLE n.m. 76
instrumentation > photographie
Ensemble de deux clichés photographiés d'un même objet pris
de deux points de vue différents.
De. Aar (n.)
En. pair [6051]

COUPLEMÈTRE n.m. 74
instrumentation > mesure mécanique
Dynamomètre destiné à mesurer le couple moteur sur une
maquette de soufflerie.
De. Drehmomentmesser (m.)
En. torquemeter [2992]

COUPLEUR n.m. 73
informatique > organe de transmission de données
Élément logique au niveau d'une interface d'un système
informatique, permettant de transformer un code en un autre
accessible à l'ordinateur central.
En. coupler
Es. acoplador [3352]

COUPONNAGE n.m. 72
économie > promotion des ventes
Opération qui consiste à distribuer des coupons par courrier
ou à domicile, par annonce de presse ou au point de vente.
De. Ausgabe (f.) von Warenkupons
En. coupon distribution ; distribution of coupons [4974]

COUPS D'ACCORDÉON n.m.pl. 76
gestion, organisation, administration > politique économique
Alternative brutale de mesures destinées à provoquer tantôt le
freinage, tantôt l'accélération de l'activité économique.
De. Stop and Go (n.)
En. stop-go [5786]

COUPURE DE CIRCUIT (à—) adj. 78
mécanique des fluides appliquée
Se dit d'une vanne normalement ouverte ; ou d'un contact
normalement fermé.
V. vanne normalement ouverte ; contact normalement fermé ;
établissement de circuit (à —)
De. Trenn-
En. circuit-opening ; shut off [8749]

COUPURE VERTE n.f. 75
gestion, organisation, administration > aménagement du
territoire
Surface couverte de végétation, créée ou conservée afin de
séparer deux zones urbaines.
De. Grünzone (f.)
En. green belt
Es. zona verde [4802]

COURANT(S) → interaction à —s neutres ; tuile de — .

COURANT-JET n.m. 73
géophysique > météorologie
Courant atmosphérique horizontal rapide, de forme tubulaire
aplatie, voisin de la topophère.
De. Strahlströmung (f.)
En. jet-stream ; jet stream [3353]

COURANT MAGELLANIQUE n.m. 78
sciences de l'espace
Ensemble de nuages de gaz intergalactique reliant la galaxie
terrestre aux deux galaxies voisines (Les Nuages de Magellan).
En. Magellanic stream
Es. corriente magallánica [9014]

COURANTOMÉTRIE n.f. 72
géophysique > hydrographie
Mesure des courants.
V. courantométrique
De. Strömungsmessung (f.)
En. current measurement [411]

COURANTOMÉTRIQUE adj. 77
géophysique > hydrographie
Propre à la courantométrie.
V. courantométrie
De. Strömungs- ; Strömungsmeß-
En. current measuring ; current-meter [8750]

COURONNE n.f. 75
technologie des matériaux > métallurgie extractive
Formation constituée par le métal figé au-dessus de la zone de
fusion.
V. carotte
De. Gußkranz (m.)
En. nim ; crown
Es. corona [4216]

COURONNE → bouchon — ; composé — .

COURRIER → monte - — .

COURRIER ÉLECTRONIQUE n.m. 77
télécommunications > télédistribution
Courrier dont l'acheminement se fait exclusivement par l'utilisation de systèmes électroniques reliés par des lignes téléphoniques (télécopieur, télétexte, téléinformatique domestique,
etc.).
V. téléposte
En. electronic mail [9153]

COUSSIN → gaz — .

COUSSINET (en —) adj. 74
physique > optique
Se dit de la déformation vers le centre de l'image des droites
d'un quadrillage régulier observées dans une lentille diaphrag-
mée.
De. kissenförmig [3712]

COUSSIN MAGNÉTIQUE n.m. 75
physique > magnétisme
Champ magnétique intense développé à la base d'un mobile et
dans lequel la direction des forces est telle qu'il sert de
suspension au mobile.
De. tragendes Magnetfeld (n.)
En. magnetic cushion
Es. colchón magnético [5260]

COUSSINS (en —) adj. 77
géologie > roche
Se dit de lave en forme d'oreillers due à une venue volcanique
subaquatique.
De. Kissen-
En. pillow
Es. aborregado [8617]

COUSU → coupé - — .

COÛT D'OPPORTUNITÉ n.m. 75
économie > sciences économiques
Différence entre les évaluations du coût de la solution mise en
œuvre et celui d'autres solutions plus ou moins économiques.
De. Opportunitätskosten (f.)
En. advisability cost ; expediency cost [4508]

COUTURE → prêt-à - — .

COUVERTURE n.f. 77
économie > promotion des ventes
Nombre de personnes touchées par un support ou une
combinaison de supports, chacune d'entre elles n'étant alors
comptée qu'une seule fois. [8461]

COUVERTURE → zone de — .

CRACHE-PLONGEUR adj. 74
mécanique appliquée > véhicule
Se dit d'un véhicule sous-marin équipé pour la sortie et la
rentrée des plongeurs.
De. Faucher-Transport-Uboot (n.) [6736]

CRANIOMÉTRIQUE adj. 78
anatomie > anatomie animale
Relatif à la mensuration du crâne humain.
De. kraniometrisch
En. craniometric [8870]

CRATONIQUE adj. 74
géophysique > géomorphologie
Se dit de parties anciennement consolidées de la lithosphère
(cratons).
En. cratonal ; cratonic [2012]

CRATONISATION n.f. 74
géophysique > géomorphologie
Processus de formation de cratons.
De. Kratonbildung (f.)
En. cratonization
Es. cratonización [7669]

CRAVATE n.f. 74
opération > marquage
Étiquette étroite placée autour du col d'une bouteille et se
terminant par un motif élargi au-dessus de l'étiquette de corps.
V. collerette ; contre-étiquette ; étiquette de corps
De. Halsetikett (n.)
En. upper label [4217]

CRAYEUX adj. 76
agronomie > production végétale
Se dit d'un grain de riz opaque.
De. kreidig
En. chalky [5639]

CRAYON → fer — .

CRAYON À SOUDER n.m. 76
électronique > microélectronique
Fer à souder dont les dimensions et le mode de préhension
rappellent un crayon et dont l'extrémité chauffante très fine
permet la soudure.
V. fer crayon
De. Lötstift (m.)
En. pencil iron [8327]

CRÉDIT CROISÉ n.m. 74
économie > crédit
Troc portant sur des monnaies différentes et effectué entre
banques, par un jeu croisé d'écritures, avec accord préalable et
clause à réméré.
De. Swap (m.)
En. swap [2013]

CRÉDIT FACE À FACE n.m. 73
économie > crédit
Opération dans laquelle le banquier devient courtier et se
contente de mettre en présence prêteur et emprunteur.
De. vermittelter Kredit (m.) [2186]

CRÉMAILLÈRE n.f. 74
économie > monnaie
Régime dans lequel les parités de change sont susceptibles
d'être révisées par une succession de modifications de faible
amplitude. [1472]

CRÈME DE VASE n.f. 77
géophysique > hydrogéologie
Dans les estuaires, concentration turbide au voisinage du fond.
V. bouchon vaseux [6196]

CRÉNEAU n.m. 73
économie > promotion des ventes
Secteur de marché d'un produit ou d'un service répondant à
une attente du public actuellement non ou insuffisamment
exploité.
De. Lücke (f.)
En. slot ; niche [412]

CRÉNEAU n.m. 73
mathématiques
Suite de valeurs booléennes (0 ou 1) comportant un ensemble

fini et un seul de « 1 » tous consécutifs.
V. échelon [2187]

CRÉNEAUX → bruit en — .

CRÉNOLOGIE n.f. 74
géophysique > hydrogéologie
Etude des eaux de sources.
V. phréatologie
De. Krenologie (f.)
Es. crenología [3700]

CRÉOLISATION n.f. 75
linguistique
Ensemble des modifications que subit une langue qui devient
langue première de certaines communautés.
V. décréolisation ; pidginisation
De. Kreolisierung (f.)
En. creolization [4635]

CRÉOLISME n.m. 74
linguistique
Expression propre aux parlers créoles.
V. créoliste
De. Kreolismus (m.)
En. creolism [2820]

CRÉOLISTE n.m./f. 74
linguistique
Spécialiste des parlers créoles.
V. décréolisation ; créolisme
De. Kreolist (m.)
En. creolist [4396]

CRÉOLITÉ n.f. 76
sociologie
Caractère de ce qui est créole.
V. alsacianité ; antillanité ; arabité ; catalanité ; foulanité ;
indianité ; lusitanité [8083]

CRÉOLOGRAPHIQUE adj. 76
linguistique
Relatif à la forme écrite du créole.
De. kreolographisch [8219]

CRÉOLOPHONE adj. 75
linguistique
Qui parle une langue créole.
V. créolophonie
En. creolophone [4976]

CRÉOLOPHONIE n.f. 76
linguistique
Ensemble des communautés qui parlent des langues créoles.
V. créolophone
De. Kreolophonie (f.)
Es. creolofonía [7531]

CRÊPÉE → feuille — .

CRÉPUSCULAIRE → interrupteur — .

CREUX n.m. 72
mécanique appliquée > organe de machine (transmission)
Distance radiale entre le cylindre de pied et le cylindre de
référence d'une vis cylindrique.
V. creux de fonctionnement ; creux de référence
De. Fußhöhe (f.)
En. dedendum [413]

CREUX → cône — ; profil — .

CREUX DE FONCTIONNEMENT n.m. 72
mécanique appliquée > organe de machine (transmission)
Demi-différence entre le diamètre de fonctionnement et le
diamètre de pied (d'une roue à vis cylindrique).
V. creux ; creux de référence
En. working dedendum [414]

CREUX DE RÉFÉRENCE n.m. 72
mécanique appliquée > organe de machine (transmission)
Demi-différence entre le diamètre de référence et le diamètre
de pied d'une roue à vis cylindrique.
V. creux ; creux de fonctionnement
En. reference dedendum [415]

CRI PRIMAL n.m. 76
génie biomédical > psychothérapie
Cri libérateur poussé dans le cadre d'une thérapie mise au
point par A. Janov.
V. thérapie primale
De. Urschrei (m.)
En. primal cry [5640]

CRIQUAGE n.m. 74
économie > industrie de transformation des matières plastiques
Formation de fentes à la surface d'un matériau due à la
séparation entre grains sous l'effet de contraintes anormales.
De. Rißbildung (f.)
En. cracking ; flawing ; formation of a crack [1814]

CRISE DE DÉCOUVERT n.f. 77
agronomie > ensemble végétal
Crise de développement de certaines essences provoquée par
enlèvement brusque du couvert.
En. exposure stock [8871]

CRISTAL ANTISTATIQUE n.m. 75
matériau > polymère (matériau)
Matière plastique transparente et brillante traitée pour être
insensible aux phénomènes électriques.
De. antistatisches Kunstglas (n.)
En. antistatic crystal
Es. cristal antiestático [4803]

CRISTALLIN → pont —.

CRISTAL LIQUIDE n.m. 73
physique > physique du solide et du fluide
Liquide anisotrope biréfringent naturellement dans certains
intervalles de température.
De. flüssiger Kristall (m.)
En. liquid crystal [1108]

CRISTALLOCHIMISTE n.m.f. 77
chimie > chimie du solide et du fluide
Spécialiste de l'étude des relations entre la structure interne
d'un corps et ses propriétés physiques et chimiques.
De. Kristallchemiker (m.)
En. crystal chemist
Es. cristaloquímico [8084]

CRISTAUX MIXTES n.m. pl. 73
physique > physique du solide et du fluide
Molécules dont la maille cristalline renferme deux ou plusieurs
atomes de métaux ou métalloïdes différents.
De. Mischkristalle (m.)
En. mixed crystals [1293]

CRISTIFORME adj. 74
anatomie > anatomie animale
En forme de crête.
En. crestlike
Es. crestiforme [3879]

CRITICITÉ n.f. 73
énergie (technologie) > énergie nucléaire
État d'un milieu ou d'un système (critique), dans lequel se
développe et s'entretient une réaction nucléaire en chaîne.
De. kritischer Zustand (m.) ; Kritizität (m.)
En. criticality [73]

CRITICITÉ → sûreté- — .

CRITIQUE → indice — d'oxygène.

CROCHET-PESEUR n.m. 74
instrumentation > mesure de masse
Dispositif s'adaptant à tous les engins de levage et servant à
peser la charge levée.
De. Wiegehaken (m.)
En. weighing-hook [2995]

CROCIDOLITE n.f. 73
matériau > matériau d'origine minérale
Amiante bleue du Cap contenant du sodium et du fer.
De. Krokydolith (m.)
En. crocidolite [2015]

CROISÉ → crédit — ; tri — .

CROISÉE → aphasie — ; pointe — .

CROQUAGE n.m. 75
technologie des matériaux > formage
Opération de cintrage des tôles qui consiste, à la fin du
roulage, à supprimer les plats qui subsistent à l'aide de
rouleaux-croqueurs.
V. rouleau croqueur
En. pinching [7670]

CROQUEUR → rouleau — .

CROÛTAGE n.m. 77
opération > séchage
Défaut de séchage d'un produit qui forme une croûte sur la
paroi du sécheur.
De. Verkrusten (n.) [7947]

CROÛTE n.f. 73
chimie > électrochimie
Mélange d'alumine et de cryolite refroidi formant une couche
solide à la surface d'une cuve d'électrolyse d'alumine.
De. Kruste (f.)
En. crust [3354]

CRUE → farine — .

CRUSTAL adj. 74
géologie > roche
Propre à la croûte (terrestre).
V. mantélique
De. Krusten- ; krustal
En. crustal
Es. cortical [3701]

CRYOALTERNATEUR n.m. 76
énergie (technologie) > énergétique
Générateur de courant alternatif dont les bobinages sont
portés à une très basse température.
De. Kryogenerator (m.)
En. cryo-alternator
Es. crioalternador [5641]

CRYOBIOLOGIE n.f. 76
action sur l'environnement > échange de chaleur
Étude des techniques de conservation des organes, des
substances biologiques aux très basses températures.
De. Kältebiologie (f.) ; Kryobiologie (f.)
En. cryobiology
Es. criobiología [5910]

CRYOBROYAGE n.m. 75
opération > broyage
Méthode de broyage de produits soumis à un traitement aux
basses températures.
V. broyage cryogénique
De. Tiefsttemperaturzerkleinerung (f.)
En. cryogenic grinding ; cryogrinding
Es. criomolido [6842]

CRYOCÂBLE n.m. 74
électrotechnique > circuit d'alimentation électrique
Câble électrique qui, maintenu à basse température par un
fluide de réfrigération et isolé thermiquement du milieu
ambiant, peut atteindre des puissances élevées.

De. kryogenes Kabel (n.) ; Kryokabel (n.)
En. cryocable
Es. criocable [3529]

CRYOCINTRAGE n.m. 74
technologie des matériaux > formage
Procédé qui consiste à congeler très rapidement de l'eau introduite à l'intérieur des tubes, avant l'opération de cintrage proprement dite.
En. cryo-bending
Es. criocimbreo [2348]

CRYOCLASTIQUE adj. 73
physique > mécanique
Relatif à la fragmentation des roches sous l'effet des alternances du gel et du dégel de l'eau contenue dans leurs fissures (cryoclastie).
En. cryoclastic
Es. crioclástico [6976]

CRYOCONCASSAGE n.m. 75
opération > broyage
Méthode de concassage de produits soumis à un traitement aux basses températures.
En. cryogenic crushing ; cryocrushing
Es. criotrituración [6843]

CRYOCRISTALLOGRAPHIE n.f. 76
chimie > chimie du solide et du fluide
Étude du comportement des cristaux aux basses températures.
En. cryocrystallography ; low-temperature crystallography
Es. criocristalografía [6977]

CRYODE n.f. 75
génie biomédical > appareillage médical
Partie active d'un appareil de cryothérapie ou de cryochirurgie.
En. cryode ; cryoextractor ; cryostylet ; cryostylette [5503]

CRYODÉCAPAGE n.m. 75
bâtiment et travaux publics > traitement de surface
Décapage obtenu à l'aide des techniques qui utilisent les très basses températures.
En. freeze-etching ; freeze etching
Es. criodecapado [5504]

CRYO-ÉBARBAGE n.m. 73
CRYOÉBARBAGE
mécanique appliquée > finissage
Technique d'ébarbage à la température de l'azote liquide qui permet de fragiliser les bavures d'une pièce moulée et de les casser plus facilement.
De. Kryoabgraten (n.)
En. cold trimming ; cryotrimming [937]

CRYOÉLECTRICITÉ n.f. 74
énergie (technologie) > énergétique
Partie de l'électricité qui étudie les propriétés spéciales des corps conducteurs portés à une très basse température.
V. cryoélectrique
De. Kryoelektrizität (f.) ; Tieftemperaturelektrizität (f.)
En. cryoelectricity ; cryogenic electricity [8751]

CRYOÉLECTRIQUE adj. 73
énergie (technologie) > énergétique
Relatif à la cryoélectricité.
V. cryoélectricité
En. cryoelectric
Es. crioeléctrico [6737]

CRYOENZYMOLOGIE n.f. 76
biochimie
Étude du comportement des enzymes aux basses températures.
En. cryoenzymology ; low-temperature enzymology
Es. crioencimología [6978]

CRYOFIXATION n.f. 74
action sur l'environnement > échange de chaleur
Utilisation des procédés cryogéniques pour fixer la morphologie et la structure des organismes vivants.

De. Kältefixierung (f.)
Es. criofijación [7401]

CRYOGÉNÉRATEUR n.m. 74
action sur l'environnement > échange de chaleur
Appareil produisant du froid aux très basses températures.
De. Kryogenerator (m.)
En. cryogenerator ; gas cooling machine ; gas refrigerating system
Es. criogenerador [2996]

CRYOGÉNIQUE > broyage — .

CRYOGÉNISATION n.f. 74
action sur l'environnement > échange de chaleur
Conservation aux très basses températures.
De. Einfrieren (n.)
En. cryonics ; freezing process
Es. criogenización [6738]

CRYOGÉNISTE n.m. 72
action sur l'environnement > échange de chaleur
Spécialiste de l'utilisation des très basses températures.
V. cryogénérateur
De. Kältetechniker (m.)
En. cryogenist [63]

CRYOKARST n.m. 77
géophysique > hydrogéologie
Modèle rappelant celui du karst et caractérisé par des creux d'effondrements dûs à la fusion de masses de glace fossile.
De. Kryokarst (m.)
En. cryokarst [7116]

CRYOLIAISON n.f. 73
physique > électricité
Liaison électrique dans laquelle les conducteurs sont maintenus à très basse température.
En. cryoconnection ; cryolink [6739]

CRYONÉCROSE n.f. 76
pathologie animale > pathologie tumorale
Nécrose de tissus par application ou projection de fluide cryogénique.
En. cryonecrosis
Es. crionecrosis [6844]

CRYOPROTECTEUR n.m. 76
propriété > propriété physico-chimique
Substance qui préserve certains tissus ou organes conservés à de basses températures.
En. cryoprotectant [6053]

CRYOPULVINECTOMIE n.f. 73
génie biomédical > chirurgie
Ablation ou destruction partielle du pulvinar pratiquée aux basses températures.
De. Cryopulvinektomie (f.) [1294]

CRYOSPHÈRE n.f. 73
géophysique > glaciologie
Couverture de neige et glaces de notre globe.
De. Kryosphäre (f.)
En. cryosphere [1295]

CRYOTECHNIQUE n.f. 76
action sur l'environnement > échange de chaleur
Technique produisant et utilisant les très basses températures.
De. Kältetechnik (f.)
Es. criotécnica [6845]

CRYO-TEMPÉRATURE n.f. 74
CRYOTEMPÉRATURE
physique > thermodynamique
Basse température inférieure à — 135 °C.
De. Tieftemperatur (f.)
En. cryogenic temperature [5911]

CRYO-ULTRAMICROTOMIE n.f. 76
génie biomédical > culture de cellule et de tissu
Technique qui permet d'obtenir des coupes fines de tissus

congelés.
De. Kryoultramikrotomie (f.)
En. cryo-ultramicrotomy
Es. crioultramicrotomía [5912]

CRYPTANT adj. 77
propriété > propriété physico-chimique
Se dit d'un composé chimique capable de retenir sélectivement certains ions.
En. cryptating [8085]

CRYPTER v. 77
technologie des matériaux > génie chimique
Retenir sélectivement des ions alcalins et alcalino-terreux.
En. to cryptate [8086]

CRYPTO-AUDIOPROTHÈSE n.f. 77
CRYPTOAUDIOPROTHÈSE
génie biomédical > appareillage médical
Prothèse acoustique située dans l'oreille moyenne évidée.
[8087]

CRYPTOCRISTAUX n.m.pl. 76
physique > physique du solide et du fluide
Cristaux dont la surface présente une structure extérieure amorphe.
De. Kryptokristalle (m.)
En. cryptocrystals
Es. criptocristales [6198]

CRYPTO-EFFLORESCENCE n.f. 73
CRYPTOEFFLORESCENCE
environnement et sécurité > dommage (matériel)
Accumulation de sels au voisinage de la surface du béton.
De. Auslüftungen (f.) unter der Oberfläche ; verdekte Auslüftungen (f.)
En. crypto-efflorescence [1473]

CRYPTOPHONE n.m. 76
télécommunications > radiotechnique
Dispositif intégré à un appareil de communication et conçu pour rendre inintelligible toute communication pour une personne non munie d'un décodeur approprié.
V. cryptophonie
De. Sprachverschlüsselungsgerät (n.) ; Sprachverschlüsseler (m.)
En. cryptophone
Es. criptófono [5913]

CRYPTOPHONIE n.f. 73
télécommunications > radiotechnique
Moyen de rendre inintelligible une communication téléphonique ou radiophonique pour toute personne non munie d'un décodeur approprié.
V. cryptophone
De. Sprachverschlüsselung (f.)
En. encryption [417]

CRYPTOZOOLOGIE n.f. 78
zoologie
Étude d'animaux rares ou ignorés.
De. Kryptozoologie (f.)
En. cryptozoology
Es. criptozoología [1297]

CUILLER n.f. 72
bâtiment et travaux publics > équipement technique (bâtiment)
Pièce du mouvement ou pièce de transmission intermédiaire, guidée dans la boîte ou le boîtier et transmettant à la tringle indépendante ou aux rouleaux la translation qui lui est communiquée par la pièce correspondante du mouvement. [239]

CUILLER → coup de — .

CUISINE → tige — .

CUISSON ÉLECTRONIQUE n.f. 73
économie → industrie parachimique
Procédé de séchage des peintures et vernis qui nécessite la formation de peintures radiosensibles faciles à synthétiser avec une composition de base, liant-monomère, devant se réticuler totalement.
De. Aushärtung (f.) durch Electronen
En. radiation cure [938]

CULICIDOGÈNE adj. 76
organisme vivant > animal
Qui favorise la naissance et le développement des moustiques.
Es. culicidógeno [7532]

CULTIVÉ → paysage — .

CULTURALITÉ n.f. 70
sociologie
Attitude qui consiste à donner une grande importance aux phénomènes culturels et à en faire un produit de consommation.
De. Kulturbewußtsein (n.)
En. culturality [5375]

CULTURE DE RENTE n.f. 73
économie > économie rurale
Culture destinée à la vente.
En. cash crop [1916]

CULTUREL → mono- — ; ethno- — ; pluri- — .

CULTURÈME n.m. 75
sociologie
Élément constituant d'une culture.
De. Kulturelement (n.)
En. cultureme [4805]

CUMULANDE n.m. 73
mathématiques appliquées
Dans une addition, nombre ou grandeur auquel on ajoute des nombres ou des grandeurs.
V. addende
De. Augend (m.)
En. augend [6199]

CUMULATEUR n.m. 73
mathématiques appliquées
Dans une addition, nombre ou grandeur ajouté au cumulande.
V. addende ; cumulande
De. Addend (m.)
En. addend [6200]

CUNICOLE adj. 73
zootechnique
Relatif à l'élevage des lapins.
De. Kaninchenaufzuchts- ; Kaninchenzüchtungs- [1817]

CUNIFUGE n.m./adj. 69
matériau > pesticide
Répulsif à l'égard des lièvres et des lapins.
En. cunifuge [6201]

CUPRODÉFICIENT adj. 69
biochimie
Dont la teneur en cuivre est insuffisante.
De. kupferarm [7402]

CUPULE n.f. 77
géologie > modification superficielle
Petite cavité de dimension centimétrique résultant essentiellement d'une corrosion superficielle de la roche.
En. cupule ; dentpit ; small cavity [6979]

CURE → produits de — .

CUREUSE n.f. 75
opération > nettoyage
Appareil utilisé pour le débouchage et le curage des canalisations par projection d'eau additionnée de produits chimiques à haute pression.
En. cleanout auger ; cleanout jet auger [6609]

CURIE-MÈTRE n.m. 74
CURIEMÈTRE
instrumentation > mesure de rayonnement ionisant
Appareil permettant de mesurer l'activité des corps radioactifs.
De. Curiemeter (n.)
En. activity meter ; radioactivity meter
Es. curiómetro [2472]

CURVILINÉARITÉ n.f. 77
statistique
Propriété de ce qui est curviligne. [8462]

CUTANE n.m. 74
géologie > sédimentologie
Dépôt pelliculaire argileux ou ferro-argileux se trouvant sur les particules du sol.
En. cutan [2998]

CYANELLE n.f. 76
cellule et constitution cellulaire > cellule
Cellule issue d'algues bleues au cours de l'évolution.
De. Blaualgenzelle (f.) ; Spaltalgenzelle (f.)
En. cyanocell [6054]

CYANISEUR n.m. 73
technologie des matériaux > métallurgie extractive
Électrolyseur qui permet de traiter les bains cyanurés sans limite supérieure de concentration et de récupérer des métaux précieux (tels que l'or et l'argent).
En. cyanidizer [939]

CYANOPHYTIQUE adj. 73
organisme vivant > végétal
Relatif aux algues bleues (cyanophycées).
De. zyanophytisch
En. cyanophycean [751]

CYBERNINE n.f. 77
constituant des organismes vivants
Hormone cérébrale chargée de régulations fondamentales.
Es. cibernina [8329]

CYBERNOGRAPHISTE n.m. 75
arts > photographie
Dessinateur qui réalise un film d'animation à l'aide de l'ordinateur.
En. computer animator [7258]

CYCLÉ adj. 76
cybernétique > automatique
Se dit d'une machine-outil comportant une programmation mécanique.
De. zyklisch
En. cycled [7259]

CYCLE DE CLAUDE n.m. 74
physique > thermodynamique
Cycle de détente d'un système moteur avec travail extérieur conduisant à la chute enthalpique.
De. Claudescher Kreisprozeß (m.) ; Claude-Prozeß (m.)
En. Claude cycle
Es. ciclo de Claude [3531]

CYCLE GONOTROPHIQUE n.m. 73
physiologie > reproduction (physiologie)
Cycle complet du développement ovarien chez un moustique, en relation avec la digestion du sang.
De. gonotroper Zyklus (m.)
En. gonotrophic cycle
Es. ciclo gonotrófico [3532]

CYCLERGOMÈTRE n.m. 73
instrumentation > mesure des phénomènes physiologiques
Monocycle muni d'un dispositif enregistreur qui permet de mesurer le travail musculaire.
V. véloergomètre
De. Fahrrad-Ergometer (n.)
En. bicycle ergometer [1818]

CYCLOCONVERTISSEUR n.m. 73
électronique > électronique industrielle
Dispositif qui sert à transformer un courant alternatif d'une certaine fréquence en un courant alternatif d'une autre fréquence.
De. Zyklokonverter (m.)
En. cycloconverter [1110]

CYCLODIMÉRISATION n.f. 73
chimie > réaction chimique
Formation d'une molécule à partir de deux monomères identiques avec création de cycle.
De. Ringdimerisierung (f.) ; Zyklodimerisation (f.)
En. cyclodimerization [1111]

CYCLONAGE n.m. 73
opération > séparation physique
Opération de séparation des différentes fractions d'un mélange par utilisation de la force centrifuge.
V. hydrocyclone
En. cyclonic precipitation [753]

CYLINDRE → carton — .

CYTOCHIMISTE n. 76
biochimie
Spécialiste de l'étude de la constitution et de l'activité chimiques des cellules vivantes (cytochimie).
En. cytochemist
Es. citoquímico [6980]

CYTOCULTURE n.f. 74
génie biomédical > culture de cellule et de tissu
Culture de cellules.
De. Zellenkultur (f.)
Es. citocultura [7404]

CYTODÈME n.m. 77
systématique
Population d'individus étroitement reliés du point de vue taxonomique et caractérisée par le nombre de ses chromosomes.
V. dème ; écodème ; topodème
En. cytodeme [9298]

CYTOPHOTOMÉTRIQUE adj. 75
instrumentation > mesure optique
Relatif à la détermination de la concentration de substances contenues dans la cellule au moyen d'un photomètre (cytophotométrie).
En. cytophotometric
Es. citofotométrico [6610]

CYTOPLASMIQUE → hybride — .

CYTOSOL n.m. 75
cellule et constitution cellulaire > constitution cellulaire
Fraction soluble du cytoplasme (débarrassé de ses organites).
De. Grundplasma (n.) ; Hyaloplasma (n.)
En. cytosol [6202]

CYTOSQUELETTE n.m. 77
physiologie > physiologie cellulaire
Organisation structurée du cytoplasme. [8463]

CYTOTAXONOMIE n.f. 77
systématique
Classement des cytotypes.
V. cytotype [8464]

CYTOTOXICITÉ n.f. 76
pathologie animale > agent toxique
Propriété d'une substance qui peut détruire une cellule.
En. cytotoxicity
Es. citotoxicidad [6468]

CYTOTYPE n.m. 77
systématique
Catégorie cytologique.
V. cytotaxonomie [8465]

D

DALLE FLOTTANTE n.f. 75
environnement et sécurité > isolation acoustique
Dalle non liée à l'ossature d'un bâtiment sur laquelle elle porte par l'intermédiaire d'un isolant acoustique.
De. schwimmender Estrich (m.)
En. raft foundation
Es. losa flotante [5914]

DALTON n.m. 73
chimie > chimie analytique
Unité de masse atomique équivalente au seizième de la masse d'un atome moyen d'oxygène.
En. dalton [754]

DARD → balance - — .

DATAGRAMME n.m. 74
représentation graphique > diagramme
Représentation graphique de données.
En. datagram [6203]

D.B.O (DEMANDE BIOCHIMIQUE EN OXYGÈNE) n.f. 74
physiologie > nutrition
Quantité d'oxygène consommée en x jours par voie biochimique par un échantillon d'eau naturelle ou résiduaire et mesurée au laboratoire dans des conditions déterminées.
V. D.C.O.
De. B.S.V. (biochemischer Sauerstoff Bedarf) (m.)
En. B.O.D. [2637]

D.C.O. (DEMANDE CHIMIQUE EN OXYGÈNE) n.f. 74
physiologie > nutrition
Quantité d'oxygène cédée par voie chimique par le dichromate de potassium aux corps réducteurs contenus dans une eau naturelle ou résiduaire et mesurée au laboratoire dans des conditions déterminées.
V. D.B.O. ; D.C.O.-mètre
De. C.S.B. (chemischer Sauerstoff Bedarf) (m.)
En. C.O.D. [2638]

D.C.O.-MÈTRE n.m. 74
physiologie > nutrition
Appareil destiné à mesurer la demande chimique en oxygène.
V. D.C.O.
De. C.S.B.-Meter (m.) ; C.B.O.-Meter (m.)
En. C.O.D.-meter [2639]

DÉAMIDATION n.f. 76
chimie > réaction chimique
Procédé qui consiste à ôter le groupe amide d'un composé.
En. deamidation ; deamidization ; desamidation ; desamidization [6612]

DÉBALLAGE n.m. 73
chimie > électrochimie
Opération de nettoyage de l'anode d'une cuve à électrolyse.
V. emballage [3166]

DÉBALLASTER v. 75
économie > industrie pétrolière
Débarrasser les citernes d'un pétrolier des dépôts qui y subsistent après déchargement de sa cargaison.
De. lenzen
En. to debenzolize [5915]

DÉBARQUEMENT CONTINU n.m. 74
transport et manutention > transport
Débarquement où, à tout moment, les passagers peuvent débarquer de la partie mobile d'un système de transport, cabine ou bande transporteuse.
V. débarquement discontinu
En. continuous offloading ; continuous unloading
Es. desembarque continuo [3007]

DÉBARQUEMENT DISCONTINU n.m. 74
transport et manutention > transport
Débarquement où les passagers doivent attendre l'arrêt d'un véhicule dans une station.
V. débarquement continu
En. discontinuous offloading ; discontinuouous unloading
Es. desembarque discontinuo [3008]

DÉBIT EN DESCENTE n.m. 77
transport et manutention > transport
Nombre de personnes qu'une batterie d'ascenseurs peut transférer des étages vers le niveau principal en un temps donné.
V. débit en montée
En. down traffic [8330]

DÉBIT EN MONTÉE n.m. 77
transport et manutention > transport
Nombre de personnes qu'une batterie d'ascenseurs peut transférer du niveau principal vers les étages en un temps donné.
V. débit en descente
En. up traffic [8331]

DÉBITMÈTRE MASSIQUE n.m. 73
mécanique des fluides appliquée
Appareil de mesure de débit basé sur la masse et non le volume.
De. Massedurchflußmesser (m.)
En. mass flowmeter [1297]

DÉBITURE n.f. 75
géologie > modification superficielle
Toute face débitée d'une roche dissymétrique ou d'une saillie rocheuse.
V. arcature
En. quarrying [5788]

DÉBORD n.m. 76
économie > activité commerciale
Excédent de marchandises stockées dans un endroit autre que le point de vente. [7718]

DÉBORDEUR n.m. 77
transport et manutention > manutention
Ouvrier chargé, dans les docks, de guider la manœuvre des ponts roulants.
En. gantry-crane signalman [7672]

DEBOUT → assis — .

DÉBOUTONNAGE n.m. 74
mécanique appliquée > assemblage
Destruction des points de soudure.
De. Schweißpunktzerstörung (f.)
En. peel ; slug
Es. desabrochado [3358]

DÉBROCHABLE adj. 75
électrotechnique > composant électronique
Se dit d'un élément isolable d'un circuit électrique par dégagement des broches.
De. steckbar
En. detachable [6846]

DÉBRUITAGE n.m. 77
environnement et sécurité > isolation acoustique
Ensemble des opérations d'insonorisation d'un dispositif.
De. Geräuschdämpfung (f.)
En. soundproofing [7817]

DÉBULLAGE n.m. 70
économie > industrie pétrolière
Opération consistant à éliminer, notamment par activation de la circulation dans les bassins, les bulles formées accidentellement dans la bouée de forage.
V. bullage
De. Blasenbeseitigung (f.)
En. degassing [7643]

DÉBULLEUR → rouleau — .

DÉBUSQUEUSE n.f. 76
matériel agricole
Véhicule destiné au traînage des bois abattus.
En. yarder [5918]

DÉCADIQUE adj. 77
électronique > circuit électronique
Se dit d'un dispositif dans lequel certaines grandeurs significatives présentent un rapport 10 entre deux valeurs successives.
De. dekadisch
En. decade
Es. decádico [8752]

DÉCAISSEUSE n.f. 74
économie > industrie agricole et alimentaire
Machine destinée à extraire les bouteilles des caisses.
De. Flaschenentnahmemaschine (f.)
En. unboxing machine ; uncasing machine [4218]

DÉCALAGE n.m. 71
sport
Différence apparente entre les lignes individuelles de départ dans les courses en couloirs comportant une partie en virage.
De. Kurvenvorgabe (f.)
En. staggering
Es. desfasado [2640]

DÉCALAGE → registre à — .

DÉCALAGE AXIAL n.m. 74
physique > mécanique
Translation périodique destinée à compenser l'usure des outils.
En. shifting [2821]

DÉCALCARISATION n.f. 67
physique > mécanique
Appauvrissement en calcaire par entraînement dans les eaux de percolation.
De. Entkalkung (f.)
En. decalcification
Es. decalcificación [6981]

DÉCALÉ → binaire — .

DÉCANTAT n.m. 77
opération > séparation physique
Résidu d'un bassin de décantation.
De. Dekantat (n.)
En. settled solids
Es. decantado [8332]

DÉCANTEUR → filtro- — .

DÉCAPEPTIDE n.m. 73
biochimie
Produit résultant de la condensation de 10 molécules d'acides aminés.
De. Dekapeptid (f.)
En. decapeptide [1112]

DÉCAROTTAGE n.m. 73
économie > industrie de transformation des matières plastiques
Opération consistant à démouler une carotte. [1475]

DÉCENDRAGE n.m. 74
vie quotidienne > équipement ménager
Fait d'ôter les cendres accumulées dans un foyer de cuisinière.
En. deashing ; de-ashing [2017]

DÉCENTRATION n.f. 77
génie biomédical > psychothérapie
Mise en condition d'un sujet permettant un surgissement spontané d'images mentales en onirothérapie d'intégration.
De. Dezentration (f.)
En. cessation of concentration [7948]

DÉCHARGE → indicateur de — .

DÉCHARGEANT → auto - — .

DÉCHETS → bourse de — .

DÉCHET THERMIQUE n.m. 75
environnement et sécurité > pollution
Chaleur perdue au cours des opérations industrielles.
De. Verlustwärme (f.)
En. thermal waste
Es. desecho térmico [7057]

DÉCHIROMÈTRE n.m. 75
instrumentation > mesure mécanique
Appareil destiné à mesurer la résistance mécanique du papier.
En. tear tester
Es. desgarrómetro [4808]

DÉCHROMATATION n.f. 74
environnement et sécurité > lutte contre la pollution
Traitement des effluents liquides pour abaisser le taux de concentration en composés de chrome.
V. démoussage
Es. descromación [3535]

DÉCIDEUR n.m. 75
gestion, organisation, administration > gestion
Personne physique ou morale qui prend des décisions.
V. décisionnaire
De. Entscheidungsträger (m.)
En. decision maker [4261]

DÉCISION → hauteur de — .

DÉCISIONNAIRE n.m. 76
gestion, organisation, administration > gestion
Personne physique ou morale qui prend des décisions.
V. décideur
De. Entscheidungsträger (m.)
En. decision maker [6847]

DÉCLASSÉS n.m.pl. 74
instrumentation > mesure de dimension
Particules solides que leurs dimensions ne permettent pas de classer par tamisage.
En. cast scrap [5058]

DÉCOCHEUSE n.f. 74
technologie des matériaux > équipement industrie de transformation
Machine destinée à sortir une pièce de fonderie du moule où elle a été coulée.
En. knocking-out machine ; knock-out machine ; shake-out machine ; stripper ; stripping machine [3880]

DÉCOHÉSION n.f. 78
opération > séparation physique
Phénomène qui détruit la cohésion des parties d'une substance.
Es. decohesión [9015]

DÉCOLLEUSE n,f, 75
mécanique appliquée > revêtement
Outil qui sert à décoller les papiers peints. [4262]

DÉCOMPOSEUR n.m. 77
écologie > synécologie
Organisme transformant les composants complexes des cellules végétales et animales — après leur mort — en éléments simples.
V. détritivore
En. decomposer [5642]

DÉCOMPRESSIMÈTRE n.m. 73
instrumentation > mesure mécanique
Appareil indiquant automatiquement au plongeur qui le porte les temps de décompression à respecter au cours d'une ou plusieurs plongées successives.
De. Dekompressionsmesser (m.)
En. decompression meter [7949]

DÉCONFESSIONNALISER v. 75
politique
Supprimer le caractère confessionnel d'une institution.
En. to undenominationalize
Es. desconfesionalizar [5263]

DÉCONJUGAISON n.f. 74
chimie > constitution de la matière
Suppression de la conjugaison de deux ou plusieurs liaisons
multiples par migration de certaines d'entre elles à l'intérieur
de la molécule.
En. deconjugation
Es. desconjugación [2473]

DÉCONNEXION n.f. 74
génie biomédical > anesthésie
Technique pharmacodynamique visant à rompre des liaisons
entre les différentes fonctions du système nerveux végétatif.
En. deconnection
Es. desconexión [2474]

DÉCONSIGNEUSE n.f. 75
cybernétique > automatique
Machine destinée au contrôle des bouteilles consignées rendues et des sommes d'argent à donner en échange.
En. bottle-buying machine [4398]

DÉCONTAMINABLE adj. 73
environnement et sécurité > prévention
Dont on peut éliminer les facteurs de contamination.
De. dekontaminierbar ; entgiftbar [1298]

DÉCONTAMINANT → tapis — .

DÉCONVENTIONNEMENT n.m. 75
réglementation, législation > législation
Annulation de l'accord qui lie un médecin à un organisme
d'état.
De. Konventionswidrigkeit (f.)
En. exclusion from participation [5264]

DÉCONVOLUÉ adj. 75
électronique > radiotechnique
Transformé par déconvolution.
V. convoluteur ; déconvolution [5265]

DÉCONVOLUTION n.f. 75
électronique > radiotechnique
Méthode de reconstitution d'une image floue consistant à
déterminer la fonction débrouillage qui permettra d'établir un
filtre holographique dont la superposition avec l'image initiale
donnera une image nette.
V. convoluteur ; déconvolué
*De. Dekonvolution (f.) ; Entfaltung (f.) ; Rücktransformation
(f.)*
Es. desconvolución [5266]

DÉCOQUER v. 75
technologie des matériaux > génie alimentaire
Retirer la coque d'un fruit.
De. entschalen
En. to husk ; to peel ; to shell ; to shuck (U.S.A.) ; to strip
Es. descascarar [4809]

DÉCORER v. 76
technologie des matériaux > génie chimique
Marquer une molécule afin qu'elle soit suffisamment
contrastée par rapport à son environnement.
En. to decorate
Es. decorar ; marcar [5506]

DÉCOUENNAGE n.m. 74
technologie des matériaux > génie alimentaire
Opération consistant à séparer la couenne du lard.
De. Abhäuten (n.) ; Abtrennen (n.) der Schwarte
En. skinning [3881]

DÉCOUVERTE → crise de — .

DÉCRABOTABLE adj. 77
mécanique appliquée > organe de machine (transmission)
Qu'on peut libérer du système d'entraînement. [8088]

DÉCRÉMENTATION n.f. 73
informatique > programmation
Action de soustraire une quantité constante d'une grandeur ou
une valeur dans un processus de calcul fonctionnant pas à pas.
V. incrémentation
De. Dekrementierung (f.)
En. decrementation
Es. disminución [5643]

DÉCRÉOLISATION n.f. 74
linguistique
Processus de fusion du créole dans une langue normalisée.
V. créolisation
En. decreolization [5507]

DÉCROISSANCE n.f. 74
**gestion, organisation, administration > politique économi-
que**
Politique économique visant à réduire le taux de croissance du
produit national brut.
De. wirtschaftliche Warchstumsminderung (f.)
Es. disminución [2018]

DÉCROÛTAGE n.m. 77
économie > industrie chimique
Élimination des dépôts formés au cours d'une opération
d'autoclavage. [8333]

DÉCUMUL n.m. 76
économie > fiscalité
En Belgique, évaluation séparée des revenus de chacun des
époux en vue de calculer le montant de l'imposition sur le
revenu des personnes physiques sur des assiettes séparées.
De. getrennte Veranlagung (f.)
En. decumulation [5919]

DÉDENSIFIÉ adj. 77
**gestion, organisation, administration > aménagement du
territoire**
Se dit d'un espace urbanisé dont la densité a diminué.
En. depopulated
Es. desdensificado [8466]

DÉDOUBLÉ → cerveau — .

DÉDUCTIVE → simulation — .

DÉFANANT n.m. 77
agronomie > technique culturale
Substance ou préparation provoquant la destruction des fanes
de pommes de terre.
V. dessicant
De. Kartoffelkrautvernichtungsmittel (n.)
En. top killer [7950]

DÉFAUT → marche - — .

DÉFAUT DE COLLAGE À 1 n.m. 75
électronique > circuit électronique
Défaut d'un circuit logique dans lequel le ou les éléments
auxquels la connexion testée est reliée, se comportent comme
si l'entrée ou la sortie correspondante était effectivement
bloquée à un.
V. défaut de collage à 0
En. sticking to 1 [5508]

DÉFAUT DE COLLAGE À 0 n.m. 75
électronique > circuit électronique
Défaut d'un circuit dans lequel le ou les éléments, auxquels la
connexion testée est reliée, se comportent comme si l'entrée
ou la sortie correspondante était effectivement bloquée à zéro.
V. défaut de collage à 1
En. sticking to 0 [5509]

DÉFAUT INDÉTECTABLE n.m. 75
électronique > circuit électronique
Défaut dont l'effet ne se répercute pas sur la fonction de
circuit logique affecté.
V. défaut indiscernable
De. nicht erkennbarer Fehler (m.)
En. undetected error
Es. error indetectable [5644]

DÉFAUT INDISCERNABLE n.m. 75
électronique > circuit électronique
Défaut dont les effets sont identiques à ceux d'un autre défaut
sur un même circuit logique.
V. défaut indétectable ; indiscernabilité
De. nicht unterscheidbarer Fehler (m.)
En. indiscernible error
Es. error indiscernible [5645]

DÉFÉCANT n.m. 72
opération > séparation physique
Agent introduit dans une solution pour la clarifier par
précipitation des impuretés.
De. Klärstoff (m.)
En. defecator [240]

DÉFECTOSCOPIE n.f. 73
instrumentation > mesure de rayonnement ionisant
Étude des défauts techniques.
De. Fehleruntersuchung (f.) ; Materialprüfung (f.)
En. defectoscopy
Es. defectoscopia [2641]

DÉFECTUOLOGIE n.f. 75
instrumentation > essai et contrôle
Étude des défauts ou anomalies d'une pièce ou d'un produit.
De. Fehlermängeluntersuchung (f.)
En. defectology [4977]

DÉFECTUOLOGIQUE adj. 76
psychologie > pathologie mentale
Relatif à l'analyse des défauts.
En. defectoscopic [6470]

DÉFENSE PERCEPTIVE n.f. 72
physiologie > neurophysiologie
Phénomène psychologique qui fait que le seuil de perception
des mots tabous est plus élevé que celui des mots ordinaires.
En. perceptual defense
Es. defensa perceptiva [5646]

DÉFENSIVE → stratégie — .

DÉFIBREMÈTRE n.m. 73
économie > industrie papetière
Appareil de mesure permettant de calculer la production d'un
défibreur en tonnes par heure.
De. Defibrationsmeßgerät (n.)
En. defibration gauge [1476]

DÉFIBRINEUR n.m. 75
physiologie > physiologie cardiovasculaire
Appareil destiné à empêcher la formation de fibrine dans le
sang.
De. defibrinierender Apparat (m.) ; fibrinzerstörender Apparat
(m.)
En. defibrinator
Es. desfibrinador [4810]

DÉFILEMENT → système de — .

DÉFLAGRANCE → anti - — .

DÉFLECTOMÈTRE n.m. 77
instrumentation > mesure mécanique
Dispositif permettant de mesurer les déformations élastiques
qui s'exercent sur les éléments d'un transporteur à rouleaux.
En. deflectometer
Es. deflectómetro [7818]

DÉFOCALISATION n.f. 76
physique > optique
Phénomène de dispersion de la lumière à l'intérieur d'un
cristal se traduisant par un flou lumineux sur la face de sortie.
De. Defokussierung (f.)
En. defocusing
Es. desfocalización [6848]

DÉFRUITEMENT n.m. 74
exploitation des ressources minérales
Extraction de matériaux alluvionnaires du fruit d'une mine ou
d'une carrière. [1820]

DÉFRUITEUR n.m. 75
instrumentation > techniques d'échos
Dans le cas d'une balise-radar et de plusieurs interrogateurs,
intégrateur synchronisant les réponses avec les interrogations
correspondantes sur une même visualisation.
De. S.S.R.-Störunterdrücker (m.)
En. defruiter [6205]

DÉGARAGE n.m. 73
transport et manutention > exploitation des transports
Opération qui consiste à ramener sur la voie utilisée un
véhicule préalablement mis à l'écart. [1477]

DÉGARNISSAGE n.m. 74
opération > remplissage
Espace libre aménagé au cours du remplissage entre le produit
et la capsule du récipient qui le contient.
De. Freiraum (m.)
En. air exhaustion [4059]

DÉGONDABLE adj. 74
propriété > propriété mécanique
Qui peut être tiré de ses gonds.
De. aushängbar
En. unhingeable [3537]

DÉGRADABLE → photo - — .

DÉGRADEUR n.m. 73
instrumentation > essai et contrôle
Appareil destiné à provoquer la dégradation d'un matériau en
vue de tester sa résistance aux intempéries. [756]

DÉGRAFAGE n.m. 73
chimie > réaction chimique
Dépolymérisation d'une chaîne macro-moléculaire.
De. Unzipping (f.) ; Aufreißen (n.)
En. unzipping [1299]

DÉGRANULATION n.f. 77
cellule et constitution cellulaire > cellule
Perte, par les cellules du sang d'un sujet sensibilisé à un
allergène, de leur contenu en granules, au contact de cet
allergène.
En. degranulation [7819]

DÉGRAPPAGE n.m. 75
économie > industrie de transformation des matières plastiques
Opération consistant à séparer les pièces des canaux d'alimentation dans un moule à empreintes multiples.
De. Abtrennung (f.)
En. stalking [4811]

DEGRÉ n.m. 74
mathématiques
Nombre d'éléments d'un ensemble.
En. degree
Es. grado [5267]

DEGRÉ DE LIBERTÉ n.m. 75
cybernétique > automatique
Caractère d'un objet dont les éléments peuvent être mus les
uns par rapport aux autres suivant un déplacement déterminé.
V. résolvabilité ; résolvable
De. Freiheitsgrad (m.)
En. degree of freedom [9154]

DEGRÉ DE POLYMÉRISATION n.m. 73
chimie > réaction chimique
Caractéristique d'un polymère donnant le nombre de motifs monomériques dans une chaîne.
De. Polymerisationsgrad (m.)
En. degree of polymerization [2188]

DEGRÉ-JOUR n.m. 74
géophysique > météorologie
Différence algébrique, exprimée en degrés, entre la température moyenne d'un jour déterminé et une température de référence.
De. mittlere Tagestemperatur (f.)
En. degree day [3359]

DÉGRIPPANT adj. 73
propriété > propriété physico-chimique
Se dit d'un produit susceptible de pénétrer entre deux surfaces coincées par grippage.
En. penetrating [2189]

DÉGROSSI n.m. 77
mécanique appliquée > revêtement
Première passe d'un enduit traditionnel.
De. Rapputz (m.)
En. roughing-in [8089]

DÉGROSSISSEUSE n.f. 77
économie > industrie agricole et alimentaire
Machine constituée de cylindres à couteaux et destinée à commencer le découpage de pièces de viande congelées. [7674]

DÉGUSTATION AVEUGLE n.f. 74
propriété > propriété organoleptique
Dégustation d'un produit sans que le consommateur soit informé de son origine.
De. Kosten (n.) mit geschlossenen Augen
En. blind taste panel [3360]

DÉHAFNIATION n.f. 74
technologie des matériaux > génie chimique
Élimination du hafnium.
De. Enthafniumierung (f.) [7533]

DÉHEXANISEUR n.m. 75
économie > industrie chimique
Appareil destiné à isoler l'hexane d'un mélange d'hydrocarbures.
De. Enthexaner (m.)
En. hexane remover [4636]

DÉIONISER v. 76
chimie > électrochimie
Équilibrer les charges électriques d'un milieu par suppression de ces charges ou apport de charges de signe contraire.
V. déioniseur
De entionisieren
En. to deionize
Es. desionizar [7261]

DÉIONISEUR n.m. 75
chimie > électrochimie
Appareil servant à déioniser.
V. déioniser
De. Entionisierer (m.)
En. deionizer
Es. desionizador [5268]

DÉJOINTER v. 74
technologie des matériaux > génie alimentaire
Disjoindre les articulations.
De. lösen
En. to disjoint [3538]

DEL (Diode ELectroluminescente) n.f. 74
électronique > composant électronique
Diode qui permet la transformation d'un courant électrique en courant lumineux.
V. led ; luminodiode
En. light-emitting diode ; L.E.D. [2349]

DÉLACTOSAGE n.m. 75
technologie des matériaux > génie alimentaire
Opération consistant à supprimer ou réduire le lactose dans les produits laitiers pour réduire les fermentations.
De. Laktoseabbau (m.)
En. lactose separation [4980]

DÉLAI DE CARENCE n.m. 73
économie > crédit
Temps pendant lequel un débiteur est autorisé à ne pas rembourser le prêt qui lui a été consenti.
De. Karenzzeit (f.) [2020]

DÉLAMINATION n.f. 75
technologie des matériaux > génie chimique
Séparation des différentes couches d'un matériau complexe ou stratifié.
De. Aufblasrecken (n.) ; Holoplast-Verfahren (n.)
En. delamination [4981]

DÉLIASSAGE n.m. 76
opération > séparation physique
Opération qui consiste à déliasser.
V. déliasser ; déliasseuse
En. decollation ; decollating ; deleaving [6982]

DÉLIASSER v. 75
opération > séparation physique
Séparer les différentes copies de documents présentés en liasses de plusieurs feuilles et calques intercalés ayant permis une impression en copies multiples.
V. déliassage ; déliasseuse
De. trennen [8753]

DÉLIASSEUSE n.f. 75
opération > séparation physique
Machine qui sépare en feuillets une liasse d'imprimés en continu.
V. déliassage ; déliasser
En. decollating machine [4982]

DÉLIGNIFIANT adj. 76
propriété > propriété chimique
Qui détruit la lignine.
En. delignifying
Es. deslignificante [6614]

DÉLOCUTION n.f. 75
linguistique
Opération du discours consistant à parler de quelque chose ou de quelqu'un.
V. adlocution
Es. delocución [4637]

DELTAPLANE n.m. 76
sport
Aile volante à voilure en delta.
V. aile volante
De. Delta-Nurflügelflugzeug (n.)
En. hang-glider [6328]

DÉMALINGRAGE n.m. 77
agronomie > technique culturale
Opération de culture consistant à arracher les plantes chétives, peu vigoureuses ou malingres.
En. roguing [7675]

DEMANDE → transporteur à la — .

DÉMANGANISATION n.f. 77
économie > industrie anti-pollution
Élimination du manganèse d'une eau d'alimentation par oxydation catalytique sur bioxyde de manganèse.
De. Entmanganierung (f.)
Es. desmanganización [534]

DÉMAQUISAGE n.m. 78
biogéographie
Opération consistant à éliminer le maquis.
En. land-clearing [9018]

DÉMASCLABLE adj. 78
foresterie
Se dit d'un chêne-liège sur lequel on peut pratiquer l'enlèvement du liège mâle.
En. strippable [9019]

DÈME n.m. 77
systématique
Population d'individus étroitement reliés du point de vue
taxonomique.
V. cytodème ; écodème ; topodème
En. deme [9300]

DÉMÉCOLOGIE n.f. 74
écologie > autécologie
Étude de l'évolution de la structure des populations dans
l'espace et dans le temps.
En. population dynamics [3167]

DÉMÉTALLISATION n.f. 75
technologie des matériaux > traitement de surface
Opération consistant à faire disparaître un revêtement métalli-
que à titre de préparation de la surface en vue d'une nouvelle
opération de revêtement.
De. Abtragung (f.) ; Metallschichtabtragung (f.)
En. stripping
Es. desmetalizacción [6615]

DEMI-CIRCUIT n.m. 74
télécommunications > communication spatiale
Unité de mesure de la capacité d'un satellite qui correspond à
une voie de communication à double sens permettant l'échange de signaux sonores entre ce satellite et une station terrestre.
En. voice channel [3168]

DEMI-MUR n.m. 73
bâtiment et travaux publics > mur
Élément de mur préfabriqué dont l'une des faces est finie, et
dont l'autre face est terminée sur le chantier. [2642]

DÉMINÉRALISATEUR n.m. 75
technologie des matériaux > génie chimique
Appareil destiné à traiter l'eau en vue d'en éliminer presque
tous les sels minéraux.
De. Entmineralisierungsanlage (f.)
En. demineralizer
Es. desmineralizador [6749]

DEMI-WAGON n.m. 75
transport et manutention > engin de transport
Partie d'un wagon qui peut être réunie à un élément identique
par l'intermédiaire d'un essieu commun.
En. half-wagon [4154 bis]

DÉMODULOMÈTRE n.m. 73
télécommunications > radiotechnique
Dispositif permettant de mesurer les qualités de modulations
de fréquence ou d'amplitude à partir d'un courant modulé.
De. Demodulometer (n.)
En. demodulation meter [1114]

DÉMOELLEUR n.m. 76
matériel agricole
Appareil servant à retirer la moelle des végétaux de papeterie.
De. Entmarker (m.)
En. depithing machine [6471]

DÉMONTABILITÉ n.f. 75
bâtiment et travaux publics > procédé de construction
Aptitude d'éléments modulaires à être démontés.
En. demountability [6207]

DÉMOUSSAGE n.m. 74
environnement et sécurité > lutte contre la pollution
Traitement physico-chimique des eaux usées par insufflation
d'air afin d'éliminer les détergents moussants.
V. déchromatation
En. defoaming [3540]

DÉMULSIBILITÉ n.f. 74
propriété > propriété physico-chimique
Aptitude d'une huile en contact avec de l'eau à empêcher la
formation d'émulsions.
En. demulsibility [2825]

DÉMULTIPLEXEUR n.m. 74
informatique > équipement d'entrée-sortie
Périphérique de sortie analogique pour calculateur.
De. Demultiplexer (m.)
En. demultiplexor [2999]

DÉNAPHTALINAGE n.m. 74
économie > industrie chimique
Opération consistant à retirer la naphtaline d'un produit.
En. naphthalene removal
Es. desnaftalinización [3169]

DENDROCHRONOLOGISTE n.m. 74
tissu (biologie) > tissu végétal
Spécialiste de l'étude de la disposition des cernes d'accroisse-
ment sur une section transversale en vue de reconstituer
l'évolution chronologique d'un arbre.
De. Dendrochronologe (m.)
En. dendrochronologist
Es. dendrocronólogo [8467]

DENDROGRAMME n.m. 77
représentation graphique > diagramme
Représentation graphique arborescente. [7119]

DENDROLOGUE n.m. 74
botanique
Spécialiste de l'étude des arbres (dendrologie).
De. Dendrologe (m.)
En. dendrologist
Es. dendrólogo [8469]

DÉNÉBULATEUR n.m. 73
**environnement et sécurité > protection contre les intempé-
ries**
Appareil utilisé pour dissiper le brouillard.
De. Entnebelungsvorrichtung (f.)
En. fog dispersal device [418]

DÉNEIGEUSE n.f. 75
**environnement et sécurité > protection contre les intempé-
ries**
Machine destinée à faire fondre la neige.
De. Schneeraümer (m.) ; Schneeschmelzmaschine (f.)
En. snow remover [3883]

DÉNÉOLOGICISÉ adj. 74
linguistique
Qui a perdu partiellement ou totalement son caractère néologique. [4155 bis]

DÉNITROGÉNISATION n.f. 73
recherche et développement > exploration scientifique
Opération qui consiste à ôter l'azote d'une substance quelcon-
que.
De. Stickstoffentzug (m.)
En. denitrogenization [1115]

DENSIFICATEUR adj. 73
technologie des matériaux > densification
Se dit d'un agent qui permet d'augmenter la densité d'un
produit.
De. Verdichtungs-
En. densifying [1656]

DENSIFICATION n.f. 77
technologie des matériaux > densification
Augmentation permanente de la densité d'un verre soumis à
une très forte pression.
De. Verdichtung (f.)
En. densification
Es. densificación [9020]

DENSITÉ DE VALEUR n.f. 73
gestion, organisation, administration > contrat
Évaluation pour une société d'assurance du montant des risques de même nature, acceptés dans une zone ou sur un territoire déterminé, en vue d'une réassurance.
V. accumulation de valeurs [2021]

DENTICULATION n.f. 76
anatomie > anatomie animale
Formation constituée de denticules.
De. Zäckchen (n.)
En. denticulation
Es. denticulación [7820]

DÉPALETTISEUR n.m. 73
transport et manutention > engin de manutention
Dispositif destiné à reprendre des charges placées sur palettes ou plateaux de chargement. [8334]

DÉPARENTALISÉ adj. 74
enseignement
Qui ne joue pas le rôle des parents.
V. dépaternalisé
De. nicht vom Elternbild bestimmt
En. deparentalized [5378]

DÉPART → machine - — .

DÉPARTEMENT PRODUITS-MARCHÉ n.m. 78
économie > commercialisation
Département d'une entreprise chargé de la promotion des produits nouveaux.
V. marchéage ; mercatique
De. Marketingabteillung (f.)
En. marketing department [8873]

DÉPASTILLAGE n.m. 75
technologie des matériaux > fabrication des pâtes à papier
Opération qui consiste à désintégrer les agglomérats fibreux, pastilles ou boutons qui subsistent après le défibrage de la pâte dans le pulpeur.
V. dépastilleur
En. deflaking [4265]

DÉPASTILLEUR n.m./adj. 75
technologie des matériaux > fabrication des pâtes à papier
[Se dit d'un] matériel utilisé pour le dépastillage composé d'un stator et d'un rotor tournant à grande vitesse, comportant des éléments générateurs d'une turbulence et désagrégeant les pastilles.
V. dépastillage
En. deflaker ; fiberizer [4266]

DÉPATERNALISÉ adj. 74
enseignement
Qui ne joue pas le rôle du père.
De. nicht vom Vaterbild bestimmt
En. depaternalized [5379]

DÉPELLICULAGE n.m. 78
agronomie > technique culturale
Opération consistant à débarrasser les graines de leur pellicule.
De. Enthäuten (n.)

DÉPERLANCE n.f. 73
propriété > propriété physico-chimique
Qualité d'un tissu à la surface duquel l'eau glisse sans pénétrer les fils.
De. wasserabstoßende Eigenschaft (f.)
En. water repellency [1116]

DÉPILAGE n.m. 77
transport et manutention > manutention
Opération qui consiste à démonter et à trier une pile d'objets.
V. dépileur [7676]

DÉPILEUR n.m. 77
transport et manutention > manutention
Ouvrier affecté au dépilage.
V. dépilage [7677]

DÉPILEUR n.m. 77
opération > séparation physique
Dispositif d'une machine retirant un par un des éléments empilés.
V. dépilage ; dépileur ; dépileuse [7953]

DÉPILEUSE n.f. 75
opération > séparation physique
Machine destinée à défaire des piles de produits livrés empilés.
V. dépilage ; dépileur
De. Entstapelungsmaschine (f.)
En. unstacking machine [4812]

DÉPLACEMENT ASISMIQUE n.m. 78
géophysique interne
Déplacement lent du sol dû à une libération faible d'énergie sismique par unité de temps.
De. Kriechen (n.)
En. creep [8618]

DÉPLAQUETTÉ adj. 78
tissu (biologie) > tissu conjonctif
Se dit d'un sérum sanguin auquel on a ôté les plaquettes. [8755]

DÉPLÉTION n.f. 74
physique > physique des particules
Pourcentage de la réduction en quantité des atomes fissiles dans le combustible nucléaire en cours de réaction de fission.
De. Verarmung (f.) ; Verarmung an Ladungsträgern
En. depletion [5380]

DÉPLISSEUR → rouleau — .

DÉPOLLUEUR n.m. 74
environnement et sécurité > lutte contre la pollution
Appareil de récupération des hydrocarbures flottants.
De. Ölabschöpfgerät (n.) ; Ölaufnehmer (m.)
En. slick-licker ; skimmer [6055]

DÉPORT n.m. 73
télécommunications > radiocommunication
Transmission des informations provenant des radars.
De. Übertragung (f.) von Radarinformationen
En. retransmission ; retransmission of radar data [758]

DÉPORT n.m. 72
mécanique appliquée > organe de machine (transmission)
Distance entre le cylindre primitif de référence d'une roue et le plan de référence de sa crémaillère de référence, mesurée suivant leur perpendiculaire commune, quand la crémaillère et la roue sont superposées.
En. addendum modification [420]

DÉPORTANCE n.f. 73
physique > mécanique
Portance aérodynamique négative.
De. negativer Auftrieb (m.)
En. negative lift [759]

DÉPORTEUR n.m. 76
économie > industrie mécanique
Dispositif aérodynamique provoquant une diminution de la portance d'une voiture ou de la poussée d'un réacteur ou moteur-fusée.
V. spoiler
De. Spoiler (m.)
En. spoiler [6983]

DÉPÔT DIAGÉNÉTIQUE n.m. 78
géologie > gîtologie
Dépôt métallifère formé selon des processus physico-chimiques qui se déroulent au sein d'un sédiment (diagénèse).
V. dépôt hydrogénétique
De. diagenetische Ablagerung (f.)
En. diagenetic deposit
Es. depósito diagenético [8874]

DÉPÔT EN PHASE VAPEUR (D.P.V.) n.m. 78
économie > industrie du verre
Méthode de fibrage par dépôt sur la face interne d'un tube qui
tourne devant une flamme, de matériaux (silice, dopants) à
l'état gazeux oxydés dans ce tube.
V. fibrage ; hydrolyse à la flamme
En. vapor deposition (U.S.A.) ; vapour deposition (U.K.)
[8875]

DÉPÔT HYDROGÉNÉTIQUE n.m. 78
géologie > gîtologie
Se dit d'un dépôt métallique formé par action de l'eau.
V. dépôt diagénétique
De. hydrogenetische Ablagerung (f.)
En. hydrogenous deposit
Es. depósito hidrogenético [8876]

DÉPOUILLEUR → disque — .

DÉPRESSION TROPICALE n.f. 77
géophysique > météorologie
Perturbation atmosphérique dont la vitesse de déplacement est
inférieure à 117 km/h c'est-à-dire à celle du cyclone.
De. tropische Depression (f.)
En. tropical depression [8335]

DÉPRIMOGÈNE n.m. 74
énergie (technologie) > conversion d'énergie
Appareil destiné à convertir l'énergie éolienne en énergie
calorifique par transformation en chaleur des mouvements
d'un liquide d'une citerne soumis à des variations de pression
(tube de Venturi). [3541]

DÉQUALIFICATION n.f. 75
économie > travail (main-d'œuvre)
Abaissement du niveau de formation, d'aptitude et de prati-
que requis pour une activité donnée.
De. Senkung (f.) des Standards
En. despecialization [5381]

DÉ-RESTAURATION n.f. 75
DÉRESTAURATION
arts > sculpture
Rétablissement d'une œuvre d'art dans l'état où elle était avant
sa restauration.
De. Entrestaurierung (f.)
En. re-restauration
Es. desrestauración [4813]

DÉRIVE n.f. 77
physique > mécanique
Phénomène d'origine élastique permettant à une roue de se
déplacer sur une trajectoire oblique par rapport à son plan
lorsqu'elle est soumise à une force latérale.
De. Seitenführung (f.)
En. drift ; sideslip
Es. deriva [7821]

DÉRIVÉ adj. 79
géophysique > géomorphologie
Se dit d'un relief de dissection, généralement dans les
structures plissées, où une couche dure a été dégagée par
déblaiement d'une couche tendre. [8337]

DÉRIVEUR n.m. 76
automatisme > équipement automatique
Dispositif d'un transporteur permettant d'orienter les charges
dans une direction différente de celle du transporteur.
V. écharpe
De. Umlenkvorrichtung (f.)
En. diverter ; deflector [6210]

DERMATOGLYPHIQUE adj. 74
génétique > génétique des populations
Qui se rapporte aux sillons digitaux ou palmaires constituant
les empreintes digitales ou l'empreinte palmaire.
De. daktyloskopisch ; dermatoglyphisch
En. dermatoglyphic
Es. dermatoglífico [3170]

DERMATOPHILOSE n.f. 73
pathologie animale > pathologie cutanée
Maladie infectieuse caractérisée par des lésions croûteuses
superficielles de la peau, et provoquée par un microorganisme.
De. Dermatophilose (f.)
En. dermatophytosis
Es. dermatofilosis [4638]

DERME n.m. 75
économie > industrie métallurgique
Partie externe d'une pièce métallique prise sur une faible
épaisseur.
De. Haut (f.)
En. skin [6472]

DERMONÉCROSANT adj. 77
pathologie animale > agent toxique
Se dit d'un produit qui provoque une nécrose de la surface
entamée.
En. dermonecrotic [8877]

DERMOPUNCTURE n.f. 74
DERMOPONCTURE
génie biomédical > acupuncture
Méthode thérapeutique dérivée de l'acupuncture, utilisant
l'action stimulatrice d'aiguilles sur les nerfs à fleur de peau.
De. Dermopunktur (f.)
En. dermopuncture [1478]

DERNIER → premier entré — sorti.

DÉROULEUR D'IMAGES n.m. 74
arts > photographie
Caisson lumineux servant à présenter les documents photographiques.
En. roller caption [3885]

DÉRURALISATION n.f. 72
démographie
Phénomène de dépeuplement progressif du milieu rural.
De. Landflucht (f.)
En. deruralization [760]

DÉSACTIVATEUR n.m. 74
matériau > produit chimique
Composé qui détruit l'activation d'une molécule en la faisant
repasser à son niveau le plus stable de moindre énergie.
En. deactivator [2477]

DÉSAÉRAGE n.m. 76
opération > séparation physique
Opération qui consiste à évacuer l'air contenu dans un produit.
De. Luftenziehung (f.)
En. deaeration [6850]

DÉSAÉRATEUR SOUS-VIDE n.m. 74
opération > séparation physique
Dispositif d'élimination par pompe à vider les bulles d'air ou
de gaz d'un produit disposé en couche mince.
V. désaérage
En. de-aerator ; vacuum deaerator
Es. desgasificator de vacio [2827]

DÉSAFFLEUREMENT n.m. 74
mécanique appliquée > assemblage
Déplacement d'éléments contigus qui devraient normalement
affleurer au même niveau.
En. unevenness [3703]

DÉSAISONNALISER v. 72
économie > commercialisation
Corriger certains éléments statistiques pour faire disparaître
les distorsions résultant des variations saisonnières.
En. to deseasonalize [4985]

DÉSALINATION n.m. 74
environnement et sécurité > environnement
Opération consistant à dessaler l'eau de mer.
De. Entsalzung (f.)
Es. desalinización [7535]

DÉSAMBIGUÏSANT adj. 76
DÉSAMBIGÜISANT
linguistique
Qui lève une ambiguïté.
V. désambigüiser
En. disambiguating [8221]

DÉSAMBIGUÏSER v. 75
DÉSAMBIGÜISER
linguistique
Lever l'ambigüité d'une phrase dont la stucture de surface
renvoie à plusieurs structures profondes.
V. désambigüisant
En. to disambiguate [4060]

DÉSAMÉRISATION n.f. 74
technologie des matériaux > génie alimentaire
Opération consistant à faire disparaître le goût amer d'un
produit.
De. Entzug (m.) von Bitterstoffen
En. debitterization
Es. desamarguización [4061]

DÉSARGILAGE n.m. 75
opération > séparation physique
Opération qui consiste à extraire de la boue de forage l'argile
compromettant la densité d'équilibre de la circulation.
De. Entlehmen (n.)
En. clay removal [7678]

DÉSASSEMBLAGE n.m. 77
informatique > programmation
Transformation en langage symbolique d'une instruction ou
d'une suite d'instructions présentée en langage machine, par
l'utilisation d'un programme particulier (désassembleur).
[9156]

DESCENDANT → front — .

DESCENTE → débit en — ; pointe — .

DÉSCOLARISATION n.f. 74
enseignement
Fait de retirer un enseignement de son cadre institutionnel.
En. deschooling [3543]

DÉSÉCONOMIE EXTERNE n.f. 71
économie > coût
Diminution de la valeur d'un produit due à l'action d'un
élément extérieur au processus de production.
En. diseconomy ; external diseconomy [4510]

DÉSÉMANTISATION n.f. 74
économie > promotion des ventes
Perte du sens des messages publicitaires.
De. Entsemantisierung (f.) [2191]

DÉSENCADREMENT n.m. 75
enseignement
Suppression partielle ou totale des cadres, des structures
limitant une activité.
En. self-supervision [5383]

DÉSENCRAGE n.m. 76
technologie des matériaux > transformation (industrie papetière)
Absorption de l'encre extraite des vieux papiers.
De. Enttinten (n.)
En. deinking [8338]

DÉSENCRÉ adj. 78
technologie des matériaux > transformation (industrie papetière)
Se dit d'un papier débarrassé de son encre et traité de façon à
acquérir les propriétés esthétiques et mécaniques d'un papier
neuf.
V. désencrage [9157]

DÉSENFUMAGE n.m. 73
environnement et sécurité > protection contre l'incendie
Élimination de la fumée.
De. Rauchabzug (m.)
En. smoke ejection ; smoke removal [421]

DÉSENSIMAGE n.m. 73
technologie des matériaux > filature
Opération destinée à éliminer les corps gras qui ont servi à
faciliter la filature.
De. Entfettung (f.)
En. degreasing [941]

DÉSENTRELACER v. 77
électronique > radiotechnique
Rétablir dans leur chronologie les deux trames successives
d'une image de télévision dont les lignes sont entrelacées.
[8756]

DÉSÉRIALISATEUR n.m. 76
automatisme > équipement automatique
Dispositif généralement placé en bout d'une chaîne de traitement ou de transmission séquentielle de données, et qui
reconstitue en les juxtaposant les éléments d'information qu'il
reçoit.
De. Serien-Parallel-Umsetzer (m.)
En. deserializer ; serial-to-parallel converter [6851]

DÉSERTIFICATION n.f. 76
environnement et sécurité > environnement
Transformation d'une région en désert par l'action de
l'homme.
V. aridification ; désertisation
En. desertification ; desertization
Es. desertificación [6984]

DÉSERTISATION n.f. 48
environnement et sécurité > environnement
Transformation d'une région en désert, notamment sous
l'action de facteurs climatiques.
V. aridisation ; désertification
De. Wüstenbildung (f.) ; Verwüstung (f.)
En. desertification ; desertisation ; desertization [6985]

DÉSHYDROCHLORATION n.f. 72
économie > industrie de transformation des matières plastiques
Élimination de l'acide chlorhydrique d'une substance.
De. Enthydrochlorierung (f.) [762]

DÉSHYDROCYCLISATION n.f. 73
chimie > réaction chimique
Formation d'un cycle dans une molécule par départ d'hydrogène sans modification du nombre initial des atomes de
carbone.
De. Dehydrozyklisierung (f.)
En. dehydrocyclisation
Es. deshidrociclización [1118]

DÉSHYDROHALOGÉNATION n.f. 74
chimie > réaction chimique
Réaction chimique qui s'accompagne d'un départ d'hydracide
halogéné.
De. Dehydrohalogenierung (f.)
En. dehydrohalogenation
Es. deshidrohalogenación [2478]

DÉSILTAGE n.m. 74
opération > séparation physique
Élimination des argiles des boues de forage. [4156 bis]

DÉSINCLINAISON n.f. 78
physique > physique du solide et du fluide
Rotation d'une région cristalline par rapport à une autre
région.
V. coin ; cône plat ; désinclinaison coin ; désinclinaison de
torsion ; lame (en —) [8649]

DÉSINCLINAISON COIN n.f. 78
DÉSINCLINAISON-COIN
physique > physique du solide et du fluide
Type de désinclinaison obtenue par rotation des surfaces de la
coupure autour de l'axe du tore ou de la sphère.
V. coin ; désinclinaison ; désinclinaison de torsion ; lame
(en —)
En. wedge disclination
Es. desinclinación en cuña [8620]

DÉSINCLINAISON DE TORSION n.f. 78
physique > physique du solide et du fluide
Type de désinclinaison obtenue par rotation selon un axe
perpendiculaire à l'axe de la sphère.
V. désinclinaison ; désinclinaison coin ; despiralisation
En. twist disclination [8757]

DÉSINDUSTRIALISATION n.f. 75
économie > développement (économie)
Diminution de l'activité industrielle dans une région détermi-
née.
De. Entindustrialisierung (f.)
En. de-industrialization
Es. desindustrialización [4984]

DÉSINFORMATION n.f. 75
politique
Fait de falsifier l'information ou d'en priver l'opinion publique.
*De. Desinformation (f.) ; Nachrichtenverfalschung (f.) und
Unterdrückung*
En. misinformation
Es. desinformación [3887]

DESMOSOME n.m. 74
tissu (biologie) > tissu épithélial
Zone d'attache à la surface de contact entre deux cellules
épithéliales.
De. Desmosom (n.)
En. desmosome
Es. desmosoma [3704]

DÉSOLVANTISATION n.f. 72
technologie des matériaux > génie alimentaire
Opération consistant à éliminer des solvants.
En. desolvation [6056]

DÉSOLVATION n.f. 76
économie > industrie chimique
Extraction des solvants.
En. liquid extraction ; solvent extraction
Es. desolvatación [6741]

DÉSORDRE À LONGUE DISTANCE n.m. 72
propriété > composition
Absence d'ordre à longue distance (répétition de motifs
cristallins ou moléculaires) en raison d'une variation de
composition ou de disposition.
En. long range disorder [242]

DÉSORPTION DE CHAMP n.f. 78
instrumentation > spectrométrie
Méthode de spectrométrie de masse utilisant un champ
électrique intense. [6986]

DESPIRALISATION n.f. 78
physique > physique du solide et du fluide
Défaut structural d'un matériau dont les cristaux composés
d'atomes ne possedent pas de symétrie sphérique.
V. coin ; désinclinaison de torsion
En. dispiration [8621]

DESSALURE n.f. 72
propriété > composition
Dilution de l'eau de mer par un apport naturel d'eau douce.
En. freshening [243]

DESSERVEUR n.m. 78
information > traitement de l'information
Personne ou organisme qui fournit l'information.
V. serveur

De. Lieferant (m.)
En. originator [8758]

DESSICCANT n.m. 77
agronomie > technique culturale
Substance ou préparation appliquée sur des plantes pour en
dessécher les parties aériennes, en vue de faciliter la récolte.
V. défanant [7954]

DESSINATEUR-SCÉNARISTE n.m. 74
arts > arts graphiques
Dessinateur de bandes dessinées.
De. Bildserienzeichner (m.) ; Comicstripszeichner (m.)
En. cartoonist [3363]

DESSOUCHEUSE n.f. 75
matériel agricole
Bouteur équipé d'une pelle étroite ou de dents pour extraire
les souches et racines des arbres.
De. Rodemaschine (f.)
En. root rake ; root cutter [4815]

DESTRUCTURÉ adj. 75
vie quotidienne > vêtement
Se dit d'un vêtement sans entoilages.
En. unconstructed [5384]

DÉTARER v. 72
mécanique appliquée > moteur
Déséquilibrer un moteur en réduisant le coefficient de remplissage en carburant des pistons. [2193]

DÉTAYLORISATION n.f. 78
économie > travail (main-d'œuvre)
Remise en question d'une organisation du travail fondée sur le
travail à la chaîne. [8878]

DÉTECTABILITÉ → seuil de — .

DÉTECTEUR → opto - — .

DÉTECTEUR À FLAMME n.m. 78
environnement et sécurité > protection contre l'incendie
Détecteur sensible aux infrarouges émis par une flamme.
V. détecteur ionique ; détecteur optique ; détecteur thermo-
vélocimétrique
De. Flammenmelder (m.)
En. infrared detector
Es. detector de llama [8759]

DÉTECTEUR À ULTRASONS n.m. 77
environnement et sécurité > dispositif de sécurité
Appareil d'émission d'ultrasons déclenchant un signal d'alarme lorsque sa fréquence d'émission est modifiée.
V. détecteur-barrière ; détecteur d'approche : détecteur de
bris de glace ; détecteur de contact ; détecteur microphonique ; protection périmétrique ; protection ponctuelle ; protection volumétrique
De. Ultraschalldetektor (m.)
En. ultrasonic detector
Es. detector de ultrasonidos [8471]

DÉTECTEUR-BARRIÈRE n.m. 75
environnement et sécurité > dispositif de sécurité
Appareil à rayonnement déclenchant un processus lorsque le
faisceau qu'il émet est interrompu.
V. détecteur à ultrasons ; détecteur d'approche ; détecteur de
bris de glace ; détecteur de contact ; détecteur microphonique ; protection périmétrique ; protection ponctuelle ; protection volumétrique
De. Lichtschranke (f.)
En. detector-barrier [5791]

DÉTECTEUR D'APPROCHE n.m. 73
environnement et sécurité > dispositif de sécurité
Dispositif déclenchant un signal d'alarme en cas de variation
du champ électrique de la zone surveillée.
V. détecteur à ultrasons ; détecteur-barrière ; détecteur de
bris de glace ; détecteur de contact ; détecteur microphoni-

que ; protection périmétrique ; protection ponctuelle ; protection volumétrique [1479]

DÉTECTEUR DE BRIS DE GLACE n.m. 77
environnement et sécurité > dispositif de sécurité
Dispositif permettant de réagir à toute modification de la structure de la vitre sur laquelle il est placé.
V. détecteur à ultrasons ; détecteur-barrière ; détecteur d'approche ; détecteur de contact ; détecteur microphonique ; protection périmétrique ; protection ponctuelle ; protection volumétrique [8472]

DÉTECTEUR DE CONTACT n.m. 77
environnement et sécurité > dispositif de sécurité
Dispositif électromécanique ou magnétique se déclenchant lors de tout contact avec l'objet qu'il surveille.
V. détecteur à ultrasons ; détecteur-barrière ; détecteur d'approche ; détecteur de bris de glace ; détecteur microphonique ; protection périmétrique ; protection ponctuelle ; protection volumétrique
En. contact
Es. detector de contacto [8473]

DÉTECTEUR DE PROXIMITÉ n.m. 74
électronique > équipement électronique
Dispositif conçu pour détecter une présence dans une zone déterminée.
En. proximity detector [9301]

DÉTECTEUR IONIQUE n.m. 78
environnement et sécurité > protection contre l'incendie
Détecteur sensible aux concentrations de gaz et de fumée.
V. détecteur à flamme ; détecteur optique ; détecteur thermovélocimétrique
De. Ionisationsfeuermelder (m.)
En. ionisation chamber ; ionization chamber ; smoke detector
Es. detector iónico [8760]

DÉTECTEUR MICROPHONIQUE n.m. 77
environnement et sécurité > dispositif de sécurité
Appareil muni de microphones et transmettant les signaux sonores émis à un amplificateur provoquant l'alarme dès qu'un certain niveau de bruit est atteint.
V. détecteur à ultrasons ; détecteur-barrière ; détecteur d'approche ; détecteur de bris de glace ; détecteur de contact ; protection périmétrique ; protection ponctuelle ; protection volumétrique
En. sound detector ; sonic detector
Es. detector microfónico [8474]

DÉTECTEUR OPTIQUE n.m. 78
environnement et sécurité > protection contre l'incendie
Détecteur sensible à la présence de fumée visible.
V. détecteur à flamme ; détecteur ionique ; détecteur thermovélocimétrique
De. optischer Feuermelder (m.)
En. optical smoke detector ; photoelectric smoke detector
Es. detector óptico [8761]

DÉTECTEUR THERMOVÉLOCIMÉTRIQUE n.m. 78
environnement et sécurité > protection contre l'incendie
Détecteur sensible à une rapide élévation de température.
V. détecteur à flamme ; détecteur ionique ; détecteur optique
De. Differentialfeuermelder (m.)
En. rate-of-rise detector
Es. detector termovelocimétrico [8762]

DÉTECTIVITÉ n.f. 76
instrumentation > hydrométrie
Fonction caractéristique d'un appareil de mesure qui représente la densité spectrale d'amplitude du signal minimal détectable.
De. Nachweisvermögen (n.)
En. detectivity [7264]

DÉTEMPÉREUSE n.f. 76
économie > industrie agricole et alimentaire
Appareil dans lequel le trop-plein de la masse de chocolat prête à être moulée n'est plus maintenu à la température qui lui conférait une forme cristalline stable.
V. tempéreuse [8879]

DÉTENDEUR → goutteur à — .

DÉTENSIONNEMENT n.m. 72
technologie des matériaux > traitement thermique
Élimination des tensions internes qui subsistent dans un objet.
De. Entspannen (n.)
En. relief of internal stresses [70]

DÉTERMINISTIQUE adj. 74
modèle
Se dit d'une section qui tend à analyser la réponse d'un système à une sollicitation donnée en vue de construire un modèle mathématique représentant le comportement du système.
de. deterministisch
En. deterministic
Es. determinístico [5385]

DÉTIMBRAGE n.m. 72
instrumentation > mesure mécanique
Suppression ou modification des limitations de pression admises dans un appareil ou une machine.
En. decalibration [1120]

DÉTIQUEUR adj. 73
matériau > pesticide
Destiné à l'élimination des tiques.
V. ixodicide
De. zeckenbeseitigend ; zeckenvernichtend
En. tick-removing [4640]

DÉTONIQUE n.f. 73
pyrotechnie
Science ayant pour objet l'étude des composés explosifs et de leurs effets.
De. Detonationstechnik (f.)
En. detonics ; explosives science [423]

DÉTORDU adj. 75
physique > physique du solide et du fluide
Se dit d'une substance dont les molécules sont toutes mises dans la même direction sous l'action d'un champ électrique. [4157 bis]

DÉTOXICATION n.f. 74
environnement et sécurité > lutte contre la pollution
Traitement des déchets en vue d'éliminer les produits toxiques.
V. détoxiqué
De. Entgiftung (f.)
En. detoxication
Es. detoxicación [3888]

DÉTOXIQUÉ adj. 76
environnement et sécurité > lutte contre la pollution
Dont on a éliminé les produits toxiques.
V. détoxication
En. detoxicated ; detoxified [5516]

DÉTRAMER v. 78
arts > photographie
Extraire les directions dominantes d'une photographie tramée.
En. to desample
Es. destramador [9302]

DÉTRITIPHAGE adj. 76
écologie > synécologie
Qui se nourrit de détritus.
V. détritivore
De. saprophag ; saprozoisch
En. detritivore
Es. detritífago [6209]

DÉTRITIVORE n.m. 71
écologie > synécologie
Microorganisme qui recycle les déchets organiques.
V. décomposeur ; détritiphage
De. Saprobiont (m.)

En. detritivor
Es. detritívero [6057]

DÉTROMPAGE n.m. 74
électronique > radiotechnique
Disposition ou aménagement qui empêche la mauvaise utilisation d'un instrument.
De. Narrensicherung (f.)
En. foolproofing [4062]

DÉTROMPEUR n.m. 73
environnement et sécurité > protection
Appareil destiné à éviter de fausses manœuvres. [1480]

DEUTÉRATION n.f. 74
technologie des matériaux > génie chimique
Addition de deutérium à un corps ou remplacement de l'hydrogène par du deutérium.
En. deuteration ; deuterization
Es. deuteración [2352]

DEUTÉRIOTRITIURE n.m. 73
chimie > chimie minérale
Mélange de métal tritié et deutérié contenant l'hydrure du même métal en quantités variables.
En. deuteri-tritide [1481]

DEUTÉRISANT adj. 75
chimie > constitution de la matière
Enrichissant en deutérium. [4399]

DÉVELOPPÉ → linéaire — .

DÉVELOPPÉE → barbacane — ; turbulence — .

DÉVELOPPEMENT → auto - — ; éco - — ; recherche - — .

DÉVELOPPEMENT AUTO-CENTRÉ n.m. 75
DÉVELOPPEMENT AUTOCENTRÉ
économie > développement (économie)
Croissance économique fondée prioritairement sur les ressources du pays.
V. auto-développement
De. eigenständige Entwicklung (f.)
En. self-reliance
Es. desarrollo autónomo [5386]

DÉVELOPPEMENT SÉPARÉ n.m. 75
politique
En Afrique du Sud, régime de séparation des institutions politiques et sociales des groupes de population blanc, métis, indien et bantou.
De. Apartheid (f.)
En. apartheid ; separate development [4815]

DÉVELOPPEUR n.m. 76
économie > développement (économie)
Responsable dont l'action s'inspire d'une doctrine du développement. [6987]

DÉVERGLACER v. 75
environnement et sécurité > protection contre les intempéries
Faire fondre le verglas.
De. Eis beseitigen
En. to remove black ice from ; to remove glazed ice from [3889]

DÉVERMINAGE n.m. 75
électronique > radiotechnique
Opération qui consiste à éliminer ou empêcher les parasites.
De. Rauschunterdrückung (f.)
En. interference elimination ; noise suppression ; radio-shielding [4219]

DÉVÉSICULEUR n.m. 77
économie > industrie chimique
Dispositif destiné à éliminer les particules liquides (vésicules) présentes dans un gaz.
En. mist eliminator [7822]

DÉVIATEUR n.m. 74
électronique > composant électronique
Ensemble de bobines enfilées autour du col du tube cathodique d'un téléviseur et produisant des champs magnétiques variables qui dirigent le faisceau d'électrons de manière à réaliser le balayage de l'écran.
De. Ablenkteil (n.)
En. deflection unit
Es. desviador [3890]

DÉVIATEUR DE CONTRAINTES n.m. 75
physique > mécanique
Différence entre la contrainte principale de compression la plus élevée δ_1 et la contrainte principale de compression la moins élevée δ_3.
De. Verdichtungsdruckunterschied (m.)
En. stress deviator [4846]

DÉVOCALISÉ adj. 76
physiologie > développement (physiologie)
Privé de capacité vocale. [5268]

DÉVOUTAGE n.m. 77
DÉVOÛTAGE
stockage > ensilage
Opération qui consiste à redonner un écoulement régulier à des produits en vrac lorsque commence à se former une voûte.
V. dévouteur ; voûtage [7679]

DÉVOUTEUR n.m. 77
DÉVOÛTEUR
stockage > ensilage
Dispositif destiné à empêcher la formation d'une voûte et à permettre l'écoulement régulier de produits en vrac.
V. casse-voûtes ; dévoutage ; voûtage [7680]

DÉVOYAGE n.m. 75
transport et manutention > exploitation des transports
Manœuvre consistant à modifier la voie utilisée par un train par rapport au programme.
De. Umleitung (f.)
En. diversion [4817]

DIACHRONIQUE → image — .

DIACLASAGE n.m. 74
géologie > minéralogie
Disposition et fréquence des plans de diaclase dans une roche. [763]

DIADSORBÉ adj. 73
chimie > chimie du solide et du fluide
Adsorbé en deux sites d'une même molécule.
V. monoadsorbé [1121]

DIAGÉNÉTIQUE → dépôt — .

DIAGRAMME DES QUATRE QUADRANTS n.m. 74
représentation graphique > diagramme
Diagramme qui représente à l'aide de quatre quadrants les variations couple/vitesse d'un ensemble motovariateur.
De. Vierquadrantendiagramm (n.)
Es. diagrama de cuatro cuadrantes [3172]

DIAGRAPHISTE n.m. 75
techniques sciences de la terre
Spécialiste des enregistrements d'une grandeur physique déterminée en fonction de la profondeur (diagraphies).
En. log analyst [5648]

DIALECTOMÉTRIE n.f. 76
linguistique
Application de méthodes quantitatives à la dialectologie.
De. Dialecktometrie (f.)
Es. dialectometría [7404]

DIALECTOPHONE n. 76
linguistique
Qui parle un dialecte.

De. Mundartsprecher (m.)
Es. dialectófono [7405]

DIALIVRE n.m. 73
information > document
Album réunissant des diapositives et un livret de commentaires sur un sujet culturel ou d'actualité documentaire.
En. slide book [1823]

DIAPASON → joint - — .

DIAPHRAGME → cellule à — ; électrolyseur à — .

DIAPILOTAGE n.m. 74
information > moyen d'information
Ensemble de signaux codés enregistrés sur bande qui commande les appareils nécessaires au déroulement d'un programme audiovisuel. [2479]

DIAPOSITIVE PARLANTE n.f. 73
information > document
Diapositive associée à un appareil de transcription sonore qui reproduit un commentaire préalablement enregistré.
De. Tondiapositiv (n.) [1657]

DIARRHÉOGÈNE adj. 77
pathologie animale > pathologie tumorale
Se dit d'une tumeur secrétant des hormones qui provoquent une diarrhée.
De. diarrhögen
En. diarrheogenic
Es. diarreógeno [8222]

DIATHÈQUE n.f. 74
collection
Collection de diapositives.
De. Diasammlung (f.) ; Diathek (f.)
En. slide library [2195]

DIATOMOLOGIE n.f. 73/74
organisme vivant > végétal
Étude d'un type d'algues unicellulaires (diatomées).
De. Diatomeenkunde (f.)
En. diatomology
Es. diatomología [7266]

DIATYPISTE n. 74
impression
Personne travaillant sur une machine diatype.
En. diatype machine operator [3706]

DIAUXIE n.f. 76
génétique > génétique cellulaire
Modification de la croissance bactérienne qui, sous l'action de certains sucres, comporte deux pousses successives.
V. diauxique
De. Diauxie (f.)
En. diauxy [6059]

DIAUXIQUE adj. 76
génétique > génétique cellulaire
Propre à une diauxie.
V. diauxie
De. Zweiphasen- [7406]

DICHROÏQUE → voile — .

DICT₅₀ (Dose Infectante Culture de Tissus) n.f. 73
génie biomédical > thérapeutique immunologique
Dose infectant 50 % d'une culture de tissus.
En. T.C.I.D.₅₀ [4641]

DICTIONNAIRE NÉGATIF n.m. 76
information > traitement documentaire
Dictionnaire de mots vides.
V. antidictionnaire ; mot-vide
Es. diccionario negativo [7407]

DIDAXIE n.f. 75
enseignement
Modalité de ce qui est propre à instruire, que ce soit dans ou hors l'institution.
V. autodidaxie
En. instruction [6211]

DIEL adj. 75
instrumentation > mesure de temps
Se dit d'une situation d'une durée de vingt-quatre heures.
De. ganztägig
En. diel [4642]

DIÉLECTRIQUE → anisotropie — négative ; anisotropie — positive.

DIÉLECTROMÈTRE n.m. 77
électrotechnique > mesure électrique
Appareil qui permet la mesure des caractéristiques d'un milieu diélectrique.
Es. dielectrómetro [8623]

DIÉSÉLISTE n. 74
mécanique appliquée > moteur
Mécanicien spécialisé dans l'étude des moteurs à huile lourde (moteur Diesel).
De. Dieselmechaniker (m.)
En. diesel engine mechanic [1483]

DIÉTOTHÉRAPIE n.f. 75
vie quotidienne > alimentation
Traitement d'une maladie à l'aide de procédés diététiques.
De. Diätotherapie (f.) ; Ernährungstherapie (f.)
En. dietotherapy
Es. dietoterapía [5272]

DIFFÉRENTIEL → mode — ; sondage magnétique — .

DIFFÉRENTIELLE → procédure — .

DIFFICILE → axe — .

DIFFRACTOGRAMME n.m. 67
instrumentation > diffractométrie
Diagramme obtenu par diffraction d'un rayonnement.
De. Beugungsdiagramm (n.)
En. diffractogram
Es. difractograma [6212]

DIFFRACTOMÉTRIE n.f. 76
instrumentation > diffractométrie
Méthode permettant de déterminer les structures cristallines par diffraction des rayons X.
V. diffractométrie
De. Beugungsanalyse (f.) ; Diffraktometire (f.)
En. diffractometry
Es. difractometría [5922]

DIFFRACTOMÉTRIQUE adj. 76
instrumentation > diffractométrie
Relatif à la diffractométrie.
V. diffractométrie
De. diffraktometrisch
En. diffractometric [5923]

DIFFUS → rayonnement — .

DIFFUSANT → soudo - — .

DIFFUSEUR → éjecto - — .

DIFFUSION → barrière de — ; câblo - — ; satellite de — directe.

DIFFUSION FERMÉE (à —) adj. 75
information > diffusion de l'information
Se dit d'un moyen de communication dont le rythme et le calendrier de diffusion peuvent être contrôlés par les destinataires.
V. diffusion ouverte (à —)

En. closed diffusion
Es. difusión cerradda [4063]

DIFFUSION GAZEUSE n.f. 73
économie > industrie nucléaire
Procédé de séparation des isotopes fondé sur la propriété que
possèdent deux corps dotés de masses atomiques différentes
de diffuser à des vitesses différentes à travers une paroi
poreuse.
V. barrière de diffusion
De. Gasdiffusion (f.)
En. gaseous diffusion [2023]

DIFFUSION INCOHÉRENTE n.f. 74
physique > propagation d'onde
Processus de diffusion dans lequel le rayonnement est diffusé
de manière telle qu'il n'existe pas de relation de phase définie
entre les ondes diffusées et incidentes.
De. inkohärente Strahlung (f.)
En. incoherent diffusion ; incoherent scattering
Es. difusión incoherente [3545]

DIFFUSION OUVERTE (à —) adj. 75
information > diffusion de l'information
Se dit d'un moyen de communication dont le rythme et le
calendrier de diffusion sont imposés de l'extérieur.
V. diffusion fermée (à —)
En. open diffusion
Es. difusión abierta [4064]

DIFFUSIVITÉ n.f. 72
propriété > propriété thermique
Coefficient de diffusion.
De. Temperaturleit Fähigkeit (f.)
En. diffusivity [425]

DIGITATION n.f. 74
physique > mécanique
Forme préférentielle d'écoulement à travers un gâteau de
filtration.
De. bevorzugter Strömungsweg (m.)
En. digitation [3365]

DIGLOSSIQUE adj. 71
linguistique
Se dit d'une communauté qui pratique deux langues ou deux
états d'une même langue.
En. diglottic [4065]

DILACÉRATEUR n.m. 76
économie > industrie antipollution
Dispositif permettant de broyer les substances solides retenues
par dégrillage, en vue de les renvoyer à l'égout.
De. Zerkleinerer (m.)
En. comminutor ; macerator [7823]

DILATANCE n.f. 74
physique > mécanique
Propriété d'un corps qui augmente de volume lorsque sa
forme est modifiée en raison d'une augmentation de l'espace
interstitiel entre les particules qui le composent.
En. dilatancy
Es. dilatancia [2481]

DILATOMÉTRIE n.f. 69
instrumentation > mesure mécanique
Mesure de la dilatation des corps.
De. Dehnungsmessung (f.)
En. dilatometry
Es. dilatometria [4818]

DILEPTON n.m. 77
physique > physique des particules
Système composé de deux leptons.
De. Dilepton (n.)
En. dilepton
Es. bilepton [8475]

DILUTEUR n.m. 73
chimie > chimie du solide et du fluide
Appareil utilisé pour diluer un échantillon.
En. diluter [2482]

DILUTEUR → pipetteur - — .

DIMENSION DE NŒUD UNIQUE n.f. 74
économie > industrie du bois
Dimension d'un nœud de bois de construction indépendamment de sa forme. [2196]

DIMENSIONNEMENT n.m. 73
instrumentation > mesure de dimension
Établissement de l'ensemble des dimensions d'un objet.
De. Bemessung (f.) ; Dimensionierung (f.)
En. gaging ; gauging [1484]

DIMÉRISATION n.f. 75
chimie > réaction chimique
Formation d'un corps dont le poids moléculaire est double de
celui d'un autre.
De. Dimerisierung (f.)
En. dimerization
Es. dimerización [6852]

DIMINUENDE n.m. 74
mathématiques appliquées
Dans une soustraction, nombre ou grandeur duquel un autre
nombre ou une autre grandeur est soustrait.
V. diminuteur
De. Minuend (m.)
En. minuend
Es. minuendo [5275]

DIMINUTEUR n.m. 74
mathématiques appliquées
Dans une soustraction, nombre ou grandeur soustrait du
diminuende.
V. diminuende
De. Subtrahend (m.)
En. subtrahend
Es. substraendo [5276]

DIMUON n.m. 76
physique > physique des particules
Système composé de deux muons.
En. dimuon
Es. dimuón [5792]

DINOSAURE n.m. 76
géophysique > géomorphologie
Arête supérieure d'un sillon creusé lors d'une opération de
dragage dans un fond sous-marin et dont les matériaux
particulièrement résistants n'ont pu être entamés par la drague.
V. chandelle
En. dinosaur
Es. dinosaurio [6853]

DIODE PIN n.f. 73
électronique > technique des semiconducteurs
Jonction PN semiconductrice qui possède entre les deux
régions P^+ et N^+ fortement dopées une zone intrinsèque de
très faible dopage.
De. p-i-n Diode (f.)
En. PIN diode [1303]

DIODE RAPIDE n.f. 75
électronique > composant électronique
Diode qui passe de l'état bloqué à l'état conducteur et
inversement, très rapidement.
De. Schnellschaltdiode (f.)
En. fast diode
Es. diodo rápido [4644]

DIPHONÈME n.m. 76
linguistique
Unité phonétique constituée de deux phonèmes employée
pour réaliser la synthèse de la parole sur ordinateur.
De. Biphonem (n.)

En. diphoneme
Es. difonema [6617]

DIPLEXEUR n.m. 75
télécommunications > équipement télécommunications
Système couplé qui permet à deux dispositifs différents
d'émettre, simultanément ou séparément, à partir de la même
antenne.
De. Diplexer (m.)
En. diplexer [5518]

DIPROTON n.m. 77
physique > physique des particules
Système instable composé de deux protons.
De. Doppelproton (n.)
En. di-proton ; diproton
Es. di-protón [8090]

DIPSOPROPHYLAXIE n.f. 77
médecine > médecine sociale
Prophylaxie de la soif pathologique.
De. Dipsoprophylaxe (f.)
Es. dipsoprofilaxia [7536]

DIRECT adj. → chauffage — ; rayonnement — ; son — .

DIRECT n.m. → opérateur de — .

DIRECTE → autoconcurrence — ; chauffe — ; chauffe
semi - — ; palatographie — ; satellite de diffusion — ; table
copie — .

DIRECTEUR D'AIR n.m. 74
mécanique des fluides appliquée
Dispositif permettant d'orienter un flux gazeux.
En. air cylinder ; air header ; directional air cylinder [5925]

DIRECTIONNELLE → impression bi - — .

DIRECTISSIME n.f. 74
sport
En alpinisme, voie la plus proche de la ligne droite pour
atteindre un sommet.
De. Direttisima (f.) [2024]

DIRIGÉE → réserve naturelle — .

DISCLUSION n.f. 76
anatomie > anatomie animale
Position relative des deux maxillaires telle que certains grou-
pes dentaires n'ont pas de contact avec leurs antagonistes.
De. Disklusion (f.)
En. malocclusion
Es. disclusion [6742]

DISCONTACTEUR n.m. 73
électrotechnique > circuit d'alimentation électrique
Appareil qui comprend un contacteur électromagnétique et un
relais provoquant l'ouverture de celui-ci et qui remplit la
double fonction de disjoncteur et de contacteur.
De. (Steuer-) Schalter (m.)
En. slave switch [1304]

DISCONTINU → débarquement — ; embarquement — .

DISCRET → caractère — .

DISCRÈTE → téléphonie — .

DISCRÉTION n.f. 76
instrumentation > appareil électronique de mesure
Qualité d'un capteur qui ne perturbe pas la grandeur à
mesurer. [7120]

DISCRÉTISATION n.f. 72
mathématiques appliquées
Méthode qui consiste à remplacer chaque donnée qui doit être
enregistrée par un élément d'un ensemble discret préalablement donné. [1824]

DISCRÉTISATION n.f. 75
linguistique
Opération qui consiste à constituer un système d'unités
distinctes.
En. discretization
Es. discretización [5926]

DISCRIMINANTE → analyse — .

DISCRIMINATION n.f. 75
biochimie
Distinction dans le mode de fixation du carbone par les plantes.
De. Diskrimination (f.)
En. discrimination
Es. discriminación [4158 bis]

DISCURSIF → modèle — .

DISPERSIBILITÉ n.f. 75
propriété > propriété physico-chimique
Aptitude d'une substance à se diviser au sein d'une autre.
De. Dispergierbarkeit (f.)
En. dispersibility
Es. dispersabilidad [5793]

DISPLACIF adj. 77
physique > physique du solide et du fluide
Se dit d'un changement de phase d'un cristal dû à un
déplacement spontané de ses atomes entre lesquels certaines
constantes de force élastique s'annulent à une température
critique.
En. displacive [7955]

DISPONIBILITÉ ASYMPTOTIQUE n.f. 73
**gestion, organisation, administration > recherche opération-
nelle**
Aptitude d'un système à remplir sa mission pendant une
proportion de temps mesuré sur une durée très longue.
V. disponibilité instantanée
En. limiting interval availability
Es. disponibilidad asintótica [5519]

DISPONIBILITÉ INSTANTANÉE n.f. 73
**gestion, organisation, administration > recherche opération-
nelle**
Aptitude d'un système à remplir sa mission à un instant donné.
V. disponibilité asymptotique
En. pointwise availability
Es. disponibilidad instantánea [5520]

DISPONIBLE → vocabulaire — .

DISPOSABLE n.m. 75
conditionnement (emballage) > emballage
Objet que l'on jette après usage (jetable).
De. Einwegartikel (m.)
En. disposable [8224]

DISQUE(S) → audio - — ; moteur à — s.

DISQUE À CALCULER n.m. 74
automatisme > équipement automatique
Type de règle à calcul comportant trois parties coulissantes et
concentriques où les échelles sont adaptées de façon que le
résultat se trouve toujours au-dessus ou au-dessous des
nombres sélectionnés du problème.
De. Rechenscheibe (f.)
En. circular slide rule
Es. disco de cálculo [3174]

DISQUE DÉPOUILLEUR n.m. 74
instrumentation > essai et contrôle
Disque d'un enregistreur permettant de totaliser en temps et
en pourcentage la durée de marche d'une machine par rapport
au temps d'arrêt.
De. Auswertscheibe (f.)
Es. disco registrador-totalizador [3366]

DISQUE-IMAGES n.m. 72
information > support documentaire
Disque microsillon qui permet l'enregistrement et la restitu-
tion du son et de l'image.
De. Bildplatte (f.)
En. video disc ; video disc recorder [567]

DISQUE SOUPLE n.m. 75
information > support documentaire
Disque magnétique souple de petite dimension et de capacité
limitée utilisé en informatique pour l'enregistrement des
données.
V. disquette
En. diskette ; floppy disk ; floppy disc ; mini-disk ; minnow-disk
Es. disco blando [6060]

DISQUETTE n.f. 74
information > support documentaire
Disque magnétique souple de petite dimension et de capacité
limitée utilisé en informatique pour l'enregistrement des
données.
V. disque souple
De. Speicherplatte (f.)
En. disket ; diskette [3892]

DISROTATOIRE adj. 73
chimie > cinétique chimique
Se dit de mouvements en sens contraires de rotation de liaison
autour d'autres liaisons que l'on doit effectuer pour ouvrir ou
fermer un cycle.
V. conrotatoire
En. disrotary [568]

DISSIPATIF → silencieux — ; système — .

DISTANCE → désordre à longue — .

DISTANCIER n.m. 73
bâtiment et travaux publics > opération de construction
Petite pièce le plus souvent en bois, qui maintient la distance
initiale entre deux fers pendant la coulée de béton. [765]

DISTILLATION → bitume de — .

DISTILLATION ÉCLAIR n.f. 74
DISTILLATION — ÉCLAIR
opération > séparation physique
Élimination d'un corps volatil d'un mélange en soumettant
celui-ci brusquement et pendant un temps court à une
température supérieure à sa température d'ébullition.
En. flash distillation
Es. destilación relámpago [2353]

DISTRIBUÉE → architecture — ; centrale — ; gyrotropie
— .

DISTRIBUTION → tiroir de — ; satellite de — .

DISTRICT n.m. 75
gestion, organisation, administration > planification
Ensemble formé de plusieurs secteurs comprenant les diffé-
rents types d'établissement du second cycle.
V. secteur
De. Regierungsbezirk (m.)
En. district [4987]

DISTRICT n.m. 74
géologie > gîtologie
Gisement métallifère de 10 à 100 km de dimensions linéaires
horizontales.
V. aire ; champ ; corps minéralisé ; province
En. district [3546]

DIVERGENCE n.f. 75
physiologie > neurophysiologie
Opération intellectuelle consistant à trouver le maximum de
réponses possibles à un problème donné.
V. convergence
De. Divergenz (f.)

En. divergence
Es. divergencia [4220]

DIVERGENT → trafic — ; trafic — - convergent.

DIVERSIFICATION CONCENTRIQUE n.f. 73
économie > commercialisation
Politique commerciale d'une entreprise qui, à la fois, aug-
mente la gamme de produits offerts à ses clients habituels et
atteint des clients différents pour ses produits traditionnels.
V. diversification hétérogène
De. konzentrische Diversifikation (f.)
En. concentric diversification
Es. diverficación concéntrica [3367]

DIVERSIFICATION HÉTÉROGÈNE n.f. 73
économie > commercialisation
Politique commerciale d'une entreprise qui recherche des
clients différents par une fabrication de produits nouveaux.
V. diversification concentrique
De. heterogene Diversifikation (f.)
En. heterogeneous diversification [3368]

DIVISEUR-FORMEUR n.m. 75
instrumentation > appareil électronique de mesure
Dispositif destiné, à partir des fréquences d'un étalon, à
matérialiser l'unité de temps par l'élaboration d'un rythme
d'impulsions électriques de fréquence donnée.
En. divider-shaper [6473]

D.J.A. (Dose Journalière Acceptable) n.f. 78
pharmacologie > tolérance médicamenteuse
Quantité de matière active qui peut être quotidiennement
absorbée au cours d'une vie d'homme sans manifestation
d'effets secondaires.
V. d.s.e. [9303]

DOCTEUR n.m. 76
économie > industrie papetière
Racle en matériau dur placée sur un rouleau de presse, un
cylindre frictionneur... afin d'éliminer les débris de papier, de
pâte et de colle.
En. doctor [6331]

DOCTORANT n.m. 76
enseignement
Étudiant qui prépare un doctorat.
De. Doktorand (m.)
En. doctorand ; doctorandus
Es. doctorando [6854]

DOCUMENTOGRAPHIE n.f. 78
information > document
Répertoire de documents.
De. Dokumentenverzeichnis (n.)
Es. documentografía [9304]

DOCUMENT PRIMAIRE n.m. 77
information > document
Document original lu par le lecteur dans l'état où l'auteur l'a
écrit.
V. document secondaire ; document tertiaire
De. primares Dokument (n.)
En. primary document
Es. documento primario [8683]

DOCUMENT SECONDAIRE n.m. 77
information > document
Document qui fait référence au document primaire et n'existe-
rait pas sans lui.
V. document primaire ; document tertiaire
De. sekundares Dokument (n.)
En. secondary document
Es. documento secundario [8698]

DOCUMENT TERTIAIRE n.m. 77
information > document
Document (synthèse, compte rendu, bilan) établi à partir du
document secondaire.
V. document primaire ; document secondaire

De. drittes Dokument (n.) ; tertiäres Dokument (n.)
En. tertiary document
Es. documento terciario [8704]

DOIGT n.m. 75
agronomie > production végétale
L'une des bananes d'un régime.
V. main [9022]

DOIGT n.m. 72
bâtiment et travaux publics > équipement technique (bâtiment)
Partie solidaire de la cuiller, de la crémallière ou de l'engrenage, entraînant la tringle. [246]

DOIGT DE GANT n.m. 78
économie > industrie nucléaire
Type de canalisation étanche pénétrant à l'intérieur de tubes. [8880]

DOIGTS DE GANTS adj. 71
gestion, organisation, administration > aménagement de territoire
Se dit d'une urbanisation qui se développe en axes radiocentriques appuyés sur des voies de desserte existantes.
V. barrière de corail
En. ribbon development ; strip development [6988]

DOIGTS DE GANTS FROIDS n.m.pl. 74
mécanique des fluides appliquée
Dispositif destiné à éliminer la vapeur d'eau des systèmes à vide.
De. Kühlfinger (m.)
En. cooling finger ; cooling probe ; thimble trap ; thimble-type trap [3003]

DOIGTS DE TRANSFERT n.m.pl. 73
mécanique appliquée > organe de machine
Organes mobiles d'un appareil destiné à déplacer un objet au cours de son traitement industriel. [1485]

DOLLAR → pétro - — .

DOLO n.m. 67
matériau > produit alimentaire
Bière de mil africaine.
En. dolo [4645]

DOMESTIQUE → satellite - — ; téléinformatique — .

DONNÉES → base de — ; bus de — ; consignateur de — .

DOS DE BALEINE n.m. 77
géophysique > géomorphologie
Croupe rocheuse basse et allongée correspondant à un volume résiduel dans des roches cristallines massives nettoyées par les agents d'ablation.
En. whaleback [8476]

DOSEUSE → remplisseuse - — .

DOSEUSE-SERTISSEUSE n.f. 77
économie > industrie agricole et alimentaire
Machine destinée à introduire dans un produit une certaine quantité d'une substance donnée puis à clore les boîtes de conserve.
V. remplisseuse-doseuse
De. Dosier- und Falzmaschine (f.)
En. filling and closing machine [8226]

DOSIMÈTRE PASSIF n.m. 73
instrumentation > mesure de rayonnement ionisant
Type de dosimètre qui enregistre les événements et les garde en mémoire.
V. dosimétrique
De. passiver Dosimeter (m.) ; passiver Dosismessgerät (n.)
Es. dosímetro pasivo ; dosímetro registrador [2354]

DOSIMÉTRIQUE adj. 77
instrumentation > mesure de rayonnement ionisant
Relatif à la mesure des rayonnements ionisants (dosimétrie).
V. dosimètre passif [6474]

DOSOMÈTRE n.m. 73
instrumentation > mesure de masse
Instrument qui permet de réaliser l'extraction et la distribution continues de matériaux en vrac à un débit pondéral constant.
V. bascule intégratrice [1659]

DOSSÉ adj. 74
technologie des matériaux > formage
Replié sur lui-même dans le sens de la longueur.
De. längsgefaltet [1660]

DOSSEUR n.m. 73
économie > industrie du bois
Appareillage permettant la repasse des dosses.
De. Schalbrettnachschneider (m.)
En. slabber [1122]

DOSSIER-VOITURE n.m. 75
transport et manutention > transport
Bordereau destiné à la préparation du chargement d'un camion.
V. avis de sort
De. LKW-Ladenachweis (m.)
En. way bill check list [4221]

DOUBLAGE n.m. 77
économie > travail (main-d'œuvre)
Tenue par un seul salarié de deux postes successifs.
De. Doppelbeschäftigung (f.)
En. double shift [7956]

DOUBLAGE SEC n.m. 74
environnement et sécurité > isolation thermique
Élément isolant préfabriqué destiné à doubler une cloison.
En. insulating cladding ; insulating sheat [3369]

DOUBLE → carton — - — ; ondulé — - — .

DOUBLE AVEUGLE (en —) adj. 78
enseignement
Se dit d'une correction confidentielle de copies effectuée successivement par deux examinateurs.
En. double-blinded [8881]

DOUBLE BANDE n.f. 74
instrumentation > système électroacoustique
Bande cinématographique comportant l'image et le son.
De. Tonfilm (m.)
En. sound film [3707]

DOUBLE CŒUR n.m. 78
génie biomédical > chirurgie
Technique de greffe de cœur consistant à laisser l'opéré disposer de deux cœurs, le sien et celui du donneur, pendant un certain laps de temps afin de différer la mort en cas de rejet.
En. twin-heart operation ; twin-heart procedure [9306]

DOUBLE CONTRASTE (en —) adj. 77
génie biomédical > diagnostic
Se dit d'un procédé radiologique qui consiste à distendre la cavité explorée à l'aide d'une insufflation après avoir fait ingérer au patient un produit opaque qui tapisse les parois de cette cavité.
De. Doppelkontrast-
En. double contrast ; double-contrast [8339]

DOUBLE IMAGE n.f. 77
télécommunications > équipement télécommunications
Caractère d'un poste récepteur de télévision qui permet, en plus de l'image classique, la réception dans une portion de l'écran, d'une image provenant d'un autre programme ou d'une caméra déterminée.
De. Bild im Bild (m.) [8158]

DOUBLE PEAU adj. 74
environnement et sécurité > isolation thermique
Se dit d'une isolation constituée de deux couches de matériaux.
De. doppelschichtig
En. double-coated [2198]

DOUBLET n.m. 77
énergie (technologie) > énergie géothermique
Système constitué de deux forages, l'un destiné à la production de l'eau chaude et l'autre à la réinjection de l'eau refroidie.
Es. dobleto [7408]

DOUBLEUR n.m. 74
enseignement
Élève qui redouble sa classe.
De. Wiederholer (m.)
En. repeater
Es. repetidor [2829]

DOUCE → chimie — ; énergie — ; technique — ; technologie — .

DOUCHIÈRE n.f. 75
bâtiment et travaux publics > construction
1) Pièce (ou coin de pièce) dans laquelle se trouve une douche rudimentaire.
2) Appareil à douche pour les maisons sans eau courante.
De. Duschecke (f.) ; Duschnische (f.) ; Duschvorrichtung (f.)
En. shower bath [6213]

DOUILLE → tuile à — .

DOUMERAIE n.f. 77
foresterie
Plantation de palmiers doums.
V. rôneraie
De. Dumpalmenanpflanzung (f.)
En. doom palm plantation ; doum palm plantation [8091]

DOUPIONNÉ adj. 76
matériau > tissu (textile)
Rendu semblable à du doupion.
De. Doupion-
En. doupion (adj.) [5521]

DRAGABILITÉ n.f. 76
propriété > propriété technologique
Aptitude d'un matériau à être dragué.
En. dredgability ; dredgeability [6989]

DRAGUE SPATANGUE n.f. 76
DRAGUE-SPATANGUE
géologie > sédimentologie
Type de drague constituée d'une pièce métallique antérieure pourvue d'un volet racleur qui prélève la surface d'un sédiment meuble et d'une poche destinée à recueillir le prélèvement. [8092]

DRAIN → tube - — .

DRAINABILITÉ n.m. 76
propriété > propriété technologique
Aptitude d'un matériau à assurer un bon écoulement de l'eau.
En. drainability
Es. drenabilidad [6332]

DRAINAGE → ovoïde de — .

DRAPAGE n.m. 76
conditionnement (emballage) > palette
Opération qui consiste à recouvrir une palette chargée d'un film plastique en vue d'en faciliter le transport. [4819]

DRAPEAU n.m. 75
information > traitement de l'information
Symbole utilisé pour particulariser la présence ou l'absence d'une information déterminée.
En. flag [6475]

DRAPÉOMÈTRE n.m. 73
économie > industrie textile
Appareil permettant d'évaluer le drapé d'un tricot et la mesure de l'influence d'un traitement physique ou chimique. [943]

DRAPER → machine à — .

DRÉPANOCYTAIRE adj. 75
pathologie animale > pathologie du développement et de l'hérédité
Se dit d'une personne atteinte d'anémie falciforme (ou drépanocytose).
En. drepanocytic [6062]

DRESSÉ adj. 77/78
agronomie > technique culturale
Se dit d'un plant présenté verticalement dans sa position de plantation.
En. upright [9159]

DRESSÉ → enduit — .

DRIOGRAPHIE n.f. 73
impression
Procédé d'impression offset utilisant une plaque recouverte de polymère qui repousse l'encre dans les blancs. [1486]

DROMOCHRONIQUE adj. 76
géophysique interne
Se dit d'un graphique donnant, en abscisses, les distances X séparant le point d'enregistrement de la source d'ébranlement et en ordonnées, les temps de propagation.
De. Laufzeit-
En. time-distance (curve) ; travel-time (curve)
Es. dromocrónico [6744]

D.S.E (DOSE SANS EFFET) n.f. 78
pharmacologie > tolérance médicamenteuse
Quantité de matière active qui, ingérée à longueur de vie par un animal de laboratoire, ne provoque aucun trouble.
V. D.J.A. [9311]

D.T.S. (DROIT DE TIRAGE SPÉCIAL) n.m. 75
économie > monnaie
Moyen de paiement mis à la disposition des pays membres du Fonds monétaire international.
De. Sonderziehungsrecht (n.)
En. S.D.R. (Special Drawing Right) [5928]

DUEL adj. 72
génie biomédical > psychothérapie
Se dit des relations psychothérapiques entre le thérapeute et son patient. [4159 bis]

DULÇAQUICULTURE n.f. 76
aquaculture
Aménagement et mise en valeur des milieux en eaux douces.
V. limniculture ; mariculture ; valliculture
De. Süßwasserkultur (f.)
En. fresh water fishery [6214]

DUO AVANCE-RETARD n.m. 73
énergie (technologie) > énergétique
Dispositif comportant deux lampes à décharge identique dans lequel l'onde d'intensité du courant dans l'une des lampes a une avance de phase et dans l'autre un retard de phase par rapport à l'onde de tension d'alimentation. [2355]

DUODÉNOSCOPE n.m. 75
génie biomédical > endoscopie
Endoscope souple introduit par l'œsophage qui permet l'examen de la cavité duodénale.
De. Duodenoskop (n.)
En. duodenoscope
Es. duodenoscopio [5387]

DUOPLASMATRON n.m. 72
technique des plasmas
Appareil constitué de deux tubes à gaz à décharge contrôlée en vue de procéder à des analyses ioniques.

De. Duoplasmatron (m.)
En. duoplasmatron [569]

DUPLIQUER v. 75
reprographie
Reproduire un document.
De. duplizieren
En. to duplicate
Es. duplicar [4269]

DUR adj. 74
énergie (technologie) > combustion
Se dit de la flamme d'un chalumeau oxyacétylénique lorsque le rapport entre la consommation d'oxygène et celle d'acétylène est de l'ordre de 1,1 à 1,2.
V. carburant [6334]

DURE → anodisation — ; catalyse — ; eau — ; énergie — .

DURISOCLE n.m. 74
géophysique > géomorphologie
Socle rigide.
V. eucraton ; miocraton : mollisocle
De. Hartsockel (m.) [7683]

DYNAMIQUE → allocation — ; ancrage — ; casier — ; consolidation — ; marée — ; mémoire — ; palatographie — ; perte — ; positionnement — ; stockage — ; téléthermographie — ; transformation — .

DYNAMIQUE DE L'ATMOSPHÈRE n.f. 73
géophysique > météorologie
Partie de la météorologie consacrée à la dynamique des phénomènes de l'atmosphère.
De. dynamische Meteorologie (f.)
En. atmosphere dynamics [1661]

DYON n.m. 75
physique > physique mathématique
Quark porteur d'une charge magnétique et d'une charge électrique.
De. Dyon (n.)
En. dyon [5389]

DYSAUXIE n.f. 75
pathologie animale > pathologie du développement et de l'hérédité
Anomalie dans la croissance d'un individu.
En. deficiency of growth [4160 bis]

DYSCALCULIE n.f. 75
psychologie > pathologie mentale
Trouble se manifestant par des difficultés dans l'apprentissage du calcul.
V. dyscalculique
De. Rechenstörung (f.)
En. acalculia ; number blindness [4646]

DYSCALCULIQUE adj. 72
psychologie > pathologie mentale
Se dit d'un enfant atteint de dyscalculie.
V. dyscalculie [4161 bis]

DYSCHRONISME n.m. 76
physiologie > rythme biologique
Perturbation temporelle qui entraîne un dérèglement des rythmes biologiques.
En. biorhythm upset [7121]

DYSGÉNIQUE adj. 72
génétique > génétique des populations
Relatif à une modification pathologique de la capacité de reproduction.
De. dysgenetisch
En. disgenic ; dysgenic [76]

DYSGRAPHIQUE adj. 72
psychologie > pathologie mentale
Se dit d'un enfant atteint de troubles se manifestant par des

difficultés spécifiques dans l'apprentissage de l'orthographe (dysgraphie). [4163 bis]

DYSLATÉRALISATION n.f. 72
pathologie animale > trouble fonctionnel
Trouble fonctionnel de l'enfant provenant d'une confusion entre le côté gauche et le côté droit de son corps.
V. latéraliser (se —)
De. Lateralisationsstörung (f.) ; Seitigkeitsstörung (f.)
En. dyslateralization [5390]

DYSMÉLIQUE adj. 73
pathologie animale > pathologie du développement et de l'hérédité
Atteint d'une malformation des membres.
En. dysmelisch
En. dysmelic [570]

DYSMÉTABOLIE n.f. 72
pathologie animale > maladie de la nutrition et du métabolisme
Déséquilibre métabolique caractérisé par l'incapacité de l'organisme à synthétiser une substance indispensable à son fonctionnement.
De. Stoffwechselstörung (f.)
En. metabolic disease
Es. dismetabolia [5277]

DYSPONÈSE n.f. 73
pathologie animale > pathologie neurologique
Ensemble de troubles fonctionnels dûs à un effort mal dirigé du système nerveux.
De. Dysponese (f.) [1306]

DYSSOMNIAQUE n.m. 76
pathologie animale > pathologie neurologique
Individu auquel les troubles du sommeil donnent un comportement agité.
En. dyssomniac [5643]

DYSTROCHRIQUE adj. 76
géologie > pédologie
Se dit de la structure de certains sols très acides.
V. accumulique ; albique ; fragique [7684]

DYSTROPHISATION n.f. 74
environnement et sécurité > eutrophisation
Rupture de l'équilibre nutritif d'un milieu provoquant une baisse de sa productivité biologique.
De. Umkippen (n.)
En. dystrophization [2484]

E

EAU → bombardier à — ; poly - — ; rétenteur d' — ; usine fil de l' — .

EAU DURE n.f. 73
environnement et sécurité > environnement
Eau contenant des sels de calcium et de magnésium.
De. hartes Wasser (n.)
En. hard water [1124]

EAU LÉGÈRE n.f. 73
technique nucléaire
Eau ordinaire par opposition à l'eau lourde.
De. Leichtwasser (n.)
En. light water [944]

EAU LIBRE n.f. 73
constituant des organismes vivants
Eau non retenue par absorption dans les tissus organiques et s'y présentant à l'état libre.
V. eau liée
De. freies Wasser (n.)

En. free water
Es. agua libre [4512]

EAU LIÉE n.f. 73
constituant des organismes vivants
Eau retenue par absorption dans les tissus organiques.
V. eau libre
De. gebundenes Wasser (n.)
En. bound water ; unfree water
Es. agua de constitución [4513]

EAU OCÉANIQUE n.f. 74
environnement et sécurité > environnement
Eau de mer dans laquelle les influences continentales ne sont
plus discernables.
V. eau saumâtre
De. ozeanisches Wasser (n.)
En. oceanic water [1308]

EAU SAUMÂTRE n.f. 74
environnement et sécurité > environnement
Eau naturelle dont la salinité est intermédiaire entre celle de
l'eau douce et de l'eau océanique.
V. eau océanique
De. Brackwasser (n.)
En. brackish water ; briny water [1309]

EAU SUPER-REFROIDIE n.f. 75
chimie > composé chimique
Eau liquide à des températures très inférieures à 0 °C et
jusqu'à — 40 °C.
En. undercooled water ; supercooled water
Es. agua subenfriada [2485]

ÉBARBAGE → cryo - — .

ÉBLAÏTE n.m. 77
linguistique
Langue de la civilisation antique d'Ebla écrite en cunéi-
forme. [7538]

ÉBONITAGE n.m. 73
mécanique appliquée > revêtement
Opération qui consiste à recouvrir une surface d'une couche
d'ébonite.
De. Ebonitieren (n.)
En. ebonite lining [571]

ÉBONITÉ → acier — .

ÉBOUTEUSE n.f. 74
économie > industrie agricole et alimentaire
Machine destinée à couper les bouts des haricots verts. [1826]

ÉBULLITION LARVÉE n.f. 75
technologie des matériaux > traitement thermique
Processus de vaporisation qui, en mouillant la paroi chaude,
lors d'une opération de trempe en permet le refroidissement.
En. spray quenching [6619]

ÉBULLITION NUCLÉE n.f. 75
énergie (technologie) > énergie nucléaire
Type de vaporisation se produisant à partir de centres qui
apparaissent sur la surface chauffante mouillée par le liquide
et où se forment des bulles qui se détachent de cette
surface. [5168]

ÉCABOSSEUSE n.f. 76
matériel agricole
Machine utilisée pour extraire les fèves des cabosses de
cacaoyer. [8230]

ÉCAILLAGE n.m. 74
physique > mécanique
Détachement d'une fine lame de roche écaille ou esquille sous
l'effet d'une rupture mécanique ou d'une désagrégation liée à
l'altération.
De. Abschuppung (f.)
En. scaling [1125]

ÉCAILLES → transporteur à — .

ÉCARTOMÈTRE n.m. 73
électronique > radiotechnique
Instrument destiné à mesurer les coordonnées angulaires d'un
mobile.
En. deviation indicator [1827]

ECCRINE adj. 75
anatomie > anatomie animale
Qualifie une glande sudoripare de petite taille, s'ouvrant par
un pore directement à la surface de la peau.
V. apocrine
De. ekkrin
En. eccrine [4647]

ÉCHANTILLONNEUR BLOQUEUR n.m. 76
électronique > circuit électronique
Circuit utilisé pour l'échantillonnage d'un signal analogique
qui permet de maintenir constant chaque échantillon pendant
une période déterminée.
De. Tastspeicherschaltung (f.)
En. sampler [6476]

ÉCHARPAGE n.m. 75
transport et manutention > manutention
Opération qui consiste à dévier une charge d'un convoyeur sur
un autre à l'aide d'une écharpe. [4270]

ÉCHARPE n.f. 75
automatisme > équipement automatique
Dispositif automatique qui permet d'assurer la dérivation
d'une charge d'un convoyeur sur un autre.
V. dériveur [4271]

ÉCHAUDURE n.f. 76
pathologie végétale
Brunissement plus ou moins intense de la surface de certains
fruits.
De. Schalenbräune (f.)
En. scald [8093]

ÉCHELON n.m. 73
mathématiques
Suite de valeurs booléennes comportant un ensemble infini de
« 1 » tous consécutifs.
V. créneau [2199]

ÉCHENILLAGE n.m. 72
économie > crédit
Élagage et réduction empirique de crédits effectués sur
plusieurs chapitres budgétaires ou sur plusieurs opérations
distinctes pour réaliser un abattement global imposé par le
gouvernement.
De. Kürzen (n.) von Haushaltsmitteln ; Streichen von Haushalts-
mitteln [77]

ÉCHINULÉ adj. 77
organisme vivant > microorganisme
Hérissé de bras comme le kyste de l'amibe Acanthamoeba
echinulata.
En. echinulate [8763]

ÉCHO → coupe sur l'— .

ÉCHOGRAMME n.m. 78
instrumentation > mesure des phénomènes physiologiques
Enregistrement graphique d'échos ultrasonores.
V. échographe
De. Echogramm (n.)
En. ultrasonogram
Es. ecograma [9160]

ÉCHOGRAPHE n.m. 78
instrumentation > mesure des phénomènes physiologiques
Appareil qui permet l'enregistrement des échos de différents
milieux réfringents au moyen d'ultrasons.
V. échogramme
De. Echograf (m.)

En. ultrasonograph
Es. ecógrafo [9161]

ÉCHOGRAPHE À BALAYAGE n.m. 78
radiographie
Échographe dont la sonde balaie un champ donné.
En. scanning ultrasonograph
Es. ecógrafo de barrido [9162]

ÉCHOGRAPHE BIDIMENSIONNEL n.m. 78
radiographie
Échographe permettant une détermination de relief.
De. zweidimensionaler Echograf (m.)
En. two-dimensional ultrasonic scanner
Es. ecógrafo bidimensional [9163]

ÉCHOINTÉGRATEUR n.m. 78
ÉCHO-INTÉGRATEUR
instrumentation > techniques d'échos
Dispositif qui couple un échosondeur à un calculateur.
. En. echo integrator [8882]

ECHOTOMOGRAPHIE n.f. 73
radiographie
Tomographie réalisée à l'aide d'un faisceau d'ultrasons.
De. Echotomographie (f.) [1310]

ÉCLAIR → distillation — .

ÉCLAIRCIE → auto - — .

ÉCLATÉ n.m. 72
information > document
Représentation d'un objet qui en montre les éléments essentiels invisibles ordinairement.
De. auseinandergezogene Darstellung (f.)
En. exploded view [78]

ÉCLATÉ adj. 74
information > moyen d'information
Se dit d'un texte décomposé en ses parties constitutives.
En. exploded [4164 bis]

ÉCLIPSABLE adj. 76
technologie des matériaux > fonderie (technique)
Qui peut être retiré rapidement.
En. withdrawable ; retractable [6335]

ÉCLOSERIE n.f. 72
aquaculture
Établissement ou section d'un établissement où sont réalisées les opérations de collecte des produits génitaux des reproducteurs, de fécondation des ovules, de stabulation des œufs jusqu'à éclosion.
De. Brutplatz (m.) ; Fischbrutanstalt (f.)
En. hatchery [79]

ÉCLUSÉE → usine — .

ÉCOCIDE n.m. 73
environnement et sécurité > pollution
Destruction de milieux naturels.
De. Umweltzerstörung (f.)
En. ecocide ; ecological murder [2200]

ÉCOCLIMATIQUE adj. 75
géophysique > climatologie
Relatif au climat qui règne en un point limité, à l'échelle de la station écologique.
De. bioklimatisch
En. ecoclimatic
Es. ecoclimático [6620]

ÉCO-COMMUNAUTÉ n.f. 77
ÉCOCOMMUNAUTÉ
écologie > communauté (écologie)
Communauté humaine qui utilise des énergies non polluantes.
De. Ökokommune (f.) [8764]

ÉCODÈME n.m. 77
systématique
Population d'individus étroitement reliés du point de vue taxonomique et occupant un type d'habitat donné.
V. dème ; cytodème ; topodème
En. ecodeme
Es. ecodema [9312]

ÉCO-DÉVELOPPEMENT n.m. 76
ÉCODÉVELOPPEMENT
environnement et sécurité > environnement
Développement intégrant les données de l'écologie.
En. ecodevelopment
Es. ecodesarrollo [5523]

ÉCO-ÉTHOLOGIE n.f. 75
ÉCOÉTHOLOGIE
écologie > autécologie
Étude des comportements des espèces animales en relation avec leur milieu.
De. Öko-Ethologie (f.)
En. ecoethology [6215]

ÉCOFORME n.f. 76
écologie > adaptation biologique
Forme biologique caractérisée par l'influence des facteurs du milieu.
De. Ökoform (f.)
En. ecomorphic variant
Es. ecoforma [7824]

ÉCO-FUEL n.m. 76
ÉCOFUEL
matériau > combustible
Combustible non polluant qui respecte les normes écologiques. [4514]

ÉCOGÉNIQUE adj. 77
pathologie animale > étiologie et pathogénie
Se dit d'une maladie provoquée par l'environnement.
V. écopathologie
De. umweltbedingt
Es. ecogénico [7957]

ÉCOGÉOLOGIE n.f. 78
gestion, organisation, administration > aménagement du territoire
Étude des caractéristiques physiques (géologie, eaux...) et d'environnement (climat, végétation...) d'un site.
V. écogéologue
De. Ökogeologie (f.)
En. eco-geology ; environmental geology
Es. ecogeología [9164]

ÉCOGÉOLOGUE n.m. 78
gestion, organisation, administration > aménagement du territoire
Spécialiste d'écogéologie.
V. écogéologie
De. Ökogeologe (m.)
En. eco-geologist ; environmental geologist
Es. ecogeólogo [9165]

ÉCOGRAMME n.m. 74
écologie > adaptation biologique
Enregistrement graphique de l'évolution des paramètres de l'environnement.
V. thermohygrogramme
De. Ökogramm (n.)
Es. ecograma [2645]

ÉCOGRAPHIE n.f. 73
environnement et sécurité > environnement
Observation et enregistrement de l'évolution de l'environnement.
De. Ökographie (f.)
En. earth resource survey [431]

ÉCOHABITAT n.m. 77
énergie (technologie) > énergie solaire
Habitat qui utilise une énergie non polluante.
V. auto-énergétique
De. ökologische Wohmweise (f.)
Es. ecohabitat [8765]

ÉCO-IMMUNOLOGIE n.f. 74
immunologie
Partie de l'immunologie qui étudie les réactions provoquées
par les facteurs de l'environnement sur l'immunité d'un
individu.
De. Ökoimmunologie (f.)
En. eco-immunology
Es. eco-immunología [3005]

ÉCOLE → gruc — .

ÉCOLE À AIRE OUVERTE n.f. 74
bâtiment et travaux publics > construction
Bâtiment d'usage scolaire dont l'espace aménagé avec souplesse à l'aide de cloisons mobiles, permet différents types
d'enseignement.
En. open area school [2832]

ÉCOLE INTÉGRÉE n.f. 75
enseignement
Établissement scolaire secondaire dans lequel la division
traditionnelle entre lycée et école technique est supprimée.
De. Gesamtschule (f.)
En. integrated school [4272]

ÉCOLE PARALLÈLE n.f. 74
information > moyen d'information
Ensemble des moyens de communication, de motivation et de
connaissance mis à la disposition de l'enfant, puis de l'adulte,
en dehors du système scolaire.
En. parallel education ; informal education [2833]

ÉCOLE PLURALISTE n.f. 75
enseignement
En Belgique, école officielle regroupant des élèves de ten-
dances ou d'idéologies différentes.
De. Gesamtschule (f.)
En. pluralistic school [4988]

ÉCOLINGUISTIQUE n.f. 74
linguistique
Étude des faits linguistiques en relation avec l'environnement.
De. Ökolinguistik (f.)
En. ecolinguistics
Es. ecolingüística [5524]

ÉCOLOGIE → socio - —.

ÉCOLYSEUR n.m. 76
environnement et sécurité > pollution
Spécialiste de l'analyse des données de l'environnement.
De. ökologischer Analysator
En. applied ecologist ; environmental analyst [6745]

ÉCOMUSÉE n.m. 73
gestion, organisation, administration > aménagement du
territoire
Musée de l'habitat.
De. Freilichtmuseum (n.)
En. ecomuseum [945]

ÉCONOLOGIE n.f. 76
gestion, organisation, administration > politique économi-
que
Science traitant l'économie politique en relation avec l'écologie.
De. Ökonologie (f.)
En. economic ecology ; econology
Es. econología [7958]

ÉCONOMIE → méso - —.

ÉCONOMIE MÉDICALE n.f. 73
médecine > santé publique
Science qui étudie la morbidité, les risques vitaux, les
invalidités... et établit un pronostic sur le coût d'un certain
niveau de santé d'une population.
De. Gesundheitsökonomie (f.)
En. health economy [2201]

ÉCONOMIQUE → population — ; zone — .

ÉCONOMOLOGIE n.f. 74
économie > échanges internationaux
Discipline socio-économique privilégiant les échanges économiques internationaux.
De. Wirtschaftslehre (f.) [5280]

ÉCOPATHOLOGIE n.f. 77
pathologie animale > étiologie et pathogénie
Étude des maladies provoquées par l'environnement.
V. écogénique
De. Ökopathologie (f.)
Es. ecopatología [7959]

ÉCOPHASE n.f. 77
écologie > écosystème
Sous-ensemble d'individus d'une espèce qui vivent dans une
même biocénose constituée par les individus qui sont adaptés à
des nuances du milieu repérables à l'intérieur de la biocénose.
De. Ökophase (f.)
Es. ecofase [8766]

ÉCOPHYLOGÉNIE n.f. 76
géologie > paléontologie
Étude de la formation et de l'enchaînement des lignées d'êtres
vivants en relation avec leur milieu d'origine. [4648]

ÉCOPHYSIOLOGIE n.f. 77
zoologie
Physiologie considérée dans ses rapports avec l'environnement.
De. Ökophysiologie (f.)
En. environmental physiology
Es. ecofisiología [9313]

ÉCOQUETAGE n.m. 76
chasse
Fait, dans une chasse, d'abattre les coqs de préférence aux
poules, par un tir sélectif.
De. Hahnenfagd (f.) [7410]

ÉCORCEUR adj. 76
technique nucléaire
Se dit d'un dispositif en forme de couteau qui divise le flux
gazeux en composant lourd et composant léger dans le procédé
de séparation isotopique par tuyère.
De. Divertor (m.)
En. divertor [6622]

ÉCOSPHÈRE n.f. 74
écologie > écosystème
Partie de la sphère terrestre qui contient l'ensemble des
écosystèmes présents dans l'eau, le sol et l'atmosphère.
De. Ökosphäre (f.)
En. ecosphere
Es. ecosfera [7267]

ÉCOSYSTÉMIQUE → analyse — .

ÉCOTONE n.m. 71
écologie > communauté (écologie)
Zone de transition entre des communautés différentes.
De. Ökotop (m.)
En. ecotone [6063]

ÉCOTOPE n.m. 71
écologie > milieu (écologie)
Ensemble des facteurs du milieu composé du climatope et de
l'édaphotope.
V. climatope ; édaphotope
En. ecotope
Es. ecótopo [6064]

ÉCOTOXICITÉ n.f. 76
pharmacologie > toxicologie
Caractère d'une substance toxique pour l'être vivant et son milieu. [7123]

ÉCOTOXICOLOGIE n.f. 77
environnement et sécurité > pollution
Étude de la toxicité pour l'environnement des divers agents polluants.
De. Ökotoxikologie (f.)
En. exotoxicology
Es. ecotoxicología [7685]

ÉCOULEMENT PULSÉ n.m. 78
économie > industrie de transformation des matières plastiques
Défaut d'une matière plastique dû à un débit accéléré de l'extrudeuse et consistant en une sortie irrégulière et chaotique de l'extrudat.
V. peau de requin [9314]

ÉCRAN FORMATÉ n.m. 73
informatique > équipement d'entrée-sortie
Écran d'un visuel où l'on peut définir plusieurs zones.
V. visuel
De. formatierter Bildschirm (m.)
En. formated screen [2646]

ÉCRAN GRAPHIQUE n.m. 77
informatique > équipement d'entrée-sortie
Terminal qui permet la visualisation d'éléments de représentation graphique ou de groupes d'éléments graphiques.
V. console graphique [9315]

ÉCRÊTEUR adj. 73
électronique > radiotechnique
Se dit d'un dispositif qui peut supprimer les crêtes d'une oscillation électrique de façon à n'en transmettre que les portions inférieures à une certaine amplitude.
De. begrenzer
En. clipping [1487]

ÉCRIQUAGE n.m. 76
technologie des matériaux > métallurgie extractive
Élimination des criques.
De. Rißbeseitigung (f.)
En. conditioning [6746]

ÉCRITOIRE SONORE n.f. 73
information > document
Feuille d'un format donné qui, imprimée, écrite à la main ou à la machine au recto, et magnétisée au verso, peut supporter un enregistrement sonore.
V. page sonore
De. Tonblatt (n.)
En. sound page [1662]

ÉCRITURE → proto - — ; synthétiseur d' — .

ÉCROU → insert - — .

ÉCROU AUTOFREINÉ n.m. 77
mécanique appliquée > joint d'assemblage
Écrou dont la rotation est empêchée soit par déformation locale contrôlée du filet soit par un anneau cylindrique non fileté serti dans un logement situé à l'opposé de la face d'appui de l'écrou.
De. selbstsichernde Mutter (f.)
En. jack nut ; lock-nut ; self-locking nut [7268]

ÉCROUISSEUR → laminoir — .

ECTOPOLYMÈRE n.m. 75
biochimie
Polymère localisé en surface.
De. Ektopolymer (n.)
En. ectopolymer
Es. ectopolímero [3708]

ECTOSÉMANTIQUE adj. 76
linguistique
Se dit d'un message contenu dans l'intonation et dans la manière dont les phonèmes sont réalisés.
V. endosémantique
De. ektosemantisch [7960]

ECTOTHERME adj. 74
physiologie > homéostasis
Se dit d'une espèce animale dont la chaleur provient du milieu dans lequel il se trouve.
V. endotherme ; exhoméotherme ; héliotherme ; thigmotherme
De. ektotherm
En. cold-blooded ; ectothermic
Es. ectotermo [2647]

ECTOTROPHE adj. 74
organisme vivant > végétal
Se dit d'une mycorhize vivant à la surface des racines de l'hôte.
V. endotrophe
De. ektotroph
En. ectotropic ; ectotrophic
Es. ectotrofo [3177]

ECTOTYLE → bras - — .

ÉDAPHISME n.m. 77
géologie > pédologie
Ensemble des facteurs écologiques liés au sol. [8625]

ÉDAPHOCÉNOSE n.f. 76
écologie > écosystème
Ensemble des organismes vivant dans le sol.
De. Edaphon (n.)
En. edaphon
Es. edafocenosis [7825]

ÉDAPHOTOPE n.m. 74
écologie > milieu (écologie)
Ensemble des facteurs d'un biotope relevant du sol.
V. climatope
De. bodenabhängige Faktoren (n.pl.) ; edaphische Faktoren (n.pl.)
Es. edafotopo [3709]

ÉDUCATION → conseiller d' — ; conseiller principal d' — .

ÉDUCATION RÉCURRENTE n.f. 74
enseignement
Ensemble des moyens propres à assurer la formation de l'individu par une redistribution de l'effort éducatif tout au long de sa vie.
En. recurrent education [2834]

EFFANEUSE n.f. 77
matériel agricole
Machine servant à retirer les fanes des champs de pommes de terre avant l'arrachage.
De. Kartoffelkrautentferner (m.)
En. potato haulm remover
Es. destrozadora de matas de patatas [7411]

EFFECTEUR n.m. 74
biochimie
Substance qui, en se fixant sur un site de l'enzyme, modifie la configuration de la molécule protéique et peut activer ou inhiber une réaction enzymatique spécifique.
De. Effektor (m.)
En. effector [3372]

EFFET CERENKOV n.m. 75
physique > physique des particules
Processus donnant naissance à un rayonnement lumineux provoqué par une particule chargée qui traverse un milieu transparent à une vitesse supérieure à celle de la lumière (rayonnement de Mallet-Cerenkov).
De. Cerenkov-Effekt (m.)

En. Cerenkov effect
Es. efecto Cerenkof [3894]

EFFET DE BORD n.m. 75
radiographie
Effet que présente un développement xéroradiographique dû au dépôt supplémentaire de poudre sur les limites des zones de discontinuité de charge.
V. xéroradiographie ; xéroradiographique
De. Randeffekt (m.)
En. edge effect [5391]

EFFET DE MATRICE n.m. 76
géochimie
Phénomène perturbateur provenant de la composition chimique ou des paramètres physiques d'un échantillon de roche analysé à l'aide d'un spectromètre d'arc.
En. matrix effect
Es. efecto matriz [6477]

EFFET DE PELURE n.m. 75
économie > industrie de transformation des matières plastiques
Processus permettant de détacher les parois d'un moule de la pièce par un mouvement de rotation par rapport à l'une des parois verticales.
De. Abschäleffekt (m.)
En. peel effect [4821]

EFFET DE POINTE n.m. 76
géophysique > météorologie
Phénomène atmosphérique consistant en l'accumulation des lignes de force d'un champ électrique en des points élevés d'un relief irrégulier.
En. point effect
Es. efecto de punta [5478]

EFFET DE SERRE n.m. 77
énergie (technologie) > énergie solaire
Effet produit par certains matériaux (verre par exemple) qui sont transparents au rayonnement solaire et opaques au rayonnement de grande longueur d'onde correspondant à l'émission de l'absorbeur.
V. capteur solaire plan
De. Glas Hauswirkung (f.)
En. greenhouse effect [8478]

EFFET LISIÈRE n.m. 74
écologie > milieu (écologie)
Ensemble des paramètres qui font varier les qualités d'un sol en fonction de sa proximité de la lisière de la forêt.
De. Waldrandeffekt (m.)
En. edge effect [7269]

EFFET MÖSSBAUER n.m. 74
physique > propagation d'onde
Effet obtenu dans le rayonnement gamma émis par certains nucléides à l'état cristallin et pour lesquels l'énergie de recul consécutive à l'émission gamma est absorbée par le cristal tout entier.
De. Mössbauer Effekt (m.)
En. Mössbauer effect
Es. efecto Mosbauer [3373]

EFFET PHOTORÉFRACTIF n.m. 76
physique > optique
Variation de l'indice de réfraction induite par illumination dans certains matériaux électrooptiques.
De. Fotobrechungseffekt (m.)
En. photorefractive effect [7826]

EFFET POCKELS n.m. 78
physique > optique
Modification de l'indice de réfraction d'un matériau proportionnelle au champ électrique appliqué.
De. Pockels-Effekt (m.)
En. Pockels effect
Es. efecto Pockels [8767]

EFFET POGO n.m. 77
physique > mouvement alternatif
Phénomène vibratoire instable qui peut se produire sur les étages à ergots liquides des lanceurs.
De. Pogo-Effekt (m.)
En. Pogo-effect ; Pogo-stick effect [8340]

EFFET POUZZOLANIQUE n.m. 75
chimie > réaction chimique
Aptitude d'un produit à former, par mélange avec de la chaux à la température ordinaire, des composés ayant des propriétés hydrauliques.
De. puzzolanische Eigenschaft (f.)
En. pozzolanic property ; pozzuolanic property ; puzzolanic property [5439]

EFFET SYNTHÉTIQUE n.m. 75
physique > propagation d'onde
Décalage Doppler des signaux émis par antenne tournante ou commutée, constituée par deux monopoles dont l'analyse permet la détermination de site et de gisement d'objets repères pour l'atterrissage sans visibilité, par rapport à un mobile.
En. synthetic effect
Es. efecto sintético [9166]

EFFET TUNNEL n.m. 73
énergie (technologie) > énergie nucléaire
Traversée d'une barrière de potentiel par une particule dont l'énergie est inférieure à celle du sommet de cette barrière de potentiel.
De. Tunneleffekt (m.)
En. tunnel effect [576]

EFFEUILLEUSE n.f. 75
matériel agricole
Machine utilisée pour sectionner les feuilles de betteraves au-dessus du collet.
De. Entblattungsmaschine (f.)
En. leaf stripper
Es. deshojadora [5125]

EFFLEUREMENT → touche à — .

EFFLORESCENCE → crypto - — .

EFFLUMÈTRE n.m. 74
chimie > chimie analytique
Dispositif destiné à mesurer les débits d'écoulements à surface libre.
De. Durchflußmesser (m.)
Es. eftúmetro [3710]

EFFLUVAGE n.m. 75
technologie des matériaux > évaporation
Procédé consistant en un bombardement par les ions d'un gaz chargé d'électricité d'une cible en vue d'arracher des atomes.
De. Glimmentladung (f.)
En. ion spallation [4403]

EFFUSIVITÉ n.f. 76
instrumentation > mesure thermique
Coefficient qui caractérise le transfert plus ou moins rapide de l'énergie de chaleur entre deux corps solides mis en contact.
De. Wärmeubergangstahl (f.)
En. thermal diffusivity
Es. efusividad [8094]

ÉGALISEUR n.m. 76
télécommunications > radiotechnique
Appareil qui, dans une liaison téléphonique à longue distance, corrige les désalignements cumulés en vue de maintenir la qualité de la transmission.
De. Entzerrer (m.)
En. attenuation equalizer ; equalizer [7270]

EGO-AUXILIAIRE n.m. 74
génie biomédical > psychothérapie
Personne assistant le directeur de séance dans un psychodrame.
En. auxiliary ego [5282]

ÉGOCENTRÉ n.m. 76
sociologie
Individu qui recherche l'épanouissement de la personnalité à travers une singularisation personnelle.
V. socio-centré
De. Egozentriker (m.)
Es. egocentrado [6065]

ÉGOSYMPHORIE n.f. 71
psychologie > psychophysiologie
Composante du comportement humain dans laquelle l'homme tente de s'imposer pour triompher du milieu.
En. egosymphory
Es. egosinforia [6067]

ÉGOURMANDAGE n.m. 75
agronomie > technique culturale
Opération consistant à enlever les gourmands d'une plante.
De. Entfernen (n.) der wilden Triebe
En. pruning ; sucker removal [9023]

ÉGOUTTABILITÉ n.f. 76
propriété > propriété physico-chimique
Aptitude d'une substance à subir un égouttage. [4822]

ÉJACULAT n.m. 74
zootechnie
Produit d'une éjaculation.
De. Ejakulat (n.)
Es. ejaculado [7412]

ÉJECTATS n.m.pl. 78
géophysique interne
Matières projetées au cours des éruptions volcaniques.
De. Auswürflinge (m.)
En. ejecta [9024]

ÉJECTEUR n.m. 75
mécanique des fluides appliquée
Appareil à air comprimé capable de faire un vide de 80 % de la pression atmosphérique et utilisé pour les ventouses de manutention. [4274]

ÉJECTO-CONVECTEUR n.m. 73
ÉJECTOCONVECTEUR
action sur l'environnement > climatisation
Organe d'un système de conditionnement d'air dans lequel l'air extérieur soufflé à grande vitesse entraîne par viscosité l'air intérieur.
De. Ausstoßkonvektor (m.)
En. ejectoconvector [1127]

ÉJECTO-DIFFUSEUR n.m. 77
ÉJECTODIFFUSEUR
action sur l'environnement > échange de chaleur
Dispositif soufflant dans lequel s'effectue par induction un mélange d'air primaire chaud et d'air ambiant.
De. Strahldiffusor (m.) [7827]

EJIDATAIRE n.m. 76
ÉJIDATAIRE
économie > économie rurale
Au Mexique, usufruitier de terres labourables nationalisées.
En. ejidatario
Es. ejidatorio [7271]

EKTACYTOMÈTRE n.m. 75
ECTACYTOMÈTRE
instrumentation > diffractométrie
Appareil permettant de mesurer la déformabilité cellulaire par une méthode diffractométrique.
En. cell-form diffractometer ; cell-elasticity diffractometer
Es. ectacitómetro [6216]

ÉLASTANCE n.f. 72
physiologie > physiologie cardiovasculaire
Rapport entre la pression d'un fluide et le volume du réservoir élastique qui le contient.
De. Compliance (f.) ; Elastance (f.)
En. elastance [2025]

ÉLASTIQUE → couplage aéro - — .

ÉLASTIQUEUSE n.f. 73
technologie des matériaux > confection
Machine destinée à coudre une bande élastique sur certains articles de vêtement.
En. banding machine [1488]

ÉLASTOLYTIQUE adj. 74
biochimie
Se dit d'un processus de dégradation de l'élastine.
De. elastolytisch
En. elastolytic
Es. elastolítico [6747]

ÉLASTOMÉRIQUE adj. 75
matériau > polymère (matériau)
De la nature des élastomères. [4275]

ÉLECTRÉTISÉ adj. 76
propriété > propriété électromagnétique
Alimenté en électrets.
De. elektretiert
En. electrized
Es. electritizado [6623]

ÉLECTRIQUE → bus — .

ÉLECTROACCEPTEUR n.m. 74
chimie > chimie du solide et du fluide
Corps chimique qui tend à fixer des électrons.
V. electrodonneur
En. electron acceptor
Es. electroaceptor [2488]

ÉLECTRO-ANTENNOGRAMME n.m. 75
ÉLECTROANTENNOGRAMME
instrumentation > mesure des phénomènes physiologiques
Enregistrement de la réponse nerveuse des antennes d'un papillon à une sollicitation chimique.
De. Elektroantennogramm (n.)
En. electroantennogram
Es. electroantenograma [5126]

ÉLECTROATTRACTEUR adj. 73
chimie > chimie du solide et du fluide
Se dit d'un corps qui attire les électrons.
De. elektroneneinfangend
En. electroattractive [1128]

ÉLECTRO-CALOGÈNE adj. 76
ÉLECTROCALOGÈNE
énergie (technologie) > énergétique
Se dit d'une centrale électrique destinée à fournir des calories et non de l'énergie transportable.
De. Heizraft- [6990]

ÉLECTROCLIMAT n.m. 74
action sur l'environnement > climatisation
Procédé d'enrichissement de l'air en ions oxygène négatifs.
V. électroclimatisation
En. electroclimate
Es. electroclima [5929]

ÉLECTROCLIMATISATION n.f. 78
action sur l'environnement > climatisation
Fait d'établir un électroclimat.
V. électroclimat
De. Elektroklimatisierung (f.)
En. negative air ionisation ; negative air ionization
Es. electroclimatización [9316]

ÉLECTROCONSOLIDATION n.f. 73
géotechnique
Application de l'électroosmose consistant à introduire dans le sol un électrolyte qui prend la place de l'eau extraite.
De. Elektro-osmotische Konsolidierung (f.)
En. electroconsolidation [1663]

ÉLECTROCOPIE n.f. 76
reprographie
Technique de reproduction utilisant les propriétés des matériaux photoconducteurs qui, préalablement chargés électriquement et recevant l'image du document à reproduire, perdent leurs charges électriques dans les zones claires et les conservent dans les zones noires sur lesquelles se dépose une encre en poudre attirée par les charges électriques.
De. Elektrokopierverfahren (n.)
En. xerography
Es. electrocopia [6479]

ÉLECTRODE À ENZYME n.f. 74
chimie > électrochimie
Électrode recouverte d'une couche enzymatique adaptée aux cas où la substance à doser ne permet pas une mesure électrique directe mais où l'un des produits de la réaction enzymatique permet cette mesure.
En. enzyme electrode
Es. electrodo de enzima [2356]

ÉLECTRODE À GOUTTE PENDANTE n.f. 74
chimie > électrochimie
Électrode utilisée en polarographie et qui, constamment renouvelée, ne présente pas de phénomène de polarisation.
En. dropping mercury electrode ; hanging mercury electrode
Es. electrodo de gota pendiente [2357]

ÉLECTRODE RÉVERSIBLE n.f. 73
chimie > électrochimie
Électrode qui est le siège d'une réaction qu'on intervertit en inversant le sens du courant.
En. reversible electrode [1129]

ÉLECTRODISTRIBUTEUR n.m. 76
électrotechnique > composant électrotechnique
Distributeur réglant le débit de fluides à l'aide de commandes actionnées par des électroaimants. [6068]

ÉLECTRODONNEUR n.m. 74
chimie > chimie du solide et du fluide
Corps chimique qui tend à fournir des électrons.
V. électroaccepteur
En. electron donor
Es. electrodonante [2489]

ÉLECTRODRAINAGE n.m. 73
géotechnique
Application de l'électroosmose consistant à drainer un terrain à l'aide d'un champ électrique.
De. Elektrodränung (f.)
En. electro-drainage [766]

ÉLECTRO-ÉLECTRONIQUE adj. 75
ÉLECTROÉLECTRONIQUE
électronique > électronique industrielle
Qui est à la fois électrique et électronique.
En. electroelectronic
Es. electro-electrónico [4649]

ÉLECTROEXTRACTION n.f. 76
économie > industrie métallurgique
Extraction obtenue par électrolyse.
De. Elektroextraktion (f.)
En. electroextraction
Es. electroextracción [6337]

ÉLECTROFILTRAGE n.m. 76
environnement et sécurité > lutte contre la pollution
Filtrage électrostatique.
V. électrofiltre
De. elektrische Gasreinigung (f.) ; Elektrofiltration (f.)
En. electrofiltration ; electrostatic precipitation
Es. electrofiltrado [6069]

ÉLECTRO-FILTRE n.m. 71
ÉLECTROFILTRE
environnement et sécurité > lutte contre la pollution
Filtre de dépoussiérage de l'air utilisant les phénomènes électrostatiques pour collecter les particules en suspension

dans l'air.
V. électrofiltrage
De. Elektrofilter (m. ou n.)
En. electrostatic precipitator ; electric precipitator ; electric separator [2202]

ÉLECTROFLOTTATION n.f. 75
opération > séparation physique
Procédé d'épuration des eaux usées à l'aide d'un courant électrique.
V. aéroflottation
En. electroflotation
Es. electroflotación [5525]

ÉLECTROFONDU n.m. 73
matériau > céramique
Réfractaire pour fours de verrerie, fondu au four électrique, résistant à la corrosion par le verre et exempt de porosité.
En. electrocast
Es. electrofundido [3374]

ÉLECTROGRAPHIQUE adj. 77
matériau > papier
Se dit d'un support susceptible d'être impressionné par des charges électriques.
De. elektrographisch
En. dielectric-coated ; electrographic
Es. electrográfico [8768]

ÉLECTRO-INFORMATIQUE adj. 77
informatique > informatique théorique
Se dit de l'ensemble des disciplines scientifiques et des techniques spécifiquement applicables au traitement de l'information à l'aide de grandeurs électriques.
Es. electro-informático [9167]

ÉLECTROLOCATION n.f. 77
organisme vivant > animal
Localisation d'un objet par émission de signaux électriques.
De. Elektropeilung (f.)
En. electrolocation
Es. electrolocación [7828]

ÉLECTROLYSE → photo - — .

ÉLECTROLYSEUR À DIAPHRAGME n.m. 77
technologie des matériaux > génie chimique
Électrolyseur dont la face de la cathode vis-à-vis de l'anode est recouverte d'un diaphragme filtrant.
V. électrolyseur à membrane
En. diaphragm cell
Es. electrolizador de diafragma [8095]

ÉLECTROLYSEUR À MEMBRANE n.m. 77
technologie des matériaux > génie chimique
Électrolyseur qui utilise des membranes échangeuses de cations séparant le compartiment anodique du compartiment cathodique.
V. électrolyseur à diaphragme
En. membrane cell
Es. electrolizador de membrana [8096]

ÉLECTROLYTIQUE → affichage — ; afficheur — .

ÉLECTROMOBILE n.f. 76
mécanique appliquée > véhicule
Véhicule automobile fonctionnant à l'énergie électrique.
De. Elektrofahrzeug (n.)
En. electric automobile (U.S.A.) ; electric car (U.K.) [6991]

ÉLECTRON HABILLÉ n.m. 74
physique > physique mathématique
Dans la théorie quantique des champs, électron en interaction avec lui-même et entouré d'un nuage de photons virtuels qu'il émet et réabsorbe immédiatement.
V. électron nu
De. Photoelektron (n.) [3738]

ÉLECTRONIFIER v. 74
électronique > électronique industrielle
Introduire dans une industrie, une technique qui utilise les
appareils et les moyens d'action de l'électronique.
De. elektronifizieren
En. to electronify
Es. electronizar [3895]

ÉLECTRONIQUE → annuaire — ; courrier — ; cuisson
— ; électro - — ; oreille — .

ÉLECTRONIQUE MÉDICALE ACTIVE n.f. 74
électronique > électronique médicale
Électronique médicale qui participe directement aux fonctions
du corps humain.
De. aktive medizinische Elektronik (f.)
En. active medical electronics
Es. electrónica médica activa [3548]

ÉLECTRONISATION n.f. 77
énergie (technologie) > énergétique
Fait d'équiper de composants électroniques.
De. Elektronisation (f.)
Es. electronización [7829]

ÉLECTRONISER v. 75
électrotechnique > circuit d'alimentation électrique
Équiper de composants électroniques.
De. elektronischen Bauteilen bestücken (mit)
En. to electronicize
Es. electronizar [6338]

ÉLECTRON NU n.m. 71
physique > physique mathématique
Dans la théorie quantique des champs, électron isolé sans
entourage de photons virtuels.
V. électron habillé [3943]

ÉLECTRONOGRAMME n.m. 77
sciences de l'espace
Image enregistrée par une caméra électronique Lallemand.
V. électronographie
De. Elektronogramm (n.)
Es. electronograma [7539]

ÉLECTRONOGRAPHIE n.f. 74
sciences de l'espace
Technique d'observation à l'aide de la caméra électronique
Lallemand.
V. électronogramme
De. Elektronographie (f.)
Es. electronografía [7540]

ÉLECTRO-OBTENTION n.f. 76
ÉLECTROOBTENTION
économie > industrie métallurgique
Isolement d'un corps obtenu par électrolyse.
De. elektrolytische Gewinnung (f.)
En. electrowinning [6217]

ÉLECTRO-OCULOGRAPHIE n.f. 74
ÉLECTROOCULOGRAPHIE
instrumentation > mesure des phénomènes physiologiques
Enregistrement indirect de la différence de potentiel existant
entre la couche des cellules visuelles et celle des fibres optiques.
De. Elektrookulographie (f.) (E.O.G.)
En. electro-oculography (E.O.G.)
Es. electro-oculografía [3006]

ÉLECTROOLFACTOGRAMME n.m. 74
instrumentation > mesure des phénomènes physiologiques
Enregistrement des impulsions électriques venues des cellules
nerveuses olfactives.
De. Elektroolfaktogramm (m.)
Es. electro-olfactogramo [2490]

ÉLECTROPALATOGRAPHE n.m. 78
instrumentation > mesure des phénomènes physiologiques
Appareil destiné à pratiquer la palatographie dynamique.
V. palais artificiel ; palatographie ; palatographie directe ;

palatographie dynamique ; palatographie indirecte
De. Elektropalatograph (m.)
Es. electropalatógrafo [8883]

ÉLECTROPERMÉABILITÉ n.f. 72
génie biomédical > acupuncture
Perméabilité à une excitation électrique.
De. elektrische Durchlassigkeit (f.) ; Elektropermeabilität (f.)
En. electropermeability [84]

ÉLECTROPHORÉGRAMME n.m. 77
chimie > chimie analytique
Enregistrement graphique représentant les résultats d'une
électrophorèse.
De. Elektrophoregramm (n.)
En. electrophoretogram
Es. electroforograma [8097]

ÉLECTROPHOTOCHIMIE n.f. 73
chimie > chimie des radiations
Partie de la photochimie qui étudie la production de lumière à
partir de radicaux engendrés électrochimiquement.
V. photoélectrochimie
De. Elektrophotochemie (f.)
En. ELL (ELectrogenerated ChemiLuminescence) study
Es. electrofotoquímica [7961]

ÉLECTROPINCE n.f. 75
électronique > mesure électrique
Pince qui utilise les propriétés de l'électromagnétisme pour
mesurer des courants, des tensions ou des résistances électriques par simple enveloppement.
De. Meßzange (f.) ; Zangenmeßgerät (f.)
En. clamp-on meter [6480]

ÉLECTROPLASTIE n.f. 74
technologie des matériaux > génie chimique
Technique qui consiste à revêtir un substrat métallique d'une
ou de plusieurs couches d'un métal déposé suivant les
principes de l'électrodéposition cathodique.
De. Galvanoplastik (f.)
En. electroplasty
Es. electroplastia [3549]

ÉLECTRO-PORTEUR n.m. 74
ÉLECTROPORTEUR
électrotechnique > composant électrotechnique
Appareil électromagnétique destiné à porter, à l'aide d'une
grue, des ferrailles.
En. lifting magnet [2203]

ÉLECTROSOLAIRE adj. 75
économie > industrie énergétique
Se dit d'une usine produisant de l'énergie électrique grâce à
une batterie de collecteurs de rayonnement solaire.
De. elektrosolar
Es. electrosolar [4068]

ÉLECTROSOMMEIL n.m. 72
génie biomédical > physiothérapie
État analogue au sommeil naturel induit artificiellement à
l'aide de courant d'intensité très faible traversant la boîte
crânienne.
De. elektroinduzierter Schlaf (m.) ; Elektroschlaf (m.)
En. electronarcosis [578]

ÉLECTROSORPTION n.f. 71
physique > physique du solide et du fluide
Sorption accompagnée d'une migration forcée des ions sous
l'action d'un champ électrique.
De. Elektrosorption (f.)
En. electrosorption [579]

ÉLECTROSTATIQUE → impression — ; poudrage — ;
précipitateur — .

ÉLECTROSTRICTIF adj. 74
physique > électricité
Relatif à l'électrostriction.
De. Elektrostriktions- ; elektrostriktiv

En. electrostrictive
Es. electroestrictivo [6481]

ÉLECTROZINGUÉ adj. 77
matériau > produit métallurgique
Se dit d'un subjectile généralement ferrifère sur lequel s'est
formée une couche de zinc par dépôt galvanique.
De. elektroverzinkt
En. electrogalvanized [8098]

ÉLÉMENT DE PAYSAGE n.m. 75
**gestion, organisation, administration > aménagement du
territoire**
Plus petite zone détectée sur un document de télédétection qui
permet de définir les caractères qui la composent et les
relations entre ces caractères.
V. unité de paysage
En. landscape element
Es. elemento de paisaje [5526]

ÉLÉMENT MAJEUR n.m. 73
géochimie
Élément présent dans un minerai ou dans une roche, en
quantité importante (97 % à 100 % du matériau analysé).
V. clarke
De. Hauptgemengteil (m.)
En. major element [3752]

ÉLÉMENT SPATIAL n.m. 73
bâtiment et travaux publics > procédé de construction
Cellule d'habitat préfabriquée, destinée à la construction d'un
immeuble.
De. vorgefertigte Wohneinheit (f.)
En. module [2491]

ÉLEVAGE-LIÉ n.m. 78
ÉLEVAGE LIÉ
économie > économie rurale
Élevage pratiqué en complémentarité avec un autre type
d'activité de la communauté villageoise ou d'exploitation du
sol. [9317]

ÉLÉVATEUR n.m. 76
bâtiment et travaux publics > structure mécanique
Tube télescopique constituant l'un des éléments d'un dispositif de hissage de coffrage à béton.
En. elevator ; hoist [6992]

ÉLÉVATEUR → hayon — .

ÉLÉVATION → orthophoto - — .

ÉLEVOIR n.m. 75
bâtiment et travaux publics > construction
Endroit aménagé pour l'élevage (des volailles).
De. Aufzuchtstall (m.)
En. brooder house
Es. criadero [5283]

ÉLIMINATEUR → matelas — .

ELLIPSOMÈTRE n.m. 76
instrumentation > polarimétrie
Appareil d'optique permettant de mesurer l'état de polarisa-
tion d'un faisceau lumineux.
En. ellipsometer
Es. elipsómetro [6339]

ÉLUAT n.m. 73
opération > séparation physique
Liquide d'élution sortant d'une colonne et ayant dissous ou
entraîné une ou plusieurs substances retenues par absorption.
De. Eluat (n.)
En. eluate [580]

ÉLUTRIATION n.f. 75
instrumentation > mesure de dimension
Procédé d'analyse granulométrique consistant à classer par
dimensions un ensemble donné de fines particules en fonction
de leur vitesse de chute dans un courant liquide ascendant à

écoulement laminaire.
En. elutriation [6857]

ÉLYTROPHORAL adj. 77
organisme vivant > animal
Qui se rapporte à l'élytrophore.
V. élytrophore [7962]

ÉLYTROPHORE n.m. 77
organisme vivant > animal
Ensemble des cellules constituant le point d'attache des élytres.
En. elytrophore
Es. elitróforo [7962]

ÉMAGRAMME n.m. 75
représentation graphique > diagramme
Diagramme thermodynamique ayant pour coordonnées carté-
siennes rectangulaires obliques la température et le logarithme
de la pression.
De. Emagramm (n.)
En. emagram [5217]

ÉMAILLAGE AU POUDRÉ n.m. 77
opération > projection de matière
Procédé d'émaillage qui consiste à projeter l'émail sec et
pulvérulent sur la pièce décapée, lavée, séchée, portée dans un
fourneau à 840-880°.
De. Puderemaillieren (n.)
En. powder enameling (U.S.A.) ; powder enamelling (U.K.)
[8341]

ÉMANOMÉTRIE n.f. 76
chimie > chimie analytique
Mesure de la teneur en radon de l'atmosphère.
De. Emanationsmessung (f.) ; Emanometrie (f.)
En. emanometry
Es. emanometría [5931]

EMBALLAGE n.m. 73
chimie > électrochimie
Phénomène de surtension dans une cuve d'électrolyse dû à la
formation d'un film isolant sur l'anode.
V. déballage [3178]

EMBALLAGE → contre - — .

EMBALLAGE AU MÈTRE n.m. 73
conditionnement (emballage) > emballage
Emballage de produits par doses unitaires introduites entre
des bandes de matériaux thermoscellables.
De. meterweise Verpackung (f.)
En. packaging by the yard ; strip packaging [1131]

EMBARQUEMENT CONTINU n.m. 74
transport et manutention > transport
Embarquement où, à tout moment, les passagers peuvent
embarquer sur la partie mobile d'un système de transport,
cabine ou bande transporteuse.
V. embarquement discontinu.
En. continuous loading
Es. embarque continuo [3007]

EMBARQUEMENT DISCONTINU n.m. 74
transport et manutention > transport
Embarquement où les passagers doivent attendre un véhicule
à la station.
V. embarquement continu
En. discontinuous loading
Es. embarque discontinuo [3008]

EMBARQUETEUSE n.f. 74
conditionnement (emballage) > emballage
Machine destinée à mettre des produits en barquette.
V. encartonneuse [4069]

EMBARREUR n.m. 75
mécanique appliquée > usinage
Alimenteur en barres d'un poste d'usinage.
De. Strangenvorschub (m.)
En. bar feed ; rod feed [5284]

EMBOBINEUSE n.f. 75
technologie des matériaux > équipement industrie de transformation
Machine destinée à enrouler sur une bobine un film plastique extrudé.
De. Aufspulmaschine (f.)
En. winding machine [5128]

EMBOÎTABLE adj. 74
stockage > dépôt de stockage
Se dit d'un appareil qui peut être emboîté dans d'autres appareils du même type en vue d'être stocké dans un espace limité.
En. nestable
Es. encajable [3179]

EMBOÎTEMENT n.m. 75
linguistique
Opération grammaticale par laquelle un énoncé est enchâssé dans un autre.
De. Einbetten (n.)
En. embedding
Es. encaje [4404]

EMBOÎTEUSE-JUTEUSE n.f. 74
économie > industrie agricole et alimentaire
Machine utilisée pour remplir des boîtes en aliments et pour additionner du jus avant le sertissage.
V. juteuse
De. Einfüll- und Saftauffüllmaschine (f.)
En. juice-canning equipment ; juice-canning machine [3896]

EMBOSSAGE n.m. 77
information > traitement de l'information
Impression en relief des textes imprimés, préalablement codés en Braille, par un ordinateur.
V. embossé [7963]

EMBOSSÉ adj. 77
information > traitement de l'information
Se dit d'un texte imprimé par embossage.
V. embossage
De. erhaben
En. embossed [7964]

EMBOSSÉ adj. 74
économie > industrie agricole et alimentaire
Se dit d'un saucisson formé par l'introduction de viandes hachées dans des boyaux naturels ou artificiels.
En. stuffed [1829]

EMBOUÉ → mur — .

EMBOUTEILLEUR n.m. 76
économie > industrie agricole et alimentaire
Ouvrier spécialisé dans le remplissage des bouteilles, leur capsulage et leur étiquetage.
V. embouteilleuse
De. Flaschenabfüllbetrieb (m.) ; Flaschenabfüller (m.)
En. bottler [6993]

EMBOUTEILLEUSE n.f. 74
économie > industrie agricole et alimentaire
Machine destinée au remplissage des bouteilles.
V. embouteilleur
De. Flaschenabfüllmaschine (f.)
En. bottling-machine
Es. embotelladora [2652]

EMBRASURE n.f. 77
anatomie > anatomie animale
Espace pyramidal, vestibulaire ou lingual compris entre les faces proximales de deux dents contiguës au-dessus ou au-dessous de leurs contacts.
De. Zahnzwischenraum (m.)
En. embrasure [7965]

EMBRYOTECTONIQUE n.f. 75
anatomie > anatomie végétale
Ensemble des structures d'un embryon.

De. Embryotektonik (f.)
Es. embriotectónica [7541]

ÉMÉRITAT n.m. 75
sociologie
Dignité accordée aux académiciens ayant atteint 70 ans et se retirant volontairement, dans le cadre de la réforme de l'Académie des Sciences (de France).
De. Status (m.) eines Emeritus
En. emeritus status [5527]

ÉMISSION COHÉRENTE n.f. 74
physique > physique des particules
Émission d'énergie sous forme d'impulsions successives entre lesquelles il existe une relation de phase.
V. émission incohérente [2836]

ÉMISSION EXOÉLECTRONIQUE n.f. 77
physique > physique des particules
Production d'électrons émis par un métal lors d'une transformation allotropique (exoélectron).
V. exoélectroémission ; exoémission
De. Exoelektronenemission (f.)
En. exoelectron emission
Es. emisión exoelectrónica [8628]

ÉMISSION INCOHÉRENTE n.f. 74
physique > physique des particules
Émission d'énergie sous forme de quelques centaines à quelques milliers d'impulsions par seconde entre lesquelles il n'existe aucune relation de phase.
V. émission cohérente
De. inkohärente Emission (f.)
En. incoherent transmission
Es. emisión incoherente [2836]

EMMOULEUSE n.f. 76
opération > remplissage
Machine destinée au remplissage des moules en aliments. [4515]

EMPALAGE n.m. 77
bâtiment et travaux publics > structure mécanique
Procédé de pose d'un bardage qui consiste à encastrer par le haut, des panneaux de revêtement dans des rainures ou profilés verticaux. [7830]

EMPÂTEUR n.m. 72
économie > industrie papetière
Appareil qui débite et étend de la pâte.
De. Impastiervorrichtung (f.)
En. paster [1491]

EMPILEMENT → faute d' — .

EMPILEUR n.m. 75
transport et manutention > engin de manutention
Appareil destiné à empiler des charges. [4406]

ÉMULATION n.f. 75
informatique > programmation
A l'intérieur d'un ordinateur, traduction en vue de son exécution, d'un jeu d'instructions défini pour un autre ordinateur.
V. émuler
De. Emulation (f.)
En. emulation
Es. emulación [5129]

ÉMULER v. 76
informatique > programmation
Analyser et exécuter sur un ordinateur, un processeur, un programme écrit pour un autre ordinateur, un autre processeur, par l'utilisation d'un dispositif spécial (émulateur).
V. émulation
De. emulieren
En. to emulate [6482]

ÉMULGATEUR n.m. 75
matériau > agent de surface
Produit qui facilite la formation d'émulsions.
De. Emulgator (m.)
En. emulsifier [5285]

ÉMULSIFIANT → auto- — .

ÉMULSION → chambre à — ; grave — .

ÉNANTIOMÈRE n.m. 73
chimie > constitution de la matière
Isomère de configuration superposable à son homologue après
symétrie dans un miroir plan.
De. Enantiomere (n.)
En. enantiomer [1132]

ENCAISSEUSE n.f. 73
conditionnement (emballage) > emballage
Machine destinée à mettre des produits en caisse.
De. Kistenfüllmaschine (f.)
En. boxing machine [1314]

ENCAMIONNEUSE n.f. 73
transport et manutention > engin de manutention
Appareil destiné au chargement des camions.
V. enwagonneuse
De. Lastwagenbeladegerät (n.)
En. truck-loading conveyor ; truck-loading conveyor belt [1133]

ENCAPSIDATION n.f. 77
génétique > information génétique
Introduction du génome viral à l'intérieur d'une capside.
En. encapsidation [7273]

ENCAPSULABLE adj. 75
électronique > composant électronique
Qui peut être encapsulé.
V. encapsulage ; encapsulation ; encapsulement ; encapsulé
De. kapselbar
En. encapsulatable [6625]

ENCAPSULAGE n.m. 75
électronique > composant électronique
Action de revêtir un composant ou un ensemble de composants électroniques d'une protection isolante en le noyant
dans un produit plastique ou en l'insérant dans un boîtier qui
sera scellé.
V. encapsulable ; encapsulation ; encapsulement ; encapsulé
De. Kapselung (f.)
En. encapsulating ; encapsulation [6626]

ENCAPSULATION n.f. 75
électronique > composant électronique
Action de revêtir un composant ou un ensemble de composants électroniques d'une protection isolante en le noyant dans
un produit plastique ou en l'insérant dans un boîtier qui sera
scellé.
V. encapsulable ; encapsulement ; encapsulage ; encapsulé
De. Kapselung (f.)
En. encapsulation [6627]

ENCAPSULEMENT n.m. 76
électronique > composant électronique
Action de revêtir un composant ou un ensemble de composants électroniques d'une protection isolante en le noyant dans
un produit plastique ou en l'insérant dans un boîtier qui sera
scellé.
V. encapsulable ; encapsulage ; encapsulation ; encapsulé
De. Kapselung (f.)
En. encapsulation [6628]

ENCAPSULÉ adj. 75
électronique > composant électronique
Se dit d'un composant ou d'un ensemble de composants
électroniques ayant fait l'objet d'un encapsulage.
V. encapsulable ; encapsulage ; encapsulation ; encapsulement
En. encapsulated [6629]

ENCARTONNAGE n.m. 73
conditionnement (emballage) > emballage
Opération consistant à mettre des produits en boîtes de carton.
V. encartonneuse
De. Kartonverpackung (f.)
En. cartoning [5795]

ENCARTONNEUSE n.f. 73
conditionnement (emballage) > emballage
Machine destinée à mettre des produits en boîtes de carton.
V. embarqueteuse ; encartonnage
De. Kartonagenmaschine (f.)
En. carton filler [1134]

ENCASTRÉ n.m. 74
action sur l'environnement > éclairage
Appareil d'éclairage encastré dans son support.
En. built-in [3009]

ENCASTREMENT n.m. 77
génie biomédical > appareillage médical
Assemblage précis d'un ancrage et d'un élément prothétique.
V. ancrage
En. embedding [7966]

ENCÉPHALISATION → né - — .

ENCÉPHALITOGÈNE adj. 73
pathologie animale > pathologie tumorale
Qui engendre des affections encéphalitiques.
De. enzephalitogen
En. encephalitogenic ; encephalitogenous
Es. encefalitógeno [4516]

ENCÉPHALOMYOCARDITE n.f. 74
pathologie animale > pathologie tumorale
Affection touchant à la fois le cerveau et le myocarde ayant
essentiellement pour origine des infections virales, microbiennes ou parasitaires.
De. Enzephalomyokarditis (f.)
En. encephalomyocarditis [1492]

ENCLAVANT n.m./adj. 72
réglementation, législation > droit
[Se dit du] propriétaire d'un fonds entourant une parcelle qui
n'a pas de débouché sur la voie publique.
En. enclaving [4070]

ENCLIQUETABLE adj. 78
propriété > propriété technologique
Se dit d'une pièce mécanique qui peut être encliquetée.
De. einklintbar ; einrastbar
En. snap-on [9025]

ENCLOISONNÉ adj. 74
bâtiment et travaux publics > élément d'ouvrage du bâti-
ment
Entouré de cloisons.
En. partitioned ; enclosed
Es. tabicado [4407]

ENCODEUR n.m. 74
informatique > équipement d'entrée-sortie
Appareil à l'aide duquel les données sont saisies, codées ou
stockées sous forme numérique afin d'être traitées directement
par l'ordinateur.
De. Codierer (m.)
En. encoder ; coder ; code converter [3897]

ENCRE → imprimante à jet d' — .

ENCRE IMMOBILISÉE n.f. 74
matériau > encre
Quantité d'encre absorbée par le papier jusqu'à saturation de
celui-ci lors de l'impression. [2026]

ENCRE LIBRE n.f. 74
matériau > encre
Quantité d'encre répartie entre l'encre superficielle qui adhère

au papier et l'encre qui reste sur la forme imprimante.
De. Rohdruckfarbe (f.) [2027]

ENCRE POLYDISPERSE n.f. 74
matériau > encre
Encre possédant la propriété de pénétrer facilement dans les pores du papier.
De. polydisperse Druckfarbe (f.) [2028]

ENCRE RÉTICULABLE n.f. 73
matériau > encre
Encre qui sèche sous l'action de radiations ultraviolettes.
De. Netzfarbe (f.) [1493]

ENCRE SUPERFICIELLE n.f. 74
matériau > encre
Quantité d'encre adhérant au papier après l'impression. [2029]

ENDOBIOTE n.m. 76
écologie > synécologie
Organisme qui vit à l'intérieur d'un hôte.
En. endobiotic organism [6483]

ENDOCINÉMATOGRAPHIE n.f. 74
arts > photographie
Cinématographie scientifique effectuée à l'intérieur d'un être vivant ou d'un appareil.
De. Endokinematographie (f.) ; endoskopische Photographie (f.)
En. endocinematography ; endoscopic photography
Es. endocinematografia [3713]

ENDOCOMMENSAL adj. 74
écologie > synécologie
Se dit d'un être vivant à l'intérieur du tube digestif d'un autre.
De. Endokommensal-
Es. endocomensal [7543]

ENDOCUTICULE n.f. 77
tissu (biologie) > tissu épithélial
Cuticule située à l'intérieur du derme.
V. épicuticule ; exocuticule
En. endocuticle ; endocuticule
Es. endocutícula [9318]

ENDODONTIQUE adj. 77
médecine > spécialité médicale
Relatif à la pulpe et aux cavités pulpaires des dents (l'endodonte).
En. endodontic
Es. endodóntico [8099]

ENDODROMIE PASTORALE n.f. 75
économie > économie rurale
Exploitation commune d'un espace par des éleveurs sédentaires ou nomades, ayant adopté les mêmes aires et le même calendrier de déplacements à partir d'un ensemble de points d'eau permanents utilisés en saison sèche. [4222]

ENDOFAUNE n.f. 76
faune
Ensemble des organismes benthiques qui vivent enfouis dans les sédiments meubles.
V. épifaune
De. Endofauna (f.)
En. endofauna ; infauna
Es. endofauna [6218]

ENDOGAION n.m. 72/73
écologie > communauté (écologie)
Ensemble des organismes vivants qui se développent dans le sol.
V. épigaion [3553]

ENDOLITHE adj. 74
organisme vivant > animal
Qui vit à l'intérieur des rochers.
En. endolithic
Es. endolito [3010]

ENDONUCLÉASE DE RESTRICTION n.f. 75
biochimie
Enzyme permettant de couper des molécules d'ADN en des points précis.
De. Restriktionsendonukleasen (f.)
En. restriction endonuclease
Es. endonucleasa de restricción [4650]

ENDOPHAGE adj. 74
organisme vivant > animal
Se dit d'un moustique qui s'alimente à l'intérieur des habitations.
En. endófago [2653]

ENDOPHILE adj. 74
organisme vivant > animal
Qui vit à l'intérieur des habitations. [2654]

ENDOPHONE adj. 77
linguistique
De la langue propre au pays considéré.
V. exophone
De. endophon
Es. endófono [8233]

ENDORAL adj. 77
organisme vivant > microorganisme
Situé à l'intérieur de l'orifice buccal de certains protozoaires.
V. paroral
En. endoral [9169]

ENDORPHINE n.f. 77
constituant des organismes vivants
Peptide produit par l'organisme et possédant toutes les propriétés de la morphine.
En. endorphin [8234]

ENDOSÉMANTIQUE adj. 76
linguistique
Se dit d'un message contenu dans un énoncé réduit à une succession de phonèmes.
V. ectosémantique
De. endosemantisch
Es. endosemántico [7967]

ENDOSYMBIONTE n.m. 77
organisme vivant > végétal
Espèce vivant à l'intérieur d'une espèce hôte et tirant sa substance de son association avec l'hôte.
De. Endosymbiont (m.)
En. endosymbiont [8100]

ENDOTHÉLIOCHORIAL adj. 75
embryologie
Se dit d'un type de placenta où la barrière placentaire est constituée par le contact de l'endothélium des vaisseaux maternels avec le trophoblaste.
V. épithéliochorial ; hémochorial ; syndésmochorial
En. endotheliochorial [3180]

ENDOTHERME adj. 76
physiologie > homéostasis
Se dit d'un animal qui pratique une régulation de sa température interne.
V. ectotherme ; exhoméotherme ; héliotherme ; thigmotherme
De. endotherm
En. endothermic
Es. endotermo [6340]

ENDOTROPHE adj. 74
organisme vivant > végétal
Se dit d'une mycorhize vivant a l'intérieur des cellules de l'hôte.
V. ectotrophe
De. endotroph
En. endotrophic ; endotropic
Es. endotrofo [3181]

ENDUIT BÂTARD n.m. 77
matériau > matériau de revêtement
Enduit de mortier dont le liant est constitué d'un mélange de ciment et de chaux en proportion variable. [8479]

ENDUIT BOUCHARDÉ n.m. 74
matériau > matériau de revêtement
Enduit travaillé à la boucharde dès qu'il est suffisamment résistant.
De. Riffelputz (m.)
En. embossed plaster
Es. revestimiento escodado [3011]

ENDUIT BROSSÉ n.m. 77
matériau > matériau de revêtement
Enduit tamponné à la brosse vers la fin de prise pour ôter les aspérités.
De. Besenspritzputz (m.)
En. brushed finish [7968]

ENDUIT DRESSÉ n.m. 77
matériau > matériau de revêtement
Enduit tiré à la règle. [8480]

ENDUIT FEUTRÉ n.m. 77
matériau > matériau de revêtement
Enduit dont la surface a été passée à la taloche munie d'un feutre. [7969]

ENDUIT FROTTÉ n.m. 77
matériau > matériau de revêtement
Enduit dont on amène la laitance en surface en le frottant avec un petit bouclier aussitôt après son application.
De. geschibter Putz (m.)
En. rubbed finish [7970]

ENDUIT GRATTÉ n.m. 74
matériau > matériau de revêtement
Enduit dont la surface est grattée verticalement à l'aide d'une lame métallique quelques heures après son application.
De. Kratzputz (m.)
En. raked plaster [3012]

ENDUIT GRÉSÉ n.m. 77
matériau > matériau de revêtement
Enduit dont la surface a été usée à l'aide d'une brique au carborundum ou d'une ponceuse électrique à disque souple. [8481]

ENDUIT INCORPORÉ n.m. 77
matériau > matériau de revêtement
Enduit coulé en même temps que le support en béton dont il est séparé par une tôle ou un grillage. [8482]

ENDUIT LAVÉ n.m. 74
matériau > matériau de revêtement
Enduit lavé avec une brosse souple en vue d'éliminer toute trace de laitance et de resserrer les grains.
De. Waschputz (m.)
En. washed plaster [3013]

ENDUIT PEIGNÉ n.m. 77
matériau > matériau de revêtement
Enduit raclé après deux à six heures.
De. Kammputz (m.) [7971]

ENDUIT TRAMÉ n.m. 74
matériau > matériau de revêtement
Enduit travaillé avec des rouleaux caoutchoutés à relief.
En. checked plaster
Es. revestimiento tramado [3014]

ENDUIT TYROLIEN n.m. 74
matériau > matériau de revêtement
Enduit projeté en une ou plusieurs couches de haut en bas, avec une machine mécanique (tyrolienne) ou un pistolet pneumatique.
De. Spritzputz (m.)
En. tyrolian plaster
Es. revestimiento tirolés [3015]

ÉNERGÉTICIEN n.m. 73
énergie (technologie) > énergétique
Spécialiste d'énergétique.
De. Energetiker (m.)
En. energeticist [767]

ÉNERGÉTIQUE → filière — ; vecteur — .

ÉNERGIE → absorbeur d' — .

ÉNERGIE DOUCE n.f. 76
environnement et sécurité > environnement
Énergie non polluante.
V. énergie dure
En. soft energy [8101]

ÉNERGIE DURE n.f. 77
environnement et sécurité > environnement
Énergie polluante.
V. énergie douce
En. hard energy [8102]

ÉNERGIE TOTALE n.f. 74
économie > industrie énergétique
Production conjuguée des énergies électrique, thermique ou frigorifique nécessaires à un complexe commercial ou industriel ou à un ensemble de logements à partir d'une ou plusieurs sources extérieures.
En. total energy
Es. energía total [2493]

ÉNERGIE VERTE n.f. 78
économie > industrie énergétique
Énergie obtenue à partir d'un traitement de végétaux.
V. charbon vert
De. grüne Energie (f.)
En. biomass energy ; green energy
Es. energía verde [9319]

ÉNERGISANT adj. 73
pharmacologie > toxicologie
Se dit d'une drogue qui active l'énergie.
En. energizing [581]

ENFICHABLE adj. 73
économie > industrie électrique
Qui peut être introduit dans une fiche.
De. einsteckbar
En. plug-in [1316]

ENFICHÉ adj. 74
électronique > composant électronique
Se dit de composants installés par divers procédés sur une microplaquette.
En. plugged in ; plugged-in [3715]

ENFONÇAGE À FROID n.m. 74
technologie des matériaux > traitement thermomécanique
Technique qui permet d'obtenir des formes creuses par enfoncement lent d'un poinçon traité thermiquement dans des blocs de métal recuit.
En. cold hubbing [6219]

ENFOUISSEMENT → auto - — .

ENFOURNEMENT PRÉCHAUFFÉ n.m. 78
opération > cokéfaction
Procédé consistant à assécher la houille par un chauffage préalable élevé juste au-dessous de sa décomposition thermique afin de faciliter sa cokéfaction.
V. enfournement sec
De. Beschickung (f.) mit vorgewärmter Kohle
En. preheated coal-charging [8884]

ENFOURNEMENT SEC n.m. 78
opération > cokéfaction
Procédé consistant à assécher la houille par un chauffage préalable modéré afin de faciliter sa cokéfaction.
V. enfournement préchauffé

De. *Trochenbestichung (f.)*
En. *dry coal-charging* [8885]

ENGANE n.f. 74
botanique
Végétation halophile essentiellement constituée de salicornes et de soudes, propre au Midi de la France. [2204]

ENGRAIS-RETARD n.m. 73
agronomie > technique culturale
Engrais dont la faible solubilité dans l'eau permet d'en prolonger les effets.
De. *Langzeit-Stickstoff-Dünger (m.)* ; *Depot-Dünger (m.)*
En. *slow-release fertilizer* [1317]

ENGRAMMATION n.f. 76
physiologie > neurophysiologie
Formation de traces sensorielles conservées dans les centres nerveux cérébraux. [4278]

ENJAMBEUR n.m. 75
matériel agricole
Type de tracteur enjambant un rang de culture.
De. *Stelzenschlepper (m.)*
En. *high clearance tractor* ; *stilt tractor* [5131]

ENKÉPHALINE n.f. 77
constituant des organismes vivants
Polypeptide isolé dans le cerveau et lié aux récepteurs de la morphine.
En. *enkephalin*
Es. *encefalina* [8343]

ENLEVAGE → impression d' — .

ENLEVEUR → jockey — .

ENLIASSAGE n.m. 73
mécanique appliquée > assemblage
Opération qui consiste à constituer des liasses.
De. *Bundschließe (f.)*
En. *bundling* [1666]

ENRICHISSEUR n.m. 71
économie > industrie chimique
Appareil permettant la séparation du solvant et la concentration du produit extrait. [1831]

ENROBANT n.m. 73
mécanique appliquée > revêtement
Matériau destiné à enrober des produits pulvérulents pour assurer leur isolation.
En. *coating agent* [948]

ENROBÉ n.m. 74
matériau > matériau de revêtement
Revêtement constitué d'un aggloméré de produits unis par un liant.
En. *coating* [2358]

ENROULÉE → connexion — .

ENROULEMENT → fabrication par — .

ENRUBANNAGE n.m. 73
conditionnement (emballage) > emballage
Opération consistant à entourer un objet ou une collection d'objets d'un ruban métallique.
De. *Umreifung (f.)*
En. *strapping* [2030]

ENRUBANNEUSE n.f. 76
télécommunications > radiotechnique
Appareil servant à poser un ruban isolant autour des noyaux des bobines téléphoniques.
De. *Umwickelmaschine (f.)*
En. *taper* [5796]

ENSACHEUSE-CLIPSEUSE n.f. 74
conditionnement (emballage) > fermeture
Machine destinée à la mise en sacs de produits et à la fermeture des sacs à l'aide de clips.
De. *Einsack- und Heftmaschine (f.)*
En. *bagging and stapling machine* [4071]

ENSEIGNEMENT → conseil d' — ; micro - — .

ENSEIGNEMENT PAR ALTERNANCE n.m. 77
enseignement
Type d'enseignement universitaire faisant alterner les sessions d'études et les stages professionnels.
V. alternant
En. *cooperative programme (U.K.)* ; *cooperative program (U.S.A.)* ; *sandwich course* ; *work-study programme (U.K.)* [8344]

ENSEMBLE → sous - — flou.

ENSOUILLAGE n.m. 72
opération > immersion
Opération consistant à ensouiller.
V. ensouilleuse ; ensouiller [4165 bis]

ENSOUILLER v. 72
opération > immersion
Enfouir une canalisation dans le sol marin après creusement d'une souille.
V. ensouilleuse ; ensouillage [4166 bis]

ENSOUILLEUSE n.f. 75
opération > immersion
Traîneau qui se déplace sur la canalisation posée sur le sol marin en lui aménageant une souille à l'aide de moyens mécaniques, pneumatiques et hydrauliques.
V. charrue-rigoleuse ; ensouillage ; ensouiller
De. *Kabeleinschwemmaschine (f.)*
En. *cable-burying plough* [6484]

ENSOUPLES → porte - — .

ENSTROPHIE n.f. 75
géophysique > météorologie
Carré de la vorticité.
En. *enstrophy* [6220]

ENTAILLÉ adj. 76
pathologie animale > agent toxique
Se dit d'une molécule de toxine qui devient toxique à la suite de la rupture d'une liaison peptidique.
En. *nicked* [6071]

ENTHALPIMÈTRE n.m. 68
physique > thermodynamique
Appareil de mesure de la valeur thermodynamique d'un fluide.
De. *Enthalpiemeter (n.)*
En. *enthalpy gauge* ; *enthalpy meter* [2031]

ENTOMÉSODERMIQUE adj. 77
tissu (biologie) > tissu animal
Relatif au mésoderme d'origine endodermique.
En. *entomesodermal*
Es. *entomesodérmico* [8483]

ENTOMOFAUNE n.f. 74
faune
Partie de la faune constituée par les insectes.
De. *Entomofauna (f.)*
Es. *entomofauna* [7413]

ENTOMOGAME adj. 73/74
physiologie > reproduction (physiologie)
Dont la fécondation est assurée par les insectes.
De. *entomogam*
En. *entomophilous*
Es. *entomógamo* [7274]

ENTOMOMÉTÉOROLOGIE n.f. 77
géophysique > météorologie
Étude des conditions météorologiques d'après le comportement des insectes.
De. Entomometeorologie (f.)
Es. entomometeorología [8484]

ENTOURAGE-PALETTE n.m. 73
conditionnement (emballage) > palette
Ensemble de parois destiné à enserrer une palette et à maintenir sa charge en vue d'en faciliter la manutention.
V. caisse-palette
De. Aufsetzrahmen (m.)
En. pallet framework [1136]

ENTRE adj. 76
mécanique appliquée > usinage
Se dit du diamètre limite du plus petit cylindre imaginaire pouvant être circonscrit à la pièce de façon qu'il vienne juste au contact des points les plus saillants de la surface.
V. n'entre pas
En. go [6630]

ENTRÉ → premier —, dernier sorti ; premier —, premier sorti.

ENTREDENT n.m. 72
mécanique appliquée > organe de machine
Espace séparant deux dents voisines d'une roue d'engrenage.
En. tooth space [252]

ENTRÉE → plage d' — ; tasseur d' — .

ENTRE POINTES n.f. 76
ENTREPOINTES
mécanique appliquée > assemblage
Espace entre deux pointes de sevrage destinées à fixer une pièce à usiner, notamment espace entre la pointe du porte broche (pointe tournante) et la pointe de poupée mobile (contre-pointe) sur un tour.
De. Spitzenweite (f.)
En. distance between centres [7832]

ENTRETIEN → temps d' — .

ENTRISME n.m. 74
politique
Attitude consistant à s'introduire dans un parti politique pour en modifier les tendances. [2360]

ENTUILAGE n.m. 75
information > traitement de l'information
Mode d'empilement de documents qui se recouvrent partiellement.
De. dachziegelartige Anordnung (f.)
En. slip stacking [5528]

ENVELOPPAGE n.m. 76
conditionnement (emballage) > emballage
Opération qui consiste à envelopper un produit.
V. enveloppeuse
De. Einschlagen (n.)
En. wrapping [5932]

ENVELOPPE-RECHERCHE n.f. 73
gestion, organisation, administration > gestion financière
Montant global du budget de la recherche.
De. Forschungshaushalts-Gesamtbetrag (m.) [1137]

ENVELOPPE SOLEAU n.f. 73
réglementation, législation > droit
Enveloppe double fermée et datée contenant la description et les dessins éventuels d'une invention.
En. Soleau envelope [2837]

ENVELOPPEUSE n.f. 76
conditionnement (emballage) > emballage
Machine destinée à l'enveloppage.
V. enveloppage

De. Einschlagmaschine (f.)
En. wrapping machine ; wrapper [5933]

ENVERGEUR adj. 76
technologie des matériaux > tissage
Se dit d'un dispositif qui croise les fils de chaîne afin de les diviser en nappes.
En. leasing [7124]

ENVIRONNÉ adj. 75
économie > travail (main-.d'œuvre)
Se dit d'un salarié considéré dans la totalité des charges qu'il représente y compris les frais de locaux, chauffage, éclairage, téléphone, etc. [4517]

ENVIRONNEMENT → socio- — .

ENVIRONNEMENTAL adj. 74
environnement et sécurité > environnement
Relatif à l'environnement.
De. Umwelt-
En. environmental [7414]

ENVIRONNEMENTALISTE n.m. 74
environnement et sécurité > environnement
Spécialiste de l'étude de l'environnement.
En. environmentalist [4991]

ENVOLS n.m. pl. 71
environnement et sécurité > pollution
Particules solides entraînées par les gaz de combustion et constituées en général de cendres et de poussières.
De. Flugasche (f.)
En. fly ash [87]

ENVOYEUR n.m. 76
télécommunications > équipement télécommunications
Appareil automatique qui lance des appels de façon continue afin de surveiller la qualité de service des P. et T.
En. sender [6072]

ENWAGONNEUSE n.f. 75
transport et manutention > engin de manutention
Appareil destiné au changement des wagons.
V. encamionneuse
En. wagon-loading unit [4072]

ENZYME → électrode à — .

ENZYMOGRAMME n.m. 76
biochimie
Étude mettant en évidence la nature de la résistance des germes bactériens aux pénicillines ou céphalosporines, à l'aide d'une réaction colorée sur un gel appropriée.
De. Enzymogramm (n.)
En. enzymogram
Es. encimograma [6073]

EOCRANIOTE n.m. 76
zoologie
Vertébré parvenu au stade de l'évolution marqué par la tendance à l'apparition d'une tête différenciée. [4651]

ÉO-HELLÉNIQUE adj. 78
ÉOHELLÉNIQUE
géophysique > géomorphologie
Relatif à l'époque géologique la plus ancienne du monde méditerranéen. [8626]

ÉOLIENNE → collecte — .

ÉOLIPHONE n.m. 75
arts > musique
Instrument de musique animé par le souffle du vent.
V. géophone
De. Äoliphon (n.)
En. aeoliphone ; wind machine
Es. eolífono [5132]

ÉPAISSE → couche — .

ÉPANOUI n.m. 76
technologie des matériaux > formage
Évasement pratiqué par exemple à l'extrémité d'un tube.
De. Aufweitung (f.)
En. flare [6995]

ÉPIAUTEUSE n.f. 74
économie > industrie agricole et alimentaire
Machine utilisée pour ôter la peau des filets de poisson.
De. Fischenthäutemaschine (f.)
En. peeler ; skinning-machine [3182]

ÉPIBIONTE n.m. 76
écologie > synécologie
Être vivant fixé sur un support ou sur un autre être.
De. Epibiont (m.)
En. epibiont [6221]

ÉPICE → pain d' — .

ÉPICONTINENTAL adj. 76
géophysique > géomorphologie
Situé en bordure des continents.
De. epikontinental
En. epicontinental
Es. epicontinental [6631]

ÉPICRITIQUE adj. 79
anatomie > anatomie animale
Se dit du système neuronal (constitué de grosses fibres nerveuses) qui transmet rapidement les effets de la stimulation douloureuse au cerveau.
V. protocritique
De. epikritisch
En. epicritic
Es. epicrítico [9320]

ÉPICUTICULE n.f. 77
tissu (biologie) > tissu épithélial
Cuticule située sur le derme.
V. endocuticule ; exocuticule
En. epicuticle ; epicuticule
Es. epicutícula [9321]

ÉPIDERME n.m. 73
bâtiment et travaux publics > structure mécanique
Revêtement formé d'une mince épaisseur plastique destinée à protéger un substrat.
De. dünne P.V.C.-Platte (f.) [769]

ÉPIDERMIQUE → collage — .

ÉPIFAUNE n.f. 74
faune
Ensemble des organismes animaux qui vivent fixés sur des supports inertes ou vivants.
V. endofaune
En. epifauna
Es. epifauna [6632]

ÉPIGAION n.m. 72/73
écologie > communauté (écologie)
Ensemble des organismes vivants qui se développent sur le sol.
V. endogaion
De. Epigaion (n.)
En. epigaean fauna ; epigeal fauna ; epigean fauna ; epigeic fauna
Es. epigeo [3553]

ÉPIGÉNÉTIQUE adj. 76
génétique > génétique cellulaire
Se dit d'un processus de développement de l'organisme par séquence d'événements en relations causales successives.
De. epigenetisch
En. epigenetic
Es. epigenético [6074]

ÉPIGÉNISATION n.f. 78
géologie > minéralogie
Processus par lequel un minéral, qui ne change pas de forme, change de nature chimique.
V. épigénisé
Es. epigenización [9322]

ÉPIGÉNISÉ adj. 78
géologie > minéralogie
Ayant subi une épigénisation.
V. épigénisation [9323]

ÉPILAMAGE n.m. 72
économie > industrie mécanique
Traitement consistant à faire absorber par des pièces à lubrifier, un épilamen.
V. épilamen [253]

ÉPILAMEN n.m. 72
économie > industrie mécanique
Film monomoléculaire destiné à diminuer la tension superficielle d'un matériau sur lequel il est appliqué.
V. épilamage
De. Epilamen (n.)
En. epilamen [583]

ÉPILIMNIQUE adj. 76
environnement et sécurité > environnement
Relatif à la courbe supérieure de l'eau d'un lac (épilimnion).
V. hypolimnique
De. Epilimnion-
En. epilimnetic ; epilimnial
Es. epilímnico [7275]

ÉPINASTIE n.f. 75
pathologie végétale
Ramollissement et recourbement vers le bas des feuilles en cours de flétrissement.
De. Epinastie (f.)
En. epinasty
Es. epinastía [4827]

ÉPINGLAGE n.m. 75
bâtiment et travaux publics > opération de construction
Dispositif formé par des tirants et leur ancrage dans un ouvrage d'art.
De. Verspannung (f.)
En. anchorage [5797]

ÉPINGLER v. 75
bâtiment et travaux publics > procédé de construction
Mettre en place un dispositif formé par les tirants et leur ancrage.
De. verspannen
En. to anchor [5798]

ÉPIPÉDIQUE adj. 68
géologie > pédologie
Se dit d'un processus d'accumulation de matière organique se déroulant à la surface du sol par simple entassement des détritus végétaux.
V. épipédon
En. epipedonic
Es. epipédico [3554]

ÉPIPÉDON n.m. 68
géologie > pédologie
Ensemble des horizons supérieurs d'un sol enrichis en matière organique.
V. épipédique
En. epipedon [7276]

ÉPIRADIATEUR n.m. 73
propriété > propriété thermique
Enceinte calorifugée permettant de déterminer les critères de résistance au feu d'un matériau. [949]

ÉPISCOPIE n.f. 74
instrumentation > instrument d'optique
Technique utilisant un appareil de projection par réflexion

d'objets opaques (épiscope).
De. Epiprojektion (f.)
En. projection of opaque objects
Es. episcopia [3016]

ÉPITHÉLIOCHORIAL adj. 75
embryologie
Se dit d'un type de placenta où la barrière placentaire est constituée par le contact du trophoblaste et de la barrière utérine.
V. endothéliochorial ; hémochorial ; syndesmochorial
En. epitheliochorial
Es. epiteliocorial [4073]

ÉPITROPIQUE adj. 74
matériau > fibre
Se dit d'une fibre possédant la faculté de conduire l'électricité. [1833]

ÉPIZONE n.f. 76
géologie > métamorphisme
Zone géologique de faible métamorphisme avec des températures peu élevées et des pressions faibles.
V. anchizone ; catazone
De. Epizone (f.)
Es. epizona [7545]

ÉPLUCHEUR n.m. 74
technique nucléaire
Dispositif destiné à retenir, et ainsi, à ôter à un atome un certain nombre d'électrons.
En. stripper [2495]

ÉPONGE À MOLÉCULES n.f. 78
physique > physique du solide et du fluide
Bloc de charbon actif à la surface duquel se condensent toutes les molécules à la température — 196°, permettant d'obtenir un vide propre.
En. activated charcoal trap [9170]

ÉPONGEUR adj. 75
environnement et sécurité > protection
Se dit d'un dispositif servant à assécher une surface. [4653]

ÉPONYMIE n.f. 74
linguistique
Fait de donner son propre nom à quelqu'un ou à quelque chose.
En. eponymism ; eponymy
Es. eponimia [3717]

ÉPREUVE → masse d' — .

ÉQUATORIALE → aurore — .

ÉQUEUTEUSE n.f. 78
économie > industrie agricole et alimentaire
Machine destinée à équeuter un fruit ou une racine.
En. stemmer [9324]

ÉQUIANGULAIRE → spirale — .

ÉQUIATOMIQUE adj. 72
chimie > constitution de la matière
Se dit de corps dont la molécule comporte un même nombre d'atomes différents.
De. gleichatomig
En. equiatomic [88]

ÉQUIBRIN adj. 74
électrotechnique > circuit d'alimentation électrique
Se dit d'un câble fabriqué avec des fils de même diamètre.
En. equistranded [3183]

ÉQUIDENSITÉ n.f. 73
propriété > masse
Propriété d'une ligne délimitant les plages de même densité.
De. Äquidensiten (f.)
Es. equidensidad [2656]

ÉQUIÉNERGÉTIQUE adj. 75
physique > optique
Se dit d'une source conventionnellement définie par la condition que sa répartition spectrale relative d'énergie soit égale à l'unité dans toute l'étendue du spectre visible et nulle en dehors.
De. energiegleich
En. equienergetic
Es. equienergético [5934]

ÉQUILIBRÉE → réciprocité — .

ÉQUILIBRE RADIATIF n.m. 77
géophysique > physique du globe
Étude d'un milieu stationnaire et notamment d'un modèle d'atmosphère stellaire lorsque le transfert d'énergie se fait uniquement par rayonnement.
De. Strahlungsgleichgewicht (n.)
En. radiative equilibrium [8235]

ÉQUILINGUISME n.m. 71
linguistique
Connaissance égale de deux ou de plusieurs langues.
En. equibilingualism
Es. equilingüismo [4074]

ÉQUIMOLARITÉ n.f. 74
propriété > masse
Propriété des corps chimiques comportant le même nombre de molécules-grammes pour un volume donné.
De. Äquimolarität (f.)
En. equimolarity
Es. equimolaridad [5288]

ÉQUIPEMENTIER n.m. 74
électronique > électronique industrielle
Fournisseur d'équipements.
De. Gerätehersteller (m.)
En. equipment supplier [3718]

ÉQUIPLAGE n.f. 73
instrumentation > repérage
Surface d'un document photographique sur laquelle une densité égale est traduite par une même couleur. [2657]

ÉQUIPOLLUTION n.f. 77
environnement et sécurité > pollution
Égalité du degré de pollution.
Es. equicontaminacion [8627]

ÉQUIRÉFLECTANCE n.f. 75
instrumentation > repérage
Pour une longueur d'onde donnée, réflectance égale de deux objets.
En. equireflectance
Es. equireflectancia [5654]

ÉQUITEMPS adj. 77
instrumentation > métrologie
Se dit de repères tels que le temps mis par un mobile pour aller d'un repère à un autre soit le même alors que la vitesse du mobile est variable.
En. equally-timed [8345]

ÉQUITENSION n.f. 73
physique > électricité
Tension identique dans tous les éléments d'un ensemble.
[2206]

ÉQUITOX n.m. 74
environnement et sécurité > environnement
Unité de mesure du pouvoir inhibiteur des eaux résiduaires en matière de toxicité. [3719]

ÉQUIVALENT → à cœur — .

ÉQUIVALENTE → humidité — ; substitution — .

ÉQUIVALENT HABITANT n.m. 77
ÉQUIVALENT-HABITANT
environnement et sécurité > pollution
Unité de mesure de la pollution égale à la pollution provoquée
dans un milieu donné par un être humain en un jour. [6485]

ÉQUIVALENT-RAD n.m. 77
chimie > chimie analytique
Unité de mesure destinée à évaluer le risque engendré par les
cancérogènes chimiques.
V. rec
De. Rad-Äquivälent (n.)
En. rad equivalent ; rad-equivalent [8236]

ÉRAFLAGE n.m. 74
technologie des matériaux > génie alimentaire
Séparation des raisins de la rafle après ou avant foulage de la
vendange, et avant la mise en fermentation.
De. Strunkbeseitigung (f.)
En. stripping
Es. escobajado [2658]

ÉRAFLURE n.f. 75
géologie > modification superficielle
Ecorchure superficielle de la roche en place due au frottement
d'un caillou morainique.
De. Ritz (m.)
En. graze ; scratch [5799]

ERGAPOLYSE n.f. 71
propriété > propriété physico-chimique
Propriété de la matière vivante de libérer et de transformer
l'énergie chimique des substances organiques en énergie
électrique et cinétique.
De. Energiefreisetzung (f.)
En. ergapolysis
Es. ergapolisis [6075]

ERGOMÉTRIQUE adj. 73
instrumentation > équipement aérospatial
Se dit d'une bicyclette sans roues où le pédalier oppose à
l'action des pieds un couple résistant qui permet la mesure du
travail musculaire.
De. ergometrisch
En. ergometric [770]

ERGON n.m. 75
génétique > information génétique
Ensemble des facteurs susceptibles d'influencer la durée de
l'information du gène.
V. chronon
De. Ergon (n.)
En. ergon
Es. ergon [4654]

ERGONOME n. 77
économie > sciences économiques
Spécialiste des études consacrées à l'organisation du travail
(ergonomie).
De. Ergonom (m.)
En. ergonomist [8346]

ERGONOMIQUE adj. 74
économie > sciences économiques
Relatif à l'étude consacrée à l'organisation du travail (ergono-
mie).
De. ergonomisch
En. biotechnological ; ergonomic
Es. ergonómico [3555]

ERGOPHTALMOLOGIE n.f. 75
médecine > santé publique
Étude de l'influence des conditions de travail sur la vue.
De. Ergophthalmologie (f.)
En. ergophtalmology [4281]

ÉRINOSE n.f. 74
pathologie végétale
Formation anormale de poils hypertrophiés à la surface de
divers organes végétaux, à la suite de piqûres d'acariens

cryophyidés.
En. erinose
Es. erinosis [4075]

ERLANG n.m. 73
télécommunications > téléphonie
Unité de mesure de l'intensité moyenne du trafic téléphonique.
De. Erlang (n.)
En. erlang
Es. erlang [2659]

ERME → steppe — .

ÉROSION → paléosurface d' — .

ÉROSION URBAINE n.f. 78
environnement et sécurité > pollution
Ensemble des effets de l'urbanisation sur le milieu physique.
V. pollution urbaine
De. Stadterosion (f.)
En. urban erosion
Es. erosión urbana [9171]

ERREUR MACROGÉOMÉTRIQUE n.f. 78
instrumentation > mesure
Défaut de tracé ou de surface d'une pièce mécanique mesura-
ble.
V. erreur microgéométrique
De. makrogeometrischer Fehler (m.)
En. macroerror ; macrogeometrical error
Es. error macrogeométrico [8886]

ERREUR MICROGÉOMÉTRIQUE n.f. 78
instrumentation > mesure
Défaut de tracé ou de surface d'une pièce mécanique difficile à
mesurer en valeur absolue.
V. erreur macrogéométrique
De. mikrogeometrischer Fehler (m.)
En. microerror ; microgeometrical error
Es. error microgeométrico [8887]

ÉRYTHROCYTAIRE adj. 72
cellule et constitution cellulaire > cellule
Qui a trait aux globules rouges (érythrocytes).
De. erythrozyt
En. erythrocytic [90]

ESCLAVE → bras- — ; maître- — .

ESPACE → bureau en — ouvert.

ESPACE ALVÉOLAIRE n.m. 78
économie > travail (main-d'œuvre)
Espace cloisonné jusqu'au plafond par des surfaces opaques
permettant de constituer pour chaque groupe de travail un
univers fonctionnel adapté à ses activités.
V. bureau en espace ouvert ; bureau-module ; espace semi-
ouvert [9172]

ESPACÉE(S) → teinture — ; étoiles —s.

ESPACE SEMI-OUVERT n.m. 78
économie > travail (main-d'œuvre)
Espace compartimenté par des écrans visuels et acoustiques
afin d'isoler les postes de travail d'un bureau paysager.
V. bureau en espace ouvert ; bureau paysager ; espace
alvéolaire [9173]

ESPACE SENSIBLE n.m. 74
environnement et sécurité > environnement
Zone dont l'équilibre biologique ou la qualité est particulièrement sensible.
En. sensitive area [3720]

ESPACEUR n.m. 73
biologie moléculaire
Région inactive de l'ADN qui sépare les régions de synthèse
de l'ARN dans un organisateur nucléolaire. [2496]

ESQUIMAUNYME n.m. 75
linguistique
Appellation en langue esquimaude.
De. Eskimonym (n.)
En. inuitonym ; innuitonym [6486]

ESSAI AUX ÉTINCELLES n.m. 77
instrumentation > essai et contrôle
Essai permettant de déterminer la catégorie d'acier à laquelle
appartient un échantillon par l'aspect d'une gerbe d'étincelles
produite à l'aide d'une meule. [8351]

ESSAI DE CESSION n.m. 75
économie > industrie métallurgique
Essai permettant de déterminer la quantité de matière cédée
par un acier sous l'effet d'un solvant.
De. Maßanalyse (f.)
En. yield test [4828]

ESSAI DE FORABILITÉ n.m. 74
instrumentation > essai et contrôle
Essai mettant en évidence l'aptitude à l'effritement à échelle
fine d'une roche sous l'effet d'arrachements tangentiels.
V. essai de ténacité
De. Schleiffähigkeitsversuch (m.)
En. drillability test ; forability test [4992]

ESSAI DE MICROFISSURATION SOUS CHARGE
n.m. 74
instrumentation > essai et contrôle
Essai permettant de déterminer le seuil à partir duquel une
roche se fragmente en microfissures.
De. Druckbelastungsprobe (f.)
En. microcracking load test [4993]

ESSAI DE TÉNACITÉ n.m. 74
instrumentation > essai et contrôle
Essai de concassage permettant de déterminer l'aptitude de la
roche à la fragmentation par chocs, écrasement et cisaille-
ments, à une échelle plus grossière que celle de la forabilité.
V. essai de forabilité
De. Breckversuch (m.)
En. tenacity test ; toughness test
Es. ensayo de tenacidad [4994]

ESSAIM n.m. 77
géophysique > géomorphologie
Ensemble de blocs entourés de graviers satellites s'espaçant
graduellement sur le fond sous-marin.
En. swarm
Es. enjambre [8237]

ESSAI PÉNÉTROMÉTRIQUE n.m. 74
géotechnique
Essai de pénétration s'effectuant par sondage, en vue de
mesurer les caractéristiques mécaniques et de constitution du
sol.
V. essai scissométrique ; pénétrométrie
En. penetration test
Es. ensayo penetrométrico [2361]

ESSAI SCISSOMÉTRIQUE n.m. 74
géotechnique
Essai d'arrachement d'un massif au moyen d'une sonde dont
le dispositif de rotation permet de mesurer la résistance à cet
arrachement.
V. essai pénétrométrique
En. vane shear test [2362]

ESSENCERIE n.f. 74
économie > activité commerciale
En Afrique, station d'essence.
De. Tankstelle (f.)
En. filling station ; service station
Es. estación de servicio [3721]

ESSENCIER n.m. 75
conditionnement (emballage) > emballage
Récipient destiné à contenir des extraits concentrés (essences).

En. essence jar
Es. esenciero [4408]

ESSENCIER n.m. 75
transport et manutention > exploitation des transports
Agent chargé du ravitaillement des appareils en carburant.
De. Betanker (m.) ; Tankwart (m.)
En. aircraft fueler [4076]

ESSUIE → symbole en — -glace.

ESTIMATEUR → aide — .

ÉTABLI → chirurgie sur — .

ÉTABLISSEMENT DE CIRCUIT (à—) adj. 78
mécanique des fluides appliquée
Se dit d'une vanne normalement fermée ou d'un contact
normalement ouvert.
V. coupure de circuit (à—) ; vanne normalement fermée ;
contact normalement ouvert
De. Schließ- [8769]

ÉTABLISSEUR n.m. 76
économie > industrie mécanique
Industriel de l'horlogerie spécialisé dans l'assemblage des
pièces détachées de montres.
De. Endhersteller (m.)
En. assembler [5800]

ÉTAGE THÉORIQUE n.m. 73
physique > thermodynamique
État d'équilibre thermodynamique faisant partie d'une suite
d'opérations successives nécessaires pour obtenir une purification donnée.
De. theoretischer Gleichgewichtszustand (m.)
En. theoretical plane ; theoretical stage [1321]

ÉTALON → allure- — .

ÉTANCHÉIFICATION n.f. 77
mécanique appliquée > joint d'étanchéité
Opération qui consiste à rendre étanche.
V. étanchéiser
De. Abdichtung (f.) [8103]

ÉTANCHÉISER v. 76
mécanique appliquée > joint d'étanchéité
Rendre étanche.
V. étanchéification
De. abdichten
En. to seal [6996]

ÉTAT DE LANCEMENT n.m. 78
politique
État qui procède ou fait procéder au lancement d'un objet
spatial ou dont le territoire ou les installations servent à ce
lancement. [8104]

ÉTAT EXCITÉ n.m. 74
physique > physique des particules
État d'un système dont l'énergie est supérieure à celle de l'état
fondamental.
V. état fondamental
De. angeregter Zustand (m.)
En. excited state
Es. estado escitado [2363]

ÉTAT FONDAMENTAL n.m. 74
physique > physique des particules
État d'un système dont l'énergie est la plus basse possible.
V. état excité
De. Grundzustand (m.)
En. ground state
Es. estado fundamental [2364]

ÉTATS → analyseur d' — logiques.

ÉTENDERIE n.f. 73
technologie des matériaux > équipement industrie de transformation
Four de refroidissement du verre où se fait l'opération du recuit.
De. Glasziehanlage (f.)
En. lehr ; leer [3378]

ÉTÊTEUSE n.f. 74
économie > industrie agricole et alimentaire
Machine destinée à l'ablation des têtes de poissons.
De. Kopfabtrenngerät (n.)
En. heading-machine [3184]

ETHNOBOTANIQUE n.f. 75
botanique
Étude des relations entre les plantes et les civilisations. [4409]

ETHNOCIDAIRE adj. 75
sociologie
Relatif à la destruction de la culture d'un ethnie (ethnocide).
De. ethnozid
En. ethnocidal [4077]

ETHNO-CONNAISSANCE n.f. 75
ETHNOCONNAISSANCE
information > communication
Connaissance d'ethnies diverses et de leurs civilisations.
En. ethnoscience [6859]

ETHNO-CULTUREL adj. 77
ETHNOCULTUREL
sociologie
Envisagé du double point de vue ethnique et culturel.
De. ethnokulturell
En. ethnic and cultural [8238]

ETHNOMÉTHODOLOGIE n.f. 77
sociologie
Méthodologie qui se préoccupe des groupes sociaux ou ethniques plutôt que des individus isolés.
V. ethnométhodologique
De. Ethnomethodologie (f.)
En. ethnomethodology [8349]

ETHNOMÉTHODOLOGIQUE adj. 73
sociologie
Propre à l'ethnométhodologie.
V. ethnométhodologie
De. ethnomethodologisch
En. ethnomethodological
Es. etnometodológico [5655]

ETHNONYME n.m. 75
linguistique
Appellation d'un groupe de personnes.
De. Stammesname (m.)
En. ethnonym [5935]

ETHNOPHONE adj. 77
linguistique
Au Canada, qui parle une langue maternelle propre à une ethnie par opposition à l'anglais et au français.
De. ethnophon
En. ethnophone [8105]

ETHNOPSYCHANALYSE n.f. 76
génie biomédical > psychothérapie
Psychanalyse prenant en compte les groupes ethniques ou culturels auxquels appartient le patient. [4282]

ETHNOSCIENCE n.f. 77
histoire
Ensemble de disciplines qui étudient le comportement, les sociétés et les civilisations dans le savoir populaire. [7125]

ETHNOSÉMIOTIQUE n.f. 74
information > communication
Discipline qui étudie les systèmes de communication en rapport avec les sciences sociales (anthropologie, ethnogra-

phie...).
De. Ethnosemiotik (f.)
En. ethnosemiotics [5530]

ETHNOTHANATOLOGIE n.f. 74
sociologie
Étude des croyances sur la mort et des pratiques funéraires dans les différentes sociétés.
En. ethnothanatology
Es. etnotanatología [5289]

ÉTHOGÉNÈSE n.f. 75
éthologie
Processus de développement des comportements innés des espèces animales au cours de la période postembryonnaire ou juvénile.
De. Verhaltensentwicklung (f.)
En. etheogenesis
Es. etogénesis [6222]

ÉTHOLOGIE → éco- — .

ÉTHOLOGUE n. 77
ethologie
Spécialiste de l'étude des comportements.
De. Ethologe (m.)
En. ethologist
Es. etólogo [8350]

ÉTHYLÉNODUC n.m. 72
transport et manutention > canalisation-conduite
Conduite destinée à l'acheminement de l'éthylène liquide ou gazeux.
En. ethylene pipeline [254]

ÉTINCELABLE adj. 77
matériau > papier
Se dit d'un papier recouvert d'une pellicule métallisée, susceptible d'émettre des étincelles permettant d'obtenir l'impression d'un graphisme [8770]

ÉTINCELLES → chambre à — ; essai aux — .

ÉTIQUETTE → contre- — .

ÉTIQUETTE DE CORPS n.f. 73
opération > marquage
Étiquette principale placée sur le corps d'une bouteille.
V. collerette ; contre-étiquette ; cravate
De. Körperetikett (m.) [1322]

ÉTOILE NUCLÉAIRE n.f. 73
physique > physique des particules
Ensemble des traces formées par les particules émises à la suite de l'éclatement d'un noyau sous l'effet du choc d'une particule de grande énergie.
De. Emulsionstern (m.)
En. nuclear star [2034]

ÉTOILES BINAIRES SERRÉES n.f.pl. 74
sciences de l'espace
Composantes d'une étoile double réellement proches dans l'espace.
V. étoiles espacées
De. enge Doppelsterne (m.)
En. close binary stars [2035]

ÉTOILES ESPACÉES n.f.pl. 74
sciences de l'espace
Composantes d'une étoile double séparées par une distance qui peut atteindre 150 millions de kilomètres.
V. étoiles binaires serrées
De. weite Doppelsterne (m.) [2036]

ÉTRANGER → mode — .

ÉTRAVE → propulseur d' — ; réacteur d' — .

ÉTRIER n.m. 75
environnement et sécurité > protection contre les intempéries
Type de chaîne à neige à fixation rapide sur la roue.
En. antiskid strap ; strap [4167 bis]

ÉTROGNAGE n.m. 77
technologie des matériaux > génie alimentaire
Opération consistant à retirer les trognons de certains légumes.
V. étrogner
De. Entstrunken (n.)
En. coring ; stumping [7687]

ÉTROGNER v. 74
technologie des matériaux > génie alimentaire
Débarrasser un fruit ou un légume de son trognon.
V. étrognage
De. Kerngehäuse entfernen
En. to core [3019]

EUCALCIQUE adj. 72/73
écologie > autécologie
Riche en calcium.
De. kalziumhaltig
Es. eucálcio [3557]

EUCENTRIQUE adj. 76
électronique > optique électronique
Se dit d'un dispositif qui réalise un centrage précis ou une très bonne concentration de rayons optiques. [4168 bis]

EUCRATON n.m. 74
géophysique > géomorphologie
Craton complètement formé.
V. durisocle ; miocraton ; mollisocle
De. Eukraton (n.)
En. old craton
Es. eucratón [7688]

EUÉDAPHON n.m. 74
écologie > communauté (écologie)
Ensemble des organismes vivant constamment dans le sol.
V. hémiédaphon
De. Bodenorganismen (m.pl.) ; euedaphische Bodentiere (n.pl.)
En. edaphon [3722]

EUPHOTIQUE adj. 74
géophysique > géomorphologie
Se dit de la couche la plus superficielle des océans dans laquelle la lumière solaire pénètre et où ont lieu les processus de photosynthèse.
De. euphotisch
En. euphotic
Es. eufótico [2840]

EURCO n.f. 74
économie > monnaie
Unité monétaire européenne destinée à pallier les variations excessives des taux de change des monnaies.
En. Eurco [1834]

EUROCOMMUNISME n.m. 77
politique
Communisme commun aux pays d'Europe occidentale.
V. eurocommuniste
De. Eurokommunismus (m.)
Es. eurocomunismo [7546]

EUROCOMMUNISTE adj. 77
politique
Propre à l'eurocommunisme.
V. eurocommunisme
De. eurokommunistisch
En. eurocommunist
Es. eurocomunista [8106]

EURODOLLAR n.m. 72
économie > monnaie
Devise créée sur les places financières européennes par des emprunts ou des crédits en dollars.

V. asiadollar ; eurofranc
De. Eurodollar (m.)
En. eurodollar
Es. eurodólar [93]

EURODROITE n.f. 78
politique
Groupement des partis de droite européens.
V. eurocommunisme
De. Eurorechte (f.)
Es. euroderecha [8888]

EUROÉCHANTILLON n.m. 77
économie > industrie métallurgique
Échantillon établi par la CECA (Communauté Européenne du Charbon et de l'Acier). [7547]

EUROÉMISSIONS n.f.pl. 73
économie > marché financier
Émissions d'obligations lancées dans le cadre du marché européen.
En. euro-issues
Es. euroemisiones [437]

EUROFRANC n.m. 73
économie > monnaie
Franc libre utilisé sur les marchés internationaux en dehors des transactions commerciales.
V. asiadollar ; eurodollar
De. Eurofranc (m.)
En. eurofranc
Es. eurofranco [438]

EURO-LANGUE n.f. 77
EUROLANGUE
linguistique
Langue véhiculaire à l'usage des pays de la Communauté européenne.
De. Eurosprache (f.)
En. Eurolanguage [7833]

EURONORME n.f. 76
réglementation, législation > droit
Norme établie à l'usage des Communautés européennes.
De. Euronorm (f.)
Es. euronorma [7415]

EURO-OBLIGATAIRE adj. 73
EUROOBLIGATAIRE
économie > marché financier
Se dit du marché financier des emprunts libellés en unités de compte européennes.
En. euro-bond [587]

EUROPA n.m. 73
économie > monnaie
Monnaie internationale qui serait émise par une banque d'émission européenne.
De. Europa (f.)
En. europa [439]

EUROPÉANITÉ n.f. 74
histoire
Caractère de ce qui est européen. [1836]

EUROPOCENTRISME n.m. 74
politique
Tendance à considérer les choses sous l'angle des intérêts européens.
En. European chauvinism [1837]

EUROPOÏDE n.m. 75
anthropologie
Type qui présente les caractères de la race blanche.
De. Europäide (m./f.)
En. europoid ; europid [4283]

EUROSTABLE n.m. 75
économie > monnaie
Monnaie de compte dont la création serait envisagée en

Europe.
De. europäische Währungseinheit (f.)
En. European currency unit [4079]

EURO-TROPICAL adj. 77
EUROTROPICAL
anthropologie
Se dit de la civilisation européenne telle qu'elle s'est transformée sous les Tropiques.
De. eurotropisch
En. eurotropical [8239]

EURYGAME adj. 74
physiologie > reproduction (physiologie)
Se dit d'une espèce animale qui a besoin d'un grand espace pour se reproduire.
De. eurygam
En. eurygamous
Es. eurígamo [3379]

EURYHALOBE adj. 77
écologie > adaptation biologique
Se dit d'espèces pouvant s'accommoder de changements de salure des eaux dans lesquelles elles vivent.
En. euryhalin [8240]

EURYPHAGE adj. 74
écologie > adaptation biologique
Se dit d'espèces qui s'accommodent de nourritures variées.
V. sténophage
De. euryphag
En. euryphagous ; polyphagous
Es. eurífago [2661]

EUSKAROÏDE adj. 77
linguistique
Qui possède certains caractères propres à la langue basque.
De. euskaroid
En. Euskarian [7689]

EUSTASIE n.f. 76
géophysique > hydrographie
Variation lente du niveau de la mer par une modification du volume de ses eaux ou par une déformation de la forme du fond.
De. eustatische Bewegung (f.) ; Eustasie (f.)
En. eustatic movement
Es. eustasia [6223]

EUTHANASIE ACTIVE n.f. 77
médecine > médecine sociale
Euthanasie obtenue par l'administration de substances calmantes ou stupéfiantes.
V. euthanasie passive
De. Aktiveuthanasie [f.)
En. active euthanasia
Es. eutanasia activa [8352]

EUTHANASIE PASSIVE n.f. 77
médecine > médecine sociale
Interruption de la vie obtenue par simple suspension de traitement ou de réanimation.
V. euthanasie active
De. Passiveuthanasie (f.)
En. passive euthanasia
Es. eutanasia pasiva [8353]

EUTONOLOGIE n.f. 74
physiologie > physiologie de l'appareil locomoteur
Discipline biomédicale consacrée à l'étude du maintien ou de la restauration du tonus normal face à l'agression.
En. aggressology [2662]

ÉVAPORAT n.m. 76
technologie des matériaux > évaporation
Résidu d'une évaporation.
De. Evaporat (n.)
En. evaporite
Es. evaporado [5802]

ÉVÉNEMENTS → consignateur d' — .

ÉVOLUBILITÉ n.f. 77
propriété > propriété technologique
Aptitude à évoluer.
De. Entwicklungsfähigkeit (f.)
En. evolvability [7277]

ÉVOLUTIF → bureau — .

ÉVOLUTIVITÉ n.f. 75
propriété > propriété technologique
Aptitude à subir des transformations progressives.
De. Ausbaufähigkeit (f.)
En. evolutivity ; evolutive design [6224]

EXA- préfixe 77
instrumentation > métrologie
Facteur de multiplication par 10^{18}.
V. peta-
De. exa-
Es. exa- [7416]

EXCEPTIONNELLE → propagation — .

EXCIMÈRE n.m. 74
chimie > constitution de la matière
Dimère formé lors de l'excitation électronique de l'une des deux molécules.
V. exciplexe
En. excimer [2497]

EXCIPLEXE n.m. 77
chimie > constitution de la matière
Complexe chimique excité.
V. excimère
De. Exciplexe (m./pl.)
En. exciplex [7690]

EXCITÉ → état — ; résonnance à cœur — .

EXCITON n.m. 72
physique > physique des particules
Particule libérée par le choc d'un photon et d'un électron, à l'intérieur d'un cristal.
De. Exziton (n.)
En. exciton [256]

EXCLU → volume — .

EXCURSIOMÈTRE n.m. 76
instrumentation > appareil électronique de mesure
Appareil qui permet d'apprécier les variations d'une grandeur physique par rapport à une valeur moyenne déterminée.
En. frequency monitor ; swingmeter [6487]

EXCURSION NUCLÉAIRE n.f. 76
technique nucléaire
Augmentation rapide de la puissance d'un réacteur nucléaire au-dessus du niveau normal de fonctionnement.
De. Leistungsausbruch (m.)
En. power excursion
Es. excursión nuclear [6341]

EXERCICE STRUCTURAL n.m. 69
enseignement
Exercice consistant à faire employer systématiquement dans des phrases variées construites sur un modèle type, une structure de la langue enseignée afin que l'usage en devienne automatique.
V. microconversation
En. pattern drill [3186]

EXERGIE n.f. 76
énergie (technologie) > exergie
Travail maximum que l'on peut utilement retirer de certaines transformations.
De. Exergie (f.) ; technische Arbeitsfähigkeit (f.)
En. exergy [5937]

EXERGONIQUE adj. 74
énergie (technologie) > exergie
Se dit d'une réaction qui fournit de l'énergie.
En. exergonic [3725]

EXERTION n.f. 76
botanique
Éclosion de l'inflorescence des graminées.
De. Ährenschieben (n.) ; Rispenschieben (n.)
En. inflorescence [5656]

EXHOMÉOTHERME adj. 74
physiologie > homéostasis
Se dit d'un animal qui évite de produire de la chaleur.
V. ectotherme ; endotherme ; héliotherme ; thigmotherme
De. exhomeotherm
En. exhomeothermic [2664]

EXOBIOLOGIE n.f. 74
recherche et développement > recherche
Science qui a pour but l'étude des possibilités de vie dans les
milieux extra-terrestres.
V. exobiologiste
De. Astrobiologie (f.) ; Ektobiologie (f.)
En. exobiology [2208]

EXOBIOLOGISTE n. 73
recherche et développement > recherche
Spécialiste d'exobiologie.
V. exobiologie
De. Exobiologe (m.)
En. exobiologist [1323]

EXOCOLONISATION n.f. 72
cellule et constitution cellulaire > cellule
Méthode de reconstitution des cellules sanguines à partir
d'une greffe de moëlle osseuse.
De. Exokolonisation (f.)
En. exocolonization [1495]

EXOCUTICULE n.f. 77
tissu (biologie) > tissu épithélial
Cuticule située à l'extérieur du derme.
V. endocuticule ; épicuticule
En. exocuticle
Es. exocuticula [9325]

EXOCYCLIQUE adj. 74
chimie > affinité chimique
Situé en dehors du cycle.
En. exocyclic
Es. exocíclico [2366]

EXOCYTOSE n.f. 74
physiologie > physiologie cellulaire
Rejet par la cellule, à travers sa membrane, d'une particule
étrangère.
De. Exozytose (f.)
En. exocytosis
Es. exocitosis [3726]

EXODE DES CERVEAUX n.m. 74
sociologie
Départ des chercheurs de leur pays d'origine vers un autre
pays.
De. Abwandern (n.) von Intelligenz ; Brain Drain (n.)
En. brain drain
Es. fuga de cerebros [3381]

EXOÉLECTROÉMISSION n.f. 77
physique > physique des particules
Émission d'électrons par un métal lors d'une transformation
allotropique (exoélectron).
V. émission exoélectronique ; exoémission [8486]

EXOÉLECTRONIQUE → émission — .

EXOÉMETTEUR adj. 77
physique > physique des particules
Qui produit des électrons émis par un métal lors d'une

transformation allotropique (exoélectron).
V. exoémission
De. Exoemissions- [8629]

EXOÉMISSION n.f. 77
physique > physique des particules
Émission d'électrons par un métal lors d'une transformation
allotropique (exoélectron).
V. émission exoélectronique ; exoélectroémission
De. Exoelektronenemission (f.)
En. exoelectron emission
Es. exoemisión [9174]

EXOMORPHIQUE adj. 73
environnement et sécurité > dommage (matériel)
Relatif à un changement par contact extérieur (exomor-
phisme). [771]

EXONYME n.m. 75
linguistique
Nom géographique utilisé dans une langue pour désigner un
lieu situé en dehors de la région dont cette langue est la langue
officielle.
De. Exonymon (n.)
En. exonym [5803]

EXOPHILE adj. 73
organisme vivant > animal
Qui vit à l'extérieur des habitations
V. endophile
En. exophilic
Es. exófilo [3558]

EXOPHONE adj. 77
linguistique
De langue étrangère au pays considéré.
V. endophone
De. fremdsprachig ; exophon
Es. exófono [8241]

EXOSCOPIE n.f. 74
électronique > optique électronique
Examen de la forme et de l'état de surface des particules
sédimentaires à l'aide d'un microscope électronique.
De. Exoskopie (f.)
En. electron microscopy ; exoscopy
Es. exoscopía [7691]

EXOTHERMICITÉ n.f. 76
chimie > cinétique chimique
Caractéristique d'une réaction qui s'accompagne d'un dégagement de chaleur. [7126]

EXPLANTATION n.f. 73
génie biomédical > chimique
Prélèvement de fragment d'organe ou de tissu en vue d'une
mise en culture.
De. Explantation (f.)
En. explantation [440]

EXPLOITATION → logiciel d' — .

EXPLORATEUR n.m. 75
télécommunications > radiotechnique
Organe permettant à l'unité de commande de connaître l'état
d'un certain nombre de points caractéristiques des organes de
terminaison et de raccordement (état de boucle, fréquence en
ligne, etc.).
V. marqueur
En. scanner
Es. explorador [6342]

EXPLOSÉ → pousseur — .

EXPLOSIMÉTRIQUE adj. 76
pyrotechnie
Relatif à la mesure de la teneur d'une atmosphère en gaz
inflammables. [7127]

EXPORTÉ → gaz — .

EXPRESSION → biens d' — .

EXTENSOGRAPHE n.m. 76
instrumentation > mesure mécanique
Appareil destiné à mesurer les propriétés rhéologiques d'une pâte.
En. extensograph
Es. extensógrafo [7279]

EXTERNALISTE adj. 73
histoire
Se dit de l'attitude qui consiste à étudier une situation historique en fonction de son environnement.
V. internaliste
En. externalistic [772]

EXTERNE → audit — ; déséconomie — ; réaction à sphère — .

EXTRA-CHALEUR n.f. 77
EXTRACHALEUR
zootechnie
Perte d'énergie due au fonctionnement cellulaire lié à l'activité métabolique suivant l'ingestion d'un aliment ou du repas.
En. extra heat ; specific dynamic action
Es. acción dinámica específica [6343]

EXTRACTION LIQUIDE-LIQUIDE n.f. 74
opération > séparation physique
Opération qui consiste à entraîner une substance à l'aide d'un solvant volatil dans un produit liquide.
De. flüssig-flüssig-Extraktion (f.)
En. liquid-liquid extraction ; solvent extraction
Es. extracción líquido líquido [3020]

EXTRAORDINAIRE → indice — .

EXTRA-TEXTE n.m. 71
EXTRATEXTE
information > document
Ensemble de documents rédigés puis abandonnés par l'écrivain qui procure involontairement des renseignements sur un texte.
V. avant-texte ; inter-texte
De. im Text (m.) nicht verwertete Vorarbeiten
En. extra-text [4995]

EXTRAVASION n.f. 77
géologie > modification superficielle
Apparition à la surface du sol de boue expulsée des couches sous-jacentes sous l'effet de la géliturbation.
V. ostiole [7128]

EXTRUDABLE adj. 75
technologie des matériaux > formage
Se dit d'un polymère qui peut être fabriqué en continu (extrudé).
De. extrudierbar
En. extrusible ; extrusile
Es. extrusionable [6488]

EXTRUDAT n.m. 74
matériau > polymère (matériau)
Produit d'une extrusion.
V. coextrudat
De. Strangpreßling (m.)
En. extrusion
Es. extrudado [3728]

EXTRUDEUR n.m. 77
économie > industrie de transformation des matières plastiques.
Industriel pratiquant l'extrusion des matières plastiques.
[7972]

EXURBANISATION n.f. 74
gestion, organisation, administration > aménagement du territoire
Extension de l'urbanisation hors des limites d'un centre urbain.

En. exurbanisation
Es. exurbanización [6860]

EXURGENCE n.f. 73
géophysique > physique du globe
Source constituée par le débouché d'un réseau de fissures aquifères et dont le bassin d'alimentation est entièrement compris dans la formation fissurée considérée.
En. spring (thermal—)
Es. exurgencia [6998]

EXUTOIRE → aérateur — .

F

FAB (FRAGMENT ANTIGENE BINDING) n.m. 78
constituant des organismes vivants
Fragment d'immunoglobuline ne possédant qu'un seul site d'attachement pour antigène.
En. fragment antigene binding [8889]

F.A.B. (FRANCO À BORD) adj. 77
économie > prix
Se dit d'un prix qui couvre tous frais, droits, taxes et risques à charge du vendeur pour des marchandises livrées à bord d'un navire ou à l'entrée d'un magasin d'une compagnie de transport aérien.
V. franco long du bord
De. F.O.B. (free on board)
En. F.O.B. (free on board) [7834]

FABRICATION PAR ENROULEMENT n.f. 74
économie > industrie de transformation des matières plastiques
Fabrication de cuves qui consiste à enrouler hélicoïdalement une bande plastique sur des mandrins, les spires se soudant entre elles par polyfusion.
En. duct winding [3021]

FAÇADE n.f. 74
gestion, organisation, administration > contrat
Opération suivant laquelle une société garantit juridiquement un risque dont elle cède tout ou partie à une autre société qui n'apparaît pas dans le contrat, et qui est le plus souvent inconnue de l'assuré.
De. prima facie Haftung (f.)
En. fronting [2037]

FAÇADIER n.m. 73
bâtiment et travaux publics > élément d'ouvrage du bâtiment
Spécialiste de la construction des façades.
De. Fassadengestalter (m.) [1671]

FACE → crédit — à — .

FACILE → axe —.

FACILITATEUR adj./n.m. 74
information > communication
[Se dit d'un] animateur chargé de faciliter la communication et le travail à l'intérieur d'un groupe.
De. Helfender (m.)
En. facilitator [5531]

FACIOLOGIQUE adj. 74
géologie > sédimentologie
Relatif au faciès géologique.
En. faciologic ; faciological
Es. faciológico [5657]

FACOB (TRAITÉ FACultatif OBligatoire) n.m. 74
gestion, organisation, administration > contrat
Traité de réassurance par lequel le réassureur s'engage à accepter les risques que l'assureur peut, à sa discrétion, lui

céder dans le cadre dudit traité.
De. fakultative oder obligatorische Rückversicherung (f.)
En. open-cover [2038]

FAÇONNEUSE n.f. 77
technologie des matériaux > génie alimentaire
Machine destinée à donner aux pâtons les formes des différents types de pain. [6076]

FACTURATION → sans- — .

FACULAIRE adj. 73
sciences de l'espace
Relatif à une petite zone brillante du disque solaire (facule).
En. facular ; faculous [2209]

FADING n.m. 75
propriété > propriété mécanique
Perte d'efficacité au freinage.
De. Schwund (m.)
En. fading [4996]

FAIBLE → zone de — vitesse.

FAILLE TRANSFORMANTE n.f. 74
géophysique interne
Plan subvertical de glissement le long duquel deux plaques de lithosphère se déplacent l'une par rapport à l'autre.
En. transform fault
Es. falla transformante [3187]

FAISCEAU OLIVOCOCHLÉAIRE n.m. 73
tissu (biologie) > tissu animal
Faisceau de fibres nerveuses efférentes qui parviennent aux cellules auditives de l'organe de Vorti et prennent naissance dans les noyaux olivaires supérieurs du bulbe rachidien.
De. olivocochleares Bündel (n.)
En. olivocochlear fasciculus [1140]

FAISCEAU PERSPECTIF n.m. 76
instrumentation > mesure de dimension
Ensemble des rayons de l'espace objet qui relient le point de vue aux divers points de l'objet photographié.
En. bundle of perspective rays [4655]

FAISCEAUX BATTANTS n.m.pl. 77
transport et manutention > exploitation des transports
Système à balayage électronique utilisé pour l'aide à la navigation et à l'atterrissage et basé sur la mesure interférométrique (ondes de battement) des impulsions pour déterminer le site et le gisement de chaque avion interrogé cycliquement. [7972]

FALCIFORMATION n.f. 75
cellule et constitution cellulaire > cellule
Formation de drépanocytes.
V. falciformer
En. sickling [4411]

FALCIFORMER v. 75
cellule et constitution cellulaire > cellule
Subir une déformation en forme de faucille ou de croissant.
V. falciformation [4412]

FANTÔME n.m. 73
impression
Phénomène consistant en une modification de brillant d'un aplat lorsque celui-ci s'est trouvé en contact avec un autre aplat imprimé sur la feuille voisine.
En. gloss ghosting [1141]

FANTÔME n.m. 73
instrumentation > mesure de rayonnement ionisant
Squelette humain enrobé d'un matériau équivalent aux tissus et conçu pour la mesure de l'irradiation.
En. dummy [1497]

FARDELAGE n.m. 73
conditionnement (emballage) > emballage
Conditionnement en paquets surenveloppés (fardeaux) de produits groupés destinés à la vente.
V. fardelisation
De. Sammelverpackung (f.) [1672]

FARDELEUSE n.f. 73
conditionnement (emballage) > emballage
Machine destinée à envelopper des produits groupés ou des charges palettisées sous film plastique rétractable.
De. Einschlagmaschine (f.)
En. bundling machine [1324]

FARDELISATION n.f. 70
conditionnement (emballage) > emballage
Opération qui consiste à grouper des produits sous film plastique rétractable pour en faciliter la manutention, le stockage et les livraisons.
V. fardelage
De. Bündeln (n.)
En. bundling [1498]

FARINANT adj. 74
opération > protection de matière
Se dit d'un film de peinture qui laisse une trace de particules solides par frottement. [6344]

FARINE CRUE n.f. 75
matériau > matériau de construction
Produit non cuit broyé et séché préparé pour l'introduction dans l'appareil de cuisson.
De. Rohmehl (n.)
En. raw meal [4829]

FARINOGRAPHE n.m. 74
technologie des matériaux > génie alimentaire
Appareil destiné à enregistrer l'évolution de la consistance de la pâte au cours du pétrissage.
En. farinograph [3188]

FARO n.m. 76
géophysique > géomorphologie
Anneau corallien de quelques kilomètres de diamètre qui, associé à d'autres, fait partie d'un grand atoll.
De. Atollon (n.)
En. faro [7129]

FASCIATURE n.f. 72/73
organisme vivant > animal
Disposition en bandes transversales des écailles de certains poissons.
De. Fasziation (f.) [3561]

FATIGUÉE → lumière — .

FATIGUE OLIGOCYCLIQUE n.f. 73
physique > mécanique
Fatigue d'une éprouvette métallique soumise à des efforts alternés assez importants pour que la rupture se produise au bout d'un petit nombre de cycles.
De. oligozyklische Beanspruchung (f.)
En. low cycle fatigue [773]

FAUNULE n.f. 76
faune
Faune de très petite taille.
De. Mikrofauna (f.)
Es. microfauna [7549]

FAUSSE COULEUR n.f. 75
instrumentation > photographie
Couleur volontairement modifiée pour donner à l'observateur humain une perception colorée d'une scène différente de celle qu'il en aurait naturellement.
V. scène ; spectrozonal
De. Falschfarbe (f.)
En. false color (U.S.A.) ; fake color work (U.S.A.) [3899]

FAUTE D'EMPILEMENT n.f. 74
physique > physique du solide et du fluide
Discontinuité dans l'agencement, en plan des atomes ou des ions dans le réseau cristallin des solides.

V. interstitiel
De. Gitterbaufehler (m.) ; Gitterstörung (f.)
En. vacancy
Es. defecto de empaquetamiento [4081]

FAUX-PLANCHER n.m. 74
bâtiment et travaux publics > élément d'ouvrage du bâtiment
Plancher qui, en doublant un autre, conditionne un espace libre pour l'installation de différents équipements techniques.
De. nichtlasttragende Leichtdecke (f.)
En. false floor
Es. falso suelo [3900]

FÉBRILES → capitaux — .

FÉMINITUDE n.f. 78
sociologie
Caractère de ce qui est féminin.
De. Weiblichkeit (f.)
En. feminineness [8890]

FENÊTRE → voleur de — .

FENÊTRE ATMOSPHÉRIQUE n.f. 77
instrumentation > spectrométrie
Bande spectrale d'un rayonnement électromagnétique qui traverse l'atmosphère dans des conditions données.
V. fenêtre de transmission ; fenêtre de transparence
De. Fenster (n.) der Atmosphäre
En. atmospheric window [7973]

FENÊTRE DE TRANSMISSION n.f. 75
instrumentation > spectrométrie
Bande spectrale d'un rayonnement électromagnétique qui traverse l'atmosphère dans des conditions données.
V. fenêtre atmosphérique ; fenêtre de transparence
De. terrestrisches Sonnenspektrum (n.)
En. transmission window [4830]

FENÊTRE DE TRANSPARENCE n.f. 77
instrumentation > spectrométrie
Domaine de longueur d'onde caractérisé par une extinction relativement faible par rapport aux domaines adjacents.
V. fenêtre atmosphérique ; fenêtre de transmission [8356]

FENÊTRE HYDROGÉOLOGIQUE n.f. 72
géophysique > hydrogéologie
Disposition de deux nappes normalement séparées par une couche imperméable mais localement confondues par interruption de cette couche.
Es. ventana hidrogeológica [9027]

FER chapeau de — ; ouverture main- — blanc.

FÉRAL adj. 73
zoologie
Se dit d'un état sauvage succédant à un état domestiqué.
De. verwildert
En. feral [2210]

FER CRAYON n.m. 76
FER-CRAYON
électronique > microélectronique
Fer à souder dont les dimensions et le mode de préhension rappellent un crayon et dont l'extrémité chauffante est très fine pour permettre la soudure.
V. crayon à souder
De. Bleistiftlötkolben (m.)
En. pencil iron ; pencil soldering-iron [6750]

FERMÉ adj. 74
bâtiment et travaux publics > procédé de construction
Se dit de la fabrication d'éléments de construction non normalisés.
V. préfabrication fermée ; préfabrication ouverte
En. non-standard [4223]

FERMÉ → contact normalement — ; péage — .

FERMÉE → boucle — ; à diffusion — ; préfabrication — ; vanne normalement — .

FERRAILLÉ adj. 76
économie > industrie métallurgique
Mis à la ferraille.
De. verschrottet
En. scrapped [6999]

FERRITIQUE adj. 76
matériau > matériau métallique
De la nature de la ferrite.
De. ferritisch
En. ferritic
Es. ferrítico [6861]

FERROÉLASTICITÉ n.f. 74
physique > mécanique
Propriété d'un matériau solide cristallin qui possède plusieurs états stables, énergétiquement équivalents et tels que le passage d'un état stable à un autre puisse être obtenu par application temporaire d'une contrainte mécanique extérieure.
De. Ferroelastizität (f.)
En. ferroelasticity
Es. ferroelasticidad [4082]

FERROFLUIDE n.m. 76
électrotechnique > composant électrotechnique
Aimant liquide obtenu en réalisant une suspension de particules magnétiques microscopiques au sein d'un liquide support.
En. ferrofluid
Es. ferrofluido [5532]

FERRORÉSONANT adj. 74
électrotechnique > transformateur électrique
Se dit d'un dispositif en ferroalliage susceptible d'entrer en résonance par un réglage de la tension ou du courant électrique.
De. ferroresonant
En. ferroresonant [7280]

FERROUTAGE n.m. 73
transport et manutention > transport
Transport combiné par remorques routières spéciales acheminées sur wagons plats.
De. Huckepackverkehr (n.)
En. piggy back [592]

FERRUGINISATION n.f. 67
géochimie
Individualisation du fer dans un sol à l'état d'oxydes ou d'hydroxydes libres qui se traduit par une rubéfaction.
Es. ferruginización [7131]

FERSIALLITIQUE adj. 74
géologie > pédologie
Se dit d'un sol dont l'évolution géochimique est dominée par les liaisons fer-silice-alumine et particulièrement la formation d'argiles montmorillonnitiques.
De. sialittisch
En. fersiallitic
Es. fersialítico [3729]

FESSIÈRE → sous- — .

FESTONNEMENT n.m. 74
génie biomédical > diagnostic
Aspect radiologique de certains viscères aux contours en forme de festons.
En. scalloping
Es. festoneado [2367]

FEU → chambre à — ; non — .

FEUILLARD → lance- — .

FEUILLE CRÊPÉE n.f. 74
économie > industrie du caoutchouc
Latex coagulé volontairement ou spontanément, homogénéisé

et essoré en forme de feuilles, sous courant d'eau, par passage entre les deux cylindres d'une crêpeuse, avant séchage.
V. feuille fumée
De. Crepekautschukblatt (n.)
En. rubber biscuit ; crepe rubber [3901]

FEUILLE FUMÉE n.f. 74
économie > industrie du caoutchouc
Feuille de latex coagulé volontairement, formée par passage entre les deux cylindres d'un laminoir cannelé, puis fumée.
V. feuille crêpée
En. smoked sheet [4083]

FEUILLE PALETTE n.f. 75
FEUILLE-PALETTE
transport et manutention > engin de manutention
Plaque composée de feuilles de carton prenant le rôle de palette de manutention.
V. tireur-pousseur
De. Kartonpalette (f.)
En. paper pallet ; paperboard pallet [6077]

FEUILLES → ramasse- — .

FEUILLET n.m. 77
géophysique > météorologie
Partie de l'atmosphère qui présente des caractéristiques différentes de celle de l'atmosphère ambiante, dont les dimensions horizontales sont de l'ordre de plusieurs hectomètres, les dimensions verticales plus petites et le déplacement par rapport au sol non négligeable.
V. feuilletage atmosphérique
En. sheet [8771]

FEUILLETAGE ATMOSPHÉRIQUE n.m. 77
géophysique > météorologie
État de l'atmosphère présentant des feuillets.
V. feuillet
En. sheeting [8772]

FEU INTÉRIEUR n.m. 75
électronique > technique des semiconducteurs
Dispositif permettant d'accroître la fiabilité des semiconducteurs en les soumettant à un vieillissement artificiel pour stabiliser leurs propriétés.
En. burn in [4285]

FEUTRÉ → enduit — .

FEUTRE-JARDIN n.m. 74
matériau > matériau de construction
Matériau poreux destiné, dans les terrasses-jardins à empêcher le colmatage de la couche drainante, à répartir les éléments nutritifs dans le sol et à dispenser l'humidité à la végétation.
En. filter bed [3383]

FEU VERT D'URGENCE n.m. 74
transport et manutention > exploitation des transports
Dispositif d'émission de rayons infrarouges agissant sur le détecteur d'un feu tricolore pour assurer au véhicule porteur un feu vert. [2039]

FIBRAGE n.m. 75
économie > industrie du verre
Production de fibres optiques.
V. méthode barreau tube
De. Faserstoffherstellung (f.)
En. fibre production [4831]

FIBRILLABLE adj. 73
propriété > propriété technologique
Qui peut être réduit en petits fibres (fibrilles).
De. zerfaserbar
En. fibrillable [1500]

FIBRILLATION n.f. 74
économie > industrie de transformation des matières plastiques
Formation de petits éléments de fibres à partir de feuilles ou de masses plastiques dans lesquelles celles-ci préexistent sous

forme d'éléments orientés.
De. Fibrillierung (f.)
En. fibrillation [2369]

FIBROGÉNIQUE adj. 75
médecine > médecine sociale
Qui produit des tissus fibreux.
De. fibroid
En. fibroid
Es. fibrogénico [4286]

FIBROMATRIÇAGE n.m. 74
technologie des matériaux > formage
Technique de forgeage qui associe un procédé de fibrage intégral à un matriçage final. [2665]

FIBROSANT adj. 76
pathologie animale > pathologie infectieuse
Qui provoque une fibrose.
En. fibrogenic [7000]

FIBROSCOPE n.m. 74
génie biomédical > endoscopie
Endoscope souple qui utilise des fibres de verre comme conducteurs de lumière en vue d'explorer un organe.
V. fibroscopie
De. Fiberskop (n.) ; Fibroskop (n.) [2040]

FIBROSCOPIE n.f. 74
génie biomédical > endoscopie
Exploration d'un organe à l'aide d'un fibroscope.
V. fibroscope
De. Fibroskopie (f.) [2041]

FICELEUSE n.f. 74
conditionnement (emballage) > fermeture
Machine destinée à entourer des colis au moyen d'une ficelle.
De. Umschnürungsmachine (f.)
En. binding machine [2498]

FICHE DE BULLETINAGE n.f. 77
information > traitement documentaire
Type de fiche rangée à plat selon un procédé de chevauchement laissant toujours découverte la partie inférieure qui porte les éléments bibliographiques indispensables à la tenue à jour des publications en série.
En. kardex card ; visible index-card ; visible periodical record card [9177]

FIDÉLISATION n.f. 74
économie > commercialisation
Action engagée en vue de rendre le consommateur fidèle à un type de produit. [3902]

FIL(S) → usine — de l'eau ; tire- —s.

FIL CHAUD n.m. 74
mécanique appliquée > assemblage
Technique de soudage consistant en un apport de métal sous forme d'un fil chauffé à une température proche de sa température de fusion.
En. hot wire addition [6489]

FILE n.f. 75
informatique > traitement de données (informatique)
Suite ordonnée de données, dans laquelle on ne peut avoir accès qu'au premier élément.
V. pile
De. Schlange (f.)
En. queue
Es. cola [5135]

FILÉ → lait — .

FILÉ-LIÉ adj./n.m. 74
matériau > polymère (matériau)
[Se dit d'un] matériau obtenu à partir d'une nappe de filaments continus de polyéthylène consolidée sous l'action de la chaleur et d'une pression élevée.
En. spunbonded [2500]

FILÉ-LIÉ n.m. 74
technologie des matériaux > formage
Technique de production d'un matériau qui consiste à réaliser une nappe de filaments continus de polyéthylène et à consolider cette nappe sous l'action de la chaleur et d'une pression élevée. [2500]

FILICIDE n.m. 73
réglementation, législation > droit
Meurtre des enfants par leurs parents.
De. Kindermißhandlung (f.) ; Kindesmord (m.)
En. filicide [594]

FILIÈRE ÉNERGÉTIQUE n.f. 75
économie > industrie énergétique
Ensemble des sources d'une forme d'énergie particulière et des moyens de l'exploiter, de la transporter et de l'utiliser.
V. vecteur énergétique
De. Energiesystem (n.)
En. energy system ; sub-system
Es. sistema energético [4832]

FILIGRANEUR n.m. 76
économie > industrie papetière
Appareil destiné à faire des filigranes dans le papier. [4518]

FILIGRANOSCOPE n.m. 69
technologie des matériaux > fabrication du papier
Appareil permettant de voir avec précision le filigrane qui se trouve dans la pâte du papier (d'un timbre, d'un billet de banque...).
De. Wasserzeichensucher (m.)
En. watermark detector
Es. filigranóscopo [7835]

FILLE → molécule- — .

FILM → opérateur — .

FILM ANTI-BUÉE n.m. 78
FILM ANTIBUÉE
agronomie > technique culturale
Film destiné au paillage évitant la condensation.
V. film opaque-thermique ; plasticulture
De. Antibeschlagfolie (f.) [8891]

FILM D'AIR n.m. 74
environnement et sécurité > protection
Couche très mince d'air destinée à supprimer le frottement entre deux parties de machines dont l'une au moins est en mouvement.
De. Luftfilm (m.)
En. air-film [3903]

FILM-LIVRE n.m. 74
information > moyen d'information
Ensemble pédagogique constitué d'un film, d'un livret-commentaire, d'un carnet de photos et d'un livre à l'usage des élèves.
De. audio-visuelles Unterrichtsmittel (n.) [2042]

FILM OPAQUE-THERMIQUE n.m. 78
agronomie > technique culturale
Film destiné au paillage permettant de lutter contre les mauvaises herbes et de réchauffer le sol.
V. film antibuée ; plasticulture [8892]

FILOGUIDÉ adj. 76
télécommunications > télécommande
Se dit d'un missile téléguidé, relié par fil à son poste de tir.
De. drahtgelenkt
En. wire-guided ; wire guided [7001]

FILONNET n.m. 74
géologie > stratigraphie
Film de petites dimensions.
De. kleine Ader (f.)
En. stringer ; veinlet
Es. veta [3562]

FILTRE(S) → électro- — ; méthode des — autorégressifs.

FILTRE ABSOLU n.m. 74
opération > séparation physique
Filtre dont la dimension des pores permet d'arrêter la totalité des particules solides.
Es. filtro absoluto [2501]

FILTRE HUMIDE n.m. 74
action sur l'environnement > climatisation
Filtre constitué par une substance liquide.
V. filtre sec
De. Nassfilter (n.)
En. wet cleaning filter
Es. filtro húmedo [3023]

FILTRE SEC n.m. 74
action sur l'environnement > climatisation
Filtre constitué d'éléments solides fibreux.
V. filtre humide
De. Trockenfilter (n.)
En. dry cleaning filter
Es. filtro seco [3024]

FILTRO-DÉCANTEUR n.m. 77
FILTRODÉCANTEUR
opération > séparation physique
Séparateur utilisant un bac de décantation équipé de poches filtrantes.
De. Filterdekantiergerät (n.)
Es. decantador de filtro [7974]

FINE → constante de structure — .

FINES n.f.pl. 73
matériau > matériau de construction
Granulat constitué d'éléments de très petites dimensions, utilisé comme charge de remplissage pour augmenter la compacité du béton, ou d'un sol.
En. filler [94]

FINESSE → capteur de — .

FINIHIVER n.m. 75
géophysique > climatologie
Au Canada, dernière partie de l'hiver.
V. préhiver
De. Spätwinter (m.)
En. late winter [6345]

FINLANDISATION n.f. 74
politique
Soumission d'un pays ou d'un groupe de pays à l'influence politique de l'Union Soviétique.
De. Finnlandisierung (f.) [2211]

FISCALE → transparence — .

FISCALISTE adj. 74
économie > fiscalité
Se dit d'une théorie qui privilégie le rôle de l'impôt dans l'explication des phénomènes économiques.
En. fiscalist
Es. fiscalista [3730]

FISSIOGÉNIQUE adj. 76
physique > physique des particules
Se dit d'un composant obtenu par la fission d'un élément.
En. fission ; fission-produced
Es. fisiogénico [6490]

FISSION → barrière de — ; quasi- — .

FISSURABILITÉ n.f. 74
propriété > propriété mécanique
Aptitude à la fissuration.
En. cracking tendency
Es. fisurabilidad [5938]

FISSUROMÈTRE → tensio- — .

FIXE → plage — .

FIXÉ → bourgeon — .

FIXE-CADRE n.m. 75
bâtiment et travaux publics > structure mécanique
Dispositif métallique s'accrochant au plafond et servant à
poser les huisseries.
En. frame-fastener [4656]

FLAMME(S) → arrête- —s ; détecteur à — ; hydrolyse à
la — ; pare- — ; photomètre à — .

FLANELLOGRAMME n.m. 74
information > support documentaire
Panneau de flanelle sur lequel sont appliquées de petites
plaques mobiles illustrées pouvant être ordonnées et utilisables
en fonction des besoins du public. [2043]

FLASHMÈTRE n.m. 74
instrumentation > photographie
Intégrateur de lumière spécialement adapté à la mesure de
l'énergie lumineuse émise par une lampe éclair.
De. Blitzmeßgerät (n.)
En. flash meter [2843]

FLAVEUR n.f. 73
propriété > propriété organoleptique
Ensemble de sensations olfactives, gustatives et tactiles per-
çues par le nez et la bouche durant la dégustation d'un produit.
De. Blume (f.)
En. flavor (U.S.A.) ; flavour (U.K.) [2212]

FLÉCHETTE n.f. 74
transport et manutention > engin de levage
Extrémité orientable de la flèche d'une grue.
En. fly jib [4084]

FLEURAGE n.m. 75
technologie des matériaux > fonderie (technique)
Combinaison de figures géométriques formée par les oxydes à
la surface de la fonte coulée et trempée.
De. Figurenbildung (f.) an der Gußoberfläche [4171 bis]

FLEURINE n.f. 75
technologie des matériaux > génie alimentaire
Grotte naturelle servant de cave d'affinage au fromage de
Roquefort.
En. fleurine [3904]

FLEXIBILISTE adj. 73
économie > monnaie
Ayant tendance à suivre les fluctuations de la demande
(flexibilité).
Es. flexibilista [775]

FLEXIBLE → horaire — .

FLEXIRIGIDE adj. 77
propriété > propriété mécanique
Se dit d'un matériau qui allie rigidité et souplesse. [8107]

FLEXOMÈTRE n.m. 72
instrumentation > mesure mécanique
Appareil destiné à mesurer le comportement à la flexion d'un
matériau en feuille. [4172 bis]

FLOC n.m. 73
opération > séparation physique
Matière solide résultant d'une floculation à partir de l'eau à
purifier.
De. Ausgeflocktes (n.)
En. floc [446]

FLOCONNAGE n.m. 75
économie > industrie agricole et alimentaire
Traitement des grains permettant d'obtenir des lamelles
semblables à des flocons. [4287]

FLOCHAGE n.m. 75
conditionnement (emballage) > emballage
Déformation d'un des fonds d'une boîte métallique.
V. bombage ; bombé ; floche
En. buckling [5394]

FLOCHE adj. 75
conditionnement (emballage) > emballage
Se dit d'une boîte métallique dont l'un des fonds est légère-
ment déformé.
V. bombage ; bombé ; flochage
En. buckled [5395]

FLOCS n.m.pl. 73
mécanique appliquée > revêtement
Fibres textiles très courtes destinées à être collées sur un
support.
V. floqué
En. flocs [261]

FLOCON n.m. 78
physique > mécanique
Fissure interne qui apparaît après refroidissement brusque
d'un acier chargé en hydrogène.
En. flake
Es. copo [9028]

FLOCULABILITÉ n.f. 76
opération > séparation physique
Aptitude d'une substance à produire une floculation. [4288]

FLOCULANT n.m. 75
opération > séparation physique
Polymère d'origine organique qui, ajouté à une suspension,
provoque la floculation des particules.
V. floculat
De. Flockungsmittel (n.)
En. flocculant
Es. floculante [6751]

FLOCULAT n.m. 75
opération > séparation physique
Produit d'une floculation.
V. floculant
De. geflockter Feststoff (m.)
En. floc
Es. floculado [6752]

FLOCULATEUR n.m. 74
opération > séparation physique
Bassin servant à la floculation des eaux usées.
V. floculomètre
De. Ausflocker (m.)
En. flocculator
Es. floculador [3563]

FLOCULOMÈTRE n.m. 76
opération > séparation physique
Appareil permettant de contrôler le traitement des eaux par
floculation, grâce à des séquences automatiques de mesure.
V. floculateur
De. Flockungsmesser (m.)
En. floccumeter
Es. floculómetro [6635]

FLOQUÉ adj. 73
mécanique appliquée > revêtement
Se dit d'un revêtement mural ou de sol obtenu par projection
de fibres sur un support adhésif.
V. flocs [262]

FLOQUEUR adj. 77
mécanique appliquée > revêtement
Se dit d'un ouvrier spécialisé dans la pulvérisation de matériaux sur un support (flocage). [6346]

FLOTTANT → absorbant — ; accent — ; à cœur — ;
chargement — contrôlé ; chargement — libre ; plancher — .

FLOTTANTE → arithmétique — ; dalle — ; fondation — ; image — ; machine à aiguille — ; virgule — .

FLOTTATEUR n.m. 76
environnement et sécurité > lutte contre la pollution
Appareil destiné à effectuer dans l'eau la séparation de corps finement broyés (flottation).
De. Flottationsanlage (f.)
En. float [6753]

FLOTTE SÈCHE n.f. 76
transport et manutention > transport
Flotte qui transporte des produits non liquides.
De. Trockenfrachterflotte (f.)
En. dry fleet [5660]

FLOU → sous-ensemble — .

FLUENCE n.f. 75
physique > physique des particules
Quotient du nombre de particules qui pénètrent dans une petite sphère centrée en un point donné de l'espace, par l'aire du grand cercle de cette sphère.
De. Fluenz (f.) ; Teilchenfluenz (f.)
En. fluence
Es. fluencia [6347]

FLUICOLE adj. 74
écologie > écosystème
Se dit d'un organisme vivant dans l'eau courante.
De. Fließwasser-
Es. fluícolo [3731]

FLUIDE adj. → patin — .

FLUIDE n.m. → thermo- — .

FLUIDIFIABLE adj. 75
propriété > propriété physico-chimique
Se dit d'un produit qui peut être rendu fluide à des fins de manutention.
V. fluidisable
En. fluidifiable
Es. fluidificable [5939]

FLUIDIFICATEUR n.m./adj. 75
mécanique des fluides appliquée
[Se dit d'un] dispositif permettant de rendre des produits fluides.
En. fluidifier (n.)
Es. fluidificador [5533]

FLUIDIFIÉ → bitume — .

FLUIDIQUE n.f. 73
mécanique des fluides appliquée
Ensemble des techniques appliquées à l'utilisation industrielle des fluides et de leurs propriétés dynamiques.
De. Strömungstechnik (f.) ; Fluidik
En. fluidics [597]

FLUIDISABLE adj. 74
propriété > propriété physico-chimique
Se dit d'un produit solide pulvérulent mis en suspension dans un courant d'air pour son transport en vrac.
V. fluidifiable
De. verflüssigbar
En. fluidible
Es. fluidizable [3190]

FLUIDISÉ → lit — .

FLUIDISEUR n.m. 76
mécanique des fluides appliquée
Appareil utilisé pour le séchage, le refroidissement, le dépoussiérage et le tamisage d'un produit granulé ou pulvérulent, préalablement mis en suspension dans un gaz.
V. lit fluidisé
En. container ; fluidizer ; vessel [6636]

FLUOROSENSEUR n.m. 73
instrumentation > spectrométrie
Appareil permettant la détection photographique de substances rendues fluorescentes.
En. fluorosensor [1840]

FLUOROTÉLOMÈRE adj. 74
chimie > composé chimique
Se dit d'un polymère fluoré à faible degré de polymérisation.
De. Fluorotelomer (n.)
En. fluorotelomer
Es. fluorotelómero [3564]

FLUVARIUM n.m. 74
aquaculture
Enceinte permettant d'étudier les conditions de la vie dans un cours d'eau.
De. Fluvarium (n.) [7550]

FLUXÉ → bitume — .

FLUXEUR n.m. 74
mécanique appliquée > assemblage
Appareil destiné à déposer un flux de soudage.
De. Verflüssiger (m.)
En. burner ; fluxer [3906]

FLYSHOÏDE adj. 74
géologie > pédologie
Possédant certains caractères propres au flysch.
De. Flysch-
En. flyshoid [7692]

FŒTO → allo-immunisation — -maternelle.

α-FŒTOPROTÉINE n.f. 73
embryologie
Alphaglobuline normalement présente dans le sérum de la plupart des fœtus de mammifères.
De. α-Fœtoprotein (f.)
En. α-fœtoprotein
Es. α-fetoproteina [2598]

FŒTOSCOPE n.m. 77
génie biomédical > endoscopie
Endoscope permettant l'examen d'un fœtus.
En. endoamnioscope ; fetoscope ; fœtoscope
Es. fetoscopio [7975]

FOLIAIRE → résistance — .

FONCTION → bloc — .

FONCTIONNARIAT n.m. 77
économie > travail (main-d'œuvre)
État de fonctionnaire.
De. Funktionärdasein (n.) [7836]

FONCTIONNEL → amino- — ; analyste — .

FONCTIONNEMENT → creux de — .

FONCTION RATTRAPANTE n.f. 76
instrumentation > mesure de temps
Fonction qui, incorporée à un chronographe, permet d'interrompre momentanément la progression de l'affichage sans arrêter le dispositif interne d'évaluation du temps passé, l'affichage retrouvant sa valeur et sa progression normales sur simple commande.
De. Zwischenzeitstoppung (f.) [9178]

FONDAMENTAL → état — .

FONDATION FLOTTANTE n.f. 74
environnement et sécurité > isolation acoustique
Dispositif amortisseur ou isolant permettant d'empêcher une machine de communiquer ses bruits ou vibrations au sol sur lequel elle est posée.
De. schwimmendes Fundament (n.)
En. floating foundation [3907]

FONGISTAT n.m. 74
technologie des matériaux > génie alimentaire
Substance qui arrête le développement des champignons ou
des moisissures.
De. Fungistatikum (n.)
En. fungistat [2046]

FONTE n.f. 75
matériau > produit alimentaire
Sirop constitué de sucre affiné dissous dans de l'eau.
En. liquor [5534]

FONTE GS (GRAPHITE SPHÉROÏDAL) n.f. 74
matériau > matériau métallique
Fonte avec incorporation de graphite sphéroïdal.
De. Kugelgraphit- Gußeisen (n.)
*En. ductile iron ; nodular cast iron ; spheroidal graphite cast
iron (U.K.)* [4658]

FORABILITÉ → essai de — .

FORAGE → fusée de — ; oxy- — .

FORAINE → viande — .

FORCE → tube de — .

FORESTAGE n.m. 77
foresterie
Travail en forêt effectué par des non-spécialistes.
De. Waldbau (m.) [8242]

FORESTERIE n.f. 75
foresterie
Ensemble des sciences, des arts et des activités qui ont pour
objet, la conservation, l'aménagement et la gestion des forêts
et des domaines forestiers ainsi que leur création en vue de la
consommation et du renouvellement de leurs ressources.
De. Forstwirtschaft (f.)
En. forestry [776]

FOREUSE-GRUE-TARIÈRE n.f. 74
bâtiment et travaux publics > matériel de chantier
Engin à flèche destiné au levage et au forage
En. crane-drill
Es. perforadora grua [3565]

FORFAITÉ adj. 73
économie > prix
Dont on a fixé le prix forfaitaire.
De. pauschaliert [1325]

FORFAITISTE n.m. 76
vie quotidienne > loisirs
Organisateur de voyages à forfait. [4414]

FORMABILITÉ n.f. 74
propriété > propriété technologique
Aptitude d'un matériau à prendre des formes variées.
De. Formbarkeit (f.)
En. formability
Es. formabilidad [3908]

FORMATAGE n.m. 76
informatique > traitement de données (informatique)
Action de formater ; son résultat.
V. formater
De. Formatierung (f.)
En. formating [6863]

FORMATÉ → écran — .

FORMATER v. 75
informatique > traitement de données (informatique)
Indiquer la représentation matérielle d'une donnée sur son
support en précisant les éléments qui la constituent et leur
juxtaposition.
V. formatage [7132]

FORMATEUR n.m. 76
informatique > organe de transmission de données
Appareil permettant la représentation matérielle d'une donnée
sur son support par indication des éléments qui la constituent.
De. Tektronix (f.)
En. display formatter [8894]

FORMATION → congé- — .

FORMATIONISTE adj. 76
écologie > formation écologique
Relatif à une formation végétale.
De. pflanzenformationistisch
En. formational [7281]

FORME → résonance de — ; transplate- — .

FORMÉ → travail — .

FORMEL → modèle — .

FORME RÉDUITE n.f. 74
chimie > chimie du solide et du fluide
État de degré d'oxydation inférieur à la valeur de l'état naturel.
De. suboxidische Form (f.)
En. reduced form [2846]

FORMETTE n.f. 76
technologie des matériaux > fabrication des pâtes à papier
Dispositif ou échantillon qui permet de contrôler diverses
caractéristiques des pâtes.
En. shett former ; shett mold (U.S.A.) ; shett mould (U.K.)
[5940]

FORMEUR n.m. 74
économie > industrie papetière
Machine destinée à former la feuille de papier.
De. Former (m.)
En. former [3732]

FORMEUR → diviseur- — .

FORMEUSE → remplisseuse- — .

FORT → brasage — .

FORTAGE n.m. 75
réglementation, législation > droit
Droit d'exploitation d'une carrière cédé par un propriétaire à
un exploitant, moyennant une redevance sur les quantités
extraites. [4415]

FOULANITÉ n.f. 72
sociologie
Ensemble des valeurs culturelles et spirituelles du monde peul.
*V. alsacianité ; antillanité ; arabité ; catalanité ; créolité ;
indianité ; lusitanité*
De. Fulbentum (n.)
En. fulanity [4659]

FOUR → poche- — ; tapis de — .

FOUR À IMAGE n.m. 74
instrumentation > équipement optique
Dispositif optique fournissant de la chaleur par focalisation
d'un rayonnement. [2847]

FOUR À POT n.m. 75
**technologie des matériaux > équipement industrie de trans-
formation**
Four industriel de forme cylindrique, enterré dans le sol.
V. four poussant
De. Topfglühofen (m.)
En. pot furnace [5398]

FOUR BORGNE n.m. 75
**technologie des matériaux > équipement industrie de trans-
formation**
Four qui ne comporte qu'un seul orifice destiné à l'entrée et à

la sortie des matériaux à traiter.
En. shrink tunnel [4660]

FOUR DE REVENU n.m. 74
technologie des matériaux > équipement industrie de transformation
Four qui assure le traitement thermique de l'acier trempé pour en diminuer la fragilité.
De. Anlaßofen (m.)
En. tempering oven [1841]

FOURGON-CHAUDIÈRE n.m. 74
transport et manutention > engin de transport
Fourgon comportant une installation pour le chauffage de trains de voyageurs.
De. Heizkesselwagen (m.) ; Heizwagen (m.)
En. heating van ; heating wagon
Es. furgon-caldera [2666]

FOURGON-POUTRE n.m. 74
transport et manutention > engin de transport
Semi-remorque de longueur importante dont l'extrémité avant repose sur la partie motrice du véhicule.
De. Sattelanhänger (m.)
En. semitrailer [3733]

FOUR MICRO-ONDE n.m. 72
FOUR MICROONDE
technologie des matériaux > équipement industrie de transformation
Four à haute fréquence qui travaille dans la gamme des 10 gigaherz.
De. Mikrowellenofen (m.)
En. microwave furnace [2214]

FOUR POUSSANT n.m. 75
technologie des matériaux > équipement industrie de transformation
Four industriel où les charges sont placées sur des plateaux pressés dans le four en une ou plusieurs files continues.
V. four à pot
De. Durchstoßofen (m.)
En. pusher-type furnace ; pushing furnace [5399]

FOUTOUPRÊT n.m. 75
matériau > produit alimentaire
Aliment précuit et prétraité à base de banane foutou. [9029]

FOYER-SOLEIL n.m. 74
bâtiment et travaux publics > construction
Type d'habitation destiné à des personnes âgées, qui comprend un logement situé dans un ensemble regroupant des parties communes et des équipements collectifs. [2667]

FRACTAL adj. 75
mathématiques
Se dit d'un objet dont la forme est irrégulière, interrompue ou fragmentée quelle que soit l'échelle d'examen.
En. fractal [5535]

FRACTILE n.m. 77
statistique
Valeur de la variable qui partage une distribution en « n » parties égales.
En. fractile [7838]

FRACTURATION → photo — .

FRACTURE DE BROUTAGE n.f. 68
géophysique > glaciologie
Cassure curviligne provoquée par la pression ou le choc d'un outil morainique sur une roche en place.
V. brouture glaciaire
En. chattering fracture [4520]

FRACTUROLOGIE n.f. 75
géologie > gîtologie
Etude des fractures géologiques notamment de leur rôle dans l'exploration des gisements d'hydrocarbures.

En. fracturology
Es. fracturologia [6491]

FRAFRICAIN adj. 67
linguistique
Se dit de l'intégration d'un fait linguistique africain dans le système français.
V. fragnol ; franlof ;francarabe [3909]

FRAGIPAN n.m. 77
géologie > pédologie
Horizon très tassé.
V. fragique
En. fragipan [7693]

FRAGIQUE adj. 76
géologie > pédologie
Propre aux fragipans.
V. accumulique ; albique ; dystrochrique ; fragipan
En. fragic [7694]

FRAGMENTATION → base de — .

FRAGNOL n.m. 74
linguistique
Langue hybride issue du français et de l'espagnol.
V. frafricain ; franlof ; francarabe [1676]

FRAÎCHE → coule — ; surface — .

FRAISAGE n.m. 75
économie > industrie agricole et alimentaire
Opération de mise au poids des pains de sucre.
De. Fräsen (n.)
En. brushing-off ; scraping [5536]

FRAISAGE-AIGUILLES n.m. 75
mécanique appliquée > usinage
Procédé d'usinage des métaux par enlèvement de copeaux à l'aide de fraises-aiguilles.
V. fraise-aiguilles
De. Nadelfräsen (n.)
En. needle-cutting [5401]

FRAISE-AIGUILLES n.f. 75
mécanique appliquée > usinage
Cylindre garni de fils fins en acier à haute résistance et dont la surface dispose d'une grande quantité de microfaces coupantes permettant l'enlèvement des copeaux.
V. fraisage-aiguilles
De. Nadelfräser (m.)
En. needle cutter [5402]

FRAISE-MÈRE n.f. 72
mécanique appliquée > usinage
Outil de taillage par génération, en formes de vis.
En. hob [266]

FRAISEUSE ROUTIÈRE n.f. 74
bâtiment et travaux publics > matériel de chantier
Machine comportant un tambour de fraisage équipé de dents en acier en vue de fraiser les routes en asphalte.
En. road-milling machine [2503]

FRAISICULTURE n.f. 77
agronomie > culture spéciale
Culture des fraises.
De. Erdbeeranbau (m.) [7551]

FRAISURAGE n.m. 77
mécanique appliquée > usinage
Opération qui consiste à fraisurer.
V. fraiser
De. Fräsen (n.)
En. countersinking [8630]

FRAISURER v. 77
mécanique appliquée > usinage
Pratiquer un évasement avec une fraise (fraisure).

V. fraisurage
En. to countersink [8631]

FRAMBOÏDE adj. 76
microbiologie
Dont la forme affecte celle d'une framboise. [4662]

FRANÇAIS CENTRAL n.m. 74
linguistique
Norme correspondant à un bon usage de la langue française
qui n'est marqué par aucun caractère régional.
En. central French [3566]

FRANÇAIS INSTRUMENTAL n.m. 74
linguistique
Type d'enseignement de la langue française qui permet
d'accéder à un domaine de la connaissance technique professionnelle.
En. working French [1843]

FRANÇAIS PRIORITAIRE n.m. 74
linguistique
Français facile fondé sur le français fondamental.
En. basic French [3193]

FRANCARABE n.m. 77
linguistique
Langue hybride issue du français et de l'arabe.
V. frafricain ; fragnol ; franlof [8108]

FRANCHE → boutique — .

FRANCHISAGE n.m. 74
**gestion, organisation, administration > relations entre grou-
pes**
Contrat par lequel une entreprise concède à des entreprises
indépendantes, en contrepartie d'une redevance, le droit de se
présenter sous sa raison sociale et sa marque pour vendre des
produits ou services.
En. franchising [1501]

FRANCHISEUR n.m. 74
économie > commercialisation
Entreprise qui concède à une autre le droit de se présenter
sous sa raison sociale et sa marque pour vendre des produits
ou services, en contrepartie d'une redevance.
De. Lizenzgeber (m.)
En. franchiser [4225]

FRANCISANT n.m. 76
linguistique
Spécialiste de la langue française.
En. French language specialist [6864]

FRANCO CAMION adj. 78
économie > prix
Se dit d'un prix convenu pour une marchandise chargée sur
camion, tous frais et risques étant, à partir de ce moment,
supportés par l'acheteur.
V. franco long du bord ; franco wagon
De. frei auf Lastkraftwagen ; frei auf Lkw
En. free on truck [9030]

FRANCOGÈNE adj. 75
génétique > génétique des populations
Se dit d'une personne ou d'un groupe d'ascendance française.
En. of French origin [6226]

FRANCO LONG DU BORD adj. 74
économie > prix
Clause de contrat de vente de marchandises aux termes de
laquelle le transfert de propriété est réalisé lorsque les
marchandises sont livrées le long du bateau, les périls de
chargement n'étant dès lors plus supportés que par le vendeur.
V. F.A.B. ; franco camion ; franco wagon
En. free alongside ship [2048]

FRANCOPHONIEN adj. 77
linguistique
Propre à la francophonie.

De. frankophonisch
Es. francofónico [7417]

FRANCO WAGON adj. 77
économie > prix
Se dit d'un prix convenu pour une marchandise chargée sur
wagon ou remise au chemin de fer, tous frais et risques étant,
à partir de ce moment, supportés par l'acheteur.
V. franco camion ; franco long du bord
De. frei Waggon
En. free on rail ; free on wagon [7976]

FRANDISME n.m. 77
linguistique
Régionalisme du français parlé au Tchad. [8773]

FRANLOF n.m. 74
linguistique
Langue hybride parlée au Sénégal, issue du français et du
ouolof.
V. francarabe ; frafricain ; fragnol ; sénégalisme [2668]

FRAPPE EN LACET n.f. 75
impression
Méthode de frappe utilisée par certaines machines à écrire ou
imprimantes, dotées d'une mémoire ou commandées par
ordinateur qui consiste à frapper les lignes successives alternativement de gauche à droite et de droite à gauche afin d'éviter
la perte de temps due au retour du chariot.
V. impression bi-directionnelle [4173 bis]

FREINAGE MOUSSE n.m. 71
transport et manutention > exploitation des transports
Système de freinage et d'arrêt à l'aide de mousse liquide.
[1677]

FRÉQUENCE → agile en — ; agilité de — ; synthétiseur
de — ; vivacité de — .

FRÉQUENCE SPATIALE n.f. 72
physique > optique
Nombre de périodes par unité de longueur d'une mire
sinusoïdale utilisée pour la mesure de la fonction de l'image de
transfert de modulation.
De. Gitterfrequenz in Linien (f.)
En. spatial frequency [450]

FRIGOPORTEUR adj. 73
propriété > propriété thermique
Se dit d'un fluide qui peut emmagasiner et restituer le froid.
De. kälteabführend [451]

FRITTABILITÉ n.f. 74
technologie des matériaux > métallurgie des poudres
Aptitude d'une poudre à être frittée.
De. Frittbarkeit (f.) [7552]

FRITTEUR n.m. 77
technologie des matériaux > métallurgie des poudres
Spécialiste du frittage des poudres métalliques.
De. Sinterungsfachmann (m.) [8109]

FROID(S) → atelier à — ; doigts de gants — ; enfonçage à
— ; médium — ; piège — ; toit — .

FROMAGERIE VIDE n.f. 75
économie > industrie agricole
Type de fromagerie où les différents éléments de fabrication
sont suspendus au plafond laissant le sol vide. [4663]

FRONDICOLE adj. 72/73
faune
Qui vit dans le feuillage.
En. leaf-dwelling
Es. frondícolo [3567]

FRONTAL adj. 75
automatisme > équipement automatique
Se dit d'une unité de traitement utilisée comme intermédiaire
entre un ou plusieurs utilisateurs et un ordinateur plus

puissant et destinée à la gestion de tâches annexes (changement et contrôle de périphériques...).
En. frontal ; front-end [5403]

FRONTAL → chariot — .

FRONTALE → lèvre — .

FRONT DESCENDANT n.m. 73
mathématiques
Indice qui, dans un créneau, correspond au « O » suivant immédiatement le dernier « 1 ».
V. front montant
De. Abstiegsflanke (f.) ; Rückflanke (f.) [2215]

FRONT MONTANT n.m. 73
mathématiques
Indice qui, dans un créneau ou un échelon, correspond au premier « 1 ».
V. front descendant
De. Anstiegsflanke (f.) ; Vorderflanke (f.) [2216]

FRONT VERT n.m. 78
foresterie
Reconstitution du couvert végétal d'une région en voie de désertification par un ensemble d'activités agricoles et forestières.
De. grüne Front (f.)
En. green front [9326]

FROTTÉ → enduit — .

FROTTIS n.m. 77
pathologie végétale
Résultat de la détérioration de l'écorce et du bois des troncs d'arbres par les cervidés.
De. Fegen (n.)
En. fraying
Es. rascadura [7839]

FRUSTRATION n.f. 77
physique > physique du solide et du fluide
Transition de phase dans laquelle les liaisons entre les objets d'un système sont aléatoirement positives ou négatives.
V. percolation
En. frustration [9179]

FUCHSINOPHILE adj. 78
biochimie
Se dit, dans une préparation microscopique, des emplacements fixant la fuchsine.
De. fuchsinanziehend ; fuchsinbindend
En. fuchsinophil ; fuchsinophilic [8895]

FUEL → éco- — ; thermie- — .

FUGITIVE → touche — .

FUITEMÈTRE n.m. 73
environnement et sécurité > dispositif de sécurité
Appareil de détection des fuites de gaz.
De. Gasaustrittsmesser (m.)
En. leak meter [1143]

FUMÉE → feuille — .

FUMIDOME n.m. 73
FUMIDÔME
bâtiment et travaux publics > structure mécanique
Coupole pratiquée dans un plafond et destinée à l'évacuation des fumées.
V. lumidome
De. Rauchabzugkuppel (f.) [1846]

FUMIMÈTRE n.m. 75
environnement et sécurité > lutte contre la pollution
Appareil servant à mesurer et étalonner les fumées.
De. Rauchdichtemesser (m.)
En. smoke meter [4833]

FURET n.m. 73
technique nucléaire
Petit récipient contenant les échantillons à irradier et propulsé dans un tube traversant le cœur d'un réacteur nucléaire.
En. rabbit [99]

FUSÉE DE FORAGE n.f. 73
exploitation des ressources minérales
Appareil destiné à un forage vertical et horizontal en roche dure. [1503]

FUSÉE SOUTERRAINE n.f. 74
bâtiment et travaux publics > matériel de chantier
Fusée destinée à creuser les galeries dans le sol pour permettre le passage de câbles et de tuyaux.
De. Bohrrakete (f.) [2049]

FUSIBLE MÉCANIQUE n.m. 74
environnement et sécurité > protection
Pièce de moindre résistance que les autres parties d'un ensemble mécanique et destinée à se briser en priorité pour éviter la détérioration des autres pièces de l'ensemble.
De. Einsatzsicherung (f.)
Es. fusible mecánico [3734]

FUSIL-PLANTOIR n.m. 76
matériel agricole
Type de plantoir qui enfonce dans le sol une cartouche de semis par pression sur une poignée.
En. planting gun [6492]

FUSORIAL adj. 77
cellule et constitution cellulaire > constitution cellulaire
Propre à un fuseau.
En. spindle [8774]

FÛT → vide- — .

FUYAGE n.m. 73
physique > mécanique
Phénomène caractérisé par une fuite des gaz provenant de la chambre de combustion et pénétrant dans le carter d'un moteur.
En. blow by [6865]

G

GAINE n.f. 76
conditionnement (emballage) > emballage
Emballage souple ou rigide prévu pour le parachutage de matériel.
De. Lufttransportbehälter (m.)
En. container [7003]

GALEUX n.m. 75
impression
Irrégularité d'impression se traduisant par des défauts répétés dont la dimension est inférieure au millimètre.
V. moutonnage
En. scab [6866]

GALVANIQUE → barrière — .

GALVANOTECHNIQUE n.f. 75
économie > industrie métallurgique
Technique utilisant l'électrolyse pour séparer des revêtements.
De. Galvanotechnik (f.)
En. galvanotechnique
Es. galvanotecnia [4834]

G.A.M. (GESTION AUTOMATIQUE DES MESSAGES) n.f. 74
télécommunications > télédistribution
Système de télédistribution qui incorpore un dispositif informatique de traitement des messages permettant une sorte de conversation entre l'usager et son récepteur.

V. T.A.C. ; T.R.L. ; T.V.R.
De. automatische Spruchverarbeitung (f.) [2849]

GAMÉTOCINÉTIQUE adj. 74
cellule et constitution cellulaire > cellule
Qui a trait à la mobilité des gamètes.
De. gametokinetisch
Es. gametocinético [7553]

GAMMA-CAMÉRA n.f. 73
radiographie
Dispositif d'enregistrement des impulsions gamma émises par une substance radioactive, dans les radiographies d'organes.
De. Gammakamera (f.) ; Szintillationskamera (f.)
En. gamma camera [1504]

GAMMADENSIMÉTRIE n.f. 72
instrumentation > mesure de masse
Mesure de la densité par utilisation de la propriété des rayons gamma d'être absorbés proportionnellement à la masse volumique du matériau traversé.
De. Gamma-Dichtemessung (f.)
En. gammadensimetry [1505]

GAMMAGRAPHIQUE adj. 75
radiographie
Relatif à la production de radiographies à l'aide d'un rayonnement gamma (gammagraphie).
De. gammagraphisch
En. gamma graphic
Es. gammagrafico [5290]

GAMMAPATHIE n.f. 75
pathologie animale > pathologie cardio-vasculaire
Maladie caractérisée par une anomalie des gammaglobulines sériques.
De. Gammapathie (f.)
En. gammapathy ; gammaglobulinopathy
Es. gammapatía [5941]

GAMME → bas de — ; haut de — ; milieu de — .

GANT(S) → doigt de — ; doigts de —s ; doigts de —s froids.

GARDE n.f. 77
économie > industrie agricole et alimentaire
Fermentation secondaire qui provoque la saturation de la bière en gaz carbonique.
De. Lagerung (f.)
En. storage [7977]

GARDE-RÔTS adj. 74
vie quotidienne > équipement ménager
Se dit d'une plaque de fonte utilisée pour garder les rôtis chauds.
De. Braten-Warmhalter (m.) [2050]

GARDIENNAGE → radar de — .

GARDIENNÉ adj. 75
environnement et sécurité > surveillance
Pourvu d'un gardien.
En. protected [5663]

GARDISME → avant- — .

GARNETTAGE n.m. 75
technologie des matériaux > confection
Opération visant à défibrer les tissus et tricots synthétiques.
En. garnetting [6350]

GARRIGUE → steppe — .

GÂTEAU DE POUSSIÈRE n.m. 73
technologie des matériaux > agglomération des matériaux
Aggloméré de poussière formé par accumulation dans un séparateur.

De. Staubhaufen (m.)
En. dust cake [778]

GÂTEAU JAUNE n.m. 76
chimie > composé chimique
Précipité jaune d'uranate.
De. Urankonzentrat (n.)
En. yellow cake [6078]

GAUCHE → tourne-à- — .

GAUFRETTERIE n.f. 74
économie > industrie agricole et alimentaire
Fabrique ou partie d'usine alimentaire consacrée à la fabrication des gaufrettes.
De. Waffelfabrik (f.)
En. wafer plant
Es. barquillería [3568]

GAVAGE → auto- — . .

GAYONNAGE n.m. 75
bâtiment et travaux publics > procédé de construction
Procédé consistant à sceller un fer rond dans le béton d'une balle et à l'isoler du béton de la balle voisine par un produit bitumineux.
En. level dowelling [4835]

GAZ → béton- — ; bio- — ; thermie- — .

GAZAILLE n.f. 76
zootechnie
Dans les Pyrénées, transhumance inverse. [6079]

GAZ COUSSIN
GAZ-COUSSIN n.m. 73
matériau > matériau d'origine minérale
Volume de gaz qui reste dans un réservoir souterrain, la base du puits étant envahie par l'eau.
De. Gaskissen (n.)
En. cushion gas [2051]

GAZÉIFIEUR n.m. 74
environnement et sécurité > lutte contre la pollution
Dispositif de pyrolyse des déchets produisant du gaz combustible.
En. gasifier
Es. gasificador [6351]

GAZEUSE → diffusion — .

GAZ EXPORTÉ n.m. 74
matériau > gaz manufacturé
Quantité de gaz restitué par un haut-fourneau ou par une cokerie et utilisé à l'extérieur de l'usine. [4087]

GAZISTANCE n.f. 75
électronique > technique des semiconducteurs
Dispositif composé de céramiques semiconductrices (oxydes ferriques, d'étain et de zinc) dont la variation de résistivité est fonction de la concentration de gaz ou de vapeurs dans l'air ambiant.
De. Gasistor (m.)
En. gasistor [7418]

GAZOLE n.m. 74
économie > industrie pétrolière
Distillat ayant un intervalle de distillation compris entre ceux du pétrole lampant et des huiles lubrifiantes, et utilisé pour la production de chaleur et d'énergie.
De. Dieselöl (n.)
En. diesel fuel ; diesel oil [2504]

GAZON PRIMORDIAL n.m. 76
géologie > paléontologie
Formation végétale du fond des mers et des lagunes du Précambrien, constituée d'algues bleues et de bactéries.
V. soupe biologique
De. Urrasen (m.)
En. Precambrian flora [6080]

GAZOTHÈQUE n.f. 77
matériau > gaz manufacturé
Emplacement où sont conservés les échantillons de gaz.
De. Gasprobensammlung (f.); Gasothek (f.) [7419]

GAZ PORTEUR n.m. 73
économie > industrie chimique
Gaz contenant un ou plusieurs éléments chimiques.
De. Trägergas (n.)
En. carrier gas [955]

GAZ SPÉCIAL n.m. 74
matériau > gaz manufacturé
Gaz rare moléculaire obtenu par synthèse.
De. Spezialgas (n.) [2669]

GÉANTISTE n. 76
sport
Skieur de slalom géant.
De. Riesenslalomläufer (m.)
En. giant slalom man (woman) ; giant slalom skier [7004]

GEL → pare- — ; perméation sur — .

GÉLIFIANT n.m. 75
matériau > additif
Additif utilisé pour donner à une préparation une consistance
de gel.
De. Geliermittel (n.)
En. gelatinizer ; gelling agent
Es. gelificante [4174 bis]

GÉLIFLUXION n.f. 75
géophysique > géomorphologie
Solifluxion se produisant sous l'action du dégel.
En. congelifluction ; gelifluction ; gelifluxion ; gelisolifluction
Es. gelifluxión [6493]

GÉLIFRACTÉ adj. 73
physique > mécanique
Se dit d'une roche qui a éclaté sous l'action du gel. [7005]

GÉLISTRUCTURE n.f. 77
géologie > structure géologique
Disposition de matériaux engendrée par les alternances de gel
et de dégel.
Es. geliestructura [7135]

GÉMELLANCE n.f. 75
physiologie > reproduction (physiologie)
Caractère des naissances gémellaires.
De. Mehrlingsgeburten (f.pl.)
En. gemellancy [4997]

GÉMELLATION n.f. 75
physiologie > reproduction (physiologie)
Naissance de jumeaux.
De. Zwillingsgeburt (f.)
En. gemellation [4998]

GÉMELLOLOGIE n.f. 75
physiologie > reproduction (physiologie)
Partie des sciences biomédicales consacrée à l'étude des
jumeaux.
V. gémellologue
De. Zwillingsforschung (f.)
En. gemellology
Es. gemelología [4999]

GÉMELLOLOGUE n. 75
physiologie > reproduction (physiologie)
Spécialiste de gémellologie.
V. gémellologie
De. Zwillingsforscher (m.)
En. gemellologist
Es. gemelólogo [5000]

GEMMULOFORMATEUR adj. 77
embryologie
Qui forme des gemmules. [8896]

GENDARME n.m. 76
économie > marché financier
Organisme de placement collectif dont l'intervention sur le
marché boursier contribue à régulariser les cours. [6227]

GÉNÉPIPE n.m. 73
mécanique des fluides appliquée
Turbine qui transforme l'énergie cinétique d'un fluide en
énergie mécanique puis électrique. [1326]

GÉNÉRAL → programme — de base.

GÉNÉRATEUR THERMOMAGNÉTIQUE n.m. 74
physique > magnétisme
Dispositif de chauffage par courants de Foucault qui engendre
un champ magnétique.
De. thermomagnetischer Generator (m.)
En. thermomagnetic generator
Es. generador termomagnético [3197]

GÉNÉRATISTE n./adj. 75
linguistique
[Se dit d'un(e)] linguiste qui traite de la grammaire générative.
En. generativist (adj.) ; Generativist (n.) [4836]

GÉNÉSIQUE → anti- — .

GÉNÉTIQUE → caractère — ; génie — ; lutte — ;
marqueur — .

GÉNIE GÉNÉTIQUE n.m. 78
génétique > génétique cellulaire
Technique consistant à prélever un morceau de programme
sur une cellule et à l'introduire dans une cellule-hôte par
l'intermédiaire d'un transporteur.
En. genetic engineering
Es. ingeniería genética [9327]

GÉNIQUE → hybride — .

GÉNOTEXTE n.m. 70
linguistique
Contenu latent d'un texte.
V. phénotexte
De. Genotext (m.)
En. genotext [4417]

GÉOARCHITECTE n. 74
gestion, organisation, administration > aménagement du
territoire
Urbaniste spécialisé dans l'étude de l'environnement et de
l'aménagement du territoire.
En. geoarchitect
Es. geoarquitect [3027]

GÉOCHRONOLOGISTE n. 76
géologie > géochronologie
Spécialiste de la datation des événements propres au globe
terrestre (géochronologie).
V. géochronologue
De. Geochronologe (m.)
En. geochronologist
Es. geocronólogo [6352]

GÉOCHRONOLOGUE n. 74
géologie > géochronologie
Spécialiste de la datation des événements propres au globe
terrestre (géochronologie).
V. géochronologiste
De. Geochronologe (m.)
En. geochronologist
Es. geocronólogo [7695]

GÉOCOSMOGÉNIE n.f. 76
sciences de l'espace
Étude des conditions dans lesquelles s'est formée la Terre.
De. Geokosmologie (f.)
En. geocosmogony
Es. geocosmogenía [7282]

GÉOCOURONNE n.f. 73
géophysique > aéronomie
Partie de la distribution d'hydrogène atomique H dans l'atmosphère terrestre.
De. Geokorona (f.) [1649]

GÉODOSEUR n.m. 76
géologie > pédologie
Appareil destiné au dosage des matières organiques dans un gisement de roches carbonées.
En. probe [5664]

GÉODYNAMIQUE GLOBALE n.f. 77
sciences de l'espace
Étude de la dynamique du système Terre-Lune, chacun de ces deux corps étant considéré comme une planète non rigide, ainsi que des satellites artificiels, en tant qu'indicateurs des forces en présence. [6867]

GÉOEXTENSOMÈTRE n.m. 72
instrumentation > mesure mécanique
Appareil destiné à mesurer l'élasticité des roches.
De. Geoextensometer (m.) [779]

GÉOFEUILLE n.f. 77
matériau > polymère (matériau)
Type de géomembrane étanche introduite dans le sol pour séparer des couches de nature différente.
V. géomembrane
De. Geofolie (f.) [8358]

GÉOGRAMMÉTRIE n.f. 73
techniques sciences de la terre
Étude et enregistrement électromagnétique des phénomènes d'origine géographique, restitués analogiquement et numériquement.
En. geogrammetry
Es. geografía [7006]

GÉOGRAPHISER v. 76
gestion, organisation, administration > planification
Répartir des services administratifs en secteurs géographiques.
En. to geographize
Es. geografizar [6637]

GÉOHISTORIEN n.m. 73
géologie > géochronologie
Spécialiste de l'histoire de la terre.
En. geohistorian [1506]

GÉOLECTE n.m. 76
linguistique
Parler spécifique d'une région géographique.
En. geographical dialect [7007]

GÉOLOGUE → photo- — .

GÉOMATIQUE n.f. 76
informatique > traitement de données (informatique)
Traitement automatique des données géographiques.
V. photogéomatique
En. geomatics
Es. geomática [6353]

GÉOMEMBRANE n.f. 77
matériau > polymère (matériau)
Feuille synthétique introduite dans le sol et servant d'écran séparateur.
Es. geomembrana [8359]

GÉONIUM n.m. 77
physique > physiques des particules
Système formé par la terre et un électron par l'intermédiaire des champs magnétiques.
De. Geonium (n.)
Es. geonio [7420]

GÉOPHONE n.m. 75
arts > musique
Instrument de musique animé par un écoulement de sable.

V. éoliphone
De. Geophon (n.)
En. geophone
Es. geófono [5137]

GÉOSTATION n.f. 73
télécommunications > communication spatiale
Station scientifique établie à terre.
De. Bodenstation (f.) ; Erdstation (f.)
En. earth station ; ground station [602]

GÉOSUTURE n.f. 72
géophysique > hydrogéologie
Ligne de structure des plaques océaniques.
De. Verwerfungslinie (f.)
En. geosuture
Es. geosutura [4522]

GÉOSYNCHRONE → satellite — .

GÉOTECHNIE n.f. 78
géotechnique
Ensemble des applications techniques des recherches géologiques (mines, routes, voies ferrées).
De. Geotechnik (f.)
En. geotechnics [9031]

GÉOTECHNIQUE adj. 73
géotechnique
Relatif à la géotechnie.
V. géotechnie
De. geotechnisch
En. geotechnical ; geotechnic [956]

GÉOTEXTILE n.m. 77
matériau > polymère (matériau)
Type de géomembrane introduite dans le sol pour servir d'écran séparateur entre des couches de nature différente.
V. géomembrane
De. Geotextilstoff (m.) [8360]

GÉOTHERMISÉ adj. 76
énergie (technologie) > énergie géothermique
Équipé d'un chauffage géothermique.
De. geothermisch geheizt
En. geothermally-heated [6228]

GÉOTHERMOMÈTRE n.m. 78
instrumentation > mesure thermique
Indicateur des variations de températures subies par des roches.
De. Geothermometer (n.)
En. geothermometer
Es. geotermómetro [9032]

GERBABILITÉ n.f. 75
propriété > propriété mécanique
Aptitude à être empilé.
V. gerbable
De. Stapelfähigkeit (f.)
En. stackability [4837]

GERBABLE adj. 73
propriété > propriété mécanique
Se dit de produits ou matériaux qui peuvent être empilés.
V. gerbabilité
De. stapelbar
En. stackable [1145]

GERBERETTE n.f. 75
bâtiment et travaux publics > structure mécanique
Élément en acier coulé supportant une poutre.
En. beam-hanger ; stirrup strap [5665]

GERBEUR → pont- — .

GERMEUR n.m. 77/78
agronomie > technique culturale
Spécialiste de la production de plants germés.

De. Keimlingproduzent (m.)
En. seed ; seed grower [9180]

GÉRONTICIDE n.m. 75
réglementation, législation > droit
Suppression méthodique des vieillards.
De. Altentötung (f.)
En. geronticide
Es. geronticida [5807]

GÉRONTOGÉNIE n.f. 74
démographie
Accroissement du nombre des personnes âgées dans une
société. [1850]

GÉRONTOSOCIOLOGIE n.f. 70
sociologie
Partie de la sociologie consacrée aux vieillards et à la vieillesse.
De. Alterssoziologie (f.)
En. gerontosociology
Es. gerontosociología [5404]

GESTANTE n.f. 75
médecine > santé publique
Femme enceinte, en état de gestation.
De. Schwangere (f.)
En. gestant
Es. gestante [5292]

GESTION PAR OBJECTIFS n.f. 73
gestion, organisation, administration > gestion
Méthode de gestion qui attribue un budget à un programme
précis en vue d'atteindre des objectifs déterminés.
En. management by objectives [1851]

GESTUÉ adj. 75
information > communication
Exprimé par le geste.
De. durch Gesten ausgedrückt
En. gestured [5293]

GICLAGE n.m. 73
technologie des matériaux > génie alimentaire
Dégagement intempestif de gaz dans une cuve de bière, se
traduisant par des manifestations éruptives à la surface du
liquide.
En. splashing [5808]

GIGANNÉE n.f. 73
sciences de l'espace
Unité de temps valant un milliard d'années.
De. Gigajahr (n.)
En. gigayear [780]

GIGAPHONE n.m. 76
télécommunications > équipement télécommunications
Dans un gigapuits, poste fixe composé d'un émetteur-récep-
teur alimenté par le secteur.
V. gigapuits ; picophone
En. cage set
Es. gigáfono [5666]

GIGAPUITS n.m. 76
télécommunications > équipement télécommunications
Système de liaison phonique radio entre un opérateur mobile
se déplaçant dans un puits et un poste fixe.
V. gigaphone ; picophone
En. cage-shaft communication system [5667]

GIGUE n.f. 76
télécommunications > radiotechnique
Dispersion temporelle ou glissement de phase qui se produit
sur une ligne de transmission d'informations (à la suite
d'utilisation de répéteurs ou de régénérateurs, par exemple).
De. Zitterverzerrung (f.)
En. jitter [8897]

GIROBROYAGE n.m. 76
foresterie
Nettoyage d'un sol forestier à l'aide d'un broyeur rotatif

(girobroyeur).
V. girobroyer [7840]

GIROBROYER v. 76
foresterie
Écraser à l'aide d'un broyeur rotatif (girobroyeur).
V. girobroyage [7841]

GIROBROYEUR n.m. 76
matériel agricole
Outil à rotor à axe vertical entraîné par la prise de force du
tracteur et équipé de couteaux ou de chaînes utilisé pour
débroussailler.
En. gyratory crusher ; rotary slasher
Es. cortadora rotativa [7283]

GISEMENT SOLAIRE n.m. 77
géophysique > climatologie
Rayonnement solaire, direct ou diffus, reçu en un site
déterminé.
De. Sonnenbestrahlung (f.) ; Sonneneinstrahlung (f.)
En. insolation [9033]

GÎTOLOGIE n.f. 74
géologie > gîtologie
Science qui classe chaque type de gîtes minéraux connus selon
son environnement géologique spécifique.
V. gîtologue
De. Lagerstättenkunde (f.) [2670]

GÎTOLOGUE n. 73
géologie > gîtologie
Spécialiste de gîtologie.
V. gîtologie [1146]

GIZZU n.m. 78
végétation
Type de végétation désertique et éphémère dont la croissance
est assurée par les précipitations occultes. [8898]

GLACE → détecteur de bris de — ; symbole en essuie- — .

GLACE DE LUMIÈRE n.f. 75
géophysique > glaciologie
Type de glace peu épaisse et transparente qui forme une
pellicule à la surface de la mer.
En. ice skylight [6494]

GLACIAIRE → brouture — .

GLACIELLISATION n.f. 75
géophysique > glaciologie
Action des glaces flottantes sur l'environnement.
En. glacielisation ; glacielization [6638]

GLACIELLISTE n. 75
géophysique > glaciologie
Spécialiste de l'étude des glaces flottantes.
En. glacialist ; glacierist [6639]

GLACIELLITÉ n.f. 75
géophysique > glaciologie
Caractéristique géographique résultant de l'action des glaces
flottantes.
En. glacielity [6640]

GLACOGÈNE adj. 75
GLAÇOGÈNE
physique > physique du solide et du fluide
Propre à produire de la glace.
En. ice-producing [2850]

GLAND → tube — .

GLASSIVATION n.f. 74
électronique > technique des semiconducteurs
Scellement hermétique utilisé lors de la mise sous boîtier d'un
module semiconducteur qui consiste en une déposition de
verre par pyrolyse suivie d'une solidification en vue de
permettre de dures conditions thermiques de fonctionnement.

De. Glaspassivierung (f.)
En. glassivater hermetic seal ; glassivation [4289]

GLAUCONITISATION n.f. 77
géologie > minéralogie
Formation de glauconie.
De. Glahonitbildung (f.)
En. glauconitization [8244]

GLISSANT → contact — .

GLISSEMENT → micro- — ; vernis de — .

GLOBAL → rayonnement — .

GLOBALE → géodynamique — ; médecine — ; procédure — .

GLOBALISATION n.f. 75
psychologie > psychophysiologie
Fait de concevoir des éléments dispersés comme un ensemble.
De. Verallgemeinerung (f.)
En. globalization
Es. globalización [5138]

GLOBALISTE n. 76
médecine > spécialité médicale
Praticien de la médecine globale.
V. médecine globale [7422]

GLOBIQUE → vis — .

GLOBULISATION n.f. 75
technologie des matériaux > traitement thermique
Type de traitement thermique consistant en un maintien entre 600 et 700 °C de l'acier hypoeutectoïde en vue de transformer sa partie lamellaire en cémentite globulaire.
De. Globulization (f.)
Es. globulización [7554]

GLOBULITE n.m. 76
géologie > paléontologie
Petit corps sphéroïde constitué d'éléments minéralisés.
De. Globulit (m.)
En. globulite
Es. globulito [5942]

GLOXYSOME n.m. 76
biochimie
Organite cellulaire riche en enzymes qui dirige la transformation des lipides en glucides.
V. peroxysome
De. Gloxysom (m.)
En. gloxysom [8361]

GLUON n.m. 74
physique > physique mathématique
Particule de liaison hypothétique qui existerait au sein d'un proton.
En. gluon
Es. gluón [3029]

G.N.L. (Gaz Naturel Liquéfié) n.m. 73
matériau > gaz manufacturé
Gaz provenant de gisements souterrains et liquéfié pour faciliter son stockage ou son transport.
De. Flüssiggas (n.)
En. natural liquefied gas [1681]

GNOSOPRAXIQUE adj. 76
psychologie > psychophysiologie
Relatif à la reconnaissance d'un phénomène par la perception sensorielle qui permet à un sujet d'adapter ses mouvements en vue d'un but recherché.
En. gnosopraxic [5668]

GNOTOXÉNIE n.f. 76
génie biomédical > animal de laboratoire
Étude des relations entre un hôte et sa microflore.
V. gnotoxénique

De. Gnotoxenie (f.)
En. gnotobiology ; gnotobiotics
Es. gnotoxenía [5809]

GNOTOXÉNIQUE adj. 76
génie biomédical > animal de laboratoire
Se dit d'un animal dont l'organisme est pourvu d'une microflore connue.
V. anémique ; gnotoxénie ; hétéroxénique ; holoxénique
De. gnotoxenisch
En. gnotobiotic
Es. gnotoxénico [5810]

GOBE n.m. 73
matériau > verre
Pastille de verre.
En. pellet [2220]

GOBELET n.m. 75
physique > physique du solide et du fluide
Cristal de neige en forme de prisme creux.
De. Becherkristall (m.)
Es. cubilete [3736]

GOBIER n.m. 73
stockage > réservoir
Bassin où sont stockées les eaux nécessaires à la saliculture. [268]

GOMMERAIE n.f. 77
foresterie
Plantation de gommiers.
De. Gummibaumanpflanzung (f.) ; Gummibaumplantage (f.)
En. gum tree plantation ; gum plantation [8111]

GONADOSTAT n.m. 74
anatomie > anatomie animale
Ensemble constitué par l'hypothalamus, l'hypophyse et les gonades.
En. gonadostat [6354]

GONFLABLE → structure — .

GONOTROPHIQUE → cycle — .

GORGE → soutien- — .

GOUGE → maillon- — .

GOUGEAGE n.m. 74
mécanique appliquée > usinage
Opération qui consiste à pratiquer une cannelure à l'aide d'une gouge.
En. gouging [6754]

GOUTTE → électrode à — pendante ; irrigation au — à — ; jus de — ; point de — .

GOUTTEUR n.m. 74
génie hydraulique
Tube capillaire généralement posé à même le sol parfois enterré ou suspendu et utilisé pour l'irrigation au goutte à goutte.
V. baveur ; irrigation au goutte à goutte ; juteur
De. Regner (m.)
En. trickler [4666]

GOUTTEUR À DÉTENDEUR n.m. 78
génie hydraulique
Type de goutteur qui réduit la pression de l'eau en lui faisant parcourir un trajet plus long et de forme hélicoïdale.
V. goutteur
En. nozzlelike emitter [8633]

GOUVERNEUR n.m. 75
automatisme > commande automatique
Dispositif électronique de commandes d'organes mécaniques.
De. Regler (m.)
En. governor ; regulator [5943]

GRADATEUR n.m. 74
électronique > technique des semiconducteurs
Appareil qui permet de régler des variations progressives
d'une grandeur.
En. dimmer [1852]

GRADEX → méthode du — .

GRADIENT D'INDICE (à —) adj. 78
matériau > fibre
Se dit d'un type de fibre optique dont l'indice de réfraction se
modifie suivant une loi parabolique.
V. saut d'indice (à —)
En. graded-index [8899]

GRADIOMÉTRIE n.f. 76
physique > mécanique
Mesure de la variation de la pesanteur le long d'une verticale.
En. gradiometry
Es. gradiometría [6496]

GRADUAT n.m. 74
enseignement
Au Zaïre, premier cycle des études universitaires.
De. Graduierter (m.)
En. graduate [4175 bis]

GRADUÉ → post- — .

GRAINAGE n.m. 75
technologie des matériaux > grainage
Opération de décoration qui consiste à graver en relief la
surface d'une feuille ou d'un tissu enduit de matière plastique.
V. grainage chimique ; graineur
De. Prägewalzen (n.)
En. embossing ; embossment [5002]

GRAINAGE CHIMIQUE n.m. 73
technologie des matériaux > grainage
Procédé utilisé pour donner du relief à un revêtement de sol
vinylique, en appliquant une composition comportant du
polychlorure de vinyle, des plastifiants et des adjuvants divers.
V. grainage
De. chemische Gaufrage (f.) ; chemisches Narben (n.) ; chemische Narbung (f.)
En. chemical graining [2052]

GRAINE n.f. 75
géophysique > géosphère
Noyau solide au cœur du noyau terrestre.
De. innerer Erdkern (m.)
En. core
Es. núcleo interno [4839]

GRAINEUR adj. 75
technologie des matériaux > grainage
Se dit d'un rouleau ou cylindre gravé selon un motif de
décoration qui servira à reproduire ce motif sur des feuilles ou
des bandes de matière thermoplastique.
V. grainage
En. embossing [5003]

GRAINIER → jardin — .

GRAINS → pare- — .

GRAINS BLINDÉS n.m.pl. 75
mécanique appliquée > enlèvement de matière
Grains abrasifs enrobés de céramique.
De. gekapselte Körner (n.)
En. protected grains [4176 bis]

GRAMINICIDE n.m. 77
matériau > pesticide
Herbicide actif contre les mauvaises herbes de la famille des
graminées.
De. Graminizid (n.)
En. herbicide
Es. graminicida [7978]

GRAMMAGE n.m. 73
propriété > masse
Masse d'un papier ou d'un carton exprimée en grammes au
mètre carré.
De. Flächengewicht (n.)
En. basic weight ; substance number ; substance [1682]

GRAMMATOLOGIE n.f. 74
linguistique
Science qui a pour objet l'écriture.
De. Grammatologie (f.)
En. grammatology [1853]

GRAMMÈME n.m. 73
linguistique
Morphème grammatical.
De. Grammem (n.)
En. grammatical morpheme [2672]

GRANAIRE adj. 74
cellule et constitution cellulaire > constitution cellulaire
Propre à un granum.
De. Granum-
En. grana [7284]

GRANDE CLOCHE n.f. 74
technologie des matériaux > équipement transformation
Dispositif de chargement d'un haut-fourneau.
De. große Gichtverschlußglocke (f.) ; große Gichtglocke (f.)
En. large bell ; large topbell [3910]

GRANION n.m. 76
physique > physique des particules
Amas d'atomes.
En. granion
Es. granión [5944]

GRANITIER adj. 74
économie > industrie des matériaux de construction
Relatif au granit.
De. Granit-
En. granitic [6355]

GRANULAIRE → cellule — ; classe — .

GRANULARITÉ n.f. 73
instrumentation > mesure de dimension
Distribution dimensionnelle des grains d'un granulat.
V. classe granulaire [2508]

GRANULATION n.f. 77
sciences de l'espace
Structure en grains de riz (granules) que revêt la photosphère
solaire.
V. granule ; supergranulation
De. Granulation (f.)
En. granulation
Es. granulación [8245]

GRANULE n.m. 77
sciences de l'espace
Formation caractéristique de la photosphère céleste un peu
plus brillante que la matière intergranulaire.
V. granulation ; supergranule
De. Gränulen (f.pl.) ; Granule (f.)
En. granule ; rice grain [8246]

GRANULOMÈTRE n.m. 76
instrumentation > mesure de dimension
Appareil destiné à étudier les particules en suspension dans un
écoulement gazeux par diffusion dans ce fluide d'un faisceau
laser.
De. Granulometer (n.)
En. granulometer
Es. granulómetro [6869]

GRAPHÉMOLOGIE n.f. 74
linguistique
Science qui a pour objet l'orthographe.

V. graphémologique
De. graphematik (f.) ; Graphemologie (f.) [4291]

GRAPHÉMOLOGIQUE adj. 74
linguistique
Relatif à la graphémologie.
V. graphémologie
De. graphematisch [4292]

GRAPHIQUE → animateur — ; console — ; écran — .

GRAPHIQUER v. 74
représentation graphique > courbe
Représenter par un graphique.
De. graphisch darstellen [8489]

GRAPHISTE n. 75
arts > arts graphiques
Spécialiste des arts graphiques appliqués plus particulièrement
à la publicité.
De. Graphiker (m.) [4667]

GRAPHO-MOTEUR adj. 72
GRAPHOMOTEUR
physiologie > neurophysiologie
Relatif à la graphomotricité.
V. graphomotricité [4177 bis]

GRAPHO-MOTRICITÉ n.f. 72
GRAPHOMOTRICITÉ
physiologie > neurophysiologie
Organisation de l'ensemble des mouvements qui constituent
l'acte graphique.
V. graphomoteur [4178 bis]

GRAPPES → méthode des — .

GRAPPIERS n.m.pl. 67
matériau > liant
Ensemble des matières hydrauliques résistant à la pulvérisation lors de l'extinction de la chaux hydraulique.
En. granular residue [270]

GRAPPIN POLYPE n.m. 75
transport et manutention > engin de levage
Accessoire adaptable sur grue, pont roulant,., muni de
plusieurs crocs mobiles et conçu pour le levage de la ferraille. [4293]

GRASER n.m. 73
physique > onde ou rayonnement
Amplificateur quantique de radiations gamma dans lequel les
ondes émises sont monochromatiques et en phase.
De. Graser (m.)
En. graser [959]

GRATTE n.f. 77
agronomie > culture spéciale
Aux Comores, petite parcelle en altitude où sont pratiquées
des cultures vivrières.
En. tiny parcel [8363]

GRATTÉ → enduit — .

GRATTEUSE DE SOL n.f. 76
opération > nettoyage
Appareil mécanisé destiné au nettoyage à sec de sols très
souillés par grattage des dépôts.
En. ground scraper ; scraper [7008]

GRATTON n.m. 76
bâtiment et travaux publics > élément d'ouvrage du bâtiment
Aspérité locale sous-jacente d'un sol.
En. outcropping ; outcrop ; cropout [7009]

GRAVE-CENDRES VOLANTES n.m. 77
matériau > matériau de construction
Mélange de grave naturelle, de cendres volantes et d'un faible
pourcentage de chaux. [7979]

GRAVE ÉMULSION n.f. 75
GRAVE-ÉMULSION
matériau > matériau de construction
Gravier incorporé dans une émulsion de bitume.
En. emulsion gravel [5538]

GRAVE-LAITIER n.m. 77
matériau > matériau de construction
Béton très maigre dont le liant est un laitier granulé additionné
d'un faible pourcentage de chaux, utilisé en technique routière.
De. Hüttensand (m.) ; Kiessandmischung (f.)
En. gravel-slag mixture [7980]

GRAVICÉLÉRATION n.f. 73
télécommunications > communication spatiale
Manœuvre utilisant l'attraction d'un corps céleste pour modi-
fier le vecteur vitesse d'un engin spatial.
De. Swing-by (m.)
En. swing-by [454]

GRAVILLONNAGE n.m. 76
opération > broyage
Fragmentation d'un matériau pulvérulent permettant d'obte-
nir des grains compris entre 0,006 et 0,04 mm.
De. Brechen (n.)
En. tertiary crushing [7981]

GRAVIMORPHISME n.m. 72
écologie > adaptation biologique
Phénomène concernant la forme des êtres vivants relativement
à la pesanteur ou à l'apesanteur.
En. gravimorphism
Es. gravimorfismo [3570]

GRAVITAIRE adj. 72
physique > mécanique
Relatif à la gravité.
De. Gravitations- ; Schwerkraft-
En. gravity [604]

GRAVITAIRE adj. 76
instrumentation > structure marine
Se dit d'une structure de forage ou d'exploitation en mer,
constituée de coffrages lourdement lestés et stabilisés sur le sol
marin par son propre poids.
En. gravity [6755]

GRAVITATIONNEL → rebond —

GRAVITÉ PRESSION n.f. 74
GRAVITÉ-PRESSION
économie > industrie agricole et alimentaire
Technique de soutirage utilisant une cuve soumise à basse
pression.
V. gravité simple ; gravité vide
De. Schwerkraft (f.) mit Druck
En. low-pressure gravity [4179 bis]

GRAVITÉ SIMPLE n.f. 74
économie > industrie agricole et alimentaire
Technique de soutirage utilisant une cuve soumise à la
pression atmosphérique.
V. gravité pression ; gravité vide
De. normale Schwerkraft (f.)
En. simple gravity [4180 bis]

GRAVITÉ VIDE n.f. 74
GRAVITÉ-VIDE
économie > industrie agricole et alimentaire
Technique de soutirage utilisant une cuve maintenue en
dépression.
V. gravité pression ; gravité simple
De. Schwerkraft (f.) mit Vakuum
En. vacuum gravity [4181 bis]

GRAY n.m. 75
instrumentation > mesure de rayonnement ionisant
Unité de dose de rayonnement absorbée égale à une énergie
d'un joule par kilogramme.

En. gray
Es. gray [4668]

GREFFÉ → copolymère — .

GRENAILLEUSE n.f. 74
technologie des matériaux > traitement de surface
Machine qui décape la surface d'une pièce métallique au
moyen de grenaille projetée avec force par une turbine.
De. Schlenderstrahlgebläse (n.)
En. shot-blasting machine [2673]

GRÉSANT adj. 74
matériau > matériau d'origine minérale
Se dit des matériaux susceptibles de produire des grès par
cuisson.
En. stoneware ; stoneware clay [6356]

GRÉSÉ → enduit — .

GRIFFE → tapis surface- — .

GRIFFURE n.f. 75
physique > mécanique
Courte égratignure de la roche en place.
V. rainure ; striure
De. Kratzer (m.)
En. scratch
Es. arañado [5812]

GRIGNAGE n.m. 74
technologie des matériaux > confection
Défaut d'une couture mal faite consistant en un groupe de plis
ou de fronces.
De. Faltenbildung (f.)
En. puckering [1687]

GRIGNOTAGE n.m. 75
mécanique appliquée > usinage
Opération qui consiste à découper des pièces de bois ou de
métal selon un profil déterminé (grignoter).
De. Aushauen (n.)
En. nibbling
Es. roedura [4840]

GRILLAGE n.m. 77
information > document
Tableau à double entrée qui permet de comparer les variations
d'un phénomène durant des périodes de temps différentes. [8112]

GRIS → corps — .

GRISE → salle — .

GRIT n.m. 77
matériau > produit alimentaire
Partie externe d'un grain de maïs, très riche en amidon et
pouvant être utilisée en brasserie.
En. grit [7982]

GROS → libre service de — .

GROS PORTEUR adj./n.m. 73
transport et manutention > engin de transport
[Se dit d'un] avion de grande capacité.
En. jumbo [6082]

GROSSE INFORMATIQUE n.f. 74
automatisme > équipement automatique
Informatique qui assure le traitement des grands ensembles de
données à l'aide d'ordinateurs de grande puissance.
V. mini-informatique
De. EDV (f.) aus Grossrechnern
En. large data-processing systems ; supercomputing
Es. macroinformática [2674]

GROSSE SERRURERIE n.f. 74
bâtiment et travaux publics > structure mécanique
Exécution et pose des poutres et solives en fer, des combles,

des ponts et autres éléments métalliques importants d'un
bâtiment.
En. heavy smithing ; heavy ironwork ; heavy metalwork [3031]

GROS SOUFFLE n.m. 74
géophysique > physique du globe
Jet naturel de vapeur.
En. roaring fumarole ; soffione
Es. sofión [3198]

GROUPAL adj. 72
psychologie > psychophysiologie
Propre au groupe.
De. Gruppen-
En. group [5405]

GROUPE D'APPARTENANCE n.m. 69
sociologie
Groupe social dont un individu fait effectivement partie.
V. groupe de référence
En. membership group [4418]

GROUPE DE NIVEAU n.m. 74
enseignement
Structure pédagogique souple qui permet de répartir les élèves
selon le niveau qu'ils ont atteint dans chaque discipline
scolaire.
De. Differenzierungsstufe (f.) [3032]

GROUPE DE RÉFÉRENCE n.m. 69
sociologie
Groupe social auquel un individu s'identifie en lui empruntant
ses normes et ses valeurs.
V. groupe d'appartenance [4419]

GROUPE LOCAL n.m. 76
sciences de l'espace
Amas de galaxies dont la nôtre fait partie.
V. supéramas ; supergalaxie
De. lokale Gruppe (f.)
En. local group [6083]

GROUPISTE n.m. 74
énergie (technologie) > énergétique
Personne responsable du fonctionnement d'un groupe électro-
gène.
En. generating set operator [6084]

GRUE → auto- — ; foreuse- — tarière ; tracto- — .

GRUE ÉCOLE n.f. 75
GRUE-ÉCOLE
transport et manutention > engin de levage
Grue utilisée pour les stages de formation de grutiers.
En. training crane
Es. grua escuela [4088]

GRUMES → tourne- — .

GRUTAGE n.m. 73
transport et manutention > manutention
Opération de manutention effectuée à l'aide d'une grue.
En. hoisting [1688]

GS → fonte — .

GUANOPHAGE adj./n.m. 76
physiologie > nutrition
[Se dit d'une] espèce saprophage qui se nourrit de guano.
De. guanophil ; Guanophage (m.)
Es. guanófago [7555]

GUELTA n.f. 74
géophysique > hydrogéologie
Réservoir naturel d'eau, à parois rocheuses, jalonnant un lit
d'oued.
En. wadi ; waterhole [4089]

GUERAH n.f. 74
GUÉRAH
géophysique > hydrogéologie
Bas-fond humide et salé.
En. guerah ; gueraet [6641]

GUÉRILLÉRISME n.m. 74
politique
Doctrine politique prônant le recours à la guérilla. [2675]

GUICHET → informatique au — ; système- — .

GUIDAGE → missile à — optique.

GUIDE-BALAYAGE n.m. 75
opération > compactage
Instrument de contrôle permettant à un conducteur de compacteur de respecter le plan de balayage de la section dont il assure le compactage.
V. compactomètre
De. Bodenverdichtungsmeßgerät (n.)
En. sweeping guide [4841]

GUILLOTINE → cisaille- — .

GUILLOTINE DE SOUDURE n.f. 75
mécanique appliquée > découpage-découpe
Guillotine effectuant l'opération de coupe-soudure d'un film d'emballage.
V. coupe-soudure
De. Abschneide- und Verschließmaschine (f.)
En. cutter-sealer [5004]

GUILLO-VANTAIL n.m. 76
GUILLOVANTAIL
environnement et sécurité > protection contre l'incendie
Fermeture coupe-feu comportant des portes coulissantes à translation verticale. [7138]

GUMBO n.m. 74
matériau > matériau d'origine minérale
Type d'argile qui contient une forte proportion de matière organique.
De. (rezenter) Schlickerton (m.)
En. gumbo [4226]

GUNITEUR n.m. 74
opération > projection de matière
Ouvrier spécialisé dans le revêtement par projection de mortier fluide à l'aide d'air comprimé (gunitage).
En. nozzleman [6357]

GYNÉCOMOBILE adj. 77
sociologie
Se dit d'une société qui organise la reproduction par l'échange des femmes allant procréer dans une autre communauté que leur communauté d'origine.
V. gynécostatique
De. gynäkomobil
En. gynecomobile [8364]

GYNÉCOSTATIQUE adj. 77
sociologie
Se dit d'une société où la reproduction repose exclusivement sur les capacités procréatrices des femmes nées à l'intérieur du groupe.
V. gynécomobile
De. gynäkostatisch
En. gynecostatic [8365]

GYNÉCRATE n.f. 77
sociologie
Femme qui exerce un pouvoir au profit du sexe féminin.
V. androcratie [8113]

GYPSOPHYTE n.m. 74
écologie > habitat
Végétal qui croît sur des terrains gypseux. [7423]

GYRABENNE n.f. 74
bâtiment et travaux publics > matériel de chantier
Benne à axes de rotation multiples.
En. three-way dump body ; three-way dump truck ; three way tipper ; three-way tipping body [3033]

GYROMAGNÉTIQUE → rapport — .

GYROTROPIE DISTRIBUÉE n.f. 75
propriété > propriété magnétique
Variation des propriétés d'un matériau selon l'épaisseur et la composition chimique de ses différentes couches impliquant une rotation variable du vecteur aimantation rémanente dans ces zones.
En. distributed gyrotropy [6871]

H

HABILLÉ → électron — .

HABILLE-PALETTE n.m. 74
transport et manutention > manutention
Dispositif destiné à ceinturer une palette chargée.
V. cercleuse
De. Palettenumreifungsmaschine (f.)
En. pallet cover [1689]

HABITANT → équivalent — .

HACHEUR n.m. 73
électrotechnique > transformateur électrique
Transformateur de tension qui permet d'obtenir une tension variable en débitant suivant un rythme assez rapide une tension constante.
De. Zerhacker (m.)
En. clipper ; peak chopper ; voltage selector [1508]

HADRONIQUE adj. 77
physique > physique des particules
Relatif à une particule élémentaire ayant de fortes propriétés d'interaction (hadron).
V. phase hadronique
En. hadronic
Es. hadrónico [8634]

HADRONIQUE → phase — .

HALLE D'ASSEMBLAGE n.f. 78
bâtiment et travaux publics > construction
Bâtiment destiné à la préparation, à l'assemblage et à certaines vérifications des différents étages d'un lanceur ou d'une fusée-sonde, avant leur transport sur l'aire de lancement.
De. Montagehalle (f.)
En. assembly building ; preparation building [8635]

HALOACIDE n.m. 73
chimie > chimie minérale
Acide contenant un halogénure.
De. Halogenwasserstoffsäure (f.)
En. haloacid [1328]

HALOCLINE n.f. 76
géophysique > hydrologie
Couche à fort gradient vertical de salinité.
V. oxycline ; pycnocline
De. Haloklin (n.) ; Salzgehaltsprungschicht (f.)
En. halocline
Es. haloclino [7556]

HALOMORPHIE n.f. 74
géologie > pédologie
Type de pédogénèse lié à l'influence prépondérante des sels alcalins.
V. halomorphose
De. Halomorphie (f.)

En. *halomorphic conditions (pl.)*
Es. *halomorfia* [3739]

HALOMORPHOSE n.f. 74
géologie > pédologie
Transformation d'un sol par apport de sel.
V. halomorphie
De. *Halomorphose (f.)*
En. *halomorphic soil formation*
Es. *holomorfosis* [7696]

HANDBALLEUR n.m. 74
sport
Joueur de hand-ball.
De. *Handballer (m.) ; Handballspieler (m.)*
En. *handball player* [1854]

HAPLOTYPE n.m. 76
génétique > immunogénétique
Matériel génétique porté par un seul des deux chromosomes et
correspondant à un caractère précis.
En. *haplotype*
Es. *haplotipo* [6358]

HARAPPÉEN adj. 77
histoire
Propre à la civilisation de l'Indus (Harappa).
De. *Herappa-* [7424]

HARICOT n.m. 76
mécanique appliquée > organe de machine
Roue libre à coincement de cale.
En. *sprag* [6872]

HAUSSIER → marché — .

HAUT DE GAMME adj. 75
automatisme > équipement automatique
Se dit d'un modèle qui se situe dans la partie supérieure d'une
gamme de caractéristiques donnée.
V. bas de gamme ; milieu de gamme
De. *hochentwickelt ; hochleistungsfähig*
En. *top-of-the-line ; top-of-the-range* [5406]

HAUTE → monnaie à — puissance ; tête — activité-
oxyde ; viseur tête- — .

HAUTEUR DE DÉCISION n.f. 75
transport et manutention > exploitation des transports
Hauteur minimale de l'avion à laquelle le pilote décide
d'atterrir ou de reprendre de l'altitude.
De. *Entscheidungshöhe (f.)*
En. *decision height*
Es. *altura de decisión* [4842]

HAYON ÉLÉVATEUR n.m. 78
transport et manutention > engin de manutention
Partie mobile articulée d'un véhicule permettant les opérations
de chargement et déchargement à tous les niveaux.
De. *Ladelboardwand (f.)*
En. *elevating tailgate ; power tailgate ; tailboard lift* [8900]

HELA → cellule — .

HÉLICITÉ n.f. 79
physique > physique des particules
État de polarisation longitudinale d'une particule.
En. *helicity*
Es. *helicidad* [9328]

HÉLICO-MÉLANGEUR n.m. 77
HÉLICOMÉLANGEUR
opération > mélange (opération)
Mélangeur fonctionnant à l'aide d'une hélice.
De. *Rührschraube (f.)* [7557]

HÉLICO-MOTEUR n.m. 75
HÉLICOMOTEUR
mécanique appliquée > moteur
Type de moteur à vis.

De. *Schrauberverdichter (m.)*
En. *helicomotor*
Es. *helicomotor* [5005]

HÉLICOPTÈRE n.m. 76
technologie des matériaux > traitement de surface
Truelle tournante utilisée pour l'opération de finition d'une
surface.
V. talocheuse-lisseuse
Es. *helicóptero* [7010]

HÉLICOPTÉRISTE n. 75
économie > industrie mécanique
Constructeur d'hélicoptères.
De. *Hubschrauberhersteller (m.)*
En. *helicopter manufacturer* [6497]

HÉLIGRUE n.m. 74
transport et manutention > engin de levage
Hélicoptère de manutention équipé d'une grue.
De. *Bau-Hubschrauber (m.) ; Kranhubschrauber (m.)*
En. *helicrane*
Es. *heligrua* [3387]

HÉLI-INDUSTRIE n.f. 75
économie > industrie mécanique
Industrie des voilures tournantes.
De. *Drehflüglerindustrie (f.) ; Hubschrauberindustrie (f.)*
En. *rotorcraft industry* [4843]

HÉLIMAGNÉTISME n.m. 71
physique > magnétisme
Structure magnétique cristalline en hélice.
Es. *helimagnetismo* [2511]

HÉLIO-ARCHITECTURE n.f. 77
HÉLIOARCHITECTURE
arts > architecture
Type d'architecture utilisant l'énergie solaire pour le chauf-
fage ou la climatisation des bâtiments.
V. solarchitecture
De. *Solararchitektur (f.) ; sonnenarchitektur (f.)*
En. *solar architecture*
Es. *helioarquitectura* [8776]

HÉLIOCAPTEUR n.m. 76
énergie (technologie) > énergie solaire
Dispositif qui intercepte le rayonnement solaire en vue de sa
conversion thermique, chimique, électrique ou biologique.
De. *Solarzelle (f.)*
En. *solar collector* [6359]

HÉLIOCHIMIQUE adj. 75
énergie (technologie) > énergie solaire
Relatif aux phénomènes chimiques dans leurs rapports avec
l'énergie solaire.
De. *heliochemisch*
En. *heliochemical*
Es. *helioquímico* [4420]

HÉLIOCHIMIQUE → thermo- — .

HÉLIOCULAIRE n.m. 76
énergie (technologie) > conversion d'énergie
Élément de plastique sphérique et mobile d'un appareil
capable de suivre la course du soleil en vue de transformer son
rayonnement en électricité.
En. *solar eyeball* [4523]

HÉLIOÉLECTRIQUE → thermo- — .

HÉLIOGÉOTHERMIE n.f. 78
économie > industrie énergétique
Production de chaleur obtenue en chauffant de l'eau dans une
centrale solaire et en la stockant dans certaines couches
géologiques avant de la redistribuer.
De. *heliogeothermische Wärmeerzeugung (f.)*
Es. *heliogeotermia* [8901]

HÉLIO-INGÉNIERIE n.f. 76
énergie (technologie) > énergie solaire
Ingénierie de l'énergie solaire.
En. solar engineering
Es. ingeniería solar [6360]

HÉLIOPHYTE n.m. 76
écologie > habitat
Plante croissant en pleine lumière, et demandant une lumière
assez forte pour que les échanges photosynthétiques dépassent
ceux de la respiration.
De. heliophile Pflanze (f.) ; Heliophyt (m.)
En. heliophyte
Es. heliofita [7697]

HÉLIOSPHÈRE n.f. 74
sciences de l'espace
Sphère d'influence solaire limitée par la surface sphérique
englobant le système solaire (héliopause).
De. Heliosphäre (f.)
En. heliosphere
Es. heliosfera [3200]

HÉLIOSPATIAL adj. 73
énergie (technologie) > énergie solaire
Se dit d'une centrale solaire fonctionnant dans l'espace.
De. Weltraum-Sonnen-
En. space solar [756]

HÉLIOTECHNICIEN n.m. 76
énergie (technologie) > énergie solaire
Spécialiste des techniques propres à l'énergie solaire.
De. Solartechniker (m.)
En. solar technician [6361]

HÉLIOTHERME adj. 74
physiologie > homéostasis
Se dit d'une espèce animale dont la chaleur provient du soleil.
V. endotherme ; exhoméotherme ; thigmotherme
De. heliotherm
En. heliothermic
Es. heliotermo [2677]

HÉLIOTHERMICIEN n.m. 77
énergie (technologie) > énergie solaire
Spécialiste de l'héliothermie.
V. héliothermie
De. Sonnerwärmespezialist (m.)
En. solar heating engineer [8777]

HÉLIOTHERMIE n.f. 76
énergie (technologie) > énergie solaire
Production de chaleur à partir de l'énergie solaire.
V. héliothermique
De. heliothermische Wärmeerzeugung (f.)
En. heliothermy
Es. heliotermia [6362]

HÉLIOTHERMIQUE adj. 75
énergie (technologie) > énergie solaire
Relatif à l'héliothermie.
V. héliothermie
De. heliothermisch
En. heliothermal ; heliothermic
Es. heliotérmico [4421]

HÉLIOTROPE THERMIQUE n.f. 77
énergie (technologie) > énergie solaire
Appareil muni d'un miroir courbe à son extrémité qui suit
spontanément le mouvement du soleil. [8490]

HÉLIOX n.m. 71
chimie > chimie du solide et du fluide
Mélange d'hélium et d'oxygène utilisé en plongée sous-marine.
V. hydrox
En. heliox [1855]

HÉLISKI n.m. 77
sport
Ski pratiqué à l'aide de l'hélicoptère qui dépose les skieurs au
sommet des pentes. [7558]

HÉLITREUILLAGE n.m. 76
environnement et sécurité > protection
Treuillage à partir d'un hélicoptère.
En. helihoisting [5813]

HÉLIUM → ressuage d' — .

HELLÉNIQUE → éo- — .

HÉLOCRÈNE adj. 67
géophysique > hydrogéologie
Se dit d'une source quand la nappe phréatique est interrompue par une dépression.
V. limnocrène ; rhéocrène [7559]

HÉLOPHILE adj. 76
écologie > habitat
Se dit d'une plante qui croît dans les marais.
Es. helófilo [7560]

HÉMAGGLUTINATION n.f. 75
cellule et constitution cellulaire > cellule
Agglutination des érythrocytes sous l'action d'agglutinines
spécifiques.
De. Hämagglutination (f.)
En. hemagglutination
Es. hemoaglutinación [3740]

HÉMÉROTHÈQUE n.f. 76
information > centre d'information
Collection de périodiques.
De. Zeitschriftenbibliothek (f.) ; Zeitschriftensammlung (f.)
En. periodicals collection ; periodicals library
Es. hemeroteca [6085]

HÉMIÉDAPHON n.m. 74
écologie > communauté (écologie)
Ensemble des organismes ne vivant que temporairement dans
le sol ou localisés à sa surface.
V. euédaphon
De. hemiedaphische Bodentiere (n.pl.)
En. hemiedaphon
Es. hemiedafón [3741]

HÉMISCIAPHILE adj. 77
écologie > habitat
Se dit d'une plante qui préfère l'ombre mais qui est capable de
supporter la pleine lumière.
De. hemiskiaphil
En. hemisciaphilous [8778]

HÉMISYNTHÈSE n.f. 72
technologie des matériaux > génie chimique
Introduction d'un corps intermédiaire dans une synthèse
linéaire.
De. Hemisynthese (f.) [1152]

HÉMOCHORIAL adj. 75
embryologie
Se dit d'un type de placenta où la barrière placentaire est
constituée par les villosités embryonnaires qui plongent directement dans le sang maternel.
V. endothéliochorial ; épithéliochorial ; syndesmochorial
En. hemochorial [4090]

HÉMOCOMPATIBLE adj. 75
tissu (biologie) > tissu conjonctif
Se dit d'un matériau qui doit être compatible avec le sang pour
entrer en contact avec lui.
De. blutverträglich ; hämokompatibel
En. hemocompatible
Es. hemocompatible [4846]

HÉMODIALYSE n.f. 73
opération > séparation physique
Extraction de certains produits toxiques du sang par diffusion à travers une membrane semi-perméable.
De. Hämodialyse (f.)
En. hemodialysis ; vividiffusion [1153]

HÉMOPRÉVENTION n.f. 73
génie biomédical > thérapeutique immunologique
Injection de sang d'un individu immunisé à l'égard d'une maladie, à un autre atteint ou susceptible d'être atteint de la même maladie.
De. Hämoschutzimpfung (f.)
En. blood prophylaxis
Es. hemoprevención [4524]

HÉMOTYPE n.m. 74
tissu (biologie) > tissu conjonctif
Ensemble des caractéristiques permettant de déterminer un type de sang.
V. hémotypologique
De. Hämotypus (m.)
En. hemotype
Es. hemotipo [3388]

HÉMOTYPOLOGIQUE adj. 74
tissu (biologie) > tissu conjonctif
Relatif à une classification fondée sur les hémotypes.
V. hémotype
De. hämotypologisch
En. hemotypological
Es. hemotipológico [3201]

HÉPATOCYTE n.m.73
cellule et constitution cellulaire > cellule animale
Cellule hépatique.
De. Hepatozyt (n.)
En. hepatic cell [782]

HÉPATO-PROTECTEUR n.m. 76
HÉPATOPROTECTEUR
pharmacologie > médicament
Médicament destiné à maintenir ou améliorer le fonctionnement du foie. [7139]

HERBICIDAGE n.m. 76
agronomie > technique culturale
Fait d'utiliser les herbicides pour détruire les mauvaises herbes ou limiter leur développement. [4525]

HÉRITABILITÉ n.f. 76
génétique > information génétique
Rapport de la variance d'origine génétique à la variance d'origine phénotypique. [4526]

HERMATYPIQUE adj. 77
organisme vivant > animal
Se dit des coraux qui construisent des récifs et abritent des algues endosymbiotiques.
V. ahermatypique
En. hermatypic [8114]

HERSE n.f. 78
sciences de l'espace
Ensemble d'antennes élémentaires connectées à un même récepteur et possédant une directivité élevée.
De. Egge (f.)
En. harrow ; rectangular array [9036]

HERTZIEN → photon — .

HÉTÉROCARYOTE adj. 72
physiologie > reproduction (physiologie)
Se dit de vrais jumeaux possédant deux phénotypes différents.
De. heterokaryotisch
En. heterokaryotic [106]

HÉTÉROCHARGES n.f.pl. 75
physique > électricité
Charges d'un électret de signe opposé à celui de l'électrode avec laquelle il était en contact.
V. homocharges
En. heterocharges
Es. heterocargas [4847]

HÉTÉROFERMENTAIRE adj./n.m. 76
économie > industrie agricole et alimentaire
[Se dit d'un] ferment ou d'une fermentation aboutissant à la formation d'acide lactique et de substances diverses sous l'action de bactéries pseudo-lactiques.
V. homofermentaire
En. heterofermentati (adj.); heterofermenter
Es. heterofermento [7984]

HÉTÉROGÈNE → diversification — .

HÉTÉROGLOSSE adj. 71
information > diffusion de l'information
Se dit d'un dictionnaire qui tient compte de toutes les variétés sociales et régionales de la langue décrite.
V. homoglosse
En. heterogloss ; heteroglossic [4422]

HÉTÉROHYPNOSE n.f. 76
génie biomédical > psychothérapie
Hypnose provoquée par un opérateur à l'aide de moyens verbaux (suggestion verbale) ou non verbaux (stimulations lumineuses ou auditives).
V. autohypnose
En. hetero-hypnosis [7011]

HÉTÉROXÉNIQUE adj. 78
génie biomédical > animal de laboratoire
Se dit d'un animal dont l'organisme est séparé de toutes les espèces vivantes portées par ses ascendants holoxéniques.
V. axénique ; gnotoxénique ; holoxénique
Es. heteroxénico [9329]

HÉVÉACULTURE n.f. 77
agronomie > culture spéciale
Culture des hévéas.
De. Heveaanbau (m.) ; Anbau (m.) von Heveen [7561]

HEXON n.m. 72
chimie > constitution de la matière
Composé dont la molécule contient six atomes d'un élément.
De. Hexamer (m.)
En. hexon [605]

HIMALAYEN adj. 76
zootechnie
Se dit d'une race de lapin blanc dont le nez, les pattes, la queue et l'extrémité des oreilles sont noirs.
En. Himalayan [5945]

HISSIEN adj. 73
anatomie > anatomie animale
Relatif au faisceau de His.
De. Hiss
En. His's [606]

HISTOCOMPATIBILITÉ n.f. 72
immunologie
Degré de similitude des caractères antigéniques des tissus d'un donneur et d'un receveur de greffe.
V. histocompatible
De. Histokompatibilität (f.)
En. histocompatibility [107]

HISTO-COMPATIBLE adj. 75
HISTOCOMPATIBLE
immunologie
Se dit des antigènes propres à un individu mais partiellement différents des antigènes des autres individus de la même espèce.
V. histocompatibilité ; immunodominant
En. histocompatible
Es. histocompatible [4182 bis]

HISTOIRE → bio- — .

HISTORICISATION n.f. 76
histoire
Opération qui consiste à conférer un caractère historique à un
événement.
De. Historisierung (f.)
En. historicization
Es. historicización [5946]

HISTORIEN → quanto- — .

HODOLOGIE n.f. 74
cellule et constitution cellulaire > cellule
Étude des voies nerveuses.
De. Hodologie (f.)
En. hodology
Es. hodología [3034]

HOLLANDAIS → moulin — .

HOLOPHONIE n.f. 77
physique > acoustique
Restitution d'un champ sonore dans un domaine spatiotempo-
rel étendu.
V. tétraédrophonie
De. Holophonie (f.)
En. holophony
Es. holofonia [8115]

HOLOPHRASE n.f. 76
linguistique
Phrase qui, ne se décomposant pas, se rapporte à une situation
prise dans son ensemble.
En. holophrase ; holophrasis
Es. holofrase [6873]

HOLOPLANCTON n.m. 74
écologie > communauté (écologie)
Plancton permanent comprenant les organismes qui passent la
totalité de leur existence entre deux eaux.
De. Holoplankton (n.)
En. holoplankton
Es. holoplancton [3742]

HOLOSPONDYLE adj. 75
organisme vivant > animal
Chez les poissons téléostéens, se dit de vertébrés constitués
par la soudure intime des arcs osseux et des centres osseux,
recouverts en totalité par la couche osseuse.
V. monospondyle
De. holospondyl
En. fused
Es. holoespóndilo [8116]

HOLOXÉNIQUE adj. 76
génie biomédical > animal de laboratoire
Se dit d'un animal dont l'organisme est pourvu de l'ensemble
de la microflore.
V. axénique ; hétéroxénique ; gnotoxénique
De. holoxenisch
En. conventional ; classic
Es. holoxénico [5814]

HOMÉOTROPE adj. 73
physique > physique du solide et du fluide
Se dit de l'état d'une substance où les molécules sont alignées
perpendiculairement à la surface.
De. homöotrop
En. homeotropic
Es. homeótropo [2852]

HOMINOÏDE n.m. 74
organisme vivant > animal
Type de singe qui présente certains caractères voisins des
caractères humains.
De. Hominoiden (f.)
En. hominoid
Es. hominoide [5006]

HOMME MORT (d'—) adj. 73
environnement et sécurité > dispositif de sécurité
Se dit d'un dispositif de sécurité se déclenchant dès que
l'opérateur cesse d'agir sur lui. [1305]

HOMOCHARGES n.f.pl. 75
physique > électricité
Charges d'un électret de même signe que celui de l'électrode
avec laquelle il était en contact.
V. hétérocharges
En. homocharges
Es. homocargas [4848]

HOMODYNAGE n.m. 78
physique > physique des particules
Technique de mesure du courant circulant dans un plasma qui
permet d'éviter les perturbations causées par une lumière
parasite.
En. homodyning ; optical homodyning [8637]

HOMOFERMENTAIRE n.m. 76
économie > industrie agricole et alimentaire
Ferment ou fermentation aboutissant à la formation presque
exclusive d'acide lactique sous l'action de bactéries lactiques
vraies.
V. hétérofermentaire
En. homofermenter
Es. homofermento [7985]

HOMOGLOSSE adj. 74
information > diffusion de l'information
Se dit d'un dictionnaire qui met en rapport deux états d'une
même langue.
V. hétéroglosse [2372]

HÔPITAL → baro- — .

HÔPITAL DE JOUR n.m. 76
médecine > équipement médical
Établissement où les malades sont pris en traitement pendant
la journée alors qu'ils retournent passer la nuit à leur domicile.
V. atelier protege
De. Tagesklinik (f.)
En. day hospital [5541]

HORAIRE FLEXIBLE n.m. 74
gestion, organisation, administration > horaire
Horaire de travail qui permet à chacun, dans l'entreprise, de
choisir ses heures d'arrivée et de départ dans les plages de
temps libre encadrant un temps de présence obligatoire pour
tout le monde, dit tronc commun.
V. horaire libre ; plage fixe ; plage souple
De. gleitende Arbeitszeit (f.) [4091]

HORAIRE LIBRE n.m. 73
gestion, organisation, administration > horaire
Horaire de travail qui permet à chacun, dans l'entreprise, de
choisir ses heures d'arrivée et de départ, dans les plages de
temps libre encadrant un temps de présence obligatoire pour
tout le monde dit tronc commun.
V. horaire flexible ; plage fixe ; plage souple
De. gleitende Arbeitszeit (f.) [1690]

HORLOGE COSMIQUE n.f. 74
physique > physique des particules
Isotope radioactif dont la période est de l'ordre de grandeur du
temps de résidence du rayonnement cosmique galactique dans
la galaxie. [8248]

HORMONE → anti- — .

HORMONO-DÉPENDANT adj. 77
HORMONODÉPENDANT
constituant des organismes vivants
Dont le développement est lié à la présence de certaines
hormones.
De. hormonal bedingt
En. hormone-dependent [7698]

HORMONOLOGIE n.f. 75
constituant des organismes vivants
Partie de l'endocrinologie qui étudie les hormones.
En. hormonology
Es. hormonología [4092]

HOROCONTACTEUR n.m. 74
environnement et sécurité > surveillance
Dispositif permettant d'établir des contacts électriques selon un horaire programmé.
De. Zeitschalter (m.)
En. horo-contactor [4849]

HORODATÉ adj. 73
automatisme > équipement automatique
Se dit d'un document sur lequel figurent l'heure et la date auxquelles il a fait l'objet d'une opération.
De. mit Uhrzeitangabe
En. time-stamped [1154]

HORS → tendeur — cercle.

HORS POUSSIÈRE adj. 77
matériau > matériau de revêtement
Se dit de l'état de séchage d'une peinture dont la couche superficielle ne fixe plus la poussière. [7427]

HORS SOL adj. 77
zootechnie
Se dit d'une production agricole non directement dépendante des surfaces cultivées.
De. Bodenunabhängig [7428]

HOSPITALOCENTRISME n.m. 76
médecine > santé publique
Médecine pratiquée dans les centres hospitaliers.
En. hospital-based medicine
Es. hospitalocentrismo [6499]

HOSPITEL n.m. 75
bâtiment et travaux publics > construction
Hôtel situé à proximité d'un hôpital et hébergeant diverses personnes en liaison avec lui.
De. Besucherhotel (n.)
En. hospitel [5408]

HÔTE → ordinateur — .

HÔTELIER → chimie - - client.

HOUILLE D'OR n.f. 76
énergie (technologie) > énergie solaire
Énergie solaire interceptée par la terre.
En. solar energy [6364]

HOULOMARÉGRAPHE n.m. 74
géophysique > hydrographie
Appareil enregistreur permettant de mesurer simultanément ou séparément les variations du niveau de la mer dues aux mouvements des vagues et des marées.
En. wave and tide gauge [8249]

HOULOMÈTRE n.m. 74
géophysique > hydrographie
Appareil mesurant les mouvements de la houle.
En. wave probe [4295]

HUMAIN → temps — ; temps technico- — .

HUMANIQUE n.f. 76
économie > travail (main-d'œuvre)
Étude du rendement des mouvements humains.
En. humanics [6086]

HUMIDE > aliment semi- — ; combustion — ; filtre — ; sablage — ; serre — ; sphère — .

HUMIDITÉ ÉQUIVALENTE n.f. 76
propriété > composition
Humidité subsistant dans un échantillon de sol après avoir été soumis, dans des conditions expérimentales de centrifugation, à une accélération de 1 000 g.
En. moisture equivalent
Es. humedad equivalente [4527]

HUMIDOSTAT → thermo- — .

HYBRIDE CYTOPLASMIQUE n.m. 78
génétique > hybride
Hybride dont la stérilité des fleurs mâles de la lignée femelle est due au cytoplasme.
V. hybride génique
En. cytoplasmic hybrid
Es. híbrido citoplásmico [9182]

HYBRIDE GÉNIQUE n.m. 78
génétique > hybride
Hybride dont la stérilité des fleurs mâles de la lignée femelle est due à un gène.
V. hybride cytoplasmique
En. genetic hybrid [9183]

HYDROCACHECTIQUE → viande — .

HYDROCARBODUC n.m. 78
transport et manutention > canalisation-conduite
Conduite dans laquelle le charbon pulvérulent mélangé à de l'eau est transporté sous forme d'une boue liquide.
En. coal slurry pipeline ; slurry pipeline [9330]

HYDROCHOC n.m. 73
pathologie animale > pathologie neurologique
Phénomène neurophysiologique survenant au cours de l'immersion du corps dans l'eau froide et pouvant entraîner la noyade.
De. Hydroschock (m.)
En. hydrocution ; hydroshock [961]

HYDROCHORIE n.f. 76
botanique
Dissémination des végétaux par voie aquatique et notamment par les courants.
De. Hydrochorie (f.)
En. hydrochory [7699]

HYDROCLAVE n.m. 77
mécanique des fluides appliquée
Autoclave fonctionnant sous pression hydraulique.
V. hyperclave
De. Hydroklav (m.)
En. hydroclave [7986]

HYDROCLIMAT n.m. 76
géophysique > climatologie
Succession habituelle des caractères d'une couche d'eau en un lieu donné.
De. Hydroklimat (n.)
En. hydroclimate
Es. hidroclima [6642]

HYDRO-COMBUSTIBLE n.m. 73
HYDROCOMBUSTIBLE
matériau > combustible
Corps chimique capable de réagir au contact ou en présence d'eau pour produire une forme quelconque d'énergie ou de chaleur.
En. hydro-fuel
Es. hidrocombustible [3911]

HYDROCRAQUEUR n.m. 76
économie > industrie pétrolière
Unité de traitement du pétrole combinant le craquage catalytique et l'hydrogénation pour transformer les produits lourds en produits légers (hydrocraquage).
En. hydrocracker [6874]

HYDROCULTURE n.f. 77
agronomie > technique culturale
Culture de plantes en bacs, dans lesquels la terre est remplacée par une solution nutritive.

De. Hydrokultur (f.)
En. hydroponics
Es. hidrocultura [7987]

HYDROCYCLONE n.m. 73
opération > séparation physique
Appareil destiné à décanter l'eau par utilisation de la force centrifuge.
De. Hydrozyklon (m.)
En. hydrocyclone [458]

HYDRODIMÉRISATION n.f. 73
chimie > électrochimie
Procédé de dimérisation par l'emploi d'hydrogène.
De. Wasserstoffdimerisierung (f.)
En. hydrodimerization [607]

HYDRODISPERSABLE adj. 76
propriété > propriété physico-chimique
Se dit d'une substance qui se disperse en milieu aqueux.
En. water-dispersible
Es. hidrodispersable [7012]

HYDRODUC n.m. 77
transport et manutention > canalisation-conduite
Conduite destinée à l'acheminement de l'hydrogène.
V. hydrogénoduc
En. hydrogen pipeline [8636]

HYDRODYNAMICIEN n.m. 78
physique > mécanique
Spécialiste d'hydrodynamique.
De. Hydrodynamiker (m.)
En. hydrodynamicist [9037]

HYDRODYNAMIQUE adj. 74
propriété > propriété mécanique
Se dit d'un profil conçu pour réduire la résistance de l'eau.
De. hydrodynamisch
En. hydrodynamic [1857]

HYDROFLAMBAGE n.m. 73
technologie des matériaux > forage
Technique de formage des métaux combinant l'action d'un flambage axial à l'action hydraulique du placage contre les parois d'une matrice. [276]

HYDROFORMYLATION n.f. 73
technologie des matériaux > génie chimique
Fixation d'un atome d'hydrogène et d'un groupe formyl sur la molécule d'un composé comportant une liaison double par réaction avec l'hydrogène et le monoxyde de carbone.
De. Hydroformylierung (f.)
En. hydroformylation
Es. hidroformilación [2373]

HYDROFUGATION n.f. 72
environnement et sécurité > protection
Action de rendre hydrofuge.
De. Imprägnierung (f.)
En. watergroofing [459]

HYDROGÉNABLE adj. 77
chimie > réaction chimique
Apte à subir une hydrogénation.
De. hydrierbar
En. hydrogenatable
Es. hidrogenable [7844]

HYDROGÈNE → pont — .

HYDROGÉNÉTIQUE → dépôt — .

HYDROGÉNODUC n.m. 74
transport et manutention > canalisation-conduite
Conduite destinée à l'acheminement de l'hydrogène.
V. hydroduc
De. Wasserstoff-pipeline (f.)
En. hydrogen pipeline [1858]

HYDROGÉNOMONAS n.f. 74
matériau > produit alimentaire
Genre de microorganismes qui oxydent l'hydrogène en eau.
En. hydrogenomonas [2512]

HYDROGÉOLOGIQUE → fenêtre — .

HYDROHÉMIQUE → viande — .

HYDROJET n.m. 76
mécanique des fluides appliquée
Dispositif de propulsion fonctionnant par jet d'eau vers l'arrière.
De. Wasserstrahlantrieb (m.)
En. hydrojet [6875]

HYDROLIENNE n.f. 75
énergie (technologie) > conversion d'énergie
Générateur d'énergie actionné par les courants marins. [3743]

HYDROLYSE À LA FLAMME n.f. 78
économie > industrie du verre
Méthode de fibrage par dépôt à la surface d'un mandrin qui tourne devant une flamme, de matériaux (silice, dopants) à l'état gazeux oxydés dans cette flamme.
V. dépôt en phase vapeur ; fibrage
En. flame-hydrolisis method [8902]

HYDROMÉLANGEUR n.m. 76
agronomie > technique culturale
Dispositif permettant d'ajouter certains éléments à des engrais en suspension dans l'eau.
En. hydromixer [6876]

HYDROMÉTALLURGIE n.f. 74
technologie des matériaux > métallurgie extractive
Métallurgie fondée sur l'extraction liquide-liquide.
V. pyrométallurgie
De. Hydrometallurgie (f.) ; Naßmetallurgie (f.)
En. hydrometallurgy
Es. hidrometalurgia [3202]

HYDROMÉTROLOGIE n.f. 78
géophysique > hydrologie
Science de la mesure des caractéristiques et des facteurs qui régissent la circulation des eaux.
De. Hydrometrologie (f.)
En. hydrologic measurement
Es. hidrometrología [9331]

HYDROMOR n.m. 77
géologie > pédologie
Humus de type moor formé dans un milieu engorgé dans des conditions proches de celles de la formation de la tourbe.
De. Hydromoor (n.) [8639]

HYDROMORPHIE n.f. 74
physique > mécanique
Engorgement temporaire des horizons du sol par une nappe d'eau qui se charge après de fortes précipitations.
V. hydromorphose
De. Hydromorphie (f.)
En. hydromorphy [3203]

HYDROMORPHOSE n.f. 74
physique > mécanique
Transformation d'un sol par présence permanente ou temporaire d'eau.
V. hydromorphie
De. Hydromorphose (f.)
En. hydromorphic soil formation
Es. hidromorfosis [7700]

HYDROPHILISATION n.f. 74
circonstance opératoire
Action de rendre hydrophile.
De. Hydrophilisierung (f.)
En. hydrophilizing
Es. hidrofilización [2678]

HYDROPHOBICITÉ n.f. 73
propriété > propriété physico-chimique
Caractère d'un corps qui ne présente aucune affinité avec un milieu aqueux.
De. wasserabweisende Eigenschaft (f.)
En. hydrophobicity [460]

HYDROPHOTOGRAPHIE n.f. 76
instrumentation > photographie
Technique photographique utilisant la sensibilité de certaines émulsions à l'humidité.
Es. hidrofotografía [7140]

HYDROPHYTE n.m. 76
hydrobiologie
Végétal aquatique plus ou moins complètement immergé.
De. Hydrophyt (m.)
En. hydrophyte
Es. hidrofita [7701]

HYDROPYROLYSE n.f. 75
économie > industrie chimique
Procédé de fabrication d'éthylène consistant à traiter à haute température sous pression et en présence d'hydrogène, diverses coupes pétrolières.
De. Hydropyrolyse (f.)
En. hydropyrolysis ; hydrocracking
Es. hidropirólisis [4228]

HYDROQUINONIQUE adj. 78
chimie > composé chimique
Propre à l'hydroquinone.
En. hydroquinone
Es. hidroquinónico [8903]

HYDRORÉFRIGÉRÉ adj. 77
action sur l'environnement > échange de chaleur
Refroidi en utilisant l'eau comme fluide réfrigéré.
V. aéroréfrigéré
De. wassergekühlt
En. water-cooled
Es. refrigerado por agua [8250]

HYDROSÉQUENCE n.f. 75
géologie > pédologie
Succession de sols ou de végétations dont la gradation des caractères est réglée par la variation continue des conditions hydrologiques auxquelles ils sont soumis.
V. bioséquence ; chronoséquence ; climaséquence ; clinoséquence ; lithoséquence ; toposéquence
De. Hydrosequenz (f.)
Es. hidrosecuencia [7429]

HYDROTHERMALISME n.m. 73/74
géophysique > hydrologie
Ensemble des phénomènes géologiques relatifs à la production et à la circulation des eaux minérales chaudes.
De. Hydrothermalismus (m.)
En. hydrothermal processes (pl.)
Es. hidrotermalismo [7287]

HYDROTHERMALISTE adj. 78
géophysique > hydrologie
Propre à l'hydrothermalisme.
De. hydrothermalistisch [9038]

HYDROTHERMIE n.f. 74/75
énergie (technologie) > énergie thermique (mer)
Énergie thermique produite par des eaux marines à des températures différentes.
V. hydrothermique
En. hydrothermy ; hydrothermia
Es. hidrotermia [6366]

HYDROTHERMIQUE adj. 74/75
énergie (technologie) > énergie thermique (mer)
Relatif à l'hydrothermie.
V. hydrothermie
En. hydrothermic
Es. hidrotérmico [6367]

HYDROTIMÉTRIQUE → titre — .

HYDROTROPE adj. 72
matériau > produit de substitution
Qui favorise la solubilisation d'une substance peu soluble dans l'eau.
De. hydrotrop
En. hydrotropic
Es. hidrotropo [6368]

HYDROX n.m. 77
chimie > chimie du solide et du fluide
Mélange d'hydrogène et d'oxygène utilisé en plongée sous-marine.
V. héliox
En. hydrox
Es. hidrox [8640]

HYDROXYLAPATITE n.f. 74
anatomie > anatomie animale
Structure microcristalline retrouvée dans le cristal osseux et correspondant à la formule 3 $(PO_4)_2$ Ca_3, $Ca(OH)_2$.
De. Hydroxylapatit (m.)
En. hydroxylapatite ; hydroxyapatite [2222]

HYDRURABLE adj. 73
propriété > propriété physico-chimique
Se dit d'un corps qui peut se combiner avec l'hydrogène.
En. hydrogen-fixing [1509]

HYÉTOGRAMME n.m. 72
représentation graphique > courbe
Représentation graphique de la distribution dans le temps de l'intensité d'une averse en un point donné.
De. Hyetogramm (m.)
En. hyetograph [461]

HYGIÉNICITÉ n.f. 74
médecine > médecine sociale
Propriété de ce qui est hygiénique. [2223]

HYGIÉNISATION n.f. 74
économie > industrie anti-pollution
Opération qui consiste à rendre hygiéniques des boues d'épuration.
De. Sanierung (f.)
En. hygienization
Es. higienización [3204]

HYGRIQUE adj. 75
écologie > habitat
Se dit des stations ou habitats caractérisés par une forte humidité du sol et de l'atmosphère. [8251]

HYGROEXPANSIVITÉ n.f. 76
technologie des matériaux > génie chimique
Phénomène d'humidification différentielle de deux couches d'un carton se traduisant par des dilatations différentielles et un tuilage.
En. hygroexpansivity ; moisture expansivity [7288]

HYGROMAGMATOPHILE adj. 74
géophysique interne
Se dit d'un élément capable de se stabiliser en solution dans le liquide magmatique sous forme de complexes, comme cela se produit dans l'eau. [1691]

HYGROMÈTRE → thermo- — .

HYGROSCOPICITÉ n.f. 75
propriété > propriété chimique
Propriété de certains corps de fixer l'eau ou la vapeur d'eau pour s'y combiner.
De. Hygroskopizität (f.)
En. hygroscopicity
Es. higroscicidad [4670]

HYLOCHÈRE n.m. 77
organisme vivant > animal
Type de sanglier géant qui vit dans certaines forêts d'Afrique.
En. giant forest hog ; giant forest pig [8641]

HYPÉRARGINÉMIE n.f. 73
psychologie > pathologie mentale
Défaut héréditaire de synthèse de l'enzyme arginase, qui se traduit par une élévation du taux d'arginine et provoque une arriération mentale.
De. Hyperarginemie (f.)
En. hyperarginemia [277]

HYPERBARIE n.f. 75
circonstance opératoire
État d'une enceinte dans laquelle la pression du gaz est supérieure à une atmosphère.
De. Hyperbarie (f.)
En. hyperbarism [5542]

HYPERCHOLESTÉRÉMIE n.f. 74
pathologie mentale > maladie de la nutrition et du métabolisme
Augmentation de la quantité de cholestérol en circulation dans le sang.
De. Hypercholesterinämie (f.)
En. hypercholesteremia ; hypercholesterolemia
Es. hipercolesteremia [3036]

HYPERCLAVE n.m. 77
mécanique des fluides appliquée
Autoclave fonctionnant sous des pressions très élevées.
V. hydroclave
De. Hyperklav (m.)
En. high pressure autoclave [7988]

HYPERCONDUCTEUR n.m. 73
électrotechnique > composant électrotechnique
Conducteur dont la résistance électrique à très basse température tend vers la valeur nulle.
De. Supraleiter (m.) [1157]

HYPERFILTRATION n.f. 75
opération > séparation physique
Procédé physique de séparation fondée sur la semi-perméabilité de certaines membranes qui ne laissent filtrer que l'eau pure.
V. osmose inverse
En. hyperfiltration
Es. hiperfiltración [4423]

HYPERFIXANT adj. 77
génie biomédical > diagnostic
Se dit d'une zone des corps qui fixe exagérément un produit radioactif lors d'une scintigraphie.
V. hypofixant
De. hyperfixierend [7846]

HYPERGLACE n.f. 74
environnement et sécurité > protection
Élément de blindage transparent.
En. glass casing [5141]

HYPERIDÉATION n.f. 69
psychologie > pathologie mentale
Hyperactivité désordonnée et rapide des processus intellectuels.
De. Ideenflucht (f.)
En. flight of ideas [5142]

HYPERIMMUN adj. 73
génie biomédical > thérapeutique immunologique
Doué d'un pouvoir antigénique élevé.
De. hyperimmun
En. hyperimmune [4671]

HYPERKINÉTIQUE adj. 74
pathologie animale > pathologie neurologique
Se dit d'un individu atteint d'une activité motrice anormalement intense.
De. hyperkinetisch

En. hyperkinetic
Es. hipercinético [2853]

HYPERLOURDE → science — .

HYPERMARCHÉ n.m. 73
économie > activité commerciale
Magasin libre-service, de plus de 2 500 m^2, présentant un très large assortiment et offrant de vastes aires de stationnement.
En. hypermarket [278]

HYPERMIMIE n.f. 69
psychologie > pathologie mentale
Accroissement de l'intensité et des sensations de la mimique.
De. Hypermimik (f.)
En. hypermimia
Es. hipermimia [5143]

HYPERMOLÉCULE n.f. 72
chimie > constitution de la matière
Molécule possédant des propriétés d'association non prévues par les règles de la liaison chimique.
De. Hypermolekül (n.) [1158]

HYPERONYME adj. 74
linguistique
Se dit d'un terme dont le sens inclut ceux d'un ou de plusieurs autres termes.
V. superordonné
De. Hyperonym (n.)
Es. hiperónimo [2854]

HYPEROSMOTIQUE adj. 77
physiologie > homéostasis
Se dit d'un équilibre osmotique créé lorsque la concentration du milieu intérieur est plus élevée que celle du milieu extérieur.
V. hypoosmotique
De. hyperosmotisch
En. hyperosmotic
Es. hiperosmótico [8118]

HYPERPHAGIE n.f. 76
pathologie animale > maladie de la nutrition et du métabolisme
Exagération morbide de l'appétit qui conduit à l'ingestion d'une trop grande quantité d'aliments.
V. hyperphagique [4296]

HYPERPHAGIQUE adj. 73
pathologie animale > maladie de la nutrition et du métabolisme
Atteint d'hyperphagie.
V. hyperphagie
De. hyperphagisch
En. hyperphagic [462]

HYPERPROTECTION n.f. 72
psychologie > psychophysiologie
Protection excessive d'un enfant de la part des parents ou prise en charge trop complète d'un individu pouvant entraîner chez ceux-ci des troubles psychologiques. [4183 bis]

HYPERSCIENCE n.f. 74
information > communication
Science générale qui inclut une ou plusieurs autres sciences réduites au rang de parties.
De. Dachwissenschaft (f.)
En. hyperscience
Es. hiperciencia [5544]

HYPERSCIENTIFIQUE adj. 74
information > communication
Se dit d'une discipline considérée comme une science qui en inclut d'autres (hyperscience).
En. hyperscientific
Es. hipercientifico [5546]

HYPERSTATISME n.m. 76
physique > mécanique
État d'un système de forces ou de couples de liaisons dont le

calcul ne peut être résolu par les lois de la statique rationnelle.
De. statische Uberbestimmung (f.)
En. static indeterminacy
Es. hiperestatismo [7289]

HYPERTHERMAL adj. 75
environnement et sécurité > environnement
Se dit d'une eau dont la température est comprise entre 40 °C
et 50°C.
V. acrothermal ; subthermal
De. hyperthermal
En. hyperthermal
Es. hipertermal [5409]

HYPERTREMPE n.f. 77
technologie des matériaux > traitement thermique
Trempe ultrarapide.
En. rapid quenching [7702]

HYPNAGNOSIE n.f. 76
pathologie animale > pathologie neurologique
Trouble du sommeil donnant au sujet l'impression erronée
qu'il n'a pas dormi. [5294]

HYPNOGÈNE n.m. 75
pharmacologie > médicament
Médicament qui provoque le sommeil.
De. Hypnotikum (n.) ; Schlafmittel (n.)
Es. hipnógeno [4297]

HYPNOGRAMME n.m. 74
instrumentation > mesure des phénomènes physiologiques
Encéphalogramme enregistré pendant une période de sommeil
et de rêve.
De. Hypnogramm (n.)
En. sleep encephalogram
Es. hipnograma [2679]

HYPNOPÉDIE n.f. 75
psychologie > psychophysiologie
Enseignement dispensé pendant le sommeil de l'enseigné et
faisant appel au subconscient.
V. hypnopédique ; hypnosopédie
De. Hypnopädie (f.)
En. hypnopedia ; hypnopaedia
Es. hipnopedia [4672]

HYPNOPÉDIQUE adj. 76
psychologie > psychophysiologie
Relatif à l'hypnopédie.
V. hypnopédie
De. hypnopädisch
En. hypnopaedic ; hypnopedic
Es. hipnopédico [5410]

HYPNOPHONOTHÉRAPIE n.f. 76
génie biomédical > psychothérapie
Traitement des troubles psychologiques à l'aide d'un magnéto-
phone utilisé pendant le sommeil du malade.
De. Hypnophonotherapie (f.)
Es. hipnofonoterapía [6757]

HYPNOSOPÉDIE n.f. 76
psychologie > psychophysiologie
Enseignement dispensé pendant un état d'hypnose de l'ensei-
gné.
V. hypnopédie
De. Hypnopädie (f.)
En. hypnopedia ; sleep learning ; sleep teaching [6758]

HYPNOSOPHROLOGIE n.f. 70
génie biomédical > psychothérapie
Pratique de la sophrologie combinée à l'hypnose.
V. sophrologie ; sophronique ; sophronisation
De. Hypnosophrologie (f.)
En. hypnosophrology [610]

HYPNOTISABILITÉ n.f. 73
psychologie > psychophysiologie
Aptitude à être hypnotisé.

De. Hypnotisierbarkeit (f.)
En. hypnotizability [1330]

HYPOANDRISME n.m. 76
pathologie animale > pathologie génitale
Déficience des fonctions sexuelles masculines. [4528]

HYPOCALORIQUE adj. 75
vie quotidienne > alimentation
Se dit d'un produit alimentaire n'apportant que peu de
calories à l'organisme.
De. kalorienarm ; kalorienreduziert
En. hypocaloric [6087]

HYPOCHLORITÉ adj. 70
propriété > composition
Qui renferme de l'hypochlorite.
De. hypochlorithaltig
En. hypochlorited
Es. hipocloritado [3572]

HYPODERMIQUE adj. 75
environnement et sécurité > environnement
Se dit d'une eau de gravité présente dans le sol et les
formations superficielles.
Es. hipodérmico [7430]

HYPOFIXANT adj. 77
génie biomédical > diagnostic
Se dit d'une zone des corps qui fixe insuffisamment un produit
radioactif lors d'une scintigraphie.
V. hyperfixant
De. hypofixierend [7847]

HYPOLIMNIQUE adj. 76
environnement et sécurité > environnement
Relatif à la couche inférieure de l'eau d'un lac (hypolimnion).
V. épilimnique
De. Hypolimnion-
En. hypolimnetic ; hypolimnial
Es. hipolímnico [7290]

HYPONEUSTON n.m. 76
écologie > communauté (écologie)
Ensemble des organismes vivant dans la partie inférieure de la
couche superficielle d'eau de mer constituée par l'interface air-
eau.
V. hyponeustonique [7291]

HYPONEUSTONIQUE adj. 74
écologie > communauté (écologie)
Relatif à l'hyponeuston.
V. hyponeuston
De. hyponeustonisch
En. hyponeustonic ; hyponeustic [2856]

HYPOOSMOTIQUE adj. 77
physiologie > homéostasis
Se dit d'un équilibre osmotique créé quand la concentration
du milieu intérieur est moins élevée que celle du milieu
extérieur.
V. hyperosmotique
De. hyposmotisch
En. hyposmotic ; hypoosmotic
Es. hiposmótico [8119]

HYPOPROSEXIQUE n.m. 75
psychologie > pathologie mentale
Individu souffrant d'une diminution de l'attention.
V. aprosexique ; paraprosexique
En. hypoprosexic [5007]

HYPOSEXUÉ adj. 73
constituant des organismes vivants
Se dit d'un organisme vivant qui présente un faible taux de
testostérone.
En. undersexed [2055]

HYPOSIALIE n.f. 73
pathologie mentale > pathologie digestive
Sécrétion salivaire anormalement basse.
De. Hypoptyalismus (m.)
En. hypoptyalism ; oligoptyalism
Es. oligosiala [1693]

HYPOTAXIQUE adj. 76
linguistique
Se dit d'un procédé syntaxique qui explicite un rapport de
dépendance, subordination ou coordination, entre deux propo-
sitions.
De. hypotaktisch
En. hypotactic
Es. hipotáxico [8252]

HYPOVIRULENT adj. 74
agronomie > technique culturale
Dont la virulence est affaiblie et qui peut donc avoir une
action préventive.
De. hypovirulent
En. hypovirulent [1859]

I

IATROGÈNE adj. 73
pathologie animale > étiologie et pathogénie
Se dit d'un trouble provoqué par une thérapeutique.
De. iatrogen
En. iatrogenic [963]

ICHTYOBIOLOGISTE n. 75
organisme vivant > animal
· Biologiste spécialisé dans l'étude des poissons.
De. Ichtyologe (m.)
En. fish biologist ; ichthyobiologist
Es. ictiobiólogo [5295]

ICHTYOMASSE n.f. 77
écologie > synécologie
Partie de la biomasse constituée des poissons. [6643]

ICHTYONEUSTON n.m. 78
écologie > communauté (écologie)
Partie du neuston constituée par les poissons.
De. Ichthyoneuston (n.)
En. ichthyoneuston
Es. ictioneuston [9332]

ICHTYOPATHOLOGIE n.f. 77
pathologie animale > étiologie et pathogénie
Étude des maladies propres aux poissons.
De. Ichthyopathologie (f.)
Es. ictiopatología [8904]

ICHTHYOTOXIQUE adj. 74
ICHTYOTOXIQUE
pathologie animale > agent toxique
Toxique pour les poissons.
En. piscitoxic
Es. ictiotóxico [4674]

ICÔNE n.f. 72
information > communication
Signe qui est en relation analogique-topologique avec son
signifié.
V. iconique
De. ikonisches Zeichen (n.)
En. icon
Es. icono [5547]

ICONICITÉ n.f. 76
information > communication
Caractère d'un signe iconique.
V. iconique

De. Ikonizität (f.)
En. iconicity
Es. iconicidad [6088]

ICONIQUE adj. 72
information > communication
Se dit d'un signe qui évoque de façon sensible son signifié.
V. icône ; iconicité
De. ikonisch
En. iconic
Es. icónico [5548]

ICONIQUE → verbo- — .

ICONOMÉTRIQUE adj. 73
arts > photographie
Se dit d'une image photographique obtenue à l'aide d'un
iconomètre.
En. iconometric
Es. iconometrico [7143]

ICOPHONE n.m. 74
cybernétique > intelligence artificielle
Type de synthétiseur de parole à canaux.
V. synthétiseur de parole [1510]

ICRON n.m. 76
organisme vivant > microorganisme
Virus portant plusieurs antigènes dont certains proviennent
d'un hôte transitoire.
En. icron [7293]

IDENTIFIABILITÉ n.f. 74
logique
Propriété de ce qui est identifiable ou reconnaissable.
De. Identifizierbarkeit (f.)
En. identifiability [5669]

IDENTIFICATOIRE adj. 74
psychologie > psychophysiologie
Qui permet l'identification.
De. Identifikations-
En. identificatory
Es. identificador [5144]

IDÉOGRAMME n.m. 76
instrumentation > mesure de phénomènes physiologiques
Carte schématique du cerveau sur laquelle sont reportées les
mesures des débits sanguins à la surface du cortex.
V. idéographie
En. ideogram
Es. ideograma [6644]

IDÉOGRAPHIE n.f. 76
instrumentation > mesure des phénomènes physiologiques
Technique d'exploration du fonctionnement cérébral et des
processus mentaux par mesure des débits sanguins à la surface
du cortex cérébral.
V. idéogramme
En. ideography
Es. ideografía [6645]

IDÉOPHONE n.m. 67
linguistique
Vocable transmettant une impression sensorielle ou morale
complexe.
V. impressif
En. ideophone
Es. ideófono [3914]

IDÉOTYPE n.m. 72
écologie > habitat
Modèle nouveau de plante mieux adaptée que les types connus
aux ressources du milieu, et d'un meilleur rendement.
En. ideotype [5947]

IDIOCHROMATIQUE adj. 75
physique > optique
Se dit d'un minéral dont la couleur est d'origine endogène.
V. allochromatique

De. *idiochromatisch*
En. *idiochromatic*
Es. *idiocromático* [5550]

IDIOLECTIQUE adj. 74
linguistique
Propre à l'ensemble des énoncés produits par un locuteur.
[4425]

IDIOLECTIQUE n.f. 76
linguistique
Ensemble des études et des recherches consacrées aux idiolectes.
De. *Idiolektkunde (f.)* [7431]

IDIOTYPIE n.f. 73
immunologie
Propriété des anticorps idiotypiques.
V. idiotypique
En. *idiotypic variation*
Es. *idiotipia* [2513]

IDIOTYPIQUE adj. 76
immunologie
Se dit d'une variante antigénétique d'une immunoglobuline formée en réponse à l'antigène contre lequel elle est dirigée.
V. idiotypie
De. *idiotypisch*
En. *idiotypical ; idiotypic*
Es. *idiotípico* [7014]

I.G.H. (IMMEUBLE DE GRANDE HAUTEUR) n.m. 77
bâtiment et travaux publics > construction
Bâtiment géant qui comporte de nombreux étages.
De. *Hochhaus (n.)*
En. *high-rise building ; high-rise block* [8367]

IGLOO n.m. 71
IGLOU
instrumentation > structure marine
Cloche de plongée de grandes dimensions.
En. *igloo* [2514]

IGLOO n.m. 73
IGLOU
environnement et sécurité > protection
Protection en forme de toit avec ouverture adaptable sur les palettes aériennes de chargement.
En. *igloo* [5948]

IGNIFUGATEUR adj. 74
environnement et sécurité > protection contre l'incendie
Qui rend ignifuge. [7564]

ILLICITE → concurrence — .

ILLOCUTION n.f. 76
information > communication
Acte de parole illocutoire.
V. illocutoire [8492]

ILLOCUTOIRE adj. 72
information > communication
Se dit d'un acte de parole réalisant ou tendant à réaliser l'action dénommée.
V. illocution ; locutoire ; perlocutoire
En. *illocutionary* [4529]

ILLUMINATEUR → télémètre — .

ÎLOTAGE n.m. 78
économie > industrie nucléaire
Pour une centrale nucléaire, fait de subir un arrêt de fonctionnement.
De. *Abschaltung (f.) ; Inselbetrieb (m.)*
En. *plant shutdown* [8905]

ÎLOT DE PRODUCTION n.m. 75
économie > travail (main-d'œuvre)
Unité intégrée de travail formée d'une équipe autonome qui

occupe un secteur délimité de l'usine.
De. *Fertigungsstation (f.)*
En. *production unit* [4850]

ÎLOT DE VENTE n.m. 74
économie > activité commerciale
Meuble permettant une présentation isolée d'une marchandise afin de la mettre en valeur.
V. barque de vente ; bergerie ; corolle ; mur de produits ; pont de produits ; prolongateur de rayon
De. *Auslagestand (m.)*
En. *display rack ; display stand ; merchandiser ; showcase* [3915]

IMAGE(S) → caméra à — s intégrales ; carte- — ; dérouleur d' — s ; disque — s ; double — ; four à — ; intensificateur d'—s .

IMAGE DIACHRONIQUE n.f. 78
instrumentation > photographie
Image spatiale obtenue par superposition de plusieurs clichés recueillis à différents moments.
De. *diachronisches Bild (n.)*
En. *multidate image ; multitemporal image* [8642]

IMAGE FLOTTANTE n.f. 71
économie > promotion des ventes
Image de marque assez générale pour exercer une grande attirance sur de nombreux consommateurs. [2224]

IMAGERIE n.f. 75
instrumentation > photographie
Ensemble des représentations planes obtenues à partir d'un enregistrement structuré de données saisies par télédétection aérospatiale (images) et qui sont potentielles ou réelles.
De. *Bildeszeugung (f.)*
En. *satellite photo-imaging* [5145]

IMAGEUR n.m. 76
instrumentation > système électroacoustique
Dispositif permettant de composer des images grâce à un balayage d'une surface sensible aux ultrasons. [8906]

IMAGOCIDE adj. 73
zoologie
Qui tue la forme définitive de l'insecte sexué (imago).
En. *imagocide*
Es. *imagocidio* [3573]

IMMATÉRIEL → barrage — .

IMMERGÉ → transformateur — .

IMMEUBLE-MIROIR n.m. 73
arts > architecture
Bâtiment courbe dont la surface cintrée est revêtue de glaces réfléchissantes.
De. *Spiegelbau (m.)*
En. *glass building* [3389]

IMMOBILISÉE → encre — .

IMMUNISATION → allo- — fœto-maternelle.

IMMUNO-COMPÉTENT adj. 75
IMMUNOCOMPÉTENT
immunologie
Se dit d'une cellule capable de réagir à tout contact avec un immunogène quelconque en manifestant une capacité immunologique.
De. *immunologisch kompetent*
En. *immunocompetent* [5297]

IMMUNO-DÉPRESSION n.f. 75
IMMUNODÉPRESSION
génie biomédical > thérapeutique immunologique
Diminution ou suppression des réponses immunitaires normales chez un individu.
V. immunodéprimé

De. Immunsuppression (f.)
En. immunosuppression [5298]

IMMUNODÉPRIMÉ n.m. 76
génie biomédical > thérapeutique immunologique
Individu incapable de produire des réponses immunitaires normales.
V. immuno-dépression [5551]

IMMUNODÉVIATION n.f. 75
immunologie
Altération élective de la réponse immunitaire vis-à-vis d'un antigène, due à l'administration préalable de cet antigène.
En. immune deviation [4530]

IMMUNODIFFUSION n.f. 73
génie biomédical > analyse biologique
Microméthode immunologique de dosage d'une protéine.
De. Immundiffusion (f.)
En immunodiffusion [5949]

IMMUNODOMINANT adj. 75
immunologie
Se dit d'un caractère immunologique prépondérant.
V. histocompatible
En. immunodominant [3391]

IMMUNOFLUORESCENCE INDIRECTE n.f. 78
génie biomédical > analyse biologique
Méthode d'analyse biologique qui utilise le marquage par un agent fluorescent.
En. indirect immunofluorescence [9039]

IMMUNOGÉNICITÉ n.f. 75
génétique > immunogénétique
Capacité d'une substance à provoquer une réponse immunitaire.
En. immunogenicity
Es. inmunogeneticidad [4094]

IMMUNOLOGIE → éco- — ; radio- — .

IMMUNOMODULATEUR n.m. 77
immunologie
Substance permettant d'inhiber ou stimuler les réponses immunitaires.
V. immunomodulation
En. immunomodulator
Es. inmunomodulador [8120]

IMMUNOMODULATION n.f. 77
immunologie
Régulation des moyens de défense de l'organisme par sollicitation différenciée du système immunologique.
V. immunomodulateur
De. Immunomodulation (f.)
En. immunomodulation
Es. inmunomodulación [7848]

IMMUNOSTIMULATION n.f. 74
immunologie
Accroissement des réactions de défense de l'organisme.
De. Immunstimulation (f.) [2226]

IMMUNOSUPPRESSEUR n.m. 73
génie biomédical > thérapeutique immunologique
Substance qui diminue ou supprime les réponses immunitaires normales.
V. immunosuppressif
En. immunosuppressant [2516]

IMMUNOSUPPRESSIF adj. 72
génie biomédical > thérapeutique immunologique
Qui vise à annuler la fonction immunisante de l'organisme.
V. immunosuppresseur
De. immunosuppressiv
En. immuno-suppressive [110]

IMMUNO-SURVEILLANCE n.f. 74
IMMUNOSURVEILLANCE
immunologie
Surveillance des réactions immunitaires. [8493]

IMMUNOTHÉRAPIE ACTIVE n.f. 73
génie biomédical > thérapeutique immunologique
Méthode thérapeutique qui consiste à stimuler de façon active les réactions immunitaires de l'organisme.
De. aktive Immunotherapie (f.) ; aktive Immuntherapie (f.) ; aktive Serumtherapie (f.)
En. active immunotherapy [1511]

IMPACT → imprimante à — ; imprimante sans — ; périphérique à — .

IMPACTER v. 74
génie biomédical > chirurgie
Solidariser avec force deux organes anatomiques rigides ou un organe et un matériel, de façon que leur pénétration résiste aux chocs, torsion, traction, etc.
De. impaktieren
En. to impact
Es. impactar [2681]

IMPACTEUR n.m. 74
mécanique des fluides appliquée
Appareil permettant de prélever des particules entraînées dans un fluide en mouvement et utilisant leur inertie pour les amener à frapper la partie sensible qui les fixe.
De. Impaktor (m.)
En. impactometer ; impactor [4675]

IMPANIFIABLE adj. 78
agronomie > production végétale
Se dit d'une variété de blé impropre à la fabrication de pain.
De. nicht zu Brot verarbeiter
En. non-bread [9184]

IMPARTITION n.f. 73
gestion, organisation, administration > relation entre groupes
Action consistant pour un agent économique, à faire participer un autre agent à une réalisation d'ensemble, en lui réservant une partie du travail.
De. Zulieferungsauftrag (m.)
En. contracting out [964]

IMPÉDANCEMÉTRIE n.f. 76
instrumentation > mesure des phénomènes physiologiques
Technique permettant de mesurer l'impédance mécanique du système auditif.
De. Impedanzmessung (f.)
En. impedance measurement [6232]

IMPÉDANCE SÉCANTIELLE n.f. 73
physique > mécanique
Rapport entre la chute de pression et le débit volumétrique au point de fonctionnement d'une liaison bipolaire, représenté par la perte de la sécante reliant le point de fonctionnement à l'origine.
V. impédance tangentielle
De. Sekantenwiderstand (m.)
En. secant impedance [965]

IMPÉDANCE TANGENTIELLE n.f. 73
physique > mécanique
Rapport entre les incréments de la pression et du débit volumétrique au point de fonctionnement d'une liaison bipolaire, représenté par le point où l'on peut assimiler la courbe à sa tangente.
V. impédance sécantielle
De. Tangentialwiderstand (m.)
En. tangential impedance [966]

IMPERMÉABILISANT adj. 77
propriété > propriété physico-chimique
Se dit d'une substance qui rend imperméable.
De. imprägnierend

En. waterproofing
Es. impermeabilizador [7989]

IMPLANTAIRE adj. 76
génie biomédical > chirurgie
Relatif à un implant.
V. implantologie
De. Implantations-
En. implanting [6646]

IMPLANTOLOGIE n.f. 75
génie biomédical > chirurgie
Science traitant des implantations dentaires.
V. implantaire
De. Implantologie (f.)
En. implantology
Es. implantología [4531]

IMPLEXE n.m. 76
sociologie
Type de parenté caractérisée par le fait qu'un même individu
est ancêtre de deux façons d'une autre personne.
En. implex [6233]

IMPÔT NÉGATIF n.m. 74
économie > fiscalité
Versement à un particulier afin de lui garantir un minimum de
ressources dans un système tendant à harmoniser les presta-
tions sociales et l'impôt sur le revenu.
De. negative Besteuerung (f.)
En. negative income tax
Es. impuesto negativo [2227]

IMPRESSIF n.m. 67
linguistique
Vocable transmettant une impression sensorielle ou morale
complexe.
V. idéophone
En. ideophone [3916]

IMPRESSION BI-DIRECTIONNELLE n.f. 75
IMPRESSION BIDIRECTIONNELLE
impression
Méthode d'impression utilisée par certaines machines à écrire
ou imprimantes, dotées d'une mémoire ou commandées par
ordinateurs et qui consiste à frapper les lignes successives
alternativement de gauche à droite et de droite à gauche afin
d'éviter la perte de temps due au retour du chariot.
V. frappe en lacet [4184 bis]

IMPRESSION D'ENLEVAGE n.f. 74
technologie des matériaux > coloration
Impression obtenue à l'aide d'un produit qui détruit le
colorant du fond de la pièce aux endroits imprimés.
De. Ätzdruck (m.)
En. discharge printing [3917]

IMPRESSION ÉLECTROSTATIQUE n.f. 76
information > traitement de l'information
Procédé d'impression utilisant les propriétés des photoconducteurs qui, préalablement chargés électriquement, perdent
leurs charges électriques dans les zones claires et les conservent dans les zones noires sur lesquelles se déposera l'encre
attirée.
De. elektrostatischer Druck (m.)
En. electrostatic printing [9333]

IMPRESSION-TRANSFERT n.f. 77
reprographie
Technique d'impression qui consiste à transférer des caractères d'un matériau support sur la surface d'un matériau
récepteur. [8122]

IMPRIMANTE → thermo- — .

IMPRIMANTE À IMPACT n.f. 77
informatique > équipement d'entrée-sortie
Imprimante où l'impression résulte d'une frappe par aiguille
ou par boule.

V. imprimante sans impact ; périphérique à impact
En. impact printer [8368]

IMPRIMANTE À JET D'ENCRE n.f. 77
informatique > équipement d'entrée-sortie
Imprimante sans impact dans laquelle les caractères sont
formés par la projection d'un jet d'encre sur le papier.
V. imprimante sans impact
De. Farbstrahldrucker (m.) ; Tintenstrahlschreiber (m.)
En. non-impact printer ; ink-jet printer [9185]

IMPRIMANTE À MOSAÏQUE n.f. 74
informatique > équipement d'entrée-sortie
Imprimante à impact dont la tête d'écriture composée d'aiguilles frappe au travers d'un ruban encreur certains points
d'une mosaïque pour dessiner des lettres.
V. imprimante à impact
De. Matrixdrucker (m.)
*En. matrix printer ; mosaic printer ; stylus printer ; wire prin-
ter* [4185 bis]

IMPRIMANTE EN PARALLÈLE n.f. 77
informatique > équipement d'entrée-sortie
Imprimante où l'impression se fait ligne par ligne, tous les
caractères d'une même ligne étant imprimés en même temps.
V. imprimante sérielle
De. Paralleldrucker (m.)
En. line-at-a-time printer ; line printer ; parallel printer [8369]

IMPRIMANTE SANS IMPACT n.f. 77
informatique > équipement d'entrée-sortie
Imprimante où l'impression ne résulte pas d'une frappe.
V. imprimante à impact
En. non-impact printer [8370]

IMPRIMANTE SÉRIELLE n.f. 77
informatique > équipement d'entrée-sortie
Imprimante où l'impression s'effectue caractère par caractère,
l'un après l'autre.
V. imprimante en parallèle
De. Seriendrucker (m.)
En. character printer ; serial printer [8371]

IMPRIMANTE THERMIQUE n.f. 75
informatique > équipement d'entrée-sortie
Imprimante qui utilise les propriétés d'absorption de la
lumière par les zones noires et d'émission par ces zones, sous
l'effet de l'échauffement qui s'ensuit, et radiations infrarouges
utilisées pour impressionner une surface sensible.
En. thermal printer
Es. impresora termica [7145]

IMPROMPTU n.m. 70
génie biomédical > psychothérapie
Forme d'activité psychothérapique institutionnelle consistant
à utiliser les moyens d'expression et de créativité des patients
au cours de rencontres organisées (jeux, distractions...).
De. Happening (n.)
En. happening [5413]

IMPULSEUR n.m. 75
économie > industrie de la céramique
Dispositif d'entraînement permettant de mettre des matières
en mouvement.
De. Impulsgeber (m.)
En. impeller
Es. impulsor [6759]

IMPULSIONNEL adj. 73
physique > électricité
Qui comporte ou qui a trait à une impulsion.
De. Impulsion-
En. impulsive ; pulse [1512]

IMPULSIONNEL adj. 74
technique nucléaire
Se dit d'un réacteur thermonucléaire à plasma dense dont la
réaction est instantanée et formée d'explosions successives de
puissance modérée.

V. stationnaire
De. Puls— ; Impuls—
En. pulsed [1860]

IMPULSIONS → onduleur à modulation de largeur d' — .

INALIBILE adj. 73
matériau > produit alimentaire
Se dit d'un produit impropre à la nutrition mais qui peut être consommé sans danger.
En. inalible ; inalimental [967]

INCAPSULATION n.f. 75
technologie des matériaux > fabrication du papier
Méthode d'introduction d'un polymère synthétique dans du papier ou dans un autre produit fibreux.
V. papier incapsulé
En. encapsulation [5146]

INCAPSULÉ → papier — .

INCISAILLABLE adj. 77
mécanique des fluides appliquée
Se dit d'un fluide qui ne peut subir le glissement d'une lame élémentaire par rapport à la lame adjacente.
V. cisaillé ; cisaillement [7565]

INCLINEUR n.m. 74
mécanique des fluides appliquée
Système de pales à inclinaison variable disposé à l'entrée de chaque roue de compression d'un compresseur et destiné à en modifier la courbe.
En. tilting device ; vane deflection meter [3206]

INCLINOMÉTRIQUE adj. 75
géophysique > physique du globe
Relatif à la mesure de la pente d'un sol.
De. inklinometrisch
En. clinometric ; clinometrical
Es. inclinómetro [5815]

INCOHÉRENTE → diffusion — ; émission — .

INCOMMUNICATION n.f. 75
information > communication
Absence de capacité à communiquer à l'intérieur de groupes sociaux.
De. Kontaktarmut (f.)
En. incommunication [5008]

INCONDENSABLE n.m. 75
matériau > produit chimique
Produit de distillation ne pouvant être condensé.
En. noncondensable
Es. incondensable [5552]

INCORPORÉ → enduit — .

INCRÉMENTATION n.f. 74
informatique > programmation
Augmentation de la variable d'une quantité élémentaire constante (incrément) dans un processus de calcul fonctionnant pas à pas.
V. décrémentation
De. Inkrement (n.)
En. increment
Es. incrementación [2056]

INCREVABILITÉ n.f. 77
propriété > propriété mécanique
Aptitude à résister aux crevaisons.
De. Pannensicherheit (f.)
En. puncture resistance [7849]

INCRUSTATION n.f. 76
télécommunications > radiocommunication
Trucage permettant l'insertion de personnages dans un décor réel ou fabriqué.
De. Einblendung (f.)

En. matte shot
Es. incrustación [5950]

INDÉCHIRABILITÉ n.f. 78
matériau > tissu (textile)
Propriété d'un tissu qui ne se déchire pas.
De. Unzereeißarkeit (f.) [9040]

INDÉGORGEABILITÉ n.f. 74
propriété > propriété chimique
Propriété d'un colorant de rester fixé sur son support.
De. Haftfestigkeit (f.)
En. colorfastness (U.S.A.) ; colourfastness (U.K.) [3744]

INDESSERRABILITÉ n.f. 77
mécanique appliquée > assemblage
Qualité d'une pièce mécanique qui ne peut se desserrer.
V. indévissabilité
De. Unlösbarkeit (f.)
En. resistance to loosening [7294]

INDÉTECTABLE → défaut — .

INDÉVISSABILITÉ n.f. 77
mécanique appliquée > assemblage
Qualité d'une pièce mécanique qui ne peut être dévissée.
V. indesserrabilité
De. Anzugsfestigkeit (f.)
En. irremovability [7295]

INDEXABLE adj. 75
information > traitement documentaire
Susceptible d'être indexé.
V. indexer
En. indexable [6234]

INDEXAGE n.m. 75
information > traitement documentaire
Opération consistant à représenter l'essentiel de l'information contenue dans un document sous une forme codifiée devant permettre la recherche ultérieure de ce document.
V. indexation
De. Indexierung (f.)
En. indexing
Es. indexación [4676]

INDEXATION n.f. 75
information > traitement documentaire
Opération qui consiste à caractériser le contenu d'un document par des descripteurs de langage contrôlé.
V. indexage
De. Indexierung (f.)
En. indexing
Es. indexación [4677]

INDEXER v. 75
information > traitement documentaire
Attribuer à un document un indice de classification ou une liste de descripteurs représentant son contenu informatif sous une forme codifiée, en vue de retrouver ce document au cours d'une recherche ultérieure.
V. indexable
De. indexieren
En. to index
Es. indexar [4426]

INDIANITÉ n.f. 78
sociologie
Ensemble des caractères propres aux Indiens d'Amérique.
V. alsacianité ; antillanité ; arabité ; catalanité ; créolité ; foulanité ; lusitanité
En. Indian identity
Es. indianidad [9186]

INDICATEUR DE DÉCHARGE n.m. 74
électrotechnique > mesure électrique
Dispositif qui permet de constater l'état de décharge d'une batterie.
De. Entladeanzeiger (m.)
En. low-battery indicator [1696]

INDICATIF → prix — .

INDICE → à gradient d' — ; à saut d' — .

INDICE ACTINOTHERMIQUE n.m. 73
géophysique > météorologie
Rapport entre la température de l'air et le rayonnement de la surface d'un corps.
De. aktinothermischer Index (m.)
En. actinothermic index
Es. índice actinotérmico [2682]

INDICE CRITIQUE D'OXYGÈNE n.m. 73
technologie des matériaux > génie chimique
Quantité d'oxygène minimale nécessaire à l'entretien de la combustion dans l'atmosphère contenant un mélange variable d'oxygène et d'azote.
De. kristische Sauerstoffzahl (f.)
En. limited oxygen index (L.O.I.) [2057]

INDICE DE MASCULINITÉ n.m. 74
démographie
Rapport exprimé en pourcentage entre le nombre de naissances de garçons et celui de naissances de filles dans une population donnée.
De. Knabengeburtenindex (m.)
En. sex ratio [2228]

INDICE EXTRAORDINAIRE n.m. 78
physique > optique
Indice de réfraction qui varie en fonction de l'angle formé par la direction de propagation de la lumière et l'axe optique du cristal.
V. indice ordinaire
De. außerordentliche Brechzahl (f.)
En. extraordinary index
Es. índice extraordinario [8779]

INDICE ORDINAIRE n.m. 78
physique > optique
Indice de réfraction indépendant de la direction de propagation de la lumière.
V. indice extraordinaire
De. ordentliche Brechzahl (f.)
En. ordinary index
Es. índice ordinario [8780]

INDICIEL adj. 74
gestion, organisation, administration > gestion financière
Relatif à un indice.
De. Index-
En. indicial [5951]

INDIRECTE → autoconcurrence — ; chauffe — ; immunofluorescence — ; palatographie — .

INDISCERNABILITÉ n.f. 75
électronique > circuit électronique
En méthodologie de tests des circuits logiques, caractère de deux (ou plusieurs) microblocs de circuits logiques qui sont indissociables vis-à-vis de l'ordre du test rendant impossible la localisation des défauts à leur niveau.
V. défaut indiscernable
De. Nichtunterscheidbarkeit (f.)
En. indiscernibility
Es. indiscernabilidad [5671]

INDISCERNABLE → défaut — .

INDOLOGIQUE adj. 74
histoire
Relatif à l'étude des civilisations de l'Inde.
De. indologisch
Es. indológico [7566]

INDUCTEST n.m. 77
génie biomédical > analyse biologique
Test qui utilise le phénomène d'induction lysogénique pour rechercher les propriétés cancérigènes de certains produits chimiques.

De. Induktionstest (m.)
En. inductest [7990]

INDUCTEUR adj. 74
génie biomédical > anesthésie
Se dit de certains produits chimiques ou de leurs associations utilisés pour une anesthésie générale.
En. starter
Es. inductor [2374]

INDUCTEUR n.m. 77
constituant des organismes vivants
Substance qui induit la synthèse de l'ARN.
En. inducer
Es. inductor [8372]

INDUSTRIE → agro- — ; héli- — ; mono- — .

INDUSTRIE DE PROCESSUS n.f. 77
économie > production
Industrie fondée sur un cycle de production en continu fixé une fois pour toutes, avec un équipement qui ne vaut que pour le produit réalisé.
De. Prozeßindustrie (f.) [7567]

INDUSTRIEL → terminal — .

INÉLASTIQUE → réaction — .

INERTAGE n.m. 76
opération > nettoyage
Nettoyage d'une citerne à l'aide d'un gaz inerte.
En. purging with inert gas [7016]

INERTIE → moyen à — ; moyen sans — .

INERTIE REDOX n.f. 73
propriété > propriété chimique
État d'oxydoréduction inerte.
De. Redox-Trägheit (f.)
En. redox inertia [464]

INFLEURISSABLE n.m./adj. 75
organisme vivant > végétal
[Se dit de l'] ensemble des territoires cellulaires des phanérogames ne présentant pas les méioses qui s'observent au niveau de la fleur. [4095]

INFLUENT n.m./adj. 74
environnement et sécurité > pollution
[Se dit du] liquide entrant dans un appareil de traitement.
En. influent [5301]

INFODUC n.m. 78
informatique > organe de transmission de données
Ensemble de voies de données assurant les échanges d'information entre divers éléments d'un ordinateur.
En. universal bus [9041]

INFOGRAPHIE n.f. 73
informatique > traitement de données (informatique)
Ensemble des méthodes et des techniques qui permettent de convertir des données en informations graphiques et inversement par des moyens informatiques.
V. infographie inter-active
En. graphic display [2683]

INFOGRAPHIE INTER-ACTIVE n.f. 77
INFOGRAPHIE INTERACTIVE
informatique > traitement de données (informatique)
Type d'infographie permettant un système d'échanges multiples entre l'utilisateur, le terminal graphique et l'ordinateur.
V. infographie [8497]

INFORMATION → contre- — .

INFORMATIQUE adj. → boucle — ; électro- — ; pilotage — .

INFORMATIQUE n.f. → grosse — ; micro- — ; mini-
— ; péri- — .

INFORMATIQUE AU GUICHET n.f. 75
informatique > système opératoire
Partie de l'informatique qui englobe exclusivement l'informatique dans la vie quotidienne et l'informatique au service de l'usager.
V. système-guichet [4300]

INFORMATIQUE RÉPARTIE n.f. 74
informatique > système opératoire
Informatique qui englobe principalement des petits systèmes éloignés géographiquement de l'ordinateur central auquel ils peuvent être reliés et avec lequel ils ne communiquent qu'épisodiquement.
V. architecture répartie
De. *Rechneranschlußsystem (n.)*
En. *distributed computer systems* [6235]

INFORMATISATION n.f. 73
économie > développement (économie)
Application à un domaine donné, des moyens informatiques.
V. informatisé
De. *Informatisierung (f.))*
En. *computerization*
Es. *informatización* [3392]

INFORMATISÉ adj. 74
économie > développement (économie)
Se dit d'un secteur équipé de moyens informatiques.
V. informatisation
En. *computerized*
Es. *informatizado* [3919]

INFOTECTURE n.f. 77
économie > développement (économie)
Ensemble des problèmes sociaux, politiques et humains posés par le développement des moyens informatiques. [8373]

INFRACLINIQUE adj. 76
génie biomédical > diagnostic
Qui ne peut être décelé par un examen clinique.
En. *subclinical*
Es. *infraclínico* [5553]

INFRACTIONNEL → comportement — .

INFRADIEN adj. 76
physiologie > rythme biologique
Se dit d'un rythme de variations de basses fréquences d'un phénomène biologique. [7146]

INFRAGLACIAIRE adj. 77
géophysique > glaciologie
Se dit des formes et des dépôts qui se trouvent sous le glacier au contact de son lit et des processus qui les engendrent.
En. *subglacial*
Es. *subglaciar* [7147]

INFRALEXICAL adj. 75
linguistique
Se dit d'une unité sémantique de format inférieur au lexème.
De. *infralexematisch*
En. *infralexical* [5415]

INFRALIMINAL adj. 77
psychologie > psychophysiologie
Relatif à ce qui se trouve en dessous du seuil de la perception. [8497]

INFRALITTORAL adj. 75
géophysique > géomorphologie
Se dit de l'étage sous-marin correspondant à la distribution des espèces animales et végétales immergées en permanence ou supportant une courte immersion.
V. circalittoral ; médiolittoral ; supralittoral
De. *infralitoral*
En. *infralittoral*
Es. *infralitoral* [4851]

INFRAMAMMALIEN adj. 73
géologie > paléontologie
Se dit d'un stade de l'évolution antérieur à celui des mammifères.
De. *Inframammal-*
En. *infra-mammalian* [612]

INFRA-PAGINAL adj. 75
INFRAPAGINAL
impression
Situé au bas d'une page.
En. *infrapaginal* [6236]

INFRAPÉLAGIQUE adj. 76
géophysique > géomorphologie
Se dit de l'étage sous-marin situé entre les profondeurs de 150/200 m et 500/600 m.
En. *mesopelagic*
Es. *infrapelágico* [6369]

INFRAROUGE → clôture — .

INFRAROUGISTE n. 73
sciences de l'espace
Spectroscopiste de l'analyse par infrarouge.
En. *infrared specialist ; infrared technician* [1861]

INFRA-SONOMÈTRE n.m. 77
INFRASONOMÈTRE
instrumentation > mesure acoustique
Appareil servant à détecter les infractions. [7148]

INGÉNIERIE → hélio- — .

INGÉNIERISTE n. 78
recherche et développement > ingénierie
Spécialiste d'une activité de définition, de conception et d'étude de projets, de coordination, d'assistance et de contrôle (ingénierie).
En. *engineering specialist* [9187]

INGÉNIEUR SYSTÈME n.m. 78
INGÉNIEUR-SYSTÈME
informatique > programmation
Ingénieur qui conseille, sur le plan technique, les directions impliquées dans le choix des équipements informatiques, adapte, met en œuvre et assume la maintenance du logiciel de base, conçoit et coordonne les opérations d'assistance nécessaires à l'étude, à la réalisation et à l'exploitation des chaînes de traitement.
V. programmeur système
De. *Systemanalytiker (m.) ; Systemplaner (m.)*
En. *systems engineer* [9334]

INGÉNIORAT n.m. 76
enseignement
État d'ingénieur. [7297]

INGRAISSABILITÉ n.f. 75
propriété > propriété physico-chimique
Propriété d'un matériau qui résiste à l'action de la graisse.
De. *Beständigkeit (f.) gegenüber Fetten (n.)*
En. *grease resistance* [5009]

INHIBITEUR → chromosome — ; rétro- —.

INHIBITION → rétro- — .

INITIALISATION n.f. 73
transport et manutention > exploitation des transports
Déclenchement d'une opération de traitement (assurant le suivi des trains).
De. *Initialisierung (f.)*
En. *initialization* [1697]

INITIALISER v. 75
psychologie > psychophysiologie
Placer tout ou partie d'un système dans ses conditions initiales de fonctionnement.
De. *initialisieren*

En. to initialize
Es. inicializar [6091]

INJECTABILITÉ n.f. 77
propriété > propriété technologique
Aptitude d'un produit à être injecté.
Es. inyectabilidad [8374]

INJECTEUR DE SIGNAUX n.m. 75
télécommunications > radiotechnique
Instrument permettant de contrôler les différents étages d'un
récepteur radio, depuis le circuit accordé d'antenne jusqu'à
l'étage final de puissance.
De. Meßsender (m.) ; Signalgeber (m.)
En. signal injector [4096]

INJECTION n.f. 75
transport et manutention > manutention
Introduction d'une charge sur un carrousel ou un autre type
de convoyeur.
En. injection
Es. inyección [5952]

INJECTION-SOUFFLAGE n.f. 74
économie > industrie de transformation des matières plastiques
Technique consistant à injecter une préforme autour d'un
noyau dans un moule d'injection.
En. injection-blow moulding [3393]

INONDATION n.f. 74
génie biomédical > psychothérapie
Méthode de traitement des phobies qui consiste à persuader le
malade de rester en présence des objets provoquant sa réaction
phobique.
V. aversion ; modelage
En. flooding [3038]

INORGANICIEN adj. 73
chimie > chimie minérale
Se dit d'un chimiste spécialisé en chimie minérale (inorga-
nique).
En. inorganic [787]

INOVULATION n.f. 78
zootechnie
Technique de transfert d'un embryon par voies naturelles.
En. non-surgical embryo transfer [8908]

INSÉEN n.m. 76
économie > sciences économiques
Élève de l'Institut national de la statistique et des études
économiques. [6878]

INSÉREUSE n.f. 75
cybernétique > automatique
Machine destinée à insérer des documents dans une enveloppe.
De. Kuvertiermaschine (f.)
En. stuffing machine
Es. insertadora [5010]

INSERT n.m. 72
économie > industrie de transformation des matières plastiques
Pièce insérée dans un moule avant l'injection de la matière et
qui, lorsqu'on l'enlève, libère un certain volume permettant
l'expansion de celle-ci.
De. Insert (n.)
En. insert [1862]

INSERT-ÉCROU n.m. 73
mécanique appliquée > assemblage
Écrou emprisonnant sa vis ou son boulon lors du vissage par
déformation plastique.
En. inserted nut [1332]

INSIDIOSITÉ n.f. 74
pathologie animale > étiologie et pathogénie
Caractère insidieux d'une maladie.

En. insidiousness
Es. insidiosidad [4097]

INSPECTRICE n.f. 74
économie > industrie agricole et alimentaire
Machine destinée à contrôler les fonds de bouteilles vides à
réutiliser.
V. mireuse
En. bottle-scanner ; inspecting-machine [4098]

INSTANTANÉ adj. 78
matériau > produit alimentaire
Se dit d'un produit pulvérulent qui se dissout instantanément.
En. instant [8124]

INSTANTANÉE → disponibilité — .

INSTANTANÉISATION n.f. 76
technologie des matériaux > génie alimentaire
Technique de fabrication des poudres de lait instantanées
consistant à réhumidifier légèrement la poudre puis à la sécher
de nouveau.
En. instantanisation ; instantanization [7432]

INSTANTANÉISME n.m. 74
information > communication
Caractère instantané.
De. Augenblicks-Wirkung (f.)
En. instantaneity ; instantaneousness
Es. instantaneismo [5150]

INSTATIONNAIRE adj. 72
physique > mécanique
Se dit de phénomènes aérodynamiques qui prennent naissance
lorsqu'un mobile passe à grande vitesse à proximité d'un
élément fixe.
De. instationär [281]

INSTITUANT adj. 72
enseignement
Se dit d'une personne qui, par un processus d'intégration à un
groupe, participe à la création des institutions qui vont régir ce
groupe.
V. institutionnaliste ; pédagogie institutionnelle
En. instituter ; institutor [5554]

INSTITUANT n.m. 76
politique
Aspect créateur dynamique d'une institution.
V. institué [5672]

INSTITUÉ n.m. 76
politique
Aspect permanent statique d'une institution.
V. instituant [5673]

INSTITUTIONNALISTE adj. 72
enseignement
Propre à la pédagogie institutionnelle.
V. instituant ; pédagogie institutionnelle
En. institutionalist
Es. institucionalista [5556]

INSTITUTIONNELLE → pédagogie — .

INSTRUMENTAL → français — .

INSUFFLEUSE n.f. 74
économie > industrie agricole et alimentaire
Machine destinée au remplissage des bouteilles par du gaz
inerte avant leur remplissage définitif.
De. Gaseinfüllanlage (f.)
En. blowing-machine [4186 bis]

INSULAIRE → arc — .

INSULINOPRIVE adj./n.m. 77
pathologie animale > maladie de la nutrition et du métabolisme
[Se dit d'un] diabétique qui souffre d'un manque de sécrétion

en insuline.
De. Diabetiker (m.) mit Insulinmangel [7568]

INSUNYMIE n.f. 75
linguistique
Étude des noms d'iles.
En. insunymy
Es. insunimia [6092]

INTÉGRALE(S) → caméra à images —s ; réserve naturelle — .

INTÉGRATION n.f. 78
recherche et développement > exploration scientifique
Opération qui consiste à assembler les différentes parties constitutives d'un système et à assurer leur compatibilité.
De. Integration (f.)
En. integration [8909]

INTÉGRATION BIO-CARTOGRAPHIQUE n.f. 74
INTÉGRATION BIOCARTOGRAPHIQUE
cartographie
Procédé de mesure qui consiste à reproduire l'aspect synthétique d'un paysage en superposant soit totalement, soit en partie, un certain nombre de cartes analytiques rendant compte chacune d'un facteur écologique.
Es. integración bio-cartográfica [3040]

INTÉGRATRICE → bascule — .

INTÉGRÉ → bâtiment — .

INTÉGRÉE → école — ; lutte — .

INTÉGRON n.m. 73
génétique > information génétique
Système vivant se comportant comme une unité intégrée aux conditions ambiantes, grâce au déroulement régulier d'un programme génétique.
De. Integron (n.)
En. integrated system [616]

INTENSIFICATEUR D'IMAGES n.m. 74
instrumentation > équipement optique
Dispositif électronique qui, associé à un système optique, permet d'intensifier la luminosité d'une image.
De. Bildverstärkerröhre (f.)
En. image intensifier [3207]

INTENSIOSTATIQUE adj. 76
électrotechnique > mesure électrique
Se dit d'une méthode de mesure à intensité de courant électrique constante.
V. potentiocinétique
De. Konstantstrom-
En. constant current
Es. intensiostático [6500]

INTER → infographie — -active.

INTERACTIF → câble — ; système — .

INTERACTION À COURANTS NEUTRES n.f. 74
physique > physique des particules
Type d'interaction faible entre un neutrino et des particules lourdes sans que le neutrino se transforme en neutron. [3041]

INTERACTIVE → télévision — .

INTERBRAS n.m./adj. 75
sciences de l'espace
[Se dit d'une] région située entre les bras d'une galaxie.
En. interarm [5816]

INTERCALATION n.f. 76
éthologie
Phénomène d'incorporation d'une coordination acquise à une coordination héréditaire.
En. intercalation
Es. intercalación [5953]

INTERCEPTION n.f. 74
géophysique > hydrologie
Part des précipitations retenue par la végétation puis réévaporée et perdue par le sol.
En. interception [3746]

INTERCIRCULATION → bourrelet d' — .

INTERCONNECTEUR n.m. 75
électronique > composant électronique
Composant assurant la connexion entre deux ensembles.
En. interconnector [5418]

INTERCUSPIDATION n.f. 76
anatomie > anatomie animale
Position relative des dents (ou de certaines dents) telle que les cuspides viennent se loger exactement dans les sillons des dents antagonistes destinés à les recevoir.
De. Interkuspidation (f.)
En. intercuspation
Es. intercuspidación [6760]

INTERDIGITÉ adj. 76
électrotechnique > composant électrotechnique
Se dit d'une structure en peigne d'un composant actif (transistor...) dont les électrodes sont électriquement accouplées à l'aide de liaisons matérielles.
En. interdigital [6880]

INTERFAÇABLE adj. 77
informatique > organe de transmission de données
Se dit d'un dispositif placé entre deux systèmes de traitement de l'information et permettant les échanges de l'une à l'autre.
En. interfaceable [8643]

INTERFAÇAGE n.m. 74
informatique > organe de transmission de données
Action d'interfacer.
V. interfacer
En. interfacing [3747]

INTERFACER v. 75
informatique > organe de transmission de données
Réaliser les fonctions, imposées à une interface, en permettant des échanges entre deux appareils ou deux systèmes de caractéristiques ou de fonctions différentes.
V. interfaçage
De. anpassen
En. to interface [8910]

INTERFACIAL adj. 75
chimie > chimie du solide et du fluide
Relatif à la surface de séparation de deux milieux.
De. Grenzflächen-
En. interfacial [7703]

INTERFÉROGRAMME n.m. 75
instrumentation > interférométrie
Enregistrement des phénomènes d'interférence optique.
De. Interferogramm (n.)
En. interferogram
Es. interferograma [4099]

INTERGERBABLE adj. 76
propriété > propriété mécanique
Se dit de charges pouvant être gerbées avec d'autres charges.
En. interstackable ; self-nestable [5954]

INTERGRADE adj. 77
physique > mécanique
Se dit d'un sol à caractère intermédiaire entre deux sols typiques d'une classification des sols.
En. intergrade [8376]

INTERGRANULAIRE adj. 73
physique > physique du solide et du fluide
Qui se situe ou qui se produit entre les grains d'une substance.
De. interkristallin
En. intergranular [1513]

INTÉRIEUR → feu — .

INTERINDUSTRIEL adj. 74
économie > marché
Relatif à plusieurs industries.
En. interindustrial ; interindustry
Es. interindustrial [5557]

INTERLAC n.m. 75
géophysique > géomorphologie
Région située entre des lacs.
En. interlake [6501]

INTERLINGUE adj. 76
linguistique
Entre deux ou plusieurs langues.
V. intralingue
De. zwischensprachig [7433]

INTERMODAL adj. 74
conditionnement (emballage) > emballage
Se dit de charges normalisées en vue de différents modes de
transports et de manutention.
V. intermodalité
En. intermodal
Es. intermodal [3208]

INTERMODALITÉ n.f. 74
conditionnement (emballage) > emballage
Caractéristique de ce qui est intermodal.
V. intermodal
En. intermodality
Es. intermodalidad [3209]

INTERMUE n.m. 76
physiologie > développement (physiologie)
Intervalle qui sépare deux mues. [5955]

INTERNALISATION n.f. 72
psychologie > pathologie mentale
Fait que les phénomènes extérieurs et les relations vécues
soient intériorisés, enregistrés dans l'inconscient.
En. interiorization ; internalization
Es. internalización [5675]

INTERNALISTE adj. 73
histoire
Se dit de l'attitude qui consiste à étudier une situation
historique en elle-même, sans faire intervenir son environnement.
V. externaliste
En. internalist [790]

INTERNE → arc — ; médecine — ; plancher — ; poche
— ; réaction à sphère — .

INTER-NÉGATIF n.m. 75
INTERNÉGATIF
arts > photographie
Film négatif polychrome établi à partir d'un interpositif ou
d'un positif original en vue des tirages de série.
V. interpositif
De. Farbzwischennegativ (n.)
*En. color intermediate negative (U.S.A.) ; colour intermediate
negative (U.K.)*
Es. internegativo [4100]

INTERNISTE n. 76
médecine > spécialité médicale
Praticien de la médecine interne.
V. médecine interne
De. Internist (m.)
Es. internista [7434]

INTERNUCLÉOSOMIQUE adj. 78
constituant des organismes vivants
Se dit de l'ADN qui retient les noyaux des nucléosomes.
Es. internucleosómico [9188]

INTERPHONIE n.f. 77
télécommunications > téléphonie
Technique de transmission de sons par interphone.
De. Wechselsprechtechnik (f.)
En. interphony
Es. interfonía [7991]

INTERPHOTOTHÈQUE adj. 75
information > diffusion de l'information
Commun à plusieurs photothèques.
En. interphoto-library [5011]

INTERPLANÉTAIRE → scintillation — .

INTERPOLATEUR n.m. 76
automatisme > équipement automatique
1) Totalisateur dans le temps d'une quantité mesurée.
2) Bloc de calcul ayant pour fonction de définir la trajectoire
et la vitesse d'un outil de coupe sur une machine-outil à
commande numérique, selon une loi mathématique déterminée.
V. interpolation
De. Interpolator (m.)
En. interpolator ; interpolater [7298]

INTERPOLATION n.f. 76
automatisme > équipement automatique
Processus consistant à décomposer un déplacement oblique ou
curviligne en microdéplacements élémentaires successifs.
V. interpolateur
De. Interpolation (f.)
En. interpolation [7299]

INTERPOLATION DE LAGRANGE n.f. 77
mathématiques appliquées
Technique permettant de construire le polynome de degré qui
interpole une fonction (x) connue numériquement en $(n + 1)$
points $(x_o... x_n)$.
V. méthode des filtres autorégressifs.
En. Lagrange interpolation
Es. interpolación de Lagrange [9042]

INTERPOSITIF n.m. 72
arts > photographie
Copie positive intermédiaire polychrome établie par tirage
d'un internégatif.
V. inter-négatif
De. Farbzwischenpositiv (n.)
*En. color intermediate positive (U.S.A.) ; colour intermediate
positive (U.K.)*
Es. interpositivo [4101]

INTERPRÉTATION → photo- — .

INTERPRÉTEUR n.m. 75
informatique > programmation
Programme formé d'un ensemble de micro-instructions (routi-
nes) et utilisé pour contrôler les fonctions des processeurs de
système.
*De. Interpretierprogramm (n.) ; interpretierendes Programm
(m.) ; Interpretierer (m.)*
En. interpreter [6502]

INTERPRÉTOSCOPE n.m. 75
instrumentation > instrument d'optique
Stéréoscope à grossissement variable utilisé en photo-interpré-
tation scientifique.
De. Auswertungsstereoskop (n.)
En. interpreting stereoscope
Es. interpretoscopio [5151]

INTERRUPTEUR CRÉPUSCULAIRE n.m. 75
électrotechnique > circuit d'alimentation électrique
Dispositif qui ouvre ou ferme un circuit lorsque l'intensité de
la lumière franchit un certain seuil.
De. Dämmerungsschalter (m.)
En. dusk-to-dawn switch
Es. interruptor crepuscular [4678]

INTERRUPTIBILITÉ n.f. 73
informatique > système opératoire
Caractère de ce qui peut être interrompu.
De. Unterbrechbarkeit (f.) ; Unterbrechungsmöglichkeit (f.)
En. interruptibility
Es. interruptibilidad [5676]

INTERSECTORIELLE → stratégie — .

INTERSOCIÉTAL adj. 77
sociologie
Se dit des rapports entre des sociétés de type différent.
En. intersocietal [8125]

INTERSTADE n.m. 76
géophysique > glaciologie
Période qui s'étend entre deux stades glaciaires d'une époque
géologique.
De. Zwischenstadium (n.)
En. interglacial stage [7017]

INTERSTELLAIRE → vent — .

INTERSTITIEL adj. 75
physique > physique du solide et du fluide
Se dit d'un défaut ponctuel constitué par un atome ou ion
supplémentaire situé entre les emplacements normaux dans un
réseau cristallin et provoquant des déformations de ce réseau.
V. faute d'empilement
De. Zwischengitten-
En. interstitial
Es. intersticial [4230]

INTERSTITIELLE → aire — .

INTERTAXONIQUE adj. 77
statistique
Se dit de la distribution des caractéristiques taxonomiques
dans les différents taxons d'une classification.
V. intrataxonique
De. intertaxonisch
En. intertaxonic
Es. intertaxónico [7850]

INTER-TEXTE n.m. 71
INTERTEXTE
information > document
Ensemble des textes d'un écrivain où celui-ci traite de thèmes
identiques.
V. avant-texte ; extra-texte
De. verwandter Text (m.)
En. inter-text [5012]

INTERVALLE n.m. 77
transport et manutention > transport
Espérance mathématique du temps qui sépare deux arrivées
de cabine d'ascenseur au rez-de-chaussée.
De. Intervall (n.)
En. interval
Es. intérvalo [8377]

INTERVALLOMÈTRE n.m. 73
instrumentation > photographie
Dispositif permettant l'obtention automatique du déclenchement photographique à des intervalles préréglés.
En. intervalometer [284]

INTERVALLOMÉTRIE n.f. 75
instrumentation > mesure de temps
Technique de mesure propre à la chronométrie qui, lors de
l'étude de phénomènes physiques ou électroniques, ramène
l'observation à une ou plusieurs mesures d'intervalles de
temps séparant deux repères précis d'un signal.
En. time interval measurement [6881]

INTERVENANT n.m. 74
enseignement
Spécialiste dont la compétence dans un domaine précis lui
permet de dispenser un enseignement sans être lui-même
enseignant.
En. intervener ; intervenor [3575]

INTERVENTION → prix d' — .

INTERVILLE adj. 73
transport et manutention > infrastructure des transports
Se dit d'un train qui circule entre villes (par opposition au
train de banlieue).
De. intercity
En. inter-city ; main line [1333]

INTRACRATÉRIQUE adj. 73
géophysique interne
Intérieur à un cratère.
De. im Krater
En. intracrateral ; intracratering ; intracraterous [7018]

INTRADISCIPLINARITÉ n.f. 73
enseignement
Étude d'un thème à l'intérieur d'une discipline donnée.
V. transdisciplinarité
En. intradisciplinarity [1863]

INTRALINGUE adj. 76
linguistique
A l'intérieur d'une même langue.
V. interlingue
De. innersprachig [7435]

INTRATAXONIQUE adj. 77
statistique
Se dit des caractéristiques communes aux individus qui appar-
tiennent à un même taxon.
V. intertaxonique
De. intrataxonisch
En. intrataxonic
Es. intrataxónico [7851]

INTRINSÈQUE → barrière de sécurité — .

INTROGRESSION n.f. 74
génétique > information génétique
Introduction dans un groupe d'un gène appartenant à un autre
groupe
De. Introgression (f.)
En. introgression
Es. introgresión [3394]

INTUBÉ adj. 76
génie biomédical > chirurgie
Porteur d'un tube dans la trachée.
De. intubiert
En. intubated
Es. intubado [7704]

INUSINABLE n.m. 78
propriété > propriété technologique
Ensemble des matériaux aux caractéristiques mécaniques
élevées.
En. unmachinable [9335]

INVARIANT → plongement — .

INVASIF adj. 78
pathologie animale > pathologie tumorale
Se dit d'un cancer qui essaime (par opposition au cancer in
situ).
En. invasive [9189]

INVENTORIAGE n.m. 75
information > traitement documentaire
Opération qui consiste à décrire article par article les pièces
d'un fonds d'archives en groupant les articles suivant un ordre
déterminé pourvu d'une numérotation continue.
V. inventorisation ; inventoriste
De. Bestandsaufnahme (f.)
En. calendering [5014]

INVENTORISATION n.f. 73
information > traitement documentaire
Opération qui consiste à décrire article par article les pièces
d'un fonds d'archives en groupant les articles suivant un ordre
déterminé pourvu d'une numérotation continue.
V. inventoriage ; inventoriste
De. *Inventarisierung (f.)* ; *Inventarisation (f.)*
En. *inventory*
Es. *inventorización* [3748]

INVENTORISTE n. 75
information > traitement documentaire
Personne chargée de dresser un inventaire.
V. inventoriage ; inventorisation
En. *inventory taker* [5015]

INVERSE → osmose — .

INVERSÉE → presse — .

INVERSIBLE n.m. 75
arts > photographie
Surface sensible qui permet d'obtenir directement par traitement approprié une image dont la gamme de luminance est de
même sens que celle du sujet reproduit.
De. *Umkehrfilm (m.)*
En. *reversal film* ; *reversal material* ; *reversal paper* [5956]

INVERSION DE MIGRATION n.f. 73
éthologie
Erreur d'orientation des oiseaux en migration.
En. *migration inversion* ; *reverse migration* [1698]

IODOPHORE n.m. 73
pharmacologie > médicament
Substance germicide où l'iode joue le rôle de principe actif.
De. *Jodophor (m.)* [1161]

ION → contre- — .

IONICITÉ n.f. 72
chimie > constitution de la matière
Caractère ionique, par opposition à covalent, d'une liaison
chimique.
De. *Ionisierung (f.)*
En. *ionicity* ; *ionicness* [614]

IONIQUE → conduction — ; détecteur — ; superconducteur — .

IONISEUR → bio- — .

IONITRURATION n.f. 73
technologie des matériaux > traitement thermochimique
Traitement superficiel de l'acier par courant d'azote ionisé
pour augmenter sa résistance à l'usure. [1515]

IONOGÈNE adj. 73
chimie > constitution de la matière
Qui provoque l'ionisation.
De. *ionenbildend* ; *ionogen*
En. *ionogen*
Es. *ionógeno* [3395]

IONOGRAMME n.m. 74
représentation graphique > courbe
Courbe d'altitude-fréquence de l'atmosphère.
De. *Ionogramm (n.)*
En. *ionogram*
Es. *ionograma* [3396]

IONOMOLÉCULAIRE adj. 73
chimie > chimie analytique
Se dit d'une réaction dans laquelle intervient une molécule
portant une charge électrique.
De. *ionomolekular* [1699]

IONOPHORIQUE adj. 76
biochimie
Qui facilite le passage d'ions à travers une membrane biologi-

que.
En. *ionophorous*
Es. *ionofórico* [7019]

IRANOLOGUE n. 75
histoire
Spécialiste des études consacrées à la culture et à la civilisation
iraniennes.
En. *Persian scholar*
Es. *iranólogo* [3920]

IRIDOLOGIE n.f. 74
génie biomédical > diagnostic clinique
Étude de l'iris et de la pupille qui permet de dépister les
maladies de l'organisme.
De. *Augendiagnostik (f.)*
En. *iridology*
Es. *iridología* [3397]

IRRADIANCE n.f. 75
instrumentation > mesure de rayonnement ionisant
Puissance de rayonnement reçu par unité de surface de l'objet
éclairé.
V. irradiancemètre
De. *Bestrahlungsstärke (f.)*
En. *radiance* ; *radiancy*
Es. *irradiancia* [4853]

IRRADIANCE-MÈTRE n.m. 68
IRRADIANCEMÈTRE
instrumentation > mesure de rayonnement ionisant
Appareil destiné à mesurer en valeur absolue et dans un
intervalle étroit de longueur d'onde, la densité spectrale de
l'éclairement.
V. irradiance
En. *irradiancemeter*
Es. *irradiancémetro* [2376]

IRRIGATION AU GOUTTE À GOUTTE n.f. 78
génie hydraulique
Méthode d'irrigation dans laquelle l'eau sous faible pression
est amenée par les microtubules piqués sur les tuyaux à même
le sol, enterrés ou suspendus.
De. *Beregnung (f.)* ; *Tropfbewässerung (f.)*
En. *drip irrigation* ; *drop-by-drop irrigation* ; *trickle irrigation* [8644]

ISA (IMPRIMÉ SANS ADRESSE) n.m. 73
gestion, organisation, administration > gestion
Courrier composé d'imprimés ne comportant ni nom ni
adresse qu'un préposé dépose chez les particuliers.
V. CEDEX ; CIDEX ; postet
En. *householder article* ; *householder mail* [971]

ISENTROPE adj. 74
instrumentation > équipement aérospatial
Se dit d'un ballon asservi par pilotage à suivre dans l'atmos-
phère une trajectoire dont les points ont la même entropie.
De. *isentrop*
En. *isentropic*
Es. *isoentrópico* [2859]

ISLAMOLOGUE n. 76
histoire
Spécialiste des études consacrées à la culture et à la civilisation
islamiques.
En. *islamologist*
Es. *islamólogo* [7020]

ISOALKYLE n.m. 73
chimie > composé chimique
Chaîne à hydrocarbures saturée comprenant deux groupes
méthyle CH_3 à une terminaison de la chaîne linéaire.
De. *Isoalkyl (m.)*
En. *isoalkyl* [1335]

ISOBESTIQUE → point — .

ISOCHORONYME n.m. 75
linguistique
Se dit de noms géographiques ayant la même signification et provenant du mot-souche commun, mais orthographiés différemment selon les pays et les régions.
De. Iso-Choronym (n.)
En. isochoronym
Es. isocorónimo [6093]

ISOCROISSANCE n.f. 74
physiologie > développement (physiologie)
Croissance égale caractérisée par la même augmentation de dimensions, de qualité ou de valeur.
Es. isocrecimiento [8126]

ISODENSIMÉTRIQUE adj. 78
propriété > masse
De densimétrie égale.
De. isodensitometrisch
En. isodensimetric
Es. isodensimétrico [9043]

ISODENSITRACEUR n.m. 75
sciences de l'espace
Dispositif permettant de restituer des réseaux d'isodensités grâce à un traitement analogique effectué derrière la caméra.
En. isodensity tracer [6237]

ISODIAMÉTRIQUE adj. 75
physiologie > physiologie cellulaire
Dont le diamètre est de dimension égale.
De. isodiametrisch
Es. isodiamétrico [7569]

ISOÉLECTRIQUE > point — .

ISOFLEXION n.f. 74
physique > mécanique
Phénomène qui consiste pour une poutre, à avoir une contrainte de flexion constante le long de la fibre neutre.
En. isoflexure [7021]

ISOFLORE n.f. 74
biogéographie
Ligne délimitant les régions qui portent un nombre égal d'espèces appartenant à un même genre.
De. Isoflora (f.)
Es. isoflora [7570]

ISOGAMIE n.f. 73
sociologie
Mariage entre personnes de même statut social.
De. Isogamie (f.)
En. isogamy [5558]

ISOGÉNIQUE adj. 77
génétique > information génétique
Se dit d'une courbe joignant les points d'égale fréquence pour un gène donné. [6094]

ISOGREFFE n.f. 75
génie biomédical > chirurgie
Greffe réalisée entre un donneur et un receveur appartenant à la même espèce et possédant les mêmes gènes et antigènes d'histo-compatibilité.
V. allogreffe ; autogreffon ; xénogreffe
En. isogeneic homograft ; isograft ; syngeneic graft ; syngeneic homograft
Es. isoinjerto [6503]

ISOHÉLIE n.f. 75
arts > photographie
Tirage donnant une impression de bas-relief obtenu en couvrant le phototype négatif avec son positif de contact en repérage légèrement décalé et tiré presque avec le même contraste.
De. Isohelie (f.)
En. paraglyph [5419]

ISOHUMIQUE adj. 74
géologie > pédologie
Se dit d'un sol à caractère steppique, à profil AC riche en humus polymérisé et dont les teneurs en matière organique diminuent progressivement avec la profondeur.
De. isohumus
En. isohumic
Es. isohúmico [3749]

ISOKÉRAUNIQUE adj. 76
représentation graphique > courbe
Se dit d'une courbe reliant les points où les orages se présentent avec la même fréquence.
En. isoceraunic ; isokeraunic
Es. isokeráunico [6504]

ISOLAMIANTE n.m. 76
matériau > matériau composite
Matériau isolant à base d'amiante.
De. Isolierasbest (m.)
En. insulating arbestos [6370]

ISOLAT n.m. 76
matériau > produit chimique
Type de produit obtenu par isolement physique ou chimique à partir de matière brute. [4532]

ISOLATION → joue d' — .

ISOLÉ → bloc — .

ISOLIGNE n.f. 75
représentation graphique > courbe
Ligne reliant des points d'égale valeur.
De. Isolinie (f.)
En. isogram ; isoline
Es. isolínea [4679]

ISOPHONE n.m. 73
représentation graphique > courbe
Courbe unissant des points de même intensité de bruit.
De. Isophon (n.)
En. equal loudness curve ; isophon [465]

ISOPHOTE n.f. 72
sciences de l'espace
Ensemble des points de même luminance d'une surface brillante.
De. Isophote (f.)
En. isophote
Es. isofota [3577]

ISOPOLLUTION n.f. 76
représentation graphique > courbe
Distribution des points d'égale intensité de pollution.
En. isopollution
Es. isopolución [6761]

ISOPOTENTIEL adj. 78
anatomie > anatomie animale
De potentiel égal.
De. Äquipotential-
En. equipotential ; isopotential
Es. isopotencial [9044]

ISOPSOPHIQUE adj. 76
représentation graphique > courbe
Se dit d'une courbe reliant les points de même niveau de bruit
En. isopsophometric [4428]

ISOPYCNIQUE adj. 74
opération > centrifugation
Se dit d'un système dans lequel la densité reste constante.
En. isopycnal ; isopycnic [2518]

ISOSATURATION n.f. 75
représentation graphique > courbe
Distribution des points de couleur qui correspondent à des rayonnements hétérochromes pour lesquels l'œil éprouve la même impression de saturation. [4533]

ISOSHUNT n.m. 73
électrotechnique > composant électrotechnique
Shunt dont la résistance a une valeur égale à celle d'un autre shunt placé en série avec lui.
De. Isoshunt (m.)
En. isoshunt
Es. isoshunt [3578]

ISO-SIROP n.m. 78
ISOSIROP
matériau > produit de substitution
Type de sucre obtenu à partir de matières végétales traitées successivement par hydrolyse puis fermentation. [9336]

ISOSMOTIQUE adj. 77
physiologie > homéostasis
Se dit d'un équilibre osmotique créé lorsqu'il y a égalité de pression entre le milieu interne et le milieu externe.
V. anisosmotique
De. isosmotisch
En. isosmotic
Es. isosmótico [8127]

ISOSTRUCTURAL adj. 75
chimie > constitution de la matière
Se dit de corps qui présentent une même structure.
De. strukturgleich
En. isostructural
Es. isoestructural [6372]

ISOTACHE n.f. 75
représentation graphique > courbe
Courbe reliant les points d'égale valeur de la vitesse du vent.
De. Isotache (f.)
En. isotach ; isovel ; isokinetic
Es. isótaca [5152]

ISOTENEUR n.f. 78
propriété > composition
De même teneur métallifère pour les roches ayant le même faciès géochimique.
En. isograde (line) [9045]

ISOTENSOÏDE adj. 75
propriété > propriété mécanique
Se dit d'un matériau dans lequel la tension est constante.
En. isotensile ; isotensional
Es. isótensoíde [5153]

ISOTONE adj. 75
physique > onde ou rayonnement
Dans un diagramme de chromaticité, se dit d'un rayon issu du point achromatique spécifié, sur lequel sont alignés tous les points de couleur des stimuli de même dominante.
De. isoton
En. isotone [5957]

ISOTOPIQUE → abondance — .

ISOTYPE n.m. 76
immunologie
Caractère propre aux immunoglobulines d'une espèce, tous les individus de l'espèce ayant ce caractère.
V. isotypie
De. Isotyp (m.)
En. isotype
Es. isotipo [8378]

ISOTYPIE n.f. 76
immunologie
Ensemble des caractères immunologiques d'une espèce et la différenciant d'une autre espèce.
V. isotype
De. Isotypie (f.)
En. isotypy
Es. isotipia [8379]

ISOVAPO n.f. 75
représentation graphique > courbe
Courbe réunissant les points d'égale nordicité.
En. isovapo [4680]

IVOIRISATION n.f. 74
politique
Passage sous le contrôle des autorités ivoiriennes. [2860]

IVOIRISME n.m. 75
linguistique
Expression propre au français de Côte-d'Ivoire.
V. sénégalisme [7572]

IXODICIDE adj. 73
matériau > pesticide
Se dit d'une substance utilisée pour détruire les tiques.
V. détiqueur
En. ixodicide [4681]

J

JAGUARION n.m. 75
génétique > hybride
Hybride de jaguar et de lionne.
V. léopon ; ligre ; tigon ; zébrâne
En. jaguarion [3921]

JARDIN → feutre- — ; rez-de- — .

JARDIN À BOIS n.m. 75
agronomie > ensemble végétal
Parcelle d'hévéas plantée en vue de la production de latex.
V. jardin grainier
De. Baumgarten (m.)
En. crop-growing area [9046]

JARDINERIE n.f. 74
économie > activité commerciale
Établissement commercial, souvent de dimension importante, offrant tout ce qui concerne le jardin, principalement pour les résidences situées à proximité des grandes agglomérations.
De. Garten-Center (n.)
En. garden center (U.S.A.) ; garden centre (U.K.) [1516]

JARDIN GRAINIER n.m. 75
agronomie > ensemble végétal
Parcelle d'hévéas plantée en vue de la récolte des graines.
V. jardin à bois [9046]
De. Samengarten (m.)
En. seed production area ; seed-producing area [9047]

JARRETIÈRE n.f. 77
télécommunications > câble de transmission (télécommunications)
Double fil qui relie la ligne téléphonique d'un abonné à un sous-répartiteur d'immeuble.
En. jumper [7301]

JASPAGE n.m. 74
économie > industrie de l'imprimerie
Défaut d'une impression qui manque d'uniformité et présente un aspect moucheté.
De. Marmorierung (f.)
En. marbling ; worminess
Es. jaspeado [5016]

JAUGE DE TEMPÉRATURE n.f. 74
instrumentation > mesure thermique
Ensemble de timbres détachables en papier adhésif qui virent au noir à une température déterminée.
V. papier thermométrique ; pochette panachée
En. temperature gauge [3398]

JAUGEUR → bouchon- — .

JAUNE(S) → boues —s ; classe — ; gâteau — .

JÉJUNOSCOPE n.m. 73
génie biomédical > endoscopie
Endoscope permettant l'exploration du jéjunum.
V. coloscope
De. *Jejunoskop (n.)*
En. *jejunoscope* [113]

JET → courant- — ; imprimante à — d'encre.

JETÉE n.f. 73
bâtiment et travaux publics > construction
Couloir aménagé en superstructure reliant l'aérogare au satel-
lite ou au poste de stationnement d'avion.
De. *Finger (m.)*
En. *finger* [621]

JET PLAT n.m. 73
opération > projection de matière
Forme d'un jet de fluide dont la projection normale permet de
couvrir une surface ellipsoïdale.
V. cône creux ; cône plein
De. *Flachstrahl (m.) ; Fächerstrahl (m.)*
En. *flat jet* [1701]

JEU → télé- — .

JEU DE CONSTRUCTION n.m. 73
mécanique appliquée > assemblage
Ensemble des éléments modulaires normalisés permettant de
constituer différentes unités techniques.
V. lot
De. *Bausatz (m.)*
En. *kit* [1517]

JEU VIDÉO n.m. 77
jeu
Jeu électronique dont les circuits et les commandes d'utilisa-
tion sont présentés dans un boitier susceptible d'être relié à un
poste de télévision.
V. téléjeu
De. *Telespiel (n.)*
En. *electronic TV game ; video game ; TV video game* [8380]

JOCKEY n.m. 73
économie > industrie mécanique
Employé chargé des manœuvres de sortie, depuis la chaîne de
production, d'un véhicule neuf dans une usine de construction
automobile.
V. jockey chargeur ; jockey enleveur ; jockey parc [4429]

JOCKEY CHARGEUR n.m. 73
JOCKEY-CHARGEUR
économie > industrie mécanique
Employé chargé dans une gare, des manœuvres d'embarquement sur wagon des véhicules neufs, après leur sortie d'usine
et leur passage dans un parc de stationnement où une
destination leur a été affectée.
V. jockey ; jockey enleveur ; jockey parc [4430]

JOCKEY ENLEVEUR n.m. 73
JOCKEY-ENLEVEUR
économie > industrie mécanique
Employé chargé de conduire des véhicules neufs sur le lieu de
leur enlèvement.
V. jockey ; jockey chargeur ; jockey parc [4431]

JOCKEY PARC n.m. 73
JOCKEY-PARC
économie > industrie mécanique
Employé du parc où stationnent des véhicules neufs qui
attendent une destination après leur sortie d'usine.
V. jockey ; jockey chargeur ; jockey enleveur [4432]

JOINT-DIAPASON n.m. 74
mécanique appliquée > joint d'étanchéité
Joint constitué d'un matériau souple placé entre les deux

éléments de dilatation servant à pallier les effets de retrait.
En. *contraction joint ; shrinkage joint* [2377]

JONCTION → bague de — ; chauffage bi- — .

JONCTIONNEMENT n.m. 73
mécanique appliquée > assemblage
Opération qui consiste à jonctionner.
En. *end-to-end coupling* [2519]

JONCTIONNER v. 77
mécanique appliquée > assemblage
Joindre bout à bout.
V. jonctionnement [6373]

JOUE D'ISOLATION n.f. 76
environnement et sécurité > isolation acoustique
Paroi latérale qui, dans un laboratoire de langues, isole deux
pupitres l'un de l'autre.
De. *Trennwand (f.)*
En. *sidewall* [5958]

JOUJOUTHÈQUE n.f. 72
jeu
Local où sont rassemblés des jouets en vue de leur prêt ou de
leur utilisation sur place.
V. ludothèque
De. *Spielzeugbank*
En. *toy lending library ; toy-library ; toy library* [114]

JOUR → degré- — ; hôpital de — ; visiteur — .

JUGE RÉFÉRENDAIRE n.m. 74
réglementation, législation > droit
Fonctionnaire de justice choisi parmi les greffiers ayant la
pratique de la procédure et remplissant certaines fonctions
juridictionnelles. [2520]

JUGULOGRAMME n.m. 78
instrumentation > mesure des phénomènes physiologiques
Enregistrement des pouls des vaisseaux jugulaires.
V. carotidogramme ; mécanographie
En. *jugular pulse tracing* [9337]

JUMBOÏSATION n.f. 78
transport et manutention > exploitation des transports
Fait de jumboïser un moyen de transport.
V. jumboïser [9338]

JUMBOÏSER v. 78
transport et manutention > exploitation des transports
Donner à un moyen de transport la même capacité en charge
utile qu'un gros porteur.
V. jumboïsation [9339]

JUNGE → couche de — .

JUPE n.f. 76
conditionnement (emballage) > fermeture
Enveloppe de protection recouvrant le bouchon et le goulot
d'une bouteille.
De. *Kapsel (f.)* [7436]

JUPE n.f. 74
mécanique appliquée > assemblage
Extrémité d'un outil dont la forme a été étudiée pour coiffer et
maintenir en prise un objet en s'adaptant au volume de celui-ci.
De. *Hülle (f.)* [3922]

JUPE → sous- — .

JURIMÉTRIE n.f. 74
réglementation, législation > droit
Étude des coûts et des rendements des institutions judiciaires.
En. *jurimetrics* [6882]

JURISCRATIE n.f. 76
réglementation, législation > droit
Organisation des pouvoirs conférant d'importantes responsabilités aux juges.

De. *Juriskratie (f.)*
Es. *juriscracia* [7437]

JURISTICIEN n.m. 70
sociologie
Juriste sociologue qui se consacre à l'étude des motivations sociales des règles juridiques et de leur influence sur la société.
De. *Rechtssoziologe (m.)*
En. *legal sociologist* [5154]

JUS DE GOUTTE n.m. 75
technologie des matériaux > génie alimentaire
Jus de raisin obtenu au cours de la macération carbonique par éclatement des grains sans pressurage.
En. *free-run juice* [4854]

JUTEUR n.m. 74
génie hydraulique
Tube capillaire généralement posé à même le sol parfois enterré ou suspendu et utilisé pour l'irrigation au goutte à goutte.
V. baveur ; goutteur ; irrigation goutte à goutte
De. *Regner (m.)*
En. *trickler* [4682]

JUTEUSE n.f. 74
économie > industrie agricole et alimentaire
Machine destinée au remplissage en jus, des boîtes contenant déjà un produit solide.
V. emboîteuse-juteuse ; juteuse à refus [3211]

JUTEUSE → emboîteuse- —.

JUTEUSE À REFUS n.f. 74
économie > industrie agricole et alimentaire
Type de juteuse qui remplit un récipient à ras tout en laissant couler le jus jusqu'à ce que le surplus déborde.
V. juteuse [4103]

JUTOSITÉ n.f. 73
propriété > propriété organoleptique
Caractère d'un aliment qui exprime du jus au cours de la mastication.
De. *Saftgehalt (m.) ; Saftigkeit (f.)*
En. *juiciness* [622]

JUXTAGLACIAIRE adj. 77
géophysique > glaciologie
Se dit des dépôts et des formes situés contre le bord d'un glacier et des processus qui les engendrent. [7150]

JUXTASPÉCIFIQUE adj. 77
systématique
Relatif à une juxtespèce.
V. juxtespèce [8646]

JUXTAVESTIBULAIRE → vésicule — .

JUXTESPÈCE n.f. 77
systématique
Espèce affine à une autre.
V. juxtaspécifique
En. *related species* [8647]

KÉROGENÈSE n.f. 75
biochimie
Ensemble des processus au cours desquels la matière organique du milieu marin évolue dans le sédiment jusqu'à une forme insoluble dans les solvants aqueux et organiques.
De. *Kerogenese (f.)*
En. *kerogenesis ; kerogen formation*
Es. *kerogénesis* [8128]

KILOMÈTRE (au —) adj. 75
impression
Se dit d'un mode de composition de textes destinés à l'impression sans prendre garde aux coupes à l'intérieur des mots.
De. *fortlaufend*
En. *idiot* [4771]

KILOTONNIQUE adj. 73
énergie (technologie) > énergie nucléaire
Se dit d'une charge nucléaire dont les effets sont équivalents à ceux d'une charge de TNT (trinitrotoluène) de 1 000 tonnes.
De. *Kilotonnen-* [1337]

KINANTHROPOLOGIE n.f. 77
physiologie > physiologie de l'appareil locomoteur
Étude des mécanismes et des phénomènes reliés à l'effort physique humain.
De. *Kinanthropologie (f.)*
En. *kinanthropology* [8381]

KINESCOPAGE n.m. 75
télécommunications > radiotechnique
Enregistrement d'une émission de télévision au moyen d'un kinescope. [4301]

KINÉSIQUE n.f./adj. 76
information > communication
[Se dit de] la partie de la sémiotique qui étudie les gestes et les mimiques.
De. *Kinesik (f.)*
En. *kinesic (adj.) ; kinesics*
Es. *kinésico* [6239]

KINOIS n.m. 77
localisation
Habitant de Kinshasa.
En. *Kinshasan* [7852]

K-MOT n.m. 73
informatique > mémoire (ordinateur)
$1024 = 2^{10}$ mots (groupe de caractères ou de bits occupant une seule position mémoire dans un ordinateur).
De. *KBit ; KByte*
En. *K word* [1165]

KOMAROVIT n.m. 75
géologie > minéralogie
Composé de nobium, de calcium et de manganèse.
V. lovdarit [4233]

KORISTE n. 74
arts > musique
Joueur de kora.
De. *Koraspieler (m.)*
En. *kora player* [2521]

KRIGEAGE n.m. 76
géophysique > météorologie
Méthode d'interpolation spatiale prenant en compte la configuration géométrique des points d'observation ainsi que la structure spatiale propre à la variable concernée.
V. cokrigeage
En. *kriging* [6883]

KYMATOPAUSE n.f. 77
géophysique > géomorphologie
Niveau inférieur d'action de la houle sur les fonds sous-marins ou sous-lacustres. [7151]

LABOBUS n.m. 78
instrumentation > laboratoire
Véhicule muni d'appareils de laboratoire destinés à l'examen

d'œuvres d'art endommagées en vue de leur restauration.
En. mobile conservation laboratory [8648]

LABORANT n.m. 74
instrumentation > laboratoire
Employé de laboratoire qui seconde le chef de laboratoire dans ses travaux pratiques.
V. laboriste
De. Laborant (m.)
En. laboratory assistant
Es. laborante [3923]

LABORATOIRE → zone — .

LABORATOIRE AUDIO-ACTIF COMPARATIF n.m. 74
LABORATOIRE AUDIOACTIF COMPARATIF
enseignement
Local destiné à l'enseignement des langues équipé de cabines insonorisées individuelles munies de magnétophones pour les élèves et d'un pupitre de commande pour le maître.
V. laboratoire audio-actif semi-comparatif ; laboratoire audio-actif simplifié ; laboratoire audio-passif ; laboratoire de recyclage
De. HSA-Labor (n.) (Hörsprech-Aufnahme-Labor) [3042]

LABORATOIRE AUDIO-ACTIF SEMI-COMPARA-TIF n.m. 74
LABORATOIRE AUDIOACTIF SEMICOMPARATIF
enseignement
Dispositif d'enseignement des langues constitué d'un magnétophone collectif relié à des casques d'écoute individuels, et d'une console de commande permettant au professeur de communiquer avec chacun des élèves par interphonie.
V. laboratoire audio-actif comparatif ; laboratoire audio-actif simplifié ; laboratoire audio-passif ; laboratoire de recyclage [3043]

LABORATOIRE AUDIO-ACTIF SIMPLIFIÉ n.m. 74
LABORATOIRE AUDIOACTIF SIMPLIFIÉ
enseignement
Dispositif d'enseignement des langues constitué d'un magnétophone collectif relié à des casques d'écoute individuels permettant un retour d'écoute locale pour répétition et autocorrection.
V. laboratoire audio-actif comparatif ; laboratoire audio-actif semi-comparatif ; laboratoire audio-passif ; laboratoire de recyclage
De. HS-Labor (n.) (Hörsprech-Labor) [3044]

LABORATOIRE AUDIO-PASSIF n.m. 74
LABORATOIRE AUDIOPASSIF
enseignement
Dispositif d'enseignement des langues constitué d'un magnétophone collectif relié à plusieurs casques d'écoute individuels destinés aux élèves.
V. laboratoire audio-actif comparatif ; laboratoire audio-actif semi-comparatif ; laboratoire audio-actif simplifié ; laboratoire de recyclage
De. H-Labor (n.) (Hör-Labor) [3045]

LABORATOIRE DE RECYCLAGE n.m. 74
enseignement
Dispositif d'enseignement des langues constitué de magnétophones et casques d'écoute indépendants à télécommande intégrale destinés aux élèves.
V. laboratoire audio-actif comparatif ; laboratoire audio-actif semi-comparatif ; laboratoire audio-actif simplifié ; laboratoire audio-passif [3046]

LABORISTE n. 74
instrumentation > laboratoire
Employé de laboratoire dont les responsabilités et les activités se situent entre celles du laborant et celles du garçon de laboratoire.
V. laborant
De. Laborwerker (m.)
En. under-assistant to the laboratory chief
Es. ayudante de laboratorio [3924]

LAC → usine — .

LACERTIDE n.m./adj. 74
sciences de l'espace
Dont le spectre optique ne présente aucune raie susceptible de donner la distance de l'objet céleste en utilisant son décalage spectral comme dans le cas de BL Lacertae.
En. lacertid
Es. lacértido [3399]

LACET → frappe en — .

LACTOGENÈSE n.f. 74
anatomie > anatomie animale
Synthèse des constituants organiques du lait par la glande mammaire.
Es. lactogénesis [7438]

LAGRANGE → interpolation de — .

LAGUNAGE n.m. 74
économie > industrie anti-pollution
Opération qui consiste à épurer les eaux usées en recueillant ces dernières en plein air et en les laissant reposer jusqu'à ce que les déchets soient dégradés.
V. lagune
De. Lagoonverfahren (n.) ; Schlammteichverfahren (n.)
En. lagooning [2229]

LAGUNE n.f. 76
économie > industrie anti-pollution
Bassin destiné à recueillir en plein air les eaux usées ou les boues afin d'en faciliter le traitement.
V. lagunage
En. lagoon [5560]

LAIT DE SUITE n.m. 78
matériau > produit alimentaire
Lait absorbé par un enfant pendant le deuxième semestre de sa vie et succédant au lait maternel ou maternisé. [9049]

LAIT FILÉ n.m. 75
matériau > produit alimentaire
Lait dont l'acidification est combinée à l'action de bactéries filantes.
En. long milk [4683]

LAITIER → grave- — .

LALOPATHIE n.f. 73
pathologie animale > trouble fonctionnel
Trouble de la parole et du langage.
De. Lalopathie (f.)
En. lalopathy ; speech handicap
Es. lalopatía [1338]

LAME (en —) n.f. 78
physique > physique du solide et du fluide
Type de dislocation obtenue par déplacement d'une face de la coupe suivant un axe appartenant au plan des surfaces de coupure.
V. coin ; désinclinaison ; désinclinaison coin
En. edge [8649]

LAMELLAIRE adj. 75
génie biomédical > chirurgie
Se dit d'un type de greffe qui consiste à ne remplacer que deux couches superficielles de la cornée.
V. transfixiant
De. lamellär
En. lamellar [4303]

LAMINETTE n.f. 73
matériau > polymère (matériau)
Film de plastique.
De. Kunststoffolie (f.)
En. fibrillated film [1703]

LAMINOIR ÉCROUISSEUR n.m. 73
technologie des matériaux > équipement industrie transformation
Machine qui permet de travailler un métal ou un alliage à une température inférieure à la température de recuit afin d'élever sa résistance à certaines attaques ou déformations.
En. cold-rolling mill [2060]

LANCE-FEUILLARD n.m. 75
conditionnement (emballage) > emballage
Organe d'un appareil à cerclage de charges destiné à débiter du feuillard.
De. Umschnürungsbandgeber (m.)
En. strapping dispenser [4304]

LANCEMENT → aire de — ; état de — .

LANCEUR → cintre auto- — .

LANCEUR DE SABLE n.m. 73
bâtiment et travaux publics > matériel de chantier
Appareil utilisé pour mettre en stock par projection des matériaux à granulation fine.
De. Sandgebläse (n.)
En. sand thrower [795]

LANGUE → euro- — .

LAOTIENNE n.f. 75
pharmacologie > toxicologie
Type de drogue dure à forte dose d'héroïne.
En. Laotian heroin [4104]

LAPIN → poisson — .

LAPINISÉ adj. 73
organisme vivant > microorganisme
Se dit d'un virus modifié par passage chez le lapin ou sur culture de tissu de lapin.
V. avianisé ; caprinisé
En. lapinised ; lapinized [4684]

LARGEUR → onduleur à modulation de — d'impulsions.

LARGEUR NATURELLE n.f. 74
physique > physique des particules
Largeur d'une raie émise dont la valeur est imposée par le principe d'incertitude temps-énergie.
De. natürliche Linienbreite (f.)
En. natural line-breadth [2685]

LARGUEUR n.m. 76
transport et manutention > exploitation des transports
Spécialiste chargé, à bord d'un aéronef, du parachutage du personnel ou de matériel.
De. Absetzer (m.)
En. dispatcher [7023]

LARVÉE → ébullition — .

LASER → ciseau- — .

LASURE n.f. 76
bâtiment et travaux publics > traitement de surface
Produit ou ensemble de produits de protection biologique superficielle, non filmogène, à vocation de finition décorative.
De. Lasur (f.)
En. surface coating ; integrated surface coating [7024]

LATÉNIEN adj. 75
histoire
Propre à la civilisation celtique de la Tène.
De. Latène-
En. La Tène [6647]

LATÉRAL → chariot — .

LATÉRALISER (se —) v. 71
pathologie animale > trouble fonctionnel
Acquérir la dominance fonctionnelle d'un côté du corps humain sur l'autre, ce qui détermine des droitiers et des gauchers.
V. dyslatéralisation
De. to acquire lateral dominance [5420]

LATÉRALITÉ n.f. 75
information > théorie de l'information
Communication dans laquelle l'information circule à sens unique entre l'émetteur et le récepteur.
En. laterality
Es. lateralidad [4685]

LATÉRITÉ adj. 73
bâtiment et travaux publics > traitement de surface
Recouvert de latérite.
De. mit Lateritdecke [1704]

LAURISYLVE n.f. 77
agronomie > ensemble végétal
Type de forêt sempervirente.
En. temperate rain forest ; laurel forest ; laurisilva [9340]

LAVABILISATEUR adj. 76
bâtiment et travaux publics > traitement de surface
Se dit d'un traitement de surface qui rend le lavage résistant aux salissures.
De. Deckschicht (f.)
En. wash primer [5959]

LAVAGE n.m. 77
géophysique > hydrogéologie
Évacuation par les eaux de la fraction fine et meuble d'un dépôt hétérométrique. [7152]

LAVAGE → roue de — .

LAVÉ adj. 76
information > moyen d'information
Se dit d'un texte simplifié et adapté au niveau des élèves.
En. watered-down [7853]

LAVÉ → enduit — .

LAVE-LINGE n.m. 74
vie quotidienne > équipement ménager
Machine à laver le linge.
De. Waschmaschine (f.)
En. washer ; washing machine ; washing-machine [1868]

LAVEUR n.m. 74
action sur l'environnement > climatisation
Humidificateur d'air.
Es. humidificador de aire [2863]

LAVEUR → auto- — .

LAVE-VITRE n.m. 73
opération > nettoyage
Appareil destiné au nettoyage de toute surface lisse.
De. Scheibenwäscher (m.)
En. window-washer [1166]

LECTINE n.f. 73
constituant des organismes vivants
Substance d'origine végétale susceptible de provoquer des phénomènes semblables à des réactions immunologiques.
De. Lektin (f.)
En. lectin [287]

LECTOTYPE n.m. 76
systématique
Spécimen choisi comme holotype d'une série de syntypes (cotypes) au cours d'une nouvelle étude de l'espèce.
V. syntype
En. lectotype
Es. lectotípo [7706]

LED (Light Emitting Diode) n.f. 75
électronique > composant électronique
Diode qui permet la transformation d'un courant électrique en rayonnement lumineux.

V. DEL ; luminodiode
En. L.E.D. [7575]

LÉGER → terminal — .

LÉGÈRE → eau — .

LEMME n.m. 76
information > traitement de l'information
Entrée d'un dictionnaire automatique.
De. Lemma (n.)
Es. lema [7439]

LEMNISCAL adj. 76
anatomie > anatomie animale.
Relatif au lemniscus.
En. lemniscal [6885]

LÉMURIFORME adj. 76
zoologie
Qui présente certains caractères d'un lémurien.
De. lemurenartig
En. lemuriform
Es. lemuriforme [6270]

LÉNITIQUE adj. 76
environnement et sécurité > environnement
Se dit de l'aspect des eaux stagnantes ou faiblement courantes.
V. lotique
De. lenitisch [7440]

LENTES → sommeil à ondes — .

LÉOPON n.m. 75
génétique > hybride
Hybride de léopard et de lionne.
V. jaguarion ; ligre ; tigon ; zébrâne
De. Leodon (m.)
En. leopon [3925]

L.E.P. (LYCÉE D'ENSEIGNEMENT PROFESSIONNEL) n.m. 77
enseignement
Lycée d'enseignement professionnel créé pour remplacer le collège d'enseignement technique. [8911]

LESSIVABILITÉ n.f. 75
opération > nettoyage
Aptitude d'un matériau à subir un lavage à l'aide de lessives.
De. Waschbarkeit (f.)
En. washability [5155]

LESSIVÉ adj. 77
génie biomédical > thérapeutique immunologique
Se dit d'un vaccin traité par un détergent qui permet de séparer les antigènes vaccinants du corps bactérien. [7153]

LÉTHARGIE n.f. 76
énergie (technologie) > énergie nucléaire
Logarithme naturel du quotient d'une énergie de référence par l'énergie d'un neutron.
De. Lethargie (f.)
En. lethargy [6505]

LETTE n.f. 77
géophysique > géomorphologie
Dépression allongée entre deux lignes de dunes.
En. slack [6648]

LETTRAGE PAR TRANSFERT n.m. 74
reprographie
Impression d'éléments graphiques par transfert de ces éléments d'un matériau porteur sur la surface d'un matériau récepteur.
V. lettres-transfert
De. Frottage (f.)
En. transfer lettering [3583]

LETTRE DE CHANGE-RELEVÉ n.f. 74
gestion, organisation, administration > gestion financière
Effet de commerce traité par un ordinateur qui reçoit les informations de toutes les banques et les échanges afin d'éviter la circulation du papier. [2687]

LETTRES → programme — -chiffres ; vide- — .

LETTRES TRANSFERT n.f.pl. 74
LETTRES-TRANSFERT
reprographie
Lettres normalisées destinées à être transférées d'un matériau porteur sur la surface d'un matériau récepteur.
V. lettrage par transfert ; programme lettres-chiffres
De. Abziehbuchstaben (m.)
En. transfer letters [3048]

LEUCÉMOGÈNE adj. 75
organisme vivant > microorganisme
Se dit d'un agent qui provoque la leucémie.
De. leukämogen
En. leukemogenic
Es. leucemógeno [4105]

LEUCIE n.f. 75
physique > optique
Attribut de la sensation visuelle selon lequel un corps paraît transmettre ou réfléchir par diffusion une fraction plus ou moins grande de la lumière incidente.
De. Helligkeit (f.)
En. lightness ; greyness [5817]

LEUCOPÉNIANT adj. 76
constituant des organismes vivants
Qui diminue le taux des leucocytes circulant au-dessous de 5 000 par millimètre cube.
En. leukocytopenia-induced ; leukopenia-induced [6506]

LEVADON n.m. 75
agronomie > culture spéciale
Levée de terre permettant de compartimenter le sol d'une rizière.
De. Felddamm (m.)
En. levee [5818]

LEVAGEUR-MANUTENTIONNAIRE n.m. 78
transport et manutention > engin de levage
Spécialiste des opérations relatives à la location, à la conduite et à l'entretien de grues.
De. Kranverleiher (m.) [8912]

LÈVE-VITRE n.m. 76
électronique > électronique industrielle
Dispositif électromécanique qui permet de lever et d'abaisser les glaces d'un véhicule automobile.
De. Fensterheber (m.) [7576]

LÈVRE FRONTALE n.f. 74
mécanique appliquée > joint d'étanchéité
Partie de joint qui prend appui sur un épaulement ménagé sur la pièce à joindre, et assure un premier niveau de protection à la lèvre inférieure du joint.
De. vordere Dichtlippe (f.)
En. frontal edge [3400]

LEVURERIE n.f. 74
économie > industrie agricole et alimentaire
Fabrique de levure.
De. Hefefabrik (f.)
En. yeast factory [2688]

LEVURIER n.m. 77
économie > industrie agricole et alimentaire
Bac métallique servant de réservoir à levures dans l'industrie brassicole.
De. Hefebehälter (m.)
En. yeast tub ; yeast bucket [7992]

LEXÉMATIQUE adj. 75
linguistique
Relatif à un lexème.
De. lexematisch
En. lexemic [4686]

LEXICOGÉNIQUE adj. 74
linguistique
Qui produit des mots nouveaux.
En. lexicogenic
Es. lexicogénico [3584]

LEXIGRAMME n.m. 75
information > théorie de l'information
Combinaison de figures qui représente un concept.
De. Lexigramm (n.)
En. lexigram
Es. lexigrama [5304]

LEXIMÉTRIE n.f. 72
psychologie > pathologie mentale
Ensemble de tests de lecture fondés sur des systèmes étalonnés de notation des fautes permettant de mesurer le niveau d'acquisition en lecture chez les dyslexiques.
En. leximetry [5421]

LIAISON → col de — ; pont de — ; résistance de — .

LIAISON POINT À POINT n.f. 74
télécommunications > communication spatiale
Circuit ouvert de distribution (par voies hertziennes) avec relais de bâtiment à bâtiment.
De. Punkt-zu-Punkt-Verbindung (f.)
En. point-to-point link [2864]

LIBÉRISTE n. 76
sport
Pilote d'une aile volante.
V. aile volante
En. hang-gliding pilot ; hang pilot [6508]

LIBERTÉ → degré de — .

LIBRE(S) → chargement flottant — ; eau — ; encre — ; horaire — ; mains — ; transporteur à rouleaux —s .

LIBRE SERVICE DE GROS n.m. 77
économie > activité commerciale
Lieu où l'on rencontre un mode d'exercice du commerce de gros consistant en la vente à des détaillants qui choisissent librement les marchandises.
De. Cash and carry (m.) ; Selbstbedienungsgroßmarkt (m.)
En. cash and carry [8650]

LICENCE SÈCHE n.f. 73
réglementation, législation > droit
Licence de fabrication cédée sans savoir-faire, sans assistance technique. [797]

LICHÉNOLOGIE n.f. 74
organisme vivant > végétal
Étude des lichens.
De. Lichenologie (f.)
Es. liquenología [7577]

LICHOMANIE n.f. 73
pathologie animale > étiologie et pathogénie
Maladie qui se traduit par le léchage de tous les objets entourant l'animal et souvent le pelage de ses congénères ce qui provoque des troubles digestifs.
De. Lecksucht (f.)
En. licking disease ; licking sickness [1340]

LIDAR n.m. 75
télécommunications > communication spatiale
Dispositif de localisation et de poursuite télémétrique par rayon laser.
V. sodar
En. lidar
Es. lidar [4189 bis]

LIÉ → élevage- — ; filé- — .

LIÉE → eau — .

LIEN → pseudo- — .

LIGNARD n.m. 75
énergie (technologie) > énergétique
Poseur et réparateur de lignes et d'installations électriques.
En. lineman ; linesman [4106]

LIGNE → correction en — ; pompe en — ; pose en — .

LIGNE D'ACTION n.f. 72
mécanique appliquée > organe de machine (transmission)
Normale commune à deux profils conjugués en leurs points de contact.
V. ligne de conduite
En. transverse line of action ; line of action [289]

LIGNE DE CONDUITE n.f. 72
mécanique appliquée > organe de machine (transmission)
Ligne décrite, dans un plan de section droite, par les points de contact successifs de deux profils conjugués.
V. ligne d'action
En. transverse path of contact ; path of contact [290]

LIGNE DE RUPTURE n.f. 74
mécanique appliquée > découpage-découpe
Tracé déterminé à l'avance par prédécoupage suivant lequel une partie d'un matériau peut être détachée de l'ensemble.
De. Sollbruchlinie (f.)
En. break-off line
Es. línea de ruptura [3585]

LIGNE MICROFENTE n.f. 78
énergie (technologie) > énergétique
Ligne électrique qui sert de guide à une propagation d'onde électromagnétique, réalisée en gravant une fente sur la face métallisée d'un substrat diélectrique.
V. ligne microruban
En. microslot line [8913]

LIGNE MICRORUBAN n.f. 78
énergie (technologie) > énergétique
Ligne électrique qui sert de guide à une propagation d'onde électromagnétique, constituée d'un ruban conducteur déposé sur un substrat diélectrique dont la seconde face métallisée fait office de plan de masse.
V. ligne microfente
En. microstrip line [8914]

LIGNE PLATE n.f. 76
énergie (technologie) > énergétique
Dispositif formé d'une feuille isolante recouverte, sur ses deux côtés, de dépôts métalliques auxquels sont connectées deux bornes de sortie.
En. radio-shielded line [6886]

LIGNE SONIQUE n.f. 74
électronique > équipement électronique
Tube rempli de mercure dans lequel des trains d'impulsion sont envoyés à l'aide de transducteurs piézoélectriques.
En. mercury delay line [2378]

LIGNEUR n.m. 75
transport et manutention > canalisation-conduite
Dispositif permettant d'aligner pour leur raccordement, les deux tronçons d'un pipeline sous-marin et constitué d'une structure descendue par des câbles et munie de pinces télécommandes.
En. alignment tool [6763]

LIGNOCELLULOSE n.f. 76
matériau > pâte à papier
Substance composée de lignine et de cellulose.
De. Lignozellulose (f.)
En. lignocellulose
Es. lignocelulosa [6375]

LIGRE n.m. 75
génétique > hybride
Hybride de lion et de tigresse.
V. jaguarion ; liopon ; tigon ; zébrâne
En. liger [3926]

LIMITES D'ATTERBERG n.f.pl. 77
physique > mécanique
Ensemble de paramètres permettant d'apprécier les changements d'état hydromécanique d'un sol.
En. Atterberg limits [8382]

LIMNICULTURE n.f. 76
aquaculture
Aménagement et mise en valeur des lacs et des étangs.
V. dulçaquiculture ; mariculture ; valliculture
De. Limnokultur (f.)
En. limniculture
Es. limnicultura [6241]

LIMNIGRAMME n.m. 75
représentation graphique > courbe
Représentation graphique des variations d'un plan d'eau.
De. Limnogramm (n.) ; Wasserstandsaufzeichnung (f.)
En. limnograph
Es. limnograma [4306]

LIMNOCRÈNE adj. 67
géophysique > hydrogéologie
Se dit d'une source située dans une dépression de terrain et apparaissant dans un terrain meuble sous forme d'entonnoir.
V. hélocrène ; rhéocrène [7579]

LIMOLOGIE n.f. 75
réglementation, législation > droit
Étude des frontières.
En. limology
Es. limologia [6508]

LINE → pipe- — .

LINÉAIRE n.m. 74
propriété > configuration
Périmètre constitué par les faces-avant des meubles de présentation d'un magasin.
V. linéaire au sol ; linéaire développé [3927]

LINÉAIRE → système — .

LINÉAIRE AU SOL n.m. 74
propriété > configuration
Linéaire mesuré au niveau des dimensions hors-tout au sol du meuble de vente.
V. linéaire ; linéaire développé [3928]

LINÉAIRE DÉVELOPPÉ n.m. 74
propriété > configuration
Linéaire totalisant le linéaire de chacun des niveaux du meuble de vente.
V. linéaire ; linéaire au sol [3929]

LINÉARISATEUR n.m. 75
instrumentation > appareil électronique de mesure
Dispositif électronique dont la fonction de transfert modifiable permet d'obtenir en sortie une représentation linéaire d'une grandeur d'entrée non linéaire.
V. linéariser ; linéariseur
De. Linearisierungsschaltung (f.)
En. linearizer [6764]

LINÉARISATION n.f. 75
mathématiques appliquées
Transformation d'une grandeur non linéaire en une grandeur linéaire par une combinaison de fonctions mathématiques.
De. Linearisierung (f.)
En. linearization
Es. linealización [5677]

LINÉARISER v. 75
instrumentation > appareil électronique de mesure
Rendre une grandeur linéaire.
V. linéarisateur
De. linearisieren
En. to linearize
Es. linearizar [6765]

LINÉARISEUR n.m. 75
instrumentation > appareil électronique de mesure
Dispositif électronique dont la fonction de transfert modifiable permet d'obtenir en sortie une représentation linéaire d'une grandeur d'entrée non linéaire.
V. linéarisateur ; linéariser
De. Linearisierungsschaltung (f.)
En. linearizer [6766]

LINÉIQUE → puissance — .

LINGE → lave- — .

LINGUISTIQUE → analyseur — ; surface — .

LINICULTEUR n.m. 75
agronomie > culture spéciale
Agriculteur spécialisé dans la culture du lin.
De. Flachsbauer (m.)
En. flax grower [5678]

LION → singe- — .

LIPOCHIMIE n.f. 76
économie > industrie chimique
Chimie des corps gras.
De. Fettchemie (f.)
En. lipid chemistry
Es. lipoquímica [6509]

LIPOSTATIQUE adj. 73
physiologie > neurophysiologie
Se dit d'un phénomène qui maintient constante la masse des réserves de graisses dans un tissu vivant.
De. lipostatisch
En. lipostatic [467]

LIQUEUR BLANCHE n.f. 75
matériau > lessive résiduaire (papeterie)
Liqueur verte caustifiée.
V. liqueur noire ; liqueur verte
De. Frischlauge (f.)
En. white liquor [4434]

LIQUEUR MÈRE n.f. 73
LIQUEUR-MÈRE
chimie > chimie du solide et du fluide
Solution saturée en équilibre avec la substance à dissoudre.
De. Mutterlauge (f.) ; Stammlösung (f.)
En. mother liquor [1167]

LIQUEUR NOIRE n.f. 74
matériau > lessive résiduaire (papeterie)
Produit résultant du traitement du bois dans la fabrication de la cellulose.
V. liqueur blanche ; liqueur verte
De. Abfallauge ; Schwarzlauge (f.)
En. black liquor [2062]

LIQUEUR VERTE n.f. 75
matériau > lessive résiduaire (papeterie)
Lessive résiduaire de cuisson obtenue en dissolvant les produits récupérés dans l'élaboration de la cellulose.
V. liqueur blanche ; liqueur noire
De. Ablauge (f.)
En. green liquor [4435]

LIQUIDE → arôme de fumée — ; bouteille anti-coup de — ; cristal — ; extraction — - — ; pont — ; scintillation — .

LIQUIDE CHARGÉ n.m. 74
physique > physique du solide et du fluide
Liquide contenant dans une proportion variable des matières solides en suspension dont la granulométrie peut différer suivant le genre d'applications considérées.
En. turbid liquid [3212]

LISIBLE adj. 72
matériau > encre
Se dit d'une encre visible pour un lecteur optique mais pas nécessairement pour l'œil humain.
V. aveugle
De. optisch lesbare Farbe (f.)
En. readable [799]

LISIÈRE → effet — .

LISSAGE n.m. 75
génie biomédical > chirurgie
Technique chirurgicale destinée à supprimer les rides du visage.
De. Glätten (n.) ; Liften (n.)
En. face-lifting
Es. alisamiento [3930]

LISSANT → auto- — .

LISSEUSE n.f. 73
bâtiment et travaux publics > matériel de chantier
Machine servant à rendre lisses les revêtements routiers.
V. table lisseuse
De. Glättmaschine (f.) [800]

LISSEUSE → table — ; talocheuse- — .

LITANIQUE adj. 75
enseignement
Se dit d'une lecture à haute voix effectuée successivement par plusieurs élèves.
V. processionnel
De. forsetzend
En. litanical [5019]

LITÉ n.m. 75
conditionnement (emballage) > produit en vrac
Ensemble de produits disposés par couches.
De. Aufsetzpackung (f.) ; Stapelpackung (f.)
En. layering [4535]

LITEAUNAGE n.m. 78
bâtiment et travaux publics > opération de construction
Action de poser des liteaux.
De. Belatten (n.)
En. battening [8784]

LIT FLUIDISÉ n.m. 74
mécanique des fluides appliquée
Couche dilatée de grains solides, assimilable à un fluide, qui peut s'écouler dans une canalisation lorsqu'il existe une différence de pression hydrostatique.
V. fluidiseur
En. fluidized bed [2231]

LIT FLUIDISÉ n.m. 75
médecine > équipement médical
Lit qui permet de maintenir un malade en suspension sur matelas d'air.
De. Luftbett (n.)
En. air bed ; flotation bed [6242]

LITHARÉNITE n.f. 73
géologie > roche
Ensemble des roches comportant plus de 25 % d'éléments lithiques.
En. litharenite
Es. litarenita [2379]

LITHIFICATION n.f. 76
géologie > modification superficielle
Solidification finale d'une roche meuble.
De. Lithifikation (f.) ; Sedimentverfestigung (f.)
En. lithifaction ; lithification
Es. litificación [6097]

LITHOCHROME adj. 68
géologie > pédologie
Se dit d'un sol qui doit ses couleurs à la persistance des éléments qui colorent la roche-mère.
En. lithochromic
Es. litocromo [292]

LITHODÉPENDANCE n.f. 75
géophysique > géomorphologie
Fait pour une formation géologique de dépendre de la roche en place.
En. bedrock control
Es. litodependencia [6243]

LITHOMÉTÉORE n.m. 77
géophysique > météorologie
Phénomène atmosphérique transportant des matériaux solides.
De. Lithometeor (m.)
En. lithometeor
Es. litometeoro [8129]

LITHOPHILE adj. 74
chimie > affinité chimique
Se dit d'un élément chimique qui présente des affinités avec la lithosphère dans laquelle il a tendance à se concentrer.
V. atmosphile ; chalcophile ; sidérophile
De. litophil
En. litophile
Es. litófilo [3213]

LITHOSÉQUENCE n.f. 75
géologie > pédologie
Succession de sols ou distribution de la végétation naturelle en relation avec la nature pétrographique du matériau originel.
V. bioséquence ; chronoséquence ; climaséquence ; clinoséquence ; hydroséquence ; toposéquence
De. Lithosequenz (f.)
Es. litosecuencia [7441]

LITHOTHÈQUE n.f. 76
instrumentation > collection
Collection d'échantillons de roches et de sédiments.
De. Lithothek (f.)
En. rock collection
Es. litoteca [5680]

LITHOZONE n.f. 73/74
géologie > paléontologie
Couche de sédiments caractérisée par les formations lithiques qui s'y trouvent.
V. biozone
De. Lithozone (f.)
En. lithizone ; lithozone
Es. litozona [7302]

LITIÈRE n.f. 67
géologie > modification superficielle
Ensemble des feuilles, fragments de bois mort et débris organiques non ou très peu décomposés recouvrant le sol.
En. leaf litter
Es. lecho [6767]

LIVRANCIER adj. 76
transport et manutention > transport
Se dit d'une personne ou d'un organisme chargé d'effectuer une opération de livraison.
De. Liefer-
En. delivery [7303]

LIVRE → film- — .

LIVRE BROUILLÉ n.m. 74
information > document
Livre programmé dans lequel les élèves ne respectent pas nécessairement l'ordre numérique des pages.
De. Mischbuch (n.) ; verwürfeltes Buch (n.) [2866]

LOBAISON n.f. 77
botanique
Apparition de lobes dans un organe ou un organisme au cours de la croissance.
V. lobation

De. Lappenbildung (f.)
En. lobaison [7708]

LOBATION n.f. 77
botanique
Existence de lobes dans un organe ou un organisme.
V. lobaison
De. Lappenvorkommen (n.)
En. lobation [7709]

LOBE n.m. 75
mécanique appliquée > organe de machine
Partie en relief du pas de vis d'un des rotors d'un hélicomoteur.
V. alvéole
De. konvexer Zahn (m.)
En. lobe [5020]

LOBÉ → ballon — .

LOCAL → groupe — .

LOCALE → télévision — .

LOCHAGE n.m. 75
économie > industrie agricole et alimentaire
Opération consistant à démouler les pains de sucre. [5579]

LOCUTOIRE adj. 72
information > communication
Se dit d'un acte de parole qui consiste à produire un énoncé conforme aux possibilités lexicales et grammaticales de la langue.
V. illocutoire ; perlocutoire
En. locutionary [4536]

LOGIGRAMME n.m. 73
représentation graphique > diagramme
Diagramme logique associant des blocs logiques élémentaires en vue de réaliser une fonction logique complexe.
En. logic diagram
Es. logigrama [2522]

LOGICIEL n.m. 73
informatique > programmation
Ensemble des programmes, procédés et règles, et éventuellement de la documentation, relatifs au fonctionnement d'un ensemble de traitement de l'information.
V. matériel
En. software
Es. máquinas lógicas [801]

LOGICIEL D'APPLICATION n.m. 77
informatique > programmation
Logiciel spécifique d'une application particulière.
V. logiciel d'exploitation
De. Anwendersoftware (f.) [8502]

LOGICIEL D'EXPLOITATION n.m. 77
informatique > programmation
Logiciel de base assurant le fonctionnement général d'un ordinateur.
V. logiciel d'application
De. Systemsoftware (f.) [8503]

LOGICISABLE adj. 70
logique
Qui peut être introduit dans un système logique.
En. logicalizable ; logicizable [7025]

LOGIQUE(S) → analyseur — ; analyseur d'états —s ; boîte — ; signature — ; sonde — .

LOGIQUE PARTAGÉE n.f. 77
informatique > système opératoire
Caractère d'un matériel doté d'un écran de visualisation et relié à un ordinateur central. [7304]

LOGISCOPE n.m. 74
instrumentation > appareil électronique de mesure
Enregistreur de signaux logiques destiné à l'étude de mise au point et de dépannage des circuits logiques.
En. logiscope
Es. logiscopio [3932]

LOGNORMALE → loi — .

LOGO n.m. 74
impression
Symbole graphique employé par une société ou une compagnie comme marque distinctive.
De. Firmenzeichen (n.)
En. logo [4107]

LOGOCENTRISME n.m. 72
linguistique
Attitude qui consiste à donner au langage écrit ou parlé une position centrale. [4436]

LOGOGRAMME n.m. 73
linguistique
Forme graphique d'un mot qui permet son identification en particulier dans une série homonymique.
De. Logogramm (n.)
En. logogram [1168]

LOGOLOGIE n.f. 70
linguistique
Science du discours.
V. égologie
En. logology
Es. logología [6098]

LOGOSYLLABIQUE adj. 74
linguistique
Se dit d'une écriture dans laquelle un signe vaut une ou plusieurs syllabes de la langue.
V. logographique [1872]

LOI LOGNORMALE n.f. 73
LOI LOG-NORMALE
statistique
Distribution d'une variable aléatoire continue à valeurs positives dont le logarithme suit une loi normale.
En. logarithmic-normal distribution ; lognormal distribution
Es. lognormal [2380]

LONG → franco — du bord .

LONGÉVIF adj. 76
botanique
Dont la durée de vie est importante.
De. langlibig
En. long-lived
Es. longevo [5819]

LONGUE(S) → berceau à charges —s ; désordre à — distance .

LOSANGULAIRE adj. 75
propriété > configuration
En forme de losange.
De. rhombisch
En. lozenged ; lozenge-shaped
Es. romboidal [5021]

LOT n.m. 76
mécanique appliquée > assemblage
Ensemble d'articles, d'outils, de pièces d'éléments prêts au montage et présentés dans un emballage particulier.
V. jeu de construction
De. Bausatz (m.)
En. kit [6887]

LOTHARINGISME n.m. 74
linguistique
Expression propre au français régional de Lorraine.
De. Lothringismus (m.) [2867]

LOTIQUE adj. 76
environnement et sécurité > environnement
Se dit de l'aspect des eaux courantes.
V. lénitique
De. lotisch [7442]

LOTS → traitement par — .

LOURD → terminal — .

LOVDARIT n.m. 75
géologie > minéralogie
Composé de sodium, de béryllium et de silicium.
V. komarovit
Es. lovdarita [4234]

LUCIFÉRASE n.f. 74
biochimie
Enzyme qui produit de la lumière chez les plantes et les animaux.
V. scintillon 3815
De. Luziferase (f.)
En. luciferase [3751]

LUDÈME n.m. 76
sociologie
Constituant d'un jeu.
De. Ludem (n.)
En. ludem
Es. ludema [6510]

LUDOTHÈQUE n.f. 74
jeu
Local où sont rassemblés des jeux et des jouets en vue de leur prêt ou de leur utilisation sur place.
V. joujouthèque
En. toy lending library ; toy library ; toy-library
Es. ludoteca [4108]

LUISANTE → bougie — .

LUMIDOME n.m. 73
LUMIDÔME
bâtiment et travaux publics > structure mécanique
Coupole de petites dimensions pratiquée dans un plafond en vue de procurer à une pièce un éclairage zénithal.
V. fumidome
De. Lichtkuppel (f.) [1873]

LUMIDUC n.m. 77
action sur l'environnement > éclairage
Dispositif d'éclairage utilisant le rayonnement solaire. [7305]

LUMIÈRE → boîte à — ; glace de — ; pneu- — ; rideau de — .

LUMIÈRE FATIGUÉE n.f. 76
sciences de l'espace
Perte d'énergie hypothétique de la lumière lors de la traversée des galaxies qui serait la source du décalage des raies du spectre de la lumière émise par les sources lointaines.
En. tired light [5960]

LUMINODIODE n.f. 75
électronique > composant électronique
Diode qui permet la transformation d'un courant électrique en rayonnement lumineux.
V. DEL ; LED
De. Leuchtdiode (f.)
En. L.E.D. ; Light-Emitting Diode [6649]

LUMINOMÈTRE n.m. 74
instrumentation > essai et contrôle
Appareil permettant de mesurer la visibilité de l'emballage d'un produit destiné à la vente sous différentes expositions lumineuses.
De. Luminometer (n.)
Es. luminómetro [7443]

LUNETTES AUDITIVES n.f.pl. 77
génie biomédical > appareillage médical
Lunettes munies d'une prothèse acoustique.
V. contour d'oreille
De. Hörbrille (f.)
En. hearing-aid glasses [8130]

LUSITANITÉ n.f. 75
sociologie
Qualité de ce qui est portugais.
V. alsacianité ; antillanité ; arabité ; catalanité ; créolité ; foulanité ; indianité
De. Lusitanität (f.)
En. lusitanity
Es. lusitanidad [4855]

LUSOPHONE adj. 74
linguistique
Qui parle portugais.
De. portugiesisch sprechend
En. Portuguese-speaking [2524]

LUTÉFACTION n.f. 67
géologie > pédologie
Ensemble des processus contribuant à donner à un sol une teinte jaune ou jaunâtre.
De. Lutefaktion (f.)
En. lutefaction [6244]

LUTOÏDE n.m. 72
anatomie > anatomie végétale
Type de globules résineux jaunes et sphériques présents en petit nombre dans le latex frais.
En. lutoide [3050]

LUTTE AUTOCIDE n.f. 74
agronomie > technique culturale
Méthode consistant à exterminer une espèce en lâchant des mâles stériles auprès de femelles qui ne s'accouplent qu'une fois.
V. lutte génétique
En. autocidal control [4109]

LUTTE GÉNÉTIQUE n.f. 74
agronomie > technique culturale
Méthode consistant à exterminer une espèce en lâchant des mâles irradiés aux rayons gamma dont les chromosomes ont reçu des altérations qui rendront leur descendance stérile ou anormale.
V. lutte autocide
En. genetic control ; reproductivity control
Es. lucha genética [4110]

LUTTE INTÉGRÉE n.f. 78
agronomie > technique culturale
Système de régulation des populations de ravageurs qui combine toutes les techniques et méthodes de lutte.
V. lutte autocide ; lutte génétique
De. integrierter Pflanzenschutz (m.)
En. integrated control ; pest management
Es. control integrado ; lucha integrada [9341]

LUXEMBOURGEOPHONE n.m. 76
linguistique
Qui parle la langue luxembourgeoise.
En. Luxembourg-speaking [5961]

LYMPHOKINE n.f. 78
cellule et constitution cellulaire > cellule
Facteur soluble libéré par les lymphocytes sensibilisés mis en présence d'un antigène spécifique.
En. lymphokine [8653]

LYOPHILEVURE n.f. 74
matériau > produit alimentaire
Levure lyophilisée.
En. lyophilized yeast [3586]

LYSOGÈNE adj. 72
organisme vivant > microorganisme
Se dit d'une bactérie capable de produire des bactériophages en dehors de toute infection phagique.
De. lysogen
En. lysogenic [802]

M

MÂCHE n.f. 74
matériau > produit alimentaire
Caractéristique du pain due aux proportions respectives de croûte et de mie. [3051]

MACHINABILITÉ n.f. 73
propriété > propriété technologique
Aptitude d'un matériau à être soumis au façonnage sur machines.
De. maschinelle Bearbeitbarkeit (f.)
En. machinability [1170]

MACHINE À ADRESSER n.f. 73
automatisme > équipement automatique
Machine qui permet de sélectionner automatiquement les adresses d'un fichier.
De. Adressiermaschine (f.)
En. addressing machine ; addressograph [1521]

MACHINE À AIGUILLE FLOTTANTE n.f. 74
économie > industrie textile
Machine à coudre équipée d'une aiguille comportant une pointe à chacune de ses extrémités et percée d'un chas au milieu de sa longueur, en vue de traverser complètement le tissu.
Es. máquina de aguja flotante [2381]

MACHINE À DRAPER n.f. 75
technologie des matériaux > équipement industrie de transformation
Machine destinée à grouper des charges grâce à un film étirable.
En. draping machine [5962]

MACHINE CÉLIBATAIRE n.f. 76
recherche et développement > innovation
Machine irrationnelle et non fonctionnelle conçue sans but utilitaire.
De. zweckfreie Maschine (f.)
En. purposeless machine [5963]

MACHINE-DÉPART n.f. 74
automatisme > équipement automatique
Dispositif du métro urbain qui déclenche automatiquement, à l'heure donnée, le signal de départ et la fermeture du portillon.
En. starting device [4111]

MACRO-AMÉNAGEMENT n.m. 78
MACROAMÉNAGEMENT
gestion, organisation, administration > aménagement du territoire
Aménagement du territoire répondant aux exigences de la politique et de l'économie nationales et internationales.
V. micro-aménagement [9342]

MACROBENTHOS n.m. 74
écologie > communauté (écologie)
Partie du benthos dont la taille est supérieure à deux millimètres.
V. méiobenthos
Es. macrobentos [6651]

MACROBENTHONTE n.m. 74
écologie > communauté (écologie)
Espèce du benthos dont la taille est supérieure à deux millimètres.
En. macrobenthon [6650]

MACROCINÉMA n.m. 75
arts > photographie
Cinéma des très gros plans.
De. Makrokinematographie (f.)
En. macrocinematography
Es. macrocinematografía [4537]

MACRODÉCHET n.m. 76
environnement et sécurité > pollution
Déchet de dimensions importantes apporté sur les côtes par les vents ou les courants. [7155]

MACROFIBRILLAIRE adj. 78
matériau > fibre
Constitué de fibrilles de grandes dimensions.
De. Makrofaser-
En. macrofibrillar [9050]

MACROGAMÉTOGONIE n.f. 77
cellule et constitution cellulaire > cellule
Processus de production d'un macrogamète.
V. microgamétogonie
De. Makrogametogonie (f.)
En. macrogametogony [8785]

MACROGÉOMÉTRIQUE → erreur — .

MACROLOGIQUE n.f. 75
électronique > circuit électronique
Famille de circuits logiques caractérisée par une très forte densité d'intégration de circuits logiques.
En. large-scale integrated circuits ; L.S.I. circuits [6512]

MACRORÉGULATION n.f. 76
transport et manutention > circulation
Régulation du trafic automobile de façon à favoriser la circulation sur un ou plusieurs itinéraires coordonnés en fonction de l'importance du trafic global.
V. microrégulation
De. makroskopische Steuerung (f.) des Verkehrsablaufs
Es. macroregulación [7444]

MACROSMATE adj. 72
physiologie > neurophysiologie
Se dit d'une espèce dont l'odorat est très développé.
V. microsmate
En. macrosmatic [804]

MACRO-SOCIAL adj. 77
MACROSOCIAL
sociologie
Propre à la macrosociologie.
V. macrosociologie
De. makrosozial
En. macrosocial [8131]

MACROSOCIOLOGIE n.f. 68
sociologie
Étude des grands groupes sociaux.
V. macrosocial
De. Makrosoziologie (f.)
En. macrosociology
Es. macrosociología [5821]

MACROSTRUCTURE n.f. 71
linguistique
Nomenclature d'un dictionnaire ou d'un thésaurus.
En. macrostructure
Es. macroestructura [3214]

MACRO-TÉLÉVISION n.f. 74
MACROTÉLÉVISION
télécommunications > radiocommunication
Télévision distribuée par ondes hertziennes au grand public.
V. méso-télévision ; microtélévision
De. drahtloses Fernsehen (n.)

En. macrotelevision
Es. macrotelevisión [3052]

MAGASIN DE PRÉPARATION n.m. 74
stockage > dépôt de stockage
Local d'une surface de vente où les marchandises sont
déballées et apprêtées en vue de leur vente.
V. magasin tampon ; stock tampon [2527]

MAGASINIER n.m. 73
transport et manutention > engin de manutention
Chariot élévateur permettant le transbordement de marchandises.
En. lift truck [1523]

MAGASIN TAMPON n.m. 74
MAGASIN-TAMPON
stockage > dépôt de stockage
Local d'une surface de vente où les marchandises palettisées
sont entreposées avant leur passage dans le magasin de
préparation.
V. magasin de préparation ; stock tampon
De. Zwischenlager (n.) [2528]

MAGASIN-TOUR n.m. 75
stockage > entrepôt
Entrepôt de grande hauteur avec bâtiment intégré dont la
toiture et le bardage reposent directement sur les casiers.
V. bâtiment-intégré ; casier-bâtiment ; silo de stockage
En. tower warehouse [4112]

MAGELLANIQUE → courant — .

MAGISTÈRE n.m. 73
enseignement
Diplôme délivré en Sorbonne à des étudiants américains et
équivalent du Master of Arts.
De. Magister (m.)
En. Master of Arts degree (M.A.) [1524]

MAGMATIQUE → chambre — .

MAGMATISME n.m. 72
géologie > pétrogenèse
Ensemble des phénomènes de formation des roches aux
dépens de masses fondues (magmas).
De. Magmatismus (m.)
En. magmatism
Es. magmatismo [2868]

MAGMATOLOGIE n.f. 73/74
géophysique interne
Étude du magma.
V. magmatologue
De. Magmatologie (f.)
En. magmatology
Es. magmatología [7307]

MAGMATOLOGUE n. 76
géophysique interne
Spécialiste de magmatologie.
V. magmatologie
De. Magmatologe (m.)
En. magmatologist
Es. magmatólogo [5822]

MAGNÉTIQUE → coquille — ; coussin — ; sondage —
différentiel ; sondage — profond ; vent — .

MAGNÉTOCARDIOGRAPHIE n.f. 76
instrumentation > mesure de phénomènes physiologiques
Mesure du champ magnétique consécutif à l'activité électrique
du cœur.
En. magnetocardiography
Es. magnetocardiografía [6378]

MAGNÉTOLOGUE n. 77
propriété > propriété magnétique
Spécialiste de l'étude du magnétisme. [6245]

MAGNÉTOSTRATIGRAPHIE n.f. 75
géologie > stratigraphie
Stratigraphie fondée sur l'étude des champs magnétiques.
V. magnétostratigraphique
De. Magnetostratigraphie (f.)
En. magnetic stratigraphy
Es. magnetoestratigrafía [6652]

MAGNÉTOSTRATIGRAPHIQUE adj. 75
géologie > stratigraphie
Propre à la magnétostratigraphie.
V. magnétostratigraphie
De. magnetostratigraphisch
En. magnetic stratigraphic
Es. magnetoestratigràfico [6653]

MAGNÉTUSCRIT n.m. 76
information > document
Manuscrit sur support magnétique. [4311]

MAGNON n.m. 71
physique > physique mathématique
Ensemble magnétique élémentaire des ondes spin.
V. plasmon
De. Magnon (n.)
En. magnon
Es. magnón [2690]

MAILLON-GOUGE n.m. 75
économie > industrie du bois
Dans la chaîne d'une scie à moteur, type de maillon auquel est
incorporé un outil en forme de gouge.
En. link-gouge
Es. eslabón-gubia [3401]

MAIN n.f. 75
agronomie > production végétale
Ensemble des bananes disposées en deux rangées imbriquées
au même niveau d'une inflorescence.
V. doigt
En. hand [9051]

MAIN(S) → ouverture — fer-blanc ; usine produits en
—s .

MAINS-LIBRES adj. 74
télécommunications > équipement télécommunication
Se dit d'un appareil téléphonique dans lequel récepteur et
microphone sont incorporés. [4235]

MAÏSICOLE adj. 72
agronomie > production végétale
Relatif à la culture du maïs.
De. Maisanbau- [1342]

MAISON n.f. 75
agronomie > technique culturale
Type de bâtiment utilisé pour la culture des champignons de
couche. [4438]

MAISONNERIE n.f. 77
économie > activité commerciale
Commerce, ou ensemble de commerces, spécialisé dans la
vente du détail d'articles d'équipement pour la maison.
De. Einrichtangshaus (n.) [8654]

MAISON-REMORQUE n.f. 75
bâtiment et travaux publics > construction
Maison montée sur trains de roues et pouvant être déplacée
grâce à un camion.
De. Mobilheim (n.)
En. mobile home (U.K.) ; trailer (U.S.A.) [4113]

MAISON SOLAIRE n.f. 73
arts > architecture
Maison dont le chauffage ou la climatisation est assuré par
l'énergie solaire grâce à un dispositif architectural approprié.
V. hélio-architecture ; solarchitecture
De. mit Sonnenenergie beheiztes Haus (n.)
En. sun-heated house [1875]

MAÎTRE D'OUVRAGE n.m. 73
économie > industrie du bâtiment et des travaux publics
Personne, collectivité ou organisme qui conclut un marché et
pour le compte duquel on construit.
De. Bauherr (m.)
En. client [471]

MAÎTRE-ESCLAVE adj./n.m. 73
télécommunications > télécommande
[Se dit d'un] manipulateur doté d'un système de commande à
distance très précis, utilisé notamment dans les laboratoires
nucléaires pour la manutention des corps radioactifs.
V. bras-esclave
En. master-slave manipulator [1525]

MALACOFAUNE n.f. 76
faune
Partie de la faune constituée des mollusques.
De. Malakofauna (f.)
Es. malacofauna [7581]

MALACOLOGUE n./adj. 74
faune
Zoologiste spécialisé dans l'étude des mollusques.
De. Malakologe (m.)
En. malacologist
Es. malacólogo [3753]

MALADE → passe- — .

MALADIE DE SURCHARGE n.f. 76
pathologie animale > maladie de la nutrition et du métabolisme
Maladie due à un déséquilibre entre une alimentation trop
abondante et de faibles dépenses énergétiques.
En. supersufficiency disorder [6888]

MALAIGUE n.f. 75
pathologie animale > étiologie et pathogénie
Maladie des coquillages due à l'appauvrissement de l'eau en
oxygène. [5157]

MÂLES → confusion des — .

MALGACHISANT n.m. 77
linguistique
Spécialiste de la langue et de la civilisation malgaches. [8132]

MALHERBOLOGIE n.f. 73
botanique
Partie de la botanique qui étudie les mauvaises herbes.
En. weed science
Es. malherbología [1705]

MALNUTRIT n.m. 77
physiologie > nutrition
Individu dont la nutrition est inadéquate.
De. falsch Ernährter (m.) [7445]

MALVENUE n.f. 76
économie > industrie de la fonderie
Défaut d'une pièce de fonderie dû à des conditions de coulée
défectueuse.
De. Fehlguß (m.)
En. misrun [7309]

MALVOYANT n.m. 78
pathologie animale > pathologie oculaire
Personne ayant une vue défectueuse.
V. non voyant
De. Sehbehinderter (m.) [8917]

MANAGER v. 73
gestion, organisation, administration > gestion
Gérer, diriger, organiser.
En. to manage [1706]

MANAGERAT n.m. 77
sport
Fonction de manager. [6513]

MANDELA n.f. 73
physique > physique mathématique
Particule élémentaire dont la présence a été observée dans les
rayons cosmiques.
En. mandela [807]

MANDRIN PLONGEANT n.m. 74
économie > industrie chimique
Mandrin d'une souffleuse qui s'introduit dans une matière
fondue et qui sert au soufflage ultérieur de corps creux.
V. chambre de plongée ; souffleuse à plongeur
En. plunger mandrel [3215]

MANETAGE n.m. 76
technologie des matériaux > tissage
Action permettant d'accumuler une certaine longueur de
chaîne par l'intermédiaire d'un système de rouleaux mobiles
plongeant entre des rouleaux fixes. [7156]

MANIABILIMÈTRE n.m. 74
économie > industrie des matériaux de construction
Appareil destiné à mesurer la maniabilité du béton.
En. workability meter [6379]

MANIPULATEUR → bras — .

MANOCONTACTEUR n.m. 73
électrotechnique > circuit d'alimentation électrique
Contacteur de dimension réduite dont la manœuvre est
manuelle.
De. Druckschalter (m.) [1876]

MANO-MOBILE adj. 75
MANOMOBILE
propriété > propriété technologique
Se dit d'un appareil qui se déplace par traction ou poussée
manuelle.
En. hand-operated
Es. manumóbil [5022]

MANTÉLIQUE adj. 75
géologie > roche
Propre au manteau (terrestre).
V. crustal
De. Mantel-
En. mantle [6380]

MANUELLE → sécurité bi- — .

MANUTENTION → bille de — .

MANUTENTIONNABLE adj. 75
transport et manutention > manutention
Susceptible d'être manutentionné. [4312]

MANUTENTIONNAIRE → levageur- — .

MAQUETTISME n.m. 73
modèle
Fabrication de maquettes.
De. Modelbau (m.) [2065]

MAQUETTOSCOPE n.m. 74
arts > architecture
Appareil destiné à observer des maquettes.
V. relatoscopique
En. modelscope
Es. maquetóscopio [2691]

MARAICHÉICULTURE n.f. 77
agronomie > culture spéciale
Culture de légumes dans les villes ou en plein champ, pour la
vente en ville.
De. Gemüseanbau (m.)
En. market gardening
Es. labores de huerta [8504]

MARCHANDISAGE n.m. 74
économie > commercialisation
Ensemble de techniques marchandes utilisées conjointement

au point de vente par le fabricant et le détaillant en vue
d'assurer le meilleur rendement des ventes d'un produit par sa
présentation active et sa mise en valeur.
De. *Absatzpolitik (f.)*
En. *merchandising* [2232]

MARCHE → chaudière à — continue ; chaudière à —
modulée ; chaudière à — par tout ou rien — ; piste de — .

MARCHÉ → département produits- — .

MARCHÉAGE n.m. 74
économie > commercialisation
Ensemble des actions qui, dans une économie de marché, ont
pour objet de prévoir, constater, stimuler les besoins du
consommateur en telle catégorie de produits ou de services et
de réaliser l'adaptation continue de l'appareil productif et de
l'appareil commercial d'une entreprise aux besoins ainsi
déterminés.
V. département produits-marché ; mercatique
De. *Marketing (n.)*
En. *marketing*
Es. *marqueting* [3587]

MARCHÉ BAISSIER n.m. 77
économie > marché financier
Situation de marché dans laquelle, les vendeurs à terme étant
en position dominante, les cours sont orientés à la baisse.
V. marché haussier
De. *Baissemarkt (m.)*
En. *bear market* [7855]

MARCHE-DÉFAUT adj. 74
environnement et sécurité > dispositif de sécurité
Se dit d'un système de signalisation indiquant toute interruption de marche d'un appareil. [3454]

MARCHÉ HAUSSIER n.m. 77
économie > marché financier
Situation de marché dans laquelle, les acheteurs à terme étant
en position dominante, les cours sont orientés à la hausse.
V. marché baissier
De. *Haussemarkt (m.)*
En. *bull market* [7856]

MARCOGRAPHIE n.f. 78
arts > photographie
Succession réelle sur un même film fixe de plusieurs vues
partiellement juxtaposées sans recouvrements d'un sujet
mobile.
Es. *marcografía* [9343]

MARÉE DYNAMIQUE n.f. 77
géophysique > hydrographie
Phénomène correspondant à la propagation de la marée dans
un estuaire.
V. marée saline
En. *rivertide*
Es. *marea dinámica* [7859]

MARÉE SALINE n.f. 77
géophysique > hydrographie
Phénomène de marée se produisant à l'intérieur d'un estuaire
et provoquant un mélange d'eau de mer et d'eau douce.
V. marée dynamique
En. *salinity intrusion*
Es. *marea salina* [7860]

MARGE ACTIVE n.f. 76
géophysique > géosphère
Type de marge continentale où s'édifient les processus tectoni-
ques, métamorphiques et volcaniques.
V. marge stable
En. *active margin*
Es. *margen* [6654]

MARGE STABLE n.f. 76
géophysique > géosphère
Type de marge continentale voisine d'une ouverture océanique
et non déformée par des phénomènes tectoniques

V. marge active
En. *inactive margin* [6655]

MARGINALE → aire — ; auge — .

MARGUERITE n.f. 75
informatique > équipement d'entrée-sortie
Disque d'impression en forme de roue à rayons flexibles pour
machine à écrire automatique.
De. *Druckscheibe (f.)*
En. *print wheel* [5023]

MARICULTURE n.f. 76
aquaculture
Aménagement et mise en valeur des eaux marines.
V. dulçaquiculture ; limniculture ; valliculture
En. *mariculture* [6246]

MARINISATION n.f. 75
instrumentation > structure marine
Adaptation d'un équipement aux conditions de l'environne-
ment marin.
V. marinisé
De. *Navalisierung (f.) ; Schiffsadaptierung (f.)*
En. *marine adaptation* [5024]

MARINISATION → sous- — .

MARINISÉ adj. 72
instrumentation > structure marine
Se dit d'un équipement ayant subi une marinisation.
V. marinisation ; sous-marinisation [4191 bis]

MAROCANISATION n.f. 74
politique
Passage sous le contrôle des autorités marocaines.
De. *Marokkanisierung (f.)*
En. *Moroccanization* [1528]

MARQUE → re- — .

MARQUEUR n.m. 75
télécommunications > radiotechnique
Organe qui décode et exécute les ordres de connexion ou de
déconnexion issus de l'unité de commande.
V. explorateur
En. *marker* [6381]

MARQUEUR GÉNÉTIQUE n.m. 72
génétique > information génétique
Caractère génétique dont la localisation chromosomique est
connue et qui peut servir à localiser des caractères inconnus.
De. *Merkmal (n.)*
En. *marker* [116]

MARRISME n.m. 74
linguistique
Théorie linguistique qui étudie la langue en tant que phéno-
mène de classe selon la conception marxiste de Marr.
De. *Marrismus (m.)*
En. *Marrism* [5561]

MARSOUINAGE n.m. 76
physique > mécanique
Mouvement de tangage prononcé affectant un hydravion et
menaçant sa flottaison.
En. *porpoising* [6514]

MARTEAU → perfo- — .

MARTEAU TRÉPIDEUR n.m. 74
bâtiment et travaux publics > matériel de chantier
Dispositif de battage qui assure par vibration la fondation de
pieux.
En. *rapid-stroke hammer* [6159]

MARTELAGE SUPERFICIEL n.m. 75
mécanique appliquée > usinage
Opération d'écrouissage réalisée à l'aide de billes.

De. Strahlen (n.)
En. shot panning [7027]

MASCON n.m. 76
sciences de l'espace
Hétérogénéité d'un astre qui se traduit par une augmentation
locale du champ de gravitation.
De. Mascon (n.)
En. mascon ; mass concentration
Es. mascon [6889]

MASCULINITÉ → indice de — .

MASQUAGE n.m. 75
information > communication
Procédé utilisé intentionnellement par un locuteur consistant à
faire disparaître de son discours les formes de langue qui le
feraient classer comme appartenant à un groupe.
V. connivence
En. masking
Es. enmascaramiento [5824]

MASQUAGE n.m. 76
physiologie > neurophysiologie
Diminution de l'intensité ou modification de la qualité de la
perception d'un stimulus par l'action simultanée d'un autre.
En. masking
Es. enmascaramiento [5823]

MASQUAGE n.m. 74
conditionnement (emballage) > emballage
Opération qui consiste à masquer un défaut de surface par
collage d'un ruban adhésif.
De. Kaschieren (n.)
En. masking [3588]

MASQUÉ adj. 76
propriété > propriété chimique
Se dit d'un corps ou d'un radical dont les propriétés sont
dissimulées à leurs réactifs habituels et qui peut ainsi s'associer pour donner un complexe.
En. masked [6656]

MASQUÉ → temps — .

MASQUEUR n.m. 75
électronique > circuit électronique
Appareil conçu pour réaliser des caches (masques) afin de
protéger, suivant des contours bien définis, les supports
utilisés pour l'impression de circuits électriques, l'impression
photographique ou toute autre réalisation analogue nécessitant
une haute précision.
En. masking device [5025]

MASSE → palpeur par la — ; polymérisé en — ; prise en
— ; spectromètre de — .

MASSE D'ÉPREUVE n.f. 75
instrumentation > capteur de mesure
Partie fondamentale d'un capteur dont la fonction est d'être
sensible à la grandeur physique à mesurer en évitant l'action
des forces perturbatrices.
En. test frame [8257]

MASSIQUE → débitmètre — .

MASTOLOGIE n.f. 73
anatomie > anatomie animale.
Étude de la glande mammaire, de son fonctionnement, de ses
anomalies et de ses maladies.
V. mastologue
De. Mastologie (f.)
En. mastology [632]

MASTOLOGUE n. 74
anatomie > anatomie animale
Spécialiste de la mastologie.
V. mastologie [2234]

MAT n.m. 73
matériau > fibre
Ensemble de fils de verre textile agglomérés de façon à former
un feutre.
En. mat [974]

MAT → rond- — .

MATELAS ÉLIMINATEUR n.m. 75
chimie > chimie analytique
Surface de contact dont la porosité permet de réaliser une
séparation de phases. [4114]

MATÉRIATHÈQUE n.f. 74
enseignement
Collection de matériels documentaires ou pédagogiques.
De. Materialarchiv (n.)
En. instructional material center (U.S.A.) ; instructional material
centre (U.K.) [4859]

MATÉRIEL n.m. 73
informatique > organe de transmission de données
Ensemble des éléments physiques employés pour le traitement
de l'information.
De. Hardware (f.)
En. hardware
Es. equipo físico ; máquinas físicas [809]

MATERNELLE → allo-immunisation fœto- — .

MATERNISATION n.f. 71
vie quotidienne > alimentation
Enrichissement du lait de vache afin de rapprocher sa
composition de celle du lait de femme.
De. Angleichung an die Muttermilch (f.)
En. humanization
Es. maternización [2692]

MATHÉMATISABLE adj. 75
logique
Se dit d'un schéma descriptif ou explicatif de phénomènes
dans lequel on peut introduire une structure mathématique.
De. mathematisierbar
En. mathematizable ; mathematicizable
Es. matematizable [5158]

MATORRAL n.m. 77
végétation
Formation de végétaux ligneux nanophanérophytes ou chamé-
phytes, dont la taille et le port résultent de traitements
dégradants (coupe, incendie, pâturage).
V. phrygana
En. matorral
Es. matorral [8655]

MATRAQUAGE n.m. 74
économie > promotion des ventes
Répétition insistante d'une annonce publicitaire.
De. Einhämmern (n.)
En. hammering [6768]

MATRIARCHE n.f. 77
zoologie
Femelle âgée servant de guide à une troupe d'animaux
sauvages.
De. Matriarchin (f.)
En. matriarch
Es. matriarca [7861]

MATRICE → effet de — .

MATRILATÉRAL adj. 78
sociologie
Du côté maternel. [8134]

MATRILOCALITÉ n.f. 74
sociologie
Coutume selon laquelle un couple habite avec la famille ou la
tribu de la femme.
V. ambilocal ; avunculolocalité ; bilocalité ; néolocalité ;

patrilocalité
De. matrilokale Heiratswohnfolge (f.)
En. matrilocality [1707]

MATRONE n.f. 73
cellule et constitution cellulaire > cellule
Substance du liquide séminal chez certaines espèces d'insectes. [3402]

MATTE n.f. 75
organisme vivant > végétal
Banc d'algues.
De. Algenmatte (f.)
En. mat [4861]

MATURATIF adj. 69
psychologie > psychophysiologie
Relatif à la maturation. [4439]

MATURATION n.f. 77
technologie des matériaux > génie alimentaire
Opération consistant à maturer une viande.
V. maturer
De. Abhängen (n.)
Es. maduración [7446]

MATURER v. 77
technologie des matériaux > génie alimentaire
Stocker les viandes après abattage pour favoriser les transformations biochimiques qui en améliorent la tendreté et les qualités gustatives.
V. maturation
De. abhängen [7447]

MATURIMÈTRE n.m. 73
économie > industrie textile
Appareil permettant de mesurer la maturité des fibres de coton.
De. Reifemesser (m.)
En. maturity meter [1171]

MATUROMÈTRE n.m. 75
instrumentation > mesure mécanique
Appareil destiné à mesurer la maturation du béton.
De. Erstarrungsmeßgerät (n.)
En. maturity meter [6247]

MAXIMALISME n.m. 72
psychologie > pathologie mentale
Tendance à donner une très haute valeur à quelque chose.
En. maximalism
Es. maximalismo [6101]

M.B.A. (Marge Brute d'Autofinancement) n.f. 74
gestion, organisation, administration > gestion financière
Au bilan de fin d'exercice d'une entreprise, total constitué par les amortissements, tout ou partie des provisions et le résultat net après impôt.
De. Cash-flow (m.)
En. cash flow [2066]

MÉCANIQUE → circulation semi- — ; compensation — ; fusible — ; pâte — ; pâte thermo- — .

MÉCANOGRAPHIE n.f. 78
instrumentation > mesure des phénomènes physiologiques.
Technique d'enregistrement de l'activité mécanique du cœur et des vaisseaux sanguins.
V. carotidogramme ; jugulogramme [8258]

MÉCANOMORPHE adj. 76
propriété > configuration
Dont la forme rappelle celle d'une machine.
En. mechanomorphic
Es. mecanomorfo [5562]

MÉCANOSOUDÉ adj. 77
mécanique appliquée > assemblage
Se dit d'éléments préfabriqués ayant subi une mécanosoudure.
V. mécanosoudure

De. maschinengeschweißt
En. mechanically-welded [8384]

MÉCANOSOUDURE n.f. 75
mécanique appliquée > assemblage
Résultat du soudage d'éléments préfabriqués principalement en tôles, profilés, tubes, etc. d'organes de machines et d'ensembles.
V. mécanosoudé.
En. mechanized welding [7028]

MECCANO → système — .

MÈCHE n.f. 72
agronomie > production végétale
Pinceau de fibres dépassant de la noix de palme du côté opposé aux pores germinaux.
En. tuft [5826]

MÉCOUPURE n.f. 75
linguistique
Mauvaise coupe de termes.
De. falsche Sprechsilbentrennung (f.)
En. wrong segmentation [6102]

MÉDECINE GLOBALE n.f. 76
médecine > spécialité médicale
Médecine qui, se référant à une conception pseudophilosophique, s'adresse à l'homme entier qu'elle considère comme une union indissoluble entre un corps et un esprit.
V. globaliste
Es. medicina global [7448]

MÉDECINE INTERNE n.f. 73
médecine > spécialité médicale
Médecine qui traite l'ensemble des affections de la pathologie interne.
V. interniste
De. interne Medicin (f.)
En. internal medicine
Es. medicina interna [7449]

MÉDECIN VOLANT n.m. 78
médecine > spécialité médicale
Médecin appartenant à un service aérien de santé conçu pour assister rapidement des malades vivant dans des régions isolées.
De. fliegender Arzt (m.)
En. flying doctor [9052]

MÉDIATHÉCAIRE n. 73
information > centre d'information
Personne préposée à une médiathèque.
De. Mediathekar (m.)
En. media librarian [810]

MÉDIATHÈQUE n.f. 74
information > centre d'information
Organisme chargé de rassembler, de conserver et de diffuser des documents quel que soit leur support.
V. médiathécaire
De. Mediathek (f.)
En. media library [2871]

MÉDIATISÉ adj. 74
information > moyen d'information
Se dit d'un enseignement pris en charge par les médias de masse. [2694]

MÉDICALE → économie — ; électronique — active .

MÉDIOCENTRIQUE adj. 72
génétique > information génétique
Se dit d'un chromosome dont le centromère est situé en son milieu.
V. acrocentique
De. mediozentrisch
En. mediocentromeric [118]

MÉDIOEUROPÉEN adj. 77
biogéographie
De l'Europe moyenne, située entre l'Europe des plaines postglaciaires et des massifs anciens au Nord, et l'Europe mésogéenne au Sud, marquée par des zones d'effondrement.
V. mésogéen
De. mittleuropäisch
En. Middle-European [8786]

MÉDIOLITTORAL adj. 75
géophysique > géomorphologie
Se dit de l'étage sous-marin compris entre les étages supralittoral et infralittoral et correspondant au niveau moyen des mers sans marée.
V. circalittoral ; infralittoral ; supralittoral
De. mediolitoral
En. strand
Es. mediolitoral [4862]

MÉDIUM CHAUD n.m. 75
information > théorie de l'information
Moyen de communication qui fournit une grande quantité d'information et n'exige pas la participation du destinataire pour la compléter (radio, cinéma...).
V. medium froid
En. hot medium [4688]

MÉDIUM FROID n.m. 75
information > théorie de l'information
Moyen de communication qui ne fournit qu'une faible quantité d'information et nécessite la participation du destinataire pour la compléter (parole, téléphone...).
V. médium chaud
En. cool medium [4689]

MÉGA-PILONNEUSE n.f. 75
MÉGAPILONNEUSE
géotechnique
Engin de compactage qui utilise la chute d'une masse pour pilonner le sol.
De. große Stampfmaschine (f.)
En. giant tamper [5424]

MÉGAPOLE n.f. 71
localisation
Grosse agglomération urbaine.
De. Großraum (m.) ; Megalopolis (f.)
En. megalopolis
Es. megalópoli [1708]

MÉGASCIENCE n.f. 73
recherche et développement > recherche
Ensemble des secteurs de la recherche scientifique qui exigent des équipements lourds et coûteux.
De. Big Science (f.)
En. big science [1343]

MÉGAXYLIQUE adj. 75
histoire
Relatif aux constructions en bois des civilisations mégalithiques.
En. megaxylic
Es. megaxílico [4864]

MÉIOBENTHOS n.m. 74
écologie > communauté (écologie)
Partie du benthos dont la taille est inférieure à deux millimètres.
V. macrobenthos
En. meiobenthos
Es. meiobentos [6657]

MÉIOFAUNE n.f. 74
faune
Faune de petite taille.
De. Meiofauna (f.)
En. meiofauna
Es. meiofauna [2872]

MÉLANGEAGE n.m. 73
opération > mélange (opération)
Opération effectuée à l'aide d'un mélangeur.
De. Durchmischung (f.) ; Vermengen (n.)
En. mixing [1529]

MÉLANGÉE → couche — .

MÉLANGE SULFOCHROMIQUE n.m. 74
chimie > chimie du solide et du fluide
Liqueur oxydante obtenue en ajoutant de l'anhydride chromique à l'acide sulfurique concentré.
De. Chromschwefelsäure (f.) [2531]

MÉLANGEUR → hélico- — .

MÉLANGEUR COMMANDÉ n.m. 76
télécommunications > radiotechnique
Procédé qui permet l'obtention d'images fixes à demi-teintes sur un écran à plasma en courant alternatif.
En. ordered dither [8918]

MÉLOGRAPHE n.m. 74
cybernétique > intelligence artificielle
Calculateur qui permet d'analyser la voix humaine.
En. melograph
Es. melógrafo [3754]

MEMBRANE → citerne semi- — ; électrolyseur à — .

MEMBRANOLOGIE n.f. 73
médecine > spécialité médicale
Branche de la médecine qui étudie les membranes.
De. Membranologie (f.)
En. membranology
Es. membranología [2873]

MÈME n.m. 75
linguistique
Invariant mnésique qui existe dans la mémoire à long terme d'un locuteur et dont le format est inférieur à celui d'un lexème.
En. seme [7310]

MÉMOCARTE n.f. 76
information > support documentaire
Carte magnétique utilisée comme mémoire.
De. Speicherkarte (f.)
En. magnetic card ; mag card [6517]

MÉMOIRE À BULLES n.f. 73
électronique > équipement électronique
Type de mémoire dans laquelle la mémorisation s'effectue à l'aide d'îlots de magnétisation inverse créés dans une couche mince magnétique.
De. Blasen-Speicher (m.)
En. bubble memory [1172]

MÉMOIRE CACHE n.f. 75
MÉMOIRE-CACHE
informatique > unité centrale
Partie ultrarapide à semiconducteurs d'une mémoire centrale. [4690]

MÉMOIRE DYNAMIQUE n.f. 76
informatique > mémoire (ordinateur)
Mémoire dans laquelle l'information enregistrée à une position donnée se déplace avec le temps à l'intérieur d'une boucle de circuits, d'où un temps d'accès essentiellement variable.
V. mémoire statique ; mémoire tournante
De. dynamischer Speicher (m.)
En. dynamic storage
Es. almacenamiento dinámico [7537]

MÉMOIRE MORTE n.f. 75
informatique > unité centrale
Mémoire dont le contenu ne peut être modifié en usage normal.
V. mémoire vive
De. Festspeicher (m.) ; Festwertspeicher (m.) ; Permanentspeicher (m.) ; ROM-Speicher (m.) ; Totspeicher (m.).

En. read only memory ; read-only memory
Es. memoria muerta [4116]

MÉMOIRE REPROGRAMMABLE n.f. 76
informatique > unité centrale
Mémoire dans laquelle des informations (programmes ou
données) ont été préenregistrées et dont le contenu est
modifiable grâce à l'emploi de procédés spéciaux.
De. mehrmalig programmierbarer Speicher (m.)
En. reprogrammable memory
Es. memoria reprogramable [9344]

MÉMOIRE STATIQUE n.f. 76
informatique > mémoire (ordinateur)
Mémoire dans laquelle l'information est enregistrée à un
emplacement donné, fixe et directement accessible.
V. mémoire dynamique
De. statischer Speicher (m.)
En. static storage
Es. almacenamiento estático [7625]

MÉMOIRE TABLEAU NOIR n.f. 74
MÉMOIRE-TABLEAU NOIR
informatique > mémoire (ordinateur)
Mémoire effaçable de programme conférant à l'ordinateur une
aptitude à résoudre les problèmes les plus divers.
En. erasable storage [2383]

MÉMOIRE-TAMPON n.f. 72
informatique > mémoire (ordinateur)
Mémoire placée entre deux organes à débit différent en vue de
régulariser les transferts.
De. Pufferspeicher (m.)
En. buffer
Es. memoria de transición ; memoria provisional [294]

MÉMOIRE TOURNANTE n.f. 76
informatique > mémoire (ordinateur)
Mémoire dans laquelle l'information enregistrée à une position
donnée se déplace avec le temps à l'intérieur d'une boucle de
circuits, d'où un temps d'accès essentiellement variable.
V. mémoire dynamique
En. circulating memory ; circulating storage [9191]

MÉMOIRE VIVE n.f. 75
informatique > unité centrale
Mémoire dont le contenu peut être modifié en usage normal.
V. mémoire morte
*De. Arbeitsspeicher (m.) ; Primärspeicher (m.) ; Zentralspeicher
(m.)*
En. computing store ; main memory ; working storage
Es. memoria viva [4440]

MÉMOIRE VOLATILE n.f. 76
informatique > mémoire (ordinateur)
Mémoire dans laquelle l'information stockée est perdue ou
altérée lorsque le courant d'alimentation est interrompu.
En. volatile memory ; volatile storage [7638]

MÉMOSPHÈRE n.f. 76
informatique > équipement d'entrée-sortie
Machine à écrire à boule, pourvue d'une mémoire incorporée,
qui permet le traitement du texte (composition, corrections,
ajouts, suppressions, etc.) et la frappe automatique.
En. memory typewriter
Es. memoesfera [6518]

MÉNAGISTE → arts- — .

MER → rayon de la — .

MERCATIQUE n.f. 74
économie > commercialisation
Ensemble des actions qui, dans une économie de marché, ont
pour objectif de prévoir, constater, stimuler les besoins du
consommateur en telle catégorie de produits ou de services et
de réaliser l'adaptation continue de l'appareil productif et de
l'appareil commercial d'une entreprise aux besoins ainsi
déterminés.
V. département produits-marché ; marchéage

De. Marketing (n.)
En. marketing [3591]

MÈRE → fraise- — ; liqueur — ; molécule- — ; plaque-
— ; usine- — .

MÉRISTÉMATICITÉ n.f. 75
tissu (biologie) > tissu végétal
Qualité propre au tissu composé de cellules ayant gardé leur
caractère embryonnaire (méristème).
V. méristématique
De. Meristematizität (f.)
Es. meristematicidad [7584]

MÉRISTÉMATIQUE adj. 74
tissu (biologie) > tissu végétal
Relatif au méristème.
V. méristématicité ; méristématisation
De. meristematisch ; teilungsfähig
En. meristematic
Es. meristemático [2384]

MÉRISTÉMATISATION n.f. 75
tissu (biologie) > tissu végétal
Transformation en méristème.
V. méristématique
De. Meristamatisierung (f.)
Es. meristematización [7585]

MÉRITOCRATIE n.f. 75
sociologie
Puissance fondée sur le mérite.
En. meritocracy
Es. meritocracia [9345]

MÉROMICTIQUE adj. 76
géophysique > hydrogéologie
Se dit d'un lac dont les eaux n'entrent que partiellement en
circulation et dont les couches profondes ne sont pas en
communication régulière avec les eaux de surface.
De. meromiktisch
Es. meromíctico [7450]

MÉSALIGNEMENT n.m. 75
mécanique appliquée > usinage
Fait d'être situé hors d'un alignement ou mal ajusté.
De. Axialitätsfehler (m.)
En. misalignment [4865]

MÉSOCLIMAT n.m. 73
géophysique > climatologie
Climat d'une région naturelle d'étendue limitée.
De. Mesoklimat (n.)
En. mesoclimate
Es. mesoclima [813]

MÉSOÉCHELLE n.f. 77
géophysique > météorologie
Échelle moyenne.
De. mittlerer Maßstab (m.)
En. mesoscale
Es. mesoescala [8385]

MÉSO-ÉCONOMIE n.f. 75
MÉSOÉCONOMIE
économie > sciences économiques
Secteur de l'économie situé entre la microéconomie et la
macroéconomie, constituant la zone d'intervention privilégiée
des grandes entreprises.
De. Mesoökonomie (f.)
En. mesoeconomy
Es. mesoeconomía [5027]

MÉSOGÉEN adj. 77
biogéographie
Relatif à l'aire de sédimentation marine qui s'étend des
Pyrénées à l'Indonésie, et spécialement à sa partie occidentale,
marquée actuellement par la Méditerranée.
En. Mesogean ; Tethyan ; Tethys [8787]

MÉSOLIMNION n.m. 73
géophysique > hydrogéologie
Couche intermédiaire de l'eau d'un lac située entre la couche
superficielle (épilimnion) et la couche profonde (hypolimnion).
En. *mesolimnion ; thermocline* [7029]

MÉSOMORPHISTE n. 76
physique > physique du solide et du fluide
Spécialiste de l'étude des états mésomorphes de la matière.
En. *mesomorphist* [6769]

MÉSONIQUE adj. 76
physique > physique des particules
Relatif à certaines particules instables (mésons).
De. *mesonisch ; Meson-*
En. *mesic ; mesonic*
Es. *mesónico* [6519]

MÉSOPHASE n.f. 73
physique > physique du solide et du fluide
État de la matière intermédiaire entre deux autres.
De. *Mesophase (f.) ; Mittelphase (f.)*
En. *mesophase*
Es. *mesofase* [2695]

MÉSOPIQUE adj. 75
physiologie > neurophysiologie
Qualifie une vision dans des conditions intermédiaires entre
celle des visions photopique et scotopique.
En. *mesopic* [5964]

MÉSOPLANCTONIQUE adj. 76
écologie > communauté (écologie)
Relatif à l'ensemble des organismes dont la taille est comprise
entre 1 et 5 millimètres (mésoplancton).
De. *Mesoplankton-*
En. *mesoplanctonic*
Es. *mesoplanctónico* [6382]

MÉSO-TÉLÉVISION n.f. 74
MÉSOTÉLÉVISION
télécommunications > radiocommunication
Télévision régionale distribuée par câble.
V. macro-télévision ; microtélévision ; télévision communau-
taire ; télévision locale
De. *Kabelfernsehen (n.)*
Es. *mesotelevisión* [3054]

MÉSOTROPHE adj. 76
géologie > pédologie
Se dit d'un sol à teneur moyenne en substances nutritives.
De. *mesotroph*
En. *mesotrophic*
Es. *mesotrofo* [7311]

MESURANDE n.m. 77
mécanique appliquée > machine-outil
Grandeur à mesurer.
De. *Meßwert (m.)* [7451]

MESURE → contre- — .

MÉTACHRONIE n.f. 71
microbiologie
Caractère d'un ensemble de phénomènes dont le déclenche-
ment de l'un est commandé avec retard par le déclenchement
de celui qui précède.
V. métachronique
De. *Metachronie (f.)*
En. *metachrony*
Es. *metacronía* [6248]

MÉTACHRONIQUE adj. 71
microbiologie
Relatif à la métachronie.
V. métachronie
En. *metachronal*
Es. *metacrónico* [6249]

MÉTACOMPILATEUR n.m. 73
informatique > programmation
Machine virtuelle interprétant un langage adapté à l'écriture
de traducteurs pour divers langages-sources.
V. métamoniteur
De. *Metakompilierer (m.)*
En. *metacompiler*
Es. *metacompilador* [5681]

MÉTALLIER n.m. 74
bâtiment et travaux publics > équipement technique (bâtiment)
Ouvrier spécialisé dans l'exécution et la mise en place des
ouvrages où le métal est transformé en produits finis destinés
au bâtiment.
De. *Baueisenformer (m.)* [2696]

MÉTALLISATION n.f. 76
économie > industrie mécanique
Liaison électrique entre les éléments métalliques d'un aéronef
réalisée en vue d'obtenir une répartition sûre des charges et
des intensités.
De. *Masseverbindung (f.)*
En. *bonding ; electrical bonding* [7030]

MÉTALLOGÉNIQUE adj. 77
géologie > gîtologie
Relatif à la formation des gîtes métallifères (métallogénèse).
V. métallogéniste
De. *metallogenetisch*
En. *metallogenic ; metallogenetic*
Es. *metalogénico* [9053]

MÉTALLOGÉNISTE n. 74
géologie > gîtologie
Spécialiste de l'étude de la formation des gîtes métallifères
(métallogénèse).
De. *Enz-Geologe (m.)*
En. *metallogenist*
Es. *metalogenista* [3592]

MÉTALLOTECTE n.m. 74
géologie > gîtologie
Tout objet géologique lié à la tectonique, au magmatisme, au
métamorphisme, à la géochimie..., qui favorise l'édification
d'un gisement ou d'une concentration minérale.
En. *metallotect*
Es. *metalotecto* [2697]

MÉTALLURGIE → pyro- — .

MÉTAMÉRISME n.m. 75
propriété > propriété optique
Propriété de deux ou plusieurs réalisations colorées métamères.
De. *metamere Farbgleichheit (f.)*
En. *metamerism*
Es. *metamerismo* [5965]

MÉTAMÉTALANGUE n.f. 71
linguistique
Ensemble de prédicats appliqués aux mots métalinguistiques en
usage.
En. *meta metalanguage* [3217]

MÉTAMONITEUR n.m. 73
informatique > programmation
Machine virtuelle interprétant un langage adapté à l'écriture
d'exécutifs pour diverses machines-objets.
V. métacompilateur
De. *Metamonitor (m.)*
En. *metamonitor*
Es. *metamonitor* [5682]

MÉTARACE n.f. 77
génétique > hybridation
Peuple à l'intérieur duquel les différences ethniques ne sont
pas considérées comme signifiantes.
De. *Metarasse (f.)*
En. *metarace* [8259]

MÉTASÉMIE n.f. 75
linguistique
Modification de sens que peut subir un terme.
De. Bedeutungswandel (m.)
En. metasemy
Es. metasemia [4691]

MÉTASIGNE n.m. 76
information > théorie de l'information
Signe utilisé à l'intérieur d'un métalangage pour exprimer un contenu qui est lui-même un fait linguistique.
De. Metazeichnen (n.) [8135]

MÉTATERMINOLOGIE n.f. 76
linguistique
Terminologie utilisée à l'intérieur d'un métalangage pour exprimer un contenu lui-même terminologique.
De. Metaterminologie (f.)
En. metaterminology
Es. metaterminología [8386]

MÉTÉORIQUE → radar — .

MÉTÉOROLOGIQUE → navigation — .

MÉTÉOTRON n.m. 70
géophysique > météorologie
Dispositif permettant de modifier localement l'état thermodynamique de l'atmosphère par convection artificielle de l'air près du sol.
De. Meteotron (n.)
En. meteotron
Es. meteotrón [3934]

MÉTHADONE n.f. 74
pharmacologie > toxicologie
Poudre blanche, inodore, de saveur amère, soluble dans l'eau et dans l'alcool, hypnotique et analgésique, utilisée comme succédané de la morphine.
De. Methadon (n.)
En. methadone [2237]

MÉTHANATION n.f. 72
chimie > réaction chimique
Réduction des oxydes de carbone par l'hydrogène gazeux pour donner du méthane.
De. Methanisierung (f.)
En. methanation
Es. metanación [3404]

MÉTHANIGÈNE adj. 74
microbiologie
Qui produit du méthane.
De. methanerzeugend
En. methane-producing
Es. metanígeno [8919]

MÉTHANOMÈTRE n.m. 78
environnement et sécurité > prévention
Appareil de mesure des émanations de méthane.
De. Methanometer (n.)
En. methanometer ; methane tester
Es. metanómetro [9346]

MÉTHODE BARREAU TUBE n.f. 75
MÉTHODE BARREAU-TUBE
économie > industrie du verre
Méthode de fibrage qui consiste à descendre dans le four un barreau qui devient, après fusion, le cœur de la fibre, et un tube extérieur qui devient la gaine.
V. fibrage
De. Stab-Rohrmethode (f.) [4866]

MÉTHODE DES FILTRES AUTORÉGRESSIFS n.f. 77
mathématiques appliquées
Technique d'interpolation et de prédiction par régression linéaire des valeurs d'une fonction φ (n) considérée comme réalisation d'une fonction aléatoire, cette réalisation étant supposée connue numériquement sur un ensemble de N points ($x_1 ... x_n$).

V. interpolation de Lagrange
En. autoregressive filtering method [9054]

MÉTHODE DES GRAPPES n.f. 74
exploitation des ressources minérales
Méthode quantitative de regroupement par couple des gîtes métallifères d'après un cœfficient de similitude.
En. cluster-method [3594]

MÉTHODE DU GRADEX n.f. 77
géophysique > météorologie
Méthode d'estimation des débits exceptionnels de cours d'eau en liaison avec les hauteurs journalières maximales annuelles des pluies ajustées suivant une loi de probabilité des valeurs extrêmes.
De. Gradexmethode (f.) [8260]

MÈTRE → curie- — ; emballage au — ; irradiance- —.

MÉTROMATIQUE n.f. 78
instrumentation > métrologie
Application de l'informatique à la métrologie.
De. Metromatik (f.)
Es. metromática [9347]

MEULEUSE n.f. 74
mécanique appliquée > enlèvement de matière
Machine servant à meuler.
De. Schleifmaschine (f.)
En. grinder [6104]

MI → pâte — - chimique.

MICRO → four — - onde.

MICROAÉROPHILIE n.f. 74
organisme vivant > microorganisme
Caractère d'une bactérie faiblement aérobie. [8921]

MICRO-AMÉNAGEMENT n.m. 78
MICROAMÉNAGEMENT
gestion, organisation, administration > aménagement du territoire
Aménagement du territoire répondant aux exigences locales.
V. macro-aménagement [9348]

MICRO-AUTOMATE n.m. 76
MICROAUTOMATE
automatisme > équipement automatique
Chaîne d'automatismes modulaires permettant d'automatiser soit une machine, soit des séries d'unités d'usinage.
En. microprocessor ; microprocessing unit
Es. microautómata [6890]

MICROBILLAGE n.m. 73
technologie des matériaux > traitement de surface
Billage par abrasifs ultrafins.
V. billage [977]

MICROBIOCIDE n.m. 74
matériau > pesticide
Substance ou produit possédant une activité biologique susceptible de détruire les organismes vivants inférieurs.
De. Mikrobiozid (n.)
En. microbicide
Es. microbicida [5425]

MICROBIOGÈNE adj. 76
géologie > métamorphisme
Qui provoque une microbiogénèse.
V. microbiogénèse
De. mikrobiogen
En. microbiogenic ; microbiogenetic
Es. microbiógeno [6105]

MICROBIOGÉNÈSE n.f. 76
géologie > métamorphisme
Transformation par voie microorganique.
V. microbiogène
De. Mikrobiogenese (f.)

En. microbiogenesis ; microbiogeny
Es. microbiogénesis [6106]

MICROCALCULATEUR n.m. 75
automatisme > équipement automatique
Ensemble formé par un microprocesseur, ses mémoires extérieures, ses entrées-sorties banalisées et ses interfaces avec les
périphériques.
De. Mikrocomputer (m.) ; Mikrorechner (m.)
En. microcalculator
Es. microcalculador [5683]

MICROCAUTÉRISATION n.f. 78
génie biomédical > chirurgie
Cautérisation effectuée sous microscope électronique. [8387]

MICROCINÉGRAPHIE n.f. 78
arts > photographie
Branche de la cinégraphie qui utilise le microscope.
De. Mikrokinematografie (f.)
En. microcinematography [9055]

MICROCONVERSATION n.f. 71
enseignement
Exercice structural complexe en forme de dialogue suffisamment court pour être mémorisé par l'élève.
V. exercice structural
En. microdialogue
Es. microconversación [3218]

MICROCOULOMÈTRE n.m. 74
chimie > chimie analytique
Appareil permettant de mesurer de très faibles quantités
d'électricité.
De. Mikrocoulometer (n.) ; Mikrovoltameter (n.)
En. microcoulombmeter ; microcoulometer
Es. microcoulómetro [2385]

MICROCRAQUELURE n.f. 74
physique > mécanique
Dans une roche, discontinuité microscopique intérieure à un
cristal.
V. microfracture
De. Haarriß (m.)
En. microcrack ; microfissure
Es. microfisura intracristalina [5028]

MICROCUVETTE n.f. 75
instrumentation > système électroacoustique
Creux ovale de largeur constante imprimé dans un vidéodisque
et contenant toute l'information nécessaire au stockage de
l'image et du son.
En. microgroove [4693]

MICROÉDITER v. 72
information > diffusion de l'information
Reproduire des documents sur microformes.
V. microédition
En. to micropublish
Es. microeditar [6520]

MICROÉDITION n.f. 74
information > diffusion de l'information
Publication de documents sur microformes.
V. microéditer
De. Mikroreproduktion (f.)
En. micro-publishing
Es. microedición [3595]

MICRO-ENSEIGNEMENT n.m. 74
MICROENSEIGNEMENT
information > moyen d'information
Formation méthodologique fondée sur l'analyse d'une très
petite séquence d'une phase d'enseignement d'un professeur.
De. Microteaching (n.) ; Microunterricht (m.)
En. microanalytic teaching ; pedagogic microscopy [2874]

MICROFENTE → ligne — .

MICROFICHETHÈQUE n.f. 77
information > support documentaire
Collection de microfiches.
De. Mikrofiche Sammlung (f.)
En. fiche collection ; microfiche collection [8657]

MICROFILAMENT n.m. 77
cellule et constitution cellulaire > constitution cellulaire
Organite filiforme de dimensions microscopiques.
V. microtubule [8505]

MICROFILAMENT n.m. 71
matériau > produit métallurgique
Fil dont l'épaisseur est de l'ordre du micron.
De. Mikrofaser (f.)
En. microfilament [815]

MICROFILMAGE n.m. 76
informatique > traitement de données (informatique)
Opération qui consiste à enregistrer en série des micro-images
sur une pellicule.
De. Mikrofilmanfnahme (f.)
En. microfilming
Es. microfilmación [9192]

MICROFISSION n.f. 74
physique > physique des particules
Fission obtenue en comprimant un échantillon de matière
fissile au moyen d'une impulsion laser pour réduire la masse et
le volume critiques.
En. microfission
Es. microfisión [2533]

MICROFISSURATION → essai de — sous charge

MICROFLORE n.f. 72
microbiologie
Ensemble des microorganismes vivant sur les tissus ou dans
les cavités naturelles de l'organisme.
En. microflora [296]

MICROFLOTTATION n.f. 74
opération > séparation physique
Procédé d'épuration des eaux résiduaires qui consiste à
rassembler, en présence d'un coagulant, les colloïdes de petite
taille en un floc dirigé en surface du liquide en vue de sa
récupération par râclage.
En. microflotation
Es. microflotación [4118]

MICROFORME n.f. 74
information > support documentaire
Phototype sur lequel les documents sont enregistrés à des taux
de réduction nécessitant un appareillage de lecture ou de
restitution.
De. Mikroträger (m.)
En. microform
Es. microforma [3596]

MICROFRACTOGRAPHIQUE adj. 77
physique > mécanique
Relatif à l'utilisation du microscope électronique pour étudier
les fractures d'éprouvettes soumises à des contraintes (microfractographie).
En. microfractographic
Es. microfractográfico [8788]

MICROFRACTURE n.f. 74
physique > mécanique
Dans une roche, discontinuité microscopique recoupant un
certain nombre de cristaux.
V. microcraquelure
De. Mikroriß (m.)
En. microfracture
Es. microfractura [5030]

MICROFUNDIAIRE n.m. 77
économie > économie rurale
Exploitant d'un microfundium.

V. microfundium
De. Kleingrundbesitzer (m.) [7452]

MICROFUNDIUM n.m. 77
économie > économie rurale
Petite propriété paysanne de production le plus souvent
inférieure aux besoins d'une famille.
V. microfundiaire
De. Kleingrundbesitz (m.) ; Mikrofundium (m.)
En. microfundium
Es. microfundio [7453]

MICROGAMÉTOGONIE n.f. 77
cellule et constitution cellulaire > cellule
Processus de production d'un microgamète.
V. macrogamétogonie
De. Mikrogametogonie (f.)
En. microgametogony
Es. microgametogonía [8789]

MICROGAMÉTOBLASTE n.m. 78
cellule et constitution cellulaire > cellule
Cellule issue du gamonte, lors de la gamétogénèse et dans
laquelle s'élaborent des microgamètes.
En. microgametoblast
Es. microgametoblasto [9193]

MICROGÉOMÉTRIQUE → erreur — .

MICRO-GLISSEMENT n.m. 76
MICROGLISSEMENT
technologie des matériaux > fabrication du papier
Glissement sur une feuille de papier de la garniture élastique
d'un rouleau sous l'effet des compressions provoquées par un
rouleau de fonte, avec augmentation du brillant du papier.
En. supercalendering [7031]

MICROGRANULAROMÈTRE n.m. 72
instrumentation > photographie
Dispositif permettant de mesurer le grain des films photogra-
phiques.
De. Korngrößenmeßgerät (n.)
En. microgranulometer
Es. microgranulómetro [3219]

MICROGRAVITÉ n.f. 75
sciences de l'espace
Faible gravité caractéristique des expériences dans l'espace.
De. Mikrogravitation (f.)
En. microgravity
Es. microgravedad [5031]

MICROHOLOGRAPHIE n.f. 78
instrumentation > photographie
Type d'holographie qui utilise le microscope.
V. photographie scientifique
De. Mikroholographie (f.)
En. holographic microscopy
Es. microholografía [9056]

MICRO-INFORMATIQUE n.f. 77
informatique > unité centrale
Informatique des microprocesseurs.
V. microprocesseur
De. Mikroinformatik (f.)
En. microprocessing
Es. microinformática [7993]

MICROINSTRUMENTATION n.f. 78
MICRO-INSTRUMENTATION
génie biomédical > appareillage médical
Ensemble des techniques visant à la production des micro-
instruments utilisés en microchirurgie.
De. Mikroinstrumentierung (f.)
En. microinstrumentation [9057]

MICROMATIQUE n.f. 74
information > support documentaire
Ensemble des techniques résultant de l'utilisation conjointe de

la micrographie et de l'ordinateur
Es. micromática [4694]

MICROMÉCANIQUE n.f. 73
économie > industrie mécanique
Réalisation de très petites pièces avec une très grande précision le plus souvent par procédé photographique.
De. Mikromechanik (f.) [2240]

MICROMÉDIAS n.m.pl. 74
information > moyen d'information
Moyens de diffusion d'une information auprès d'un groupe
restreint à l'aide d'appareils audiovisuels de petites dimensions.
De. Mikromedien (n.)
En. micro-media [3597]

MICROMORTIER n.m. 72
matériau > matériau de construction
Mortier dont la taille maximale des grains est réduite.
De. Mikromörtel (m.)
En. micromortar [120]

MICRONECTON n.m. 72
écologie > communauté (écologie)
Partie du plancton microscopique qui nage à la surface des
eaux.
V. micronectonique
De. Mikronekton (n.)
En. micronekton [633]

MICRONECTONIQUE adj. 77
écologie > communauté (écologie)
Relatif au micronecton.
V. micronecton
En. micronektonic
Es. micronectónico [8506]

MICRONEURONE n.m. 78
cellule et constitution cellulaire > cellule
Neurone de très petites dimensions.
De. Mikroneuron (n.)
En. micro-neuron
Es. microneurona [8790]

MICRONISATION n.f. 73
opération > broyage
Broyage ultrafin fournissant des particules de l'ordre du
micron.
En. micronization [1531]

MICROPAIN n.m. 73
économie > industrie agricole et alimentaire
Plaquette de beurre représentant une portion de 8 grammes
pour restaurateur, collectivité, hôtel.
De. Portionpackung (f.) [1711]

MICROPHONIQUE → détecteur — .

MICROPHOTOGRAMME n.m. 78
information > support documentaire
Image photographique réduite non visible à l'œil nu.
De. Mikrofotogramm (n.)
En. microfilm frame
Es. microfotograma [9350]

MICROPLACODES n.f.pl. 75
anatomie > anatomie animale
Petites immigrations épiblastiques rejoignant les crêtes neu-
rales de la tête et participant à la formation des ganglions des
nerfs crâniens.
En. microplacodes [8791]

MICROPOLISSAGE n.m. 76
technologie des matériaux > traitement de surface
Opération de superfinition destinée à améliorer l'état de
surface des tôles inoxydables ou des métaux non ferreux.
En. superfinishing
Es. micropulido [7032]

MICROPONT n.m. 73
électronique > équipement électronique
Anneau supraconducteur à étranglement.
De. Mikro-Meßbrücke (f.)
En. microbridge [816]

MICRO-POUSSIÈRE n.f. 78
MICROPOUSSIÈRE
matériau > tissu (textile)
Poussière de dimensions microscopiques.
De. Mikrostaub (m.)
Es. micropolvo [8923]

MICROPROCESSEUR n.m. 73
informatique > unité centrale
Circuit intégré qui réalise toutes les fonctions de l'unité
centrale d'un petit ordinateur.
V. micro-informatique
De. Mikroprozessor (m.)
En. microprocessor
Es. microprocesador [980]

MICROPROCESSORISÉ adj. 76
automatisme > équipement automatique
Se dit d'un ensemble dans lequel a été incorporé un micropro-
cesseur en vue d'en automatiser le fonctionnement.
De. mikroprozessoriert ; mit mikroprogrammiertem Prozessor
En. microprocessor-controlled ; microprocessor-equipped [8792]

MICRORÉFLECTOMÉTRIE n.f. 76
instrumentation > mesure optique
Méthode optique pour l'examen de poussières atmosphériques
permettant de caractériser par la mesure de leur réflectance les
particules d'un diamètre de dimensions microscopiques.
Es. microreflectometría [7158]

MICRORÉGULATION n.f. 76
transport et manutention > circulation
Régulation du trafic automobile consistant à donner à chaque
voie d'un carrefour le temps de passage nécessaire à l'écoule-
ment des véhicules qui s'y présentent.
V. macrorégulation
De. direkte Verkehrssteuerung (f.)
Es. microregulación [7454]

MICROREPROGRAPHIE n.f. 75
reprographie
Obtention et exploitation de microformes, le plus souvent
photographiques.
V. téléreprographie
De. Mikroreprographie (f.)
En. microreprography
Es. microreprografía [4695]

MICRORRAGIE n.f. 77
pathologie animale > pathologie urogénitale
Hémorragie minime tachant le linge.
De. Schmierblutung (f.)
En. spotting [8261]

MICRORUBAN → ligne — .

MICROSMATE adj. 72
physiologie > neurophysiologie
Se dit d'une espèce dont l'odorat est peu développé.
V. macrosmate [817]

MICRO-SOUDAGE n.m. 76
MICROSOUDAGE
mécanique appliquée > assemblage
Soudage de pièces de petites dimensions en micromécanique.
En. micro-welding
Es. microsoldadura [6659]

MICROSPHÈRE n.f. 76
économie > industrie papetière
Sphère de matière plastique de très petit diamètre utilisée
pour améliorer les qualités du papier.
En. microsphere
Es. microsfera [6891]

MICROTÉLÉVISION n.f. 74
télécommunications > radiocommunication
Télévision individuelle ou de groupe produite à l'aide d'un
équipement vidéo.
V. macro-télévision ; mésotélévision
De. Industriefernsehen (n.)
En. microtelevision
Es. microtelevisión [3055]

MICROTHÈQUE n.f. 77
microbiologie
Collection de souches microbiennes.
V. souchothèque
Es. microteca [7159]

MICROTUBULE n.m. 74
cellule et constitution cellulaire > constitution cellulaire
Organite tubulaire de dimensions microscopiques.
V. microfilament [8507]

MICROZOOPLANCTON n.m. 77
écologie > communauté (écologie)
Plancton animal microscopique.
De. Mikrozooplankton (m.)
En. micro-zooplankton
Es. microzooplancton [8136]

MIGMATIQUE adj. 72
géologie > structure géologique
De la nature de la migmatite.
De. migmatisch
Es. migmático [3598]

MIGRATION → inversion de — .

MILICOLE adj. 74
agronomie > production végétale
Relatif à la culture du mil.
De. Hirse- ; hirse [2534]

MILEUR n.m. 71
sport
Coureur spécialisé dans les distances moyennes dont le mille
anglais de 1 609 m est le type.
De. Langstreckenläufer (m.)
En. miler [2700]

MILIEU DE GAMME adj. 75
automatisme > équipement automatique
Se dit d'un modèle qui se situe dans la partie médiane d'une
gamme de caractéristiques données.
V. bas de gamme ; haut de gamme
De. von mittlerer Leistungsfähigkeit
En. middle-of-the-line ; middle-of-the-range [5427]

MILITARISÉ adj. 75
électronique > électronique industrielle
Se dit d'un matériel spécialement adapté aux besoins militaires.
De. militärisch
En. military
Es. militarizado [6521]

MILLIPORE adj. 74
physique > physique du solide et du fluide
Se dit d'un élément qui présente un grand nombre de petits
canaux calibrés permettant une microfiltration. [1712]

MIMÈME n.m. 68
physiologie > neurophysiologie
Élément gestuel minimal déterminé par ses rapports avec les
autres éléments d'un langage gestuel.
V. mimisme
En. mimeme [3756]

MIMISME n.m. 68
physiologie > neurophysiologie
Langage constitué de gestes et de mimèmes oculaires.
V. mimème
En. mimicry [3757]

MINERAI CORRECTIF n.m. 74
matériau > matériau d'origine minérale
Minerai additionné aux produits consommés par un haut
fourneau afin d'améliorer la qualité des alliages.
De. Korrekturzuschlag (m.)
En. beneficiated ore [4696]

MINÉRALISÉ → corps — .

MINÉRALODUC n.m. 75
transport et manutention > canalisation-conduite
Dispositif d'acheminement de matériaux broyés et mélangés à
un liquide.
De. Pipeline (f.)
En. mineral line
Es. mineraloducto [5428]

MINÉRALOGÉNÈSE n.f. 76
géologie > minéralogie
Formation de minéraux.
De. Mineralbildung (f.)
En. mineralization
Es. mineralogénesis [6107]

MINÉRALURGIE n.f. 73
matériau > matériau d'origine minérale
Ensemble des techniques de valorisation des minerais et des
métaux.
De. Mineralurgie (f.)
En. mineralurgy ; minerallurgy [818]

MINGOGRAMME n.m. 75
physique > acoustique
Enregistrement graphique de la durée, de la hauteur et de
l'intensité d'un son.
En. note [6892]

MINIATURE → sous- — .

MINIBÉTON n.m. 74
matériau > matériau de construction
Revêtement de sols industriels constitué par une couche mince
de béton. [2701]

MINI-INFORMATIQUE n.f. 74
automatisme > équipement automatique
Informatique qui assure le traitement des données à l'aide
d'ordinateurs de moyenne puissance et de coût modéré (mini-
ordinateurs).
V. grosse informatique
De. EDV (f.) auf Kleinrechnern
En. small data-processing systems
Es. mini-informática [2702]

MINIMARGE n.m. 74
économie > prix
Magasin de vente au détail pratiquant une politique systématique et généralisée de vente avec marges réduites.
De. Billig-Kaufhaus (n.) [1532]

MINI-VISITEUSE n.f. 74
MINIVISITEUSE
économie > industrie textile
Petite machine de contrôle utilisée pour visiter et mesurer le
tissu. [1880]

MINTERME n.m. 73
mathématiques
Atome ou partie vide d'un clan.
V. atome ; clan
Es. mintérmino [2535]

MINUTE → traitement- — .

MIOCRATON n.m. 74
géophysique > géomorphologie
Craton incomplètement formé.
V. durisocle ; eucraton ; mollisocle
De. Miokraton (n.)

En. young craton
Es. miocraton [7711]

M.I.P. (MODULE D'INTERVENTION PROFONDE) n.m. 74
recherche et développement > exploration scientifique
Véhicule qui assure le transport des plongeurs.
De. Tieftauchmodul (m.) [2071]

MIRACULLINE n.f. 73
constituant des organismes vivants
Glycoprotéine de haut poids moléculaire isolée à partir du fruit
d'un arbre africain. [1881]

MIREUSE n.f. 75
économie > industrie agricole et alimentaire
Machine destinée à contrôler le goulot et le fond des bouteilles.
V. inspectrice
De. Flaschenkontrollanlage (f.)
En. electronic bottle-scanner [4539]

MIROIR → immeuble- — ; point — ; télé- — .

MIROITIER → camion — .

MISE À POSTE n.f. 74
télécommunications > communication spatiale
Opération qui consiste à placer un engin spatial sur une
orbite donnée.
En. launching into orbit ; orbiting ; putting into orbit [3759]

MISE À VIF n.f. 74
technologie des matériaux > traitement de surface
Préparation de la surface d'un matériau consistant à en
augmenter la superficie de contact en vue de son revêtement.
De. Aufrauhen (n.)
En. baring [3936]

MISSILE À GUIDAGE OPTIQUE n.m. 73
télécommunications > télécommande
Bombe-missile guidée par télévision.
De. Fernseh-Lenkflugkörper (m.)
En. Hobo ; homing optical bomb [2243]

MITOGÉNIQUE adj. 78
physiologie > physiologie cellulaire
Qui induit des divisions cellulaires.
En. mitogenic ; mitogenetic
Es. mitogenético [8658]

MIX → post- — ; pré- — .

MIXOTROPHE adj. 75
physiologie > nutrition
Se dit d'un organisme vivant qui pratique à la fois l'autotro-
phie et l'hétérotrophie.
De. mixotroph
En. mixotrophic
Es. mixótrofo [4697]

MIXTE(S) → chaudière — ; chauffage — ; cristaux — s;
quai — .

MIXTICOLE adj. 74
écologie > autécologie
Qui vit dans des milieux formés d'éléments de différente
nature.
V. vasicole
En. mixticolous [6660]

MNÉMON n.m. 78
physiologie > neurophysiologie
Unité élémentaire de mémoire.
De. Mnemon (n.)
En. mnemon
Es. mnemón [8924]

MNÉSIQUE adj. 75
psychologie > psychophysiologie
Relatif à la mémoire.
De. mnestisch

En. mnestic
Es. mnésico [4868]

MOBILE → ancrage — ; mano- — ; quai — .

MOBILITÉ → contre- — .

MODALISATEUR → verbe — .

MODALITÉ n.f. 71
statistique
Variante que peut présenter un caractère qualitatif.
De. Modalität (f.)
En. modality [477]

MODE → bi- — ; réfection de — commun .

MODE COMMUN n.m. 76
électronique > radiotechnique
Mode de fonctionnement qui consiste à appliquer un signal
entre les deux bornes d'un dispositif à entrée différentielle par
rapport au neutre (différent de la terre ou à très haute
impédance).
V. mode différentiel
En. common mode [9352]

MODE COMPATIBILITÉ n.m. 75
MODE-COMPATIBILITÉ
informatique > système opératoire
Mode de fonctionnement d'un matériel qui, par l'utilisation de
dispositifs particuliers intégrés, exécute les programmes écrits
pour un matériel différent sans modifications notoires de ces
programmes.
V. mode étranger
De. Kompatibilitäts modus (m.)
En. compatibility mode [7455]

MODE DIFFÉRENTIEL n.m. 76
électronique > radiotechnique
Mode de fonctionnement qui consiste à appliquer un signal
simultanément aux deux bornes d'un dispositif à entrée
différentielle par rapport au neutre (différent de la terre ou à
très haute impédance).
V. mode commun
De. Differenzbetrieb (m.)
En. differential mode [9353]

MODE ÉTRANGER n.m. 76
informatique > système opératoire
Mode de fonctionnement d'un système de traitement de
l'information qui, par l'utilisation de dispositifs particuliers
intégrés, permet l'utilisation d'unités périphériques étrangères
à ce système.
V. mode compatibilité
De. gerätefremde Betriebsart (f.) [7456]

MODELAGE n.m. 74
génie biomédical > psychothérapie
Première phase de la méthode d'inondation au cours de
laquelle le thérapeute affrontant l'objet de la .peur de son
malade invite celui-ci à l'imiter.
V. aversion ; inondation
De. Modellierung (f.) ; Modellpsychose (f.)
En. modeling (U.S.A.) ; modelling (U.K.) [3760]

MODÈLE DE CONFLUENCE n.m. 76
psychologie > psychophysiologie
Paramètre du développement de l'intelligence, fonction de
l'environnement familial.
En. pattern of confluence [6661]

MODÈLE DISCURSIF n.m. 73
modèle
Modèle dialectique, essentiellement qualitatif qui est celui du
discours parlé puis écrit.
V. modèle formel ; modèle vrai
En. discursive model [1882]

MODÈLE FORMEL n.m. 73
modèle
Modèle dialectique dérivé du modèle discursif par axiomatisation.
V. modèle discursif ; modèle vrai
En. formal model [1883]

MODÈLE VRAI n.m. 73
modèle
Modèle pour lequel l'intersection entre modèle et sujet
concerne le domaine des résultats obtenus et le domaine de
l'organisation ou de la structure.
V. modèle discursif ; modèle formel ; réplique ; substitut [1884]

MODÉLISABLE adj. 78
modèle
Apte à la modélisation.
De. modellierbar
Es. modelizable [9195]

MODÉLISATEUR n.m. 75
gestion, organisation, administration > recherche opérationnelle
Spécialiste de l'établissement de modèles.
En. modelization specialist [5685]

MODÉLISATION n.f. 74
informatique > système opératoire
Représentation d'un phénomène ou d'un objet en vue d'en
étudier les variations.
De. Modell (n.) ; Modellbetrachtung (f.) ; Modelldarstellung (f.)
En. modelization
Es. modelización [3761]

MODE NATIF n.m. 75
informatique > système opératoire
Mode de fonctionnement conforme à la conception d'un
matériel.
V. mode naturel
De. geräteeigentümliche Betriebsart (f.)
En. native mode [7457]

MODE NATUREL n.m. 75
informatique > système opératoire
Mode de fonctionnement conforme à la conception d'un
matériel.
V. mode natif
De. geräteeigentümliche Betriebsart (f.)
En. native mode [7458]

MODULAIRE → transport — .

MODULARISATION n.f. 77
mécanique appliquée > véhicule
Action de constituer un ensemble à partir de modules.
De. Modulisierung (f.)
En. modularization [8659]

MODULARITÉ n.f. 75
propriété > propriété technologique
Caractère d'un dispositif conçu par modules. [4194 bis]

MODULATEUR → relais — .

MODULATION → onduleur à — de largeur d'impulsions.

MODULE → bureau- — .

MODULE D'ACCOUPLEMENT MULTIPLE n.m. 73
instrumentation > équipement aérospatial
Élément d'un véhicule spatial susceptible d'accorder entre eux
des véhicules spatiaux de divers types.
En. multiple docking adapter ; multiple docking adaptor ; M.D.A.
[981]

MODULÉE → chaudière à marche — .

MODULE URBAIN DE SERVICE n.m. 73
transport et manutention > engin de transport
Véhicule automobile de petites dimensions conçu uniquement
pour les déplacements en ville. [982]

MOINS adj. 78
constituant des organismes vivants
Se dit d'un système qui permet d'effectuer la synthèse de
fragments d'A.D.N. en produisant chaque fragment de façon
qu'il se termine par un nucléotide précédant le nucléotide que
l'on veut identifier.
V. plus
     plus-moins
De. Minus-
En. minus [8699]

MOINS → plus- — .

MOLARIFORME adj. 76
anatomie > anatomie animale
Qui possède certaines caractéristiques d'une molaire.
De. molarähnlich
En. molariform
Es. molariforme [6250]

MOLÉCULAIRE → association — ; soudure — .

MOLÉCULARISATION n.f. 74
technologie des matériaux > génie chimique
Édification d'une molécule.
De. Molekularization (f.)
Es. molecularización [7586]

MOLÉCULE-CAGE n.f. 78
chimie > chimie du solide et du fluide
Molécule de nature chimique variable qui renferme des cavités
internes fonctionnant comme des pièges spécifiques de certaines molécules ou de certains atomes de taille appropriée.
En. cage molecule
Es. molécula-jaula [9058]

MOLÉCULE-FILLE n.f. 74
génétique > génétique moléculaire
Molécule obtenue à partir d'une autre molécule par segmenta-
tion et recombinaison.
V. molécule-mère
De. Tochtermolekül (n.)
En. daughter molecule [3057]

MOLÉCULE-MÈRE n.f. 74
génétique > génétique moléculaire
Molécule à partir de laquelle peut être constituée une autre
molécule.
V. molécule-fille
De. Muttermolekül (n.)
En. mother molecule [3059]

MOLÉCULES → éponge à — .

MOLLE → base — ; plante — .

MOLLICUTE n.m. 74
organisme vivant > microorganisme
Microorganisme à peau molle peuplant le plancton.
V. acholéplasme ; spiroplasme ; mycoplasme [3221]

MOLLISOCLE n.m. 74
géophysique > géomorphologie
Socle mou, resté au stade élémentaire de la cratonisation.
V. cratonisation ; durisocle ; eucraton ; miocraton
De. Weichsockel (m.) [7712]

MOLYSMOLOGIE n.f. 73
environnement et sécurité > pollution
Étude des pollutions.
De. Molysmologie (f.) [1175]

MONADOÏDE adj. 76
organisme vivant > végétal
Se dit d'une algue unicellulaire devenue nageuse au cours de
son évolution.
En. monadic ; monadical [6108]

MONARCHE adj. 75
anatomie > anatomie végétale
Dont la stèle ne comprend qu'une seule masse ligneuse.
En. monarch [7713]

MONDE → quart- — .

MONDISTE → tiers- — .

MONELLINE n.f. 73
constituant des organismes vivants
Protéine de poids moléculaire 10 000 environ, dont le pouvoir
édulcorant est près de trois mille fois supérieur à celui du
saccharose. [1533]

MONÉMATIQUE n.f. 77
linguistique
Étude des monèmes.
De. Monematik (f.)
En. morphemics [7994]

MONÉTAIRE → correction — .

MONÉTARISABLE adj. 74
**gestion, organisation, administration > politique économi-
que**
Qui peut faire l'objet d'une évaluation de la monnaie.
De. in Geldwert umrechenbar
Es. monetarizable [2245]

MONÉTARISTE adj. 76
économie > sciences économiques
Se dit d'une théorie économique privilégiant le rôle de la
monnaie.
En. monetarist [6770]

MONITEUR n.m. 74
électronique > électronique médicale
Appareil électronique utilisé à des fins médicales, et réalisant
automatiquement certaines opérations.
V. monitorage
De. Monitor (m.)
En. monitor [2536]

MONITEUR DE CHARGE n.m. 76
cybernétique > automatique
Appareil universel de mesure, de commande et de contrôle
pour capteurs de mesures piézoélectriques. [9196]

MONITORAGE n.m. 74
électronique > électronique médicale
Technique de surveillance d'un sujet qui utilise un moniteur.
V. moniteur
De. Monitorsystem (n.)
En. monitoring [2537]

MONNAIE → passe- — .

MONNAIE À HAUTE PUISSANCE n.f. 76
économie > monnaie
Monnaie immédiatement disponible sur le marché.
En. high-powered money [6771]

MONNAIE-RESSOURCES n.f. 75
économie > marché
Moyen d'échange constitué par les ressources énergétiques.
En. resource money [4313]

MONNAYEUR n.m. 74
automatisme > équipement automatique
Dispositif (d'un distributeur automatique) qui sélectionne les
pièces d'après leurs épaisseurs, calibres, poids et alliages.
De. Münzprüfer (m.)
En. coin tester [2246]

MONOADSORBÉ adj. 73
chimie > chimie du solide et du fluide
Adsorbé par un seul site moléculaire.
V. diadsorbé [2247]

MONO-APPARTENANT adj. 74
MONOAPPARTENANT
médecine > santé publique
Se dit d'un médecin hospitalier qui n'appartient qu'à une seule des deux carrières, hospitalière ou universitaire.
V. bi-appartenant [1885]

MONOBANDE adj. 73
radiotechnique
Qui ne possède qu'une bande de fréquences.
En.single-band [819]

MONOCATÉNAIRE adj. 76
biochimie
Qui possède une seule chaîne.
En. single-stranded [4698]

MONOCLIENTÈLE n.f. 74
économie > marché
Clientèle d'un seul type.
En. monoclientele
Es. monoclientela [5567]

MONOCLIMAX n.m. 76
écologie > climax
Climax commun à plusieurs successions différentes.
En. monoclimax concept ; monoclimax theory [9354]

MONOCOMMANDE n.f. 74
automatisme > commande automatique
Système de mise en service d'un appareil dont la commande s'effectue par la manipulation d'un seul organe.
De. Monosteuerung (f.)
En. single control [3222]

MONOCOMPARATEUR n.m. 76
instrumentation > photographie
Appareil destiné à la mesure monoculaire précise des coordonnées-cliché sur des photographies isolées.
De. Einbildkomparator (m.)
En. monocomparator
Es. monocomparador [6109]

MONOCOUCHE adj. 77
électronique > circuit électronique
Se dit d'un circuit imprimé dont l'impression, ensemble de connexions métalliques réalisées par dépôt ou gravure, est présentée en une seule couche, interne ou externe, déposée sur un substrat.
De. einschichtig
En. single-layered
Es. monocapa [8262]

MONOCUISSON n.f. 73
technologie des matériaux > génie alimentaire
Cuisson réalisée en une seule opération.
De. Einmalbrand (m.) [637]

MONO-CULTUREL adj. 74
MONOCULTUREL
sociologie
Relatif à une seule culture.
V. pluri-culturel [4314]

MONOCYTOGÈNE adj. 78
génétique > génétique cellulaire
Se dit d'un processus de reproduction s'opérant à partir d'une seule cellule.
V. polycytogénie
De. monozytogen
En. agamogonous
Es. monocitógeno [9059]

MONODISCIPLINAIRE adj. 76
linguistique
Qui relève d'une seule discipline.
De. monodisziplinar
En. monodisciplinary
Es. unidisciplinar [8263]

MONOFACE adj. 77
électronique > circuit électronique
Se dit d'un circuit imprimé dont l'impression, ensemble de connexions métalliques réalisées par dépôt ou gravure, est concentrée sur une seule des deux faces du substrat servant de support (carte).
De. einseitig
En. one sded ; single-sided [8264]

MONOGASTRIQUE n.m. 77
organisme vivant > animal
Mammifère dont l'estomac n'a qu'une seule cavité. [7460]

MONO-INDUSTRIE n.f. 75
gestion, organisation, administration > aménagement du territoire
Industrie unique pour une région donnée.
De. Mono-Industrie (f.)
En. single industry [4441]

MONOMODE adj. 75
matériau > fibre
Se dit d'une fibre optique cylindrique formée de deux milieux d'indices de réfraction différents, le cœur ayant un diamètre voisin de la longueur d'onde utilisée et la gaine un diamètre plus grand.
V. multimode
De. einmodig
En. monomode
Es. monomodo [4870]

MONOPHAGIE n.f. 77
physiologie > nutrition
Fait pour une espèce animale de ne se nourrir que d'un seul type d'aliment.
De. Monophagie (f.)
En. monophagy
Es. monofagia [7867]

MONOSPONDYLE adj. 75
organisme vivant > animal
Chez les poissons téléostéens, se dit des vertèbres dont le centre est constitué d'une pièce unique provenant soit de la soudure de deux demi-vertèbres soit d'un centre osseux soudé à des arcs vertébraux.
V. holospondyle
De. Monospondyl-
En. monospondilic
Es. monospóndilo [8137]

MONO-STANDARD n.m./adj. 75
MONOSTANDARD
télécommunications > radiotechnique
[Se dit d'un] récepteur de télévision en couleurs ne pouvant recevoir que des programmes émis en 625 lignes dans les bandes décimétriques (V.H.F.).
V. bi-standard
En. monostandard
Es. monoestandard [5686]

MONOSTATION adj. 75
informatique > système opératoire
Se dit d'un système de traitement de l'information qui permet d'assurer un traitement par lots, en simultanéité avec un programme de saisie de données.
V. multistation
De. Einzelstation- [8793]

MONOSTRATAL adj. 75
information > communication
Se dit d'une langue de communication réduite à un seul niveau.
De. einschichtig
En. monostratal [4700]

MONOTECHNICIEN n.m. 75
médecine > spécialité médicale
Praticien d'une seule technique.
De. Monotechniker (m.)
En. monotechnician
Es. monotécnico [5032]

MONOTONICITÉ n.f. 76
électronique > circuit électronique
Caractère d'un convertisseur dont les grandeurs d'entrée et de sortie varient toujours dans le même sens.
Es. monotonicidad [7162]

MONOTONIQUE adj. 75
électronique > circuit électronique
Se dit d'une grandeur dont les variations se font toujours dans le même sens.
Es. monotónico [7163]

MONOTOPE adj. 77
écologie > écosystème
Se dit d'une espèce dont le cycle doit s'accomplir dans le même milieu.
V. pléiotope
En. monotopic
Es. monotopo [8660]

MONOTROU adj. 77
bâtiment et travaux publics > équipement technique (bâtiment)
Se dit d'une robinetterie mélangeuse à corps jumelé.
De. Einloch- [8388]

MONOXYLE adj. 77
arts > sculpture
Fait d'un seul bloc de bois.
En. monoxylous
Es. monoxilo [7715]

MONTANT → front — .

MONTE-BAISSE n.m. 74
action sur l'environnement > éclairage
Dispositif de lustrerie dont la hauteur d'éclairement peut être réglée à volonté.
De. Lampenzug (m.)
En. rise and fall pendant [5966]

MONTE-COURRIER n.m. 73
bâtiment et travaux publics > équipement technique
Système de transport vertical dans un immeuble permettant la distribution du courrier par étage.
De. Postaufzug (m.)
En. mail-riser [1347]

MONTÉE → débit en — ; pointe — .

MOQUETTE ROUTIÈRE n.f. 78
transport et manutention > exploitation des transports
Revêtement de surface préformé antiglissant et destiné à constituer la couche superficielle d'une chaussée. [9197]

MORBIDE → risque — .

MORDU n.m. 76
génie biomédical > appareillage médical
Moulage des gencives et des dents exécuté, mâchoire serrée, en vue de la confection d'une prothèse.
De. Abdruch (m.)
En. interoclusal record checkbite [7716]

MORPHÉMOGRAPHIE n.f. 70
information > communication
Système graphique où chaque signe graphique note une unité linguistique signifiante.
V. mythographie
De. morphematische Schrift (f.)
En. morphemic writing system [6110]

MORPHINIQUE adj. 76
constituant des organismes vivants
Relatif à la morphine. [5429]

MORPHINOMIMÉTIQUE adj. 77
constituant des organismes vivants
Qui produit un effet comparable à l'effet induit par des morphiniques.
De. morphinmimetisch
En. morphinomimetic
Es. morfinomimético [7868]

MORPHOGRAMME n.m. 73
linguistique
Graphème, prononcé ou non, qui sert à distinguer les formes grammaticales des mots.
De. Morphogramm (n.) [1176]

MORPHOGRAMME n.m. 73
représentation graphique > courbe
Représentation graphique des formes et de la structure d'un individu.
De. Morphogramm (m.)
En. morphogram [479]

MORPHOLOGIQUE → caractère — .

MORPHOMÉTRIE n.f. 77
hydrobiologie
Étude des mensurations des organes d'une espèce vivante.
V. morphométrique
De. Morphometrie (f.)
En. morphometry
Es. morfometria [8509]

MORPHOMÉTRIQUE adj. 77
hydrobiologie
Relatif à la morphométrie.
V. morphométrie
De. morphometrisch
En. morphometric
Es. morfométrico [8510]

MORPHOPÉDOLOGIE n.f. 77
géologie > pédologie
Étude des types de sol en relation avec le modelé des paysages.
De. Morphopedologie (f.)
Es. morfoedafologia [8389]

MORT → d'homme — ; rinçage — ; volume — .

MORTE → mémoire — .

MOSAÏQUE → imprimante à — .

MÖSSBAUER → effet — .

MOT → k- — .

MOT-CLÉ n.m. 71
information > traitement documentaire
Mot recouvrant une notion que l'on veut faire apparaître pour l'analyse et l'indexation d'un document.
V. mot-vide
En. key-word [299]

MOTEUR adj. → grapho- — ; perceptivo- — ; visio- — .

MOTEUR n.m. → hélico- — .

MOTEUR À DISQUES n.m. 75
mécanique appliquée > moteur
Moteur asynchrone à entrefer axial.
En. disc motor [5033]

MOTEUR ORBITAL n.m. 74
mécanique appliquée > moteur
Moteur à explosion dont le piston décrit un mouvement orbital.
De. Kreisolbenmotor (m.)

En. orbital motor
Es. motor orbital [3600]

MOTEUR PAS À PAS n.m. 73
mécanique appliquée > moteur
Moteur actionné par impulsions électriques dont chacune
provoque une rotation limitée à quelques degrés.
De. Schrittmotor (m.) ; Schrittschaltmotor (m.)
En. step-by-step motor [1348]

MOTEUR PREMIER n.m. 74
mécanique appliquée > organe de machine
Partie motrice d'un système de transmission qui transmet son
mouvement de rotation et son couple à une partie réceptrice.
V. charge
De. Antriebsteil (n.)
En. prime mover [3406]

MOTODUNE n.f. 73
mécanique appliquée > véhicule
Véhicule à moteur conçu pour se déplacer sur le sable.
V. autodune
En. dune buggy [6522]

MOTOGLISSAGE n.m. 74
sport
Motonautisme sur coussin d'air.
En. hoversailing [3601]

MOTOHOUE n.f. 73
matériel agricole
Houe automotrice.
De. Motorhacke (f.)
En. power hoe ; motor hoe [1888]

MOTORISÉE → table — .

MOTO-VENTILATEUR n.m. 73
MOTOVENTILATEUR
économie > industrie du bois
Ventilateur actionné par un moteur incorporé.
De. Sauglüfter (m.)
En. suction fan [1535]

MOTRICITÉ → grapho- — .

MOTTER (se—) v. 75
géologie > pédologie
Former des agrégats terreux.
De. Klumpen bilden
En. to lump [5305]

MOTTUREAU n.m. 77
géophysique > géomorphologie
Butte gazonnée se formant dans les sols argileux sous l'effet de
l'alternance du gonflement par hydratation et du retrait par
dessication. [7164]

MOT-VIDE n.m. 75
information > traitement documentaire
Terme qui ne recouvre aucune notion indispensable à l'indexa-
tion d'un document.
V. antidictionnaire ; dictionnaire négatif ; mot-clé
De. Leerwort (n.)
En. empty word ; function word ; form word
Es. palabra vacia [4540]

MOUCHOIR → vin de — .

MOUILLAGE n.m. 74
technologie des matériaux > métallurgie extractive
Opération qui consiste à séparer la salissure du métal grâce à
des détergents tensioactifs.
De. Benetzen (n.)
En. wetting [3602]

MOUILLANT → agent — .

MOUILLANTE → voûte — .

MOUILLÉE → surface — .

MOULAGE BATEAU n.m. 73
MOULAGE-BATEAU
technologie des matériaux > formage
Procédé de surmoulage qui consiste à déverser de l'élastomère
de silicone à l'état liquide sur le modèle. [1177]

MOULIN À CHAMP n.m. 76
géophysique > météorologie
Dispositif constitué de deux disques parallèles, l'un fixe et
l'autre mobile, qui sert à mesurer un champ électrique au sol.
En. field generator [6523]

MOULIN AMÉRICAIN n.m. 76
énergie (technologie) > énergie éolienne
Hélice éolienne qui comporte un nombre élevé de pales.
V. moulin hollandais
De. amerikanische Windmühle (f.)
En. American windmill ; American-type windmill [6524]

MOULIN HOLLANDAIS n.m. 76
énergie (technologie) > énergie éolienne
Hélice éolienne qui comporte un nombre de pales inférieur à
cinq.
V. moulin américain
De. holländische Windmühle (f.)
En. Dutch windmill ; Dutch-type windmill [6525]

MOUSSE → canon à — ; freinage — ; thermo- — .

MOUSSÉ adj. 75
technologie des matériaux > traitement de surface
Se dit d'un matériau dont on a rendu la surface rugueuse.
De. aufrauht
En. roughened [4236]

MOUSSE D'ARGILE n.f. 74
matériau > céramique
Matériau céramique de terre cuite obtenu par cuisson d'une
pâte argileuse préparée par dispersion, en présence d'un
élément moussant.
De. Tonschaum (m.)
En. foam clay [3407]

MOUTON DE PRESTON n.m. 74
économie > industrie du verre
Pendule muni d'un poids permettant d'étudier la résistance
aux chocs d'articles et les frappant avec une intensité variable
en fonction de l'angle du pendule.
De. prestonsches Pendel (n.)
En. pendulum impact-machine [4119]

MOUTONNAGE n.m. 71
impression
Aspect irrégulier donné par de petites taches claires et foncées
apparaissant sur une surface solide et causé par l'encre, le
papier ou le travail sur presse.
V. galeux
En. mottle
Es. aborregado [4315]

MOUVEMENT n.m. 75
transport et manutention > exploitation des transports
Déplacement qu'effectue un avion, soit entre son aire de
stationnement et l'endroit de son « point fixe » sur la piste
avant le décollage, soit entre son point d'atterrissage et le
poste de débarquement des passagers.
De. Bewegung (f.) ; Rollen (n.) am Boden
En. taxi ; taxiing [5162]

MOYEN À INERTIE n.m. 75
information > moyen d'information
Moyen de communication qui suppose avant le produit fini,
une suite d'opérations longues et onéreuses (cinéma).
V. moyen sans inertie
De. träges Medium (n.)
En. indirect medium [6251]

MOYEN SANS INERTIE n.m. 75
information > moyen d'information
Moyen de communication qui permet une utilisation rapide et
peu onéreuse des produits (télévision en direct).
V. moyen à inertie
De. nichtträges Medium (n.)
En. direct medium [6252]

MOYENNAGE n.m. 75
électronique > radiotechnique
Opération qui consiste à calculer la moyenne de différentes
valeurs résultant d'un grand nombre de mesures successives
d'une grandeur physique. [4316]

MOYENNER v. 74
statistique
Calculer une moyenne. [8511]

MOYENNEUR n.m. 75
instrumentation > appareil électronique de mesure
Dispositif qui permet de déterminer la valeur d'une grandeur
physique en calculant la moyenne des différentes valeurs qui
résultent d'un très grand nombre de mesures successives de
cette grandeur en vue d'éliminer l'influence des parasites sur
les résultats. [4317]

MUCHE n.f. 78
histoire
Petite cavité souterraine reliée à la chambre sépulcrale dans
une sépulture mégalithique.
En. closed compartment [9365]

MUCOSUBSTANCE n.f. 76
tissu (biologie) > tissu épithélial
Chez les Appendiculaires, composé mucilagineux produit par
des cellules spéciales du tronc, à l'intérieur desquelles vivent
les individus.
En. mucosubstance [8138]

MUCOVISCODOSE n.f. 73
pathologie animale > pathologie du développement et de
l'hérédité
Malformation congénitale fibrokystique du pancréas et des
poumons.
De. Mukoviszidose (f.)
En. mucoviscidosis [822]

MULTIBANDE adj. 73
instrumentation > photographie
Se dit d'une photographie obtenue avec une chambre qui
permet d'enregistrer simultanément l'image d'une scène dans
différentes bandes spectrales.
V. multispectral ; scène
De. Mehrband-
En. multiband [7033]

MULTIBRIN n.m. 73
matériau > fil (textile)
Fil formé à partir de nombreux brins.
De. Vielfaser-
En. multifilament [640]

MULTICARTE adj. 73
économie > travail (main-d'œuvre)
Se dit d'un représentant de commerce qui prospecte une
clientèle pour le compte de plusieurs sociétés.
En. general [482]

MULTICLONAL adj. 77
génétique > clone
Se dit d'une plantation comportant beaucoup de clones.
V. pauciclonal ; oligoclonal [8512]

MULTICRITÈRE adj. 78
sociologie
Relatif à plusieurs critères d'appréciation.
En. multicriteria
Es. multicriterio [8925]

MULTIDIRECTIONNEL n.m./adj. 77
physique > acoustique
[Se dit d'un] enregistrement sonore utilisant plusieurs microphones répartis suivant plusieurs directions. [9198]

MULTIDONATEUR n.m./adj. 75
gestion, organisation, administration > politique économique
[Relatif à] plusieurs organismes ou pays donateurs associés en
vue d'apporter une aide au développement.
En. multidonor [9060]

MULTIFAISCEAUX → sondeur — .

MULTIFILS → chambre — proportionnelle.

MULTIFLASH adj. 78
environnement et sécurité > lutte contre la pollution
Se dit d'un procédé de dessalement de l'eau de mer par
évaporation dans une série de chambres de détente. [8926]

MULTIFOCAL adj. 75
matériau > verre
Qui a plusieurs foyers.
De. mehrstärken-Brillenglas (n.)
En. multifocal
Es. multifocal [5163]

MULTIMODAL adj. 71
sociologie
Relatif à une réalité qui présente plusieurs caractères spé-
cifiques.
V. amodal ; unimodal
En. multimodal
Es. multimodal [4120]

MULTIMODE adj. 75
matériau > fibre
Se dit d'une fibre optique cylindrique ayant un diamètre de
cœur plus grand que la longueur d'onde utilisée.
V. monomode
De. übermodig
En. multimode
Es. multimodo [4871]

MULTIMOULE n.m. 76
économie > industrie agricole et alimentaire
Ensemble de moules groupés sous une plaque de distribution
et placés sous l'orifice d'une cuve. [7461]

MULTINATIONALISATION n.f. 73
gestion, organisation, administration > politique économique
Passage d'une économie sous le contrôle des entreprises
multinationales.
De. Multinationalisierung (f.)
En. multinationalization [641]

MULTIPLE → accès — ; module d'accouplement — ;
unité- — .

MULTIPLEXAGE STATISTIQUE n.m. 75
informatique > programmation
Procédé de transmission de données dans lequel la capacité de
circuit est répartie uniquement entre les terminaux actifs.
V. multiplexage temporel
En. statistical multiplexing [7313]

MULTIPLEXAGE TEMPOREL n.m. 75
informatique > programmation
Procédé de transmission de données dans lequel une fraction
fixe de la capacité de circuit est réservée pour chaque terminal
actif ou non.
V. multiplexage statistique
De. Zeitmultiplexverfahren (n.)
En. temporal multiplexage [7314]

MULTIPLEXEUR n.m. 72
informatique > équipement d'entrée-sortie
Dispositif susceptible de regrouper sur une seule voie les

informations venant de plusieurs sources.
De. Multiplexer (m.)
En. multiplexor ; multiplexer
Es. multiplexor [6030-2705]

MULTIPOT n.m. 75
agronomie > technique culturale
Planche creusée d'alvéolves et utilisée pour repiquer des
plantes.
En. multipot ; perma-nest plant tray ; seed starter tray [4121]

MULTIRÉCIDIVISTE n.m. 75
psychologie > pathologie mentale
Qui recommence de nombreuses fois le même délit.
En. redicivist ; multiple recidivist
Es. multireincidente [5164]

MULTIRISQUE → assurance — .

MULTISECTION n.f. 72
électronique > optoélectronique
Division d'un faisceau laser en plusieurs parties.
De. Multisektion (f.)
En. multisection [642]

MULTISPECTRAL adj. 73
instrumentation > photographie
Se dit d'une photographie obtenue avec une chambre qui
permet d'enregistrer simultanément l'image d'une scène dans
différentes bandes spectrales.
V. multibande ; scène
En. multispectral
Es. multiespectral [7034]

MULTISTATION adj. 75
informatique > système opératoire
Se dit d'un système de traitement de l'information qui permet
le déroulement simultané de plusieurs programmes indépendants sur plusieurs postes de travail.
V. monostation
De. Mehrstationen- [8794]

MULTITERME n.m. 77
information > traitement documentaire
Terme composé de plusieurs mots unis par syntaxe ou
parataxe.
V. uniterme
De. Wortgruppe (f.)
En. multiword term [7870]

MUONICITÉ n.f. 78
physique > physique des particules
Ensemble des caractéristiques propres au muon.
En. muonlikeness
Es. muonicidad [9061]

MUR n.m. 76
microbiologie
Couche rigide de l'enveloppe d'une bactérie.
De. Zellwand (f.)
En. wall ; cell wall
Es. muro [6526]

MUR → demi- — .

MUR À BILLES n.m. 77
énergie (technologie) > énergie solaire
Type de panneau solaire qui utilise une circulation de billes
pour le stockage de l'énergie. [8795]

MURBIMÈTRE n.m. 77
instrumentation > mesure de dimension
Appareil de malterie destiné à mesurer la dureté d'un grain de
malt.
En. murbimeter [7995]

MUR DE L'ŒIL n.m. 74
géophysique > météorologie
Zone de perturbation maximale où sont localisés les vents
maximaux, les pluies les plus intenses et la plus grande

turbulence d'une tempête.
De. Augengrenge (f.) [2706]

MUR DE PRODUITS n.m. 74
économie > activité commerciale
Ilot de vente constitué de rangées de produits et de leurs
cartons d'emballage.
V. barque de vente ; bergerie ; corolle ; îlot de vente ; pont
de produits ; prolongateur de rayon
De. Längestapel (m.)
En. display [3938]

MUR EMBOUÉ n.m. 74
bâtiment et travaux publics > mur
Mur de béton coulé dans une tranchée qui a été préalablement
remplie de boue en vue de créer une pression sur ses parois
afin d'éviter leur effondrement. [2075]

MURET CALIFORNIEN n.m. 74
bâtiment et travaux publics > mur
Mur de béton utilisé entre deux voies de circulation pour jouer
le rôle de glissière de sécurité rigide.
De. Betonplanke (f.)
En. nontraversable rigid barriers [5967]

MÛRISSEMENT n.m. 76
technologie des matériaux > fabrication du papier
Évolution, généralement favorable, des caractéristiques du
papier ou du carton stockés.
De. Ablagern (n.) ; Reifen (n.)
En. maturing
Es. maduración [6773]

MÛRISSEUR → tube — .

MUSCALURE n.f. 74
agronomie > technique culturale
Substance synthétique non toxique utilisée pour piéger les
mâles de certains diptères sur lesquels elle exerce un attrait
sexuel.
En. muscalure [2877]

MUSÉOBUS n.m. 74
arts > peinture (arts)
Véhicule équipé en musée. [4542]

MUSIBUS n.m. 77
arts > musique
Véhicule équipé en vue de séances d'animation ou de formation musicales.
Es. musibus [7871]

MUSIQUE BLANCHE n.f. 78
arts > musique
Musique aléatoire dans laquelle il n'y a pas de corrélation entre
deux notes.
V. musique browienne
En. white music
Es. musica blanca [9062]

MUSIQUE BROWNIENNE n.f. 78
arts > musique
Musique dans laquelle les notes varient suivant un mouvement
brownien.
V. musique blanche
En. Brown music ; Brownian music
Es. musica browniana [9063]

MUTAGÉNÈSE n.f. 73
génétique > mutation
Production de mutations due à l'action d'agents physiques ou
chimiques.
De. Mutagenese (f.)
En. mutagenesis [985]

MUTATEST n.m. 75
biochimie
Test permettant de mettre en évidence les propriétés muta-
gènes d'un produit. [4443]

MYCOPHAGIE n.f. 69
écologie > synécologie
Lyse des champignons provoquée par virus.
Es. micofagia [7462]

MYCOPLASME n.m. 74
organisme vivant > microorganisme
Microorganisme polymorphe comportant des unités reproductives minimums qui se transforment en éléments au sein desquels se forment à nouveau les dites unités.
V. acholéplasme ; mollicute ; spiroplasme
De. Mykoplasma (n.)
En. mycoplasm ; mycoplasma
Es. micoplasma [4237]

MYCORHIZÉ adj. 75
botanique
Dont les racines portent des mycorhizes.
En. mycorrhizal [6111]

MYCOTOXICOSE n.f. 74
pharmacologie > toxicologie
Intoxication par un champignon microscopique qui s'est développé sur les aliments.
En. mycotoxicosis
Es. micotoxicosis [2392]

MYLONISATION n.f. 73
géophysique > glaciologie
Phénomène qui se caractérise par une recristallisation des monocristaux de grandes dimensions d'un glacier en monocristaux plus petits.
De. Mylonitisierung (f.)
En. mylonitization ; mylonization [1351]

MYOCARDIQUE adj. 74
anatomie > anatomie animale
Qui se rapporte au myocarde.
De. Myokard-
En. myocardial
Es. miocárdico [5688]

MYOÉLECTRICITÉ n.f. 73
physiologie > physiologie de l'appareil locomoteur
Électricité produite par les contractions musculaires.
En. myoelectricity [300]

MYORELAXANT adj. 74
pharmacologie > médicament
Se dit d'un médicament qui diminue le tonus musculaire des muscles squelettiques.
En. muscle relaxant ; myorelaxant
Es. miorelajante [4195 bis]

MYRMÉCOFAUNE n.f. 77
faune
Partie de la faune constituée des fourmis.
De. Myrmekofauna (f.)
Es. mirmecofauna [8661]

MYTHOGRAMME n.m. 73
information > communication
Représentation graphique d'une relation symbolique.
V. mythographie
En. mythogram [7035]

MYTHOGRAPHIE n.f. 72
information > communication
Ensemble des systèmes dans lesquels la notation graphique ne se réfère pas au langage verbal mais forme une relation symbolique indépendante.
V. morphémographie ; mythogramme [4444]

MYXOVIRUS n.m. 72
organisme vivant > microorganisme
Type de virus à ARN, à symétrie hélicoïdale, pourvu d'une enveloppe et doté d'un pouvoir hémagglutinant.
De. Myxovirus (n.)
En. myxovirus [126]

NAK n.m. 78
chimie > composé chimique
Composé de sodium (Na) et de potassium (K) utilisé comme fluide colporteur.
En. Nak
Es. nak [8927]

NANOCLIMAT n.m. 75
histoire
Ensemble des conditions atmosphériques réunies à proximité d'un site historique ou archéologique.
De. Nanoklima (n.)
En. nanoclimate
Es. nanoclima [5166]

NANOPLANCTON n.m.. 72
écologie > communauté (écologie)
Plancton composé d'organismes dont la taille est comprise entre 5 et 50 microns.
En. nanoplankton [301]

NAPPE → riz de — .

NATICITE n.f. 75
géologie > minéralogie
Composé de sodium, de titane et de silicium.
Es. naticita [4196 bis]

NATIF → mode — .

NATOLOGIE → néo- — .

NATRONIÈRE n.f. 73/74
géologie > pédologie
Dépression interdunaire contenant des solutions de sels sodiques. [7315]

NATURE → aire de — sauvage .

NATUREL → mode — ; rayonnement — ; top — .

NATURELLE → largeur — ; réserve — dirigée ; réserve — intégrale .

NATUROPATHE adj./n.m. 74
vie quotidienne > alimentation
Qui pratique une méthode thérapeutique n'utilisant que les procédés naturels à l'exclusion de tout agent médicamenteux.
De. Naturarzt (m.)
En. naturopath [1891]

NAVETTE n.f. 73
instrumentation > équipement aérospatial
Vaisseau spatial susceptible d'assurer une liaison entre la Terre et une station orbitale.
De. Verbindungsrakete (f.)
En. shuttlecraft [1179]

NAVIGATION BICOORDONNÉE n.f. 73
transport et manutention > exploitation des transports
Technique de navigation qui consiste à établir le but à l'aide de deux ou plusieurs coordonnées (astronomiques ou autres) connues au point de départ.
De. Koordinatennavigation (f.) [1714]

NAVIGATION DE RETOUR n.f. 73
éthologie
Type de navigation qui consiste à refaire en sens inverse un chemin déjà parcouru à l'aide des informations recueillies lors du trajet aller. [1715]

NAVIGATION MÉTÉOROLOGIQUE n.f. 77
transport et manutention > exploitation des transports
Aide à la navigation permettant de définir les routes et les vitesses les meilleures pour joindre un point à un autre en

fonction des conditions météorologiques et océanographiques, des possibilités du navire et de la nature de son chargement.
De. meteorologische Navigation (f.)
Es. navegación meteorológica [8140]

NÉCROMASSE n.f. 75
écologie > synécologie
Masse de matériel mort (par unité de surface).
En. dead matter [5431]

NÉCROTACTISME n.m. 74
physiologie > physiologie cellulaire
Rassemblement de cellules vivantes autour d'une cellule morte en vue de se partager son corps.
Es. necrotactismo [3763]

NÉCROTROPHE adj. 69
écologie > synécologie
Se dit d'un parasite qui tue l'hôte presque immédiatement après le contact.
V. biotrophe
Es. necrotrofo [7463]

NECTOBENTHOS n.m. 77
écologie > communauté (écologie)
Ensemble des organismes aquatiques intermédiaires entre les peuplements benthiques et les peuplements pélagiques.
De. Nektobenthos (n.)
En. nektobenthos
Es. nectobentos [7316]

NÉ-ENCÉPHALISATION n.f. 73
NÉENCÉPHALISATION
anatomie > anatomie animale
Accroissement du coefficient d'encéphalisation en fonction des diverses adaptations biologiques et du niveau d'évolution de l'espèce.
De. kongenitale Enzephalisierung (f.) [1537]

NÉERLANDOPHONE n.m. 74
linguistique
Qui parle le néerlandais.
En. Dutch-speaker; Dutchspeaker [3223]

NÉGATIF adj. → dictionnaire — ; impôt — .

NÉGATIF n.m. → inter- — .

NÉGATIVE , anisotropie électrique — ; tube de pression — .

NÉGATIVER v. 75
pharmacologie > tolérance médicamenteuse
Rendre un examen biologique négatif.
De. falsch negativ machen
En. to negative [5034]

NÉGROLOGUE n. 75
sociologie
Spécialiste de la négritude et des études négro-africaines.
De. Negrologe (m.)
En. negrologist [5035]

NEIGE → table à — .

NÉMATOCÉNOSE n.f. 74
écologie > écosystème
Biocénose de nématodes.
En. nematocenose
Es. nematocenosis [6663]

NÉMATOCIDE n.m. 74
matériau > pesticide
Substance ou préparation qui détruit les nématodes.
En. nemacide ; nematicide ; nematocide [3062]

NÉMATOFAUNE n.f. 74
faune
Partie de la faune constituée des nématodes.

En. nematofauna
Es. nematofauna [6664]

NÉMATOLOGISTE n. 73
agronomie > technique culturale
Spécialiste de l'étude des nématodes.
De. Nematologist (m.)
En. nematologist [1892]

NÉMATOPHAGE adj. 69
physiologie > nutrition
Qui se nourrit de nématodes.
De. nematodenfressend
Es. nematófago [7464]

NÉMATOSTATIQUE adj. 77
physiologie > développement (physiologie)
Se dit d'une substance susceptible d'arrêter le développement d'un nématode.
De. nematostatisch
Es. nematostático [9141]

N'ENTRE PAS adj. 76
mécanique appliquée > usinage
Se dit d'un diamètre limite au-dessous duquel en aucune position et sur toute la longueur de la pièce, ne doit se trouver le diamètre effectif.
V. entre
En. not go [6665]

NÉO-ASSOCIATIONNISME n.m. 75
NÉOASSOCIATIONNISME
psychologie > psychophysiologie
Doctrine qui ramène toutes les opérations de la vie mentale à l'association automatique des idées et des représentations dans un système de relations binaires déterminées.
V. néo-associationniste
En. neoassociationism [5568]

NÉO-ASSOCIATIONNISTE adj. 75
NÉOASSOCIATIONNISTE
psychologie > psychophysiologie
Relatif au néoassociationnisme.
V. néo-associationnisme
En. neoassociationist [5569]

NÉOFORME n.f. 77
psychologie > pathologie mentale
Mot inconnu dans la langue dû à des télescopages ou à des substitutions, et produit par un sujet pathologique. [8513]

NÉOGRAPHE n. 75
linguistique
Producteur d'un mot nouveau.
De. Neologe (m.)
En. coiner [6528]

NÉOLITHISATION n.f. 76
géologie > géochronologie
Acquisition des caractères du Néolithique.
V. neolithiser
De. Frühneolithikum (n.)
En. neolithization
Es. neolitización [5690]

NÉOLITHISER v. 77
géologie > géochronologie
Conférer les caractères du Néolithique.
V. néolithisation [6666]

NÉOLOCALITÉ n.f. 70
sociologie
Coutume selon laquelle les nouveaux époux n'habitent pas sur les mêmes lieux que leurs familles.
V. avunculolocalité ; bilocalité ; matrilocalité ; patrilocalité
En.neolocality
Es. neolocalidad [5306]

NÉOLOGICITÉ n.f. 74
linguistique
Caractère de nouveauté d'une unité lexicale.
De. Neologizität (f.)
En. neological character ; neologistic character [4319]

NÉONATE adj. 73
zoologie
Nouveau-né.
De. neugeboren
En. neonate
Es. neonato [3603]

NÉO-NATOLOGIE n.f. 74
NÉONATOLOGIE
médecine > médecine sociale
Ensemble des soins médicaux et préventifs administrés au
nouveau-né et à la mère, depuis la naissance jusqu'au 28e jour
de la vie de l'enfant.
V. périnatologie
De. Neonatologie (f.)
En. neonatalogy
Es. neonatologia [2879]

NÉONTOLOGISTE n. 74
anatomie > anatomie animale
Spécialiste de l'étude anatomique comparée des êtres vivants
actuels et de leur évolution récente.
De. Neontologe (m.)
Es. neontologista [7587]

NÉONYME n.m. 75
linguistique
Néologisme dans les langues de spécialité.
V. paléonyme
De. Neologismus (m.)
En. neonym [6530]

NÉOPAIN n.m. 77
technologie des matériaux > génie alimentaire
Produit de boulangerie industrielle englobant des pains ayant
des caractéristiques diététiques et se conservant plusieurs
jours. [7465]

NÉOPHASIE n.f. 74
physiologie > neurophysiologie
Néoformation linguistique réalisant un système travaillé avec
soin mais dépourvu de sens.
En. neophasia
Es. neofasia [7037]

NÉOPLAQUE n.f. 76
géophysique > géomorphologie
Plaque de formation récente issue de la fragmentation des
plaques anciennes.
Es. neoplaca [7588]

NÉORESTAURATION n.f. 73
économie > activité commerciale
Type de restauration à service accéléré et à menu simplifié.
De. Schnellrestauration (f.)
En. fast food ; fast food catering [483]

NÉOTECTONIQUE n.f. 76
géophysique interne
Étude des déformations récentes de la croûte terrestre.
De. Neotektonik (f.)
En. neotectonics
Es. neotectónica [7317]

NÉOTÉNIQUE adj. 74
écologie > adaptation biologique
Se dit d'un organisme apte à se reproduire avant d'avoir
atteint sa forme adulte normale.
De. neotenisch
En. neotenic
Es. neoténico [8662]

NERVEUX adj. 78
matériau > tissu (textile)
Se dit d'un tissu doué de nervosité.
V. nervosité
En. responsive [9064]

NERVOSITÉ n.f. 78
matériau > tissu (textile)
Aptitude d'un tissu à perdre ou à récupérer de la tension sous
l'effet des variations climatiques.
V. nerveux
En. liveliness [9065]

NETTOYABILITÉ n.f. 77
opération > nettoyage
Aptitude d'un matériau à être aisément nettoyé.
De. Reinigungsmöglichkeit (f.)
En. cleanability [7996]

NEURHORMONE n.f. 74
anatomie > anatomie animale
Composé organique produit et secrété par les neurones ou par
les tissus d'origine nerveuse, pour agir soit localement, soit à
distance.
V. neuromédiateur ; neurotransmetteur
De. Neurohormon (n.)
En. neurhormone [2077]

NEUROBIOTAXIE n.f. 76
tissu (biologie) > tissu animal
Attraction que subissent les neurones centraux à la suite de
stimulations nouvelles apparaissant au cœur du phénotype et
qui les fait migrer pour se rapprocher de la source de ces
stimulations.
Es. neurobiotaxia [7167]

NEUROCYME n.m. 77
anatomie > anatomie animale
Influx nerveux qui parcourt le neurone du chevelu à l'axone.
En. neurokyme [8142]

NEUROLEPTISATION n.f. 76
génie biomédical > pharmacothérapie
Thérapeutique soumettant le malade à des médicaments
neuroleptiques.
En. neuroleptic treatment
Es. neuroleptización [7718]

NEUROMÉDIATEUR n.m. 75
anatomie > anatomie animale
Substance chimique qui assure la neuromédiation.
V. neurhormone ; neuromédiation ; neurotransmetteur
[4543]

NEUROMÉDIATION n.f. 76
anatomie > anatomie animale
Transmission de l'influx nerveux d'une cellule nerveuse à une
autre.
V. neuromédiateur
En. neuromediation
Es. neuromediación [6112]

NEUROMOTEUR adj. 72
physiologie > neurophysiologie
Se dit du stade de développement mental de l'enfant situé dans
les dix-huit premiers mois de la vie, caractérisé par le
développement des activités motrices et sensorielles.
V. préopératif
En. neuromotor
Es. neuromotor [6113]

NEUROSECRÉTAT n.m. 74
cellule et constitution cellulaire > cellule animale
Produit de l'activité glandulaire endocrine des cellules nerveu-
ses.
De. Neurosekret (n.)
En. neurosecretion [6774]

NEUROTENSINE n.f. 77
constituant des organismes vivants
Peptide secrété par l'hypothalamus ayant un effet hypotendeur.
En. neurotension [8796]

NEUROTRANSMETTEUR n.m. 76
anatomie > anatomie animale
Substance chimique qui transmet l'influx nerveux d'une cellule nerveuse à une autre.
V. neurhormone ; neuromédiateur ; neuromédiation [4544]

NEUTRES → interaction à courants — .

NEUTRONICIEN n.m. 76
physique > physique des particules
Spécialiste de l'étude des neutrons et de leurs applications (neutronique).
En. neutron physicist [5570]

NEUTRONIQUE → activation —.

NEUTRONOGRAPHIER n.f. 77
radiographie
Soumettre à une radiographie effectuée à l'aide de neutrons. [7168]

NEUTROPHAGE adj. 75
physique > physique des particules
Se dit d'un atome qui absorbe les neutrons.
De. Neutronen absorbierend ; Neutronen einfangend
En. neutron-absorbing
Es. absorbedor de neutrones [4445]

NEUTRO-POMPÉ adj. 75
NEUTROPOMPÉ
énergie (technologie) > énergie nucléaire
Se dit d'un faisceau laser dont le pompage est assuré par la fission d'atomes d'uranium-235 que provoque un flux périodique de neutrons.
De. durch Neutronen angeregt
En. neutron-pumped [3940]

NEZ DE VISSAGE n.m. 76
mécanique appliquée > machine-outil
Partie d'une visseuse électropneumatique destinée à recevoir les vis.
De. Schraubenzuführung (f.) [7997]

NIDAMENTAIRE → coquille — .

NIGÉRIANISATION n.f. 78
politique
Passage sous le contrôle des autorités nigériennes.
De. Nigerianisierung (f.)
En. Nigerianization [9066]

NITRO-CARBURATION n.f. 77
NITROCARBURATION
technologie des matériaux > traitement thermochimique
Traitement de l'acier à base d'azote et de carbone en vue d'obtenir des couches superficielles très dures.
De. Karbonitrieren (n.)
En. ferritic nitrocarburizing
Es. nitrocarburación [8797]

NITROGÉNASE n.f. 74
biochimie
Enzyme qui catalyse la fixation d'hydrogène sur l'azote moléculaire
De. Nitrogenase (f.)
En. nitrogenase
Es. nitrogenasa [2539]

NITROJECTION n.f. 76
agronomie > technique culturale
Incorporation dans le sol d'ammoniac anhydre à l'état gazeux, à titre d'engrais.
En. anhydrous ammoniac application
Es. nitroinyección [6384]

NITROSOHÈME n.m. 75
constituant des organismes vivants
Pigment des viandes salées.
En. nitrosoheme [4701]

NIVEAU → groupe de — ; palpeur de — ; tâteur de — .

NIVEAU-SEUIL n.m. 77
information > communication
Niveau minimal de compétence de communication dans une langue étrangère.
En. threshold level [8143]

NIVELANCE n.f. 74
technologie des matériaux > métallurgie extractive
État d'une surface après nivelage.
De. Glätte (f.)
En. levelness [2880]

NIVELEUR DE QUAI n.m. 73
transport et manutention > engin de levage
Dispositif réglable destiné à assurer une pente entre le camion et le quai au cours d'opérations de chargement-déchargement.
V. bavette [1180]

NIVÉOLIEN adj. 75
géophysique > géomorphologie
Se dit du dépôt résultant du transport par le vent d'un mélange de limon, de sable et de neige.
En. niveolian
Es. niveólico [6775]

NIVOLOGIE n.f. 75
géophysique > météorologie
Étude des phénomènes liés à la neige.
V. nivologue ; nivométéorologique
De. Nivologie (f.)
En. nivology
Es. nivología [3764]

NIVOLOGUE n. 78
géophysique > météorologie
Spécialiste de nivologie.
V. nivologie ; nivométéorologique
De. Schneeforscher (m.)
Es. nivólogo [9067]

NIVOMÉTÉOROLOGIQUE adj. 78
géophysique > météorologie
Se dit des données météorologiques concernant les précipitations neigeuses.
V. nivologie ; nivologue
De. nivalmeteorologisch
Es. nivometeorológico [9068]

NOCARDIOSE n.f. 75
pathologie animale > pathologie respiratoire
Ensemble des manifestations pathologiques (pulmonaires, sous-cutanées et cérébrales) déterminées chez l'homme par le développement d'une bactérie filamenteuse.
En. nocardiasis [8798]

NOCTILUMINEUX adj. 76
géophysique > météorologie
Se dit de nuages paraissant lumineux la nuit.
De. nachtleuchtend
En. noctilucent
Es. noctiluminoso [6667]

NODIFUGE adj. 75
physiologie > développement (physiologie)
Se dit de la différenciation d'une plante qui se développe en s'éloignant du nœud. [7589]

NODULARISANT adj. 76
technologie des matériaux > fonderie (technique)
Facilitant la formation de nodules.
En. nodulizing ; nodulating
Es. nodularizante [6531]

NŒUD n.m. 74
économie > industrie gazière
Point de croisement des ondes orthogonales de la surface
gaufrée d'une membrane intérieure de cuve.
De. Knoten (m.)
En. node
Es. nudo [3941]

NŒUD → dimension de — unique .

NOIR(S) → collage — ; mémoire tableau — ; sables —s ;
salant — .

NOIRE → cellule — ; liqueur — .

NOISILLÉ adj. 77
économie > industrie du cuir
Se dit d'une peau altérée par une noisillure.
V. noisillure [8145]

NOISILLURE n.f. 76
économie > industrie du cuir
Altération du derme d'une peau due à l'infection provoquée
par un mélophage.
V. noisillé
En. tick mark [6894]

NOMINALE → classe — .

NON → soudage à arc — - apparent.

NON FEU adj. 75
NON-FEU
propriété > propriété thermique
Se dit d'un matériau ininflammable.
De. feuerbeständig
En. nonflam ; nonflammable [5167]

NON-TISSÉS n.m.pl. 72
matériau > tissu (textile)
Matériaux obtenus en assemblant entre elles des fibres par des
procédés chimiques ou physiques autres que le tissage.
De. (Faser) Vliess (f.)
En. non-woven ; unwoven [644]

NON VOYANT n.m. 77
NON-VOYANT
pathologie animale > pathologie oculaire
Personne privée de la vue.
V. voyant
De. Blinder (m.)
En. blind [8390]

NORADRÉNERGIQUE adj. 74
cellule et constitution cellulaire > cellule
Qui agit par l'intermédiaire de la noradrénaline.
De. noradrenergisch
En. noradrenergic [3942]

NORATEUR n.m. 77
physique > physique mathématique
Dipôle dont la tension (v) et le courant (i) sont uniquement
déterminés par le circuit extérieur.
V. nullateur ; nulleur
En. norator [7998]

NORDICITÉ n.f. 75
localisation
Caractère propre à ce qui est voisin du Pôle Nord.
V. vapo
En. nordicity ; northness
Es. nordicidad [4702]

NORDIQUEMENT adv. 75
localisation
D'une manière nordique.
De. nordisch
En. northerly [6532]

NORMALEMENT → vanne — fermée ; vanne —
ouverte .

NORMATENDU adj. 73
physiologie > physiologie cardiovasculaire
Se dit d'un individu dont la tension artérielle est considérée
comme normale. [129]

NORMOTHYMIQUE adj. 73
pharmacologie > médicament
Se dit d'un médicament qui sert à corriger les troubles
thymiques.
De. Normothym- [1716]

NOSOACOUSIE n.f. 76
pathologie animale > pathologie otorhinolaryngologique
Anomalie auditive due à des maladies de l'oreille ou à des
maladies générales.
V. socioacousie [6533]

NOSO-POLITIQUE n.f. 77
NOSOPOLITIQUE
médecine > santé publique
Politique de la santé publique. [6114]

NOXOLOGIE n.f. 74
environnement et sécurité > nuisance
Étude des nuisances.
En. noxology ; nuisance studies
Es. noxología [3224]

NOYAU n.m. 74
économie > échanges internationaux
Liste irréductible de produits contingentés.
En. hardcore [2078]

NOYAU n.m. 74
économie > sciences économiques
Espace limite d'un ensemble où s'appliquent intégralement et
sûrement certaines propriétés.
En. nucleus [2078]

NOYÉ → canal — .

NU → électron — .

NUAGES → télémètre de — .

NUCICULTURE n.f. 75
agronomie > culture spéciale
Culture du cocotier en vue de la production de noix de coco.
De. Kokospalmenanbau (m.)
*En. coconut palm cultivation ; coconut tree cultivation ; coconut
palm growing* [8929]

NUCLÉAIRE → étoile — ; excursion — ; tranche — .

NUCLÉANT adj. 78
physique > physique du solide et du fluide
Se dit d'un agent permettant d'amorcer une réaction de
cristallisation.
En. nucleating [8663]

NUCLÉARISTE n. 75
énergie (technologie) > énergie nucléaire
Partisan d'un programme de production d'énergie nucléaire.
En. nuclearist ; nuclear believer [4122]

NUCLÉATION n.f. 73
physique > physique du solide et du fluide
Formation de cristaux dans des milieux liquides, des solutions
sursaturées, des vapeurs.
De. Kristallkernbildung (f.)
En. nucleation
Es. nucleación [3408]

NUCLÉE → ébullition — .

NUCLÉODENSIMÈTRE n.m. 75
instrumentation > mesure de masse
Appareil destiné à mesurer la densité d'un sol à l'aide d'une
source radioactive.
*De. Isotopen-Bodendichtemesser (m.) ; radioaktiver Bodendichte-
messer*
En. radiationtype densimeter ; radiation-type density meter
Es. nucleodensímetro [4872]

NUCLÉOHUMIDIMÈTRE n.m. 73
instrumentation > mesure de masse
Appareil qui utilise le ralentissement des neutrons dans le sol
en vue de déterminer la valeur de la masse volumique
apparente en eau de ce sol.
Es. nucleohumidómetro [3605]

NUCLÉOMÉTRIE n.f. 76
instrumentation > mesure de rayonnement ionisant
Méthode de mesure utilisant des rayonnements radioactifs.
Es. nucleometría [7169]

NUCLÉOSOME n.m. 75
cellule et constitution cellulaire > constitution cellulaire
Particule élémentaire de la chromatine composée d'ADN et
d'histone.
En. nucleosome ; V-body
Es. nucleosoma [5308]

NULLATEUR n.m. 77
physique > physique mathématique
Dipôle dont la tension (v) et le courant (i) sont nuls quelles que
soient les conditions extérieures.
V. norateur ; nulleur
En. nullator [7999]

NULLEUR n.m. 77
physique > physique mathématique
Dipôle formé par l'association d'un nullateur et d'un norateur.
V. norateur ; nullateur ; uniteur
En. nullor [8000]

NUMÉRIQUE → bus — ; concentrateur — .

NUMÉRIQUE-SYNCHRO adj. 77
électronique > circuit électronique
Se dit d'un convertisseur (ou d'une conversion) qui transforme
une donnée numérique en une grandeur analogique (généralement une tension électrique) de nature à déterminer une
position ou un déplacement angulaires proportionnels à un
système tournant.
V. synchronumérique [9199]

NUMÉRISATEUR n.m. 76
informatique > organe de transmission de données
Dispositif permettant la transformation d'une grandeur physi-
que (analogique) en une donnée numérique.
V. numériseur
De. Digitalumsetzer (m.)
En. digitizer ; quantizer
Es. numerizador [9200]

NUMÉRISATION n.f. 74
informatique > programmation
Codage sous forme numérique d'une information logique.
De. Zahlendarstellung (f.)
En. binary coding
Es. numerización [3409]

NUMÉRISÉ adj. 74
information > traitement de l'information
Se dit d'une information codée en chiffres.
De. digitalisiert
En. ciphered
Es. numerizado [3225]

NUMÉRISEUR n.m. 74
informatique > organe de transmission de données
Dispositif permettant la transformation d'une grandeur physique (analogique) en une donnée numérique.

V. numérisateur
En. digitizer [1895]

NUTRIANTS n.m.pl. 76
physiologie > nutrition
Éléments nutritifs.
De. Nährstoffe (f.) ; Nahrungstoffe (f.)
En. nutrients [6776]

NUTRILITE n.m. 76
physiologie > développement (physiologie)
Ensemble des composés dissous nécessaires à la croissance des
organismes vivants.
En. nutrilite [8146]

NUTRIPOMPE n.f. 75
génie biomédical > appareillage médical
Dispositif qui permet d'alimenter artificiellement certains
malades.
En. nutri-flow [5432]

O

OBJECTIFS → gestion par — .

OBJETTISTE n. 75
arts > peinture (arts)
Artiste hyperréaliste qui vise à la représentation des objets.
En. object-maker [5040]

OBLIGATAIRE → euro- — .

OBSCURITÉ → bruit d' — ; résistance d' — .

OBTENTION → électro- — .

OCCITANOPHONE n. 76
linguistique
Qui parle l'occitan.
En. occitanophone [6777]

OCCLUS → astre — .

OCCLUSAL adj. 72
anatomie > anatomie animale
Qui se rapporte à l'occlusion dentaire.
En. occlusal [646]

OCCULTATION n.f. 76
environnement et sécurité > protection
Masquage ou interruption de toute lumière en vue d'éviter de
signaler sa position à l'ennemi.
De. Verdunkelung (f.)
En. blackout [8268]

OCCULTATION → radio- — .

OCÉANIQUE → eau — .

OCÉANISÉ adj. 73/74
géophysique interne
Se dit d'un soubassement continental transformé en croûte
océanique par un processus de subsidence.
En. oceanized [7318]

OCÉANISTE n. 74
histoire
Spécialiste des cultures et des civilisations océaniennes.
De. Ozeanist (m.) [7590]

OCÉANOPOLITIQUE n.f. 74
politique
Concertation internationale pour une utilisation collective de
la mer.

De. *Ozeanopolitik* (f.)
En. *ocean politics* [2708]

OCTOPAMINE n.f. 73
chimie > composé chimique
Amine dérivée de la tyramine par hydroxylation en 2.
De. *Oktopamin* (n.) [827]

OCTOPÔLE → circuit- — .

OCULODIRECTOMÈTRE n.m. 73
cybernétique > automatique
Appareil destiné à mesurer la direction d'un regard.
En. *oculodirectometer* [1718]

ODOLOGIE n.f. 74
arts > musique
Étude scientifique du chant.
De. *Odologie* (f.) [1896]

ODONTOTOMIE n.f. 77
génie biomédical > chirurgie
Ouverture des sillons d'une dent suivie de l'obturation immédiate des fissures.
De. *Odontotomie* (f.)
En. *prophylactic odontotomy ; odontotomy* [8147]

ODOROGRAPHE n.m. 74
propriété > propriété organoleptique
Appareil qui permet de mesurer des odeurs à l'aide de données physiques.
En. *odorograph*
Es. *odorógrafo* [6778]

ODOROLOGIQUE adj. 76
environnement et sécurité > prévention
Relatif à l'étude des odeurs.
En. *osmological*
Es. *odorológico* [6895]

ŒIL → mur de l' — .

ŒNOMEL n.m. 74
matériau > produit alimentaire
Boisson fermentée obtenue à partir de miel et de jus de raisin.
De. *Traubenmet* (m.)
En. *honey-wine ; œnomel ; wine mead* [4446]

ŒUVRE → second - — .

OFFENSIVE → stratégie — .

OFFICIÈRE n.f. 71
économie > travail (main-d'œuvre)
Femme spécialisée dans la préparation du service de table.
En. *stillroom lady* [7719]

OLDOWAYEN adj. 73/74
géologie > géochronologie
Relatif au gisement paléontologique de l'Olduwaï.
De. *Oldoway-*
En. *oldowan ; Oldowan* [7319]

OLÉOFUGE adj. 73
propriété > propriété physico-chimique
Qui préserve de l'huile ou s'oppose à son passage.
De. *ölabstoßend*
En. *oil-repellant ; oil-repellent* [1358]

OLÉOGÉOLOGUE n. 77
géologie > pédologie
Géologue spécialiste des terrains pétrolifères. [8514]

OLÉOHYDRAULIQUE n.f. 77
mécanique des fluides appliquée
Technique utilisant un liquide sous pression pour transmettre le l'énergie.
De. *Ölhydraulik* (f.)
Es. *oleohidráulico* [7872]

OLÉOPHILE adj. 73
propriété > propriété physico-chimique
Se dit d'un produit qui absorbe préférentiellement les corps gras.
En. *oleophilic* [1897]

OLÉOPLASTIQUE n.m. 78
matériau > matériau de construction
Type de mastic dans la composition duquel entre un mélange d'huiles végétales qui limite la dessication.
Es. *oleoplástico* [8799]

OLÉOPNEUMATIQUE adj. 73
mécanique appliquée > organe de machine
Se dit d'une suspension d'automobile à gaz comprimé lorsqu'on emploie un liquide à pression pour transmettre les déplacements et les efforts entre les bras de suspension et l'enveloppe à gaz.
En. *hydropneumatic* [1898]

OLÉOPRISE n.f. 74
transport et manutention > infrastructure des transports
Dispositif permettant de prendre le carburant sous l'aire de trafic.
V. oléoréseau ; oléoserveur [4322]

OLÉORÉSEAU n.m. 73
transport et manutention > infrastructure des transports
Système fixe de distribution de carburant dans les aéroports.
V. oléoprise ; oléoserveur
De. *Kraftstoffversorgungsnetz* (n.)
En. *hydrant system* [647]

OLÉOSERVEUR n.m. 73
transport et manutention > infrastructure des transports
Avitailleur reliant l'oléoprise à l'avion.
V. oléoprise ; oléoréseau
De. *Treibstoffversorgungsleitung* (f.)
En. *servicer* [648]

OLFACTOMÈTRE n.m. 75
environnement et sécurité > lutte contre la pollution
Appareil de mesure des odeurs.
De. *Olfaktometer* (n.)
En. *olfactometer*
Es. *olfatómetro* [3945]

OLIGANDRIE n.f. 77
démographie
Pénurie d'hommes dans une société. [8515]

OLIGOCLONAL adj. 75
génétique > clone
Se dit d'une substance issue d'un nombre restreint de clones.
V. multiclonal ; pauciclonal [7170]

OLIGOCYCLIQUE → fatigue — .

OLIGODYNAMIE n.f. 75
microbiologie
Activité destructrice des métaux (en petites quantités) sur certaines cellules vivantes.
V. oligodynamique
De. *Oligodynamie* (f.)
En. *oligodynamics*
Es. *oligodinamía* [5310]

OLIGODYNAMIQUE adj. 75
microbiologie
Relatif à l'oligodynamie.
V. oligodynamie
De. *oligodynamisch*
En. *oligodynamic*
Es. *oligodinámico* [5433]

OLIGOHALIN adj. 72
propriété > composition
Dont la teneur en sel est comprise entre 0,5 et 3 p. 1 000.
De. *salzarm*

En. oligohaline
Es. oligohalino [3606]

OLIGOMÉRISATION n.f. 73
chimie > réaction chimique
Polymérisation limitée à l'obtention d'une molécule qui ne contient qu'un petit nombre de motifs monomères.
De. Oligomerisation (f.) [2253]

OLIGOPOLEUR n.m. 74
économie > marché
Membre d'un marché à nombre de vendeurs limité (oligopolistique).
En. oligopolist [2541]

OLISTOSTROME n.m. 73
géophysique > géomorphologie
Formation constituée de fragments plissés et de blocs exotiques souvent de grande dimension provenant de niveaux préexistants.
De. Olistostrom (n.)
En. olistostrome [7721]

OLIVOCOCHLÉAIRE → faisceau — .

OMBRIÈRE n.f. 73
agronomie > technique culturale
Abri destiné à protéger la végétation du soleil.
De. Sonnenschutz (m.) [649]

OMÉGATRON n.m. 74
physique > physique des particules
Analyseur de masse utilisant l'action d'un champ magnétique uniforme et d'un champ électrique alternatif, perpendiculaire au champ magnétique.
De. Omegatron (n.)
En. omegatron
Es. omegatrón [3063]

OMNIPHONIQUE adj. 74
instrumentation > système électroacoustique
Se dit d'un ensemble électronique et acoustique de haute fidélité capable de lire et diffuser toutes les sources sonores quel que soit leur mode d'enregistrement.
En. omniphonic
Es. omnifónico [7039]

OMNIPOLAIRE adj. 73
électrotechnique > circuit d'alimentation électrique
Qui concerne la totalité des pôles.
De. omnipolar
En. all-pole [1719]

ONCOGÈNE adj. 72
organisme vivant > microorganisme
Qui provoque ou favorise l'apparition de tumeurs.
En. oncogenic [302]

ONCOLOGIE n.f. 74
pathologie animale > pathologie tumorale
Partie de la médecine qui traite des tumeurs.
De. Onkologie (f.)
En. oncology [2079]

ONCORNAVIRUS n.m. 73
organisme vivant > microorganisme
Virus ayant la forme d'une particule de 1 000 angströms de diamètre dont l'acide nucléique est un ARN, à l'origine de nombreuses leucémies animales.
De. Oncornavirus (n.) [991]

ONCOSTATIQUE adj. 75
génie biomédical > pharmacothérapie
Qui arrête l'évolution d'une tumeur.
De. onkostatisch
En. oncostatic
Es. oncostático [5968]

ONDE(S) → four micro — ; sommeil à —s lentes .

ONDES THÊTA n.f.pl. 73
instrumentation > mesure des phénomènes physiologiques
En électroencéphalographie, rythme ayant une amplitude sensiblement égale ou légèrement supérieure à celle du rythme alpha mais d'une fréquence moindre et de localisation antérieure.
De. Theta-Wellen (f.)
En. Theta wave [992]

ONDE VERTE n.f. 75
transport et manutention > circulation
Système de régulation automatique de la circulation automobile en sens unique qui permet aux véhicules de ne rencontrer sur leur itinéraire que des feux verts.
De. grüne Welle (f.)
Es. onda verde [4123]

ONDULÉ n.m. 74
conditionnement (emballage) > emballage
Matériau présenté sous forme de plaques ondulées.
En. corrugated material
Es. ondulado [3065]

ONDULÉ DOUBLE-DOUBLE n.m. 73
matériau > carton
Matériau d'emballage composé de deux couches cartonnées dont chacune comprend deux éléments ondulés collés.
V. carton double-double
En. double-double face corrugated fibreboard [1539]

ONDULEUR À MODULATION DE LARGEUR D'IMPULSIONS n.m. 73
électrotechnique > transformateur électrique
Convertisseur continu-alternatif ou alternatif-continu-alternatif qui utilise des techniques proches des hacheurs de courant.
De. Unterschuringungsverfahren (n.) ; Wechselrichter (m.)
En. pulse wave modulated undulator [1540]

ONDULEUSE n.f. 75
économie > industrie papetière
Machine destinée à la fabrication du carton ondulé.
De. Wellpappemachine (f.)
En. corrugator [4704]

ONGLE → coup d' — .

ONIRODRAME n.m. 77
génie biomédical > psychothérapie
Forme critique de la phase onirique en onirothérapie.
En. oneirodrama
Es. onirodrama [8001]

OOZOÏDE n.m. 75
embryologie
Dans la classe des Thaliacés, individu solitaire issu de l'œuf.
De. Oozoid (n.)
En. oozooid
Es. oozoide [8149]

OP adj. 77
électronique > circuit électronique
Se dit d'un ensemble constitué par un amplificateur de gain élevé associé à des éléments de circuits électroniques, en vue de réaliser des fonctions de transfert déterminées.
De. Operation-
En. op [9356]

OPACIMÉTRIQUE adj. 75
instrumentation > mesure optique
Relatif à la mesure de l'opacité de certaines substances.
De. die Schwärzungsmessung betreffend
En. opacimetric
Es. opacímetro [5434]

OPAQUE → film — -thermique .

OPÉRABILITÉ n.f. 75
génie biomédical > chirurgie
Aptitude à subir une opération.
De. Operabilität (f.)

En. operability
Es. operabilidad [5571]

OPÉRATEUR DE DIRECT n.m. 73
arts > photographie
Opérateur de prise de vues qui manipule la caméra électronique.
V. opérateur film
De. MAZ-Kameramann (m.) [1185]

OPÉRATEUR FILM n.m. 73
OPÉRATEUR-FILM
arts > photographie
Opérateur qui tourne les émissions enregistrées sur pellicule cinématographique.
V. opérateur de direct
De. Filmkameramann (m.)
En. film cameraman ; motion picture cameraman [1186]

OPÉRATIONALISATION n.f. 77
sociologie
Mise à l'épreuve pratique de concepts théoriques.
V. opérationalisme [8516]

OPÉRATIONALISME n.m. 77
sociologie
Doctrine selon laquelle la vérité d'une théorie réside dans les opérations vérifiables qu'elles permet.
V. opérationalisation [8517]

OPERCULAGE n.m. 75
économie > industrie agricole et alimentaire
Opération consistant à recouvrir hermétiquement la partie supérieure d'un produit conditionné sous emballage.
De. Verschließen (n.)
En. capping sealing [5169]

OPHIOLITHIQUE → cortège — .

OPHIOPHAGE adj./n. 76
physiologie > nutrition
Qui se nourrit de serpents.
De. Ophiophage (m.)
Es. ofiófago [7592]

OPIOÏDE adj. 76
biologie moléculaire
De forme voisine de celle de l'opium.
En. opiate-like [6780]

OPPORTUNITÉ → coût d' — .

OPTIMATEUR n.m. 75
informatique > traitement des données (informatique)
Unité de calcul qui effectue très rapidement une opération d'ordonnancement de production.
De. Optimierungsrechner (m.)
En. optimizer [7320]

OPTIMISCOPE n.m. 75
gestion, organisation, administration > recherche opérationnelle
Appareil permettant d'effectuer une optimiscopie.
V. optimiscopie
De. Optimeter (n.)
En. optimiscope
Es. optimiscopio [5041]

OPTIMISCOPIE n.f. 75
gestion, organisation, administration > recherche opérationnelle
Technique de vérification d'un produit industriel permettant d'optimiser le rapport coût-délai-qualité.
V. optimiscope
De. Optimalisierung (f.)
En. optimiscopy
Es. optimiscopia [5042]

OPTIMISEUR n.m. 74
opération > exploitation
Appareil utilisé pour rendre optimal le fonctionnement d'un système.
En. optimizer
Es. optimizador [3412]

OPTION APPROFONDIE n.f. 75
enseignement
Discipline de spécialité étudiée en classe terminale et nécessaire à l'obtention du baccalauréat.
De. Wahl der Fachrichtung (f.)
En. concentration ; major subject ; specific choice [4124]

OPTIONS → plan d' — sur titre .

OPTIQUE → anisotropie — ; azurant — ; azureur — ; barrage — ; bouteille — ; bus — ; clavier — programmé ; compensation — ; détecteur — ; missile à guidage — ; palpeur — .

OPTIQUEMENT ACTIF adj. 70
propriété > propriété optique
Se dit d'un milieu qui fait tourner le plan de polarisation de la lumière incidente.
De. optisch aktiv
Es. opticamente activo [2710]

OPTO-DÉTECTEUR n.m. 77
OPTODÉTECTEUR
électronique > optique électronique
Appareil optique qui permet le comptage ou la détection d'objets de différentes natures.
De. optischer Detektor (m.)
En. optical detector
Es. detector optico [8150]

OPTOÉLECTRONIQUE → barrière — .

OPTOMÉCANIQUE → compensation — .

OPTRON n.m. 75
électronique > optoélectronique
Dispositif dans lequel le couplage entre circuits est réalisé par l'intermédiaire d'un rayonnement optique (rayons lumineux, infrarouges, ultraviolets, rayons X etc.).
V. optronique
De. Optron (n.)
En. optical coupler [7040]

OPTRONIQUE adj. 76
électronique > optoélectronique
Relatif à un optron.
V. optron
De. optronisch
En. optronic
Es. optrónico [7041]

OR → houille d' — ; point d'— .

ORAL → audio- — .

ORALISATION n.f. 75
enseignement
Processus qui consiste à substituer un enseignement oral à l'enseignement traditionnel écrit d'une langue.
Es. oralización [4875]

ORANGE → peau d' — .

ORBITAL → moteur — .

ORBITALAIRE adj. 74
chimie > constitution de la matière
Se dit de toute propriété associée aux orbitales.
De. Orbital-
En. orbital [6781]

ORBITALE → soudeuse — .

ORBITEUR n.m. 76
instrumentation > équipement aérospatial
Élément principal d'une navette spatiale, à la fois fusée au
départ et avion à l'atterrissage, qui fait des allers et retours
entre la Terre et son orbite.
De. Orbiter (m.)
En. orbiter [7042]

ORBITON n.m. 74
mécanique appliquée > moteur
Piston à contour polygonal qui décrit un mouvement orbital
autour des chambres de combustion d'un moteur automobile.
De. Läufer (m.)
Es. orbitón [3607]

ORDINACARTE n.f. 73
information > support documentaire
Matériel fournissant l'information sur une carte qui sort par
appel direct au clavier.
En. tip-on [994]

ORDINAIRE → indice — .

ORDINARTISTE n. 73
arts > arts graphiques
Artiste qui compose son œuvre à l'aide d'un ordinateur.
De. elektronischer Künstler (m.)
En. computer artist [2080]

ORDINATEUR HÔTE n.m. 76
ORDINATEUR-HÔTE
automatisme > équipement automatique
Ordinateur central d'un système de traitement de l'information qui assure le contrôle global du système (gestion des
tâches, dialogue opérateur, visualisation etc.) laissant à des
unités plus rapides les travaux intermédiaires (classification de
données, opérations arithmétiques, etc.).
De. Hauptrechner (m.) ; Host-Rechner (m.)
En. host computer [9201]

ORDINATIQUE n.f. 74
informatique > informatique théorique
Ensemble des disciplines scientifiques et techniques spécifiquement applicables à la conception et à l'utilisation des ordinateurs.
De. Rechnerwesen (n.)
En. computer science [6535]

ORDONNANCEUR n.m. 77
informatique > organe de transmission de données
Planificateur microprogrammé qui définit l'ordre et le temps
d'utilisation des programmes, assure leur enchaînement et
contrôle le déroulement des travaux.
En. scheduler [9070]

OREILLE → contour d' — .

OREILLE ÉLECTRONIQUE n.f. 73
instrumentation > appareil électronique de mesure
Dispositif électronique permettant de mesurer le bruit des
broyeurs afin d'en contrôler le taux de remplissage et d'en
régulariser l'alimentation.
De. elektronisches Ohr (n.)
En. electric ear [1360]

OREILLÈRE n.f. 76
environnement et sécurité > isolation acoustique
Coquille qui protège l'oreille des bruits.
De. Gehörschutz (m.)
En. ear muff [7043]

OREILLONNÉ adj. 74
matériau > produit alimentaire
Se dit d'un produit dans lequel un fruit est présenté par
moitiés.
En. halved [5969]

ORGANELLE n.m. 74
cellule et constitution cellulaire > constitution cellulaire
Toute partie élémentaire différenciée de la cellule.

De. Organelle (f.) ; Organellen (f.)
En. organelle ; organella [3767]

ORGANICITÉ n.f. 72
psychologie > psychophysiologie
Ensemble des phénomènes normaux ou anormaux entraînés
par la fonction d'un organe. [4323]

ORGANIQUE → analyste — .

ORGANITOGENÈSE n.f. 74
physiologie > développement (physiologie)
Production d'organites.
De. Organitogenese (f.)
En. organelle biogenesis
Es. organitogénesis [6782]

ORGANOGÉNÉTIQUE adj. 74
psychologie > pathologie mentale
Se dit d'une névrose engendrée à partir d'un trouble organique.
De. organogen
En. organogenetic
Es. organogenético [3769]

ORGANOHALOGÉNÉ adj. 76
chimie > composé chimique
Se dit d'une molécule carbonée renfermant un halogène.
De. Organohalogen-
En. organohalogenated
Es. organohalogenado [6253]

ORGANOSOLUBLE adj. 73
propriété > propriété physico-chimique
Soluble dans un solvant organique.
De. organolöslich
En. organo-soluble [1361]

ORGANOSTANNIQUE adj. 74
chimie > composé chimique
Se dit d'un composé organique comportant une liaison carbo-
ne-étain.
En. organostanic
Es. organoestánico [4125]

ORGANOVÉGÉTATIF adj. 72
anatomie > anatomie animale
Se dit du système nerveux autonome.
De. organovegetativ [830]

ORIENTEUR n.m. 76
énergie (technologie) > énergie solaire
Dispositif qui comprend un miroir asservi à un dispositif de
guidage automatisé.
En. heliostat
Es. orientador [7321]

ORNIÉRAGE n.m. 74
géotechnique
Action d'orniérer.
V. orniérer
En. rutting [2394]

ORNIÉRER v. 74
géotechnique
Former des ornières.
V. orniérage
En. to rut [4197 bis]

ORNITHOMÉLOGRAPHIE n.f. 73
zoologie
Étude et enregistrement du chant des oiseaux.
De. Ornithomelographie (f.)
En. ornithomelography [652]

ORNITHOPHAGE adj./n. 76
physiologie > nutrition
Qui se nourrit d'oiseaux.
De. Ornitophage (m.)
Es. ornitófago [7594]

ORTET n.m. 77
génétique > clone
Plante originelle dont un clone provient.
V. ramet
De. Ausgangspflanze (f.)
En. ortet
Es. ortet [8518]

ORTHÈSE n.f. 73
génie biomédical > appareillage médical
Appareillage destiné à suppléer, corriger ou maintenir l'altération morphologique d'un organe, d'un membre ou d'un segment de membre ou la déficience d'une fonction.
De. Orthese (f.)
En. orthotic device [653]

ORTHOLOGIE n.f. 70
linguistique
Science du discours parlé selon les règles en usage.
De. Orthologie (f.)
Es. ortología [2542]

ORTHOPANTOMOGRAPHIE n.f. 74
génie biomédical > diagnostic
Radiographie panoramique des arcades dentaires.
De. Orthopantomographie (f.) [2254]

ORTHOPHOTO-ÉLÉVATION n.f. 73
ORTHOPHOTOÉLÉVATION
instrumentation > photographie
Assemblage de plusieurs orthophotographies à la même échelle d'une même série de prises de vues terrestres couvrant sans discontinuité un panorama. [7171]

ORTHOPHOTOGRAPHE n.m. 75
instrumentation > photographie
Appareil permettant d'obtenir une projection orthogonale d'un couple stéréoscopique de photographies.
V. orthophotographie
De. Orthophotogerät (n.)
En. orthophoto printer
Es. ortofotografía [5693]

ORTHOPHOTOGRAPHIE n.f. 76
instrumentation > photographie
Image photographique obtenue par redressement différentiel à partir d'un cliché aérien à peu près vertical représentant un terrain non plan.
V. orthophotographe ; orthophotoplan
De. Orthophoto (n.)
En. orthophoto ; orthophotograph ; orthophotography
Es. ortofotografía [6116]

ORTHOPHOTOPLAN n.m. 73
instrumentation > photographie
Prise de vue dans laquelle on conserve à la photographie la totalité de son information aérienne tout en lui donnant les qualités du plan par transformation de sa perspective en une projection orthogonale.
V. orthophotographie ; orthophotographe
En. orthophotomap [1899]

ORTHOTOPIQUE adj. 74
génie biomédical > chirurgie
Se dit d'un organe, d'une formation tissulaire ou cellulaire en situation anatomique normale.
De. orthotop
En. orthotopic
Es. ortotópico [3608]

ORTHOTROPE adj. 73
propriété > propriété physico-chimique
Se dit d'un milieu ou d'un matériau doué d'anisotropie orthogonale, dans lequel il existe deux directions privilégiées perpendiculaires entre elles.
De. orthotrop
En. anisotropic ; orthogonal [654]

ORTHOXÉNIQUE adj. 73
zootechnie
Se dit d'un élevage permettant, par des mesures d'hygiène appropriées, de maintenir sain un animal auquel ses ascendants n'ont transmis aucun contaminant spécifique.
En. orthoxenic [2543]

OSCILLATEUR n.m. 73
économie > marché financier
Indicateur de mesure de l'effet de la variation du volume des crédits sur la variation de la masse des dépôts bancaires, pendant une période significative.
De. Geldmengenfaktor (m.)
En. oscillator
Es. oscilador [2255]

OSCILLO-BATTANT adj. 74
OSCILLOBATTANT
bâtiment et travaux publics > élément d'ouvrage du bâtiment
Se dit d'un type de châssis de fenêtre qui peut s'ouvrir soit par pivotement vertical soit par pivotement autour d'un axe horizontal (battement) selon la façon dont la crémone a été réglée. [6254]

OSCILLOSCOPIE n.f. 75
électronique > électronique industrielle
Ensemble des techniques et des disciplines scientifiques utilisées pour la conception, la réalisation et la mise en œuvre des oscilloscopes.
De. Oszilloskopie (f.)
En. oscilloscopy
Es. osciloscopía [9202]

OSMOPILE n.f. 75
énergie (technologie) > énergétique
Générateur de courant électrique qui utilise le principe de l'osmose.
De. osmotisches Element (n.)
En. osmopile
Es. osmopila [5970]

OSMORÉGULATION n.f. 76
physiologie > homéostasis
Ensemble des mécanismes par lesquels les organismes effectuent le contrôle de leur pression osmotique interne.
De. Osmoregulation (f.)
En. osmoregulation
Es. osmoregulación [8151]

OSMOSAT n.m. 74
chimie > chimie du solide et du fluide
Solution qui passe à travers la membrane d'osmose dans une osmose inverse.
V. rétentat [1900]

OSMOSE INVERSE n.f. 71
opération > séparation physique
Procédé de séparation consistant à appliquer à une solution présente dans une membrane d'osmomètre une pression supérieure à la pression osmotique qui provoque le passage à l'état pur du solvant à travers la membrane.
En. reverse osmosis [304]

OSMOTIQUE adj. 74
génie hydraulique
Se dit d'une méthode d'irrigation souterraine par infiltration au niveau de la racine des plantes.
De. osmotisch ; Wurzelbewässerungs-
En. osmotic
Es. osmótico [4706]

OSTÉODONTOKÉRATIQUE adj. 76
histoire
Relatif à une civilisation qui travaille l'os, la dent et la corne.
En. osteodontokeratic [6669]

OSTÉOMÉTRIQUE adj. 77
zoologie
Relatif à la mesure des os (ostéométrie). [8667]

OSTÉOPHAGIE n.f. 73
pathologie animale > maladie de la nutrition et du métabolisme
Consommation de matières osseuses.
De. Osteophagie (f.)
En. osteophagia [4545]

OSTÉOPRATICIEN n.m. 74
génie biomédical > physiothérapie
Docteur en médecine utilisant un système thérapeutique qui
attribue une grande importance aux fonctions mécaniques de
l'organisme et emploie largement les manipulations.
En. osteopath [2256]

OSTIOLE n.f. 77
géologie > modification superficielle
Flaque de boue formée par extravasion au milieu de la
végétation lors du dégel.
V. extravasion
De. Endflecken (m.)
En. Tundra ostiole [7172]

OTOCÔNE n.m. 74
pharmacologie > médicament
Médicament en forme de cône destiné à être introduit dans
l'oreille.
De. Otokon (m.) ; Otolith (m.) ; Statolith (m.) [2081]

OUOLOPHONE adj. 77
linguistique
Qui parle le ouolof.
De. wolofsprachig
En. Wolof-speaking [8269]

OURLEUSE n.f. 74
économie > industrie mécanique
Machine destinée à recourber les bords d'un objet plan.
De. Bördelmaschine (f.)
En. hemmer
Es. dobladilladora [3227]

OUTIL PIGNON n.m. 72
OUTIL-PIGNON
mécanique appliquée > usinage
Outil de taillage par génération en forme de roue cylindrique.
En. pinion-type cutter [305]

OUTRE → caisse- — ; carton- — .

OUVERT → bureau en espace — ; contact normalement
— ; espace semi- — ; péage — ; profil — ; système — ;
temps — .

OUVERTE → à diffusion — ; boucle — ; école à aire — ;
préfabrication — ; vanne normalement — .

OUVERTURE → supersynthèse d' — ; synthèse d' — .

OUVERTURE MAIN-FER BLANC n.f. 73
conditionnement (emballage) > fermeture
Procédé d'ouverture des boîtes de conserve consistant à
enlever une bande de fer blanc sans l'aide d'outil.
*De. Aufreißdeckel (m.) ; Aufreißlasche (f.) ; Aufreißverschluß
(m)*
En. whirlaway [1362]

OUVRABILIMÈTRE → servo- — .

OUVRABLE adj. 75
gestion, organisation, administration > gestion
Se dit d'un système dont les structures sont alternativement
stationnaires et évolutives. [9072]

OUVRAGE → maître d' — .

OUVREUR n.m. 75
opération > séparation physique
Dispositif permettant de désagréger des amas de matière en
vue de leur tamisage. [7073]

OVIPOSITION → anti- — .

OVNI (OBJET VOLANT NON IDENTIFIÉ) n.m. 72
sciences de l'espace
Objet céleste volant qui serait aperçu dans l'atmosphère
terrestre.
De. Ufo (unbekanntes Flugobjekt) (n.)
En. UFO (Unidentified Flying Object) [306]

OVNIOLOGISTE n. 74
sciences de l'espace
Spécialiste qui étudie le phénomène des OVNI.
V. ufologue
De. Ufologe (m.)
En. UFO expert
Es. ovniólogo [4879]

OVOCULTURE n.f. 73
génie biomédical > culture de cellule et de tissu
Méthode de culture de certains virus ou de certaines bactéries
dans l'œuf de poule embryonné.
En. ovoculture
Es. ovocultura [4546]

OVOÏDE DE DRAINAGE n.m. 76
bâtiment et travaux publics > construction
Type d'égout à section ovoïde.
En. oval drain [6536]

OVOIMPLANTATION n.f. 75
OVO-IMPLANTATION
physiologie > reproduction (physiologie)
Implantation de l'œuf.
De. Eiimplantation (f.)
En. egg implantation
Es. ovoimplantación [6670]

OVONIQUE n.f. 74
électronique > technique des semiconducteurs
Ensemble des recherches scientifiques et des applications
techniques concernant les semiconducteurs amorphes.
De. Ovonik (f.)
En. ovonics
Es. ovónica [3228]

OVOPRODUIT n.m. 73
matériau > produit alimentaire
Produit provenant de l'œuf destiné à satisfaire les besoins
spécifiques d'industries alimentaires.
V. coule fraîche
De. Eiprodukt (n.)
En. egg product [2257]

OXYBRASAGE n.m. 75
mécanique appliquée > assemblage
Brasage effectué à l'aide d'oxygène comme carburant.
De. Sauerstafflötung (f.)
En. torch brazing [4707]

OXYCHLORATION n.f. 72
économie > industrie chimique
Réaction du chlore obtenue en faisant agir un mélange
d'oxygène et d'acide chlorhydrique sur un composé chimique.
De. Chloroxydation (f.)
En. oxychlorination [134]

OXYCLINE n.f. 76
géophysique > hydrologie
Couche à fort gradient vertical de teneur en oxygène.
V. halocline ; pycnocline
De. Sauerstoffgehaltprungschicht (f.) [7596]

OXYDATIF adj. 74
technologie des matériaux > génie alimentaire
Relatif au processus d'oxydation qui entraîne une détérioration des qualités nutritionnelles d'un aliment.
En. oxidative [3771]

OXYDE → tête haute activité — .

OXYDEUR → turbo- — .

OXYDUC n.m. 72
transport et manutention > canalisation-conduite
Conduite destinée à l'acheminement de l'oxygène.
De. Sauerstoffleitung (f.)
En. oxygen pipeline [1901]

OXY-FORAGE n.m. 77
OXYFORAGE
exploitation des ressources minérales
Procédé de forage qui utilise les hautes températures produites
par une lance à oxygène. [8002]

OXYGÈNE → indice critique d' — .

OXYGÉNOMÈTRE n.m. 74
environnement et sécurité > prévention
Appareil de mesure du taux de l'oxygène.
De. Oxygenometer (n.)
En. oxygen meter
Es. oxigenómetro [6117]

OXYMÈTRE n.m. 76
chimie > chimie analytique
Appareil permettant de mesurer le degré d'oxygénation d'une
solution ou d'un milieu.
Es. oxímetro [7174]

OXYNAUTE n.m. 77
économie > industrie anti-pollution
Station flottante et mobile destinée à l'oxygénation de l'eau.
[8519]

OXY-THERMOMÈTRE n.m. 74
OXYTHERMOMÈTRE
chimie > chimie analytique
Appareil permettant de mesurer simultanément la tempéra-
ture et la teneur en oxygène dissous d'une eau déterminée.
De. Sauerstoff- und Temperaturmeßgerät (n.)
En. dissolved oxygen-temperature monitor
Es. oxitermómetro [8270]

P adj. 77
cybernétique > automatique
Se dit d'une fonction de commande dans laquelle il existe une
relation linéaire continue entre la sortie et l'entrée du dispositif qui assure cette fonction.
V. pi ; pid
En. proportional [9203]

PAGER v. 74
informatique > traitement de données (informatique)
Diviser en pages une partie, généralement un segment, de la
mémoire centrale d'un ordinateur.
En. to divide into pages ; to page [9358]

PAGE SONORE n.f. 75
information > document
Feuille de papier susceptible de recevoir des écrits sur une face
et dont l'autre face est enduite d'un support plastique
magnétique permettant un enregistrement sonore.
V. écritoire sonore
En. sound page
Es. página sonora [4126]

PAGINAL → infra- — .

PAGINATION n.f. 74
informatique > traitement de données (informatique)
Opération consistant à transférer des pages de la mémoire
virtuelle à la mémoire réelle d'un ordinateur et vice-versa
(paginer).

De. Seitenwechsel (m.)
En. paging ; page-turning
Es. paginación [9359]

PAIDO-PATHOLOGIE n.f. 78
PAIDOPATHOLOGIE
pathologie animale > trouble fonctionnel
Étude des troubles et maladies de l'enfant.
En. paediatric pathology ; pediatric pathology [9360]

PAILLAGE RADIANT n.m. 77
agronomie > technique culturale
Technique de paillage utilisant l'eau chaude des centrales
nucléaires. [8520]

PAILLASSE n.f. 75
économie > industrie de la fonderie
Couche composée de colle en ignition supportant jusqu'au
niveau de la combustion, les charges successives introduites
dans l'appareil de fusion.
De. brennender Koks (m.)
En. bedding [3414]

PAILLETTE n.f. 76
environnement et sécurité > protection
Type de réflecteur léger utilisé en grand nombre pour former
des nuages destinés à leurrer les radars et les autodirecteurs de
missiles.
De. Düppel (m.)
En. chaff ; rope ; window [6899]

PAIN D'ÉPICE n.m. 73/74
géologie > structure géologique
Faciès d'altération du basalte doléritique à consistance poreuse
et coloration jaune rougeâtre contenant de la gibbsite et de
l'argile grise. [7322]

PALAIS ARTIFICIEL n.m. 78
instrumentation > mesure des phénomènes physiologiques
Fine plaque d'acrylate prépolymérisée utilisée en palatogra-
phie indirecte.
V. palatographie indirecte
Es. paladar artificial [8930]

PALAN → chariot- — .

PALATABILITÉ n.f. 73
vie quotidienne > alimentation
Aptitude d'un aliment à provoquer et à maintenir l'appétit.
De. Palatabilität (f.)
En. palatability ; palatableness [658]

PALATOGRAPHIE DIRECTE n.f. 78
instrumentation > mesure des phénomènes physiologiques
Technique de palatographie utilisant les traces de la langue
laissées sur le palais.
V. électropalatographe ; palais artificiel ; palatographie ;
palatographie dynamique ; palatographie indirecte [8932]

PALATOGRAPHIE DYNAMIQUE n.f. 78
instrumentation > mesure des phénomènes physiologiques
Technique de palatographie utilisant un système de microcon-
tacts disposés sur un palais artificiel et reliés à un enregistreur.
V. électropalatographe ; palais artificiel ; palatographie ;
palatographie directe ; palatographie indirecte
De. Elektropalatographie (f.)
Es. palatografía dinámica [8933]

PALATOGRAPHIE INDIRECTE n.f. 78
instrumentation > mesure des phénomènes physiologiques
Technique de palatographie utilisant un palais artificiel.
V. électropalatographe ; palais artificiel ; palatographie ;
palatographie directe ; palatographie dynamique
Es. palatografía indirecta [8934]

PALÉOALTIMÉTRIE n.f. 77
géophysique > glaciologie
Mesure des altitudes auxquelles se sont formées des glaces
anciennes.
De. Paläoaltimetrie (f.)

En. palaeoaltimetry ; paleoaltimetry
Es. paleoaltimetría [7323]

PALÉOANTHROPOLOGIE n.f. 78
anthropologie
Partie de l'anthropologie qui étudie les périodes les plus reculées.
En. palaeoanthropology ; paleoanthropology
Es. paleoantropología [9073]

PALÉOBIOLOGIE n.f. 76
géologie > paléontologie
Partie de la paléontologie consacrée à l'étude des organismes fossilisés.
De. Paläobiologie (f.)
En. palaeobiology ; paleobiology
Es. paleobiología [6255]

PALÉOCLIMATOLOGISTE n. 77
géophysique > climatologie
Spécialiste de l'étude des climats des époques anciennes (paléoclimatologie). [8393]

PALÉODÉMOGRAPHIE n.f. 77
démographie
Partie de la démographie qui étudie les populations antérieures à celles du Moyen-Age.
V. paléodémographique [8521]

PALÉODÉMOGRAPHIQUE adj. 77
démographie
Relatif à la paléodémographie.
V. paléodémographie [8522]

PALÉOÉCOLOGIQUE adj. 72
écologie > autécologie
Qui a trait à l'écologie des époques paléontologiques (paléoécologie).
V. paléoécologiste
De. paläoökologisch
En. palaeoecologic ; palaeoecological ; paleoecologic ; paleoecological [135]

PALÉOÉCOLOGISTE n. 78
écologie > autécologie
Spécialiste de l'écologie des époques paléolithiques (paléoécologie).
V. paléoécologique [9074]

PALÉOMAGNÉTICIEN n.m. 75
géophysique > physique du globe
Spécialiste de l'étude du magnétisme des matériaux géologiques.
V. archeomagnéticien
De. Paläomagnetiker (m.)
En. palaeomagnetist ; paleomagnetist [5043]

PALÉONÉGRITIQUE adj. 74
anthropologie
Se dit des populations de l'Afrique paléolithique.
De. paläonegrid ; paläonegritisch
En. palaeonegritic ; paleonegritic
Es. paleonegrítico [3415]

PALÉONYME n.m. 75
linguistique
Nom disparu de l'usage.
V. néonyme
De. Paläonym (n.)
En. old word [6537]

PALÉOPHÉNOLOGIE n.f. 77
écologie > habitat
Étude des relations entre les températures ayant régné durant la période de croissance d'une plante et la date de maturité de ses fruits et graines. [8523]

PALÉOSURFACE D'ÉROSION n.f. 77
géologie > pétrogenèse
Surface d'érosion formée à des époques anciennes.

De. Paläerosionsfläche (f.)
En. ancient erosion surface ; palaeoerosion surface
Es. paleosuperficie de erosión [9075]

PALÉOTEMPÉRATURE n.f. 72
géophysique > météorologie
Température qui a régné pendant une ère géologique.
De. Paläotemperatur (f.)
En. palaeotemperature ; palaeotemperature [307]

PALÉOVALLÉE n.f. 73
géophysique > géomorphologie
Vallée d'une époque géologique ancienne qui a cessé d'être parcourue par le cours d'eau qui l'a formée.
En. palaeovalley ; paleovalley [1721]

PALÉOVERTÉBRISTE n. 74
géologie > paléontologie
Spécialiste de l'étude des vertébrés fossiles.
De. Paläovertebratenforscher (m.) [7597]

PALETTE → caisse- — ; entourage- — ; feuille — ; habille- — .

PALETTIER n.m. 75
stockage > dépôt de stockage
Type de rayonnage utilisé pour le stockage des charges lourdes palettisées.
V. rime
De. Regal (n.)
En. pallet rack ; pallet racking ; pallet storage rack [4447]

PALETTISEUR n.m. 73
transport et manutention > engin de manutention
Appareil destiné à déposer des charges sur des palettes nues afin de constituer des charges unitaires.
De. Palettengabel (f.)
En. pallet loader ; pallettizer ; pallet truck [3229]

PALFEUILLES n.f.pl. 76
matériau > produit métallurgique
Profilés à froid enclenchables l'un sur l'autre, d'épaisseurs et d'inerties inférieures à celles des palplanches.
En. steel sheet piles ; steel sheet piling [7722]

PALLADIÉ adj. 73
technique nucléaire
Se dit d'une surface sur laquelle on a déposé du palladium.
En. palladinized [1542]

PALPEUR À ROULEAU n.m. 75
économie > industrie métallurgique
Dispositif destiné au contrôle de boucle des matériaux en feuille constitué d'un bras palpeur qui s'appuie sur la bande par l'intermédiaire de rouleaux et commande les différentes cames afin d'éviter un défaut d'alimentation de la machine.
V. palpeur par la masse
En. roller feeler [4127]

PALPEUR DE NIVEAU n.m. 74
instrumentation > essai et contrôle
Appareil permettant une régulation automatique du niveau de réservoirs et de citernes.
V. tâteur de niveau
En. level gauge
Es. indicador de nivel [2544]

PALPEUR OPTIQUE n.m. 74
instrumentation > équipement optique
Dispositif permettant d'obtenir la position idéale de l'objectif nécessaire à la projection nette d'une diapositive.
De. Lichtfühler (m.) ; Lichtabtaster (m.) ; optischer Fühler (m.)
En. automatic focus ; automatic lens adjuster
Es. palpador óptico [3772]

PALPEUR PAR LA MASSE n.m. 75
économie > industrie métallurgique
Dispositif destiné au contrôle des matériaux en feuille, dont les deux antennes mettent en marche ou arrêtent le moteur du dévidoir afin d'éviter un défaut d'alimentation de la machine.

V. palpeur à rouleau
En. mass feeler [4128]

PALPEUR-SUIVEUR n.m. 75
instrumentation > essai et contrôle
Détecteur pneumatique sans contact permettant de contrôler les dimensions d'un produit à l'aide d'un jet d'air à très basse pression.
De. Abtaster (m.)
En. feeler-follower [5170]

PALYNOLOGIQUE adj. 72
botanique
Relatif à l'étude des pollens (palynologie).
V. palynologue
De. palynologisch
En. palynologic [487]

PALYNOLOGUE n. 76
botanique
Spécialiste de l'étude des pollens (palynologie).
V. palynologique
De. Palynologe (m.)
Es. palinólogo [6671]

PANACHE n.m. 75
géophysique > géosphère
Mouvement vertical ascendant originaire du noyau terrestre.
En. plume [5572]

PANACHÉE → pochette — .

PANÉMONE n.f. 76
énergie (technologie) > énergie éolienne
Dispositif composé de pales qui tourne autour d'un axe vertical en utilisant l'énergie éolienne.
En. smock mill ; smock windmill [5573]

P.A.N.I. (PHÉNOMÈNE AÉROSPATIAL NON IDENTIFIÉ) n.m. 77
sciences de l'espace
Phénomène aérospatial qui serait aperçu dans l'atmosphère terrestre. [8524]

PANIER n.m. 75
économie > monnaie
Base de référence monétaire constituée à partir d'un certain nombre de monnaies nationales dont la part relative est établie en fonction de paramètres économiques.
En. basket
Es. cesta [4129]

PANIER → prime de — .

PANIQUE → barre de — .

PANOPLIE → usinage en — .

PANSÉMIQUE adj. 75
information > communication
Se dit d'un message ouvert à toutes les interprétations.
De. pansem
En. omnivalent ; pansemic
Es. pansémico [3773]

PANSUBSTRATISTE adj. 75
linguistique
Propre à la théorie selon laquelle tous les phénomènes d'une situation linguistique donnée peuvent s'expliquer par l'influence du substrat.
En. pansubstratist [4548]

PANTOFORE n.m. 73
géotechnique
Appareil de forage dont les déplacements sont commandés par des systèmes articulés. [1723]

PAP (POISSON AUTOPROPULSÉ) n.m. 73
pyrotechnie
Engin sous-marin automatisé. [138]

PAPÉRISATION n.f. 75
technologie des matériaux > traitement de surface
Opération visant à donner à un support des propriétés de surface proches de celles des papiers.
V. papérisé
En. paperlike finish [4882]

PAPÉRISÉ adj. 73
technologie des matériaux > traitement de surface
Se dit d'un support qui a subi une papérisation.
V. papérisation
De. papierartig
En. paperlike [1543]

PAPIER CANNELURE n.m. 75
PAPIER-CANNELURE
matériau > papier
Constituant du carton ondulé, façonné en ondulations et placé entre les couvertures.
De. Wellpappe (f.) ; Wellpapier (n.)
En. fluted paper [4708]

PAPIER INCAPSULÉ n.m. 75
technologie des matériaux > fabrication du papier
Papier auquel on a ajouté un polymère synthétique.
V. incapsulation
En. polymerized paper ; polypaper
Es. papel incapsulado [5171]

PAPIER SUPPORT DE COUCHE n.m. 74
PAPIER-SUPPORT DE COUCHE
matériau > papier
Papier destiné à porter une couche d'enduit formant une surface lisse.
En. coating paper [3067]

PAPIER THERMIQUE n.m. 75
matériau > papier
Papier sensible à un rayonnement thermique et utilisé principalement pour l'impression d'un graphisme.
V. thermopapier
De. Thermopapier (n.) [8003]

PAPIER THERMOMÉTRIQUE n.m. 74
instrumentation > mesure thermique
Papier qui, par application sur un objet, permet de mesurer sa température par modification de teinte du blanc au noir.
V. jauge de température ; pochette panachée
De. Thermometerpapier (n.)
En. thermometric paper
Es. papel termométrico [3417]

PAPIER-TRANSFERT n.m. 74
matériau > papier
Papier qui sert de support provisoire à un motif décoratif destiné à être rapporté sur un autre support.
De. Abziehpapier (n.)
En. transfer paper [3946]

PAPOUAN adj. 74
localisation
De Papouasie.
De. papuanisch
En. Papuan [2889]

PAQUET n.m. 75
information > traitement de l'information
Unité d'information de longueur variable mais limitée, transmise comme un tout sur une ligne.
De. Signalbündel (n.)
En. packet [7324]

PAQUETS → commutation de — .

PAQUETS BLANCS n.m.pl. 76
économie > industrie métallurgique
Ferrailles étamées.
En. white faggot (U.K.) ; white fagot (U.S.A.) [7045]

PARABRUIT n.m. 77
environnement et sécurité > isolation acoustique
Dispositif d'insonorisation.
De. Lärmschutzvorrichtung (f.)
En. acoustical panel [8271]

PARACHARMONIUM n.m. 77
physique > physique mathématique
État du charmonium où les spins sont antiparallèles et sans
moment angulaire orbital.
V. charmonium
De. Paracharmonium (n.)
En. paracharmonium
Es. paracharmonio [8669]

PARACHIMIE n.f. 75
économie > industrie parachimique
Ensemble des industries dont l'activité est fondée sur la
transformation des produits chimiques.
De. Parachemie (f.)
En. parachemistry
Es. paraquímica [5045]

PARADOXAL → sommeil — .

PARAGRAPHIE COMPLEXIFICATOIRE n.f. 77
psychologie > pathologie mentale
Paragraphie caractérisée par une addition de lettres non
prononcées.
V. paragraphie séquentielle ; paragraphie substitutive ; paragraphie totale [8525]

PARAGRAPHIE SÉQUENTIELLE n.f. 77
psychologie > pathologie mentale
Paragraphie substitutive où la majorité des lettres sont les
mêmes que celles de l'item.
V. paragraphie complexificatoire ; paragraphie substitutive ;
paragraphie totale [8526]

PARAGRAPHIE SUBSTITUTIVE n.f. 77
psychologie > pathologie mentale
Paragraphie où le nombre des syllabes est conservé mais où
elles sont phoniquement différentes de l'item.
V. paragraphie complexificatoire ; paragraphie séquentielle ;
paragraphie totale [8527]

PARAGRAPHIE TOTALE n.f. 77
psychologie > pathologie mentale
Paragraphie où le nombre et la nature phonique des syllabes ne
sont pas conservés.
V. paragraphie complexificatoire ; paragraphie séquentielle ;
paragraphie substitutive [8528]

PARALLÈLE adj. 78
informatique > système opératoire
Se dit de la structure d'un ordinateur permettant le traitement
simultané par ensembles des instructions grâce à une pluralité
d'unités arithmétiques opérant en parallèle.
V. pipe-line
De. Parallel-
En. parallel
Es. paralelo [9204]

PARALLÈLE → école — ; imprimante en — ; simulation
— .

PARALLÉLISABLE adj. 75
opération > exploitation
Se dit d'un dispositif qui peut être monté en parallèle avec un
ou plusieurs autres.
V. cascadable
De. parallel schaltbar
En. parallelizable [5833]

PARAMÉTRÉ adj. 75
informatique > programmation
Se dit d'un ensemble ou d'une grandeur ayant fait l'objet d'un
paramétrage.
De. parametrisiert

En. parametrized
Es. parametrado [7046]

PARAMÉTRISATION n.f. 73
gestion, organisation, administration > planification
Utilisation de paramètres dans un programme.
De. Parametrisierung (f.)
En. parameterization
Es. parametrización [5694]

PARAMIN n.m. 73
chimie > composé chimique
Dérivé para de l'aminophénol utilisé comme révélateur photo-
graphique.
De. Paraaminophenol (n.)
En. paramin [2258]

PARAMOUSTIQUE n.m. 74
bâtiment et travaux publics > élément d'ouvrage du bâtiment
Dispositif qui, fixé à une fenêtre, empêche la pénétration des
moustiques.
En. mosquito net [3231]

PARAPPRENTISSAGE n.m. 73
information > communication
Apprentissage des notions nécessaires (symbolisme graphique,
etc.) à la compréhension d'un message télévisuel. [7177]

PARAPROSEXIQUE n.m. 75
psychologie > pathologie mentale
Individu qui éprouve une difficulté à fixer son attention
aggravée par les efforts faits pour y parvenir.
V. aprosexie ; hypoprosexie
En. paraprosexic [5046]

PARASISMIQUE adj. 77
environnement et sécurité > protection
Destiné à protéger des effets d'un séisme.
De. erdbebensicher ; erdbebenschützend
En. aseismic [8394]

PARASITAIRE → concurrence — .

PARASITOCÉNOSE n.f. 73
écologie > écosystème
Biocénose constituée de parasites.
De. Parasitozönose (f.)
En. parasitocoenosis [661]

PARASITOÏDE n.m. 74
écologie > synécologie
Organisme parasite seulement pendant une période de son
existence.
De. Parasitoid (m.)
En. parasitoid
Es. parasitoide [2712]

PARASURTENSION n.m. 77
électrotechnique > protection électronique
Dispositif de protection contre les surtensions. [6672]

PARATYPE n.m. 74
systématique
Échantillon identique au type ayant servi à la description
originale d'une nouvelle espèce.
V. allotype ; syntype
De. Paratyp (m.)
En. paratype
Es. paratipo [3611]

PARAVENT n.m. 74
information > document
Sortie d'ordinateur imprimée en continu dont les feuillets se
replient les uns sur les autres.
De. Auflistung (f.)
En. listing [3418]

PARC → jockey — .

PARC DE VISION n.m. 75
zoologie
Parc d'animaux destiné à l'observation de la faune indigène.
De. *Park (m.) mit einheimischen Tieren*
En. *nature reserve ; wilderness area ; wildlife sanctuary* [3947]

PARCHEMINABILITÉ n.f. 73
propriété > propriété mécanique
Aptitude d'un matériau à acquérir les caractères du parchemin.
De. *Pergamentierfähigkeit (f.)*
En. *parchmentiness ; parchment likeness ; parchment quality* [1545]

PARCLOSAGE n.m. 77
bâtiment et travaux publics > structure mécanique
Opération destinée à maintenir des vitrages dans des feuillures de châssis à l'aide de parcloses. [8004]

PARCOURS → terrain de — .

PARCOURS DE SANTÉ n.m. 74
sport
Circuit aménagé pour la marche ou l'athlétisme par une commune qui le met gratuitement à la disposition des usagers.
V. vitaparcours
De. *Trimm-dich-Pfad (m.)*
En. *health run* [2890]

PARC PRIMAIRE n.m. 74
stockage > dépôt de stockage
Aire d'une usine où les matériaux sont stockés après leur réception avant d'être répartis en fonction de leur affectation.
En. *primary area* [4710]

PARC ROTATIF n.m. 74
transport et manutention > infrastructure des transports
Parc à voitures à plusieurs niveaux muni d'un élévateur et de plates-formes mobiles permettant de garer les voitures sur un espace réduit.
En. *rotary car park*
Es. *parking rotatorio* [3948]

PARE adj. 73
physiologie > reproduction (physiologie)
Se dit d'une femelle de moustique qui a pondu au moins une fois.
En. *parous* [3612]

PARE-CHUTE n.m. 74
environnement et sécurité > dispositif de sécurité
Dispositif permettant d'éviter la chute du personnel travaillant en hauteur.
De. *Absturz-Sicherheitsvorrichtung (f.)*
En. *safety barrier*
Es. *paracaidas* [6386]

PARE-FLAMME adj. 73
environnement et sécurité > protection contre l'incendie
Se dit d'un élément de construction étanche et résistant aux flammes.
En. *explosion-proof ; flame-proof* [997]

PARE-GEL n.m./adj. 73
matériau > additif
[Se dit d'un] adjuvant qui permet d'éviter le gel du béton frais en activant l'hydratation du ciment.
V. antigélif
De. *Frostschutzmittel (n.)*
En. *antifreezing solution* [1724]

PARE-GRAINS n.m. 76
environnement et sécurité > protection
Châssis équipé d'un verre incassable, s'adaptant à une machine et destiné à protéger l'opérateur de la projection de particules.
En. *safety glass shield ; safety glass eyeshield* [7047]

PARENTALISTE adj. 77
génétique > génétique des populations
Relatif aux études de parenté. [8395]

PARENTISME n.m. 75
sociologie
Népotisme étendu à toute la parenté et parfois à l'ethnie.
En. *parentism* [6256]

PARE-VAPEUR n.m. 74
environnement et sécurité > isolation thermique
Film de matériau étanche destiné à empêcher la diffusion de la vapeur d'eau.
En. *vapour barrier* [2545]

PARISIANISATION n.f. 72
linguistique
Uniformisation linguistique à partir du parler de Paris.
En. *parisianization* [4198 bis]

PARISIEN adj. 76
environnement et sécurité > protection
Se dit d'un outil noyé à l'intérieur d'une machine, de façon que la main de l'opérateur ne puisse atteindre la zone dangereuse. [7178]

PARLANTE → diapositive — .

PAROLE → synthétiseur de — .

PARORAL adj. 77
organisme vivant > microorganisme
Situé à côté de l'orifice buccal de certains protozoaires.
V. endoral [9205]

PARQUETIER n.m. 76
règlementation législation > droit
Magistrat du Parquet.
De. *Beamter (m.) der Staatsanwaltschaft*
En. *prosecutor* [6901]

PARTAGÉ → temps — .

PARTAGE DE TEMPS n.m. 70
informatique > système opératoire
Mode de traitement de l'information dans lequel plusieurs utilisateurs exécutent sur le même ordinateur des travaux indépendants, des tranches de temps étant affectées à chaque utilisateur, qui néanmoins peut suivre son propre rythme de travail.
V. temps partagé
De. *Teilnehmerbetrieb (m.)*
En. *time-sharing* [3069]

PARTAGÉE → logique — .

PARTHÉNOTE n.m. 76
physiologie > production (physiologie)
Individu obtenu par parthénogénèse.
En. *parthenote*
Es. *partenótico* [5695]

PARTITION n.f. 77
information > support documentaire
Distribution des cadres d'images sur une microforme.
En. *division* [8936]

PARTITIONNEMENT n.m. 76
informatique > programmation
Découpage de la mémoire centrale d'un ordinateur ou d'un système de traitement de l'information en sous-ensembles opérationnels (partitions), généralement affectés au déroulement d'un programme ou de programmes de même type.
En. *partitioning ; segmenting* [9206]

PARTON n.m. 73
physique > physique des particules
Sous-structure du proton. [139]

PARTURIEL adj. 76
physiologie > reproduction (physiologie)
Relatif à la parturition.
De. *Geburts-* [7598]

PAS n.m. 70
économie > sciences économiques
Intervalle de temps qui sépare deux observations successives
d'une série chronologique.
De. Zeitschritt (m.)
En. leg
Es. paso [5435]

PAS n.m. → moteur — à — .

PAS adv. → n'entre — .

PASSAGE → unité de — .

PASSANTE → bande — .

PASSE n.f. 78
exploitation des ressources minérales
Ouverture étroite et longue qui permet l'exploitation d'une
mine. [9361]

PASSE À POISSONS n.f. 73
pêche
Canal ou orifice ménagé dans un barrage pour permettre le
passage habituel des poissons.
De. Fischschleuse (f.)
En. fishway [1363]

PASSE-MALADE n.m. 75
médecine > équipement médical
Ouverture pratiquée dans une cloison et munie d'un système
de fermeture à guillotine permettant d'introduire et d'isoler un
malade dans une salle mise en condition.
En. patient's hatch [6257]

PASSE-MONNAIE n.m. 74
environnement et sécurité > prévention
Dispositif de sécurité d'un guichet permettant l'échange de
fonds entre le public et le caissier.
De. Gelddurchreiche (f.)
En. deal tray [4883]

PASSE-PIED n.m. 73
bâtiment et travaux publics > construction
Passage destiné aux piétons au-dessus d'un barrage.
De. Steg (m.) über Talsperre
En. catwalk [1364]

PASSIF adj. 74
chimie > cinétique chimique
Se dit de l'état d'un métal qui ne réagit pas avec un autre sur
lequel il réagit habituellement.
V. passivable ; passivant
En. passive
Es. pasivo [2838]

PASSIF → absorbeur acoustique — ; afficheur — ; autoguidage — ; câble — ; dosimètre — ; laboratoire audio- — ;
vocabulaire — .

PASSIVABLE adj. 74
chimie > cinétique chimique
Se dit d'un métal qui peut être rendu passif.
V. passif ; passivant
De. passivierbar
En. passivable
Es. pasivable [3950]

PASSIVANT n.m. 73
chimie > chimie du solide et du fluide
Substance qui confère l'inertie chimique à un métal dans un
milieu corrosif.
V. passif ; passivable
De. Passivierungsmittel (n.)
En. passivator [999]

PASSIVE → barrière — ; euthanasie — ; sécurité — ;
télédistribution — .

PASTEURISABLE adj. 74
technologie des matériaux > génie alimentaire
Apte à subir le traitement de pasteurisation.
De. pasteurisierbar
En. pasteurizable
Es. pasteurizable [3070]

PASTIFICATION n.f. 77
économie > industrie agricole et alimentaire
Fabrication de pâtes alimentaires.
De. Teigwarenherstellung (f.)
En. pasta production [8802]

PASTORALE → endodromie — .

PASTORALISME n.m. 73
économie > économie rurale
Ensemble des arts et des techniques qui concourent à l'amélioration du niveau de vie des éleveurs, à l'augmentation de la
rentabilité de l'élevage et à la production et l'utilisation
maximum des ressources fourragères.
De. Weidewirtschaft (f.) [2083]

PATATE n.f. 74
représentation graphique > courbe
Figure refermée sur elle-même, révélée par une carte de
géologie profonde. [2259]

PATAUGEAGE n.m. 76
pêche
Méthode de pêche aux éponges consistant à détacher celles-ci
avec le pied.
En. wading [6673]

PÂTE CHIMIQUE n.f. 74
matériau > pâte à papier
Pâte obtenue par traitement chimique du végétal qui élimine
la plus grosse partie des éléments non fibreux.
V. pâte mi-chimique
De. Chemiepulpe (f.) ; Zellstoffbrei (m.)
En. chemical pulp [3614]

PÂTE MÉCANIQUE n.f. 74
matériau > pâte à papier
Pâte obtenue à partir du bois par des moyens uniquement
mécaniques.
V. pâte thermo-mécanique
*En. groundwood pulp ; mechanical woodpulp ; mechanical wood
pulp* [3233]

PÂTE MI-CHIMIQUE n.f. 74
PÂTE MICHIMIQUE
matériau > pâte à papier
Pâte obtenue par traitement chimique modéré du végétal, qui
élimine une partie seulement des éléments non fibreux.
V. pâte chimique
De. Halbzellstoff (m.)
En. semichemical pulp [3615]

PATENTÉ adj. 74
technologie des matériaux > formage
Se dit d'un fil d'acier qui a subi une trempe spéciale et
présente une meilleure aptitude au tréfilage.
En. patented [3235]

PÂTE THERMO-MÉCANIQUE n.f. 74
PÂTE THERMOMÉCANIQUE
matériau > pâte à papier
Pâte obtenue par cuisson et défibrage sous pression des
copeaux.
V. pâte mécanique
En. thermomechanical ground pulp [3234]

PATHOGÉNICITÉ n.f. 73
pathologie animale > étiologie et pathogénie
Caractère de ce qui peut provoquer une maladie.
De. Pathogenität (f.)
En. pathogenicity [663]

PATHOLOGIE → paido- — .

PATHOLOGISER v. 72
psychologie > pathologie mentale
Attribuer un caractère pathologique à certaines manifestations.
De. pathologisieren
En. to pathologize [5312]

PATHOTYPE n.m. 75
pathologie végétale
Souche porteuse de maladie.
De. Krankheitserreger (m.) ; Krankheitskeim (m.)
En. pathotype
Es. patotipo [4884]

PATINABLE adj. 74
propriété > propriété physico-chimique
Se dit d'un acier qui se recouvre spontanément d'une couche protectrice contre la corrosion atmosphérique.
V. autopatinable
De. schutzschichtbildend
En. patinable
Es. patinable [3419]

PATIN FLUIDE n.m. 74
mécanique appliquée > tribologie
Élément de sustentation sur coussin d'air destiné à évoluer sur des surfaces usinées.
En. fluid pad [3236]

PATRILOCALITÉ n.f. 70
sociologie
Coutume selon laquelle un nouveau couple habite sur les mêmes lieux que la famille du mari.
V. ambilocal ; avunculolocalité ; bilocalité ; néolocalité ; matrilocalité
En. patrilocality [5313]

PATRON-ANALYSATEUR n.m. 74
instrumentation > équipement aérospatial
Capsule où règne un vide poussé absorbant l'atmosphère lors de l'ouverture à une altitude donnée et contenant un réactif permettant d'analyser les gaz. [3775]

PÂTURAGE → zéro- — .

PAUCICLONAL adj. 77
génétique > clone
Se dit d'une plantation ne comportant que peu de clones.
V. multiclonal ; oligoclonal
De. klonarm [8529]

PAUCIMICROBIEN adj. 74
tissu (biologie) > tissu animal
Qui contient peu de microbes.
En. paucimicrobial ; paucimicrobian [2547]

PAVÉ n.m. 75
information > document
Introduction d'un rapport d'activité présentant brièvement ses caractéristiques.
En. outlines [4549]

PAVÉ n.m. 76
informatique > organe de transmission de données
Bloc monolithique renfermant un très grand nombre de circuits aptes à remplir des fonctions différentes généralement complémentaires.
V. bus ; bus d'adresse ; bus de contrôle ; bus de données [6359]

PAVEMENT n.m. 77
géophysique > géomorphologie
Ensemble de blocs présentant une forte usure glaciaire et couvrant le sol marin.
En. pavement [8272]

PAYSAGE → élément de — ; plateau- — ; unité de — .

PAYSAGE CULTIVÉ n.m. 75
environnement et sécurité > protection
Zone consacrée à la protection d'activités agricoles traditionnelles.
V. aire anthropologique protégée ; aire de nature sauvage ; préparc ; réserve naturelle dirigée ; réserve naturelle intégrée
De. Landschaftsschutzgebiet (n.)
En. fertile arable land [5048]

PAYSAGER → bureau — .

PAYSAGE SONORE n.m. 76
environnement et sécurité > environnement
Environnement acoustique.
De. Geräuschumgebung (f.)
En. soundscape
Es. paisaje sonoro [6902]

P.C.V. (Paiement Contre Vérification) n.m. 72
télécommunications > téléphone
Communication téléphonique payée, non par le demandeur mais par le destinataire, après vérification de l'accord de ce dernier.
En. collect call (U.S.A.) reverse-charge call (U.K.) [835]

PÉAGE FERMÉ n.m. 73
économie > fiscalité
Péage prévoyant deux arrêts pour les véhicules, l'un à l'entrée de l'autoroute pour prendre un titre de transport et l'autre à la sortie pour l'acquitter.
V. péage ouvert [836]

PÉAGE OUVERT n.m. 73
économie > fiscalité
Péage ne prévoyant qu'un seul arrêt pour les véhicules à la sortie de l'autoroute pour acquitter la redevance.
V. péage fermé [837]

PÉAGIER n.m. 74
économie > fiscalité
Employé assurant la perception des péages sur les autoroutes.
V. péagiste
De. Zolleinnehmer (m.)
En. toller ; toll-collector [4550]

PÉAGISTE n. 73
économie > fiscalité
Employé assurant la perception des péages sur les autoroutes.
V. péagier
En. toll-collector [1000]

PEAU → double — .

PEAU DE REQUIN n.f. 78
économie > industrie de transformation des matières plastiques
Défaut d'une matière plastique dû au mauvais débit de l'extrudeuse et consistant en fines stries à la surface de l'extrudat.
V. écoulement pulsé
En. sharkskin [9362]

PEAU D'ORANGE n.f. 74
matériau > polymère (matériau)
Défaut de démoulage des matières plastiques donnant à leur surface une apparence grenue.
De. Apfelsinenschale (f.)
En. orange peel
Es. piel de naranja [3776]

PÉCÉLISATION n.f. 77
génie hydraulique
Fait de pécéliser un puits classique.
V. barbacane développée ; pécéliser [9363]

PÉCÉLISER v. 77
génie hydraulique
Transformer un puits classique en puits à barbacanes développées (de type Pécéli).
V. barbacane développée ; pécélisation [9364]

PECTOLYTIQUE adj. 75
biochimie
Qui détruit la pectine.
En. pectinolytic ; pectolytic
Es. pectolítico [6118]

PÉDAGOGIE INSTITUTIONNELLE n.f. 72
enseignement
Méthode pédagogique dans laquelle le rôle de l'éducateur
étant réduit au minimum, l'action éducative résulte du milieu
et du cadre institutionnel dans lesquels vit l'enfant.
V. instituant ; institutionaliste
En. open education
Es. pedagogía institucional [5575]

PÉDAGOTHÈQUE n.f. 72
information > centre d'information
Centre d'informations et d'échanges pédagogiques.
De. Pädagothek (f.) [1726]

PÉDILUVE n.m. 74
zootechnie
Fosse située entre des barrières afin d'obliger les animaux à
marcher un par un dans la solution qu'elle contient.
En. footbath [1904]

PÉDOCHIMIQUE adj. 71
géochimie
Propre à la chimie des sols.
Es. edafoquímica [2395]

PÉDODONTISTE n. 75
médecine > spécialité médicale
Spécialiste d'odontologie enfantine.
De. Kinderzahnarzt (m.)
En. pedodontist [5173]

PÉDOFAUNE n.f. 74
faune
Partie de la faune qui vit et se développe dans les couches
superficielles du sol.
De. Bodenfauna (f.)
Es. edafofauna [7600]

PÉDOGÉNISÉ adj. 77
géologie > pédologie
Qui a fait l'objet d'un processus de pédogénèse.
En. pedogenetic ; pedogenic [8396]

PÉDOLOGIQUE → profil — .

PÉDON n.m. 72
géologie > pédologie
Étendue de terrain minimale contenant l'ensemble des caracté-
ristiques spécifiques d'un sol.
V. pédopaysage
En. pedon [6387]

PÉDOPAYSAGE n.m. 72
géologie > pédologie
Étendue de terrain minimale contenant l'ensemble des caracté-
ristiques spécifiques d'un sol.
V. pédon
En. pedo-landscape
Es. paisaje edáfico [5576]

PÉGOSITÉ n.f. 77
pyrotechnie
Qualité d'une composition pégueuse.
V. pégueux
En. adhesive bond [8005]

PÉGUEUX adj. 77
pyrotechnie
Se dit de la manière dont la matière explosive adhère au liant,
lorsqu'on malaxe des résines et des substances explosives pour
fabriquer des propergols ou explosifs composites.
V. pégosité
En. adhesive [8006]

PEIGNÉ → béton — .

PÉJORER v. 75
économie > travail (main-d'œuvre)
Diminuer la qualité. [4327]

PELABLE adj. 76
matériau > matériau de revêtement
Se dit d'un revêtement filmogène facile à enlever, utilisé pour
la protection provisoire des surfaces.
En. strippable [6540]

PÉLAGONYME n.m. 75
linguistique
Nom de mer.
De. Meeresname (m.)
En. pelagonym
Es. pelagiónimo [6119]

PELLE → roue- — .

PELLETABLE adj. 76
propriété > propriété mécanique
Se dit d'un matériau qui peut être remué à la pelle.
De. schaukelfähig
En. pelletable [6783]

PELLETEUSE → chargeuse- — ; roue — .

PELLEUR n.m. 74
bâtiment et travaux publics > matériel de chantier
Conducteur d'une pelle mécanique.
De. Baggerführer (m.)
En. power shovel operator ; shovelman ; shovel operator [5971]

PELLICULER v. 75
arts > photographie
Appliquer sur un support la couche sensible d'un film
préalablement décollée.
En. to coat [5436]

PELLIPLACAGE n.m. 74
mécanique appliquée > revêtement
Opération qui consiste à appliquer sur un objet une pellicule
d'une autre matière.
V. pelliplaquer ; pelliplaqueuse
En. skin packaging ; skinpacking ; shrink wrap [2892]

PELLIPLAQUER v. 73
mécanique appliquée > revêtement
Effectuer un pelliplacage.
V. pelliplacage ; pelliplaqueuse
En. to skin pack [1727]

PELLIPLAQUEUSE n.f. 74
mécanique appliquée > revêtement
Machine destinée à effectuer un pelliplacage.
V. pelliplacage ; pelliplaquer
En. skin-packaging machine ; shrink-wrapping machine [3617]

PELON n.m. 73
géologie > pédologie
Tranche de sol formée par la strate herbacée et l'horizon
pédologique superficiel. [7873]

PELURE → effet de — .

PENDANTE → électrode à goutte — .

PENDENTIF n. m. 76
opération > exploitation
Organe de commande d'une machine composé d'un ensemble
d'interrupteurs et de cadrans montés dans un boîtier mobile
suspendu au-dessus de l'endroit où se tient l'opérateur.
En. pendant control station [6785]

PENDULAGE n.m. 75
opération> exploitation
Opération qui consiste à répartir et régler les pendules d'une

caténaire.
En. dropper adjustment [4885]

PÉNESTABLE adj. 77
physique > mécanique
Se dit d'un milieu ou d'un sol vulnérable à des facteurs
d'instabilité. [8397]

PÉNÉTRATION → terminal à — ; tube à — .

PÉNÉTROMÉTRIE n.f. 76
géotechnique
Mesure de la résistance à la pénétration.
V. essai pénétrométrique [4328]

PÉNÉTROMÉTRIQUE → essai — .

PÉNÉVANE n.m. 74
géotechnique
Appareil destiné au mesurage des caractéristiques du sol par
sondage. [2396]

PÉNOLOGUE n. 67
réglementation législation > droit
Spécialiste des sanctions et des peines, de leurs principes et de
leurs conditions d'application (pénologie).
De. Pönologe (m.)
En. penologist
Es. penólogo [5316]

PENTACOORDINATION n.f. 75
chimie > constitution de la matière
Structure moléculaire associant cinq atomes autour d'un
élément central.
De. Pentakoordination (f.)
En. pentacoordination
Es. pentacoordinación [5837]

PENTARADIÉ adj. 75
zoologie
Se dit d'une structure régulière à cinq branches.
En. five-rayed
Es. pentaradiado [5838]

PERCEPTIF → analyseur — .

PERCEPTIVE → défense — .

PERCEPTIVO-MOTEUR adj. 72
PERCEPTIVOMOTEUR
physiologie > neurophysiologie
Qui concerne à la fois les fonctions de la perception et les
fonctions motrices. [4551]

PERCHISTE n.m. 74
arts > photographie
Agent d'exécution qui tient la perche portant un micro au-
dessus de la personne qui parle.
De. Tonangler (m.)
En. boom man ; perchman ; poleman [6120]

PERCIPIENT n.m. 76
psychologie > pathologie mentale
Personne qui reçoit ou essaie de recevoir un message télépathi-
que.
De. Medium (n.)
En. percipient [5696]

PERCOLATION n.f. 77
physique > physique du solide et du fluide
Transition de phase dans laquelle les liaisons entre les objets
d'un système sont aléatoirement positives ou nulles.
En. percolation
Es. percolación [9208]

PERCUTANT → roto- — .

PERDEUTÉRIÉ adj. 73
matériau > produit chimique
Dans lequel les atomes d'hydrogène ont été remplacés par du

deutérium.
De. perdeuteriert
En. perdeuterated [664]

PÉRÉIOPODE n.m. 74
organisme vivant > animal
Patte, membre ou appendice servant à la marche chez les
Arthropodes.
De. Pereiopode (f.)
En. pereiopod
Es. pereiópodo [3072]

PERFO-MARTEAU n.m. 74
PERFOMARTEAU
bâtiment et travaux publics > matériel de chantier
Engin de chantier à percussion puissante, destiné à percer.
De. Bohrhammer (m.)
En. hammer drill [3420]

PERFORMATIF adj. 72
linguistique
Se dit d'un verbe dont l'énonciation réalise l'action exprimée. [490]

PÉRICLINE adj. 75
cellule et constitution cellulaire > constitution cellulaire
Se dit d'une paroi cellulaire qui, au cours de la croissance d'un
organe, se produit parallèlement à la surface de celui-ci.
V. anticline
De. periklin [7601]

PÉRIGLOMÉRULAIRE → cellule — .

PÉRIHÉLIEN adj. 78
sciences de l'espace
Relatif au périastre d'une orbite décrite autour du soleil
(périhélie).
De. Perihel-
En. perihelial ; perihelian ; perihelion
Es. perihélico [9078]

PÉRI-INFORMATIQUE n.f. 73
automatisme > équipement automatique
Secteur de l'informatique qui concerne la fabrication des mini-
ordinateurs, des terminaux et des périphériques.
De. Periinformatik (f.) [1546]

PÉRILOGIE n.f. 74
écologie > autécologie
Science des rapports des organismes avec leur milieu présent
et passé.
En. perilogy [5972]

PÉRIMÉTRIQUE → protection — .

PÉRINATOLOGIE n.f. 69
médecine > médecine sociale
Ensemble des soins médicaux et préventifs administrés à la
mère et à l'enfant depuis la vingt-huitième semaine de la
grossesse au septième jour après la naissance.
V. néo-natologie
De. perinatale Medizin (f.)
En. perinatal care [1728]

PÉRIODE n.f. 72
énergie (technologie) > énergie nucléaire
Temps nécessaire pour que l'activité d'un radionucléide donné
diminue jusqu'à la moitié de sa valeur par suite d'un processus
de désintégration déterminée.
De. Halbwertszeit (f.) ; Halbwertzeit (f.)
En. half-life ; radioactive half-life
Es. periodo de semidesintegración [3237]

PÉRIODE n.f. 73
enseignement
Dans l'enseignement secondaire de type anglais, cours d'une
durée variable dispensé par un même professeur dans une
discipline donnée.
De. Unterrichtsstunde (f.)
En. period [1907]

PÉRIODEMÈTRE n.m. 73
instrumentation > appareil électronique de mesure
Appareil de mesure de la période.
En. period meter [1001]

PÉRIODONTOLOGIE n.f. 76
anatomie > anatomie du mâle
Étude des structures péridentaires.
De. Periodontologie (f.)
En. periodontology
Es. periodontología [6674]

PÉRIPHÉRIQUE → processeur — ; quai semi- — .

PÉRIPHÉRIQUE À IMPACT n.m. 77
informatique > équipement d'entrée-sortie
Périphérique qui permet d'obtenir des documents dont l'impression résulte d'une frappe.
V. imprimante à impact
De. mechanisches Peripheriegerät (n.) [9365]

PÉRIPHYTOPHAGE n.m. 74
écologie > communauté (écologie)
Qui se nourrit de microorganismes supportés par les êtres immergés dans l'eau (periphyton).
Es. perifitófago [8937]

PÉRITÉLÉVISION n.f. 77
télécommunications > radiocommunication
Ensemble des appareils connectables sur un téléviseur (jeux vidéo, magnétoscopes, etc.). [8530]

PERLAGE n.m. 72
économie > industrie métallurgique
Fuite très localisée qui affecte la zone soudée d'un tube d'acier.
En. leakage ; oozing ; seepage ; surface leakage [3238]

PERLE D'ANALYSE n.f. 73
matériau > matériau de construction
Échantillon d'un matériau conditionné sous forme de perle en vue d'une analyse spectrométrique.
De. Analyseperle (f.) [1190]

PERLICULTURE n.f. 75
aquaculture
Ostréiculture perlière.
De. Perlenkultur (f.)
En. ostreiculture ; oyster-breeding [3779]

PERLOCUTOIRE adj. 72
information > communication
Se dit de l'acte de parole qui sert des objectifs plus lointains que ceux contenus dans l'énoncé.
V. illocutoire ; locutoire
En. perlocutionary [4552]

PERLURÉE n.f. 76
biochimie
Type d'urée se présentant sous forme de perles de 1 à 2 mm de diamètre.
En. pearl-form urea
Es. perlurea [5698]

PERMÉABILIMÉTRIE n.f. 75
instrumentation > mesure mécanique
Mesure de la perméabilité à l'air d'un lit de poudre.
De. Permeabilitätsmessung (f.)
En. permeametry
Es. permeabilimetría [5840]

PERMÉAT n.m. 74
chimie > chimie du solide et du fluide
Liquide qui a traversé la membrane dans une ultrafiltration.
V. rétentat ; ultrafiltrat
De. Ultrafiltrat (n.)
En. ultrafiltrate [3618]

PERMÉATION SUR GEL n.f. 73
chimie > chimie analytique
Chromatographie sur gel poreux de molécules dissoutes dans

le solvant identique à l'agent de dispersion du gel.
De. Gelchromatographie (f.) ; Gel-Permeations-Chromatographie (f.)
En. gel chromatography ; gel permeation chromatography [3239]

PERMSÉLECTIF adj. 74
propriété > propriété physico-chimique
Se dit d'une membrane douée de permsélectivité.
V. permsélectivité
De. permselektiv [1729]

PERMSÉLECTIVITÉ n.f. 73
propriété > propriété physico-chimique
Propriété d'une membrane semiperméable qui permet l'échange d'ions.
En. permselectivity
Es. permoselectividad [2548]

PERMULETTRES n.m. 75
information > traitement de l'information
Outil linguistique obtenu par permutation circulaire des lettres des mots d'une langue donnée.
De. Permutationsschlüssel (m.)
En. key letters in context ; letter-rotator [5049]

PEROXYSOME n.m. 74
biochimie
Particule intracellulaire contenant des enzymes responsables de la formation d'eau oxygénée et de sa dégradation par des peroxydases.
V. gloxysome
De. Peroxysom (n.) ; Peroxysomen (n.)
Es. peroxisoma [3780]

PERROQUET n.m. 76
agronomie > culture spéciale
Dispositif constitué de piquets fourchus et de perches horizontales utilisé en riziculture pour le séchage des gerbes.
De. Trockengerüst (n.)
En. tripod [5699]

PERSISTANCE n.f. 75
physiologie > nutrition
Phénomène consistant pour une particule à rester prisonnière vivante d'un macrophage qui l'a ingérée.
De. Persistenz (f.)
En. persistence
Es. persistencia [3952]

PERSPECTIF → faisceau — .

PERTE DYNAMIQUE n.f. 76
électronique > technique des semiconducteurs
Perte de puissance électrique qui se produit lors de la commutation d'une jonction semiconducteur (diode, transistor, etc.).
V. perte statique :
De. Schaltverdust (m.)
En. dynamic loss
Es. pertita dinámica [9209]

PERTE STATIQUE n.f. 76
électronique > technique des semiconducteurs
Perte de puissance électrique qui se produit lors de la conduction d'une jonction semiconducteur (diode, transistor, etc.).
V. perte dynamique
En. static loss
Es. perdida estática [9210]

PERTURBATION DE RELIEF n.f. 77
géophysique > météorologie
Modification de l'état de l'atmosphère due à la présence d'une dénivellation marquée au sol.
De. geländeformbedingte Störung (f.) [8152]

PERTURBOGRAPHE n.m. 76
électrotechnique > mesure électrique
Appareil permettant de mesurer l'amplitude et la durée d'une perturbation dans un réseau électrique.

De. *Störungsschreiber (m.)*
En. *faultograph*
Es. *perturbógrafo* [5841]

PERTURBOGRAPHIE n.f. 73
instrumentation > capteur de mesure
Enregistrement des perturbations dans divers domaines :
sismique, médical, électrique...
De. *Störungsmessung (f.)*
En. *disturbography*
Es. *perturbografía* [3421]

PERTURBOGRAPHIQUE adj. 75
instrumentation > capteur de mesure
Propre à la perturbographie.
V. perturbographie
En. *disturbographic*
Es. *perturbográfico* [5700]

PERVAPORATION n.f. 75
opération > séparation physique
Évaporation utilisant un sac à parois semi-perméables. [4553]

PESARD n.m. 74
agronomie > technique culturale
Ensemble des fanes rejetées sur place au cours de la fauchaison
des céréales.
De. *ausgeworfene Strohhalme (m.)* [3781]

PESEUR → crochet- — .

PETA- préfixe 77
instrumentation > métrologie
Facteur de multiplication par 10^{15}.
V. exa-
De. *peta-*
Es. *peta-* [7468]

PETIT VRAC n.m. 73
conditionnement (emballage) > produit en vrac
Mode d'approvisionnement de produits livrés en conditionne-
ments de dimensions restreintes à des utilisateurs aux besoins
limités. [1908]

PÉTOUILLES → ramasse- — .

PÉTRO-DOLLAR n.m. 74
PÉTRODOLLAR
économie > monnaie
Devise créée sur les places financières du Moyen-Orient par des
emprunts ou des crédits libellés en dollars.
De. *Erdöldollar (m.)*
Es. *petrodólar* [2398]

PÉTROGÉNÉTIQUE adj. 74
géologie > pétrogenèse
Relatif à la formation de roches, particulièrement endogènes et
métamorphiques (pétrogénèse).
De. *petrogenetisch*
En. *petrogenetic ; petrogenic*
Es. *petrogenético* [7725]

PÉTROLERIE n.f. 75
exploitation des ressources minérales
Ensemble constitué par les matériaux, les activités, l'environnement (etc.) permettant l'exploitation du pétrole. [6543]

PÉTROLIGÈNE adj. 74
géologie > structure géologique
Propre à générer du pétrole. [4330]

PHAGE TRANSDUCTEUR n.m. 75
organisme vivant > microorganisme
Phage capable de transduire un ou plusieurs caractères généti-
ques.
De. *Transduktionsphage (m.)*
En. *transducing phage*
Es. *fago transductor* [5701]

PHAGIQUE adj. 75
organisme vivant > microorganisme
Propre à un phage.
En. *phage*
Es. *fágico* [5702]

PHAGOCINÉTIQUE n.f. 78
physiologie > physiologie cellulaire
Étude des migrations cellulaires faisant appel à la phagocytose
et à la cinétique.
De. *Phagokinetik (f.)*
En. *phagokinetics*
Es. *fagocinética* [9079]

PHAGOSOME n.m. 75
cellule et constitution cellulaire > constitution cellulaire
Type primaire de lysosome des polynucléaires neutrophiles et
des macrophages renfermant sous forme concentrée diverses
enzymes hydrolasiques.
De. *Phagosomen (n.)*
En. *phagosome*
Es. *fagosoma* [3953]

PHALLOÏDINE n.f. 73
pathologie animale > agent toxique
Peptide cyclique toxique isolé de l'amanite phalloïde.
De. *Phalloidin (n.)*
En. *phalloidine ; phalloidin* [838]

PHALLOTOXINE n.f. 73
pathologie animale > agent toxique
Principe toxique présent dans l'amanite phalloïde.
De. *Phallotoxin (n.)*
En. *phallotoxin* [839]

PHARE → robot- — .

PHARMACO-CINÉTIQUE n.f. 74
PHARMACOCINÉTIQUE
pharmacologie > tolérance médicamenteuse
Étude des conditions d'action et de dégradation des médica-
ments dans l'organisme.
De. *Pharmakokinetik (f.)*
En. *pharmacokinetic*
Es. *farmacocinética* [3240]

PHARMACOSIMULATION n.f. 73
génie biomédical > pharmacothérapie
Étude simulée sur ordinateur des effets des médicaments sur
l'évolution des maladies.
De. *Pharmakosimulation (f.)*
En. *pharmaco-simulation* [666]

PHARMACOVIGILANCE n.f. 74
pharmacologie > toxicologie
Surveillance des effets nuisibles des médicaments administrés
à doses normales dans des conditions correctes.
De. *Arzneimittelüberwachung (f.)*
En. *drug monitoring* [1730]

PHASE → dépôt en — vapeur ; verrouillage de — ;
verrouillé en — .

PHASE AÉRIENNE n.f. 71
sport
Temps d'un geste sportif pendant lequel l'athlète n'a plus de
contact avec le sol.
En. *flying phase* [2714]

PHASE HADRONIQUE n.f. 74
physique > physique des particules
Phase dans laquelle un rayonnement électromagnétique de très
haute énergie donne naissance à des particules lourdes.
De. *hadronische Phase (f.)*
En. *hadronic phase* [1547]

PHÉNOLMÈTRE n.m. 74
chimie > chimie analytique
Appareil permettant de déterminer et d'enregistrer la teneur
en phénol d'une eau.

De. *Phenolmesser (m.)*
En. *phenol gauge ; phenol meter* [2264]

PHÉNOTEXTE n.m. 70
linguistique
Texte tel qu'il se présente au lecteur.
V. génotexte
De. *Phänotext (m.)*
En. *phenotext*
Es. *fenotexto* [4453]

PHNOMPENHOIS n.m. 75
localisation
Habitant de Phnom-Penh.
De. *Bewohner Pnom Penhs (m.)*
En. *resident of Phnom Penh* [4133]

PHOENICICOLE adj. 78
agronomie > ensemble végétal
Relatif à la culture du dattier. [8938]

PHOENICICULTURE n.f. 78
agronomie > ensemble végétal
Ensemble des sciences et techniques appliquées à la culture du
dattier.
V. phœnicicole
En. *palm cultivation ; palm growing* [8939]

PHONATOME n.m. 76
cybernétique > intelligence artificielle
Unité phonétique utilisée pour réaliser la synthèse de la parole
sur ordinateur.
Es. *fonátomo* [7876]

PHONE n.m. 76
linguistique
Articulation de la voix humaine susceptible de représenter au
moins un phonème. [8153]

PHONO-CARDIOGRAMME n.m. 73
PHONOCARDIOGRAMME
instrumentation > mesure des phénomènes physiologiques
Enregistrement graphique des bruits cardiaques.
De. *Phonokardiogramm (n.)*
En. *phonocardiogram* [1192]

PHONOMORSE n.m. 73
télécommunications > équipement télécommunications
Appareil téléphonique destiné aux sourds et utilisant le morse
comme moyen de communication.
De *Morsetelefon (n.)*
En. *Morse phone* [667]

PHONOSTYLISTICIEN n.m. 75
linguistique
Spécialiste de l'étude de la réalisation des sons du langage par
les sujets parlants et de leur valeur expressive.
En. *phonostylistician* [6903]

PHORÉTIQUE adj. 74
écologie > synécologie
Se dit d'un animal qui, pour se déplacer, se sert d'un autre
animal porteur.
De. *phoretisch*
En. *phoretic*
Es. *forético* [2715]

PHOSPHORIQUIER n.m. 74
transport et manutention > engin de transport
Navire destiné au transport de l'acide phosphorique.
De. *Phosphorsäuretransporter (m.)*
En. *phosphate bulk carrier ; phosphate carrier ; phosphoric acid
carrier ; phosphoric acid tanker* [3782]

PHOSVITINE n.f. 73
constituant des organismes vivants
Phosphoprotéide constituant 6 à 7% des protéines totales du
jaune d'œuf.
En. *phosvitin* [144]

PHOTIQUE → seuil — .

PHOTOCAPTEUR n.m. 71
instrumentation > équipement optique
Dispositif susceptible de capter un signal lumineux. [312]

PHOTOCHIMISTE n. 74
chimie > chimie des radiations
Spécialiste de l'étude des relations de l'énergie chimique et de
l'énergie lumineuse.
De. *Photochemiker (m.) ; Fotochemiker (m.)*
En. *photochemist*
Es. *fotoquímico* [7726]

PHOTOCHROME adj. 76
physique > optique
Qui change de couleur sous l'effet d'un rayonnement électro-
magnétique.
En. *photochromic*
Es. *fotocromo* [6905]

PHOTOCOAGULATEUR n.m. 75
électronique > électronique médicale
Dispositif ophtalmologique fonctionnant le plus souvent au
laser, qui permet de projeter un faisceau intense sur la
choriorétine, l'iris et les vaisseaux rétiniens.
De. *Lichtkoagulator (m.)*
En. *photocoagulator*
Es. *fotocoagulador* [5703]

PHOTOCONDUCTIVE → cellule — .

PHOTOCOORDINATOGRAPHE n.m. 76
automatisme > équipement automatique
Appareil destiné à l'exposition du système de semiconducteurs
sur une plaque photographique.
De. *Fotokoordinatograf (m.)*
Es. *fotocoordinatógrafo* [9211]

PHOTOCOPOLYMÉRISATION n.f. 76
chimie > réaction chimique
Polymérisation de deux ou plusieurs monomères à l'aide d'un
rayonnement lumineux.
En. *photocopolymerization*
Es. *fotocopolimerización* [6906]

PHOTOCOUPLEUR n.m. 74
électronique > circuit électronique
Composant électronique destiné à séparer deux circuits et
constitué de deux éléments dont le couplage est assuré par le
rayonnement de l'un d'entre eux.
De. *Photokoppler (m.)* [4331]

PHOTOCYCLISER v. 73
chimie > chimie des radiations
Faire apparaître un cycle dans une molécule par action d'un
rayonnement lumineux.
De. *photozyklisieren*
En. *to photo-cyclize* [1193]

PHOTOCYCLOADDITION n.f. 74
chimie > chimie des radiations
Addition de deux ou plusieurs molécules par formation d'un
cycle sous l'influence d'un rayonnement lumineux.
Es. *fotocicloadición* [2549]

PHOTOCYTE n.m. 77
cellule et constitution cellulaire > cellule
Cellule siège d'un phénomène de bioluminescence.
De. *Photozyten (n.)*
En. *photocyte*
Es. *fotocito* [8010]

PHOTODÉDOUBLEMENT n.m. 73
chimie > chimie des radiations
Séparation des isomères optiques à partir de leurs mélanges,
sous l'action de la lumière.
De. *Lichtspaltung (f.)*
En. *photo-inversion* [1366]

PHOTO-DÉGRADABLE adj. 74
PHOTODÉGRADABLE
matériau > polymère (matériau)
Qui peut subir une photodégradation.
V. photodégradation
De. photochemisch zersetzbar
En. photodegradable [2084]

PHOTODÉGRADATION n.f. 75
matériau > polymère (matériau)
Phénomène de décomposition sous l'action de la lumière.
V. photo-dégradable
De. photochemischer Abbau (m.)
En. photodegradation
Es. photodegradación [5177]

PHOTODÉTECTEUR n.m. 75
électronique > composant électronique
Composant capable de recevoir les signaux lumineux guidés et
de les transformer en signaux électriques sous forme intégrée.
De. lichtelektrische Zelle (f.) ; Photozelle (f.)
En. light-sensitive cell ; photodetector
Es. fotodetector [6675]

PHOTODIMÈRE n.m. 74
technologie des matériaux > génie chimique
Molécule dimère obtenue par addition de deux molécules
monomères identiques sous l'influence d'un rayonnement
lumineux.
En. photodimer
Es. fotodímero [2400]

PHOTODIMÉRISATION n.f. 74
chimie > chimie des radiations
Dimérisation d'une molécule par voie photochimique.
De. Photodimerisation (f.)
En. photodimerization
Es. fotodimerización [2401]

PHOTODISSOCIÉ adj. 75
chimie > chimie des radiations
Se dit d'une molécule dissociée par absorption d'énergie
rayonnante.
De. photochemisch zersetzt
En. photodissociated
Es. fotodisociado [6676]

PHOTODURCISSABLE adj. 77
propriété > propriété mécanique
Se dit d'un matériau qui durcit par exposition à un rayonne-
ment lumineux.
De. fotohärtbar
En. photocurable
Es. fotoendurecible [9080]

PHOTOÉLECTRIQUE → barrage — .

PHOTOÉLECTROCHIMIE n.f. 73
chimie > chimie des radiations
Partie de la photochimie qui étudie les propriétés électrochimi-
ques de molécules excitées.
V. électrophotochimie
De. Photoelektrochemie (f.)
En. photoelectrochemistry
Es. fotoelectroquímica [8011]

PHOTO-ÉLECTROLYSE n.f. 76
PHOTOÉLECTROLYSE
énergie (technologie) > énergie solaire
Électrolyse dans laquelle une électrode semiconductrice est
capable d'absorber des photons solaires.
De. Photoelektrolyse (f.)
En. photoelectrolysis
Es. fotoelectrólisis [5704]

PHOTOÉNERGÉTIQUE n.f. 75
énergie (technologie) > énergie solaire
Étude des différentes applications du rayonnement solaire.
De. Photoenergetik (f.)
Es. fotoenergética [7603]

PHOTOEXCITATION n.f. 76
technique nucléaire
Excitation par rayonnement lumineux.
De. Photoanregung (f.)
En. photoexcitation
Es. fotoexcitación [6677]

PHOTOFORMAGE n.m. 73
technologie des matériaux > formage
Mise en forme d'une plaque métallique mince, utilisant les
effets photographiques pour obtenir une attaque sélective par
des réactifs chimiques. [2266]

PHOTO-FRACTURATION n.f. 77
PHOTOFRACTURATION
techniques sciences de la terre
Étude des fractures de l'écorce terrestre par des procédés
photographiques. [7049]

PHOTO-GÉOLOGUE n. 78
PHOTOGÉOLOGUE
techniques sciences de la terre
Spécialiste de l'établissement de cartes géologiques à l'aide de
photographies aériennes (photogéologie).
De. Fotogeologe (m.)
En. photogeologist
Es. fotogeólogo [9082]

PHOTO-GÉOMATIQUE n.f. 76
PHOTOGÉOMATIQUE
informatique > traitement de données (informatique)
Traitement automatisé des données photogrammétriques.
V. géomatique
En. photogeomatics
Es. fotogeomática [6388]

PHOTOGRAPHIE SCIENTIFIQUE n.f. 78
instrumentation > photographie
Type de photographie qui enregistre des phénomènes non
perçus par l'œil.
V. microholographie [9083]

PHOTOGRAPHIQUE → bande — .

PHOTOGRAPHISME n.m. 74
arts > photographie
Œuvre graphique obtenue par photographie de réseaux linéaires qui ont subi une déviation.
De. Photographik (f.) [1910]

PHOTOHÉTÉROTROPHIE n.f. 75
physiologie > nutrition
Mode de nutrition de certains végétaux pouvant synthétiser
leur propre matière vivante par photosynthèse et pouvant
également utiliser les molécules organiques pour couvrir une
partie de leurs besoins en carbone et en azote.
V. auxotrophie
De. Photoheterotrophie (f.)
En. photoheterotrophy
Es. fotoheterotrofia [8154]

PHOTOINDUIT adj. 74
PHOTO-INDUIT
chimie > chimie des radiations
Se dit d'une réaction provoquée par la lumière.
De. photoinduziert
En. photo-induced
Es. fotoinducido [4889]

PHOTO-INTERPRÉTATION n.f. 73
instrumentation > repérage
Interprétation appuyée sur une analyse qualitative et quantita-
tive de photographies aériennes d'objets.
De. photogrammetrische Bildauswertung (f.)
En. photo interpretation
Es. fotointerpretación [5973]

PHOTOISOMÈRE n.m. 74
PHOTO-ISOMÈRE
technologie des matériaux > génie chimique
Isomère obtenu sous l'action d'un rayonnement lumineux.
De. Photoisomer (n.) [2550]

PHOTOKÉRATOSCOPE n.m. 73
génie biomédical > appareillage médical
Appareil qui photographie l'image du kérastoscope en vue
d'examiner la totalité de la courbure de la cornée.
De. Photokeratoskop (n.)
En. photokeratoscope [668]

PHOTOLYTIQUE adj. 73
chimie > chimie des radiations
Relatif à une décomposition chimique due à l'intervention de
la lumière.
De. photolytisch
En. photolytic [1002]

PHOTOMÈRE À FLAMME n.m. 74
instrumentation > spectrométrie
Appareil destiné à mesurer la longueur d'onde d'émission ou
d'absorption d'un élément, par atomisation dans la flamme
d'une solution contenant cet élément.
De. Flammenphotometer (n.)
En. flame photometer
Es. fotómetro de flama [2894]

PHOTOMÉTÉORE n.m. 73
sciences de l'espace
Phénomène lumineux temporaire.
De. Himmelserscheinung (f.)
En. photometeor [3423]

PHOTOMORPHOGENÈSE n.f. 74
physiologie > développement (physiologie)
Processus de développement d'un organisme provoqué par
l'action de la lumière.
De. Photomorphogenese (f.)
En. photomorphogenesis
Es. fotomorfogénesis [6786]

PHOTOMOSAÏQUE n.f. 73
instrumentation > photographie
Photo aérienne d'une région réalisée par l'assemblage d'une
série de clichés à recouvrements partiels.
De. Photomosaik (n.)
En. photomosaic [1548]

PHOTON HERTZIEN n.m. 76
physique > onde ou rayonnement
Particule élémentaire qu'on associe à une vibration électromagnétique qui se situe dans le domaine de l'optique. [4332]

PHOTOOXYDATION n.f. 76
chimie > réaction chimique
Oxydation d'un composé chimique obtenue par action de
l'énergie lumineuse.
V. thermooxydation
De. Photooxidation (f.)
En. photooxidation
Es. fotooxidación [6787]

PHOTOPHYSIQUE n.f. 75
physique > optique
Partie de la physique qui traite de l'énergie lumineuse.
Es. fotofísica [4333]

PHOTOPOLARIMÉTRIE n.f. 74
instrumentation > polarimétrie
Mesure des propriétés de réflexion et de diffusion des
particules présentes dans l'atmosphère.
De. Photopolarimetrie (f.)
En. photopolarimetry [3956]

PHOTOPRODUIT n.m. 74
chimie > chimie des radiations
Produit d'une réaction photochimique.
De. Photoerzeugnis (n.)

En. photoproduct
Es. fotoproducto [2716]

PHOTORÉCEPTEUR n.m. 75
électronique > optoélectronique
Dispositif qui, dans le contrôle d'un rayonnement lumineux,
assure la transformation en signal sonore ou visuel, des ondes
électromagnétiques modulées qui lui parviennent de l'émetteur.
De. Fotorezeptor (m.)
En. light detector ; photo receiver ; photosensor
Es. fotoreceptor [8940]

PHOTORÉCIT n.m. 77
information > moyen d'information
Récit construit à partir de manipulations et de lecture de
photographies ou images fixes.
En. photo-story [7877]

PHOTORÉFRACTIF → effet — .

PHOTORÉPÉTEUR n.m. 75
électronique > équipement électronique
Appareil qui permet de réduire, reproduire et positionner un
schéma sur un support avec une très haute définition.
De. Fotorezeptor (m.)
En. light detector ; photodetector ; photo-receiver ; photosensor
Es. fotoreceptor [8941]

PHOTORÉPÉTITION n.f. 77
électronique > radiotechnique
Réalisation de la réduction, de la reproduction, et du positionnement d'un schéma sur un support avec une très haute
définition. [8942]

PHOTORESPIRATION n.f. 76
physiologie > physiologie végétale
Type de respiration des végétaux en présence de lumière.
De. Photorespiration (f.)
En. photorespiration
Es. fotorespiración [6259]

PHOTOSOME n.m. 77
cellule et constitution cellulaire > constitution cellulaire
Organite générateur de bioluminescence.
En. lumisome
Es. fotosoma [8012]

PHOTOSTYLE n.m. 72
informatique > traitement de données (informatique)
Dispositif permettant d'introduire dans un ordinateur les
coordonnées d'un point sur un visuel.
De. Leuchtstab (m.)
En. light pen
Es. lápiz fotosensible ; fotoestilo [841]

PHOTOSYNTHÉTISER v. 78
biochimie
Opérer une photosynthèse. [8942]

PHOTOTHERMIQUE adj. 76
matériau > papier
Se dit d'un matériau sur lequel des images peuvent être
reproduites par utilisation d'un rayonnement thermique.
De. fotothermisch
En. phototermal ; photothermic
Es. fototérmico [8803]

PHOTOTHERMOMÉTRIE n.f. 75
instrumentation > mesure thermique
Mesure des températures à l'aide de procédés utilisant la
luminescence des corps chauffés. [4335]

PHOTOTITRAGE n.m. 76
impression
Impression des titres d'un ouvrage par procédé photographi-
que.
V. phototitreuse
En. phototitling [7051]

PHOTOTITREUSE n.f. 74
impression
Appareil réalisant des phototitrages.
V. phototitrage
En. headliner [3784]

PHOTOTRANSDUCTEUR n.m. 76
constituant des organismes vivants
Substance capable de transformer des photons en signal
nerveux.
En. phototransducer
Es. fototransductor [7052]

PHOTO-USINAGE n.m. 76
mécanique appliquée > usinage
Procédé d'usinage par reproduction photographique d'un
modèle et conversion des images obtenues en signaux électroniques traités par un ordinateur actionnant une machine à
usiner.
En. photo-tooling [6545]

PHOTOZONAGE n.m. 73
instrumentation > repérage
Identification quantitative des zones homologues sur une photo
prise par télédétection.
V. cartozonage [1912]

PHRÉATOLOGIE n.f. 74
géophysique > hydrogéologie
Étude des nappes d'eau souterraines.
V. crénologie
De. Phreatologie (f.)
En. phreatology
Es. freatología [3785]

PHRYGANA n.m. 77
végétation
Type de matorral discontinu établi sur un sol plus sec que
celui supportant le maquis.
V. matorral
De. Phrygana (f.) [8671]

PHYLACTÈRE n.m. 74
arts > arts graphiques
Espace d'une bande dessinée réservé au texte parlé ou pensé.
De. Sprechblase (f.)
En. balloon
Es. filactere [3074]

PHYLLITEUX adj. 75
géologie > minéralogie
Se dit des roches le plus souvent nouvellement formées, très
fines, ayant une structure en lamelles.
De. phyllitisch
En. phyllitic
Es. filítico [4554]

PHYLLOSILICATE n.m. 76
chimie > composé chimique
Type de silicate à structure en feuille dans lequel trois des
quatre atomes d'oxygène de chaque tétraèdre se partagent
avec les tétraèdres voisins.
Es. filosilicato [7179]

PHYLLOSPHÈRE n.f. 69
microbiologie
Flore microbienne présente à la surface des feuilles.
De. Phyllosphäre (f.)
En. phylloplane ; phyllosphere [7727]

PHYLON n.m. 75
génétique > génétique des populations
Lignée évolutive d'une espèce.
De. Phylum (n.)
En. phylon
Es. filón [4336]

PHYSIOGRAPHIQUE adj. 75
écologie > formation écologique
Relatif à la description des aspects naturels du paysage

terrestre.
De. physiographisch
En. physiographic
Es. fisiográfico [5705]

PHYTOBENTHOS n.m. 75
écologie > communauté (écologie)
Ensemble des organismes du benthos appartenant au règne
végétal.
De. Phytobenthos (n.)
En. phytobenthos
Es. fitobentos [6260]

PHYTOCARTOGRAPHE n. 74
botanique
Spécialiste des cartes de la végétation.
De. Phytokartograph (m.)
En. phytocartographer
Es. fitocartógrafo [2717]

PHYTOCIDE n.m. 75
pathologie végétale
Substance ou préparation capable de provoquer la mort des
végétaux.
De. Pflanzengift (n.)
En. phytocide
Es. fitocida [8672]

PHYTOCLIMATIQUE adj. 77
écologie > écosystème
Se dit des relations entre le climat et la végétation.
De. phytoklimatisch
En. phytoclimatic
Es. fitoclimático [8943]

PHYTOCOSMÉTIQUE n.f. 73
pharmacologie > activité pharmacologique
Cosmétique utilisant des extraits de plantes.
De. Phytokosmetik (f.) [1004]

PHYTOMASSE n.f. 74
écologie > synécologie
Partie de la biomasse d'un écosystème constituée par les
végétaux.
De. Phytomasse (f.)
En. phytomass
Es. fitomasa [8673]

PHYTONCIDE n.m. 77
physiologie > physiologie végétale
Substance chimique naturelle de certaines plantes, s'opposant
au développement des parasites de celles-ci.
En. phytoncide [8804]

PHYTONEUSTON n.m. 78
écologie > communauté (écologie)
Ensemble des organismes du neuston appartenant au règne
végétal. [8674]

PHYTONYMIE n.m. 75
linguistique
Étude des noms de plantes.
En. phytonymy
Es. fitonimia [5706]

PHYTOPATHOGÈNE adj. 69
pathologie végétale
Qui engendre des maladies de végétaux.
De. phytopathogen
En. phytopathogenic
Es. fitopatógeno [7325]

PHYTOPROTECTEUR n.m. 75
agronomie > technique culturale
Substance ou préparation capable de protéger une plante
cultivée contre l'action phytotoxique d'un produit agropharmaceutique.
De. Phytoprotektor (m.)
En. plant protector
Es. fitoprotector [5437]

PHYTOSOCIOLOGIQUE adj. 77
écologie > écosystème
Relatif à la science qui étudie les groupements de végétaux selon des méthodes floristiques et statistiques (phytosociologie).
V. phytosociologue [8532]

PHYTOSOCIOLOGUE n. 74
écologie > écosystème
Spécialiste de l'étude des associations végétales (phytosociologie).
De. Phytosoziologe (m.)
En. phytosociologist
Es. fitosociólogo [3075]

PI adj. 77
cybernétique > automatique
Se dit d'une fonction de commande dans laquelle la sortie du dispositif qui assure cette fonction est proportionnelle à une combinaison linéaire de l'entrée et de son intégrale de temps.
V. p ; pid
En. pi ; proportional-plus-integral [9212]

PIANO PRÉPARÉ n.m. 74
arts > musique
Technique consistant à introduire des objets divers entre les cordes d'un piano.
En. prepared piano [2268]

PIC n.m. 72
représentation graphique > courbe
Partie d'une courbe formée par une montée et une descente rapides consécutives.
De. Spitze (f.)
En. peak
Es. pico [146]

PICOGRAMME n.m. 73
instrumentation > mesure de masse
Un millième de milliardième de gramme (10^{-12} gramme).
De. Picogramm (n.)
En. picogram [842]

PICOPHONE n.m. 76
télécommunications > équipement télécommunications
Dans un gigapuits, émetteur-récepteur de faible puissance utilisé en liaison avec un gigaphone.
V. gigaphone ; gigapuits
En. transceiver
Es. picófono [5707]

PICTONOM n.m. 76
physique > acoustique
Sorte de signature sonore constituée de l'enregistrement graphique des vibrations de la voix d'une personne qui prononce son propre nom.
En. pictonom ; spoken signature [7053]

PID adj. 77
cybernétique > automatique
Se dit d'une fonction de commande dans laquelle la sortie du dispositif qui assure cette fonction est proportionnelle à une combinaison linéaire de l'entrée, de son intégrale de temps et de sa vitesse de variation.
V. p ; pi
En. pid ; proportional-plus-integral-plus-derivative [9213]

PIDGINISATION n.f. 75
linguistique
Ensemble des modifications que subit une langue employée par certaines communautés comme langue seconde ou véhiculaire.
V. créolisation
En. pidginization [4712]

PIÈCE → contre- — ; programme- — .

PIÈCE DE COIN n.f. 73
conditionnement (emballage) > emballage
Pièce des conteneurs située aux coins de toiture et aux coins de plancher et assurant la liaison entre les montants et les longerons inférieurs et supérieurs.
De. Eckbeschlag (m.)
En. corner fitting [1195]

PIED → passe- — .

PIED-PONTON n.m. 74
exploitation des ressources minérales
Élément d'un dispositif destiné à supporter une plate-forme de forage en mer.
En. floating leg [2269]

PIED PORTEUR n.m. 75
conditionnement (emballage) > emballage
Pied permettant par adjonction de transformer des conteneurs en carton en caisse-palettes ou des plateaux et plaques de carton en palettes. [4338]

PIEDS DE VACHE n.m.pl. 77
géophysique > géomorphologie
Gradins discontinus de hauteur et largeur décimétriques, de longueur décamétrique, découpant les pentes raides et herbeuses et résultant des parcours du bétail.
En. cattle terrace ; sheep track [7180]

PIÉGEANT → pouvoir — .

PIÈGE À SONS n.m. 75
environnement et sécurité > isolation acoustique
Dispositif permettant d'absorber les sons.
De. Absorptionsschalldämpfer (m.) ; akustisches Filter (n.)
En. sound-trap
Es. trampa de sonido [5052]

PIÈGE FROID n.m. 74
mécanique des fluides appliquée
Chambre à vide contenant un panneau porté à très basse température (de 4 à 20 kelvins) et destinée à condenser les gaz et les vapeurs.
De. Kühlfalle (f.)
En. cold trap ; condensation trap ; cooling trap ; cryosorb trap [3076]

PIERROSITÉ n.f. 75
géologie > pédologie
Caractère pierreux d'un sol.
De. hoher Steingehalt (m.)
En. stoniness [7326]

PIÉTINAGE n.m. 76
agronomie > technique culturale
Ameublement d'un sol obtenu mécaniquement ou à l'aide d'animaux.
De. Auflockerung (f.)
En. treading [5708]

PIÉTINEUR → rouleau — .

PIEU RACINE n.m. 76
PIEU-RACINE
bâtiment et travaux publics > élément d'ouvrage du bâtiment
Pieu de béton coulé dans des trous forés au travers des maçonneries à reprendre et poursuivi dans le terrain sousjacent à forte profondeur.
En. cast-in-place deep pile ; cast-in-place root pile [6390]

PIÉZOGONIOMÈTRE n.m. 74
instrumentation > diffractométrie
Dispositif permettant de mesurer l'angle des plans cristallins de quartz et les cristaux, par une méthode diffractométrique.
En. x-ray goniometer
Es. piezogoniómetro [3424]

PIÉZOPNEUMATIQUE adj. 77
mécanique appliquée > moteur
Se dit d'un dispositif piézoélectrique et pneumatique à la fois.
De. piezopneumatisch
Es. piezopneumático [8675]

PIÉZORÉSISTIF adj. 73
électronique > composant électrotechnique
Se dit de certains corps, en particulier les semiconducteurs,
dont la résistance varie avec le champ de contraintes qui leur
est appliqué.
V. piézorésistivité
En. *piezoresistive* [670]

PIÉZORÉSISTIF → accéléromètre — .

PIÉZO-RÉSISTIVITÉ n.f. 76
PIÉZORÉSISTIVITÉ
électronique > composant électrotechnique
Caractère de ce qui est piézorésistif.
V. piézorésistif
De. *spezifischer Piezowiderstand (m.)*
En. *piezoresistivity ; piezo-resistivity*
Es. *piezoresistividad* [6391]

PIGNON → outil — .

PIGNONNERIE n.f. 76
mécanique appliquée > organe de machine
Ensemble des engrenages d'un dispositif mécanique.
De. *Räderwerk (n.)*
En. *gearing ; gears* [6907]

PILE n.f. 75
informatique > traitement de données (informatique)
Série ordonnée de données, dans laquelle on ne peut avoir
accès qu'à la dernière en date, ou la dernière de la série.
V. file
En. *stack*
Es. *pila* [5178]

PILONNEMENT n.m. 75
exploitation des ressources minérales
Mouvement périodique vertical effectué par un objet flottant
soumis à l'effet de la houle.
V. antipilonnement ; pilonner
De. *Stampfen (n.)*
En. *heave ; heaving* [5709]

PILONNER v. 69
exploitation des ressources minérales
Pour un objet flottant, effectuer un pilonnement.
V. pilonnement
De. *stampfen*
En. *to heave* [5710]

PILONNEUSE → méga- — .

PILOTAGE INFORMATIQUE n.m. 77
cybernétique > automatique
Ensemble des enregistrements et mesures de l'activité d'un
système informatique utilisant des sondes et un programme
pour l'acquisition de données et permettant de contrôler les
possibilités de ce système. [9214]

PILOTE → aile sans — .

PILOTER v. 75
cybernétique > automatique
Assurer la conduite d'un circuit, d'un dispositif ou d'un
système.
De. *steuern*
En. *to drive* [8805]

PIN → diode — .

PINCE → benne- — .

PINCES AMPÈREMÉTRIQUES n.f.pl. 76
électrotechnique > mesure électrique
Dispositif permettant de mesurer la valeur du courant électrique qui parcourt un conducteur par simple pincement de ce
dernier entre deux leviers articulés. [7181]

PINCES-RAILS n.f.pl. 74
bâtiment et travaux publics > matériel de chantier
Dispositif permettant d'immobiliser une grue sur des rails au
moyen de pinces.
En. *rail clip* [4135]

PINCEUR DE TRAVAIL n.m. 74
technologie des matériaux > confection
Dispositif commandé par une came qui, sur certaines machines automatiques, assure le maintien et le déplacement du
matériau.
En. *clamp ; clamp plate ; work clamp* [3425]

PINTCHE n.m. 72
bâtiment et travaux publics > construction
Au Sénégal, bâtiment où l'on se réunit pour discuter des
affaires publiques et pour dispenser un enseignement. [2270]

PIONISATION n.f. 75
physique > physique des particules
Production de mésons pi (pions).
De. *Pion[en]bildung (f.) ; Pionisierung (f.)*
En. *pionization*
Es. *pionización* [3786]

PIPE-LINE adj. 78
informatique > système opératoire
Se dit de la structure d'un ordinateur permettant le traitement
ultra-rapide des instructions à leur passage, en chaîne, par les
différentes unités.
V. parallèle
En. *pipeline* [9215]

PIPETAGE n.m. 73
PIPETTAGE
médecine > médecine sociale
Action de pipetter.
En. *pipetting* [1913]

PIPETTEUR-DILUTEUR n.m. 76
chimie > chimie analytique
Appareil permettant de prélever et de distribuer des échantillons de solutions.
En. *pipetter-diluter* [7327]

PIQUAGE n.m. 77
transport et manutention > manutention
Opération qui consiste à prélever une marchandise en stock.
V. butinage
De. *Entnahme (f.) vom Lager*
En. *picking* [8013]

PIQUETAGE n.m. 76
opération > projection de matière
Léger arrachage de petits éléments isolés de la surface du
papier ou carton pendant la fabrication ou l'impression.
En. *linting* [6788]

PIQÛRE BLANCHE n.f. 77
pathologie végétale
Piqûre dont la paroi n'est tapissée par aucune autre matière
que le bois et conserve la couleur normale de ce dernier. [8155]

PISTAGE RADIOÉLECTRIQUE n.m. 74
instrumentation > repérage
Recherche de la localisation spatiale d'un animal à l'aide de
l'émetteur-radio dont il est équipé et qui fonctionne sur une
fréquence qui lui est propre.
En. *radio-tracking ; radiotracking* [6261]

PISTE DE MARCHE n.f. 77
génie biomédical > appareillage médical
Dispositif en forme de caisse allongée, recouvert d'un miroir
permettant l'observation des pieds en mouvements. [8014]

PISTE PRÉ-COUCHÉE n.f. 74
PISTE PRÉCOUCHÉE
information > support documentaire
Piste magnétique destinée à l'enregistrement sonore située en
marge du film-image.

V. prépisté
*En. pre-striped sound track (U.S.A.) ; pre-striped magnetic track
(U.S.A.) ; pre-stripped sound track (UK) ; pre-stripped magne-
tic track* [3426]

PISTOLAGE n.m. 74
opération > projection de matière
Action de peindre au pistolet.
De. Spritzanstrich (m.)
En. spray-painting [2271]

PISTOLEUR n.m. 73
économie > industrie parachimique
Peintre utilisant un pistolet.
De. Spritzpistolenarbeiter (m.)
En. paint sprayer [671]

PISTOSCELLER v. 76
mécanique appliquée > assemblage
Clouer à l'aide d'un pistolet.
De. mit Bolzensetzgerät einsetzen
En. to ramset [7328]

PITRAN (PIÉzoTRANsistor) n.m. 75
électronique > technique des semiconducteurs
Transistor qui, soumis à une contrainte mécanique, engendre
une tension électrique fonction de la contrainte et inversement.
En. piezoelectric transistor [8676]

PIVOTERIE n.f. 74
mécanique appliquée > organe de machine
Ensemble des supports des pièces tournantes d'une machine.
De. Traglagereinheit (f.) [2720]

PIVOTEUR n.m. 76
**technologie des matériaux > équipement industrie transfor-
mation**
Dispositif de manutention d'une poche de métal en fusion.
[7329]

PIXEL n.m. 78
instrumentation > photographie
Plus petite surface homogène constitutive d'une image enregis-
trée, définie par les dimensions de la maille d'échantillonnage.
De. Bidelelement (n.)
En. pixel [8677]

PLACEMENT → syndicat de — .

PLACETTE n.f. 77
agronomie > ensemble végétal
Petite surface de forêt représentative d'une zone plus étendue.
De. Probefläche (f.)
En. sample plot
Es. parcela de ensayo [8015]

PLAFOND → sous- — .

PLAGE D'ENTRÉE n.f. 73
stockage > dépôt de stockage
Dispositif d'un système de stockage dynamique facilitant la
dépose des objets sur les galets. [1367]

PLAGE FIXE n.f. 77
gestion, organisation, administration > horaire
Période pendant laquelle la présence du personnel d'une
entreprise est obligatoire.
V. horaire flexible ; horaire libre ; plage souple
De. Kernarbeitszeit (f.) ; Kernzeit (f.)
En. base period ; coretime ; core hours [8398]

PLAGE SOUPLE n.f. 77
gestion, organisation, administration > horaire
Période pendant laquelle le personnel d'une entreprise peut
arriver et partir à sa guise.
V. horaire flexible ; horaire libre ; plage fixe
De. Gleitarbeitszeit (f.) ; Gleitzeit (f.)
En. flexible workig hours ; flexi-time ; sliding time [8399]

PLAGIOCLIMAX n.m. 75
écologie > climax
Communauté climacique maintenue par l'homme ou ses
intermédiaires. [6908]

PLAINE → wagon assisté en — .

PLAMOTAGE n.m. 75
économie > industrie agricole et alimentaire
Opération de mise au poids approchée et de surfaçage de la
base des pains de sucre.
De. Schleifen (n.)
En. brushing-off ; scraping [5579]

PLAN → capteur solaire — .

PLANAIRE adj. 72
mathématiques
Relatif à un plan géométrique.
De. auf eine Ebene bezogen
En. planar [149]

PLANCHE À ROULETTES n.f. 77
sport
Planche de plastique injecté, montée sur quatre roues, orienta-
bles par couple sous la pression du poids qu'elles supportent.
V. plancheur ; planchodrome
De. Skate board (n.) ; Rollbreh (n.)
En. roll surf ; skate board ; skateboard [8016]

PLANCHE À VOILE n.f. 77
sport
Planche de polyéthylène armée d'un mât orientable qui porte
une voile.
De. Windsurfer (n.) ; Surfbrett (n.)
En. wind-surfer [8017]

PLANCHER → faux- — .

PLANCHER ALVÉOLAIRE n.m. 73
**bâtiment et travaux publics > élément d'ouvrage du bâti-
ment**
Dalle en béton armé dont la surface supérieure, plane, sert de
plancher à un étage et la surface inférieure, aménagée en nids
d'abeille, sert de plafond à l'étage du dessous.
En. cellular floor [2272]

PLANCHER-CHAMPIGNON n.m. 76
**bâtiment et travaux publics > élément d'ouvrage du bâti-
ment**
Dalle d'épaisseur constante sans nervure reposant sur des
appuis ponctuels qui comportent des chapiteaux.
De. Pilzdecke (f.)
En. flat slab mushroom construction [8018]

PLANCHER FLOTTANT n.m. 74
**bâtiment et travaux publics > élément d'ouvrage du bâti-
ment**
Plancher posé sur le sol sans aucun appui intermédiaire.
En. floating floor
Es. tablado flotante [3789]

PLANCHER INTERNE n.m. 75
géophysique > hydrogéologie
Portion d'une vallée du Rift de la dorsale médio-océanique
comprise entre les deux failles normales majeures formant les
murs.
De. Riftsohle (f.)
En. inner floor [4339]

PLANCHER TECHNIQUE n.m. 74
**bâtiment et travaux publics > élément d'ouvrage du bâti-
ment**
Plancher conçu en vue de remplir une mission technique
donnée (supporter de lourdes charges...).
En. designed floor assembly [3957]

PLANCHEUR n.m. 78
sport
Sportif qui pratique la planche à roulettes.

V. planche à roulettes ; planchodrome
De. Rollbrettläufer (m.)
En. skateboarder ; skateboard rider [8806]

PLANCHODROME n.m. 78
sport
Emplacement aménagé pour pratiquer la planche à roulettes.
V. planche à roulettes ; plancheur
De. Rollbrettbahn (f.) ; Rollbrettplatz (m.)
En. skateboard park [8807]

PLANCTOLOGIE n.f. 74
écologie > communauté (écologie)
Science consacrée à l'étude du plancton.
V. planctologiste
De. Planktonkunde (f.)
En. planktology
Es. planctología [6679]

PLANCTOLOGISTE n. 74
écologie > communauté (écologie)
Spécialiste de planctologie.
V. planctologie
De. Planktonologe (m.)
En. planktologist
Es. planctologista [4713]

PLANCTONOPHAGE adj. 77
physiologie > nutrition
Qui se nourrit de plancton.
De. planktonfressend
En. planktivorous ; plankton-eating
Es. planctonófago [8157]

PLANCTONTE n.m. 70
écologie > communauté (écologie)
Animal planctonique transparent, mobile et vivant en suspension dans l'eau.
En. planktont ; plankter [4200 bis]

PLAN D'OPTIONS SUR TITRE n.m. 74
gestion, organisation, administration > gestion financière
Programme suivant lequel une entreprise offre à ses salariés des options d'achat sur ses propres actions.
De. Aktienbezugsrechte-Plan (m.)
En. stock option plan [1549]

PLANELLE n.f. 78
bâtiment et travaux publics > élément d'ouvrage du bâtiment
Élément de contre cloison intérieure d'un bloc préfabriqué de construction en béton à isolant intégré.
V. porteur [8678]

PLANÉTAIRE → tir — ; train — composé ; train — simple.

PLANÉTÉSIMAL n.m. 72
sciences de l'espace
Caillou préplanétaire.
V. cométésimal
De. Planetesimalsubstanz (f.)
En. planetesimal
Es. planetesimal [3790]

PLANÉTOLOGIE n.f. 74
sciences de l'espace
Science qui a pour objet l'étude des planètes.
De. Planetologie (f.)
En. planetology
Es. planetología [2721]

PLANÉTOLOGUE n. 74
sciences de l'espace
Spécialiste de planétologie.
V. planétologie
De. Planetologe (m.)
En. planetologist
Es. planetólogo [6262]

PLANEUSE n.f. 76
matériel agricole
Type de machine constituée d'une pièce de bois ronde et de un ou deux manches, utilisée pour le planage de la rizière.
De. Planierholz (m.)
En. grader [5843]

PLANOSOL n.m. 74
géologie > pédagogie
Type de sol ayant un horizon compact, cimenté ou argileux, nettement marqué en profondeur, à limite supérieure brutale.
V. vertisol
En. planosol
Es. planosol [3791]

PLANTE D'ABRI n.f. 77
agronomie > technique culturale
Espèce implantée pour jouer un rôle de protection vis-à-vis des autres semences. [8533]

PLANTE MOLLE n.f. 73
botanique
Plante annuelle que l'on doit multiplier sous abri.
En. succulent plant ; tender plant
Es. plata tierna [1368]

PLANTOIR → fusil- — .

PLAPIER n.m. 72
matériau > papier
Papier synthétique obtenu à partir de matière plastique.
De. synthetisches Papier (n.)
En. plaper [150]

PLAQUE À VENT n.f. 75
géophysique > météorologie
Zone formée de deux couches de neige dont l'une constituée sous l'action de vents violents se trouve séparée de l'autre par des interstices. [3792]

PLAQUE-MÈRE n.f. 74
électronique > équipement électronique
Plaque à laquelle sont raccordés des semiconducteurs.
De. Trägerplatte (f.)
En. main plate [3427]

PLAQUETTAIRE adj. 74
tissu (biologie) > tissu conjonctif
Qui se rapporte aux plaquettes.
En. hematoblastic ; thrombocytic [4136]

PLASMACHIMIE n.f. 78
chimie > chimie du solide et du fluide
Étude chimique des plasmas.
De. Plasmachemie (f.)
En. plasma chemistry
Es. plasmaquímica [8808]

PLASMAPAUSE n.f. 74
géophysique > aéronomie
Limite externe de la plasmasphère caractérisée par une brusque décroissance de la densité électronique.
V. plasmasphère
De. Plasmapause (f.)
En. plasmapause [7605]

PLASMASPHÈRE n.f. 77
géophysique > aéronomie
Zone interne de la magnétosphère où la densité électronique est nettement plus élevée que dans la zone externe.
V. plasmapause
De. Plasmasphäre (f.)
En. plasmasphere
Es. plasmasfera [7606]

PLASMIDE n.m. 74
génétique > génétique cellulaire
Élément génétique intracellulaire mais non chromosomique.
De. Plasmagen (n.) ; Plasmid (n.)

En. plasmid
Es. plásmido [3243]

PLASMIFICATION n.f. 75
physique > physique du solide et du fluide
Transformation d'un gaz en plasma.
De. Überführung (f.) in den Plasmazustand
En. plasma formation ; transformation into plasma
Es. plasmificación [5179]

PLASMON n.m. 74
physique > physique mathématique
Particule fictive que l'on associe aux différentes ondes qui
peuvent exister dans un plasma.
V. magnon
De. Plasmastrahl (n.)
En. plasmon
Es. plasmon [7728]

PLASTICULTURE n.f. 71
**économie > industrie de transformation des matières plasti-
ques**
Application de films plastiques à l'agriculture (paillage, couverture, ensilage...).
En. plasticulture [1733]

PLASTIDIAL adj. 74
cellule et constitution cellulaire > constitution cellulaire
Relatif à un plaste.
De. Plastiden-
En. plastidial [7330]

PLASTIFICATEUR n.m. 72
économie > industrie agricole et alimentaire
Pétrin continu destiné à mélanger la pâte du chocolat.
De. Plastifikator (m.)
En. plasticizer ; softener
Es. plastificador [6392]

PLASTIPLANTEUSE n.f. 76
matériel agricole
Machine effectuant à la fois le déroulement d'un film en matière
plastique et un semis.
En. plastic mulch planter [6909]

PLASTI-RIVET n.m. 74
PLASTIRIVET
mécanique appliquée > assemblage
Rivet en matière plastique.
De. Kunststoffniet (m.)
En. plastic rivet [7331]

PLASTOÉLASTIQUE adj. 73
propriété > propriété mécanique
Se dit d'un matériau à la fois plastique, pouvant subir une
déformation permanente, et élastique, pouvant subir une
déformation réversible.
De. plastoelastisch [1006]

PLASTOGLOBULE n.m. 74
cellule et constitution cellulaire > constitution cellulaire
Globule lipophile se trouvant à l'intérieur d'un plaste au
niveau du stroma.
De. Plastoglobulin (n.)
En. plastidial oil droplet [7332]

PLASTOGRAMME n.m. 75
instrumentation > mesure mécanique
Enregistrement de la viscosité d'un plastique à l'aide d'un
plastographe.
V. plastographe
De. Plastogramm (n.) ; Plastizitätsdiagramm (n.)
En. plastogram
Es. plasticograma [4714]

PLASTOGRAPHE n.m. 75
instrumentation > mesure mécanique
Rhéomètre permettant de mesurer la viscosité d'un plastique
dans les diverses conditions d'utilisation.
V. plastogramme

De. Plastograph (n.)
En. plastograph
Es. plastígrafo [4715]

PLASTOJOINT n.m. 76
mécanique appliquée > joint d'assemblage
Joint plastique.
De. Kunststoffgelenk (n.)
En. plastic joint [5712]

PLASTOSOLUBLE adj. 72
propriété > propriété physico-chimique
Soluble dans une matière plastique.
De. kunststofflöslich
En. plastic-soluble [151]

PLAT → cône — ; jet — .

PLATE → ligne — .

PLATEAU n.m. 71
technologie des matériaux > génie chimique
Élément de condensation placé dans une colonne de distillation à un niveau d'équilibre thermodynamique déterminé.
Es. plato [2898]

PLATEAU-PAYSAGE n.m. 77
économie > travail (main-d'œuvre)
Ensemble de bureaux paysagers occupant la totalité d'un étage.
V. bureau paysager [8534]

PLATEAU REPAS n.m. 73
PLATEAU-REPAS
conditionnement (emballage) > emballage
Plateau comportant des alvéoles de formats différents destinés
à contenir les éléments d'un repas.
De. Tellertablett (m.)
En. lunch tray [1369]

PLÂTRE → volume- — .

PLATTIER n.m. 73
géophysique > géomorphologie
Affleurement rocheux de l'estran ou de la zone côtière.
En. reef flat [6122]

PLAXAGE n.m. 73
technologie des matériaux > formage
Dépôt d'un film acrylique sur la feuille plastique chaude
extrudée en sortie de filière. [1735]

PLEIN → cône — ; vide pour — .

PLÉIOTOPE adj. 77
écologie > écosystème
Se dit d'une espèce dont le cycle s'accomplit dans des milieux
différents.
V. monotope
En. polytopic
Es. pleiotopo [8679]

PLENUM n.m. 75
action sur l'environnement > climatisation
Dispositif de distribution et de répartition d'air entre un
plafond et un faux-plafond.
En. plenum [5974]

PLÉOPODE n.m. 74
organisme vivant > animal
Patte abdominale.
De. Pleopode (f.)
En. pleopod
Es. pleópodo [3077]

PLÉRÈME n.m. 73
linguistique
Composant sémantique qui permet de ramener des variantes
nombreuses à un nombre limité d'invariants.
En. plereme [3958]

PLÉTHYSMOGRAPHIE n.f. 73
instrumentation > mesure des phénomènes physiologiques
Technique d'enregistrement des variations de volume d'un organe.
De. Plethysmographie (f.)
En. plethysmography [674]

PLI → bi- — .

PLIEUR → chariot- — .

PLOÏDIE n.f. 77
génétique > information génétique
Caractère génétique donné par le nombre de génomes présents dans le noyau des cellules somatiques.
En. ploid degree; ploidy
Es. poliploidia [9218]

PLOMBAGE n.m. 76
technologie des matériaux > fabrication du papier
Formation de taches accidentelles d'apparence plus foncée ou plus grise, dues par exemple au passage du papier trop humide sur la calandre. [7609]

PLONGEANT → bras — ; mandrin — .

PLONGÉE → chambre de — .

PLONGEMENT INVARIANT n.m. 74
mathématiques appliquées
Méthode de résolution de problèmes paramétriques ou rendus paramétriques consistant à chercher la solution comme fonction du paramètre.
De. invarianten Einbettung (f.)
En. invariant imbedding (U.S.A.); invariant embedding (U.K.) [3793]

PLONGEUR → crache- — ; porte- — ; souffleuse à — .

PLUME n.f. 73
mécanique appliquée > usinage
Pièce métallique sur laquelle vient buter l'outil pendant l'affûtage de la dépouille. [2087]

PLURALISTE → école — .

PLURIARC n.m. 77
arts > musique
En Afrique, type d'instrument de musique à cordes.
En. multiple bow-harp; pluriarc [8158]

PLURIBUS n.m. 75
informatique > organe de transmission de données
Voie servant à acheminer des informations.
V. bus
En. bus; trunk [4137]

PLURICOTOMIE n.f. 77
logique
Méthode de classification où les sous-divisions sont au moins deux.
En. polychotomy
Es. pluricotomía [7880]

PLURI-CULTUREL adj. 74
PLURICULTUREL
sociologie
Relatif à plusieurs cultures.
V. mono-culturel [4340]

PLUS adj. 78
constituant des organismes vivants
Se dit d'un système qui permet d'effectuer la synthèse de fragments d'ADN en produisant chaque fragment de façon qu'il se termine par le nucléotide particulier que l'on veut identifier.
V. moins ; plus-moins
De. Plus-
En. plus [8700]

PLUS-MOINS adj. 78
constituant des organismes vivants
Se dit d'une méthode qui consiste à effectuer la synthèse de fragments d'ADN complémentaires des zones de l'ADN dont on veut établir la séquence complète.
V. moins ; plus
De. Plus-Minus
En. plus and minus [8702]

PLUVIOLESSIVAGE n.m. 73/74
géologie > pédologie
Migration des éléments solubles d'un sol sous l'effet des pluies.
En. process of rainwash [7333]

PLV (PROMOTION SUR LE LIEU DE VENTE) n.f. 72
économie > promotion des ventes
Mode attractif de présentation des produits à vendre.
En. point-of-purchase advertising; point-of-sale advertising [2404]

PNEU CEINTURÉ n.m. 73
mécanique appliquée > organe de machine
Pneu qui comporte une partie renforcée rigide (ceinture) et une partie latérale flexible.
De. Gürtelreifen (m.)
En. belted tire (U.S.A.); belted tyre (U.K.) [1552]

PNEU-LUMIÈRE n.m. 73
mécanique appliquée > organe de machine
Pneu de bicyclette dont les flancs renvoient la lumière des phares. [1197]

PNEUMATICIEN n.m. 76
économie > industrie du caoutchouc
Fabricant de pneumatiques.
V. pneumatiquier [4555]

PNEUMATIQUE → voyant — .

PNEUMATIQUIER n.m. 78
économie > industrie du caoutchouc
Fabricant de pneumatiques.
V. pneumaticien
De. Reifenhersteller (m.); Reifenfabrikant (m.)
En. tire manufacturer [9084]

PNEUMOENCÉPHALOGRAPHIE n.f. 74
génie biomédical > diagnostic
Examen radiologique des espaces sous-arachnoïdiens et des ventricules cérébraux après insufflation d'air.
En. pneumoencephalography [1736]

PNEUMO-HYDRAULIQUE n.f. 77
PNEUMOHYDRAULIQUE
mécanique des fluides appliquée
Application des principes de la pneumatique aux techniques de l'hydraulique.
De. Lufthydraulik (f.)
En. hydro-pneumatics; pneumohydraulics
Es. pneumohidráulica [8159]

POCHAGE n.m. 75
technologie des matériaux > génie alimentaire
Traitement consistant à coaguler par la chaleur le sang des animaux abattus.
De. Blutgerinnung (f.) durch Wärme
En. blood-thermocoagulation [4891]

POCHE → wagon- — .

POCHE-FOUR n.f. 74
technologie des matériaux > équipement industrie transformation
Poche sidérurgique qui sert en même temps de four.
De. Warmhalteofen (n.)
En. heating ladle [4456]

POCHE INTERNE n.f. 73
transport et manutention > engin de manutention
Partie d'une noria verticale destinée à prendre la charge de

façon continue au pied de l'appareil pour la déverser en haut.
De. Innenbecher (m.) [1198]

POCHETTE PANACHÉE n.f. 74
instrumentation > mesure thermique
Ensemble de timbres détachables, indicateurs de température portant des graduations étalonnées et contenus en pochette.
V. jauge de température ; papier thermométrique
De. Temperaturmeßanordnung (f.) [3429]

POCHON n.m. 73
conditionnement (emballage) > emballage
Type d'emballage en forme de tube soudé à sa partie supérieure. [1737]

POCKELS → effet- — .

PODOMÈRE n.m. 75
organisme vivant > animal
Subdivision des rames interne et externe des appendices chez les crustacés.
En. podomere
Es. podómero [8160]

POGO → effet — .

POING → robinet coup de — .

POINT → commande — à — ; liaison — à — .

POINT-ADRESSE n.m. 68
information > traitement de l'information
Repère de fiche magnétique qui indique le début de chaque enregistrement.
De. Adressmarke (f.)
En. address-marker [3959]

POINT BLANC adj. 76
circonstance opératoire
Se dit de la température au-dessus de laquelle se forme la feuille transparente dans une dispersion aqueuse d'homopolymères et de copolymères.
De. Weißpunkt (m.) [7611]

POINT BRILLANT n.m. 74
techniques sciences de la terre
Zone où l'intensité des ondes sismiques réfléchies décèle un gisement de gaz ou de pétrole.
En. bright spot [3430]

POINT D'ANILINE n.m. 74/75
chimie > chimie du solide et du fluide
Température la plus basse à laquelle une huile est entièrement miscible avec une égale quantité d'aniline.
V. point de goutte
De. Anilinpunkt (m.)
En. aniline point [6393]

POINT DE CALCINATION n.m. 74
physique > thermodynamique
Zone d'un polymère où les atomes de carbone sont réduits à l'état libre par scission du reste de la chaîne due à un échauffement excessif.
De. Kalzinierungspunkt (m.)
En. calcination point
Es. punto de calcinación [3244]

POINT DE CANEVAS n.m. 76
instrumentation > photographie
Point dont les positions d'une part dans l'espace objet et d'autre part sur le cliché sont connues.
De. Festpunkt (m.)
En. control point [6123]

POINT DE GOUTTE n.m. 74/75
chimie > chimie du solide et du fluide
Température à partir de laquelle une graisse accuse une chute de consistance assimilable à une liquéfaction.
V. point d'aniline
De. Tropfpunkt (m.) ; Tropftemperatur (f.)

En. dropping point
Es. punto de gota [6394]

POINT D'OR n.m. 77
économie > monnaie
Dans le régime de l'étalon-or, limite de change d'une monnaie, au-delà ou en deçà de laquelle il est plus profitable d'exporter ou d'importer de l'or, plutôt que de procéder à une opération de change tiré.
De. Goldpunkt (m.)
En. gold point
Es. punto de oro [8400]

POINTE → effet de — .

POINTE CROISÉE n.f. 77
transport et manutention > circulation
Pointe des trafics ascendant et descendant à l'intérieur d'un immeuble.
V. pointe descente ; pointe montée
En. two-way peak [8401]

POINTE DESCENTE n.f. 77
POINTE-DESCENTE
transport et manutention > circulation
Pointe du trafic descendant à l'intérieur d'un immeuble.
V. pointe croisée ; pointe montée
En. down peak [8402]

POINTE MONTÉE n.f. 77
POINTE-MONTÉE
transport et manutention > circulation
Pointe du trafic ascendant à l'intérieur d'un immeuble.
V. pointe croisée ; pointe descente
En. up peak [8403]

POINTE THERMIQUE n.f. 72
physique > thermodynamique
Échauffement local intense qui ne peut diffuser que lentement du fait de l'instantanéité du chauffage et de la lenteur de la conductibilité thermique.
De. Überhitzungsbereich (m.)
En. thermal point ; thermic point [152]

POINT ISOBESTIQUE n.m. 72
instrumentation > mesure optique
Point de la longueur d'onde à laquelle les coefficients d'extinction de deux substances sont égaux [1371]

POINT ISOÉLECTRIQUE n.m. 74
physique > électricité
Dans la mesure d'un pH, point où la concentration de la partie anionique d'un ampholyte égale la partie cationique.
De. isoelektrischer Punkt (m.)
En. isoelectric point
Es. punto isoeléctrico [3960]

POINT MIROIR n.m. 73
POINT-MIROIR
géophysique > physique du globe
Point d'une ligne de force du champ magnétique terrestre où le mouvement d'une particule piégée le long de cette ligne de force change de sens.
De. magnetischer Spiegel (m.)
En. magnetic mirror [1738]

POISON CONSOMMABLE n.m. 72
technique nucléaire
Poison nucléaire introduit dans un réacteur pour contrôler les variations à long terme de la réactivité au moyen de sa combustion progressive.
De. abbrennbares Reaktorgift (n.)
En. burnable poison [153]

POISSON LAPIN n.m. 73
POISSON-LAPIN
organisme vivant > animal
Poisson de la famille des Tétrodontidés.
De. Kaninchenfisch (m.) [1199]

POISSONS → passe à — .

POIVRAGE n.m. 76
technologie des matériaux > fabrication du papier
Aspect d'une pâte dans laquelle il subsiste des points noirs.
V. poivre
En. speckling [5975]

POIVRE n.m. 72
technologie des matériaux > fabrication du papier
Matière étrangère liée au papier et ayant une couleur en net
contraste avec le reste de la feuille.
V. poivrage
En. speck [845]

POLAIRE → cornet — .

POLISONYME n.m. 75
linguistique
Nom de ville.
V. urbonyme
En. polisonym
Es. polisónimo [6124]

POLISSAGE → bicône de — .

POLITIQUE → noso- — .

POLLUORÉSISTANT adj. 76
écologie > autécologie
Se dit d'organismes vivants capables de se développer dans un
milieu pollué. [5714]

POLLUTION URBAINE n.f. 78
environnement et sécurité > pollution
Pollution due aux effets de l'urbanisation.
V. érosion urbaine
De. stadtishe Umweltbelastung (f.)
En. urban pollution
Es. polución urbana [9219]

POLYACCIDENTÉ n.m. 76
environnement et sécurité > accident
Personne sujette à des accidents successifs et présentant un
haut risque de nouveaux accidents.
En. accident-repeater [7183]

POLYALCALIN adj. 72
propriété > composition
Verre dont la partie alcaline comporte au moins deux cations.
De. polyalkalisch
En. polyalkaline [156]

POLYALCÉNAMÈRE n.m. 74
chimie > composé chimique
Polymère formé à partir d'oléfines.
En. polyolefin
Es. polialcenómero [2405]

POLYAMPHOLYTE n.m. 73
chimie > électrochimie
Macromolécule contenant un grand nombre de groupes qui
peuvent jouer tantôt le rôle d'un acide, tantôt celui d'une base.
De. Polyampholyt (m.)
En. polyampholyte [1739]

POLYATHLON n.m. 71
sport
Tout ensemble d'épreuves donnant lieu à un seul classement.
En. polyathlon
Es. poliatlón [3246]

POLYCATÉGORIE n.f. 71
linguistique
Appartenance d'une unité lexicale à plusieurs catégories
fonctionnelles.
En. polycategory [4201 bis]

POLYCOMBUSTIBLE adj. 74
action sur l'environnement > échange de chaleur
Se dit d'un appareil qui peut fonctionner avec différents
combustibles. [4457]

POLYCYTOGÉNIE n.f. 78
génétique > génétique cellulaire
Reproduction à partir de plusieurs cellules.
V. monocytogène
De. Polyzytogenese (f.)
En. vegetative reproduction
Es. policitogenia [9085]

POLYDISPERSE → encre — .

POLYDISQUE adj. 73
opération > séparation physique
Se dit d'un dispositif muni de plusieurs disques.
De. Mehrscheiken (f.)
En. polydisc ; multi-disc [1200]

POLY-EAU n.f. 74
chimie > composé chimique
Eau constituée de molécules associées par des liaisons H.
En. anomalous water ; polywater
Es. poliagua [2724]

POLYFUSÉ adj. 75
mécanique appliquée > assemblage
Se dit d'une soudure obtenue par polyfusion.
V. polyfusion
En. welded in multiple spots [5580]

POLYFUSION n.f. 75
mécanique appliquée > assemblage
Fusion réalisée en plusieurs points d'un objet.
V. polyfusé
De. Polyfusion (f.)
En. multiple spot fusion ; polyfusion
Es. polifusión [5181]

POLYGONE n.m. 76
transport et manutention > manutention
Défaut d'adhésion d'une bande transporteuse au tambour
caractérisé par l'apparition sur celle-ci de rainures transversales.
En. washboard effect [7056]

POLYGRAPHE n.m. 73
instrumentation > mesure des phénomènes physiologiques
Appareil permettant d'enregistrer simultanément plusieurs
phénomènes physiologiques.
De. Polygraph (m.)
En. polygraph [157]

POLYION n.m. 74
chimie > constitution de la matière
Molécule portant un grand nombre de groupes chimiques
chargés électriquement.
De. Polyion (n.)
En. polyion
Es. poli-ión [2551]

POLYMÉRIQUE adj. 74
matériau > polymère (matériau)
De la nature d'un polymère.
De. polymer
En. polymeric
Es. polimérico [4892]

POLYMÉRISAT n.m. 74
technologie des matériaux > génie chimique
Produit d'une polymérisation.
De. Polymerisat (n.)
En. polymer
Es. polimerizado [2900]

POLYMÉRISATION → degré de — .

POLYMÉRISÉ EN MASSE adj. 74
technologie des matériaux > génie chimique
Formé par polymérisation du monomère pur non dilué.
En. polymerized in bulk [2274]

POLYMÉRISEUSE n.f. 78
économie > industrie textile
Machine soumettant les tissus ou les tricots à une polymérisation en vue de fixer les colorants. [8809]

POLYMÉRISTE n. 76
matériau > polymère (matériau)
Spécialiste des polymères.
En. polymerist
Es. polimerista [5846]

POLYMOLÉCULARITÉ n.f. 74
chimie > constitution de la matière
Caractéristique d'un système dont les molécules constituantes ont des masses moléculaires différentes.
De. Multimolekularität (f.)
En. polymolecularity [2725]

POLYPE → grappin — .

POLYPRESCRIPTION n.f. 74
génie biomédical > pharmacothérapie
Prescription de plusieurs traitements.
En. polyprescription [3431]

POLYRÉCUPÉRANT adj. 75
action sur l'environnement > échange de chaleur
Se dit d'un appareil permettant de récupérer les calories à partir d'effluents divers.
En. heat recuperation system [4139]

POLYSAPROBE adj. 74
environnement et sécurité > pollution
Se dit d'une eau fortement polluée.
En. polysaprobial [1740]

POLYSPERMIQUE adj. 74
physiologie > reproduction (physiologie)
Se dit de la pénétration de plusieurs spermatozoïdes dans l'ovule de certaines espèces animales dans des conditions normales.
De. Polyspermie-
Es. polispermico [7471]

POLYTECHNISME n.m. 72
sociologie
Méthode pédagogique qui consiste à combiner l'éducation technologique et l'éducation sociale par des travaux de groupe et des contacts avec le monde du travail.
En. polytechnism [5438]

POLYTHÈQUE n.f. 74
information > centre d'information
Collection qui regroupe différents types de documents.
En. multi-media resource center (U.S.A.) ; multi-media resource centre (U.K.)
Es. politeca [3961]

POLYTHERME n.m. 74
transport et manutention > transport
Navire pouvant recevoir à la fois des charges normales et réfrigérées.
De. Kühlcontainerschiff (n.)
En. break-bulk cargo ship ; reefer
Es. politermo [4202 bis]

POLYTOPE n.m. 74
mathématiques
Figure géométrique limitée par des portions de lignes, de plans ou d'hyperplans.
En. polytope
Es. politopo [4718]

POMATE n.f. 78
génétique > hybride
Hybride de la pomme de terre et de la tomate obtenu par la technique de fusion de protoplastes.
En. pomato ; potomato ; topato [9366]

POMPABLE adj. 76
propriété > propriété technologique
Se dit d'un béton qui peut être pulsé dans des canalisations sous l'action d'une pompe à béton ou par air comprimé.
De. Pump-
En. pumpable [6789]

POMPÉ → neutro- — .

POMPE À SORPTION n.f. 76
mécanique des fluides appliquée
Pompe qui utilise le principe de la fixation de gaz ou de vapeur par un corps à l'état condensé (solide ou liquide). [7196]

POMPE EN LIGNE n.f. 74
mécanique des fluides appliquée
Pompe sur laquelle les tubulures d'aspiration et le refoulement, situées de part et d'autre de la pompe, sont sur un même axe.
En. in-line pump [2088]

POMPE SÈCHE n.f. 75
mécanique des fluides appliquée
Pompe dans laquelle le fluide pompé ne rencontre aucun organe lubrifié.
De. Trockenpumpe (f.)
En. self-lubricating pump
Es. bomba seca [4459]

POMPE TURBOMOLÉCULAIRE n.f. 76
mécanique des fluides appliquée
Pompe moléculaire dont le rotor comporte des disques qui tournent entre des disques analogues portés par le stator permettant d'atteindre un vide très poussé.
En. turbomolecular pump [6573/7492]

PONCTUELLE → protection — .

PONDEUR n.m. 77
mécanique appliquée > machine-outil
Alimenteur d'une machine-outil en pièces à travailler.
De. Eingabevorrichtung (f.) [7472]

PONIQUE → air — .

PONT (en —) adj. 74
transport et manutention > manutention
Se dit de la position d'un appareil de pesage au-dessus d'un autre dispositif. [3551]

PONTAGE n.m. 73
chimie > constitution de la matière
Création d'une liaison chimique entre deux molécules soit directement soit par l'intermédiaire de groupes d'atomes.
V. pontal
De. Vernetzung (f.)
En. bridging [846]

PONTAGE n.m. 73
génie biomédical > chirurgie
Union de deux conduits creux distants l'un de l'autre grâce à l'interposition d'un autre segment creux.
De. Shunt-Bypass (m.)
En. bridge-building ; bypassing ; cross-linking [1201]

PONTAGE → agent de — .

PONTAL adj. 76
chimie > constitution de la matière
Relatif à une liaison chimique entre deux molécules.
V. pontage
De. Brücken-
En. bridge [6395]

PONT CRISTALLIN n.m. 73
physique > physique du solide et du fluide
Lien intermoléculaire qui s'établit entre les particules d'une
solution saturée lors de la formation d'un cristal.
V. pont liquide ; pont solide
En. *crystal bridge ; cristalline bridge* [1009]

PONT DE LIAISON n.m. 73
transport et manutention > engin de levage
Plateau destiné à former un pont entre un camion et un wagon
au cours d'opérations de chargement-déchargement.
De. *Verbindungsbrücke (f.)*
Es. *bridge plate* [1373]

PONT DE PRODUITS n.m. 74
économie > activité commerciale
Îlot de vente constitué de produits et de cartons d'emballage
enjambant une allée de circulation d'un magasin.
V. barque de vente ; bergerie ; corolle ; îlot de vente ; mur
de produits ; prolongateur de rayon
De. *Querstapel (m.)*
En. *product bridge* [3962]

PONT-GERBEUR n.m. 73
transport et manutention > engin de levage
Pont roulant destiné à empiler des palettes.
De. *Stapel-Laufkran (m.)*
En. *overhead travelling stacking-crane ; stacker-crane* [2552]

PONT HYDROGÈNE n.m. 73
chimie > constitution de la matière
Type de liaison intermoléculaire très faible s'effectuant entre
un atome d'hydrogène d'une molécule et un hétéroatome
d'une autre molécule pour former les associations moléculaires.
De. *Wasserstoffbrücke (f.)*
En. *hydrogen bridge* [1374]

PONT LIQUIDE n.m. 73
physique > physique du solide et du fluide
Lien intermoléculaire en forme de film liquide sur la surface
d'un cristal au cours de sa formation ou de sa dissolution.
V. pont solide ; pont cristallin
En. *liquid bridge* [1010]

PONTON n.m. 74
transport et manutention > transport
Quai destiné au chargement et au déchargement latéral des
véhicules.
V. quai mixte ; quai semi-périphérique
En. *side and end ramp ; side platform ; side ramp* [4140]

PONTON → pied- — .

PONT SOLIDE n.m. 73
physique > physique du solide et du fluide
Lien intermoléculaire à la surface d'un cristal au cours de la
phase finale de sa formation.
V. pont liquide ; pont cristallin
En. *solid bridge* [1011]

PONT THERMIQUE n.m. 75
propriété > propriété thermique
Élément conducteur de chaleur qui relie accidentellement
deux parties d'une construction destinées à être isolées l'une
de l'autre.
De. *thermische Brücke (f.)*
En. *thermal bridge*
Es. *puente térmico* [5317]

POPULATION ÉCONOMIQUE n.f. 74
économie > sciences économiques
Population résidente augmentée ou diminuée du nombre
d'entrées et de sorties multiplié par deux.
En. *economic population*
Es. *población económica* [5976]

POPULICULTEUR n.m. 76
foresterie
Spécialiste de la populiculture.
V. populiculture

De. *Pappelzüchter (m.)*
En. *poplar cultivator* [5977]

POPULICULTURE n.f. 76
foresterie
Ensemble des sciences et techniques appliquées à la culture des
peupliers.
V. populiculteur
De. *Pappelzucht (f.)*
En. *poplar cultivation*
Es. *chopocultura* [5978]

PORE n.m. 75
électrotechnique > protection électrique
Partie métallique d'un support conducteur non protégée par
un diélectrique.
De. *Pore (f.)*
En. *pore*
Es. *poro* [4141]

POROGÈNE n.m. 71
technologie des matériaux > traitement thermomécanique
Substance ajoutée à la poudre en vue de former des pores au
cours du frittage.
De. *Porenbildender ; Porogen (n.)*
En. *pore-forming material* [316]

PORTABILITÉ n.f. 74
vie quotidienne > vêtement
Qualité d'un vêtement facile à porter.
De. *Tragbarkeit (f.)*
En. *wearability* [1741]

PORTABILITÉ n.f. 73
informatique > programmation
Qualité d'un programme informatique portable.
V. portable
En. *compatibility*
Es. *transportabilidad* [5847]

PORTABLE adj. 75
informatique > programmation
Se dit d'un programme qui peut être transféré d'un ordinateur
à un autre.
V. portabilité
En. *adaptive ; transferable*
Es. *transportable* [5183]

PORTANCE n.f. 74
physique > mécanique
Capacité à porter une charge.
De. *Tragfähigkeit (f.)*
En. *bearing capacity ; supporting capacity ; load capacity ; .*
load-carrying capacity
Es. *portancia* [4142]

PORTANCE n.f. 74
information > communication
Capacité d'un signal à attirer l'attention sur le message qu'il
porte.
En. *bearing capacity* [3795]

PORTATIF n.m. 73
économie > promotion des ventes
Châssis démontable supportant un panneau d'affichage.
De. *Stand (m.)* [848]

PORTE n.f. → bloc- — .

PORTE v. → coude — -vent.

PORTE-BARGES n.m. 73
transport et manutention > engin de transport
Navire équipé pour le transport de barges ou de chalands.
V. porte-conteneurs
En. *lash-type ship* [4460]

PORTE-CÂBLES n.m. 74
transport et manutention > engin de manutention
Dispositif destiné à la suspension des câbles.

De. *Kabelhalter (m.)* ; *Kabelträger (m.)*
En. *cable-hanger* [3078]

PORTE-CHARGES n.m. 78
transport et manutention > engin de manutention
Chariot destiné à transporter des marchandises. [9086]

PORTE-CONTENEUR n.m. 74
transport et manutention > engin de manutention
Appareil automoteur destiné à prendre, transporter et déplacer un conteneur à partir de sa plate-forme.
En. *lift-on-lift-off system* [2554]

PORTE-CONTENEURS n.m. 72
transport et manutention > engin de transport
Navire équipé pour manipuler, charger et transporter des
conteneurs normalisés.
De. *Container-Schiff (m.)*
En. *container carrier* [159]

PORTÉE D'AIR n.f. 76
action sur l'environnement > échange de chaleur
Distance qui sépare l'orifice de sortie d'un jet d'air du point où
la vitesse axiale du jet atteint 0,25 mètre par seconde [7184]

PORTE-ENSOUPLES n.m. 72
technologie des matériaux > tissage
Élément d'une ensoupleuse muni d'un dispositif latéral, en
vue de supporter les ensouples.
De. *Baumtransportwagen (m.)*
En. *beam rack ; beam truck ; beaming slide* [495]

PORTEFEUILLE (en—) adj. 74
**bâtiment et travaux publics > élément d'ouvrage du bâti-
ment**
Se dit d'une porte à déplacement vertical, constituée de deux
panneaux articulés qui, en fin de mouvement ascensionnel
s'effacent complètement l'un sous l'autre horizontalement,
derrière le linteau.
V. *américaine (à l'—)* [2494]

PORTE-PLONGEUR adj. 72
mécanique appliquée > véhicule
Se dit d'un véhicule sous-marin destiné à transférer du
personnel sur un chantier immergé, et comportant une
chambre de plongée.
De. *Taucher-Transport-Uboot (n.)*
En. *transfer capsule* [6548]

PORTE SOUPLE n.f. 73
**bâtiment et travaux publics > élément d'ouvrage du bâti-
ment**
Porte constituée de rideaux en matière plastique destinée aux
locaux industriels.
De. *Kunststofftür- (f.)*
En. *draft curtain* [1375]

PORTEUR n.m./adj. 78
**bâtiment et travaux publics > élément d'ouvrage du bâti-
ment**
Élément principal d'un bloc préfabriqué de construction en
béton à isolant intégré.
V. planelle
De. *Träger (m.)*
En. *load-bearing unit* [8681]

PORTEUR adj. → béton — ; électro- — ; gaz — ; gros
— ; pied — ; tracto- — .

PORTEUR n.m. → gros — .

PORTIONNEUSE n.f. 73
économie > industrie agricole et alimentaire
Machine destinée à scier en portions des plaques de poisson
congelé.
De. *Portioniermaschine (f.)*
En. *slicer machine* [1376]

PORTIQUEUR n.m. 77
transport et manutention > engin de levage
Ouvrier manœuvrant un pont roulant. [6126]

POSE EN LIGNE n.f. 73
économie > industrie du bâtiment et des travaux publics
Procédé consistant à effectuer des travaux en utilisant un
atelier mobile qui progresse en ligne.
V. cirque [2901]

POSE-POTEAUX adj. 78
bâtiment et travaux publics > matériel de chantier
Se dit d'un appareil qui assure l'ensemble des opérations
nécessaires à la mise en place de poteaux. [8944]

POSITIONNEMENT n.m. 73
économie > commercialisation
Action de positionner.
V. positionner
De. *zielgruppenorientierte Werbung (f.)*
En. *positioning* [496]

POSITIONNEMENT DYNAMIQUE n.m. 76
transport et manutention > exploitation des transports
Immobilisation d'un mobile aérien à la verticale d'un repère
terrestre ou d'un mobile marin vis-à-vis d'un repère sous-
marin.
De. *dynamische Positionierung (f.)*
En. *dynamic positioning* [9220]

POSITIONNER v. 73
économie > commercialisation
Promouvoir un produit en spécifiant qu'il s'adresse à une
catégorie définie de clientèle.
V. positionnement
De. *zielgruppenorientiert werben*
En. *to position* [497]

POSITIVE → anisotropie diélectrique — .

POSTACCÉLÉRATION n.f. 76
physique > mécanique
Course supplémentaire que comporte une pédale d'accéléra-
teur au-delà de la position « plein gaz ».
De. *Kick-down (m.)*
En. *kick-down* [6549]

POSTADEX (POSTe Adaptée à la Demande des EXpé-
diteurs) adj. 76
gestion, organisation, administration > gestion
Service postal adapté à la demande des expéditeurs.
V. CEDEX ; CIDEX
En. *postadex* [5979]

POST-CONCEPTUEL adj. 77
POSTCONCEPTUEL
arts > peinture (arts)
Se dit d'un art qui utilise des documents préalablement
élaborés.
Es. *postconceptual* [8405]

POSTE → mise à — .

POSTÉ adj. 72
économie > travail (main-d'œuvre)
Se dit d'un travail réparti par postes.
De. *arbeitsplatzgebunden*
En. *posted* [6264]

POSTET n.m. 73
gestion, organisation, administration > gestion
Système de distribution des lettres recommandées, mandats,
paquets... n'ayant pu être délivrés à domicile en l'absence du
destinataire, par un préposé qui les remet à heure fixe en un
lieu déterminé.
V. CEDEX ; CIDEX ; ISA [1013]

POSTEXUVIAL adj. 78
physiologie > développement (physiologie)
Postérieur à l'exuviation.

V. préexuvial
En. post-exuvial [9367]

POSTFORMABLE adj. 73
technologie des matériaux > formage
Apte à être postformé, malgré la forme initiale.
V. postformé
De. nachformbar ; nachträglich formbar
En. postformable [2091]

POSTFORMÉ adj. 78
technologie des matériaux > formage
Mis en forme définitive par un chauffage, éventuellement sous pression.
V. postformable
De. nachgeformt
En. post formed [9221]

POST-GRADUÉ adj. 71
POSTGRADUÉ
enseignement
Se dit des enseignements suivis après l'obtention d'un diplôme du niveau de la licence.
En. post-graduate
Es. postgraduado [3623]

POSTLEVÉE (en —) adj. 77
agronomie > technique culturale
Se dit d'un traitement effectué après la levée d'une plante.
V. prélevée (en —)
De. nach dem Aufgehen [8019]

POST-MIX adj. 78
POSTMIX
économie > industrie agricole et alimentaire
Se dit d'un distributeur automatique de boissons confectionnant un mélange lors de la demande.
V. pré-mix
En. postmix [8945]

POT → four à — .

POTAMONYME n.m. 75
linguistique
Nom de fleuve.
De. Flußname (m.)
En. river-name [6550]

POTEAUX → arrache- — ; pose- — .

POTENTIALISATEUR n.m. 76
pharmacologie > médicament
Médicament qui augmente l'action d'un autre médicament auquel il est associé. [4556]

POTENTIOCINÉTIQUE adj. 73
électrotechnique > mesure électrique
Se dit d'une méthode qui permet d'évaluer par des mesures potentiométriques la vitesse de corrosion d'un matériau métallique.
De. potentiokinetisch
En. potentiokinetic
Es. potentiocinético [2728]

POTENTIOSTAT n.m. 74
chimie > électrochimie
Appareil permettant de maîtriser l'évolution du potentiel.
De. Potentiostat (m.) [7614]

POTENTIOSTATIQUE adj. 76
chimie > électrochimie
Se dit d'une méthode de mesure à potentiel électrique constant.
De. Konstantspannungs-
En. constant-potential
Es. potenciostático [6551]

POTTO n.m. 74
organisme vivant > animal
Type de mammifère de l'ordre des Primates et de la famille des Porisidés.

De. Potto (n.)
En. potto [2092]

POUDRAGE n.m. 76
opération > projection de matière
Fait que des matières non fibreuses se détachent d'un papier au cours de l'impression.
De. Stauben (n.)
En. dusting [6790]

POUDRAGE ÉLECTROSTATIQUE n.m. 76
opération > projection de matière
Technique de projection sur un matériau d'une poudre thermodurcissable de charge inverse à celle du matériau.
En. electrostatic powder printing ; electrostatic printing [7057]

POUDRÉ → émaillage au — .

POUDRES PRÉALLIÉES n.f. pl. 74
technologie des matériaux > métallurgie des poudres
Poudres mêlées destinées à l'obtention d'un alliage [7615]

POUDRE UNIVERSELLE n.f. 71
environnement et sécurité > protection contre l'incendie
Poudre se vitrifiant au contact d'un point incandescent.
En. universal powder [5849]

POURRIÈRE n.f. 77
géophysique > géomorphologie
Monticule dû au remaniement des dunes littorales.
En. blowout dune [7185]

POURSUITE (en —) adj. 78
arts > peinture (arts)
Se dit d'une technique de peinture industrielle automatisée le long d'une chaîne mobile. [8946]

POUSSANT → four — .

POUSSE → chambre de — .

POUSSEUR → tireur- — .

POUSSEUR EXPLOSÉ n.m. 77
technique nucléaire
Type de compression d'un gaz obtenue par l'explosion, sous l'effet d'un rayon laser, du ballon de verre le contenant.
En. explosive pusher [8947]

POUSSIÉRAGE n.m. 76
opération > projection de matière
Fait que des matières diverses se trouvant à l'état libre à la surface du papier quittent celles-ci en cours d'utilisation.
De. Stauben (n.)
En. dusting [6791]

POUSSIÈRE → gâteau de — ; hors — ; micro- — .

POUSSOIR → barre- — .

POUTRE → fourgon- — .

POUVOIR PIÉGEANT n.m. 77
propriété > propriété mécanique
Aptitude d'un adhésif à maintenir instantanément deux supports.
En. tack [8535]

POUZZOLANIQUE → effet — .

P.P.I. (POINT PAR IMAGE) n.m. 74
télécommunications > radiotechnique
Unité de mesure qui indique de combien de points d'image s'est déplacé un sujet devant une caméra visiophonique, entre deux images successives.
De. Bildpunktzahl (f.)
En. point per frame [4144]

P.P.O. (POLYPROPYLÈNE OXYDE) n.m. 74
matériau > polymère (matériau)
Type de thermoplastique formé d'oxyde de polypropylène.
De. Polypropylenoxid (n.)
En. pp oxide [3433]

P.P.S. (PHÉNYLÈNE POLYSULFIDE) 74
matériau > polymère (matériau)
Type de thermoplastique obtenu par polymérisation du sulfure de phénylène.
En. pps [3434]

PRATICABLE n.m. 74
transport et manutention > engin de manutention
Plate-forme de rangement et de manutention qui permet d'effectuer le bottelage et le gerbage des charges.
En. stacking stillage [1917]

PRÉ → piste — -couchée ; résine — -accélérée.

PRÉADHÉRISATION n.f. 78
économie > industrie textile
Opération destinée à faciliter la première adhérence d'une fibre textile. [9087]

PRÉALLIÉES → poudres —.

PRÉANNONCE → système de — .

PRÉARCHIVAGE n.m. 78
information > traitement documentaire
Gestion de documents non encore définitivement constitués en archives.
De. Vorarchivierung (f.)
Es. prearchivado [8948]

PRÉBIOTIQUE n.m. 74
géochimie
Stade hypothétique de l'évolution où la matière inerte soumise à certaines réactions chimiques aurait pu constituer la matière animée. [2407]

PRÉCESSIONNER v. 76
physique > mécanique
Acquérir un mouvement de précession.
En. to precess [6396]

PRÉCHAUFFÉ → enfournement — .

PRÉCIPITATEUR ÉLECTROSTATIQUE n.m. 74
économie > industrie chimique
Dispositif de récupération des particules par précipitation due à l'attraction électrostatique.
De. elektrostatischer Abscheider (m.)
En. electronic precipitator ; precipitator
Es. precipitador electrostático [2555]

PRÉCIPITÉ n.m. 74
physique > physique du solide et du fluide
Défaut d'un cristal consistant en une petite région de composition anormale.
De. Präzipitat (n.)
En. precipitate
Es. precipitado [3796]

PRÉCOUCHE n.f. 74
opération > séparation physique
Couche de 50 à 120 mm d'épaisseur d'un matériau de porosité adéquate, déposé par filtration sur une toile support servant de médium filtrant.
De. Filterschicht (f.)
En. precoating layer [3797]

PRÉCUIRE v. 74
technologie des matériaux > génie alimentaire
Cuire une viande qui doit subir ultérieurement une autre opération.
De. anbraten
En. to precook
Es. precocer [4557]

PRÉCURSEUR n.m. 76
géophysique > météorologie
Première décharge électrique de faible intensité qui ionise et échauffe l'air avant la foudre.
En. leader ; leader streamer ; leader stroke [6552]

PRÉDALLE n.f. 73
bâtiment et travaux publics > procédé de construction
Dalle légère préfabriquée servant de coffrage pour la coulée de la dalle définitive de béton à laquelle elle s'intègre.
En. pre-slab ; precast slab [1017]

PRÉDÉCOUPAGE n.m. 77
bâtiment et travaux publics > opération de construction
Découpage d'une tranchée de travaux publics en plusieurs paliers d'abattage permettant de limiter l'emploi des explosifs.
En. presplitting ; presplit blasting [7882]

PRÉDICTEUR n.m. 75
opération > exploitation
Dispositif destiné à régler un tir en calculant la position de l'appareil au moment où le projectile l'atteindra.
De. Vorhaltrechner (m.)
En. predictor
Es. predictor [4893]

PRÉDISPOSÉ adj. 75
électronique > équipement électronique
Se dit d'un appareil qui peut être transformé et complété après une modification sommaire.
En. predisposed [4145]

PRÉDOSEUR n.m. 77
économie > industrie des matériaux de construction
Élément d'une centrale de production d'enrobés permettant de classer les granulats selon leur dimension.
De. Vordosierer (m.) [8020]

PRÉÉDITION n.f. 68
information > traitement de l'information
Aménagement partiel et préalable d'un texte en vue d'un dépouillement mécanique.
De. Vorredaktion (f.)
En. pre-edit
Es. preedición [4461]

PRÉEMBALLAGE n.m. 76
conditionnement (emballage) > emballage
Ensemble d'un produit et de l'emballage individuel dans lequel il est logé hors de la présence de l'acheteur.
De. vorgepackte Menge (f.)
En. prepack ; prepackage [6265]

PRÉENCOLLAGE n.m. 75
économie > industrie parachimique
Opération consistant à appliquer une couche de préparation en vue d'améliorer l'accrochage de l'adhésif.
De. Vorleimung (f.)
En. preglueing ; pregluing [5583]

PRÉEXPONENTIEL adj. 73
mathématiques
Se dit d'un terme figurant en facteur d'un terme exponentiel.
De. präexponential [1203]

PRÉEXUVIAL adj. 78
physiologie > développement (physiologie)
Antérieur à l'exuviation.
V. postexuvial [8022]

PRÉFABRICATION FERMÉE n.f. 74
bâtiment et travaux publics > procédé de construction
Préfabrication d'éléments en béton de dimensions variables suivant différents systèmes incompatibles entre eux.
V. fermé ; préfabrication ouverte
En. closed prefabrication [3079]

PRÉFABRICATION OUVERTE n.f. 74
bâtiment et travaux publics > procédé de construction
Préfabrication de séries d'éléments normalisés en béton,

compatibles entre eux, à des tolérances dimensionnelles uniformes, qui permettent de varier leur combinaison.
V. fermé ; préfabrication fermée
En. open prefabrication [3080]

PRÉFORMEUSE n.f. 74
technologie des matériaux > formage
Machine destinée à préformer des emballages dépliants en carton.
En. preforming machine [4146]

PRÉFROMAGE n.m. 74
matériau > produit alimentaire
Produit intermédiaire dans la fabrication des fromages par le procédé d'ultrafiltration.
En. cheese melt ; cheese milk [3624]

PRÉHIVER n.m. 75
géophysique > climatologie
Au Canada, première partie de l'hiver.
V. finihiver
De. Frühwinter (m.)
En. early winter [6397]

PRÉIMPRÉGNÉ n.m. 74
matériau > polymère (matériau)
Matériau que l'on imprègne d'une substance en vue d'augmenter sa résistance.
En. preimpregnated matter
Es. preimpregnado [5584]

PRÉ-LANGAGE n.m. 74
PRÉLANGAGE
physiologie > neurophysiologie
Stade du développement mental de l'enfant qui se situe entre la naissance et la période où l'enfant commence à s'exprimer. [2275]

PRÉLEVÉE (en —) adj. 77
agronomie > technique culturale
Se dit d'un traitement effectué avant la levée d'une plante.
V. postlevée (en —)
De. vor dem Aufgehen [8021]

PRÉLEVEUR n.m. 77
techniques sciences de la terre
Dispositif permettant d'effectuer des prélèvements par grands fonds.
En. extractor [8274]

PRÉMIALE > sanction — .

PREMIER → moteur — ; dernier entré, — sorti ; — entré, dernier sorti ; — entré, — sorti.

PREMIER ENTRÉ, DERNIER SORTI n.m. 69
stockage > dépôt de stockage
Méthode de gestion des stocks qui consiste à prélever en priorité les unités entrées le plus récemment dans le stock.
V. premier entré, premier sorti
De. Kellerspeicher (m.)
En. first in, last out ; last in, first out [6911]

PREMIER ENTRÉ, PREMIER SORTI n.m. 69
stockage > dépôt de stockage
Méthode de gestion des stocks qui consiste à prélever en priorité les unités entrées le plus anciennement dans le stock.
V. dernier entré, premier sorti
De. Silospeicher (m.)
En. first in, first out [6912]

PRÉ-MIX adj. 78
PRÉMIX
économie > industrie agricole et alimentaire
Se dit d'un distributeur automatique de boissons offrant un mélange préparé à l'avance.
V. post-mix
En. premix [8949]

PRENEUSE → benne — .

PRÉOPÉRATIF adj. 72
physiologie > neurophysiologie
Se dit de la période d'organisation des structures opératoires de la pensée qui va de deux à sept ans et succède au stade neuromoteur.
V. neuromoteur
En. preoperational [6128]

PRÉPARANT adj. 73
génie biomédical > chirurgie
Relatif à une opération préparatoire.
De. vorbereitend
En. exciting ; preparatory ; sensitizing [673]

PRÉPARATION → magasin de — .

PRÉPARC n.m. 75
environnement et sécurité > protection
Zone périphérique d'un parc national consacrée à l'accueil de la population.
V. aire anthropologique protégée ; aire de nature sauvage ; paysage cultivé ; réserve naturelle dirigée ; réserve naturelle intégrale
En. buffer zone [5054]

PRÉPARÉ → piano — .

PRÉPAROLE n.f. 75
physiologie > neurophysiologie
Forme rudimentaire de la parole constituée de mouvements des lèvres et de la langue et non vocalisée.
En. pre-language [5055]

PRÉPENSION n.f. 75
économie > système économique
Allocation versée à un travailleur mis à la retraite anticipée.
De. Frührente (f.)
En. anticipated pension allowance ; pre-pension allowance [5186]

PRÉPISTÉ adj. 74
information > support documentaire
Se dit d'un film qui porte une piste magnétique en plus de l'émulsion normale.
V. piste pré-couchée
De. mit Magnetspur (Film)
En. pre-striped (U.S.A.) ; pre-stripped (U.K.) [3964]

PRÉPORTIONNÉ adj. 73
conditionnement (emballage) > produit en vrac
Se dit d'un aliment dont les portions ont été préparées à l'avance.
En. premeasured [1744]

PRÉPROFESSIONNELLE → classe — .

PRÉRÉCHAUFFE n.f. 72
mécanique des fluides appliquée
Réchauffage d'un flux de dilution froid qui a lieu avant son admission dans la tuyère de postcombustion.
De. Voraufheizung (f.)
En. prereheating [500]

PRÉRÉDUCTION n.f. 77
technologie des matériaux > génie chimique
Réduction du minerai de fer à l'aide d'hydrogène ou d'un gaz réducteur en remplacement du coke pour cette opération.
V. préréduit
De. Vorreduktion (f.)
En. direct reduction ; prereduction
Es. prereducción [8162]

PRÉRÉDUIT n.m. 77
technologie des matériaux > génie chimique
Produit d'une préréduction, en vue d'une fusion ou d'un affinage au four.
V. préréduction
De. vorreduziertes Eisenez (n.)
En. directly-reduced ore ; prereduced iron ore ; sponge iron [8163]

PRÉROTATION n.f. 76
dynamique des fluides appliquée
Technique consistant à alimenter une pompe avec un liquide
auquel on a préalablement donné un mouvement de rotation
de même sens que celui de la roue de relèvement de la pompe.
En. prerotation
Es. prerotación [6913]

PRÉSARGONIQUE adj. 75
histoire
Se dit d'un fait historique antérieur au règne de Sargon Ier.
De. präsargonisch
En. pre-sargonic [4147]

PRÉSENTOIR → basculeur- — .

PRÉSONORISATION n.f. 74
télécommunications > radiocommunication
Procédé consistant à séparer la réalisation de l'image de celle
du son qui existe sous forme préenregistrée.
V. postsonorisation
De. Play-back (n.) ; Playback (n.)
En. prerecording ; prescoring ; play-back
Es. presonorización [6129]

PRESQUE-PSYCHOSE n.f. 73
psychologie > pathologie mentale
État psychologique fréquent chez les adolescents caractérisé
par la crise juvénile normale et une psychose exempte des
petits signes propres à la vraie psychose.
De. Quasi-Psychose (f.) [1754]

PRESSE → usine — -bouton.

PRESSE À AIR n.f. 74
économie > industrie papetière
Dispositif destiné à l'égouttage des papiers poreux. [8164]

PRESSE À BALLES n.f. 74
économie > industrie anti-pollution
Machine destinée à effectuer la mise en balles de déchets
industriels divers.
De. Ballenpresse (f.)
En. baler [2093]

PRESSÉES → roues — .

PRESSE INVERSÉE n.f. 76
**technologie des matériaux > équipement industrie de trans-
formation**
Presse dont les mécanismes sont situés en dessous de la table
afin de réduire l'encombrement.
De. Presse (f.) mit Unterflurantrieb
En. underdrive press [7730]

PRESSIOMÉTRIQUE adj. 74
instrumentation > mesure mécanique
Relatif à la mesure de la pression. [4558]

PRESSION → gravité — ; ride de — ; tube de — négative.

PRESSOSTATIQUE adj. 74
instrumentation > mesure mécanique
Se dit d'un appareil ou d'un dispositif capable de maintenir la
pression entre des valeurs prescrites.
De. pressostatisch
En. pressostatic
Es. presostático [3798]

PRESSOTHÉRAPIE n.f. 72
génie biomédical > physiothérapie
Technique de massage des membres à l'aide d'appareils
assurant des compressions pneumatiques généralement syn-
chrones avec la systole cardiaque.
De. Druckluftmassage (f.) [2277]

PRESTÉ adj. 74
économie > travail (main-d'œuvre)
En Belgique, se dit d'une journée de travail effectivement
accomplie. [5585]

PRESTON > mouton de — .

PRÉSYNAPTIQUE → terminaison — .

PRÊT-À-COUTURE adj. 77
vie quotidienne > vêtement
Se dit d'un vêtement conçu et réalisé par un grand couturier,
et pouvant être reproduit en tailles normalisées. [8165]

PRÉ-TENSION n.f. 71
PRÉTENSION
technologie des matériaux > traitement thermique
Procédé de contrainte mécanique exercée sur une pièce pour
limiter sa dilatation due aux facteurs thermiques naturels.
En. prestress [1746]

PRÉTÊTE n.f. 77
microbiologie
Étape transitoire du développement d'un bactériophage consistant en un premier assemblage de particules qui, après
évolution, formera la tête. [5716]

PRÊT-RELAIS n.m. 73
économie > crédit
Prêt à court terme consenti à un particulier ou à un organisme
dans l'attente de la réalisation d'un bien ou de l'octroi d'un
crédit à long terme.
De. kurzfristiges Darlehen (n.)
En. bridging loan [849]

PRÉVAPORISAGE n.m. 75
technologie des matériaux > coloration
Procédé permettant de préchauffer la matière textile et
l'appareil jusqu'à la température de teinture avant que le bain
n'arrive au contact de la matière.
De. Vorverdampfung (f.)
En. pre-steaming
Es. prevaporización [4894]

PRÉVENTIONNISTE n.m. 76
environnement et sécurité > prévention
Spécialiste de la prévention. [7186]

PRÉVENTOLOGIE n.f. 76
médecine > médecine sociale
Partie de la médecine ayant pour objet d'éviter l'apparition,
l'aggravation ou l'extension de certaines maladies.
V. préventologue
De. Präventivmedizin (f.)
En. preventive medicine [6130]

PRÉVENTOLOGUE n. 74
médecine > médecine sociale
Médecin qui se consacre à la préventologie.
V. préventologie
De. Präventologe (m.) [2730]

PRÉVIS n.f. 77
mécanique appliquée > machine-outil
Vis d'introduction dans une centrifugeuse. [8166]

PRIMAIRE → air — ; consommateur — ; document — ;
parc — ; producteur — ; revenu — brut ; traitement — .

PRIMAL → cri — .

PRIMALE → thérapie — .

PRIMATOLOGIE n.f. 73
organisme vivant > animal
Science qui étudie les primates.
V. primatologue
De. Primatologie (f.)
En. primatology
Es. primatología [4895]

PRIMATOLOGUE n. 75
organisme vivant > animal
Spécialiste de primatologie.
V. primatologie

De. Primatologe *(m.)*
En. primatologist
Es. primatólogo [4896]

PRIME DE PANIER n.f. 76
économie > travail (main-d'œuvre)
Indemnité allouée pour une journée de travail continu au
cours de laquelle un travailleur ne quitte pas son poste pour
déjeûner.
De. Selbstverpflegungszulage *(f.)*
En. lunch allowance ; lunchbox allowance ; snack allowance
[6268]

PRIMITIF n.m. 73
matériau > verre
Volume dont sont extraits, par découpe au gabarit, les produits
pour la trempe. [3435]

PRIMORDIAL → gazon — .

PRINCIPAL → conseiller — d'éducation.

PRIORITAIRE → français — .

PRISE EN MASSE n.f. 73
technologie des matériaux > agglomération des matériaux
Passage d'une structure fragmentaire à une structure continue.
En. agglomeration [1018]

PRISOMÈTRE n.m. 73
économie > industrie des matériaux de construction
Appareil destiné à déterminer les temps de prise des pâtes de
ciment et des mortiers.
De. Abbindeprüfgerät *(n.)* ; Erhärtungsmesser *(m.)*
En. setting indicator ; setting-meter [1204]

PRIX D'APPEL n.m. 77
économie > prix
Prix abaissé par rapport au prix habituellement pratiqué pour
attirer la clientèle dans le magasin.
De. Lockpreis *(m.)* [8167]

PRIX DE SEUIL n.m. 72
économie > prix
Prix sur la base duquel sont fixés les prélèvements aux
frontières sur divers produits importés et qui est déterminé de
manière que le prix de vente de ces produits puisse atteindre le
prix indicatif fixé.
V. prix d'intervention ; prix indicatif
De. Schwellenpreis *(m.)* [1205]

PRIX D'INTERVENTION n.m. 72
économie > prix
Prix, inférieur aux prix indicatifs, auquel les organismes d'intervention ont l'obligation d'acheter les céréales qui leur sont
offertes par les producteurs agricoles pendant toute la campagne de commercialisation.
V. prix de seuil ; prix indicatif
De. Interventionspreis *(m.)* [1206]

PRIX INDICATIF n.m. 72
économie > prix
Prix théorique garantissant un certain revenu aux producteurs
de céréales, de lait et d'oléagineux.
V. prix de seuil ; prix d'intervention
De. Richtpreis *(m.)* [1207]

PROCÉDURE DIFFÉRENTIELLE n.f. 74
chimie > chimie analytique
Méthode d'analyse d'un minerai par traitement de plusieurs
prises d'essai dont chacune fait l'objet d'un dosage et apporte
sa part de l'analyse complète.
V. procédure globale
De. Differentialanalyse *(f.)*
En. differential method
Es. método diferencial [3799]

PROCÉDURE GLOBALE n.f. 73
chimie > chimie analytique
Méthode d'analyse d'un minerai par calcination oxydante

d'une seule prise d'essai et analyse du produit calcaire.
V. procédure différentielle
En. global method
Es. método de análisis global [3800]

PROCÉDURIEL adj. 74
informatique > programmation
Se dit d'un langage ou d'une méthode permettant la mise en
pratique d'un processus de résolution d'un problème.
De. Prozedur-
En. procedural ; procedure [7058]

PROCESSEUR n.m. 72
informatique > unité centrale
Unité centrale d'un ordinateur, capable de traiter des informa-
tions.
De. Prozeßbrechner *(m.)*
En. processor
Es. procesador [2903]

PROCESSEUR DE RÉSEAU n.m. 76
informatique > organe de transmission de données
Processeur rapide disposant d'une mémoire de traitement et
de stockage importante et utilisé principalement pour des
calculs intensifs.
V. processeur périphérique
De. Netzprozessor *(m.)* ; Prozeßleitrechner *(m.)*
En. array processor [9368]

PROCESSEUR PÉRIPHÉRIQUE n.m. 76
informatique > organe de transmission de données
Processeur rapide disposant d'une mémoire de traitement et
de stockage importante et utilisé pour la gestion des échanges
d'informations avec des périphériques de débit élevé libérant
ainsi l'ordinateur principal de ces tâches.
V. processeur de réseau
De. Ein-Ausgabeprozessor *(m.)*
En. peripheral processor [9369]

PROCESSIONNEL adj. 75
enseignement
Se dit d'une lecture à haute voix effectuée successivement par
plusieurs élèves.
V. litanique
De. fortsetzend
Es. processional [5056]

PROCESSUS → industrie de — .

PROCYTE n.m. 74
physiologie > physiologie cellulaire
Cellule rudimentaire.
En. procyte
Es. procito [3801]

PRODROGUE n.f. 78
pharmacologie > médicament
Composé chimique libérant dans l'organisme un principe actif.
V. analogue structural
En. pro-drug [9370]

PRODUCTEUR PRIMAIRE n.m. 77
écologie > synécologie
Organisme végétal autotrophe (capable de synthétiser la
matière organique).
V. producteur secondaire ; consommateur primaire ; con-
sommateur secondaire
De. Primärproduzent *(m.)*
En. primary producer [7732]

PRODUCTEUR SECONDAIRE n.m. 77
écologie > synécologie
Organisme situé au deuxième niveau trophique, et consomma-
teur primaire donc herbivore.
V. producteur primaire ; consommateur primaire ; consom-
mateur secondaire
De. Sekundärproduzent *(m.)*
En. secondary producer [7733]

PRODUCTION → cœfficient de — ; ilot de — .

PRODUCTIVISTE adj. 72
économie > système économique
Se dit d'une société fondée sur une recherche systématique de la productivité.
De. produktivistisch
En. productivist
Es. productivista [5440]

PRODUIT(S) → département —s- marché ; mur de —s ; pont de — s ; programme- — ; usine — s en main.

PRODUIT BLANC n.m. 75
économie > commercialisation
Produit qui concerne l'électroménager.
V. produit brun [4203 bis]

PRODUIT BRUN n.m. 75
économie > commercialisation
Produit qui concerne la radio et la télévision..
V. produit blanc [4204 bis]

PRODUIT CONTRACTANT n.m. 76
matériau > adsorbant
Produit destiné à empêcher l'extension d'une nappe de pétrole à la surface de l'eau. [7883]

PRODUITS DE CURE n.m.pl. 73
matériau > agent de surface
Activants qui créent sur les surfaces traitées un feuil continu empêchant l'évaporation de l'eau contenue dans le béton.
De. Nachbehandlungsmittel (n.)
En. curing compounds ; curing products [1378]

PROFÉRENCE n.f. 75
cybernétique > automatique
Pouvoir de prédiction d'une corrélation. [6269]

PROFESSEUR CORRESPONDANT n.m. 75
enseignement
Enseignant chargé d'informer les élèves, les parents et les professeurs des classes du premier cycle sur les établissements de second cycle prêts à accueillir ces élèves. [4148]

PROFESSIONNALISATION n.f. 73
réglementation législation > droit
Processus par lequel une activité sociale spécifique se dote progressivement d'un statut social.
De. Professionalisierung (f.)
En. professionalization [1208]

PROFESSIONNALISTE adj. 75
économie > travail (main-.d'œuvre)
Propre aux procédés et méthodes en cours dans une profession. [4559]

PROFESSIONNALITÉ n.f. 75
économie > travail (main-d'œuvre)
Caractère d'une attitude professionnelle. [4897]

PROFIL CREUX n.m. 73
propriété > configuration
Profil dont la structure en forme de tube améliore la résistance.
V. profil ouvert
De. Hohlprofil (m.)
En. hollow section
Es. perfil hueco [1919]

PROFILOMÉTRIE n.f. 77
instrumentation > mesure de dimension
Méthode de mesure de l'épaisseur d'un revêtement à l'aide d'un enregistreur de profil. [8536]

PROFILOTHÈQUE n.f. 74
information > unité d'information
Collection de profils de sols stockés dans une banque de données.
De. Bodenprofilbank (f.)
En. profile library
Es. perfiloteca [3626]

PROFIL OUVERT n.m. 74
propriété > configuration
Profil en forme de I, L, H et U.
V. profil creux
En. open section
Es. perfil abierto [3802]

PROFIL PÉDOLOGIQUE n.m. 70
géologie > pédologie
Coupe verticale d'un sol allant de la surface à la roche-mère et dans laquelle les processus de décomposition et d'évolution ont produit des couches horizontales (horizons) où les caractéristiques pédologiques restent homogènes.
De. Bodenprofil (m.)
En. soil profile [501]

PROFIL RACINAIRE n.m. 76
botanique
Répartition en poids des racines d'une plante à différentes profondeurs dans le sol.
En. root profile [5850]

PROFITABILITÉ n.f. 76
économie > système économique
Caractère de ce qui est apte à engendrer un profit.
De. Einträglichkeit (f.)
En. profitability
Es. beneficiabilidad [6553]

PROFOND → sondage magnétique — .

PROGICIEL n.m. 76
informatique > programmation
Ensemble complet et documenté de programmes conçu pour être fourni à plusieurs utilisateurs en vue d'une même application ou d'une même fonction.
V. programme-produit
De. Softwareprodukt (n.)
En. package ; software package [8950]

PROGRADANT adj. 76
géophysique > géomorphologie
Se dit d'une accumulation littorale ou sous-marine qui connaît une progression frontale.
En. prograding [6681]

PROGRAMMABILITÉ n.f. 77
automatisme > équipement automatique
Aptitude d'un dispositif à recevoir un programme et à fonctionner sous le contrôle de celui-ci.
De. Programmierbarkeit (f.)
En. programmability
Es. programabilidad [8684]

PROGRAMMATHÈQUE n.f. 69
informatique > programmation
Ensemble organisé de programmes de calculateurs accompagnés des documents explicatifs permettant leur emploi par des personnes autres que les auteurs.
De. Programmathek (f.)
En. program library (U.S.A.) ; programme library (U.K.) [2279]

PROGRAMMÉ → clavier optique — .

PROGRAMME D'APPLICATION n.m. 78
informatique > programmation
Programme permettant de traiter une catégorie d'informations de même nature pouvant appartenir à différents domaines.
V. programme général de base ; programme système ; programme utilitaire
De. Anwenderprogramm (n.) Anwendungsprogramm (n.)
En. applications program (U.S.A.) ; applications programme (U.K.)
Es. programa de aplicación [9371]

PROGRAMME GÉNÉRAL DE BASE n.m. 78
informatique > programmation
Programme permettant de réaliser des tâches de commande et

de contrôle des différents organes de l'ordinateur et de traduction des langages symboliques en langage machine.
V. programme d'application ; programme système ; programme utilitaire
De. allgemeines Programm (n.)
En. general program (U.S.A.) ; general programme (U.K.) ; general routine
Es. programa general de base [9372]

PROGRAMME LETTRES-CHIFFRES n.m. 73
reprographie
Éléments graphiques normalisés prêts à être transférés sur un support à partir du film transparent qui les porte.
V. lettres-transfert [1555]

PROGRAMME-PIÈCE n.m. 76
informatique > programmation
Logiciel utilisé dans l'industrie pour piloter l'usinage d'une pièce et qui décrit de façon géométrique les contours de la pièce de métal à usiner dans une suite logique de déplacements.
En. part program (U.S.A.) ; part programme (U.K.) [9088]

PROGRAMME-PRODUIT n.m. 76
informatique > programmation
Ensemble complet et documenté de programmes, conçu pour être fourni à plusieurs utilisateurs en vue d'une même application ou d'une même fonction.
V. progiciel
En. package [5057]

PROGRAMME SYSTÈME n.m. 78
PROGRAMME-SYSTÈME
informatique > programmation
Programme concernant la conception du logiciel de base et l'adaptation aux besoins spécifiques de chaque utilisateur.
V. programme d'application ; programme général de base ; programme utilitaire
De. Systemprogramm (n.)
En. systems-program (U.S.A.) ; systems-programme (U.K.)
Es. programa sistema [9373]

PROGRAMME UTILITAIRE n.m. 78
informatique > programmation
Programme permettant des fonctions d'exploitation telles que copie de fichiers, liste de fichiers, transfert des supports, etc.
V. programme d'application ; programme général de base ; programme-système
De. Betriebsprogramm (n.) ; Dientsprogramm (n.)
En. service program (U.S.A.) ; service programme (U.K.) ; utility program (U.S.A.); utility programme (U.K.); utility routine [9375]

PROGRAMMEUR SYSTÈME n.m. 78
PROGRAMMEUR-SYSTÈME
informatique > programmation
Technicien qui participe à l'adaptation, à la mise en œuvre et à la maintenance du logiciel de base, écrit des programmes spécifique à chaque logiciel de base, dans le cadre d'une assistance à la réalisation des applications et à l'exploitation des informations.
V. ingénieur système [9374]

PROGREDIENS n.m. 78
embryologie
Type de développement de larves d'insectes ne subissant pas de diapause au premier stade larvaire.
V. sistens
En. progrediens ; progredien [9222]

PROJECTEUR BIELLIPSOÏDE n.m. 74
mécanique appliquée > organe de machine
Projecteur d'automobile qui produit un faisceau de lumière central intense et étroit et des faisceaux latéraux larges et moins intenses.
De. Biellipsoidscheinwerfer (m.)
En. biellipsoidal head lamp [3081]

PROJECTIF adj. 77
enseignement
Se dit d'une pédagogie qui s'attache à la définition, à

l'accomplissement et à l'exploitation d'un projet.
De. projektorientiert
En. project [7884]

PROJETÉ → béton — .

PROLONGATEUR DE RAYON n.m. 74
économie > activité commerciale
Petite étagère ou petit présentoir chargé de marchandises et rattaché au rayon qu'il prolonge.
V. barque de vente ; ilot de vente ; bergerie ; mur de produits ; corolle ; pont de produits
De. Ansatzregal (n.)
En. shelf extender [3966]

PROLONGÉE → aération — .

PROMENÉE n.f. 75
économie > activité commerciale
Galerie marchande d'un ensemble.
En. concourse ; mall ; shopping mall [4149]

PROMOTEUR n.m. 77
génétique > information génétique
Séquence d'ADN (ou gène) au niveau de laquelle commence la synthèse de l'ARN messager.
En. promoter
Es. promotor [8406]

PROMPTEUR n.m. 75
télécommunications > équipement télécommunications
Appareil composé d'une caméra et d'un écran qui fait défiler le texte de l'information télévisée face au journaliste qui le lit.
V. téléprompteur
En. teleprompter ; autocue [5320]

PROPAGATION EXCEPTIONNELLE n.f. 77
géophysique > météorologie
Propagation troposphérique dans une atmosphère radioélectrique dont le gradient vertical du co-indice est beaucoup plus petit que sa valeur normale.
V. propagation réelle ; propagation standard ; propagation transhorizon [8811]

PROPAGATION RÉELLE n.f. 77
géophysique > météorologie
Propagation troposphérique effectivement constatée à un instant donné en fonction des caractéristiques physiques actuelles de l'atmosphère.
V. propagation exceptionnelle ; propagation standard ; propagation transhorizon [8812]

PROPAGATION STANDARD n.f. 77
géophysique > météorologie
Propagation troposphérique au-dessus d'une terre sphérique de caractéristiques uniformes et entourée d'une atmosphère radioélectrique normale.
V. propagation exceptionnelle ; propagation réelle ; propagation transhorizon
En. standard propagation [8813]

PROPAGATION TRANSHORIZON n.f. 77
géophysique > météorologie
Propagation troposphérique entre deux points situés au voisinage du sol, le point de réception étant au-delà de l'horizon radioélectrique du point d'émission.
V. propagation exceptionnelle ; propagation réelle ; propagation standard
En. transhorizon propagation [8814]

PROPLASTE n.m. 74
cellule et constitution cellulaire > constitution cellulaire
Plaste indifférencié que l'on rencontre essentiellement dans les cellules jeunes ou mérismatiques.
De. Proplastid (m.)
En. proplastid
Es. proplasto [7336]

PROPORTIONNELLE → chambre multifils — .

PROPOSANT n.m. 76
génétique > génétique des populations
Sujet d'une famille qui consulte le premier pour une affection génétique et à partir duquel on établit l'arbre généalogique de cette famille.
En. proband [4560]

PROPRE adj. 73
physique > physique des particules
Se dit d'une bombe dont les retombées radio-actives sont faibles.
V. sale
De. sauber
En. clean [1021]

PROPRIOCEPTIF > sens — .

PROPULSEUR D'ÉTRAVE n.m. 73
mécanique appliquée > organe de machine
Hélice placée à l'avant du navire fonctionnant dans le sens transversal par rapport à l'axe du bateau et destinée à accroître la maniabilité aux faibles vitesses.
V. réacteur d'étrave
De. Bugruder (n.)
En. bow propeller [850]

PROSOPONIE n.f. 72/73
éthologie
Comportement instinctif de larves d'insectes qui se recouvrent de débris de matériaux du milieu où elles se trouvent.
De. Prosoponie (f.)
Es. prosoponia [3627]

PROSPECTIVISTE n. 71
recherche et développement > recherche
Spécialiste de la prospective.
De. Futurologe (m.) ; Zukunftsforscher (m.)
En. technology assessment specialist ; technology assessor [2904]

PROTÉAGINEUX adj. 74
vie quotidienne > alimentation
Se dit d'un végétal dont les graines contiennent à la fois des protéines et des graisses.
De. proteinhaltig
En. high-protein oilseed crops ; proteaginous (adj.) [4151]

PROTECTEUR → hépato- — .

PROTECTION PÉRIMÉTRIQUE n.f. 73
environnement et sécurité > dispositif de sécurité
Protection d'une enceinte par des détecteurs situés à la périphérie.
V. détecteur à ultrasons ; détecteur-barrière ; détecteur d'approche ; détecteur de bris de glace ; détecteur de contact ; détecteur microphonique ; protection ponctuelle ; protection volumétrique
De. Außenhautsicherung (f.) [1556]

PROTECTION PONCTUELLE n.f. 73
environnement et sécurité > dispositif de sécurité
Protection se rapportant à un seul objet.
V. détecteur à ultrasons ; détecteur-barrière ; détecteur d'approche ; détecteur de bris de glace ; détecteur de contact ; détecteur microphonique ; protection périmétrique ; protection volumétrique [1557]

PROTECTION VOLUMÉTRIQUE n.f. 73
environnement et sécurité > dispositif de sécurité
Protection se rapportant à l'ensemble du volume d'une enceinte.
V. détecteur à ultrasons ; détecteur-barrière ; détecteur d'approche ; détecteur de bris de glace ; détecteur de contact ; détecteur microphonique ; protection périmétrique ; protection ponctuelle
De. Raumsicherung (f.) [1558]

PROTÈGE-CABINE n.m. 77
environnement et sécurité > protection
Dispositif destiné à protéger le poste de conduite d'un engin de travaux publics de la chute de matériaux.

De. Führerhausschutz (m.)
En. cab protector [7885]

PROTÉGÉ → atelier — ; thermomètre — .

PROTÉGÉE → aire anthropologique — .

PROTÈGE-TÊTE n.m. 73
environnement et sécurité > protection
Partie d'un chariot élévateur destinée à protéger le cariste de la chute d'objets.
De. Kopfschutz (m.)
En. overhead guard [1379]

PROTÉINOÏDE n.m. 74
biologie moléculaire
Substance de forme voisine de celle d'une protéine.
En. proteinoid
Es. proteinoide [3082]

PROTÉOGENÈSE n.f. 76
physiologie > physiologie végétale
Formation de substances protéiques.
De. Proteogenese (f.)
En. protein synthesis
Es. proteogénesis [6398]

PROTHÉSIMÈTRE n.m. 77
instrumentation > mesure acoustique
Appareil permettant de mesurer la performance d'une prothèse acoustique.
De. Prothesimeter (n.)
Es. protesímetro [8168]

PROTIDOSYNTHÈSE n.f. 74
zootechnie
Synthèse de protides.
En. protide synthesis
Es. protidosíntesis [3248]

PROTIQUE adj. 74
propriété > composition
Se dit d'un solvant susceptible d'échanger des protons avec les substances dissoutes.
V. aprotique
En. protic
Es. prótico [2408]

PROTOBIONTE n.m. 74
biochimie
Ensemble de macromolécules adéquates dans lequel peuvent se dérouler des processus de base simulant certaines réactions du métabolisme cellulaire. [2095]

PROTO-CELLULE n.f. 76
PROTOCELLULE
génétique > génétique cellulaire
Cellule rudimentaire (à l'origine de la vie).
De. Urzelle (f.)
En. protocell
Es. protocélula [5981]

PROTOCORME n.m. 73
anatomie > anatomie végétale
Axe hypocotylé.
En. protocorm [3249]

PROTOCRITIQUE adj. 79
anatomie > anatomie animale
Se dit du système neuronal (constitué de très petites fibres nerveuses périphériques) qui transmet lentement les effets de la stimulation douloureuse au cerveau.
V. épicritique
En. protocritic
Es. protocrítico [9376]

PROTO-ÉCRITURE n.f. 74
PROTOÉCRITURE
histoire
Écriture primitive qui transposait des configurations d'événe-

ments en notations graphiques.
De. Protoschrift (f.)
En. protowriting
Es. proto-escritura [2905]

PROTOGALACTIQUE adj. 77
sciences de l'espace
Relatif à la protogalaxie.
V. protogalaxie
De. protogalaktisch
En. protogalactic
Es. protogaláctico [8685]

PROTOGALAXIE n.f. 77
sciences de l'espace
Galaxie en voie de formation.
V. protogalaxique
De. Protogalaxis (f.)
En. protogalaxy
Es. protogalaxia [8686]

PROTONATION n.f. 73
physique > physique des particules
Fixation d'un proton sur une molécule avec apparition d'une
charge positive.
En. proton fixation [676]

PROTOPLÉON n.m. 75
embryologie
Premier stade larvaire d'un crustacé océanique.
De. Protopleon (n.)
En. naupliar stage
Es. protopleon [4722]

PROTOSTELLAIRE adj. 77
sciences de l'espace
Relatif à une étoile en voie de formation (protoétoile).
De. protostellar
En. protostar
Es. protoestelar [8687]

PROTOTROPHE adj. 76
écologie > synécologie
Se dit d'un organisme capable de se nourrir exclusivement de
matière minérale et de carbone organique.
De. prototroph
En. prototrophic
Es. prototrofo [5851]

PRO-VERBE n.m. 70
linguistique
Substitut verbal destiné à éviter la répétion d'un verbe ou d'un
syntagme verbal.
De. Proverb (n.)
En. pro-verb [4205 bis]

PROVINCE n.f. 74
géologie > gîtologie
Groupement géographique de gisements de types différents.
V. aire ; champ ; corps minéralisé ; district
En. province [3628]

PROXÉMIQUE n.f. 68
information > communication
Étude de la gestualité comme système codé de communication
dans un espace individualisé.
En. proxemics [3803]

PROXIMITÉ → détecteur de — .

PRUCHERAIE n.f. 76
agronomie > ensemble végétal
Au Canada, végétation composée de conifères (pruches).
De. Nadelwald (m.) [7474]

PSAMMIQUE adj. 74
faune
Qui se développe dans le sable.
V. sabulicole
De. psammitisch

En. arenicolous
Es. psámico [2906]

PSAMMIVORE adj. 77
écologie > communauté (écologie)
Qui se nourrit des organismes vivants dans les sédiments
sableux (psammon).
De. psammivor
Es. psamívoro [8688]

PSEUDO-COMPATIBILITÉ n.f. 76
PSEUDOCOMPATIBILITÉ
propriété > propriété technologique
Aptitude de deux ou plusieurs polymères à se mélanger en
apparence, à l'échelle macroscopique. [7187]

PSEUDOFRUIT n.m. 73
agronomie > production végétale
Fruit obtenu de manière artificielle.
De. Pseudofrucht (f.)
En. parthenogenetic fruit ; pseudo fruit [677]

PSEUDO-LIEN n.m. 73
PSEUDOLIEN
mathématiques appliquées
Lien obtenu par ajout d'une variable non définie dans le
programme.
De. Pseudoverkaüpfung (f.)
En. pseudolink
Es. pseudoenlace [5717]

PSEUDOPLANCTON n.m. 77
écologie > communauté (écologie)
Ensemble des matières organiques à l'état détritique en
suspension dans l'eau.
De. Pseudoplankton (n.)
En. pseudoplankton
Es. pseudoplancton [8169]

PSEUDO-TEMPOREL adj. 76
PSEUDOTEMPOREL
logique
En analyse logique, se dit d'un diagramme dans lequel les
informations binaires sont représentées, superposées, par des
tracés à deux niveaux.
En. timing
Es. pseudotemporal [9089]

PSYCHIATRISATION n.f. 75
génie biomédical > psychothérapie
Fait de traiter abusivement par la psychiatrie certains troubles
psychiques.
De. psychiatrische Behandlung (f.)
En. psychiatrization
Es. psiquiatriciación [5058]

PSYCHOACOUSTIQUE n.f. 76
psychologie > psychophysiologie
Étude des sons et des réactions de l'oreille à ces sons en
relation avec des mécanismes psychologiques.
De. Psycho-Akustik (f.) ; psychologische Akustik (f.)
En. psychoacoustics
Es. psicoacústica [5852]

PSYCHOCALLISTHÉNIE n.f. 75
sport
Gymnastique reposant sur des fréquences respiratoires inspi-
rées du yoga.
En. psychocalisthenics [6914]

PSYCHOPHONIE n.f. 68
génie biomédical > psychothérapie
Méthode visant à l'équilibre psychophysiologique de l'individu, et utilisant l'étude de l'émission et de la réception des
sons en relation avec certaines perceptions localisées à des
points corporels précis.
De. Psychophonie (f.)
Es. psicofonía [8024]

PSYCHOSE → presque- — .

PSYCHOSTAT n.m. 74
anatomie > anatomie animale
Structure responsable de l'excitabilité psychologique du cerveau.
Es. psicoestato [2731]

PSYCHOTISANT adj. 74
psychologie > pathologie mentale
Se dit de conflits psychiques pouvant entraîner des troubles psychotiques.
De. psychotisierend
En. psychosis-precipitating [5441]

PUBLIPOSTAGE n.m. 74
économie > activité commerciale
Prospection, démarchage ou vente par voie postale.
En. advertising mail ; mailing ; circular [1560]

PUCE n.f. 73
électronique > électronique industrielle
Microplaquette de silicium sur laquelle sont montés les composants du circuit intégré : transistors, diodes, résistances.
En. flake ; chip [502]

PUISSANCE n.f. 73
propriété > configuration
Épaisseur d'une couche géologique.
De. Schichtdicke (f.)
En. thickness [1023]

PUISSANCE → monnaie à haute — .

PUISSANCE LINÉIQUE n.f. 73
physique > électricité
Puissance calorifique dissipée par unité de longueur dans un câble chauffant.
En. linear power [3084]

PUITS THERMIQUE n.m. 75
instrumentation > équipement aérospatial
Pièce de structure d'un engin spatial à grande capacité calorifique, disposée aux endroits critiques pour en limiter temporairement l'échauffement.
De. Wärmeableiter (m.) ; Wärmesenke (f.)
En. heat sink [5982]

PULPEUR n.m. 75
économie > industrie papetière
Machine destinée à réduire de vieux papiers en pulpe.
De. Pulper (m.)
En. pulper [4152]

PULSATEUR n.m. 75
zootechnie
Élément d'une trayeuse qui assure des alternances de vide et de pression normale au niveau des gobelets et des manchons trayeurs.
De. Vakuumpumpe (f.)
En. pulsator
Es. pulsador [5188]

PULSÉ → écoulement — .

PULTRUSION n.f. 76
économie > industrie de transformation des matières plastiques
Technique consistant à forcer à travers une filière des mèches de fibres de verre continues préalablement imprégnées de résine polyester, afin d'obtenir des profilés de forme simple ou des plaques ondulées. [7188]

PULVÉRIMÈTRE n.m. 75
économie > industrie des matériaux de construction
Appareil destiné à mesurer la concentration des poussières dans une atmosphère.
De. Staubdichtemesser (m.)
En. dust counter
Es. pulverímetro [4898]

PUPITRE DE VISUALISATION n.m. 74
télécommunications > radiotechnique
Dispositif télévisuel permettant de recevoir une information sur demande.
De. Monitorgerät (n.) [2097]

PUR → binaire — .

PUREAUTAGE n.m. 78
bâtiment et travaux publics > opération de construction
Détermination du pureau nécessaire à l'étanchéité d'une toiture. [8815]

P.V.C. (POLYVINYLECHLORURE) n.m. 73
chimie > composé chimique
Chlorure de polyvinyle, polymère thermoplastique.
De. P.V.C. (Polyvinylchlorid (n.))
En. polyvinyl chloride ; P.V.C. [1381]

P.V.D.F. (POLYVINYLIDÈNE FLUORIDE) n.m. 74
matériau > polymère (matériau)
Type de thermoplastique obtenu par polymérisation du fluorure de vinylidène.
En. P.V.D.F. [3437]

P.V.P. (PORTÉE VISUELLE DE PISTE) n.f. 74
géophysique > météorologie
Distance maximale à laquelle les balises lumineuses sont distinguées par le pilote au moment de la prise de contact.
V. visibilité par contraste
De. Pistenschicht (f.)
En. runway visual range [3253]

PYCNOCLINE n.f. 76
géophysique > hydrologie
Couche à fort gradient vertical de densité.
V. halocline ; oxycline
En. pycnocline
Es. picnoclina [6399]

PYGMIFORME adj. 77
anthropologie
Se dit d'un type qui présente la forme du Pygmée, notamment la très petite taille.
V. pygmoïde [8538]

PYGMOÏDE n.m. 77
anthropologie
Type qui présente certains caractères pygmées.
V. pygmiforme [7189]

PYRÉNÉISTE n. 74
sport
Ascensionniste dans les montagnes Pyrénées.
De. Pyrenäenbesteiger (m.)
En. Pyrenean mountain climber [2098]

PYROCLASTIQUE adj. 77
géophysique interne
Relatif à un éclatement provoqué par l'action du feu.
Es. piroclástico [7190]

PYROLYSAT n.m. 75
matériau > produit chimique
Produit résultant d'une pyrolyse.
De. Pyrolysat (n.)
En. pyrolyzate
Es. pirolisado [4561]

PYRO-MÉTALLURGIE n.f. 76
PYROMÉTALLURGIE
technologie des matériaux > métallurgie extractive
Traitement des minerais métalliques.
De. Pyrometallurgie (f.)
En. pyrometallurgy
Es. pirometalurgía [6682]

PYROPHOBE adj. 78
propriété > propriété thermique
Se dit d'un matériau qui offre une forte résistance au feu.

De. feuerbeständig
Es. pirófobo [8816]

PYROPHORICITÉ n.f. 74
propriété > propriété thermique
Propriété d'une matière qui s'enflamme spontanément au contact de l'air sous l'effet d'un choc, ou par frottement.
De. Selbsentzumdbarkeit (f.)
Es. piroforicidad [7617]

PYRORÉSISTANCE n.f. 75
botanique
Qualité de ce qui résiste au feu.
De. Feuerbeständigkeit (f.)
En. fire resistance
Es. piroresistencia [7337]

PYRRADIOMÈTRE n.m. 75
instrumentation > mesure de rayonnement atmosphérique
Appareil de mesure et d'enregistrement du rayonnement solaire et du rayonnement terrestre (rayonnement total).
En. pyrradiometer
Es. piroradiómetro [5189]

Q

QUAD n.m. 75
électronique > circuit électronique
Bloc constitué de quatre générateurs.
De. Quad (m.) ; Vierergruppe (f.)
En. quad [5718]

QUADRANGULAIRE → système — .

QUADRANTS → diagramme des quatre — .

QUADRAT n.m. 73
écologie > communauté (écologie)
Unité d'échantillonnage de la végétation, de surface finie.
De. Quadrat (n.)
En. quadrat [3438]

QUADRIGRAMME n.m. 73
linguistique
Graphème complexe de quatre lettres destiné à transcrire un son.
De. Quadrigramm (n.) [1209]

QUADRIMESTRIEL adj. 77
instrumentation > mesure de temps
Qui a lieu tous les quatre mois.
De. viermonatlich
En. triannual
Es. cuatrimestral [7734]

QUADRINAIRE adj. 75
génétique > information génétique
Se dit d'un système comportant quatre éléments de base.
De. quadrinär
En. quadrinary [4153]

QUADRIPOLAIRE → sonde — .

QUAI → niveleur de — .

QUAI MIXTE n.m. 74
transport et manutention > transport
Quai desservi à la fois par une voie d'accès routière et une voie d'accès ferroviaire.
V. ponton ; quai semi-périphérique
En. mixed platform [4154]

QUAI MOBILE n.m. 73
transport et manutention > engin de manutention
Appareil destiné à monter les charges à la hauteur d'un camion

à l'aide d'un plateau mobile.
De. bewegliche Rampe (f.) [1382]

QUAI SEMI-PÉRIPHÉRIQUE n.m. 74
QUAI SEMIPÉRIPHÉRIQUE
transport et manutention > transport
Quai routier permettant un accostage sur trois côtés.
V. ponton ; quai mixte
En. side and end ramp [4155]

QUALITÉ → cercle de — .

QUANTO-HISTORIEN n.m. 76
QUANTOHISTORIEN
histoire
Historien qui applique l'analyse statistique et les modèles mathématiques aux documents.
V. cliométricien
En. quanto-historian [5853]

QUANTOMÈTRE n.m. 73
chimie > chimie analytique
Spectromètre enregistreur.
De. Quantenmesser (m.)
En. quantometer [1025]

QUART → capsule — de tour.

QUART-MONDE n.m. 77
politique
Groupe le plus pauvre de la population d'un pays dont le revenu annuel par habitant est inférieur à 800 dollars.
De. Vierte Welt (f.)
En. Fourth World [8407]

QUASI-ATOME n.m. 76
physique > physique des particules
Atome comprenant certaines particules instables.
De. Quasiatom (n.)
En. quasi-atom [6683]

QUASI-FISSION n.f. 76
QUASIFISSION
physique > physique des particules
Type de fission où les masses des deux fragments sont inégales et où la distribution angulaire des événements apparaît dans une direction privilégiée.
En. quasi-fission
Es. cuasifisión [6554]

QUATERNARISATION n.f. 73
chimie > chimie du solide et du fluide
Passage d'une molécule possédant un atome d'azote trivalent à la forme de sel d'ammonium quaternaire.
En. quaternization [1026]

QUATERNARISTE n. 75
géologie > géochronologie
Spécialiste de l'étude de l'ère quaternaire.
De. Quartärexperte (m.) ; Quartärforscher (m.)
En. quaternarist ; specialist in the Quaternary [6131]

QUATRE → diagramme des — quadrants.

QUATRIÈME ÂGE n.m. 74
sociologie
Période de la vie au cours de laquelle les personnes âgées ne peuvent plus vivre seules. [6400]

QUATUOR CONVERGENT n.m. 76
instrumentation > équipement optique
Dispositif constitué de deux paires de lentilles dont la combinaison donne une lentille de focale constante.
En. four-element converging lens [6917]

QUÉBÉCISER v. 76
linguistique
Donner un caractère québécois.
En. to quebecize [6401]

QUEUE DE CARPE n.f. 73
action sur l'environnement > assainissement
Extrémité plate et trapézoïdale d'un tube d'aspiration. [1210]

QUILLE → bloc à — .

QUOTIENTMÈTRE n.m. 75
instrumentation > appareil électronique de mesure
Appareil destiné à mesurer le quotient de deux grandeurs de
même nature.
V. ratiomètre
De. Quotientenmesser (m.)
En. ratio meter
Es. cocientómetro [5719]

RACÈME n.m. 72
anatomie > anatomie végétale
Inflorescence indéfinie voisine ou synonyme de la grappe avec
un axe principal portant des fleurs pédicellées qui se développent depuis la base vers le sommet.
De. razemöser Blütenstand (m.)
En. raceme [2282]

RACIATION n.f. 76
génétique > génétique des populations
Acquisition de certains caractères propres à une race.
En. raciation [6793]

RACINAIRE → profil — .

RACINE → pieu- — ; rendu — .

RAD → équivalent- — .

RADAPPERTISATION n.f. 72
technologie des matériaux > génie alimentaire
Procédé d'appertisation des aliments par irradiation.
V. raduration
De. Radiopasteurisierung (f.)
En. radiopasteurization [3968]

RADARASTRONOMIE n.f. 74
sciences de l'espace
Technique du radar appliquée à des mesures de distance.
De. Radarastronomie (f.)
En. radar astronomy [3085]

RADAR DE GARDIENNAGE n.m. 74
environnement et sécurité > surveillance
Dispositif de surveillance volumétrique.
De. Wächterradar (n.)
En. surveillance radar [3969]

RADAR MÉTÉORIQUE n.m. 73
géophysique > aéronomie
Appareil de détection des turbulences atmosphériques utilisant comme traceur les traînées ionisées laissées par les
météorites.
En. meteorite radar [1747]

RADARPHOTOGRAPHIE n.f. 77
instrumentation > photographie
Technique d'enregistrement photographique des signaux émis
par un radar et réfléchis par l'objet vers lequel ils ont été émis.
De. Radarfotografie (f.)
En. radar imaging ; radar imagery [8275]

RADIANT → paillage — .

RADIATIF → bilan — ; équilibre — .

RADIOAUTOGRAPHIE n.f. 72
radiographie
Radiographie d'un objet radioactif obtenue grâce aux rayonne-
ments qu'il émet lui-même.
V. autoradiographique
En. autoradiography ; radioautography
Es. radioautografía [3970]

RADIO-BUS n.m. 76
RADIOBUS
transport et manutention > engin de transport
Autobus qui se rend à une borne d'appel par liaison radio avec
un contrôleur.
De. Funk-Bus (m.)
En. radiobus [6684]

RADIOCHRONOLOGIQUE adj. 78
géologie > géochronologie
Relatif à la détermination de l'âge d'une roche par dosage d'un
élément radioactif (radiochronologie).
De. radiochronologisch
En. radiochronological
Es. radiocronológico [9379]

RADIOCONSERVATION n.f. 75
technologie des matériaux > génie alimentaire
Procédé de conservation des aliments par irradiation.
De. Lebensmittelbestrahlung (f.)
En. radiation preservation [6132]

RADIODURCISSABLE adj. 73
propriété > propriété mécanique
Se dit d'une substance liquide polymérisable qui, sous l'action
d'un rayonnement, subit un greffage réticulant utilisé pour le
séchage des peintures et vernis.
De. strahlenhärtbar
En. radio-hardening ; radiohardenable [1028]

RADIOÉCOLOGIE n.f. 76
écologie > autécologie
Partie de l'écologie qui traite des relations entre les espèces
vivantes et la radioactivité de leur environnement [4562]

RADIOÉLECTRIQUE → pistage — .

RADIOGÉNIQUE adj. 72
télécommunications > radiocommunication
Qui comporte des vertus, des qualités propres à la radio.
De. für den Rundfunk geeignet
En. radiogenic [855]

RADIOGREFFAGE n.m. 74
chimie > réaction chimique
Greffage radiochimique de la matière organique rompant sa
liaison covalente pour obtenir un radical libre.
De. radiochemische Freisetzung (f.)
En. radiochemical grafting

RADIOHÉLIOGRAPHE n.m. 77
sciences de l'espace
Instrument qui, à l'aide de réflecteurs paraboliques disposés
sur un cercle de plusieurs kilomètres de diamètre, permet de
reconstituer et d'observer une image de la couronne solaire.
De. Radioheliograph (m.)
En. radioheliograph
Es. radioheliógrafo [7887]

RADIO-IMMUNOLOGIE n.f. 75
radiographie
Procédé immunologique utilisant les techniques radiographi-
ques pour étudier les réactions provoquées dans l'organisme
par certains produits. [4462]

RADIOMODÉLISME n.m. 74
jeu
Fabrication de modèles réduits radiocommandés.
V. radiomodéliste
De. Bau (m.) ferngesteuerter Modelle
En. R/C (radio control) modeling (U.S.A.) ; R/C (radio control)

modelling (U.K.)
Es. radiomodelismo [5588]

RADIOMODÉLISTE n. 74
jeu
Spécialiste de radiomodélisme.
V. radiomodélisme
De. Bastler (m.) ferngesteuerter Modelle
En. modeler ; R/C (radio control) modeler (U.S.A.) ; R/C modeller (U.K.)
Es. radiomodelista [5589]

RADIOMUTANT n.m. 74
génétique > mutation
Organisme qui a subi une mutation génétique sous l'effet d'une exposition à des émissions radioactives. [5855]

RADIO-OCCULTATION n.f. 77
RADIOOCCULTATION
sciences de l'espace
Disparition des signaux radioélectriques émis par un satellite caché par une planète.
De. Radiookkultation (f.)
En. radio occultation ; radio-occultation
Es. radioocultación [8276]

RADIOPASTEURISATION n.f. 72
technologie des matériaux > génie alimentaire
Procédé de pasteurisation des aliments par irradiation. [3968]

RADIORALLIEMENT n. m. 76
transport et manutention > exploitation des transports
Navigation d'un aéronef, se dirigeant continuellement vers une station émettrice grâce aux signaux émis par cette station.
En. homing [6794]

RADIORESTAURATEUR adj. 76
constituant des organismes vivants
Se dit de corps ayant la propriété de restaurer les dégâts faits par une émission radioactive dans des tissus vivants. [7476]

RADIOTÉLÉPHONE n.m. 72
télécommunications > équipement télécommunications
Émetteur-récepteur radioélectrique qui permet de communiquer avec un autre émetteur-récepteur.
En. radiophone [322]

RADIOTHERMOMÈTRE n.m. 74
instrumentation > mesure thermique
Instrument destiné à mesurer, sans contact, la température de surface d'un matériau.
De. Pyrometer (n.)
En. radiothermometer
Es. radiothermómetro [3805]

RADIOVISION n.f. 74
information > moyen d'information
Moyen d'enseignement qui combine l'utilisation de supports visuels (diapositives, photographies, films fixes) avec une émission de radio diffusée sur antenne ouverte.
De. Radiovision [2908]

RADURATION n.f. 72
technologie des matériaux > génie alimentaire
Procédé de stérilisation des aliments par irradiation.
V. radappertisation
De. Strahlenkonservierung (f.)
En. radiosterilization [3971]

RAFFINADE n.f. 75
matériau > produit alimentaire
Produit de la filtration et de la décoloration d'un sirop de sucre clair.
De. Raffinade (f.)
En. white liquor [5590]

RAFRAÎCHIR v. 76
électronique > équipement électronique
Régénérer périodiquement les informations contenues dans une mémoire constituée par des circuits dont les signaux de

sortie se dégradent dans le temps.
V. rafraîchissement
De. regenerieren
En. to refresh [9224]

RAFRAÎCHISSANTE → boisson — .

RAFRAÎCHISSEMENT n.m. 75
électronique > équipement électronique
Action de rafraîchir les informations contenues dans une mémoire.
V. rafraîchir
De. Regenerieren (n.)
En. refreshment [9225]

RAILS → pinces- — .

RAINURAGE n.m. 74
transport et manutention > exploitation des transports
Striage des pistes d'aéroport pour éviter l'aquaplanage.
En. grooving [5983]

RAINURE n.f. 75
physique > mécanique
Entaille étroite et longue peu profonde à la surface de la roche.
V. griffure ; rayure ; striure
De. Rille (f.)
En. furrow ; flutte
Es. ranura [5856]

RAINURE → bouche- — .

RAMAN → spectre — .

RAMASSE-FEUILLES n.m. 74
économie > industrie papetière
Dispositif équipant un massicot et destiné à recevoir les feuilles de bon format.
En. lay boy [3972]

RAMASSE-PÉTOUILLES adj. 72
économie > industrie de l'imprimerie
Se dit d'un revêtement qui élimine les corps étrangers des plaques offset. [856]

RAMET n.m. 77
génétique > clone
Individu faisant partie d'un clone et provenant d'un ortet.
V. ortet [8540]

RAPHIALE n.f. 73
agronomie > ensemble végétal
Végétation composée de palmiers raphia.
De. Raphiawald (m.)
En. raffia palm-grove [3630]

RAPIDE → diode — .

RAPPORT GYROMAGNÉTIQUE n.m. 74
instrumentation > mesure magnétique
Rapport du mouvement magnétique d'un système à son moment angulaire intrinsèque.
De. gyromagnetisches Verhältnis (n.)
En. gyromagnetic ratio
Es. relación giromagnética [3439]

RAPT n.m. 73
physique > physique des particules
Réaction nucléaire sans formation de noyau composé, dans laquelle le projectile enlève un des nucléons du noyau cible.
En. pick-up [323]

RASSISSAGE n.m. 76
technologie des matériaux > génie alimentaire
Opération destinée à transformer un produit de boulangerie frais en produit rassis.
En. staling [5984]

RATIOMÈTRE n.m. 73
instrumentation > appareil électronique de mesure
Appareil permettant de prendre une série de clichés photographiques afin d'obtenir les rapports de filtrage de matériaux photosensibles.
V. périodemètre
De. Ratiometer (n.)
En. ratiometer [2283]

RATTRAPANTE → fonction — .

RAYON → prolongateur de — .

RAYON DE LA MER n.m. 78
instrumentation > capteur de mesure
Instrument de sondage acoustique dont les divers faisceaux se réfléchissant sur le fond de la mer, permettent d'établir une carte du relief sous-marin.
En. sea ray [9380]

RAYONNEMENT DIFFUS n.m. 77
sciences de l'espace
Rayonnement solaire diffusé par l'atmosphère céleste, à l'exception du disque solaire, et reçu sur une surface horizontale.
V. rayonnement direct ; rayonnement global
De. diffuse Sonnenstrahlung (f.)
En. diffuse skylight ; diffuse skyradiation ; sky radiation [8408]

RAYONNEMENT DIRECT n.m. 77
sciences de l'espace
Rayonnement solaire provenant directement du disque solaire reçu sur une surface horizontale.
V. rayonnement diffus ; rayonnement global
De. direkte Sonnenstrahlung (f.)
En. direct solar radiation
Es. radiación directa [8409]

RAYONNEMENT GLOBAL n.m. 77
sciences de l'espace
Somme des rayonnements solaires diffus et direct.
V. rayonnement diffus ; rayonnement direct
De. Globalstrahlung (f.)
En. global radiation
Es. radiación global [8410]

RAYONNEMENT NATUREL n.m. 74
physique > mouvement alternatif
Rayonnement émis par des oscillateurs de Planck dont les vibrations n'ont aucune relation déterminée de phase entre elles et sont donc incohérentes.
De. natürliche Strahlung (f.)
En. natural radiation
Es. radiación natural [3440]

RAYONNEMENT SYNCHROTRON n.m. 75
technique nucléaire
Rayonnement émis par une particule chargée dans un champ magnétique, et provoqué par la giration naturelle de cette particule.
De. Synchrotronstrahlung (f.)
En. cyclotron radiation [4899]

RAYURE n.f. 75
physique > mécanique
Entaille altérée, juxtaposée ou superposée à d'autres, qui révèle la direction de l'écoulement glaciaire.
V. rainure ; striure
De. Spalten (f. pl.)
En. scorings ; scores
Es. estriado [6133]

RÉACTEUR D'ÉTRAVE n.m. 73
mécanique appliquée > organe de machine
Propulseur d'étrave disposé dans un tunnel et dont l'action utilise les forces de réaction de l'eau contre le quai pour faciliter les manœuvres d'accostage.
V. propulseur d'étrave
De. Bugantriebsreaktor (m.)
En. bow-enclosed propeller [857]

RÉACTIF → silencieux — .

RÉACTION À SPHÈRE EXTERNE n.f. 74
chimie > électrochimie
Réaction dans laquelle chaque ion complexe garde intacte sa première sphère de coordination.
V. réaction à sphère interne
En. outer orbital reaction [5985]

RÉACTION À SPHÈRE INTERNE n.f. 74
chimie > électrochimie
Réaction dans laquelle s'établit un pont par coordinat bidentate entre les deux centres coordinateurs.
V. réaction à sphère externe
En. inner orbital reaction [5986]

RÉACTION INÉLASTIQUE n.f. 74
physique > physique des particules
Type d'interaction dans laquelle la particule initiale ou la cible ou les deux perdent leur identité et sont transformées.
De. unelastische Reaktion (f.)
En. inelastic reaction
Es. reacción inelástica [2909]

RÉALIGNEMENT n.m. 73
chimie > chimie du solide et du fluide
Opération qui consiste à provoquer le passage d'un état désordonné à un état ordonné par alignement parallèle des molécules filiformes rigides.
En. realignment [2099]

REBOISEUR n.m. 74
foresterie
Celui qui effectue un reboisement.
De. Wiederaufforster (m.)
En. forester
Es. repoblador [7338]

REBOND DE RÊVE n.m. 74
physiologie > neurophysique
Reprise transitoire du rêve après sa suspension.
Es. rebote de sueño [2737]

REBOND GRAVITATIONNEL n.m. 77
transport et manutention > exploitation des transports
Accélération et changement de direction que subit un vaisseau spatial au voisinage d'une planète sous l'effet de l'attraction gravitationnelle de cette planète.
En. swing-by [7888]

REBONDIMÈTRE n.m. 72
instrumentation > mesure mécanique
Appareil permettant de mesurer l'élasticité du caoutchouc. [4341]

REBUTAGE n.m. 75
technologie des matériaux > recyclage des matériaux
Ensemble des pièces mises au rebut en fin de processus de fabrication.
V. rebuter
De. Ausschuß (m.)
En. rejects [5720]

REBUTER v. 77
technologie des matériaux > recyclage des matériaux
Mettre au rebut une pièce manufacturée défectueuse.
V. rebutage
De. aussondern
En. to reject [8411]

REC n.m. 77
chimie > chimie analytique
Dose de produit chimique produisant les mêmes effets sur l'homme qu'une irradiation d'une énergie de 0,01 joule.
V. équivalent-rad [6685]

RECHERCHE → enveloppe- — ; silencieux de — .

RECHERCHE-DÉVELOPPEMENT n.f. 74
économie > production
Recherche sur les applications possibles d'une découverte dans le domaine de la production.
En. *research and development* [3086]

RÉCIPROCITÉ ÉQUILIBRÉE n.f. 74
histoire
A l'époque préhistorique, système de relations sociales fondé sur les échanges commerciaux.
De. *ausgewogene Reziprozität (f.)*
En. *balanced reciprocity*
Es. *reciprocidad equilibrada* [3441]

RÉCIPROQUE → compteur — .

RECOMPOSÉ n.m. 76
linguistique
Mot composé d'au moins deux éléments dont l'un est privé d'autonomie dans un énoncé français.
De. *Rekompositions form (f.)* [7477]

RECONFIGURABLE adj. 78
opération > exploitation
Se dit d'un calculateur dont l'endommagement d'une des parties n'entraîne pas l'arrêt, mais un réagencement du système.
V. reconfiguration; reconfigurer
En. *reconfigurable* [8952]

RECONFIGURATION n.f. 75
opération > exploitation
Réagencement d'un système de traitement de l'information à la suite de perturbations ou de modifications.
V. reconfigurable; reconfigurer
De. *Rekonfiguration (f.)*
En. *reconfiguration*
Es. *reconfiguración* [9090]

RECONFIGURER v. 75
opération > exploitation
Procéder à une reconfiguration.
V. reconfigurable; reconfiguration
De. *rekonfigurieren*
En. *to reconfigure*
Es. *reconfigurar* [9091]

RECONFORMATION → système de — .

RECOUVREUSE n.f. 75
conditionnement (emballage) > fermeture
Machine permettant d'habiller les surfaces d'une boîte.
De. *Kaschiermaschine (f.)*
En. *overwrapper* [4900]

RECTILIGNITÉ n.f. 76
propriété > propriété mécanique
Caractère de ce qui est en ligne droite.
De. *Geradlinigkeit (f.)*
En. *rectilinearity* [7059]

RÉCUPÉRABILITÉ n.f. 76
technologie des matériaux > recyclage des matériaux
Caractère d'un matériau qui peut être réutilisé.
De. *Verwertbarkeit (f.)*
En. *recuperability*
Es. *recuperabilidad* [7060]

RÉCUPÉRATION ASSISTÉE n.f. 74
économie > industrie pétrolière
Ensemble de méthodes mises en œuvre pour augmenter le pourcentage de récupération du pétrole d'un gisement.
En. *stimulated recovery*
Es. *recuperación asistida* [2559]

RÉCURRENTE → éducation — .

RECYCLABILITÉ n.f. 75
technologie des matériaux > recyclage des matériaux
Aptitude à être recyclé.

De. *Wiederverwendbarkeit (f.)*
En. *recyclability*
Es. *reciclabilidad* [4901]

RECYCLAGE → laboratoire de — .

RECYCLEUR n.m. 76
technologie des matériaux > recyclage des matériaux
Appareil qui permet l'utilisation nouvelle en circuit fermé d'une eau pour une même fonction après traitement éventuel. [4563]

REDONDANT → circuit — .

REDOX → inertie — .

REDRESSAGE n.m. 75
automatisme > équipement automatique
Opération consistant à placer un pli dans la position qui permet son oblitération mécanique.
V. redresseuse
De. *Ausrichten (n.)*
En. *facing ; facing operation* [5190]

REDRESSEUSE n.f. 75
automatisme > équipement automatique
Machine qui assure le redressage des plis à oblitérer mécaniquement.
V. redressage
De. *Ausrichtmaschine (f.)*
En. *facing machine*
Es *enderezadora* [5191]

RÉDUITE → forme — .

RÉEL → en temps — .

RÉELLE → propagation — .

RÉENCULTURATION n.f. 73
sociologie
Réintégration dans sa culture initiale d'un individu après sa formation ou ses études dans un autre pays souvent socioéconomiquement plus développé.
V. transculturation
En. *re-enculturation* [2409]

RÉENRAILLEMENT n.m. 75
opération > exploitation
Remise sur les rails
De. *Wiederaufgleisen (n.); Wiedereingleisen (n.)*
En. *re-railing* [5059]

REFENDANT (en —) adj. 74
agronomie > technique culturale
Se dit d'un labour qui commence la planche par ses bords et la termine par une dérayure au centre par une dérayure.
V. adossant (en—) [4723]

RÉFÉRENÇAGE n.m. 77
information > traitement documentaire
Opération qui consiste à donner une référence à un dossier en vue de le classer.
En. *coding* [9092]

RÉFÉRENCE → accident de — ; creux de — ; groupe de — .

RÉFÉRENCEMENT n.m. 74
économie > commercialisation
Action qui consiste à joindre un échantillon à une référence.
En. *catalog sample (U.S.A.), catalogue sample (U.K.)* [2739]

RÉFÉRENDAIRE → juge — .

RÉFLECTIF → afficheur — .

RÉFLECTIVITÉ n.f. 75
physique > optique
Facteur de réflexion d'une couche matérielle d'épaisseur telle

que ce facteur ne change pas lorsqu'on augmente cette épaisseur.
De. *Sättigungsreflexionsgrad (m.)*
En. *reflectivity*
Es. *reflectividad* [5987]

RÉFLECTORISÉE → combinaison — .

RÉFLECTOSCOPE n.m. 74
instrumentation > essai et contrôle
Dispositif de contrôle utilisant l'onde écho par réflexion.
De. *Reflektoskop (m.); Ultraschallreflektoskop (m.)*
En. *reflectoscope*
Es. *reflectoscopio* [2912]

REFLEXIVITÉ n.f. 76
physique > physique des particules
Propriété que présente une particule ou une onde d'être renvoyée par réflexion.
De. *Reflexivität (f.)*
En. *reflexivity* [9226]

REFORMAGE n.m. 73
technologie des matériaux > raffinage du pétrole
Procédé thermique ou catalytique de traitement de fractions légères de pétrole en vue d'obtenir une essence ayant une teneur en hydrocarbures aromatiques et un indice d'octane plus élevés que la charge.
En. *reforming* [324]

RÉFRACTARITÉ n.f. 74
propriété > propriété thermique
Propriété d'une substance solide qui résiste aux hautes températures.
De. *Feuerfestigkeit (f.)*
En. *refractoriness*
Es. *refractividad* [3806]

RÉFRIGÉRABLE adj. 75
propriété > propriété thermique
Se dit d'une substance qui peut être réfrigérée.
De. *kühlbar*
En. *chillable ; refrigerable*
Es. *refrigerable* [4157]

REFROIDIE → eau super- — .

REFUGE → aire de — .

REFUS → juteuse à — .

REGÉLISOL n.m. 77
géophysique > géomorphologie
Couche de sol ayant regelé au-dessus d'une couche superficielle du sol soumise aux alternances de gel et de dégel (mollisol). [7192]

RÉGÉNÉRAT n.m. 72
physiologie > physiologie végétale
Produit de régénération.
De. *Regenerat (n.)*
En. *regenerate* [860]

RÉGÉNÉRATIF adj. 77
mécanique appliquée > organe de machine
Se dit d'un système de freinage capable de récupérer l'énergie génétique d'un ensemble mobile au cours de son ralentissement.
De. *mit Energierückgewinnung*
En. *regenerative* [8277]

RÉGÉNÉRÉ adj. 76
matériau > produit alimentaire
Se dit d'un beurre rendu consommable par récupération de la matière grasse émulsionnée dans du lait écrémé frais.
V. rénové
De. *regeneriert* [7478]

RÉGIME TRANSITOIRE n.m. 75
électronique > circuit électronique
Déformation de l'information en sortie lors d'une variation brusque du signal d'entrée, due à une adaptation insuffisamment rapide des circuits.
De. *Umschaltspitze (f.); Glitch (n.)*
En. *glitch ; transient ; transient response ; transient state* [5721]

RÉGION H II n.f. 75
sciences de l'espace
Partie d'un nuage de matière interstellaire dans laquelle l'hydrogène est ionisé par une ou plusieurs étoiles à haute température ou par des rayonnements d'une autre origine.
De. *H II Gebiet (n.)*
En. *H II region* [6403]

RÉGIONAL → satellite — .

RÉGIONYMIE n.f. 75
linguistique
Étude des noms de région.
De. *Regionymie (f.)*
En. *regionymy* [4725]

RÉGIOSÉLECTIVITÉ n.f. 74
chimie > affinité chimique
Caractère d'une réaction sélective qui se fait préférentiellement vers un des isomères de position de la molécule obtenue.
V. stéréosélectivité [2561]

RÉGIO-SPÉCIFICITÉ n.f. 78
RÉGIOSPÉCIFICITÉ
propriété > propriété physico-chimique
Caractère d'une réaction propre à un corps chimique et liée à son environnement.
En. *site specificity* [8818]

REGISTRE À DÉCALAGE n.m. 73
information > traitement de l'information
Ligne à retard numérique susceptible d'introduire un délai important dans la transmission d'un signal analogique préalablement converti sous forme numérique.
De. *Schieberegister (n.)*
En. *schift register* [325]

RÈGLE VIBRANTE n.f. 74
bâtiment et travaux publics > traitement de surface
Dispositif dont les éléments, en vibrant, permettent d'égaliser une surface avec laquelle ils sont mis en contact.
De. *Schwingbohle (f.); Rüttelbohle (f.)*
En. *vibrating beam* [3442]

REGONFLAGE n.m. 76
agronomie > technique culturale
Apport d'engrais dans les interlignes de semis forestiers, avec enfouissement par travail du sol.
En. *invigoration ; revitalization ; stimulation* [6555]

RÉGULAROLOGIE n.f. 76
opération > exploitation
Étude de la régulation. [7061]

RÉGULÉ adj. 73
opération > exploitation
Se dit d'un dispositif dont le fonctionnement est assuré par commande centralisée ou par télécommande.
De. *ferngesteuert*
En. *monitored* [1562]

RÉGULER v. 74
instrumentation > essai et contrôle
Contrôler, maintenir et conserver la maîtrise de l'évolution d'un phénomène.
En. *to regulate*
Es. *regular* [2563]

REHAUSSE n.f. 75
conditionnement (emballage) > emballage
Entourage rigide permettant de manutentionner des charges et notamment de les palettiser.

De. Aufsetzleiste (f.)
En. collar [5192]

RÉINJECTION n.f. 73
télécommunications > radiotechnique
Renvoi du signal de la cabine technique vers le studio
permettant à l'animateur de suivre le programme.
De. Rückgabe (f.)
En. return feed [507]

RÉJECTION n.f. 75
électronique > radiotechnique
Discrimination d'une tension de fréquence déterminée ou
située dans une bande de fréquences donnée, exprimée sous
forme de rapport ou de logarithme de rapport.
V. réjection de mode commun
En. rejection [9381]

RÉJECTION DE MODE COMMUN n.f. 76
électronique > radiotechnique
Aptitude d'un dispositif à entrée différentielle à discriminer
une tension apparaissant aux deux bornes d'entrée, exprimée
sous forme de rapport ou de logarithme de rapport.
V. réjection
De. Gleichtaktunterdrückung (f.)
En. common mode rejection ; in-phase rejection [9382]

REJET SIMPLE n.m. 73
informatique > traitement de données (informatique)
Réaction d'un lecteur optique par laquelle tout document non
lu est rejeté pour reprise ultérieure.
V. correction en ligne ; réservation
En. document rejection
Es. eliminación simple [2740]

REJUVÉNILISATION n.f. 77
agronomie > technique culturale
Technique tendant à rendre juvénile un arbre ou une plante
capable de rejeter, par coupe à ras du sol.
V. rejuvéniliser [8542]

REJUVÉNILISER v. 77
agronomie > technique culturale
Pratiquer la rejuvénilisation d'un arbre ou d'une plante.
V. rejuvénilisation [8543]

RELAIS → baro- — ; prêt- — .

RELAIS-CARTE n.m. 75
électronique > composant électronique
Relais enfichable ayant une forme qui permet de l'intégrer
dans un système comme une simple carte.
V. enfiché
De. Relaiskarte (f.)
En. relay-card [4726]

RELAIS MODULATEUR n.m. 73
électrotechnique > circuit d'alimentation électrique
Appareil permettant de produire des modifications dans un
circuit électrique lorsque certaines conditions sont réalisées.
De. Chopper (m.)
En. chopper [1031]

RELATIONNISTE n. 73
gestion, organisation, administration > relations entre groupes
Spécialiste des relations publiques.
En. public relations officier ; public relations man ; P.R. man ;
P.R.O. [1749]

RELATOSCOPIQUE adj. 75
arts > architecture
Qui utilise une sonde optique couplée avec une caméra de
télévision reliée à une installation vidéoscopique en vue
d'observer une maquette (relatoscope).
V. maquettoscope
En. relatoscopic [5988]

RELAXATION → temps de — .

RELAXOPÉDIE n.f. 76
enseignement
Méthode pédagogique qui utilise la relaxation pour favoriser
l'apprentissage.
En. relaxopaedia [6795]

RELÈVE → carte auto- — .

RELEVÉ → lettre de change- — .

RELIEF → perturbation de — .

RELIÉFÉ adj. 75
matériau > tissu (textile)
Qui comporte des reliefs.
De. mit Reliefmuster
En. creped [5722]

RE-MARQUE n.f. 77
économie > commercialisation
Pratique commerciale consistant pour une firme à donner sa
marque à des produits finis fournis par d'autres firmes.
En. own brand ; private label [8544]

REMBOURS n.m. 76
économie > échanges internationaux
Régime douanier qui permet, pour des marchandises réexportées soit en l'état, soit après transformation ou incorporation
dans un autre produit, d'accorder le remboursement total ou
partiel des droits de douane ou taxes qu'elles ont supportés
lors de leur importation.
De. Zollrückvergütung (f.)
En. drawback [6918]

REMINÉRALISATEUR n.m. 74
matériau > produit chimique
Produit qui rétablit la cohésion entre les parties affectées par la
corrosion minéralogique et les structures saines. [1923]

REMORQUE → maison- — .

REMPLISSAGE → béton de — ; tête de — .

REMPLISSEUSE-DOSEUSE n.f. 73
économie > industrie agricole et alimentaire
Machine destinée à remplir un récipient et à en doser le
contenu.
V. doseuse-sertisseuse
De. Füll-Dosiermaschine (f.)
En. filling and dosing machine [1032]

REMPLISSEUSE-FORMEUSE n.f. 74
conditionnement (emballage) > emballage
Machine destinée à former des plateaux autour d'un produit
de forme irrégulière à emballer.
De. Konturpackungsmaschine (f.)
En. filling and forming machine ; filling and shaping machine
[3088]

RENCHÉRISSEUR n.m. 75
matériau > additif
Additif alimentaire utilisé pour rehausser l'arôme d'un produit.
De. Aromastoff (m.)
En. enhancer ; potentiator [6134]

RENDEZ-VOUS → chambre de — .

RENDU RACINE n.m. 76
agronomie > technique culturale
Système de distribution d'engrais comprenant tous les services.
De. frei Feld (n.) mit Ausbringung
En. custom application [6919]

RENFORÇATEUR n.m. 73
matériau > produit chimique
Composant complémentaire d'un détergent, généralement
organique, qui améliore certaines caractéristiques des composants essentiels.
De. Waschmittelverstärker (m.)

En. booster
Es. reforzador [5060]

RENFORT → chandelle de — .

RENIFLAGE n.m. 74
instrumentation > essai et contrôle
Méthode de contrôle de pièces usinées qui consiste à soumettre celles-ci à un feu d'hélium sous pression et à détecter la quantité de ce gaz qui traverse la pièce.
V. renifleur ; ressuage d'hélium
En. breathing [3259]

RENIFLEUR n.m. 74
instrumentation > essai et contrôle
Appareil de contrôle de la qualité mécanique d'une pièce usinée permettant de détecter le gaz qui filtre au travers des défauts de la pièce.
V. reniflage
En. breather [3260]

RENOUVELABILITÉ n.f. 78
énergie (technologie) > énergie solaire
Caractère d'une énergie qui peut être renouvelée.
En. renewability [8953]

RENOUVELLEMENT → train de — .

RENOVÉ adj. 76
matériau → produit alimentaire
Se dit d'un beurre rendu consommable par une désacidification puis un lavage et un malaxage avec du lait frais ou de la crème.
V. régénéré
De. wieder frisch gemacht
Es. renovado [7479]

RENSEIGNÉ adj. 77
transport et manutention > circulation
Se dit d'une situation du trafic aérien apparaissant sur l'écran de visualisation du radar et pour laquelle chaque avion se trouvant dans l'espace accessible au radar est particularisé à l'aide d'un symbole.
En. annotated ; labelled [9093]

RENTE → culture de — .

RÉPARTIE → architecture — ; informatique — .

REPAS → plateau — .

REPERMÉABILISATION n.f. 75
pathologie animale > pathologie urogénitale
Fait, pour les canaux déférents, de retrouver leur perméabilité de façon naturelle ou par une intervention chirurgicale. [4463]

RÉPERTORIAGE n.m. 77
information > traitement documentaire
Opération qui consiste à constituer un répertoire à partir de rubriques. [9094]

RÉPÉTABILITÉ n.f. 75
instrumentation > essai et contrôle
Similitude des résultats successifs obtenus avec la même méthode sur une même matière soumise à l'essai dans de mêmes conditions.
V. reproductibilité
De. Wiederholbarkeit (f.)
En. repeatability [7339]

RÉPLICATION n.f. 75
génétique > génétique moléculaire
Mécanisme par lequel s'accomplit la duplication du matériel génétique.
V. répliquer (se—)
De. Replikation (f.)
En. replication
Es. replicación [3973]

REPLIÉ adj. 75
physique > onde ou rayonnement
Se dit des fréquences d'intermodulation engendrées par des signaux parasites ou des harmoniques de la fréquence d'échantillonnage de signaux analogiques qui se combinent à cette dernière.
V. repliement
En. folded [9095]

REPLIEMENT n.m. 75
physique > onde ou rayonnement
Phénomène perturbateur qui se manifeste lors de l'échantillonnage de signaux analogiques et qui se traduit par l'apparition d'harmoniques ou de signaux parasites se combinant à la fréquence d'échantillonnage pour donner naissance à des fréquences d'intermodulation.
V. replié
En. folding [9096]

RÉPLIQUE n.f. 73
modèle
Modèle pour lequel l'intersection entre modèle et sujet concerne les trois domaines des résultats obtenus, de l'organisation ou de la structure, de la matière, de son façonnage ou de son usage.
V. modèle vrai ; substitut
En. replica [1924]

RÉPLIQUE n.f. 78
géophysique interne
Petit tremblement de terre qui suit un séisme et dont les hypocentres sont situés dans le plan de faille.
De. Nachheben (n.)
En. aftershock [8690]

RÉPLIQUER (se—) v. 76
génétique > génétique moléculaire
Pour du matériel génétique, accomplir une duplication.
V. réplication
En. to replicate [7062]

RÉPONSE(S) → analyseur de —s ; temps de — .

RÉPONSE VOCALE n.f. 75
cybernétique > intelligence artificielle
Émission sous le contrôle d'un ordinateur d'une suite cohérente de sons synthétiques semblables à ceux de la voix humaine.
V. synthétiseur de parole
De. Sprachausgabe (f.)
En. audio response ; voice answer back ; voice response [9227]

REPOUSSEUR n.m. 78
matériau > adsorbant
Produit chimique qui s'oppose à l'expansion d'une nappe de pétrole en rassemblant les hydrocarbures.
En. herder ; surface collection agent ; surface tension modifier [9228]

REPRENEUR n.m. 74
économie > industrie pétrolière
Entreprise, le plus souvent filiale de sociétés pétrolières internationales, qui assure la distribution des hydrocarbures raffinés. [3807]

RÉPRESSION n.f. 75
génétique > génétique moléculaire
Blocage par un acide aminé de l'activité du gène de structure.
V. rétro-inhibition
De. Repression (f.)
En. repression
Es. represión [5723]

REPRISE → appareil de — .

REPRODUCTIBILITÉ n.f. 76
instrumentation > essai et contrôle
Similitude des résultats individuels obtenus avec la même méthode sur une même matière soumise à l'essai dans des conditions différentes.

V. répétabilité
De. *Reproduzierbarkeit (f.)*
En. *reproducibility* [7340]

REPROGRAMMABLE → mémoire — .

REPROGRAPHE n.m. 76
informatique > équipement d'entrée-sortie
Unité périphérique d'ordinateur qui permet la réalisation, la modification et la visualisation de graphismes.
En. *graphics copier; hard copy unit*
Es. *reprógrafo* [9097]

REPROGRAPHE n. 75
reprographie
Spécialiste de reprographie.
V. reprographiste
De. *Reprograph (m.)*
En. *reprographer*
Es. *reprógrafo* [5442]

REPROGRAPHISTE n. 77
reprographie
Spécialiste de reprographie.
V. reprographe [8691]

REPTATION n.f. 76
transport et manutention > exploitation des transports
Ensemble des oscillations rapides d'un aéronef autour de l'axe de lacet.
De. *Snaking (n.)*
En. *snaking* [6920]

RÉPURGATION n.f. 75
action sur l'environnement > assainissement
Curage et entretien des égouts.
En. *sewer maintenance* [5592]

REQUIN → peau de — .

RÉSEAU → architecture unifiée de — ; processeur de — .

RÉSEAU VITREUX n.m. 72
physique > physique du solide et du fluide
Structure macromoléculaire désordonnée caractéristique d'un état vitreux dans laquelle viennent s'insérer différents ions qui en assurent la neutralité électrique.
En. *vitreous network* [327]

RÉSECTION n.f. 72
géotechnique
Action d'enlever tout ou partie d'un obstacle naturel.
En. *resection*
Es. *resección* [4158]

RÉSERVATION n.f. 72
bâtiment et travaux publics > opération de construction
Cadre ou armature destiné à réserver les divers types d'ouvertures lors de la construction du gros œuvre d'un bâtiment.
De. *Aussparung (f.)* [1034]

RÉSERVATION n.f. 73
informatique > traitement de données (informatique)
Réaction d'un lecteur optique qui remplace par un symbole spécial les caractères non reconnus.
V. correction en ligne; rejet simple
En. *substitution* [2741]

RÉSERVATION → borne de — .

RÉSERVE NATURELLE DIRIGÉE n.f. 75
environnement et sécurité > protection
Réserve destinée à protéger préférentiellement un élément du milieu dont l'existence est menacée.
V. aire anthropologique protégée; aire de nature sauvage; paysage cultivé; préparc; réserve naturelle intégrale
De. *Naturschutzgebiet (n.); Naturreservat (n.)*
En. *developed nature reserve*
Es. *reserva natural dirigida* [5062]

RÉSERVE NATURELLE INTÉGRALE n.f. 75
environnement et sécurité > protection
Réserve dans laquelle l'homme s'interdit toute intervention.
V. aire anthropologique protégée; aire de nature sauvage; paysage cultivé; préparc; réserve naturelle dirigée
De. *in bisherigem Zustand erhaltenes Reservat (n.)*
En. *undeveloped nature reserve*
Es. *reserva natural integral* [5063]

RÉSIDUS → chargement sur — .

RÉSINE PRÉ-ACCÉLÉRÉE n.f. 73
RÉSINE PRÉACCÉLÉRÉE
matériau > polymère (matériau)
Résine contenant un accélérateur chimique destiné à augmenter la vitesse de polymérisation ultérieure.
De. *beschleunigtes Harz (n.)*
En. *accelerated resin; pre-accelerated resin* [1035]

RÉSISTANCE DE LIAISON n.f. 70
électronique > optique électronique
Élément composite formé de résistances montées en dérivations par des condensateurs. [2103]

RÉSISTANCE D'OBSCURITÉ n.f. 76
électrotechnique > composant électrotechnique
Résistance électrique présentée par un élément photorésistant en l'absence d'éclairement.
De. *Dunkelwiderstand (m.)*
En. *dark resistance* [7341]

RÉSISTANCE FOLIAIRE n.f. 74
anatomie > anatomie végétale
Phénomène par lequel une feuille empêche la vapeur d'eau de s'échapper.
En. *leaf transpiration resistance*
Es. *resistancia foliar* [3445]

RÉSISTIVITÉ → piézo- — .

RESOCIALISER v. 72
sociologie
Aider quelqu'un à se réinsérer dans une société.
De. *resozialisieren*
En. *to resocialize* [1211]

RÉSOLVABILITÉ n.f. 77
cybernétique > automatique
Caractère d'un objet composé de plusieurs éléments et doté de plusieurs degrés de liberté pour lequel il existe un algorithme permettant de déterminer à partir de la position de l'organe terminal, les positions des diverses articulations.
V. degré de liberté; résolvable
En. *resolvability* [9229]

RÉSOLVABLE adj. 77
cybernétique > automatique
Se dit d'un objet doué de résolvabilité.
V. degré de liberté; résolvabilité
En. *resolvable* [9230]

RÉSOLVEUR n.m. 75
énergie (technologie) > énergétique
Dispositif électromécanique dont la tension électrique de sortie est fonction de la position angulaire de son rotor et qui peut être utilisé pour la transformation de coordonnées rectangulaires en coordonnées polaires (et inversement).
V. transolveur
De. *Resolver (m.)*
En. *angular resolver; resolver; sine-cosine generator; synchro resolver* [6135]

RÉSONANCE → cellule à — .

RÉSONANCE À CŒUR EXCITÉ n.f. 78
physique > physique des particules
État instable de durée extrêmement brève dû à une collision électron-molécule à basse énergie où l'électron incident excite la molécule et se retrouve lié.

V. cœur équivalent (à —) ; résonance de forme
En. innershell excited resonance [8954]

RÉSONANCE DE FORME n.f. 78
physique > physique des particules
État instable de durée extrêmement brève dû à une collision
électron-molécule à basse énergie où l'électron reste piégé
derrière une barrière de potentiel centrifuge.
V. résonance à cœur excité
En. shape resonance [8955]

RÉSORBEUR n.m. 76
mécanique des fluides appliquée
Appareil destiné à résorber, à faire disparaître les bulles d'un
liquide. [4564]

RESPIRATION n.f. 74
chimie > chimie analytique
Volume de gaz qui peut être stocké ou destocké dans un
réservoir pendant un laps de temps donné.
En. breathing
Es. respiración [2913]

RESPIROMÉTRIE n.f. 72
instrumentation > mesure des phénomènes physiologiques
Mesure des phénomènes respiratoires.
De. Atmungsmessung (f.) ; Respirometrie (f.)
En. respirometry [680]

RESPONSABILISATION n.f. 76
génie biomédical > psychothérapie
Fait de rendre responsable.
En. responsabilization
Es. responsabilización [6270]

RESPONSIVITÉ n.f. 77
propriété > propriété magnétique
Rapport du courant qui traverse un détecteur ou de la tension
développée à ses bornes, à la puissance électromagnétique
qu'il reçoit.
De. Ansprechempfindlichkeit (f.) ; Empfindlichkeit (f.) [9098]

RESSOURCES → monnaie- — .

RESSUAGE D'HÉLIUM n.m. 74
instrumentation > essai et contrôle
Opération consistant à immerger une pièce usinée dans de
l'hélium sous pression puis à l'examiner sous vide en vue de
détecter ses éventuels défauts d'étanchéité.
V. reniflage
De. Heliumdichtheitkontrolle (f.)
En. helium leak detection
Es. rezumo de helio [3446]

RESTAURATION → dé- — .

RESTITUTEUR n.m. 77
instrumentation > photographie
Dispositif optique et mécanique permettant d'obtenir les
dimensions d'un objet à partir de prises de vue photographiques.
De. Auswertegerät [8413]

RESTRICTION → endonucléase de — .

RETARD → duo avance- — ; engrais- — .

RÉTENTAT n.m. 74
chimie > chimie du solide et du fluide
Partie de la solution qui ne passe pas à travers la membrane
d'osmose dans une osmose inverse.
V. osmosat ; perméat
De. Retentat (n.)
En. retent ; retentate [1925]

RÉTENTEUR D'EAU n.m. 74
propriété > propriété physico-chimique
Adjuvant qui permet une certaine rétention d'eau.
De. wasserrückhaltendes Mittel
En. retainer ; water-retaining agent [3261]

RETENUE ACCÉLÉRÉE n.f. 77
informatique > circuit arithmétique logique
Génération accélérée des reports dans un additionneur ou un
soustracteur parallèle, obtenue par décodage spécial et qui
permet d'accroître sensiblement la vitesse de calcul.
V. retenue anticipée
De. Schnellübertrag (m.)
En. fast carry [9231]

RETENUE ANTICIPÉE n.f. 75
informatique > circuit arithmétique logique
Génération anticipée des reports dans un additionneur ou un
soustracteur parallèle, obtenue par décodage spécial et qui
permet d'accroître sensiblement la vitesse de calcul.
V. retenue accélérée
En. look-ahead carry [9232]

RÉTICULABLE → encre — .

RÉTICULANT adj. 72
chimie > réaction chimique
Se dit d'un adjuvant qui favorise la formation de liaisons
chimiques entre les chaînes macromoléculaires (réticulation ou
rétification).
V. rétifiant
En. cross-linking agent [1753]

RÉTICULATION → auto- — .

RÉTIFIANT adj. 75
chimie > réaction chimique
Se dit d'un agent qui favorise la rétification (ou la réticulation).
V. réticulant ; rétification
En. cross-linking agent [4565]

RÉTIFICATION n.f. 73
chimie > réaction chimique
Réaction qui établit des liaisons chimiques entre les chaînes
macromoléculaires.
V. rétifiant
De. Vernetzung (f.)
En. cross-linking [1213]

RETIRAISON n.f. 73
transport et manutention > transport
Enlèvement d'une marchandise.
En. collecting ; pick-up [1563]

RETORCHAGE n m 75
économie > industrie de la fonderie
Opération consistant à réparer un cubilot fissuré par décapage
de l'intérieur de la colonne de fusion et reconstitution de la
zone de fusion cylindrique.
De. Innenausbesserung (f.)
En. burning ; patching [3447]

RETOUCHOIR n.m. 75
histoire
Instrument de pierre servant à effectuer des retouches.
En. flaker ; flake tool [6271]

RETOUR → brin de — ; navigation de — .

RETOURNABLE adj. 76
propriété > propriété technologique
Se dit d'un matériau ou d'un objet qui peut être retourné.
De. Zweiweg- ; Rücknahme-
En. returnable [6272]

RÉTRACTATION → tunnel de — .

RÉTRACTOMÈTRE n.m. 76
instrumentation > mesure mécanique
Appareil destiné à mesurer la rétraction de films plastiques
d'emballage.
En. retractometer
Es. retractómetro [6273]

RETRAIT → chaude de — .

RETRAITER v. 77
économie > industrie nucléaire
Traiter du combustible nucléaire après son utilisation dans un
réacteur en vue d'extraire les produits de fission et de restaurer
les produits fissiles et fertiles.
De. wiederaufbereiten
En. to reprocess [8170]

RÉTROCHARGEUSE n.f. 73
bâtiment et travaux publics > matériel de chantier
Chargeuse dont le godet peut être rempli à l'avant et déchargé
à l'arrière en passant par-dessus l'engin.
V. chargeuse-pelleteuse
En. back loader [169]

RÉTROCOMBUSTION n.f. 75
énergie (technologie) > combustion
Phénomène de combustion secondaire provoqué par des
tourbillons qui se produisent autour et en arrière de la base
d'alimentation d'un brûleur.
En. retrocombustion
Es. retrocombustión [4727]

RÉTROCROISEMENT n.m. 74
botanique
Croisement entre un individu de la première génération et le
parent double récessif.
De. Rückkreuzung (f.)
En. back cross
Es. retrocruziamento [4159]

RÉTRODONATION n.f. 74
chimie > chimie du solide et du fluide
Renforcement dans les métaux carbonyles de la liaison métal-
carbone par un transfert d'électrons.
En. back-donation
Es. retrodonación [6686]

RÉTRO-INHIBITEUR adj. 78
génétique > génétique moléculaire
Se dit d'un mécanisme de régulation qui consiste en l'inhibi-
tion d'une première enzyme de la chaîne par le produit final.
En. inhibition feedback
Es. retro-inhibidor [8956]

RÉTRO-INHIBITION n.f. 75
génétique > génétique moléculaire
Inhibition par un acide aminé de la première enzyme d'une
chaîne.
V. répression
En. feedback inhibition
Es. retroinhibición [5724]

RÉTROPROJECTEUR n.m. 73
information > moyen d'information
Appareil permettant à l'utilisateur, face à l'auditoire, de
projeter un document transparent sur un écran placé derrière
lui.
De. Rückwandprojektor (m.); Tageslichtprojektor (m.)
En. overhead projector [1387]

RÉTRORÉFLÉCHI adj. 75
physique > propagation d'onde
Se dit d'un rayonnement réfléchi ayant la même direction que
le rayonnement incident.
En. retroreflected [9099]

RÉTRORÉFLECTEUR n.m. 75
instrumentation > instrument d'optique
Dispositif réfléchissant dont la constitution permet une
réflexion sans changement de direction.
De. Parallelreflektor (m.)
En. retroreflector
Es. retroreflector [8692]

RÉTRORÉFLEXION n.f. 75
physique > propagation d'onde
Type de réflexion dans laquelle le rayon réfléchi a la même
direction que le rayon incident.
De. Parallelreflexion (f.)

En. retroreflection
Es. retroreflexión [8693]

RÉTROVIRUS n.m. 78
organisme vivant > microorganisme
Virus susceptible de provoquer une tumeur.
En. retrovirus [9383]

RÉTRUSION n.f. 76
anatomie > anatomie animale
Malocclusion dans laquelle les dents de la denture inférieure se
trouvent projetées en arrière par rapport à celles de la denture
supérieure.
De. Retrusion (f.)
En. retrusion [6797]

RÉUTILISATION n.f. 74
technologie des matériaux > recyclage des matériaux
Emploi de l'eau en circuit ouvert à deux fonctions successives
et différentes, avec éventuellement une phase intermédiaire de
reprise et de traitement.
De. Wiederverwertung (f.)
En. re-use; re-utilisation
Es. reutilización [2914]

REVALIDATION n.f. 75
génie biomédical > physiothérapie
Traitement qui a pour objet la rééducation fonctionnelle des
handicapés.
De. Rehabilitation (f.); Rehabilitierung (f.)
En. rehabilitation
Es. revalidación [6274]

REVANCHE → zone de — .

RÊVE → rebond de — .

REVENU → four de — .

REVENU PRIMAIRE BRUT n.m. 73
gestion, organisation, administration > politique économi-
que
Distribution de la plus grande partie de la valeur ajoutée brute
avant toute déduction des charges fiscales et parafiscales.
De. Brutto-Einkommen (n.) vor jedem Abzug
En. gross primary income
Es. ingreso primario bruto [2102]

RÉVERBÉROMÈTRE n.m. 78
instrumentation > mesure acoustique
Appareil mesurant la durée de réverbération du son.
Es. reverberómetro [9233]

REVERDISSEMENT n.m. 77
agronomie > technique culturale
Recréation de la végétation des surfaces où elle a disparu.
En. revegetation
Es. reverdecimiento [9100]

RÉVERSIBLE → électrode — .

RÉVERSIBILITÉ n.f. 77
instrumentation > mesure
Aptitude d'un instrument de mesurage à donner la même
indication pour une valeur de la grandeur mesurée qu'elle soit
atteinte par variation croissante ou par variation décroissante.
En. reversibility
Es. reversibilidad [7889]

RÉVERTANT n.m. 75
génétique > mutation
Mutant agissant en sens inverse d'un mutant antérieur.
En. reverse mutant [5593]

REZ-DE-JARDIN n.m. 74
bâtiment et travaux publics > construction
Partie d'un bâtiment dont le sol est au niveau du jardin.
V. rez-de-sol
De. Erdgeschoß (m.)
En. garden floor [3448]

REZ-DE-SOL n.m. 72
bâtiment et travaux publics > construction
Partie d'un bâtiment dont le plancher est au niveau de la rue.
V. rez-de-jardin
De. Erdgeschoß (m.)
En. ground floor
Es. planta baja [508]

RHEGMAGENÈSE n.f. 74
physique > mécanique
Formation de failles dans un socle rigide.
V. taphrogenèse
De. Rhegmagenese (f.)
En. rhegmagenesis; regmagenesis [7740]

RHÉOCRÈNE adj. 67
géophysique > hydrogéologie
Se dit d'une source apparaissant au flanc d'une pente.
V. hélocrène; limnocrène
De. rheokren [7618]

RHÉOGRAPHE n.m. 74
instrumentation > mesure mécanique
Appareil destiné à mesurer les propriétés rhéologiques du béton.
En. rheograph
Es. reógrafo [6405]

RHINOVIRUS n.m. 72
organisme vivant > microorganisme
Virus de petite taille dont l'acide nucléique est un ARN, responsable d'infections des voies respiratoires supérieures.
En. rhinovirus [330]

RHIZOGÉNÈSE n.f. 77
anatomie > anatomie végétale
Formation des racines.
V. rhizogénétique [8545]

RHIZOGÉNÉTIQUE adj. 77
anatomie > anatomie végétale
Relatif à la rhizogénèse.
V. rhizogénèse [8546]

RIBLONAGE → valeur de — .

RIDEAU → barrage- — .

RIDEAU D'AIR n.m. 76
environnement et sécurité > protection
Air soufflé destiné à protéger ou à isoler une enceinte des influences extérieures.
De. Luftschleier (m.)
En. air curtain [7343]

RIDEAU DE LUMIÈRE n.m. 74
électronique > optoélectronique
Appareil destiné à détecter et à compter de petits objets de forme complexe à l'aide d'un rayon lumineux à multiple réflexion.
De. Lichtschranke (f.)
En. light curtain
Es. cortina de luz [3975]

RIDE DE PRESSION n.f. 75
géophysique > glaciologie
Superposition de fragments de banquise disloqués par le dégel, accumulés par les pressions des vents et des courants puis regelés.
En. pressure ridge [4160]

RIEN → chaudière à marche par tout ou — .

RIGIDE → conserve semi- — .

RIGIDIMÈRE n.m. 73
matériau > polymère (matériau)
Monoplaste dont l'allongement élastique peut varier entre 1 et 3% et dont le module d'élasticité est supérieur à 5 000 bars.
En. elasticher Härter (m.) [1926]

RIGOLEUSE → charrue — .

RILSANISATION n.f. 76
mécanique appliquée > revêtement
Procédé qui consiste à revêtir une surface métallique d'un film protecteur obtenu à partir de poudres de Rilsan.
En. rilsanization [6556]

RILSANISÉ adj. 73
économie > industrie de transformation des matières plastiques.
Recouvert de polyamide 11 (Rilsan).
De. rilsanverkleidet [1388]

RIME n.f. 78
stockage > dépôt de stockage
Emplacement d'une chambre froide destiné au rangement des palettes.
V. palettier [8694]

RINÇAGE MORT n.m. 76
technologie des matériaux > génie chimique
Rinçage statique en bain sans circulation.
En. stagnant rinse [5858]

RIOMÈTRE n.m. 77
géophysique > physique du globe
Appareil mesurant l'intensité du flux de bruit galactique émis à haute fréquence.
De. Riometer (n.)
En. riometer [5443]

RIPABLE adj. 75
propriété > propriété mécanique
Se dit d'un engin que l'on peut faire glisser.
De. rückbar
En. shiftable [5990]

RIPARIEN adj. 75
environnement et sécurité > environnement
Propre aux rives d'un cours d'eau. [5859]

RIPIPHILE adj. 74
écologie > habitat
Se dit d'une végétation qui se développe sur les rives des cours d'eau.
En. riparian [8695]

RIPPABILITÉ n.f. 74
propriété > propriété mécanique
Aptitude d'une roche à être disloquée par un engin de travaux publics.
De. Aufreißbarkeit (f.)
En. rippability [5444]

RISER n.m. 76
transport et manutention > canalisation-conduite
Tube vertical assurant la circulation des boues entre la tête d'un puits en cours de forage en mer et le support flottant.
De. Riser (m.)
En. riser [5991]

RISQUE MORBIDE n.m. 76
médecine > santé publique
Incidence d'une maladie parmi les membres d'une famille corrigée en tenant compte des sujets en âge d'être exposés à l'affection. [4566]

RITUALISATION n.f. 76
linguistique
Processus selon lequel un fait linguistique évolue au sein d'une communauté socioculturelle selon sa logique propre et non plus selon les besoins de la communication.
V. ritualisé
De. Ritualizierung (f.)
En. ritualization [7741]

RITUALISÉ adj. 76
linguistique
Se dit d'un fait linguistique ayant subi une ritualisation.

V. ritualisation
De. ritualiziert [7742]

RIVE n.f. 75
information > support documentaire
Bande latérale perforée à pas constant qui permet l'entraînement du papier sur une imprimante automatique.
De. Papiervorschublochband (n.)
En. margin [9101]

RIVELON n.m. 73
mécanique appliquée > assemblage
Boulon posé à froid sur lequel est sertie, à l'extrémité de la seconde tête, une bague en acier ou en alliage léger.
De. Nut (n.) [2105]

RIVET → plasti- — .

RIVOMÈTRE n.m. 74
économie > industrie mécanique
Appareil de mesure du couple de rivage et de friction de pièces mobiles d'horlogerie.
De. Rivometer (n.)
En. rivometer [3976]

RIZ DE NAPPE n.m. 72
agronomie > culture spéciale
Riz cultivé grâce à une alimentation en eau provenant d'une nappe phréatique de faible profondeur.
En. upland rice [1389]

RIZICULTIVABLE adj. 75
agronomie > culture spéciale
Se dit d'un terrain qui peut porter une culture de riz.
De. reisanbaugeeignet
En. rice-cultivable ; rice-cultivatable [9102]

RIZIER n.m. 75
économie > industrie agricole et alimentaire
Industriel spécialisé dans le traitement du riz.
De. Reisverarbeiter (n.)
En. rice specialist
Es. arrocero [4568]

ROBINET CASSE VIDE n.m. 74
ROBINET CASSE-VIDE
mécanique des fluides appliquée
Dispositif laissant pénétrer de l'air ou un gaz quelconque dans une tuyauterie d'amenée d'eau afin d'empêcher la formation d'un vide.
De. Vakuumbrechhahn (m.)
En. vacuum breaker (3977]

ROBINET COUP DE POING n.m. 76
environnement et sécurité > dispositif de sécurité
Robinet à bouton poussoir permettant de couper d'urgence la circulation d'un fluide dans une canalisation.
De. druckknopfbetätigter Notabsperrhahn (m.)
En. punch valve [6687]

ROBOT-PHARE n.m. 75
cybernétique > automatique
Phare à allumage et extinction automatiques commandés par ordinateur. [9234]

ROBOTIQUE n.f. 74
cybernétique > automatique
Conception et utilisation des robots à l'aide des techniques de l'informatique.
En. robotics [2915]

ROCHE → brise- — .

RODENTICIDE n.m. 75
matériau > pesticide
Substance ou préparation qui détruit les rongeurs.
De. Rodentizid (n.)
En. rodenticide [4732]

ROMANDICITÉ n.f. 77
linguistique
Ensemble des caractères propres à la Suisse Romande. [8027]

ROMPAGE n.m. 71
économie > industrie du verre
Opération consistant à couper un carreau d'après le tracé au diamant sur le verre par le coupeur.
De. Ritzabbrechnung (f.) [1754]

ROMPUS n.f. pl. 75
transport et manutention > transport
Produits provenant du fractionnement d'une unité de manutention.
En. assorted lot [4162]

ROND-MAT n.m. 72
géologie > roche
Grain de quartz présent dans les formations sableuses et usé par le vent ou l'eau.
De. rundgeschliffener mattglänzender Quarzkristall (m.) [331]

RÔNERAIE n.f. 77
foresterie
Plantation de rôniers.
V. doumeraie
En. palmyra plantation [8171]

RORIFÈRE adj. 76
bâtiment et travaux publics > élément d'ouvrage du bâtiment
Qui se trouve dans des conditions de température et d'humidité telles qu'il se produit une condensation ou un dépôt de rosée.
De. Kondenswasser ausgesetzt
En. roriferous [7743]

ROSACE n.f. 75
énergie (technologie) > combustion
Organe rotatif à ailettes placé dans le directeur d'air cylindrique d'un brûleur.
En. rosette [4569]

ROSE → bruit — .

ROSSI → alpha de — .

ROTAMÈTRE n.m. 75
instrumentation > mesure mécanique
Appareil destiné à mesurer la vitesse d'une rotation.
De. Rotameter (n.)
En. rotameter
Es. rotámetro [4733]

ROTATEUR n.m. 77
sciences de l'espace
Corps hypothétique qui serait formé par l'accumulation autour du centre galactique du gaz émis par les étoiles des galaxies.
De. Rotator (m.)
En. magnetic rotator [8278]

ROTATIF → parc — .

ROTOMOULÉ adj. 75
économie > industrie de transformation des matières plastiques.
Moulé à l'aide de moules rotatifs.
V. rotomouleur
En. rotomoulded [4734]

ROTOMOULEUR n.m. 75
économie > industrie de transformation des matières plastiques.
Industriel pratiquant le moulage à l'aide de moules rotatifs.
V. rotomoulé
De. Hersteller (m.) von Rotationsgießteilen ; Rotationsgußhersteller (m.)
En. rotomoulding industrialist [4735]

ROTOMOULEUSE n.f. 75
technologie des matériaux > équipement industrie transformation
Machine où le moulage est assuré par rotation des moules.
De. Rotationsgießmaschine (f.)
En. rotomoulding machine [4736]

ROTO-PERCUTANT adj. 76
ROTOPERCUTANT
mécanique appliquée > machine-outil
Qui utilise à la fois la percussion et la rotation pour effectuer un forage.
En. rotary-percussive [6406]

ROTRODE n.f. 76
électrotechnique > composant électrotechnique
Électrode rotative en forme de disque dont la partie inférieure plonge dans l'électrolyse.
De. rotierende Scheibenelektrode (f.)
En. rotating electrode [6407]

RÔTS → garde- — .

ROTULE → suspension- — .

ROUE → butte- — .

ROUE CAGE n.f. 76
ROUE-CAGE
matériel agricole
Roue métallique formée de plusieurs cercles coaxiaux reliés par des entretoises destinée à améliorer l'adhérence d'un tracteur.
De. Käfigwalze (f.)
En. cage-wheel
Es. rueda-jaula [5725]

ROUE DE LAVAGE n.f. 75
bâtiment et travaux publics > matériel de chantier
Dispositif constitué d'une chaîne de godets qui permet de procéder au lavage des matériaux de construction. [3091]

ROUE-PELLE n.f. 74
technologie des matériaux > métallurgie extractive
Machine destinée aux parcs de minerai et de charbon, dont l'organe de travail est constitué d'une roue à godets.
V. roue pelleteuse
De. Schaufelradbagger (m.)
En. bucket wheel
Es. rodete paleador [2284]

ROUE PELLETEUSE n.f. 73
technologie des matériaux > métallurgie extractive
Machine destinée aux parcs de minerai et de charbon, dont l'organe de travail est constitué d'une roue à godets.
V. roue-pelle
En. bucket wheel [2566]

ROUE SÉCATRICE n.f. 77
physique > mécanique
Dispositif rotatif d'une pompe broyant les corps solides entraînés dans la pompe.
En. cutting wheel [7065]

ROUES PRESSÉES n.f.pl. 74
mécanique appliquée > organe de machine
Dispositif de propulsion d'un véhicule à coussin d'air dans lequel deux roues horizontales motrices prennent appui de part et d'autre des flancs verticaux d'un rail central. [2107]

ROUGE → circuit — .

ROUILLE BLANCHE n.f. 76
technologie des matériaux > génie chimique
Dépôt d'hydrocarbonate de zinc à la surface des pièces galvanisées.
De. weisser Rost (m.)
En. white rust [7066]

ROULANT → couloir — .

ROULEAU n.m. 71
bâtiment et travaux publics > équipement technique (bâtiment)
Organe de verrouillage latéral, porté par une pièce de mécanisme, une tringle, ou une coulisse indépendante, constitué d'un téton entouré d'une bague pouvant tourner librement. [332]

ROULEAU(X) → palpeur à — ; transporteur à —x libres.

ROULEAU CROQUEUR n.m. 75
technologie des matériaux > formage
Ensemble de rouleaux qui permettent, par leur mobilité, de cintrer les extrémités de la tôle.
V. croquage
En. pinchroll ; pinch-type roll [7744]

ROULEAU DÉBULLEUR n.m. 73
technologie des matériaux > équipement industrie de transformation
Dispositif utilisé dans la fabrication des pièces montées et destiné à éliminer les inclusions d'air.
De. Walze (f.) zur Luftblasenbeseitigung [1214]

ROULEAU DÉPLISSEUR n.m. 76
économie > industrie papetière
Machine qui élimine les plis.
De. Glättwerk (n.)
En. spreader ; spread roll [5920]

ROULEAU PIÉTINEUR n.m. 76
matériel agricole
Machine utilisée pour l'ameublissement du sol des rizières.
De. Raukwalze (f.)
En. land roller [5726]

ROULE-CONTENEUR n.m. 73
économie > industrie des transports
Se dit d'un système de déplacement des conteneurs consistant en l'adaptation de quatre roulettes à platine horizontale.
De. Frachtbehälterrollenplatte (f.) [1390]

ROULETTES → planche à — .

ROULEUSE n.f. 75
technologie des matériaux > équipement industrie de transformation
Machine destinée à former des tubes à partir de tôles plates.
De. Biegemaschine (f.)
En. pipe-forming bell [4903]

ROUTIÈRE → fraiseuse — ; moquette — .

ROVIBRONIQUE adj. 73
physique > physique des particules
Se dit d'une énergie à composantes rotationnelle et vibronique.
V. vibronique
En. rovibronic [8279]

RTLOPTÈRE n.m. 73
télécommunications > radiocommunication
Unité mobile d'intervention autonome, conçue pour le reportage extérieur et contenant tous les éléments nécessaires à la réalisation hors-studio d'une émission télévisée. [2108]

RUBAN → câble- — .

RUBAN CHAUFFANT n.m. 74
économie > industrie pétrolière
Ruban utilisé dans le transport et l'entreposage des pétroles, servant à les réchauffer pour leur conférer une fluidité qu'ils n'ont pas à basse température.
De. Heizband (n.) [2109]

RUBANEUSE n.f. 78
économie > industrie mécanique
Machine destinée à mettre des câbles sous forme de rubans.
De. Bandwickelmaschine (f.)
Es. encintadora [9385]

RUBANNÉ adj. 76
histoire
Propre à une civilisation néolithique dont la poterie était décorée de motifs linéaires (rubans).
En. ribbonlike [7067]

RUDIMENTATION n.f. 75
embryologie
Évolution régressive d'un organe vers un état dans lequel cet organe ne subsiste plus que sous forme de vestige.
V. rudimenter
De. Verkümmerung (f.)
En. rudimentation [5727]

RUDIMENTER v. 75
embryologie
Déterminer ou provoquer la rudimentation d'un organe.
V. rudimentation
En. to rudiment [5728]

RUGOSITÉ n.f. 74
gestion, organisation, administration > aménagement du territoire
Paramètre caractérisant la surface d'un sol et dépendant de la hauteur, de la forme et de la distribution spatiale des obstacles.
De. Rauhigkeit (f.)
En. rugosity
Es. rugosidad [3809]

RUISSELLEMENT → capteur à — .

RUPOLOGIE n.f. 77
environnement et sécurité > pollution
Étude des déchets. [8172]

RUPTEUR n.m. 75
automatisme > équipement automatique
Appareil permettant de séparer les feuillets d'une sortie d'ordinateur.
En. burster ; bursting machine
Es. separador [5065]

RUPTURE → ligne de — .

RURBAIN adj. 77
localisation
1) Se dit d'une zone rurale à urbanisation éparpillée.
2) Désigne chacun de ses habitants.
V. rurbanité
En. rurbanite ; rurban resident [8414]

RURBANISABLE adj. 77
gestion, organisation, administration > aménagement de territoire
Se dit d'un terrain rural pouvant être urbanisé.
V. rurbanisation
En. rurbanizable [8820]

RURBANISATION n.f. 77
gestion, organisation, administration > aménagement du territoire
Urbanisation éparpillée des zones rurales.
V. rurbanisable
En. rurbanization [8415]

RURBANITÉ n.f. 77
localisation
Caractère des campagnes qui ont subi une urbanisation.
V. rurbain
En. rurbanity [8821]

RUTILO-BASIQUE adj. 74
RUTILOBASIQUE
chimie > électrochimie
Constitué d'une variété allotropique d'oxyde de titane de caractère basique.
En. rutilo-basic [2285]

RYTHMEUR CARDIAQUE n.m. 74
électronique > électronique médicale
Appareil électronique implanté dans le corps humain qui stimule les contractions cardiaques au moyen d'impulsions rythmées.
De. Herzschrittmacher (m.)
En. pacemaker
Es. marca pasos [3810]

RYTHMICITÉ n.f. 76
physiologie > neurophysiologie
Caractère de ce qui est rythmique.
En. rhythmicity
Es. ritmicidad [6408]

RYTHMOLOGIE n.f. 77
physiologie > physiologie cardiovasculaire
Étude du rythme cardiaque.
De. Rhythmologie (f.)
En. cardiac rhythm study
Es. ritmología [8280]

RYTHMOPÉDIE n.f. 76
enseignement
Méthode pédagogique qui utilise l'hypnosuggestion pour favoriser l'apprentissage.
En. rhythmopaedia [6798]

S

SABAR n.m. 73
arts > musique
Au Sénégal, type de tambour.
V. tama
En. sabar [4570]

SABLAGE HUMIDE n.m. 73
technologie des matériaux > traitement de surface
Procédé consistant à projeter à très grande vitesse sur les pièces à traiter un mélange d'eau, de produits chimiques et des abrasifs sélectionnés.
De. Flüssigkeitschonen (n.)
En. liquid honing ; vapor blasting (U.S.A.) ; vapour blasting (U.K.)
Es. abrasión por corriente húmeda [2916]

SABLE → lanceur de — .

SABLES NOIRS n.m.pl. 73
géologie > roche
Sables de plage, généralement fossiles, dont l'accumulation naturelle sous l'effet des marées, a produit une concentration de minéraux lourds.
De. fossile Seifen (f.pl.)
En. black sand (sing.)
Es. arenas negras [4464]

SABULICOLE adj. 74
faune
Se dit d'un organisme qui vit dans le sable.
V. psammique
De. Sandbewohner (m.)
En. arenicolous
Es. arenícolo [3978]

SACCADE n.f. 75
physiologie > neurophysiologie
Mouvement synchrone des deux yeux permettant la vision des détails.
De. gleichsinnige gekoppelte Augenbewegung (f.)
En. saccadic movement [5066]

SACHERIE n.f. 75
conditionnement (emballage) > emballage
Ensemble des opérations de mise en sac d'un produit.

De. Beutelabpackung (f.)
En. bagging [5194]

SACRIFICATION n.f. 77
médecine > spécialité médicale
Opération consistant à se priver d'un animal qu'il est nécessaire d'abattre prématurément d'un point de vue économique
(accident, maladie, ...). [7193]

SACRIFICIEL adj. 75
électrotechnique > composant électronique
Se dit d'une anode dont le métal se dissout en vue de protéger
un autre métal.
En. sacrificial [5067]

S.A.D.O. (SYSTÈMES D'ACQUISITION DE DONNÉES OCÉANI-
QUES) n.m.pl. 73
recherche et développement > exploration scientifique
Dispositifs des plus simples aux plus complexes qui permet-
tent l'exploration des océans.
De. System (n.) zur Gewinnung von Meeresdaten; Ozeanisches
Datenerfassungsystem (n.)
En. O.D.A.S. (Oceanic Data Acquisition Systems; Ocean Data
Acquisition System) [1215]

SAIGNEUSE → viande — .

SAISONNALITÉ n.f. 75
économie > marché
Caractère saisonnier d'un phénomène.
De. Saisonbedingtheit (f.)
En. seasonality [4465]

SALAGE n.m. 74
économie > industrie de la céramique
Procédé d'émaillage consistant en une projection de chlorure
de sodium sur la pâte de grès en fin de cuisson en vue de la
recouvrir d'un vernis décoratif.
En. salt-glazing [6409]

SALAISONNERIE n.f. 74
économie > industrie agricole et alimentaire
Industrie alimentaire consistant à soumettre les produits à
base de porc à l'action du sel.
V. salaisonnier
De. Fleischkonservenindustrie (f.)
En. meat-salting industry [3811]

SALAISONNIER n.m. 78
économie > industrie agricole et alimentaire
Professionnel des salaisons.
V. salaisonnerie [8822]

SALANT n.m. 74
géologie > pédologie
Composé soluble ou ensemble des composés solubles capables
de provoquer la salinisation d'un terrain.
V. salinisation ; salant blanc ; salant noir
En. saliness [3449]

SALANT BLANC n.m. 74
géologie > pédologie
Ensemble de composés solubles qui forment des efflorescences
blanches à la surface des terrains salés.
V. salinisation ; salant ; salant noir
En white alkali [3450]

SALANT NOIR n.m. 74
géologie > pédologie
Ensemble des composés susceptibles de provoquer une salinisa-
tion caractérisée par une coloration du sol en noir.
V. salinisation ; salant ; salant blanc
En. black alkali [3451]

SALE adj. 73
physique > physique des particules
Se dit d'une bombe dont les retombées radioactives sont
importantes.
V. propre
En. dirty [1037]

SALIDIURÉTIQUE adj. 75
pharmacologie > médicament
Se dit d'un médicament qui favorise l'élimination du chlorure
de sodium par les urines.
De. salzdiuretisch
En. saluretic
Es. salidiurético [5594]

SALIN → brouillard — .

SALINE → marée — .

SALINISATION n.f. 76
géologie > pédologie
Processus qui provoque et entretient l'enrichissement d'un sol
en électrolytes.
V. salant ; salant blanc ; salant noir
En. salinification
Es. salinización [6799]

SALINOMÈTRE n.m. 74
propriété > composition
Appareil servant à mesurer la salinité de l'eau.
De. Halometer (n.); Salzgehaltmesser (m.)
En. salimeter ; salinometer
Es. salimetro ; salinómetro [3979]

SALLE BLANCHE n.f. 73
circonstance opératoire
Enceinte dans laquelle on a éliminé artificiellement les parti-
cules en suspension dans l'air.
V. salle grise
En. clean room ; white room [2286]

SALLE GRISE n.f. 76
circonstance opératoire
Local dont on a éliminé les poussières.
V. salle blanche [7194]

SALMONICOLE adj. 76
zootechnie
Relatif à l'élevage du saumon.
De. Lachszucht- [5992]

SALOBRE n.f. 73
écologie > habitat
Sol salé temporairement inondé du littoral du Languedoc-
Roussillon.
En. salt-marsh ; tidal marsh
Es. salobre [7893]

S.A.N. (STYRÈNE-ACRYLONITRILE) n.m. 73
matériau > polymère (matériau)
Plastique styrénique renfermant du polyacrylonitrile.
De. Styrol-Acrylnitril-Mischpolimerisat (m.)
En. ANS [2743]

SANCTION PRÉMIALE n.f. 77
réglementation législation > droit
Sanction comportant récompense en opposition à la sanction
punitive. [8161]

SANG ANTICOAGULÉ n.m. 74
tissu (biologie) > tissu conjonctif
Sang dont on empêche ou retarde la coagulation à l'aide
d'anticoagulants.
De. heparinisiertes Blut (n.) [2111]

SANTÉ → parcours de — .

SAPIN n.m. 75
stockage > dépôt de stockage
Ensemble de structures métalliques destinées au stockage
horizontal de charges longues à section réduite.
En. A-frame rack [5993]

SAPROLYTE n.m. 77
écologie > synécologie
Organisme qui décompose les matières organiques.
Es. saprolito [8416]

SAPROTROPHIE n.f. 77
écologie > synécologie
Mode de vie de certains végétaux dépourvus de chlorophylle ou d'organismes qui trouvent leurs sources nutritives dans des supports morts ou inanimés en cours de décomposition.
De. Saprotrophie (f.) [7621]

SAS → sphère- — .

SATELLITE ACTIF n.m. 74
instrumentation > équipement aérospatial
Engin spatial ou ensemble de dispositifs assurant une fonction déterminée en faisant appel à un générateur d'énergie embarqué.
De. aktiver Satellit (m.)
En. active satellite
Es. satélite activo [3130]

SATELLITE DE DIFFUSION DIRECTE n.m. 74
instrumentation > équipement aérospatial
Satellite dont les signaux peuvent être captés directement par des récepteurs individuels, sans intervention de station terrestre.
V. satellite de distribution
De. Direktempfang-Satellit (m.); Satellit (m.) für Direktempfand
En. direct broadcast satellite
Es. satélite de difusión directa [3264]

SATELLITE DE DISTRIBUTION n.m. 74
instrumentation > équipement aérospatial
Satellite dont l'aire de couverture est réduite et la puissance d'émission suffisante pour que les signaux soient reçus sur des installations terrestres moyennes.
V. satellite de diffusion directe
De. Satellit (m.) für indirekten Empfang (m.)
En. distribution satellite
Es. satélite de distribución [3265]

SATELLITE DOMESTIQUE n.m. 74
télécommunications > communication spatiale
Satellite servant aux besoins intérieurs d'un pays.
V. satellite régional
De. domestic satellite [2917]

SATELLITE GÉOSYNCHRONE n.m. 71
sciences de l'espace
Satellite de la Terre dont la période de révolution est égale à la période de rotation de la Terre.
De. erdsynchroner Satellit (m.)
En. Earth synchronous satellite; geosynchronous satellite [684]

SATELLITE RÉGIONAL n.m. 74
télécommunications > communication spatiale
Satellite servant aux besoins d'un groupe de pays.
V. satellite domestique
En. regional satellite
Es. satélite regional [2918]

SATURABLE adj. 76
linguistique
Se dit d'une fonction qui ne peut être remplie qu'une seule fois. [8281]

SATURATION n.f. 74
chimie > chimie analytique
En colorimétrie, l'une des trois caractéristiques d'une couleur, les deux autres étant la teinte et la luminance.
De. Sättigung (f.)
En. colour saturation (U.K.); color saturation (U.S.A.)
Es. saturación [2919]

SAUCE DE COUCHAGE n.f. 75
technologie des matériaux > fabrication du papier
Suspension de produits de couchage appliquée à la surface du papier au cours du processus de couchage.
En. coating color (U.S.A.); coating colour (U.K.). [4344]

SAUMÂTRE → eau — .

SAUMODUC n.m. 73
transport et manutention > canalisation-conduite
Conduite destinée à l'acheminement de saumure.
En. brine duct [2112]

SAUT D'INDICE (à —) adj. 78
matériau > fibre
Se dit d'une fibre optique dont la variation radiale d'indice est brutale.
V. gradient d'indice (à —)
En. step index [8957]

SAUVAGE → aire de nature — .

SAVANICOLE adj. 74
écologie > autécologie
Qui vit dans la savane.
De. Savannen-
En. savanna; savannah
Es. savanícolo [6800]

SAVANISATION n.f. 73
gestion, organisation, administration > aménagement du territoire
Transformation d'une région en savane.
De. Savannenbildung (f.)
En. change into savanna; change into savannah; transition into savanna; transition into savannah
Es. savanización [7344]

SCALANT adj. 78
mathématiques
Se dit d'une figure géométrique ou d'un objet naturel dont les parties ont la même forme ou la même structure que le tout à une échelle différente. [8696]

SCALANT → bruit — .

SCALPAGE n.m. 75
géotechnique
Décapage d'un terrain.
De. Abraumentfernung (f.)
En. scalping [5994]

SCANOGRAPHE n.m. 77
génie biomédical > appareillage médical
Tomographe axial avec calculatrice.
V. tacographe
En. C.A.T. scanner
Es. escanógrafo [8282]

SCANOGRAPHIE n.f. 77
génie biomédical > diagnostic
Méthode d'exploration radiologique utilisant un scanographe.
V. scanographe; scanographiste; tacographie [8283]

SCANOGRAPHISTE n. 77
génie biomédical > diagnostic
Utilisateur d'un scanographe.
V. scanographie
En. C.A.T. technician
Es. escanografista [8284]

SCELLAGE → auto- — .

SCELLEUSE n.f. 74
conditionnement (emballage) > fermeture
Machine destinée à fermer hermétiquement un contenant.
De. Siegelmaschine (f.)
En. sealer; sealing machine [3812]

SCÉNARISTE → dessinateur- — .

SCÉNARITHÈQUE n.f. 75
arts > photographie
Lieu où l'on rassemble une collection de scénarios.
En. script library [4904]

SCÈNE n.f. 78
instrumentation > photographie
Surface dont le gabarit résulte des propriétés de champ du
capteur.
En. scene [8697]

SCÉNISATION n.f. 69
génie biomédical > psychothérapie
Théâtralisation du vécu qui s'organise en scènes.
De. Inszenierung (f.)
En. therapeutic theatre
Es. escenificación [5322]

SCHÉMATOLOGIE n.f. 76
informatique > programmation
Étude de la mise en schémas. [4345]

SCHIZOGONIAL adj. 78
physiologie > reproduction (physiologie)
Se dit de la production asexuée constituée par une division
simple du corps d'un protozoaire.
De. schizogonial
En. schizogonic; schizogonous [9235]

SCHIZOÏTE n.f. 77
physiologie > reproduction (physiologie)
Produit de la division multiple du corps d'un protozoaire.
[5995]

SCIE À TROUS n.f. 74
mécanique appliquée > découpage-découpe
Scie dont la lame affecte la forme d'une circonférence formant
la base d'un cylindre en vue de découper des cercles.
V. scie-cloche
En. crown saw; cylinder saw; hole saw [2410]

SCIE-CLOCHE n.f. 73
mécanique appliquée > découpage-découpe
Scie dont la lame affecte la forme d'une circonférence
constituant la base d'un cylindre en vue de découper des
cercles.
V. scie à trous
De. Klockensäge (f.); Kronsäge (f.)
En. crown saw; cylinder saw; hole saw [1391]

SCIENCE D'ACTION n.f. 75
recherche et développement > recherche
Science fondée sur la recherche appliquée.
V. science de transfert
En. action science
Es. ciencia de acción [3813]

SCIENCE DE TRANSFERT n.f. 75
recherche et développement > recherche
Science fondée sur la recherche pure qui doit être transférée
vers les sciences d'action.
V. science d'action
En. transfer science
Es. ciencia de transferencia [3814]

SCIENCE HYPERLOURDE n.f. 75
technique nucléaire
Domaine de la physique nucléaire qui utilise les machines à
accélérer les particules.
De. Hypersonenphysik (f.)
En. hyperheavy science [5860]

SCIENTIFIQUE → photographie — .

SCINTILLATION INTERPLANÉTAIRE n.f. 74
sciences de l'espace
Ensemble des fluctuations rapides du flux reçu de radiosources
de faible diamètre apparent situées dans des directions voi-
sines de celles du soleil.
De. interplanetarische Szintillation (f.)
En. interplanetary scintillation
Es. centelleo interplanetario [3981]

SCINTILLATION LIQUIDE n.f. 73
instrumentation > mesure de rayonnement ionisant
Méthode de mesure d'énergie de rayonnement consistant à
envoyer le rayonnement φ, β ou γ dans une solution liquide
(scintillateur) qui émet des photons dont l'énergie est proportionnelle à celle du rayonnement incident.
De. Flüssigkeitsszintillation (f.)
En. liquid scintillation [1757]

SCINTILLON n.m. 74
biochimie
Particule subcellulaire composée en partie de molécules de
protéines luminescentes.
V. luciférase
De. Leuchtdrüse (f.)
En. scintillon [3815]

SCISSOMÉTRIQUE → essai — .

SCORIFIABLE adj. 74
technologie des matériaux > génie chimique
Qui peut être transformé en scories.
V. scorification
De. verschlackbar
Es. escorificable [7622]

SCORIFICATION n.f. 74
technologie des matériaux > génie chimique
Transformation en scories.
V. scorifiable
De. Verschlackung (f.)
Es. escorificación [7623]

SCOTOPHOBINE n.f. 73
biochimie
Substance synthétisée chimiquement et provoquant la peur de
l'obscurité.
De. Skotophobin (m.)
En. scotophobin [510]

SCRIPTE n.f. 76
arts > photographie
Collaboratrice du réalisateur d'un film ou d'une émission,
responsable de la continuité de la réalisation et de la tenue des
documents.
De. Scriptgirl (n.)
En. script girl [7482]

SCRIPTOLOGIE n.f. 77
linguistique
Étude de l'évolution des systèmes graphiques.
De. schriftkunde (f.)
Es. escriptología [9103]

SCRIPTO-VISUEL adj. 69
SCRIPTOVISUEL
télécommunications > équipement télécommunications
Se dit d'un appareil qui permet de transmettre à distance par
film ou par radio un graphisme au fur et à mesure qu'il est
tracé par l'opérateur à l'aide d'un stylet électrique. [2113]

SCRIPTOVISUEL n.m./adj. 75
information > moyen d'information
[Se dit d'un] mode d'expression qui combine le mot et l'image.
V. verbo-iconique
De. Skriptovisuell
En. scriptovisual [4738]

SCRUTATION n.f. 72
cybernétique > intelligence artificielle
Opération accomplie par un lecteur optique lorsqu'il analyse
un texte.
De. Abtastung (f.)
En. scanning [866]

SCUTELLE n.f. 78
organisme vivant > animal
Ensemble de cuspides disposées en étoile ou en éventail.
En. scutella [9386]

SCYTHOLOGUE n. 76
histoire
Spécialiste de l'art et de la civilisation scythes.
De. Skythologe (m.)
En. scythianologist [7345]

SEC → câble —; conteneur —; doublage —; enfournement —; filtre —; transformateur — .

SÉCANTIELLE → impédance — .

SÉCATRICE → roue — .

SÉCHAGE n.m. 75
physique > physique des particules
Étape de la transformation de l'uranium 238 en plutonium
239 qui suit la dissolution dans l'acide nitrique à 70% des
barreaux irradiés et la phase aqueuse.
En. solvent extraction [5996]

SÈCHE → flotte —; licence —; pompe —; serre — .

SÈCHE-BORD n.m. 74
opération > séchage
Dispositif qui sèche le bord d'un emballage afin de faciliter sa
soudure ultérieure.
En. edge-dryer [4207 bis]

SECONDAIRE → air — ; consommateur — ; document
— ; producteur — ; traitement — .

SECONDE SOURCE n.f. 76
gestion, organisation, administration > relations entre grou-
pes
Se dit d'un constructeur autorisé à produire des dispositifs de
même désignation que ceux proposés par le constructeur
initial.
En. second source [6801]

SECOND-ŒUVRE n.m. 77
bâtiment et travaux publics > opération de construction
Ensemble des travaux restant à accomplir une fois le gros-
œuvre fait.
En. finishings [8417]

SECOUEUR n.m. 75
transport et manutention > engin de manutention
Appareil vibrant destiné à accélérer le déchargement de
wagons-trémies contenant des produits en vrac.
De. Rüttler (m.)
En. shaker [4905]

SECTEUR n.m. 75
gestion, organisation, administration > planification
Zone de recrutement d'un établissement de premier cycle.
V. district
De. Kreis (m.)
En. sector [5068]

SÉCURITÉ → barrière de — intrinsèque ; coffret de — .

SÉCURITÉ ACTIVE n.f. 74
environnement et sécurité > prévention
Conception de la sécurité ayant pour but de réduire les causes
d'accidents.
V. sécurité passive
De. aktive Sicherheit (f.)
En. active security ; preventive control [3093]

SÉCURITÉ BI-MANUELLE n.f. 73
SÉCURITÉ BIMANUELLE
environnement et sécurité > dispositif de sécurité
Dispositif ne fonctionnant que lorsque l'opérateur utilise
simultanément deux commandes manuelles.
De. bimanuelle Sicherheit (f.)
En. bimanual safety [1216]

SÉCURITÉ PASSIVE n.f. 74
environnement et sécurité > prévention
Conception de la sécurité ayant pour objet d'éliminer ou

d'amoindrir les conséquences des accidents.
V. sécurité active
De. passive Sicherheit (f.)
En. passive safety
Es. seguridad pasiva [4208 bis]

SÉDENTARISATION n.f. 73
sociologie
Adoption d'un mode de vie sédentaire.
De. Seßhaftmachung (f.)
En. sedentation
Es. sedentarización [1566]

SÉDIMENTABLE adj. 76
environnement et sécurité > pollution
Qui peut se déposer comme un sédiment.
De. ablagerungsfähig
En. settleable
Es. sedimentable [6802]

SÉDIMENTOGENÈSE n.f. 78
géologie > modification superficielle
Formation de la sédimentation. [8823]

SÉDIMENTOLOGISTE n. 76
géologie > sédimentologie
Spécialiste de sédimentologie.
De. Sedimentologe (m.)
En. sedimentationist ; sedimentologist
Es. sedimentologista [6277]

SÉGRÉGEABLE adj. 74
opération > séparation physique
Se dit d'un béton qui peut être ségrégé.
V. ségréger
En. segregable [6411]

SÉGRÉGER v. 73
opération > séparation physique
Séparer les éléments d'un produit.
V. ségrégeable
De. trennen
En. to segregate [867]

SEIGNEURAGE n.m. 73
économie > marché financier
Différence entre la valeur nominale et la valeur intrinsèque
d'une monnaie.
En. seigniorage [395]

SÉISMOTECTONIQUE n.f. 76
géophysique interne
Étude des rapports entre la tectonique et la sismicité.
V. sismotectonique
De. Seismotektonik (f.)
En. seismotectonics
Es. sismotectónica [7347]

SÉLECTIF → cardio- — .

SÉLÈNE → circum- — .

SÉLÉNONYME n.m. 75
linguistique
Nom d'un lieu, d'un espace ou d'un accident de terrain qui se
trouve sur la surface de la lune.
En. selenonym
Es. selenónimo [5997]

SÉMAPHORE n.m. 77
cybernétique > automatique
Dispositif composé d'un compteur et d'une file d'attente de
processus pouvant être bloqués ou débloqués sur commande.
En. semaphore
Es. semáforo [8958]

SEMBLABLE → auto- — .

SEMENCIER adj. 75
agronomie > technique culturale
Relatif aux semences.
De. Saat-
En. seed [5195]

SEMI → aliment — -humide; autoguidage — -actif;
chauffe — -directe; circulation — -mécanique; citerne — -
membrane; conserve — -rigide; espace — -ouvert; laboratoire audio-actif — -comparatif; quai — -périphérique;
transport — -continu .

SEMICONDUCTEUR → bit — .

SEMIENDOPARASITE n.m. 74
écologie > synécologie
Parasite vivant partiellement à l'intérieur de différents tissus
d'un organisme animal ou végétal.
De. Semiendoparasit (m.)
En. semi-endoparasite
Es. semiendoparásito [4163]

SÉMINIPHAGE adj. 76
pathologie végétale
Se dit d'une espèce zoologique qui se nourrit de grains.
De. seminiphag
En. seminivorous [7348]

SÉMIOGÉNÈSE n.f. 74
information > communication
Production de signes ou de systèmes de signes.
De. Semiogenese (f.) [1928]

SÉMIOPHONE n.m. 77
génie biomédical > appareillage médical
Appareil permettant de faire entendre au sujet des séances
sonores puis sa propre parole modifiées par des filtres en vue
de rééduquer les troubles de langage.
En. semiophone [8028]

SEMIS ACQUIS n.m. 76
agronomie > technique culturale
Sol couvert de semis sous peuplement fermé. [7349]

SEMI-SOUFFLAGE n.m. 77
SEMISOUFFLAGE
économie > industrie des matériaux de construction
Technique de fabrication du bitume consistant à souffler une
base jusqu'à l'obtention d'un bitume défini.
En. air-rectification [8286]

SENAGE n.m. 76
économie > industrie du verre
Opération consistant à réduire l'emprise entre deux pièces. [7068]

SÉNÉGALISME n.m. 74
linguistique
Expression française en usage au Sénégal.
V. franlof : ivoirisme
De. Senegalismus (m.)
En. senegalism [2745]

SENIOR → aide — .

SÉNIORITÉ n.f. 73
sociologie
Prééminence déterminée par l'ancienneté.
De. Altersvorrang (m.)
En. seniority [1393]

SÉNOLOGIE n.f. 76
médecine > spécialité médicale
Partie de la médecine consacrée à l'étude du sein et de ses
maladies.
V. sénologue
En. mastology ; mazology [6138]

SÉNOLOGUE n. 76
médecine > spécialité médicale
Spécialiste de sénologie.
V. sénologie
En. mastologist ; mazologist [6278]

SENSIBLE → bourgeon — ; espace — ; système — .

SENSOTRODE n.m. 74
chimie > électrochimie
Électrode de captation associée à une électrode de référence
en vue de mesures.
En. measuring electrode ; measuring sonde [2920]

SENS PROPRIOCEPTIF n.m. 75
physiologie > physiologie de l'appareil locomoteur
Sens relatif aux mouvements du corps.
De. propriozeptives Organ (n.); Propriozeptor (m.)
En. proprioceptive sense [4907]

SÉPARATEUR THERMIQUE n.m. 74
économie > industrie gazière
Système capable de prélever dans une direction le gaz
comprimé et chaud et dans une autre le gaz détendu et froid.
De. Wärmeseparator (m.); Wärmetrennsystem (n.)
En. thermal separator
Es. separador térmico [3983]

SÉPARATION → turbo- — .

SÉPARÉ → développement — .

SÉQUENCÉ → copolymère — .

SÉQUENCEUR n.m. 73
automatisme > commande automatique
Dispositif mécanique, électrique ou électronique qui commande une suite programmée d'opérations ou d'événements.
En. sequencer [336]

SÉQUENTIALISER v. 73
informatique > système opératoire
Organiser une suite d'opérations.
V. séquentialité
En. to sequentialize [5729]

SÉQUENTIALITÉ n.f. 73
informatique > système opératoire
Propriété d'un ensemble d'opérations qui se succèdent suivant
un ordre préétabli.
V. séquentialiser
De. sequentieller Ablauf (m.)
En. sequentiality
Es. secuencialidad [5730]

SÉQUENTIELLE → paragraphie — .

SÉQUESTRANT n.m. 73
matériau > produit chimique
Agent possédant la propriété de se combiner avec des ions bi-
ou tri-valents en formant des complexes stables.
En. complexing agent ; sequestering agent [686]

SÉQUESTRATION n.f. 76
technologie des matériaux > génie chimique
Procédé de formation d'un composé différent de la chélation
par l'absence de phénomène de cyclisation interne.
De. Chelation (f.); Chelierung (f.)
En. sequestration [6279]

SERCLIMAX n.m. 74
écologie > climax
Groupement assez évolué vers le climax sous lequel la
maturation du sol est tenue en échec par un facteur externe.
[7069]

SÉRENDIPITÉ n.f. 75
recherche et développement > innovation
Catégorie de l'invention qui débouche sur une découverte
accidentelle.

De. zufällige Entdeckung (f.); Zufallsentdeckung (f.)
En. serendipity
Es. serendipismo [4739]

SÉRIELLE → imprimante — .

SÉROPRÉVENTION n.f. 73
génie biomédical > thérapeutique immunologique
Utilisation dans un but préventif des propriétés protectrices de
sérums riches en anticorps spécifiques à l'égard d'une maladie
infectieuse.
De. Serumschutzimpfung (f.)
En. seroprevention; seroprophylaxis
Es. seroprevención [4571]

SÉROTONINERGIQUE adj. 74
physiologie > neurophysiologie
Relatif à l'action de la sérotonine. [2921]

SÉROTYPE n.m. 73
immunologie
Taxon composé de bactéries possédant les mêmes facteurs
antigéniques.
De. Serotyp (m.)
En. serotype
Es. serotipo [4909]

SERPENT n.m. 73
économie > monnaie
Marge à l'intérieur de laquelle les cours de certaines monnaies
européennes peuvent varier les uns par rapport aux autres sans
rendre obligatoire l'intervention des banques centrales. [170]

SERPENTAGE n.m. 76
mécanique appliquée > organe de machine
Mouvement d'une chaîne en dehors du plan défini par ses
appuis.
En. snaking [7070]

SERPILLIÈRE n.f. 78
matériau > adsorbant
Type d'absorbant flottant qui permet d'éponger les hydrocar-
bures à la surface de l'eau.
V. absorbant flottant
En. oil mop [9236]

SERRAGE n.m. 76
technologie des matériaux > formage
Opération qui consiste à augmenter la densité de toute matière
de moulage par application d'une pression.
De. Pressen (n.)
En. ramming [7071]

SERRAGE → auto- — .

SERRE → effet de — .

SERRÉES → étoiles binaires — .

SERRE HUMIDE n.f. 74
agronomie > technique culturale
Serre dont le chauffage est assuré par une circulation d'eau
chaude dont une partie s'écoule dans la serre.
V. serre sèche
De. Feuchtgewächshaus (n.)
En. tropical greenhouse [2922]

SERRE SÈCHE n.f. 74
agronomie > technique culturale
Serre dont le chauffage est assuré par une circulation d'eau
chaude sans écoulement dans la serre.
V. serre humide
De. Trockengewächshaus (n.)
En. desert greenhouse; ordinary greenhouse [2923]

SERRURERIE → grosse — .

SERTISSEUSE → doseuse- — .

SERVEUR n.m. 75
information > traitement de l'information
Ensemble homme-machine susceptible de fournir des services
à la demande.
V. desserveur
En. servicer [5069]

SERVICE → libre — de gros ; module urbain de — .

SERVOCOULOMÈTRE n.m. 76
chimie > chimie analytique
Coulomètre équipé d'un dispositif d'asservissement. [7195]

SERVO-OUVRABILIMÈTRE n.m. 74
économie > industrie des matériaux de construction
Appareil destiné à mesurer l'ouvrabilité du béton.
En. servo-tachometer [6412]

SESSILIFLORE adj. 76
botanique
Se dit d'un végétal dont les fleurs sont dépourvues de
pédoncules. [5731]

SÉTOSITÉ n.f. 77
microbiologie
Qualité donnée par l'aspect de la soie.
De. Seidigkeit (f.)
En. setosity [8173]

SEUIL → niveau- — ; prix de — .

SEUIL DE DÉTECTABILITÉ n.f. 75
instrumentation > essai et contrôle
Plus petite quantité de substance détectable exprimée en
masse ou en concentration. [5790]

SEUIL PHOTIQUE n.m. 74
biochimie
Quantité de lumière suffisante pour permettre la photosynthèse. [3955]

SEXAGE n.m. 78
physiologie > reproduction (physiologie)
Opération consistant à réimplanter un embryon de sexe
connu. [8824]

SEXO-THÉRAPEUTE n. 74
SEXOTHÉRAPEUTE
génie biomédical > psychothérapie
Spécialiste traitant les dysfonctionnements sexuels.
V. cothérapeute ; cothérapie ; sexothérapie
De. Sexualtherapeut (m.)
En. sex therapist [3816]

SEXOTHÉRAPIE n.f. 75
génie biomédical > psychothérapie
Traitement des dysfonctionnements sexuels.
V. cothérapeute ; cothérapie ; sexothérapeute [4349]

SIALLITISATION n.f. 77
géochimie
Type d'altération caractérisé par un lessivage incomplet de la
silice qui permet l'édification de minéraux argileux à une ou
deux couches de silice.
V. allitisation
En. siallitization [7072]

SIALOPRIVE adj. 74
pharmacologie > médicament
Se dit d'une substance qui diminue la sécrétion salivaire.
En. antisialic [4209 bis]

SIDÉROBACTÉRIAL adj. 76
technologie des matériaux > génie chimique
Qui se rapporte à une sidérobactérie.
V. sidérobactérie [6139]

SIDÉROBACTÉRIE n.f. 76
technologie des matériaux > génie chimique
Bactérie qui provoque une oxydation du fer.

V. sidérobactérial
En. iron bacterium [4740]

SIDÉRONUCLÉAIRE adj. 76
économie > industrie nucléaire
Relatif à la sidérurgie qui utilise l'énergie nucléaire.
En. sideronuclear
Es. sideronuclear [5595]

SIDÉROPHILE n.m. 77
chimie > affinité chimique
Élément qui présente des affinités avec le fer.
V. atmosphile ; chalcophile ; lithophile [7745]

SIEVERT n.m. 77
instrumentation > mesure de rayonnement ionisant
Unité de dose de rayonnement équivalent à 100 rems.
De. Sievert (n.)
En. sievert [7748]

SIFFLEMENT n.m. 78
physique > propagation d'onde
Bruit électromagnétique dû aux éclairs atmosphériques reçu
après propagation dans la magnétosphère par guidage le long
des lignes de force du champ magnétique terrestre.
De. Whistler (m.)
En. whistler [8548]

SIGNALÉTIQUE n.f. 77
information > communication
Étude de la communication par signes dans un environnement
donné. [8175]

SIGNALEUR n.m. 77
télécommunications > radiotechnique
Appareil qui permet l'émission de grandeurs électriques
caractérisant un phénomène physique et représentant des
données.
De. Rufsatz (m.) [8959]

SIGNALISATION VARIABLE n.f. 77
transport et manutention > exploitation des transports
Ensemble d'éléments de la signalisation routière portant sur
les conditions d'évolution de cette circulation à un moment
donné.
En. changeable warning sign [9237]

SIGNATURE LOGIQUE n.f. 77
électronique > circuit électronique
Code numérique associé à chaque nœud de données d'un
circuit logique. [9238]

SIGNAUX → injecteur de — .

SILENCIEUX DE RECHERCHE n.m. 74
télécommunications > équipement télécommunications
Dispositif permettant d'éliminer les bruits parasites durant le
réglage vers un émetteur.
De. Rauschsperrschalter (m.)
En. muting tuning ; noise silencer ; squelch ; squelch circuit [3266]

SILENCIEUX DISSIPATIF n.m. 75
instrumentation > équipement acoustique
Silencieux transformant en énergie thermique l'énergie acousti-
que rayonnée par une source.
V. silencieux réactif
De. Absorptionsschalldämpfer (m.)
En. dissipative muffler [4742]

SILENCIEUX RÉACTIF n.m. 75
instrumentation > équipement acoustique
Silencieux constitué de filtres acoustiques et fonctionnant par
désadaptation d'impédance acoustique.
V. silencieux dissipatif
De. Reflexionsschalldämpfer (m.)
En. non-dissipative muffler ; reactive muffler [4743]

SILLAGE → tourbillon de — .

SILLON n.m. 75
géophysique > géomorphologie
Vallon dû à l'érosion glaciaire.
De. Furche (f.)
En. furrow ; giant grove ; glacial groove
Es. valle glaciar [5862]

SILO À VOITURES n.m. 74
bâtiment et travaux publics > construction
Parc à voitures géant qui comporte de nombreux étages.
V. autosilo
De. Hochgarage (f.)
En. multi-storey car park (U.K.) ; parking-silo (U.S.A.)
Es. autosilo [5998]

SILO DE STOCKAGE n.m. 71
stockage > entrepôt
Entrepôt de grande hauteur avec bâtiment intégré dont la
toiture et le barrage reposent directement sur les casiers.
V. bâtiment intégré ; casier-bâtiment ; magasin-tour
En. storage silo
Es. silo de almacenamiento [6140]

SILO-TAMPON n.m. 74
stockage > entrepôt
Entrepôt intermédiaire dans une série de silos d'un ensemble
industriel.
De. Puffersilo (m.) [2567]

SILOTHERMOMÉTRIE n.f. 75
instrumentation > mesure thermique
Mesure de la température des grains ensilés.
De. Silo-Thermometrie (f.)
En. silothermometry
Es. silotermometría [4572]

SIMIIFORME n.m. 76
zoologie
Hominidé qui présente certains caractères du singe. [6280]

SIMOGRAMME n.m. 73
représentation graphique > courbe
Représentation graphique d'un cycle de travail.
De. Arbeitsablaufdiagramm (n.) ; Arbeitszyklusplan (m.)
En. work chart [1568]

SIMPLE → gravité — ; rejet — ; train planétaire — .

SIMPLIFIÉ → laboratoire audio-actif — .

SIMULATION DÉDUCTIVE n.f. 75
électronique > circuit électronique
Méthode d'analyse, de détection et de localisation de défauts
de circuits logiques fondée sur la déduction, à partir du
comportement du circuit sain, de la liste des défauts détecta-
bles pour une séquence d'entrée donnée.
V. simulation parallèle
En. deductive simulation
Es. simulación deductiva [9239]

SIMULATION PARALLÈLE n.f. 75
électronique > circuit électronique
Méthode d'analyse, de détection et de localisation de défauts
de circuits logiques qui met en œuvre une simulation directe
de ces défauts pour une séquence d'entrée donnée.
V. simulation déductive
En. parallel simulation
Es. simulación paralela [9240]

SINGE-LION n.m. 73
organisme vivant > animal
Type de mammifère de l'ordre des primates et de la famille des
cercopithécidés.
De. Löwenaffe (m.)
En. gelada baboon [1219]

SINIQUE adj. 76
sociologie
Propre à la Chine.

De. chinesisch
En. sinitic [5999]

SINOPHONE adj. 75
linguistique
Qui parle le chinois.
De. sinophon
En. Chinese-speaking [5070]

SINTÉRISÉ adj. 73
électrotechnique > composant électrotechnique
Se dit d'une matière constituée d'une poudre à grains microscopiques pressée dans un moule métallique et chauffée dans un four jusqu'au moment où elle se fusionne pour devenir une masse solide (sintérisation).
De. gesintert
En. sintered
Es. sinteriazado [3268]

SIROP → iso- — .

SIRUPEUSE n.f. 74
économie > industrie agricole et alimentation
Machine destinée à doser et à introduire du sirop dans une boîte de fruits en conserve.
De. Sirupdosiermaschine (f.)
En. syruper [3817]

SISMICIEN n.m. 75
géophysique interne
Spécialiste en recherches sismiques. [4351]

SISMIQUE → sommeil — .

SISMOTECTONIQUE adj. 76
géophysique interne
Relatif à un phénomène à la fois sismique et tectonique.
V. seismotectonique
De. seismotektonisch
En. seismotectonic
Es. sismotectónico [5732]

SISTENS n.m. 78
embryologie
Type de développement de larves d'insectes subissant une diapause au premier stade larvaire.
V. progrediens
En. sisten; sistens [9241]

SITE ACTIF n.m. 73
chimie > chimie du solide et du fluide
Site où est localisée l'activité d'un solide. [3269]

SITOLOGIE n.f. 75
gestion, organisation, administration > aménagement du territoire
Étude des sites naturels ou architecturaux.
V. sitologue
En. topothesiology
Es. sitiología [4910]

SITOLOGUE n. 73
gestion, organisation, administration > aménagement du territoire
Spécialiste de sitologie.
V. sitologie [1040]

SKI → vélo- — .

SKOTOTAXIE n.f. 72/73
éthologie
Mouvement d'orientation d'un organisme se déplaçant librement dans l'espace vers des surface peu lumineuses.
De. Skototaxie (f.)
En. scototaxis [3633]

SMOLTIFICATION n.f. 73
physiologie > développement (physiologie)
Métamorphose qui permet aux saumons de passer de la rivière à la mer, c'est-à-dire d'un milieu extérieur hypotonique par

rapport à leur milieu interne, à un milieu hypertonique avec inversion des phénomènes de régulation osmotique.
En. smoltification [4166]

SOCIAL → macro- — .

SOCIATION n.f. 74
écologie > écosystème
Groupement caractérisé par la même superposition de socions.
V. socion
De. Soziation (f.)
En. sociation
Es. sociación [3818]

SOCIATION → bi- — .

SOCIATRIE n.f. 74
médecine > spécialité médicale
Médecine des groupes sociaux.
De. Gruppenheilkunde (f.); Sozialmedizin (f.); Soziatrie (f.)
En. sociatry [2747]

SOCIER → bi- — .

SOCIÉTAL adj. 75
sociologie
Relatif à une société déterminée ou à une association.
En. societal [4744]

SOCIOACOUSIE n.f. 76
pathologie animale > pathologie otorhinolaryngologique
Anomalie auditive due aux bruits ou aux agents physiques extraprofessionnels.
V. nosoacousie
En. environmental hearing loss [6558]

SOCIO-AFFECTIF adj. 72
SOCIOAFFECTIF
sociologie
Relatif aux sentiments sociaux des individus ou à la vie affective des groupes.
V. socio-cognitif
De. sozio-emotional
En. socioaffective [5596]

SOCIOBIOLOGIE n.f. 77
éthologie
Étude des sociétés animales et humaines fondée sur la biologie.
De. Soziobiologie (f.)
En. sociobiology
Es. sociobiología [7350]

SOCIO-CENTRÉ n.m. 76
SOCIOCENTRÉ
sociologie
Individu qui recherche l'épanouissement de la personnalité à l'intérieur d'un groupe.
V. égocentré
En. group-oriented innovator [6141]

SOCIO-COGNITIF adj. 72
SOCIOCOGNITIF
sociologie
Relatif à la connaissance considérée sous son aspect social et par rapport aux relations sociales.
V. socio-affectif
De. sozio-kognitiv
En. social-cognitive [5597]

SOCIO-ÉCOLOGIE n.f. 75
SOCIOÉCOLOGIE
écologie > autécologie
Étude des relations entre le milieu environnant et le comportement social des populations d'une même espèce ou d'espèces voisines.
De. Sozioökologie (f.)
En. socioecology
Es. socioecología [3984]

SOCIO-ENVIRONNEMENTAL adj. 78
SOCIOENVIRONNEMENTAL
sociologie
Relatif aux relations réciproques d'une organisation sociale et
d'un environnement donnés.
De. Sozial- und Umwelt-
En. socioenvironmental [9104]

SOCIOLECTE n.m. 74
linguistique
Parler spécifique d'un groupe social
En. social dialect [1932]

SOCION n.m. 74
écologie > écosystème
Surface d'une même strate occupée par la même espèce
dominante, indépendamment des autres strates.
V. sociation
De. sozion (f.)
En. socion
Es. soción [3819]

SOCIOPATHE adj. 76
psychologie > pathologie mentale
Se dit d'un individu atteint d'une perturbation dans ses
relations avec le groupe social. [4573]

SOCLEUR n.m. 74
arts > sculpture
Artisan spécialisé dans la fabrication des socles.
De. Sockelbauer; — Gießer (m.)
En. pedestal-maker [1570]

SODAR n.m. 75
télécommunications > communication spatiale
Dispositif de localisation utilisant la rétrodiffusion d'ondes
sonores.
V. lidar
En. sodar [6281]

SODOCALCIQUE adj. 72
chimie > constitution de la matière
Se dit d'une substance dont les cations sont essentiellement le
sodium et le calcium.
De. Natorum-Kalzium —
En. sodiocalcic [512]

SOIGNEUSE n.f. 75
technologie des matériaux > filature
Ouvrière spécialisée dans l'approvisionnement, la surveillance
et l'entretien du métier à filer en continu.
De. Textilmaschimenbedienerin (f.)
En. machine-minder [4911]

SOL → air- —; gratteuse de —; hors —; linéaire au —;
rez-de- —.

SOLAIRE adj. 72
mécanique appliquée > organe de machine
Se dit, dans un train planétaire, de la roue extrême à denture
extérieure.
De. Sonnen-
En. sun (gear) [514]

SOLAIRE → capteur — plan ; chaudière — ; constante
— ; gisement — ; maison — ; voile — .

SOLARCHITECTURE n.f. 74
arts > architecture
Type d'architecture utilisant l'énergie solaire pour le chauf-
fage ou la climatisation des bâtiments.
V. hélio-architecture
En. solarchitecture [3098]

SOLARISATION n.f. 77
énergie (technologie) > énergie solaire
Aménagement d'un bâtiment en vue d'utiliser l'énergie solaire
pour assurer sa climatisation.
V. solarisé

De. heliotechnische Ausrüstung (f.)
Es. solarización [8029]

SOLARISÉ adj. 77
énergie (technologie) > énergie solaire
Se dit d'un bâtiment ayant subi une solarisation.
V. solarisation
De. heliotechnisch ausgerüstet
Es. solarizado [8030]

SOLEAU → enveloppe — .

SOLEIL → foyer- — .

SOLEIL CALME n.m. 76
sciences de l'espace
État du soleil dans lequel son émission se réduit à la
composante de base.
V. composante de base
De. ruhige Sonne (f.)
En. quiet sun; undisturbed sun [7624]

SOLEUSE → trancheuse sous- — .

SOLIDE → pont —; solution — .

SOLITON n.m. 76
physique > onde ou rayonnement
Onde solitaire de grande amplitude dont la forme régulière et
stable se propage uniformément.
En. solitary wave
Es. solitón [7074]

SOLO (en —) adj. 73
transport et manutention > transport
Se dit d'un véhicule destiné à faire partie d'un ensemble de
véhicules couplés ou articulés lorsqu'il circule sans sa remorque ou sa semi-remorque.
En. solo [338]

SOLODISÉ adj. 74
propriété > composition
Se dit d'un sol présentant un horizon A_2 très clair et siliceux et
un horizon B argileux et dont la différenciation est liée à une
dégradation en milieu alcalin.
De. solodisiert
En. solodized
Es. solodizado [3820]

SOLUTION SOLIDE n.f. 74
chimie > chimie du solide et du fluide
Milieu fortement visqueux formé de différentes phases.
De. feste Lösung (f.)
En. solid solution
Es. solución sólida [2924]

SOLVATER v. 74
chimie > chimie du solide et de fluide
Associer une molécule dissoute avec un certain nombre de
molécules de son solvant.
De. solvatisieren
En. to solvate
Es. solvatar [6001]

SOLVOACIDITÉ n.f. 68
propriété > propriété chimique
Pouvoir accepteur des particules anioniques composant les sels
fondus utilisés comme solvant.
De. Lösungsazidität (f.)
En. solvoacidity [1758]

SOLVOLYSE n.f. 74
chimie > réaction chimique
Décomposition d'un corps dissous par le dissolvant.
De. solvolyse (f.)
En. solvolysis
Es. solvólisis [6690]

SOMATOMÉDINE n.f. 74
constituant des organismes vivants
Hormone libérée par le foie au cours de la croissance. [2568]

SOMATOPHOBE adj. 77
psychologie > pathologie mentale
Relatif à la somatophobie.
V. somatophobie [8550]

SOMATOPHOBIE n.f. 77
psychologie > pathologie mentale
Phobie ayant le corps pour objet.
V. somatophobe [8551]

SOMATOSTATINE n.f. 77
constituant des organismes vivants
Hormone polypeptidique produite en plusieurs points de l'organisme et assurant diverses régulations.
En. somatostatin [8418]

SOMATOTOPIQUE adj. 73
physiologie > neurophysiologie
Relatif à la division du corps en secteurs en corrélation avec les centres nerveux qui les régissent.
De. somatotopisch
En. somatotopic [870]

SOMMATEUR n.m. 76
automatisme > équipement automatique
Dispositif qui effectue la somme, principalement de grandeurs analogiques ou complexes. [4912]

SOMMEIL À ONDES LENTES n.m. 75
physiologie > neurophysiologie
Phase du sommeil qui se reproduit 4 à 6 fois par nuit, pendant laquelle le dormeur présente un tracé électroencéphalographique ralenti, ample et régulier.
V. sommeil paradoxal; sommeil sismique
De. Tiefschlaf (m.); orthodoxer Schlaf (m.)
En. deep sleep; quiet sleep; non-R.E.M. sleep; non-R.E.M.; N.R.E.M. sleep; N.R.E.M.
Es. sueño de ondas lentas [4167]

SOMMEIL PARADOXAL n.m. 73
physiologie > neurophysiologie
Phase du sommeil correspondant aux périodes de rêve et caractérisée par un tracé électroencéphalographique qui ressemble au tracé de veille.
V. sommeil à ondes lentes; sommeil sismique
De. paradoxaler Schlaf (m.); desynchronisierter Schlaf (m.)
En. paradoxical sleep; R.E.M. sleep; rapid eye movement sleep [1759]

SOMMEIL SISMIQUE n.m. 76
physiologie >neurophysiologie
Type de sommeil propre à l'animal nouveau-né caractérisé par des secousses entrecoupées de disparitions complètes du tonus.
V. sommeil à ondes lentes; sommeil paradoxal
En. seismic sleep
Es. sueño sísmico [5864]

SOMMITAL adj. 73
politique
Situé au sommet.
En. summit [872]

SONDAGE MAGNÉTIQUE DIFFÉRENTIEL n.m. 77
techniques sciences de la terre
Méthode de sondage magnétique fondée sur les différences d'indications fournies par deux magnétomètres situés de part et d'autre d'un point de mesure.
V. sondage magnétique profond
En. differential geomagnetic sounding
Es. sondeo magnético diferencial [8552]

SONDAGE MAGNÉTIQUE PROFOND n.m. 77
techniques sciences de la terre
Méthode de sondage magnétique permettant de détecter des anomalies dans la distribution des courants telluriques profonds.

V. sondage magnétique différentiel
En. geomagnetic deep sounding
Es. sondeo magnético profundo [8553]

SONDE LOGIQUE n.f. 75
électronique > équipement électronique
Sonde conçue pour tester rapidement les niveaux logiques dans les systèmes de circuits intégrés.
En. logic probe
Es. sonda lógica [4745/8960]

SONDE QUADRIPOLAIRE n.f. 73
instrumentation > équipement aérospatial
Appareil d'exploration verticale de l'atmosphère qui utilise deux antennes à double point de contact.
De. Quadrupolsonde (f.)
En. quadripolar probe [1760]

SONDEUR MULTIFAISCEAUX n.m. 78
techniques sciences de la terre
Sondeur qui, à l'aide de plusieurs pinceaux, permet d'établir directement une carte morphologique des fonds marins.
De. Mehrstrahlechograph (m.) [8961]

SON DIRECT n.m. 74
instrumentation > système électroacoustique
Son enregistré sur la bande simultanément avec l'image.
V. double bande
De. Synchronaufnahme (f.)
En. sound-on-film; sound-film [3821]

SONIFICATION n.f. 75
chimie > chimie du solide et du fluide
Traitement d'une substance biologique par les ultrasons.
En. sonication
Es. sonificación [6283]

SONIQUE → blocage — ; ligne — .

SONOMANOMÉTRIE n.f. 76
instrumentation > mesure des phénomènes physiologiques
Technique permettant de déterminer la pression qui favorise, à l'aide d'un ensemble de sons, l'ouverture de la trompe d'Eustache.
En. sonomanometry
Es. sonomanometría [6691]

SONOMÈTRE → infra- — .

SONORE → bracelet — ; écritoire — ; page — ; paysage — .

SONOTRODE n.f. 77
mécanique appliquée > machine-outil
Outil de forme et de nature propres à assurer la transmission des vibrations ultrasonores et de l'effort nécessaire au soudage par ultrasons.
De. Sonotrode (f.)
En. sonotrode [7746]

SONS → piège à — .

SOPHROLOGIE n.f. 72
génie biomédical > psychothérapie
Partie de la médecine psychosomatique qui étudie les effets sur l'organisme d'états de conscience provoqués par certaines méthodes psychologiques ou certains procédés physiques ou chimiques.
V. hypnosophrologie; sophrologue; sophronique; sophronisation
De. Sophrologie (f.)
En. sophrology [687]

SOPHROLOGUE n. 76
génie biomédical > psychothérapie
Spécialiste de sophrologie.
V. hypnosophrologie; sophrologie; sophronique; sophronisation
En. sophrologist
Es. sofrólogo [6803]

SOPHRONIQUE adj. 70
génie biomédical > psychothérapie
Se dit d'un état de conscience obtenu par suggestion, relaxation, autoconcentration et par les techniques yoga, zen...
V. hypnosophrologie ; sophrologie ; sophrologue ; sophronisation
De. sophronisch
En. sophronical [688]

SOPHRONISATION n.f. 70
génie biomédical > psychothérapie
Traitement consistant à provoquer un état de conscience sophronique.
V. hypnosophrologie ; sophrologie ; sophrologue ; sophronique
De. Sophronierung (f.)
En. sophronization [689]

SORBANT n.m. 75
physique > mécanique
Liquide ou solide qui retient un gaz ou une vapeur.
V. sorbat
De. Sorbens (n.) ; Sorptionsmittel (n.)
En. sorbent [5733]

SORBAT n.m. 75
physique > mécanique
Gaz ou vapeur retenu par un liquide ou un solide.
V. sorbant
De. Sorbat (n.)
En. sorbate [5734]

SORPTION → pompe à — .

SORT → avis de — .

SORTI → premier entré, dernier — ; premier entré, premier — .

SOUCHE → cellule — .

SOUCHOTHÈQUE n.f. 77
microbiologie
Endroit où est conservée une collection de souches de bactéries, bacilles, virus.
V. microthèque [7197]

SOUDAGE → micro- — .

SOUDAGE À ARC NON-APPARENT n.m. 74
mécanique appliquée > assemblage
Technique de soudage réalisée sous flux en poudre, ou sous laitier fondu.
V. soudage par bossages
De. Schweißung (f.) mit verdecktem Lichtbogen
En. submerged arc welding [2748]

SOUDAGE PAR BOSSAGES n.m. 74
mécanique appliquée > assemblage
Technique de soudage par points qui consiste à utiliser des électrodes plates en vue d'effectuer une longue soudure en une seule opération.
V. sondage à arc non-apparent
De. Buckelschweißung (f.)
En. projection welding [2749]

SOUDER → crayon à — .

SOUDEUSE EN L n.f. 75
mécanique appliquée > assemblage
Soudeuse d'un film d'emballage dont les fers soudeurs sont disposés en L renversé.
De. L-förmige Schweißköpfe (m.)
En. L-shaped welder [5071]

SOUDEUSE ORBITALE n.f. 73
mécanique appliquée > machine-outil
Machine qui permet de souder deux pièces dont la section est une circonférence.
En. orbital welder [1572]

SOUDO-DIFFUSANT adj. 73
SOUDODIFFUSANT
propriété > propriété technologique
Se dit d'une soudure qui se diffuse dans les éléments à unir. [871]

SOUDURE → coupe- — ; guillotine de — .

SOUDURE MOLÉCULAIRE n.f. 73
technologie des matériaux > génie chimique
Procédé de marquage industriel qui consiste à décorer et à marquer grâce à des films adhésifs les matériels routiers, ferroviaires, etc.
De. molekulares Schweissen (n.)
En. molecular welding [1042]

SOUFFLABILITÉ n.f. 77
propriété > propriété technologique
Aptitude d'un matériau à être travaillé par soufflage.
De. Blaseignung (f.) [7483]

SOUFFLAGE → injection- — ; semi- — .

SOUFFLE → gros- — ..

SOUFFLÉ → aspiré- — ; bitume — - — .

SOUFFLÉ -SOUFFLÉ n.m. 74
technologie des matériaux > formage
Procédé de formage de récipients en verre dans lequel la paraison est forcée par air comprimé dans le moule ébaucheur, puis dans le moule finisseur.
V. aspiré-soufflé
En. blow-blow method [3985]

SOUFFLEUSE n.f. 75
environnement et sécurité > protection contre les intempéries
Machine aspirant la neige et la rejetant sur le côté ou dans un camion.
En. snowblower ; snow blower ; snow thrower [4746]

SOUFFLEUSE À PLONGEUR n.f. 74
économie > industrie chimique
Appareil destiné au soufflage des corps creux en matière fondue.
V. chambre de plongée ; mandrin plongeant [3270]

SOUFROI → code — .

SOULÈVATEUR n.m. 76
transport et manutention > engin de levage
Engin de levage permettant de soulever des charges.
En. lift [6925]

SOUPE BIOLOGIQUE n.f. 76
géologie > paléontologie
Milieu qui se serait constitué dans les mers et les lagunes il y a plusieurs milliards d'années et dans lequel se seraient formées les premières cellules vivantes.
V. bion ; gazon primordial
De. Ursuppe (f.)
En. nutrient broth
Es. caldo biológico [6142]

SOUPLE → conserve — ; disque — ; plage — ; porte — .

SOURCE → seconde — .

SOURCE UNIQUE (en —) adj. 74
économie > production
Dans une coopération industrielle, se dit de la production de certaines pièces détachées destinées à l'ensemble des appareils d'un type donné, par un seul des partenaires. [3552]

SOUS → désaérateur — - vide ; trancheuse — - soleuse .

SOUS-CARATTÉ adj. 73
SOUS-CARATÉ
exploitation des ressources minérales
Se dit d'un trépan diamanté dont les pierres sont espacées afin d'obtenir un meilleur passage de la boue, une augmentation de la charge unitaire par diamant et une force de pénétration accrue.
V. caratage
De. unterkarätig
En. underweight [6693]

SOUS-ENSEMBLE FLOU n.m.
mathématiques
Ensemble de couples (x, f (x)) où x est un élément d'un ensemble X donné et f une application de X dans un espace M.
Es. sub-conjunto nebuloso [3271]

SOUS-FACTURATION n.f. 77
économie > prix
Procédé de facturation permettant de constituer des avoirs à l'étranger grâce à une facturation d'un montant inférieur à celui réellement payé pour une marchandise vendue.
V. surfacturation
De. Unterfakturierung (f.)
En. underbilling [8176]

SOUS-FESSIÈRE n.f. 77
environnement et sécurité > protection
Sangle d'un harnais de sécurité reliée aux bretelles et permettant un appui fessier.
En. seat-strap [7895]

SOUS-GRAPHÈME n.m. 73
linguistique
Graphème de caractère secondaire.
De. Untergraphem [1221]

SOUS-JUPE n.f. 75
environnement et sécurité > lutte contre la pollution
Dispositif placé autour de l'anode d'une cuve d'électrolyse pour récupérer une partie du fluor rejeté lors de fabrication d'aluminium.
De. Anodenumhüllung (f.)
En. skirting [5446]

SOUS-MARINISATION n.f. 74
instrumentation > structure marine
Adaptation d'un équipement aux conditions de l'environnement sous-marin.
V. marinisé [4211 bis]

SOUS-MINIATURE adj. 75
instrumentation > mesure de dimension
Se dit d'un objet dont les dimensions sont plus réduites que celles d'une miniature.
De. Subminiatur-
En. sub-miniature
Es. subminiatura [4747]

SOUS-PLAFOND n.m. 73
bâtiment et travaux publics > élément d'ouvrage du bâtiment
Second plafond destiné à assurer une protection.
De. Hängedecke (f.); abgehängte Decke (f.)
En. suspended ceiling [1573]

SOUSVERSE n.f. 73
environnement et sécurité > environnement
Partie d'un liquide prélevée à la partie inférieure du récipient qui le contient.
V. surverse
De. Ablauf(flüssigkeit) (f.)
En. underflow [690]

SOUS-VIDE n.m./adj. 73
circonstance opératoire
[Se dit d'une] technique de traitement dans des conditions de vide.
En. vacuum [2569]

SOUTERRAINE → fusée — .

SOUTIEN-GORGE n.m. 74
environnement et sécurité > signalisation
Signal invitant les conducteurs de trains électriques à baisser les pantographes.
En. bra [3822]

SOUVERAINISME n.m. 73
politique
Tendance politique visant à demander pour un gouvernement provincial les moyens d'action d'un gouvernement souverain.
En. sovereign thesis; states' right [2925]

SPALLATIF adj. 75
physique > physique des particules
Relatif à l'éclatement d'un noyau sous l'effet du choc d'une particule incidente d'énergie très élevée (spallation).
De. Spallations-
En. spallative [7748]

SPANGLAIS n.m. 71
linguistique
Langue hybride issue de l'anglais et de l'espagnol.
En. Spanglish [4168]

SPASTICITÉ n.f. 73
pathologie animale > pathologie ostéoarticulaire
Augmentation pathologique du tonus musculaire.
De. Spastizität (f.)
En. spasticity [1045]

SPATANGUE → drague — .

SPATIAL → élément — .

SPATIALE → commutation — ; fréquence — .

SPÉCIAL → gaz — .

SPÉCIALISÉ → terminal — .

SPÉCIFICITÉ → régio- — .

SPECTRE BIOLOGIQUE n.m. 74
écologie > formation écologique
Répartition en pourcentage des formes biologiques auxquelles appartiennent les espèces d'une communauté végétale.
En. biological spectrum
Es. espectro biológico [6694]

SPECTRE RAMAN n.m. 74
physique > spectre
Spectre provenant de la diffusion d'un rayonnement lumineux monochromatique par un corps transparent et engendrant des raies dont la position est symétrique par rapport à la raie correspondant à la fréquence du rayonnement incident.
De. Raman-Spektrum (n.)
En. Raman spectrum
Es. espectro Raman [2926]

SPECTROCOLORIMÈTRE n.m. 74
chimie > chimie analytique
Appareil de mesure de la densité optique d'une solution dans le visible.
De. Spektralmeßgerät (n.)
Es. espectrocolorímetro [3456]

SPECTROMÈTRE DE MASSE n.m. 73
instrumentation > spectrométrie
Appareil permettant de fragmenter les grosses molécules en ions ou radicaux afin d'identifier selon leurs poids la molécule-mère par synthèse.
De. Massenspektrometer (n.)
En. mass spectrometer [1222]

SPECTROMÉTRIE ACOUSTIQUE n.f. 69
instrumentation > spectrométrie
Méthode de contrôle de récipients sous pression par faisceaux d'ondes ultrasons.

De. akustische Spektrometrie (f.)
En. acoustic spectrometry [1761]

SPECTROPLUVIOMÈTRE n.m. 76
géophysique > météorologie
Appareil permettant d'évaluer l'importance des précipations par mesure de l'occultation de la lumière émise lors du passage des gouttes devant une cellule photoélectrique.
En. spectral rain-gauge
Es. espectropluviómetro [6695]

SPECTRORADIOMÈTRE n.m. 77
instrumentation > mesure thermique
Appareil permettant de mesurer la distribution de l'énergie spectrale d'un rayonnement.
De. Spektroradiometer (n.)
En. spectroradiometer
Es. espectroradiómetro [8962]

SPECTROZONAL adj. 73
instrumentation > photographie
Se dit d'une émulsion fausse couleur constituée par la superposition de deux ou trois couches sensibles, les bandes passantes spectrales étant définies par le jeu de filtres sélectifs.
V. fausse couleur
De. spektrozonal [7749]

SPERMOLOGIE n.f. 77
physiologie > reproduction (physiologie)
Partie de la médecine consacrée à l'étude du sperme.
En. spermatology
Es. espermología [8031]

SPERMOVÉLOCIMÈTRE n.m. 76
génie biomédical > analyse biologique
Appareil destiné à mesurer la mobilité de spermatozoïdes.
V. vélocimétrie
De. Spermovelozimeter (n.)
En. spermovelocimeter [5865]

SPHÈRE → réaction à — interne ; réaction à — externe .

SPHÈRE HUMIDE n.f. 74
recherche et développement > exploration scientifique
Sphère de plongée utilisée comme cabine de déshabillage avec sanitaires et de stockage du matériel de plongée.
V. sphère-sas ; sphère-vie [2116]

SPHÈRE-SAS n.f. 74
recherche et développement > exploration scientifique
Sphère de plongée indépendante pour la décompression ou la compression d'une équipe d'intervention ou de secours.
V. sphère humide ; sphère-vie [2117]

SPHÈRE-VIE n.f. 74
recherche et développement > exploration scientifique
Sphère de plongée permettant le séjour d'une équipe de plongeurs.
V. sphère humide ; sphère-sas [2118]

SPHÉROCRISTAL n.m. 77
embryologie
Cristal sphérique.
En. spherocrystal
Es. esferocristal [9387]

SPINEUR n.m. 75
physique > physique mathématique
L'un des deux nombres à deux composantes permettant de construire un quaternion.
De. Spinor (m.)
En. spinor
Es. espinor [5866]

SPINS → verre de — .

SPIRACLE n.m. 73
géophysique interne
Petit orifice situé sur les flancs d'un volcan ou à l'intérieur

d'un cratère et qui permet la sortie des gaz lors de l'activité éruptive. [7198]

SPIRAL → bras — .

SPIRALAGE n.m. 74
technologie des matériaux > formage
Opération qui consiste à donner la forme d'une spirale.
De. Wendelung (f.)
En. coiling [6143]

SPIRALE ÉQUIANGULAIRE n.f. 74
mathématiques
Spirale dont le tracé coupe le rayon vecteur sous le même angle, quel que soit l'angle polaire théta.
De. gleichwinklige Spirale (f.)
En. equiangular spiral
Es. espiral equiangular [2751]

SPIRALEUSE n.f. 74
technologie des matériaux > équipement industrie de transformation
Machine qui forme des tubes en carton par enroulement de papier en spirale.
En. spiral winder [3636]

SPIROPLASME n.m. 74
organisme vivant > microorganisme
Mollicute à morphologie spiralée.
V. acholéplasme ; mollicute ; mycoplasme
De. Spiroplasma (n.)
En. spiroplasma
Es. espiroplasma [4242]

SPOILER n.m. 76
économie > industrie mécanique
Dispositif aérodynamique provoquant une diminution de la portance d'une voilure ou de la poussée d'un réacteur ou moteur-fusée.
V. déporteur
De. Spoiler (m.)
En. spoiler [7075]

SPONGIFORME adj. 76
pathologie animale > pathologie neurologique
En forme d'éponge.
De. schwammförmig
En. spongiform
Es. espongiforme [8826]

SPONGIOPHAGE n.m. 76
physiologie > nutrition
Qui se nourrit d'éponges.
En. spongiophage
Es. espongiófago [6696]

SPORAL adj. 74
cellule et constitution cellulaire > cellule
Relatif à une spore.
De. Sporen-
En. sporal [7351]

SPOROBLASTOGÉNÈSE n.f. 77
embryologie
Formation et développement de sporoblastes.
En. sporoblastogenesis
Es. esporoblastogénesis [8827]

SPUMEUX adj. 78
cellule et constitution cellulaire > cellule
Se dit d'une cellule (de la tunique artérielle) gonflée de lipides. [9243]

SPUMOGÈNE adj. 75
matériau > produit chimique
Se dit d'un produit capable de provoquer une mousse au-dessus d'un liquide, par agitation.
De. schaumbildend
En. foam-producing
Es. espumógeno [4353]

SQUELETTOGÈNE adj. 76
anatomie > anatomie animale
Relatif à l'élaboration du squelette. [4748]

SQUELETTOMÈTRE n.m. 77
génie biomédical > appareillage médical
Appareil qui permet de déceler les troubles statiques dûs à un membre plus long que l'autre. [8032]

S.S.I. (SILICIUM-SUR-ISOLANT) n.f. 78
électronique > technique des semiconducteurs
Matériau utilisé pour la fabrication de plaquettes de circuits intégrés, comportant un substrat de saphir synthétique recouvert d'une couche de silicium et d'une couche isolante d'oxyde.
En. S.O.S. (Silicon-On-Sapphire) [9388]

STABLE → marge — .

STAGIARISATION n.f. 74
économie > travail (main-d'œuvre)
Fait de rendre une personne, stagiaire dans une entreprise. [1763]

STANDARD → bi- — ; mono- — ; propagation — .

STASSANISATEUR n.m. 76
économie > industrie agricole et alimentaire
Appareil de pasteurisation qui combine l'appareil à plaques et l'appareil tubulaire. [7484]

STATIF adj. 70
linguistique
Se dit d'un adverbe ou d'un adjectif qui indique un état permanent.
En. stative [3988]

STATIONNAIRE adj. 74
technique nucléaire
Se dit d'un réacteur thermonucléaire à plasma raréfié dont la réaction n'est ni instantanée ni explosive.
V. impulsionnel
En. stationary [1934]

STATIONNEL adj. 74
écologie > milieu (écologie)
Relatif à l'ensemble des facteurs édaphiques, climatiques et biologiques agissant sur la végétation et caractérisant un lieu donné.
En. stational [4244]

STATIQUE → mémoire — ; perte — ; stockage — ; transformation — .

STATISTIQUE → multiplexage — .

STATISTOGRAPHIE n.f. 74
information > document
Répertoire de statistiques.
En. statistography [2293]

STATOFUSÉE n.f. 76
instrumentation > équipement aérospatial
Fusée propulsée par un statoréacteur alimenté par un combustible solide ou liquide.
De. Staustrahlrakete (f.)
En. ramjet engine ; ramjet [7076]

STATORIQUE adj. 74
électrotechnique > composant électrotechnique
Qui se rapporte au stator.
De. Ständer- ; Stator-
En. stator [3274]

STATOSCOPE n.m. 76
techniques sciences de la terre
Instrument aéroporté fondé sur le principe du baromètre différentiel, servant à déterminer au cours du vol les variations d'altitude au-dessus du niveau moyen des océans.
En. statoscope [4749]

STÉATOMÉRIE n.f. 75
constituant des organismes vivants
Stockage de graisses localisées.
De. Steatomerie (f.)
En. steatomery [5868]

STELLARATEUR n.m. 74
technique nucléaire
Type de réacteur thermonucléaire stationnaire, de forme toroïdale, permettant d'obtenir des cycles de confinement du plasma plus longs que ceux des réacteurs normaux.
V. stationnaire
En. stellarator [1935]

STÈMISTE n. 74
économie > travail (main-d'œuvre)
Spécialiste chargé de contrôler l'efficacité d'un travailleur.
De. Stückzeitberechner (m.)
En. time and motion study technician [4355]

STEMMA n.m. 76
linguistique
Représentation graphique du schème structural de la phrase destinée à faire apparaître la hiérarchie des connexions de ses éléments.
En. stemma [7352]

STÉNOPHAGE adj. 74
écologie > adaptation biologique
Se dit d'une espèce qui a des exigences alimentaires très strictes.
V. euryphage
De. stenophag
En. stenophagous
Es. estenófago [2753]

STÉNOTOPE adj. 74
écologie > écosystème
Se dit d'une espèce qui gîte dans un territoire restreint.
V. sténotopie
De. stenotop
En. stenotopic ; stenotropic [6697]

STÉNOTOPIE n.f. 74
écologie > écosystème
Caractéristique des espèces sténotopes.
V. sténotope
De. Stenotopie (f.)
En. stenotopy [6698]

STEPPE ERME n.f. 72/73
STEPPE-ERME
écologie > formation écologique
Type de végétation dépourvue de toute espèce arbustive et constituée d'herbacées.
V. steppe garrigue
De. Grassteppe (f.) [3637]

STEPPE GARRIGUE n.f. 72/73
STEPPE-GARRIGUE
écologie > formation écologique
Type de végétation xérophile, constituée de sous-arbrisseaux laissant apercevoir entre eux des herbacées.
V. steppe erme
De. Buschsteppe (f.)
En. monte bajo estepario [3638]

STEPPISATION n.f. 69
géologie > pédologie
Transformation d'un sol de prairie en sol de zones steppiques (tchernozem).
De. Versteppung (f.) [7485]

STÉRÉODUC n.m. 72
transport et manutention > canalisation-conduite
Conduite destinée à l'acheminement de matériaux solides (minerai).
En. stereo-pipeline [339]

STÉRÉOLOGIE n.f. 76
génie biomédical > chirurgie
Étude des structures à trois dimensions qui peut s'appliquer à la caractérisation des cellules vivantes.
En. stereology
Es. estereología [6002]

STÉRÉOMINUTE n.f. 73
instrumentation > photographie
Épure graphique plani-altimétrique, en élévation-éloignement, annotée, issue de la stéréorestitution.
V. stéréorestitution [7199]

STÉRÉORÉGULARITÉ n.f. 73
chimie > constitution de la matière
Structure d'une molécule de polymère linéaire dont les groupes substitués sur la chaîne apparaissent ordonnés par rapport à celle-ci.
De. räumliche Regelmäßigkeit (f.)
En. stereoregularity [1395]

STÉRÉORÉGULIER adj. 73
chimie > constitution de la matière
Se dit d'une polymérysation à structure géométrique régulière.
En. stereoregular polymer ; stereospecific polymer [1936]

STÉRÉORESTITUTION n.f. 73
instrumentation > photographie
Méthode qui consiste à restituer graphiquement ou numériquement, dans un espace tridimensionnel donné, un terrain ou un objet à partir d'un couple de photographies stéréoscopiques introduit dans un appareil de restitution photogrammétrique.
V. stéréominute
Es. estereorestitución [7200]

STÉRÉOROENTGENGRAMMÉTRIE n.f. 73
instrumentation > photographie
Méthode d'enregistrement sur film, au moyen de rayons X, de diverses structures d'objets opaques selon les principes de la prise de vues stéréographique.
De. Stereoröntgengrammetrie (f.)
En. stereoroentgenometry [8554]

STÉRÉOSÉLECTIVITÉ n.f. 74
chimie > affinité chimique
Caractère d'une réaction sélective qui se fait préférentiellement vers un des isomères de configuration de la molécule obtenue.
V. régiosélectivité
En. stereoselectivity
Es. estereoselectividad [2571]

STÉRÉOSPÉCIFICITÉ n.f. 73
propriété > propriété physico-chimique
Qualité du produit d'une réaction entraînant la formation d'un isomère spécifique à structure régulière.
De. stereochemische Spezifität (f.)
En. stereospecificity [1937]

STÉROÏDOGÈNE adj. 76
physiologie > reproduction (physiologie)
Qui produit des stéroïdes.
V. stéroïdogénèse
De. steroidogen
En. steroidogenic [8828]

STÉROÏDOGENÈSE n.f. 76
physiologie > reproduction (physiologie)
Production de stéroïdes.
V. stéroïdogène
De. Steroidogenese (f.)
En. steroidogenesis
Es. esteroideogénesis [5869]

STIGMATEUR n.m. 74
électronique > optique électronique
Dispositif destiné à compenser l'influence des défauts de construction d'un microscope électronique sur la qualité de l'image.

De. Stigmator (m.)
En. stigmator [2754]

STIMORÉCEPTEUR n.m. 76
instrumentation > mesure des phénomènes physiologiques
Appareil recevant des ondes électromagnétiques en vue de stimuler le cerveau. [4574]

STIMULATION → voyage de — .

STISHOVITE n.m. 74
géologie > minéralogie
Polymorphe de haute pression du quartz.
De. Stichovit (n.)
En. stishovite [1938]

STOCKAGE → anneau de — ; silo de — .

STOCKAGE DYNAMIQUE n.m. 73
stockage > dépôt de stockage
Mode de stockage utilisant des systèmes transporteurs pour les marchandises stockées.
V. casier dynamique ; stockage statique ; transcasier
De. dynamische Lagerung (f.)
En. dynamic storage ; live storage [1396]

STOCKAGE STATIQUE n.m. 75
stockage > dépôt de stockage
Mode de stockage dans lequel les marchandises stockées restent immobiles dans un dispositif fixe.
V. stockage dynamique
En. custody storage ; static storage [6003]

STOCKAGE TOURNANT n.m. 73
stockage > dépôt de stockage
Mode de stockage effectué sur une plate-forme qui tourne.
De. Drehgestellager (n.)
En. lazy Suzan storage ; revolving storage ; rotary storage [1224]

STOCK TAMPON n.m. 74
STOCK-TAMPON
stockage > dépôt de stockage
Ensemble des marchandises entreposées dans un magasin tampon.
V. magasin de préparation ; magasin tampon
De. Puffervorrat (m.) ; Zwischenvorrat (m.)
En. buffer stock [2573]

STORISTE n. 73
économie > industrie du bâtiment et des travaux publics
Fabricant de stores.
De. Jalousienfabrikant (m.) ; Jalousienhändler (m.) [1397]

STRATÉGIE AUTOSECTORIELLE n.f. 73
économie > production
Se dit d'une stratégie qui vise à développer les activités traditionnelles de l'entreprise.
V. stratégie intersectorielle
En. autosectorial strategy
Es. estrategia autosectorial [216]

STRATÉGIE DE COMMUNICATION n.f. 73
économie > promotion des ventes
Argumentation de base à partir de laquelle le texte et la représentation visuelle d'une publicité sont élaborés.
En. copy platform ; copy strategy [3457]

STRATÉGIE DÉFENSIVE n.f. 74
économie > commercialisation
Se dit d'une stratégie qui consiste, pour une firme, à adopter la ligne de produits la plus complète possible afin de satisfaire au mieux distributeurs et consommateurs.
V. stratégie offensive
De. defensive Strategie (f.)
En. defensive strategy
Es. estrategia defensiva [2823]

STRATÉGIE INTERSECTORIELLE n.f. 73
économie > production
Se dit d'une stratégie qui vise à développer les activités de

l'entreprise dans des domaines nouveaux.
V. stratégie autosectorielle
En. intersectorial strategy [283]

STRATÉGIE OFFENSIVE n.f. 74
économie > commercialisation
Se dit d'une stratégie commerciale et industrielle qui se limite
à la fabrication d'un modèle ou d'un petit nombre de produits
en vue de satisfaire la demande issue d'un segment ou d'un
petit nombre de segments.
V. stratégie défensive
De. offensive Strategie (f.)
En. offensive strategy
Es. estrategia ofensiva [2883]

STRATIFIL n.m. 73
matériau > fil (textile)
Ensemble des fils de base ou de filaments parallèles assemblés
sans torsion intentionnelle.
En. roving [2927]

STRATODYNE n.f. 74
instrumentation > équipement aérospatial
Ballon captif utilisé pour l'exploration de la stratosphère.
De. Stratosphärenballon (m.)
En. stratospheric balloon
Es. balon estratosférico [2755]

STRATOTYPE n.m. 74
géologie > statigraphie
Représentant type d'une unité stratigraphique identifié
comme point ou intervalle spécifique dans une séquence de
strates spécifiques.
En. type section
Es. estratotipo [6926]

STRESSANT adj. 73
pharmacologie > toxicologie
Qui provoque une agression de l'organisme.
En. stressing [1048]

STRIURE n.f. 75
physique > mécanique
Petite rayure sur la roche en place due surtout à l'action de fins
débris rocheux.
V. griffure ; rainure ; rayure
De. Gletscherschramme (f.)
En. striation; stria; scratch
Es. estriado [5870]

STROBOPHOTOGRAPHIE n.f. 74
arts > photographie
Procédé de filmage qui permet de régler le nombre de photos
par seconde.
De. Stroboskopphotographie (f.)
*En. high-speed photography; strobe photography; stroboscopic
photography*
Es. estrobofotografía [3460]

STROMATOLITHIQUE adj. 73
botanique
Relatif à l'amas des filaments mycéliens (stroma) dont l'agglo-
mération est plus ou moins intime.
De. stromatolytisch
En. stromal; stromatic [875]

STRUCTURAL → analogue — ; exercice — .

STRUCTURE → constante de — fine .

STRUCTURE GONFLABLE n.f. 72
environnement et sécurité > protection
Abri fait d'un matériau souple et léger, maintenu et rigidifié
par une surpression interne d'air.
En. inflatable structure [692]

STYLO → caméra- — .

STYLODOSIMÈTRE n.m. 74
instrumentation > mesure de rayonnement ionisant
Dosimètre de la taille et de la forme d'un stylographe
permettant par simple lecture de connaître la dose absorbée de
rayonnements ionisants par le porteur à tout instant.
De. Bleistiftdosimeter (n.)
En. fountain pen dosemeter [6927]

STYLOLITISATION n.f. 78
physique > mécanique
Formation de stylolites.
De. Stylolithbildung (f.)
En. stylolite development; stylolite formation; stylolitization
[9105]

STYROBLOC n.m. 76
foresterie
Conteneur de styrène utilisé pour l'élevage de plants forestiers.
De. styroltopf (m.)
En. styroblock [6560]

SUBANTARCTIQUE adj. 73
localisation
Proche de l'Antarctique.
De. subantarktisch
En. subantarctic [171]

SUB-COMPACTE n.f. 73
SUBCOMPACTE
mécanique appliquée > véhicule
Automobile de petites dimensions.
De. Subkompaktwagen (m.)
En. subcompact [1225]

SUBERAIE n.f. 75
SUBÉRAIE
agronomie > ensemble végétal
Végétation composée de chênes-lièges.
De. Korkeichenwald (m.)
En. cork-oak forest [7353]

SUBÉRICULTEUR n.m. 76
foresterie
Exploitant d'une forêt de chênes-lièges.
V. subériculture
De. Korkeichenwaldbesitzer (m.)
En. cork-oak grower [7354]

SUBÉRICULTURE n.f. 75
foresterie
Ensemble des sciences et techniques appliquées aux bois et
forêts de chênes-lièges purs ou mélangés, notamment en vue
de la production de liège.
V. subériculteur [7353]

SUBNÉOLITHIQUE adj. 72
histoire
Se dit d'une civilisation qui ne possède qu'une partie des traits
propres aux cultures néolithiques.
En. subneolithic
Es. subneolítico [7077]

SUBPROTONIQUE adj. 74
physique > physique des particules
Se dit d'une particule dont la masse est inférieure à celle du
proton.
En. subprotonic
Es. subprotónico [3100]

SUBSIDENT adj. 76
géophysique interne
Se dit d'un bassin dont l'affaissement lent s'accompagne d'une
sédimentation continue.
Es. subsidente [6701]

SUBSISTANCE → auto- — .

SUBSTANTIVITÉ n.f. 74
propriété > propriété chimique
Propriété d'un colorant de se fixer directement sur la fibre sans

l'intervention d'un mordant.
De. Substantivität (f.)
En. substantivity [3824]

SUBSTITUT n.m. 73
modèle
Modèle pour lequel l'intersection entre modèle et sujet
concerne le domaine des résultats obtenus et le domaine de la
matière, de son façonnage ou de son usage.
V. modèle vrai ; réplique.
De. Ersatz (m.)
En. substitute [1939]

SUBSTITUTION → activité de — .

SUBSTITUTION ÉQUIVALENTE n.f. 74
économie > industrie du bois
Quantité de bois sans défaut remplacée par un nœud.
En. equivalent displacement [2294]

SUBSTITUTISME n.m. 75
économie > économie rurale
Prise en charge par l'administration de travaux agricoles non
effectués par les paysans, en vue d'accélérer le développement. [4214 bis]

SUBSTITUTIVE → paragraphie — .

SUBSURFACE n.f. 73
géophysique > hydrogéologie
Espace marin intermédiaire entre les eaux superficielles et les
grandes profondeurs.
En. subsurface [6804]

SUBTEST n.m. 77
linguistique
Test qui, dans un système hiérarchisé de tests, dépend d'un
autre et permet d'affiner les résultats. [8555]

SUBTHERMAL adj. 70
environnement et sécurité > environnement
Se dit d'une eau dont la température est comprise entre la
moyenne de la température extérieure et 20° C.
V. acrothermal ; hyperthermal [7201]

SUCEUSE n.f. 74
géotechnique
Type de drague munie d'un dispositif d'aspiration.
De. Saubagger (m.)
En. pump dredger [4914]

SUCRÉ → acier — .

SUCROCHIMIE n.f. 75
économie > industrie chimique
Industrie des produits chimiques dérivés des sucres.
De. Zuckerchemie (f.)
En. sugar chemistry
Es. sucroquímica [4915]

SUCROSITÉ n.f. 76
propriété > propriété organoleptique
Qualité d'une saveur sucrée.
De. Süße (f.)
En. sweetness [5735]

SUFFISANT → auto- — .

SUGGESTOLOGIE n.f. 73
enseignement
Étude des phénomènes de suggestion.
V. suggestopédie
De. Suggestologie (f.)
En. suggestology
Es. sugestionología [3102]

SUGGESTOPÉDIE n.f. 75
enseignement
Méthode pédagogique qui utilise la suggestologie pour favoriser l'apprentissage.

V. suggestologie ; suggestopédique
De. Suggestionspädagogie (f.)
En. suggestopaedia [5448]

SUGGESTOPÉDIQUE adj. 75
enseignement
Propre à la suggestopédie.
V. suggestopédie
De. suggestionspädagogisch
En. suggestopaedic [5449]

SUICIDANT n.m. 74
psychologie > pathologie mentale
Sujet ayant fait sans succès une tentative de suicide, ou dont
on craint qu'il se livre à une telle tentative.
De. Selbstmordgefährdeter (m.)
En. felodese ; felosdese ; felonesdese ; suicide [2119]

SUICIDOGÈNE adj. 77
psychologie > pathologie mentale
Qui pousse au suicide. [6413]

SUIPESTIQUE adj. 73
organisme vivant > microorganisme
Se dit d'un virus pestique propre à la race porcine.
V. bovipestique ; capripestique
De. Schweinepest- [4750]

SUITE → lait de — .

SUIVEUR n.m. 75
automatisme > équipement automatique
Dispositif permettant de suivre l'évolution d'un phénomène
par asservissement.
De. Folgeregler (m.)
En. follower [4751]

SUIVEUR → palpeur- — .

SUIVI n.m. 74
gestion, organisation, administration > gestion
Surveillance et contrôle de l'application d'une décision.
En. follow-up [2756]

SULFHYDRISATION n.f. 74
technologie des matériaux > génie chimique
Transformation en hydrogène sulfuré.
En. hydrogen sulfide formation (U.S.A.); hydrogen sulphide
formation (U.K.)
Es. sulfhidrización [7750]

SULFIDITÉ n.f. 75
chimie > chimie du solide et du fluide
Concentration de sulfure de sodium dans une solution. [4575]

SULFINUZÉ adj. 76
technologie des matériaux > traitement thermochimique
Qui a subi une cémentation au bain de sel à 550 ° C en vue
d'introduire superficiellement dans le métal des composés
sulfurés, nitrurés et carbonés.
De. Sulf-inuziert
En. sulfinuz-treated [7751]

SULFOCHROMIQUE → mélange — .

SULFOXYDATION n.f. 74
chimie > réaction chimique
Transformation en sulfoxyde.
De. Sulfoxidation (f.)
En. sulfoxidation
Es. sulfooxidación [7752]

SUMMITAL adj. 76
géophysique interne
Relatif à un sommet.
En. summital [6928]

SUPER → eau — -refroidie .

SUPERADIABATIQUE adj. 77
géophysique > météorologie
Se dit d'un gradient de température supérieur au gradient
adiabatique (1 °C par 100 m.). [8556]

SUPERAMAS n.m. 76
sciences de l'espace
Concentration de quelques milliers de galaxies qui peuvent
former des groupes, des nuages, des amas.
V. groupe local ; supergalaxie
De. Superhaufen (m.)
En. supercluster [6144]

SUPER-BACTÉRIE n.f. 75
SUPERBACTÉRIE
microbiologie
Bactérie obtenue par manipulation génétique fondée sur un
transfert de plasmides d'une autre bactérie.
De. Superbakterie (f.)
En. superbacterium
Es. superbacteria [5072]

SUPER-CHOC adj. 73
SUPERCHOC
propriété > propriété mécanique
Se dit d'un matériau qui présente une haute résistance aux
chocs.
De. superstoßfest
En. shock-resistant [1226]

SUPERCONDUCTEUR IONIQUE n.m. 75
chimie > électrochimie
Cristal ionique dont la forte conductivité est due à la
concentration des défauts de réseau.
De. Superionenleiter (m.)
En. solid electrolyte
Es. electrolito sólido [4245]

SUPERCRITIQUE → aile — .

SUPERDOMINANCE n.f. 76
génétique > information génétique
Propriété de l'hétérozygote d'avoir une meilleure valeur
sélective que les deux homozygotes.
En. monohybride heterosis ; overdominance
Es. superdominancia [6930]

SUPÈRE adj. 72/73
anatomie > anatomie animale
Se dit d'une bouche déportée vers le haut, et vers l'arrière.
En. superior [3639]

SUPERFICIEL → martelage — .

SUPERFICIELLE → cornification — ; encre — .

SUPERFRAC n.m. 70
technologie des matériaux > raffinage du pétrole
Mode de fracturation applicable aux formations à faible ou à
haute perméabilité, utilisant un fluide à haute viscosité qui
permet d'obtenir une grande largeur de fissuration.
En. superfrac [6561]

SUPERGALAXIE n.f. 76
sciences de l'espace
Concentration de quelques milliers de galaxies.
V. groupe local ; superamas
De.Supergalaxis (f.)
En. supergalaxy
Es. supergalaxia [6145]

SUPERGÈNE adj. 72
géologie > gîtologie
Se dit d'un gisement qui s'est formé à une faible profondeur et
à des conditions de pression et de température proches des
conditions normales existant à la surface de la terre.
De. oberflächennah
En. supergene
Es. supergénico [4467]

SUPERGRANULATION n.f. 78
sciences de l'espace
Structure en supergranules d'une couche subphotosphérique
d'une profondeur de l'ordre de 1 000 km.
V. granulation ; supergranule
De. supergranulation
En. supergranulación [9106]

SUPERGRANULE n.m. 78
sciences de l'espace
Formation caractéristique d'une couche subphotosphérique
d'une profondeur de 1 000 km et dont la taille est environ
30 fois plus grande et la durée de vie 100 fois supérieure à
celles d'un granule.
V. granule ; supergranulation
En. supergranule [9107]

SUPERORDONNÉ adj. 70
linguistique
Se dit d'un terme dont le sens inclut ceux d'un ou de plusieurs
autres termes.
V. hyperonyme
En. superordered
Es. superordenado [3990]

SUPERPLASTICITÉ n.f. 76
propriété > propriété technologique
Qualité présentée par des matériaux superplastiques.
V. superplastique
De. Superplastizität (f.)
En. superplasticity
Es. superplasticidad [6805]

SUPERPLASTIQUE adj. 73
propriété > propriété technologique
Se dit d'un matériau qui peut subir en traction un allongement
très important sans apparition de striction.
V. superplasticité
De. superplastisch ; hyperplastisch
En. superplastic [2757]

SUPERPOSÉ → arc — .

SUPERSIGNE n.m. 75
information > théorie de l'information
Assemblage de signes élémentaires accepté par la mémoire et
susceptible d'être reconnu comme un signe mémorisant.
En. supersign
Es. supersigno [4752]

SUPERSYNTHÈSE D'OUVERTURE n.f. 74
sciences de l'espace
Synthèse d'ouverture qui utilise la rotation de la Terre.
V. synthèse d'ouverture
De. Superöffnungssynthese (f.)
En. aperture supersynthesis [3991]

SUPPLÉMENTATION → antibio- — .

SUPPORT → papier — de couche ; vaisseau de — .

SUPRAFLUIDITÉ n.f. 76
physique > physique du solide et du fluide
État d'un fluide caractérisé par une conductivité thermique
extrêmement élevée et une forte capillarité.
De. Superfluidität (f.)
En. superfluidity [8177]

SUPRALITTORAL adj. 75
géophysique > géomorphologie
Se dit de l'étage du littoral situé au-dessus de la laisse de haute
mer.
V. circalittoral ; infralittoral ; mediolittoral
De. supralitoral
En. supralittoral
Es. supralitoral [4916]

SUPRAOPTIQUE → centre — .

SURACCÉLÉRATION n.f. 76
physique > mécanique
Dérivée troisième de l'espace par rapport au temps.
En. jerk
Es. superaceleración [6931]

SUR-AJUSTEMENT n.m. 73
SURAJUSTEMENT
modèle
Ajustement des paramètres d'un modèle mathématique aux données expérimentales lorsque celles-ci sont surabondantes.
En. over-adjustment [3276]

SURBOTTE n.f. 77
environnement et sécurité > protection
Botte de protection.
De. Schutzstiefel (n.) [8288]

SURBOUCHAGE n.m. 73
conditionnement (emballage) > fermeture
Opération consistant à coiffer le col et le bouchon d'une bouteille d'une capsule d'aluminium préfabriquée ou découpée. [1764]

SURCHARGE → maladie de — .

SURCIMÉ adj. 76
botanique
Se dit d'un arbre dominé par la cime d'un autre.
En. overtopped [7897]

SURCONVERTISSEUR n.m. 73
technique nucléaire
Réacteur nucléaire produisant plus de matière fissile qu'il n'en consomme, cette matière fissile produite étant différente de celle qu'il consomme.
De. Brutreaktor (m.)
En. breeder [174]

SURCORRECTEUR n.m. 78
enseignement
Examinateur chargé de trancher un litige entre deux ou plusieurs correcteurs. [8964]

SURDIMENSIONNEMENT n.m. 76
propriété > configuration
État d'un objet dont les dimensions excèdent la normale.
V. surdimensionner
De. Überdimensionierung (f.) [5599]

SURDIMENSIONNER v. 73
propriété > configuration
Excéder les dimensions normales d'un élément déterminé.
V. surdimensionnement
De. überdimensionieren
En. to oversize [3825]

SURDOUÉ adj. 75
psychologie > psychophysiologie
Se dit d'un enfant ayant un quotient intellectuel élevé.
De. überdurchschnittlich begabt
En. exceptionally-gifted
Es. superdotado [5450]

SUREMBALLAGE n.m. 75
conditionnement (emballage) > emballage
Action de suremballer.
V. suremballer ; suremballeuse
De. Außenverpackung (f.)
En. overpacking [4754]

SUREMBALLER v. 77
conditionnement (emballage) > emballage
Entourer d'un emballage collectif plusieurs produits déjà emballés à l'unité.
V. suremballage ; suremballeuse [8557]

SUREMBALLEUSE n.f. 73
conditionnement (emballage) > emballage
Machine destinée à suremballer.
V. suremballage ; suremballer [1765]

SÛRETÉ-CRITICITÉ n.f. 73
technique nucléaire
Ensemble des mesures destinées à empêcher le déclenchement d'une réaction nucléaire en chaîne.
En. nuclear criticality safety [3277]

SURFACE → aérateur de — ; aération de — ; agent de — ; tapis — -griffe .

SURFACE FRAÎCHE n.f. 77
technologie des matériaux > traitement de surface
Surface métallique venant de subir un traitement mécanique. [8558]

SURFACE LINGUISTIQUE n.f. 75
linguistique
Séquence orale ou écrite directement observable, considérée comme la réalisation phénoménale d'une structure profonde.
De. Oberflächenstruktur (f.)
En. linguistic surface [4755]

SURFACE MOUILLÉE n.f. 75
physique > mécanique
Part de la résistance aérodynamique due à la longueur des faces constituant les parois d'un mobile et immergées lorsque ce mobile est un bateau.
De. benetzte Oberfläche (f.)
En. wetted surface [4917]

SURFACE TERRIÈRE n.f. 76
anatomie > anatomie végétale
Superficie de la section de la tige d'un arbre le plus souvent à hauteur d'homme et sur écorce.
De. Grundfläche (f.)
En. basal area ; stand basal area [7355]

SURFACTANT n.m. 75
anatomie > anatomie animale
Substance de revêtement, de nature chimique complexe, des alvéoles pulmonaires qui les empêche d'être collabées en fin d'expiration.
De. Antiatelektasefaktor (m.) ; Surfactant (m.)
En. surfactant [4918]

SURFACTURATION n.f. 75
économie > prix
Incorporation dans un prix d'éléments qui ne peuvent être justifiés dans le détail d'une facture.
V. sous-facturation
En. overpricing [5451]

SURGÉLATEUR n.m. 78
action sur l'environnement > échange de chaleur
Spécialiste de la surgélation. [9108]

SURHYBRIDATION n.f. 74
génétique > hybride
Introduction dans l'hybride d'un contingent supplémentaire de chromosomes provenant d'une des cellules dont on effectue le croisement.
En superhybridization [6806]

SURJETAGE n.m. 76
technologie des matériaux > confection
Opération de finissage consistant à effectuer un surjet.
De. überwendliches Nähen (n.)
En. overcasting [6932]

SURMOÏQUE adj. 74
psychologie > psychophysiologie
Relatif au surmoi.
En. superego [5073]

SURPOIDS n.m. 77
pathologie animale > maladie de la nutrition et du métabolisme
Excès de poids.
De. Übergewicht (n.)
Es. sobrepeso [7626]

SURPRIX n.m. 76
économie > prix
Prix qui dépasse le prix normal de revient d'un produit.
De. Mehraufwand (m.)
En. extra price
Es. subreprecio [5600]

SURPRODUIT n.m. 70
économie > système économique
Partie du produit social qui n'est pas affectée.
Es. sobreproducto [5327]

SURPROGRAMMATION n.f. 76
informatique > programmation
Émission, pour chaque emplacement de mémoire, d'un nombre d'impulsions multiple du nombre d'impulsions nécessaire au préenregistrement d'informations dans une mémoire non altérable. [8965]

SURRÉSERVATION n.f. 76
transport et manutention > transport
Action de réserver des places en nombre plus important que celui des places offertes, en prévision de défaillances éventuelles.
En. overbooking ; surbooking [6807]

SURSALURE n.f. 76
propriété > composition
Concentration anormale en sels de l'eau de mer.
De. Übersalzigkeit (f.)
En. hypersalinity
Es. hipersalado [7754]

SURSATURÉE → combustion — .

SURSOL n.m. 73
bâtiment et travaux publics > construction
Surface du sol par opposition au sous-sol.
De. Boden (m.) an der Erdoberfläche
Es. sobresuelo [1766]

SURVALOIR n.m. 74
gestion, organisation, administration > gestion financière
Valeur estimée représentant la capacité bénéficiaire supplémentaire d'une entreprise par rapport aux autres entreprises concurrentes compte tenu des éléments incorporels de l'entreprise.
De. Firmenwert (m.)
En. goodwill
Es. valor suplementario [3640]

SURVERSE n.f. 73
environnement et sécurité > environnement
Partie d'un liquide prélevée à la partie supérieure du récipient qui le contient.
V. sous-verse
De. Überlauf(flüssigkeit) (f.)
En. overflow [694]

SURVITESSE → contacteur de — .

SURVITRAGE n.m. 75
bâtiment et travaux publics > équipement technique (bâtiment)
Habillage d'une fenêtre consistant à poser une seconde vitre par-dessus la première afin d'emprisonner une couche d'air entre les deux surfaces de verre.
De. Verbundfenster (n.)
En. double glazing [4920]

SUSPENSION-ROTULE n.f. 72
mécanique appliquée > organe de machine
Type d'élément de suspension articulée.

De. Kugel- Gelenkaufhangung (f.)
En. knuckle-joint suspension ; toggle-joint suspension [696]

SWAHILIPHONE adj. 73
SOUAHILIPHONE
linguistique
Qui parle le souahili.
En. Swahili-speaking [4169]

SYLVICULTURE → agri- — .

SYLVOCYNÉGÉTIQUE adj. 73
zootechnie
Relatif au gibier de la forêt.
De. Waldfauna- [1228]

SYMBION n.m. 73
écologie > écosystème
Être qui vit en symbiose avec un autre.
De. Symbiont (m.)
En. symbion ; symbiont [697]

SYMBOLE À CASE n.m. 78
représentation graphique > diagramme
Symbole graphique d'un composant pneumatique de commande qui comporte deux cases correspondant à chacune des deux positions possibles.
V. symbole en essuie-glace
En. envelope symbol [8829]

SYMBOLE EN ESSUIE-GLACE n.m. 78
représentation graphique > diagramme
Symbole graphique d'un composant pneumatique de commande dans lequel les deux positions possibles sont représentées par des traits pleins et des traits en pointillé.
V. symbole à case [8830]

SYMBOLIQUE → capital — .

SYMPATRIE n.f. 75
zoologie
Fait que les espèces affines qui ne s'hybrident pas peuvent occuper des aires géographiques se recouvrant.
De. Sympatrie (f.)
En. sympatry [4921]

SYMPHITIE n.f. 74
écologie > climax
Association de plantes poussant ensemble.
De. Symbiose (f.) ; Symphytie (f.)
En. symphysis [3826]

SYNAPTOGÉNÈSE n.f. 75
cellule et constitution cellulaire > cellule
Formation de synapses.
De. Synaptogenese (f.)
En. synaptogenesis
Es. sinaptogénesis [6285]

SYNCHRO → numérique- — .

SYNCHRODÉTECTION n.f. 77
électrotechnique > mesure électrique
Détection d'une position ou d'un déplacement angulaire à l'aide d'une synchromachine.
En. synchroposition measurement
Es. sincrodeteccion [8966]

SYNCHRONUMÉRIQUE adj. 77
électronique > circuit électronique
Se dit d'un convertisseur (ou d'une conversion) qui transforme une grandeur analogique (généralement une tension électrique) correspondant à une position ou à un déplacement angulaires d'un système tournant en une donnée numérique proportionnelle.
V. numérique-synchro
En. synchro-to-digital
Es. sincronumérico [9109]

SYNCHROTRON → rayonnement — .

SYNCHROTRONIQUE adj. 76
technique nucléaire
Propre à un synchrotron.
De. Synchrotron-
En. synchrotron
Es. sincronotrónico [6702]

SYNDESMOCHORIAL adj. 75
embryologie
Se dit d'un type de placenta où la barrière placentaire est constituée par le contact du trophoblaste et du conjonctif utérin, la muqueuse étant érodée.
V. endothéliochorial ; épithéliochorial ; hémochorial
En. syndesmochorial
Es. sindesmocorial [4170]

SYNDICAT DE PLACEMENT n.m. 74
économie > marché financier
En matière boursière, ensemble des vendeurs d'un titre.
En. issue syndicate ; selling group [3641]

SYNDICATION n.f. 75
gestion, organisation, administration > gestion financière
Fait de confier à un groupe de banques le placement d'une émission de valeurs ou la responsabilité d'une opération financière ou commerciale.
De. Betrauung (f.) eines Bankenkonsortiums
En. syndication [4171]

SYNDROME CHINOIS n.m. 75
chimie > constitution de la matière
Fusion sans explosion des produits qui se retrouvent dans la cuve d'un réacteur nucléaire à la suite d'un accident du système de réfrigération.
De. Chinesensyndrom (n.)
En. Chinese syndrome [4922]

SYNÉCLISE n.f. 73/74
géophysique > géomorphologie
Vaste unité de terrain à tendance subsidente très modérée mais persistante dans les régions de plates-formes.
De. Syneklise (f.) [7627]

SYNÉCOLOGIQUE adj. 78
écologie > synécologie
Relatif à l'écologie des groupements de plantes (synécologie).
En. synecologic ; synecological
Es. sinecológico [9389]

SYNERGÉTIQUE → chauffage — .

SYNERGISTE n.m. 72
technologie des matériaux > génie alimentaire
Produit qui renforce les effets d'un autre produit.
De. Synergetikum (n.) [176]

SYNOROGÈNE adj. 73/74
géophysique > géomorphologie
Se dit d'un phénomène contemporain de l'orogénèse.
De. synorogen
Es. sinorógeno [7486]

SYNSÉDIMENTAIRE adj. 78
géologie > modification superficielle
Se dit de phénomènes de sédimentation ayant eu lieu en même temps.
De. synsedimentär
En. synsedimentary
Es. sinsedimentario [9390]

SYNTAXICALISATION n.m. 76
linguistique
Interprétation de la sémantique en termes de syntaxe.
De. syntaktische Analyse (f.) [8289]

SYNTAXIQUE → analyseur — .

SYNTECTONIQUE adj. 75
géophysique interne
Se dit d'une formation géologique, généralement intrusive,

qui s'est mise en place au moment d'une phase tectonique.
V. tarditectonique
De. syntektonisch
En. synkinematic ; syntectonic
Es. sintectónico [4468]

SYNTEXIE n.f. 72
chimie > chimie minérale
Synthèse par double décomposition simultanée.
De. Syntexie (f.)
En. syntexis [1400]

SYNTHÈME n.m. 72
linguistique
Unité lexicale composée de monèmes conjoints. [4923]

SYNTHÈSE D'OUVERTURE n.f. 74
sciences de l'espace
En interférométrie, procédé qui consiste à observer une région du ciel à l'aide de dispositions successives d'antennes couvrant tous les angles et toutes les distances possibles afin d'obtenir les mêmes résultats qu'avec un grand radiotélescope.
V. supersynthèse d'ouverture
De. Offnungssynthese (f.)
En. aperture synthesis
Es. síntesis de apertura [3993]

SYNTHÉTIQUE → effet — .

SYNTHÉTISEUR D'ÉCRITURE n.m. 76
cybernétique > intelligence artificielle
Dispositif qui permet de composer des lettres ou des signes synthétiques à partir de graphismes élémentaires, préalablement enregistrés sous forme de codes numériques.
V. synthétiseur de parole
De. Schreibsynthetisiergerät (n.)
En. word synthesizer [7079]

SYNTHÉTISEUR DE FRÉQUENCE n.m. 76
électronique > radiotechnique
Appareil dans lequel une fréquence est composée à partir de sommes, de différences et de multiplications d'une fréquence initiale issue d'un oscillateur à quartz.
V. verrouillage de phase
De. Normalfrequenzgenerator (m.)
En. frequency synthesizer [7755]

SYNTHÉTISEUR DE PAROLE n.m. 74
cybernétique > intelligence artificielle
Ordinateur qui recompose la voix et le langage humains à partir de mots ou de syllabes enregistrés ou codés.
V. réponse vocale ; synthétiseur d'écriture
De. Sprachsynthetisiergerät (n.)
En. speech synthesizer [1576]

SYNTHON n.m. 73
chimie > réaction chimique
Ensemble fonctionnel constitué par une molécule de synthèse.
De. Synthon (n.)
En. synthon [8034]

SYNTOXIQUE adj. 73
génie biomédical > pharmacothérapie
Se dit d'un produit qui permet à un organisme vivant de s'accommoder d'un toxique.
V. catatoxique
De. syntoxisch
En. syntoxic [876]

SYNTYPE n.m. 74
systématique
Tout spécimen d'une série appartenant au même taxon dont la description sert à définir l'espèce au cas où l'holotype ou le paratype n'ont pas été désignés.
V. allotype ; paratype
De. Syntyp (m.)
En. syntype [3642]

SYSTÉMATICITÉ n.f. 76
linguistique
Caractère de ce qui est organisé en système.
De. Systematizität (f.)
En. systematic nature [7356]

SYSTÈME → analyse de — ; ingénieur — ; programme
— ; programmeur — .

SYSTÈME DE DÉFILEMENT n.m. 74
télécommunications > communication spatiale
Système de satellites placés sur orbite elliptique basse et dotés
d'une vitesse de révolution rapide.
De. Gänsemarsch-System (n.) [3278]

SYSTÈME DE PRÉANNONCE n.m. 74
transport et manutention > exploitation de transport
Système de signalisation dans lequel un signal d'avertissement
est précédé par un autre signal qui l'annonce.
De. Vorsignalsystem (n.)
En. advance signalling system [3104]

SYSTÈME DE RECONFORMATION n.m. 75
transport et manutention > exploitation des transports
Système implanté principalement au sol et permettant de
transmettre vers un avion, avant l'impact, son écart latéral par
rapport à l'axe de la piste.
En. position-measuring system [9244]

SYSTÈME DISSIPATIF n.m. 74
physique > thermodynamique
Système qui accroît son état d'ordre en puisant de l'énergie
dans le milieu extérieur et en cédant à ce milieu extérieur de
l'entropie.
En. dissipative system
Es. sistema disipativo [3461]

SYSTÈME-GUICHET n.m. 75
informatique > système opératoire
Système de traitement de l'information principalement utilisé
pour traiter les données liées à l'informatique dans la vie
quotidienne et à l'informatique au service de l'usager.
V. informatique au guichet [4356]

SYSTÈME INTERACTIF n.m. 73
informatique > système opératoire
Système qui permet des actions réciproques en mode dialogué
avec des utilisateurs ou en temps réel avec des appareils.
De. Dialogsystem (n.)
En. interactive system [2758]

SYSTÈME LINÉAIRE n.m. 73
linguistique
Système vocalique dans lequel la localisation de l'articulation
n'a pas de fonction distinctive.
V. système quadrangulaire ; système triangulaire
De. Linearsystem (n.)
En. linear system
Es. sistema lineal [3828]

SYSTÈME MECCANO n.m. 77
bâtiment et travaux publics > procédé de construction
Méthode de construction qui utilise des éléments appartenant
à différents systèmes, conçus pour être compatibles entre eux.
V. système ouvert [8419]

SYSTÈME OUVERT n.m. 77
bâtiment et travaux publics > procédé de construction
Système de construction fondé sur la compatibilité des éléments
à assembler.
V. système meccano [8420]

SYSTÈME QUADRANGULAIRE n.m. 73
linguistique
Système vocalique dans lequel tous les phonèmes vocaliques
possèdent des particularités distinctives de localisation et qui a
deux voyelles d'ouverture maximale de localisation différente.
V. système linéaire ; système triangulaire
De. Vierecksystem (n.)

En. quadrangular system
Es. sistema cuadrangular [3829]

SYSTÈME SENSIBLE n.m. 73
électronique > équipement électronique
Système électrique ou électronique qui réagit à chaque
déplacement des objets devant son organe sensible, en déclenchant des actions automatiques prévues dans tel ou tel cycle
industriel, dans la protection antivol, etc.
De. lichtempfindliches System (n.)
En. sensor [1768]

SYSTÈME TRIANGULAIRE n.m. 73
linguistique
Système vocalique qui présente une seule voyelle d'ouverture
maximale.
V. système linéaire ; système quadrangulaire
De. Dreiecksystem (n.)
En. triangular system
Es. sistema triangular [3830]

SYSTÉMIQUE adj. 72
systématique
Qui se rapporte à un système ou à des éléments appartenant à
un même système.
De. systemisch
En. systemic [1229]

TABACULTEUR n.m. 73
agronomie > culture spéciale.
Agriculteur spécialisé dans la culture du tabac.
De. Tabakanbauer (m.)
En. tobacco grower [877]

TABLE À NEIGE n.f. 75
géophysique > météorologie
Planche horizontale destinée à recueillir les précipitations
neigeuses pour en mesurer périodiquement la hauteur.
De. Schneemeßbrett (n.)
En. snow board [3831]

TABLEAU → mémoire — noir.

TABLEAUTER v. 74
informatique > traitement de données (informatique)
Composer des tableaux.
En. to tabulate ; to table [1940]

TABLE BIBLIOTHÈQUE n.f. 74
TABLE-BIBLIOTHÈQUE
instrumentation > système électroacoustique
Dans un laboratoire de langues, table équipée d'un magnéto-
phone auquel l'élève peut avoir accès.
V. table copie directe [3105]

TABLE COPIE DIRECTE n.f. 74
TABLE-COPIE DIRECTE
instrumentation > système électroacoustique
Dans un laboratoire de langues, table équipée d'un magnéto-
phone auquel l'élève ne peut pas avoir accès.
V. table bibliothèque [3106]

TABLE DE TRANSFERT À BILLES n.f. 74
économie > industrie mécanique
Dispositif de transport comportant une table munie de billes
en acier sur lesquelles avancent des charges.
V. bille de manutention
De. Kugelfördertisch (m.) ; Kugelwandertisch (m.)
En. ball table
Es. mesa de bolas [3279]

TABLE DE VÉRITÉ n.f. 74
électrotechnique > transformateur électrique
Dispositif de diagnostic des transformateurs faisant correspondre la présence de certains gaz à l'existence de certains défauts du transformateur.
De. Diagnosegerät (n.)
En. truth table [2295]

TABLE LISSEUSE n.f. 74
bâtiment et travaux publics > matériel de chantier
Partie d'un finisseur qui assure le lissage des revêtements des chaussées et des sols.
V. lisseuse
De. Glätter (m.) [2120]

TABLE MOTORISÉE n.f. 74
transport et manutention > engin de manutention
Dispositif comportant un convoyeur qui provoque le déplacement des objets à traiter.
De. Fördertisch (m.) [3643]

TABLIER n.m. 76
bâtiment et travaux publics > équipement technique (bâtiment)
Ensemble constitué par les lames d'un volet roulant.
En. awning apron [7080]

T.A.C. (TÉLÉDISTRIBUTION À ANTENNE COLLECTIVE) n.f. 74
télécommunications > télédistribution
Système de télédistribution simple par antenne collective.
V. G.A.M. ; T.R.L. ; T.V.R.
En. C.A.T.V. (Community Antenna TeleVision) [2929]

TACHYLALIE n.f. 75
psychologie > pathologie mentale
Accélération du rythme d'émission des mots.
De. Tachylalie (f.)
En. tachylalia
Es. taquilalia [5329]

TACHYPSYCHIE n.f. 69
pathologie animale > pathologie neurologique
Surexcitation des fonctions psychiques qui se traduit par un enchaînement anormalement rapide des associations d'idées.
En. tachypsychia
Es. taquipsiquia [5196]

TACOGRAPHE n.m. 75
génie biomédical > appareillage médical
Tomographe axial avec calculatrice.
V. scanographe
De. Scanner (m.)
En. tacograph
Es. tacógrafo [4924]

TACOGRAPHIE n.f. 76
génie biomédical > diagnostic
Tomographie axiale commandée par ordinateur.
V. scanographie
De. Tacographie (f.)
En. computer-assisted tomography
Es. tacografía [6004]

TACTILE → touche — .

TACTILISME n.m. 74
arts > sculpture
Forme d'art qui combine des matériaux divers en vue de créer une œuvre animée par la variété de ses reliefs. [2296]

TALOCHEUSE-LISSEUSE n.f. 78
technologie des matériaux > traitement de surface
Appareil muni de palettes rotatives permettant le talochage et le lissage de surfaces planes.
V. hélicoptère
En. power float ; power trowel ; rotary float ; rotary trowel [9110]

TALUTAGE n.m. 74
géotechnique
1) Action d'aménager un talus
2) Ensemble des talus d'un ouvrage.
V. terre armée
En. bank-sloping ; slope construction ; slope work ; sloping [2575]

TAMA n.m. 73
arts > musique
En Afrique, type de tambour de petites dimensions.
V. sabar
En. tama [4357]

TAMISAT n.m. 73
instrumentation > mesure de dimension
Partie de la charge qui est passée à travers les ouvertures d'un tamis donné.
De. Siebdurchgang (m.) ; Unterkorn (n.)
En. fines ; undersize [2576]

TAMPON → magasin — ; mémoire- — ; silo- — ; stock — .

TANGENTIALE n.f. 74
bâtiment et travaux publics > construction
Voie périphérique suivant le parcours de l'ancienne enceinte d'une ville.
De. Ringstrasse (f.)
Es. vía periférica [3107]

TANGENTIELLE → impédance — .

TANNAGE n.m. 77
zootechnie
Traitement des protéines alimentaires destinées aux animaux par une substance tannante afin d'éviter leur dégradation dans le rumen.
En. tanning [8831]

TAPHONOMIE n.f. 75
géologie > gîtologie
Description et analyse des gisements fossilifères.
De. Taphonomie (f.)
En. taphonomy
Es. tafonomía [4358]

TAPHROGENÈSE n.f. 74
physique > mécanique
Formation de fosses dans un socle rigide.
V. rhegmagenèse
En. taphrogenesis ; taphrogeny [7757]

TAPIS-CONTACT n.m. 75
environnement et sécurité > dispositif de sécurité
Tapis équipé d'une signalisation permettant de détecter une présence.
De. Kontaktmatte (f.)
En. pressure mat [5736]

TAPIS DÉCONTAMINANT n.m. 77
médecine > médecine sociale
Tapis antidérapant qui permet le maintien d'une propreté rigoureuse en retenant toutes les particules venant à son contact.
En. bacterial contamination control mat ; contamination control mat [8421]

TAPIS DE FOUR n.m. 75
technologie des matériaux > équipement industrie de transformation
Tapis transporteur destiné à introduire dans un four (et à en retirer) des objets ou produits soumis à un traitement thermique.
De. Ofenförderband (n.)
En. oven band conveyor ; oven belt conveyor ; oven conveyor belt [5452]

TAPIS SURFACE-GRIFFE n.m. 73
transport et manutention > engin de manutention
Tapis transporteur dont la surface est munie de griffes

destinées à retenir la charge sur plan incliné.
De. Förderband (n.) mit Greifern [1402]

TAQUET n.m. 77
génie biomédical > prothèse appareillage médical
Extension rigide et stabilisatrice de l'armature métallique
prothétique adaptée à un appui.
En. rest [8035]

TARARAGE n.m. 73
agronomie > technique culturale
Fait de nettoyer les graines après le battage à l'aide d'un tarare.
De. Somenreinigung (f.)
En. grain-cleaning [1403]

TARDITECTONIQUE adj. 77
géophysique interne
Se dit de roches mises en place après la phase orogénique
principale.
V. syntectonique
De. spätter tonisch
En. late tectonic
Es. tarditectónico [8290]

TAREUR n.m. 77
opération > exploitation
Dispositif de réglage d'un appareil de pesage. [6703]

TARIÈRE → foreuse-grue- — .

TARSIIFORME n.m. 76
organisme vivant > animal
Animal présentant certains caractères voisins de ceux du
tarsier.
En. tarsiiformes [6286]

TASER n.m. 75
environnement et sécurité > dispositif de sécurité
Arme lançant un fil barbelé à décharges électriques.
En. taser public defender [6287]

TASSEUR n.m. 76
économie > travail (main-d'œuvre)
Personne effectuant la présentation des marchandises en
vrac. [7202]

TASSEUR D'ENTRÉE n.m. 75
informatique > équipement d'entrée-sortie
Dispositif permettant d'alimenter en courrier mécanisable un
pupitre d'indexation.
De. Eingabestapler (m.)
En. input stacker [5197]

TÂTEUR DE NIVEAU n.m. 76
instrumentation > essai et contrôle
Dispositif destiné à mesurer le niveau d'un produit afin
d'éviter tout débordement au cours du remplissage d'un
contenant.
V. palpeur de niveau
En. level detector [6934]

TAU (τ) n.m. 78
physique > physique des particules
Lepton lourd de masse voisine de 1850 Mev.
V. tauicité ; tauique
De. Tau (n.)
En. tau ; tau lepton ; τ ; τ lepton
Es. tau [8701]

TAUICITÉ n.f. 78
physique > physique des particules
Nombre leptonique spécifique du tau.
V. tau ; tauique
En. tau likeness [8967]

TAUIQUE adj. 78
physique > physique des particules
Relatif au tau.
V. tau ; tauicité

De. Tau-
En. tau [8968]

TAUNGYA n.f. 75
foresterie
Établissement d'une plantation forestière en même temps que
l'on continue (ou établit) une culture agricole temporaire sur le
même terrain.
De. Waldfeldbau-Taungya (f.)
En. taungya system [7203]

TAUPE n.f. 74
exploitation des ressources minérales
Fusée de forage souterrain.
V. fusée de forage
En. compressed air mole [2930]

TAUX DE CICATRISATION n.m. 73
écologie > milieu (écologie)
Indicateur des capacités d'un milieu écologique à se reconsti-
tuer après une agression.
En. healing rate ; scarring rate
Es. tasa de cicatrización [2931]

TAXATEUR n.m. 75
télécommunications > équipement télécommunications
Appareil qui permet d'enregistrer et de calculer le coût des
communications téléphoniques.
En. L.A.M.A. ; C.A.M.A. ; A.M.A. [4925]

TAXI → cabine- — .

TAXOENTROPIE n.f. 77
statistique
Évaluation de la qualité d'une classification au moyen de la
notion d'entropie d'une distribution.
De. Taxoentropie (f.)
En. taxoentropy ; taxonomic entropy
Es. taxoentropía [7898]

TCHADIQUE n.m. 76
linguistique
Une des langues usitée au Tchad.
De. Tchadic- [7758]

TECHNÈME n.m. 72
économie > développement (économie)
Élément technique simple.
En. techneme [3462]

TECHNESTHÉSIE n.f. 76
information > communication
Discipline consacrée au développement de la personne dans et
par la parole.
De. Technästhesie (f.) [8969]

TECHNÉTRONIQUE adj. 77
économie > développement (économie)
Se dit d'une société fondée à la fois sur la technologie et
l'électronique. [8559]

TECHNICO → temps- -humain.

TECHNIQUE → alvéole — ; plancher — .

TECHNIQUE DOUCE n.f. 77
sociologie
Technique s'inscrivant dans un cycle écologique et conçue
pour de petites unités de production. [8422]

TECHNOBIOLOGIE n.f. 77
sociologie
Ensemble des techniques appliquées à la prolongation ou à
l'interruption de la vie. [8560]

TECHNOGÉNIE n.m. 76
recherche et développement > ingénierie
Ingénierie appliquée à la conception de systèmes techniques
d'entretien.

V. terotechnologie
En. maintainability engineering [6808]

TECHNOLOGIE DOUCE n.f. 74
économie > développement (économie)
Technologie intermédiaire entre la technologie de pointe des pays développés et la technologie rudimentaire des pays non développés. [2932]

TECHNOMORPHOLOGIE n.f. 72
sociologie
Ensemble des manifestations de la technologie dans une société.
De. technologische Morphologie (f.)
En. technomorphology [5200]

TECHNOPHILE adj. 73
écologie > adaptation biologique
Se dit des espèces vivantes qui adaptent leur comportement à la civilisation technique.
De. technophil [1232]

TECHNOSTRUCTURE n.f. 74
gestion, organisation, administration > planification
Ensemble des technocrates qui, dans une grande entreprise, apportent les connaissances spécialisées nécessaires aux prises de décision.
En. technostructure [3463]

TECTICIEN n.m. 73
bâtiment et travaux publics > élément d'ouvrage du bâtiment
Spécialiste des toitures.
En. roofer [1942]

TECTONICIEN n.m. 76
géophysique interne
Spécialiste de la tectonique.
De. Tektoniker (n.)
En. tectonician [5871]

TECTONISATION n.f. 75
géophysique interne
Modification des couches géologiques lors des mouvements tectoniques.
De. Tektonisierung (f.)
En. tectonization
Es. tectonización [5872]

TEINTEUSE n.f. 76
économie > industrie du bois
Machine destinée à teinter.
De. Färbemaschine (f.)
En. roller coater [6562]

TEINTURE ESPACÉE n.f. 78
technologie des matériaux > coloration
Technique de teinture consistant à imprimer sur le fil différentes longueurs colorées.
De. Streckenfärbung (f.)
En. space dyeing [8832]

TÉLÉACTION n.f. 75
télécommunications > télécommande
Contrôle, traitement, transmission et commande à distance.
En. remote action
Es. teleacción [6563]

TÉLÉCENTRE n.m. 76
information > centre d'information
Lieu où sont concentrés des éléments d'un réseau de téléconférence pouvant comprendre des moyens de télécopie, de téléprojection, de télécriture, de transmission de données et de télécommunications.
En. teleconference room
Es. telecentro [8970]

TÉLÉCOMMANDABLE adj. 77
télécommunications > télécommande
Se dit d'un dispositif qui peut être commandé à distance.

De. fernbedienbar ; fernsteuerbar
En. remote-controllable [8036]

TÉLÉCONFÉRENCE n.f. 74
information > moyen d'information
Conférence reliant des personnes présentes en différents lieux par divers moyens de télécommunication (téléphone, radio, télévision, ordinateur).
V. audioconférence ; visioconférence
En. teleconference [2933]

TÉLÉDISTRIBUTION PASSIVE n.f. 76
télécommunications > télédistribution
Distribution de télévision qui se limite à la télévision des émissions nationales ou régionales, au moment où elles sont reçues, à l'exclusion de toute production d'origine locale. [9245]

TÉLÉDOCUMENTATION n.f. 76
information > moyen d'information
Documentation transmise à distance par divers moyens de télécommunications.
De. Ferndokumentation (f.)
En. teledocumentation
Es. teledocumentación [6935]

TÉLÉFILM n.m. 76
télécommunications > radiocommunication
Film conçu et réalisé pour la télévision qui en est le seul support de diffusion.
De. Fernsehfilm (m.)
En. telefilm ; T.V. film (U.K.) ; T.V. movie (U.S.A.)
Es. telefilm [6288]

TÉLÉGERBEUR n.m. 75
transport et manutention > engin de manutention
Engin destiné à la desserte d'alvéoles de magasins de stockage et roulant sur rails.
V. transtockeur [4470]

TÉLÉGESTION n.f. 72
informatique > système opératoire
Mode suivant lequel les données sont émises ou les résultats reçus par ou sur les terminaux éloignés de l'ordinateur.
En. teleprocessing [343]

TÉLÉGRISOUMÉTRIE n.f. 78
environnement et sécurité > prévention
Mesure à distance de la teneur en grisou de l'atmosphère d'une mine.
En. remote firedamp detection [9391]

TÉLÉINFORMATIQUE n.f. 74
informatique > système opératoire
Exploitation automatisée de systèmes informatiques utilisant des réseaux de télécommunications.
En. remote processing ; teleprocessing
Es. teleinformática [3280]

TÉLÉINFORMATIQUE DOMESTIQUE n.f. 77
informatique > système opératoire
Transmission, sous le contrôle d'un ordinateur et par l'intermédiaire d'un réseau de télécommunications, d'informations susceptibles d'apparaître sur l'écran d'un poste de télévision.
V. télétexte ; vidéotexte [9392]

TÉLÉ-JEU n.m. 77
TÉLÉJEU
jeu
Jeu programmé en liaison avec un récepteur de télévision.
V. jeu vidéo
De. Telespiel (n.)
En. electronic TV game ; TV videogame ; video game [9393]

TÉLÉLECTEUR n.m. 74
reprographie
Dispositif qui permet de lire et de retransmettre des documents audiovisuels à l'aide d'une caméra de télévision.
Es. telelector [2578]

TÉLÉLIMITEUR n.m. 74
télécommunications > équipement télécommunications
Caméra de télévision pointée manuellement en site et en azimut et permettant de suivre l'évolution d'une fusée dans les premières centaines de mètres. [3110]

TÉLÉLOUPE n.f. 69
instrumentation > instrument d'optique
Lunette destinée à la vision d'objets rapprochés.
V. télélunette
Es. telelupa [7759]

TÉLÉLUNETTE n.f. 69
instrumentation > instrument d'optique
Lunette à champ limité destinée à la vision d'objets éloignés.
V. téléloupe [7760]

TÉLÉMANIPULATION n.f. 75
télécommunications > télécommande
Opération effectuée à distance à l'aide d'un dispositif isolé derrière un écran (télémanipulateur).
V. téléopérateur ; téléopération
De. Fernbetätigung (f.)
En. remote manipulation
Es. telemanipulación [6006]

TÉLÉMATIQUE n.f. 78
informatique > système opératoire
Ensemble des services ou des techniques permettant aux usagers d'un réseau de télécommunications d'obtenir des informations sur leur demande ou d'effectuer certaines opérations. [9246]

TÉLÉMÈTRE DE NUAGES n.m. 74
géophysique > météorologie
Appareil permettant une mesure précise du plafond visible des nuages.
De. Wolkenhöhennesser (m.)
En. cloud telemeter
Es. telémetro de nubes [2934]

TÉLÉMÈTRE-ILLUMINATEUR n.m. 76
instrumentation > mesure
Télémètre qui fournit le résultat d'une mesure sous la forme d'une intensité variable d'un rayonnement optique.
De. Beleuchtungsentfernungsmeßgerät (n.)
Es. telémetro iluminador [9247]

TÉLÉMICROSCOPE n.m. 75
instrumentation > instrument d'optique
Combinaison d'un microscope et d'un équipement de télévision en circuit fermé.
De. Mikroskop (n.) mit Fernsehanschluß
En. telemicroscope
Es. telemicroscopio [4926]

TÉLÉ-MIROIR n.m. 74
TÉLÉMIROIR
télécommunications > équipement télécommunications
Caméra de télévision dissimulée qui permet de filmer des sujets à leur insu.
De. versteckte Kamera (f.)
En. hidden camera [3995]

TÉLÉNIVEAU n.m. 74
conditionnement (emballage) > palette
Plaque support de palette montée sur vérins et permettant d'élever le chargement de la palette couche par couche au niveau de la chaîne de conditionnement. [4174]

TÉLÉOPÉRATEUR n.m. 73
télécommunications > télécommande
Engin téléguidé portant une paire de télémanipulateurs et des caméras de télévision afin d'effectuer des opérations en milieu hostile.
V. télémanipulation ; téléopération ; télésymbiotique
En. teleoperator [1578]

TÉLÉOPÉRATION n.f. 75
télécommunications > télécommande
Travail exécuté à l'aide d'un téléopérateur permettant de manipuler à distance des produits dangereux ou d'opérer en milieu hostile.
V. télémanipulation ; téléopérateur ; télésymbiotique
De. Fernwirkung (f.)
En. remote control operation
Es. teleoperación [6007]

TÉLÉPANCARTAGE n.m. 76
télécommunications > télécommande
Commande à distance de l'affichage d'information.
De. Fernanzeige (f.)
En. remote control posting ; remote train-announcing system [6414]

TÉLÉPESAGE n.m. 78
instrumentation > mesure de masse
Opération de pesage à distance.
De. Fernwiegen (n.) [8971]

TÉLÉPESEUR n.m. 74
instrumentation > mesure de masse
Appareil permettant d'effectuer le pesage et l'enregistrement à distance.
De. Fernwaage (f.) [3645]

TÉLÉPHONE ANTISATYRE n.m. 74
télécommunications > équipement télécommunications
Appareil téléphonique doté d'un dispositif qui permet d'identifier le numéro de téléphone du correspondant.
En. display telephone [2935]

TÉLÉPHONIE AMPLIFIÉE n.f. 76
télécommunications > téléphonie
Mode d'exploitation d'une liaison téléphonique par l'utilisation de microphones et de haut-parleurs, à la place du combiné classique, pour permettre la participation de plusieurs personnes à une même communication.
V. téléphonie discrète [4471]

TÉLÉPHONIE DISCRÈTE n.f. 76
télécommunications > téléphonie
Mode d'exploitation d'une liaison téléphonique par l'utilisation des seuls combinés classiques de façon à conserver à la communication établie un caractère confidentiel.
V. téléphonie amplifiée [4472]

TÉLÉPILOTAGE n.m. 78
télécommunications > télécommande
Pilotage à distance d'un modèle réduit, sans intervention d'un pilote.
De. Fernsteuerung (f.) [9394]

TÉLÉPOSTE n.f. 78
télécommunications > télédistribution
Service postal qui utilise des systèmes électroniques reliés par des lignes téléphoniques.
V. courrier électronique [9395]

TÉLÉPROMPTEUR n.m. 74
télécommunications > équipement télécommunications
Appareil composé d'une caméra et d'un écran qui fait défiler le texte de l'information télévisée face au journaliste qui le lit.
V. prompteur
En. teleprompter ; autocue [2123]

TÉLÉRADIOTHERMIQUE adj. 74
physique > thermodynamique
Se dit d'une transmission par satellites vers les zones habitées de l'énergie solaire captée dans les zones désertiques chaudes.
En. teleradiothermic [6415]

TÉLÉRAIL n.m. 75
mécanique appliquée > véhicule
Monorail permettant à des véhicules commandés électroniquement de se déplacer dans les trois dimensions de l'espace.
En. telerail [6289]

TÉLÉRÉGLABLE adj. 76
bâtiment et travaux publics > matériel de chantier
Qui peut être réglé à distance.
De. fernsteuerbar
En. telecontrollable
Es. teleregulable [6416]

TÉLÉREPROGRAPHIE n.f. 75
reprographie
Procédé qui permet de reproduire des documents à distance
par transmission de signaux sur les réseaux de télécommunications.
V. microreprographie
De. Telereprographie (f.)
En. telereprography
Es. telereprografía [4757]

TÉLESCOMÈTRE n.m. 74
instrumentation > instrument d'optique
Appareil gradué télescopique permettant à un seul opérateur
de prendre des mesures jusqu'à 5 m avec une précision
millimétrique et des distances décamétriques par reports
successifs.
En. telescometer [3996]

TÉLESCOPAGE n.m. 74
transport et manutention > engin de levage
Opération d'allongement des conduits de chargement.
En. telescoping [3281]

TÉLÉSONDAGE n.m. 77
instrumentation > repérage
Exploration locale et méthodique d'un milieu effectuée à
distance par l'envoi de signaux.
En. remote sounding [6704]

TÉLÉSURVEILLANCE n.f. 73
environnement et sécurité > surveillance
Surveillance s'effectuant à distance à l'aide de moyens électroniques.
De. Fernüberwachung (f.)
En. remote supervision [879]

TÉLÉSYMBIOTIQUE n.f. 75
télécommunications > télécommande
Utilisation des téléopérateurs supposant une collaboration
entre l'individu aux commandes et le milieu étranger dont il
reçoit les informations.
V. téléopérateur ; téléopération
De. Telesymbiotik (f.)
En. telesymbiotics
Es. telesimbiótica [6008]

TÉLÉTEXTE n.m. 77
informatique > traitement de données (informatique)
Procédé de télécommunication transmettant sous forme codée
un message alphanumérique ou graphique visualisable (vidéographie) et mis en œuvre par le service de radiodiffusion.
V. vidéotexte [9396]

TÉLÉTHERMAL adj. 74
géologie > stratigraphie
Se dit de dépôts sédimentaires provoqués par des montées
d'eaux chauffées au voisinage du magma profond et enrichis
de substances métalliques dissoutes.
De. telethermal
En. telethermal ; telethermometer ; thermal
Es. teletérmico [3646]

TÉLÉTHERMOGRAPHIE DYNAMIQUE n.f. 73
génie biomédical > diagnostic
Technique de diagnostic fondée sur la thermographie en
couleur à l'aide de cristaux liquides et utilisant une caméra
rapide à détecteur quantique.
De. dynamische Telethermographie (f.) [1404]

TÉLÉTHÈSE n.f. 77
électronique > électronique médicale
Télémanipulateur commandable par un handicapé moteur, et
muni de dispositifs automatiques qui prennent en charge

certaines actions normalement effectuées de façon réflexe.
En. telethesis [8972]

TÉLÉUNIVERSITÉ n.f. 75
enseignement
Université qui dispense un enseignement à distance.
De. Fernsehuniversität (f.)
En. open university (O.U.) ; open university courses
Es. universidad a distancia [4175]

TÉLÉVIGILE n.m. 78
environnement et sécurité > surveillance
Dispositif de surveillance depuis la surface de l'exploitation
d'une mine. [9397]

TÉLÉVISIBLE adj. 74
télécommunications > radiocommunication
Qui peut être transmis par des procédés de télévision.
De. fernsehübertragbar [1944]

TÉLÉVISION → caméra de — thermique ; macro- — ;
méso- — .

TÉLÉVISION COMMUNAUTAIRE n.f. 74
télécommunications > radiocommunication
Télévision dont la production est assurée par des individus ou
des groupes non constitués.
V. méso-télévision ; télévision locale
En. community television [2936]

TÉLÉVISION INTERACTIVE n.f. 74
télécommunications > télédistribution
Télédistribution avec voie de retour vidéo.
V. T.V.R.
En. interactive television
Es. televisión interactiva [3464]

TÉLÉVISION LOCALE n.f. 74
télécommunications > radiocommunication
Télévision dont la production est assurée par des associations
ou des institutions locales (presse, municipalité, maison de la
culture).
V. méso--télévision ; télévision communautaire
De. Ortsfernsehen (n.)
En. local television [2937]

TÉLÉVISUALISATION n.f. 76
télécommunications > radiotechnique
Fait de rendre une image télévisuelle.
En. televising [7082]

TEMPÉRAGE n.m. 75
technologie des matériaux > génie alimentaire
Opération de la fabrication du chocolat qui consiste à amener
la pâte à une température voisine de son point de congélation
afin d'obtenir une bonne cristallisation.
De. Temperieren (n.)
En. tempering [4927]

TEMPÉRATURE(s) → centralisateur de —s ; cryo- — ;
jauge de — .

TEMPÉREUSE n.f. 76
économie > industrie agricole et alimentaire
Machine destinée à pratiquer l'opération du tempérage.
V. détempéreuse
De. Temperieranlage (f.)
En. tempering-machine ; temperer [6146]

TEMPOREL → multiplexage — ; pseudo- — .

TEMPORELLE → commutation — .

TEMPORISÉ adj. 77
électrotechnique > composant électrotechnique
Se dit d'un dispositif (de démarrage, d'accélération, d'arrêt,
etc.) dont le début et la fin du fonctionnement sont séparés par
un intervalle de temps.
Es. temporizado [8423]

TEMPS → base de — ; bloc de — ; partage de — .

TEMPS DE CONFINEMENT n.m. 75
physique > physique des plasmas
Temps approximatif évalué à partir de l'étude du bilan
énergétique, pendant lequel les ions doivent rester maintenus
par le champ qui les emprisonne.
De. Einschließungszeit (f.)
En. containment time [3997]

TEMPS D'ENTRETIEN n.m. 74
électronique > radiotechnique
Temps maximum de conservation d'un signal sur une capacité
interne avant que ce signal soit altéré par les courants de fuite.
En. keep-alive time [3998]

TEMPS DE RELAXATION n.m. 73
physique > mécanique
Temps au bout duquel un système perturbé par une action
extérieure, retrouve une position d'équilibre.
De. Relaxationszeit (f.)
En. relaxation time [1405]

TEMPS DE RÉPONSE n.m. 74
informatique > système opératoire
Intervalle de temps entre l'envoi de données dans un réseau de
téléinformatique et le retour des résultats.
De. Ansprechzeit (f.)
En. response time
Es. tiempo de respuesta [4359]

TEMPS DE TRAVAIL n.m. 77
instrumentation > mesure de temps
Temps s'écoulant entre la fin du temps de gommage d'une
colle et la fin du temps ouvert.
V. temps ouvert [8561]

TEMPS HUMAIN n.m. 73
instrumentation > mesure de temps
Temps correspondant à un travail humain physique ou mental
aidé ou non d'un moyen inerte.
V. temps technico-humain [1406]

TEMPS MASQUÉ n.m. 76
instrumentation > mesure de temps
Temps de vérification d'une pièce B pendant un temps de
coupe automatique d'une pièce A. [7204]

TEMPS OUVERT n.m. 77
instrumentation > mesure de temps
Temps s'écoulant entre le temps d'étalement d'une colle et
celui où elle a perdu son pouvoir collant.
V. temps de travail [8562]

TEMPS PARTAGÉ n.m. 74
informatique > système opératoire
Mode de traitement de l'information dans lequel plusieurs
utilisateurs exécutent sur le même ordinateur des travaux
indépendants, des tranches de temps étant affectées à chaque
utilisateur qui, néanmoins, peut suivre son propre rythme de
travail.
V. partage de temps
De. Time-sharing (n.)
En. time-sharing [3282]

TEMPS RÉEL (en —) adj. 73
informatique > système opératoire
Mode de traitement qui permet l'admission des données à un
instant quelconque et l'obtention immédiate des résultats.
De. Echtzeit-; Realzeit-
En. real time [1318]

TEMPS TECHNICO-HUMAIN n.m. 73
instrumentation > mesure de temps
Temps pendant lequel l'homme et la machine travaillent
conjointement.
V. temps humain [1408]

TÉNACITÉ → essai de — .

TENDÉROMÈTRE n.m. 77
propriété > propriété mécanique
Appareil destiné à la mesure de la tendreté des aliments.
V. tendérométrique [7488]

TENDÉROMÉTRIQUE adj. 77
propriété > propriété mécanique
Relatif à la mesure de la tendreté des aliments.
V. tendéromètre [7489]

TENDEUR HORS CERCLE n.m. 75
conditionnement (emballage) > emballage
Dispositif de banderolage permettant de cercler des charges de
forme non parallélépipédique.
V. banderolage
De. Außen-Spannvorrichtung (f.) [4360]

.TENDRE → brasage — .

TÉNOPHÉNISATION n.f. 74
environnement et sécurité > protection
Traitement de conservation du bois à l'aide de Ténoval. [3465]

TENSIO-FISSUROMÈTRE n.m. 73
TENSIOFISSUROMÈTRE
instrumentation > mesure mécanique
Dispositif de mesure de l'allongement de fissuration instantanée au moment où apparaît la première fissure sur l'éprouvette soumise à une traction progressive, à température
constante.
De. Spannungsrißmesser (m.) [1409]

TENSION → pré- — .

TENSIONNEUR n.m. 72
économie > industrie pétrolière
Dispositif assurant la tension constante d'éléments soumis à
des contraintes de déformation. [4361]

T.E.P. (TONNE ÉQUIVALENT PÉTROLE) n.f. 76
instrumentation > métrologie
Unité de mesure énergétique exprimée en fonction de l'énergie
produite par une tonne de pétrole.
En. T.O.E.
Es. T.E.P. [5737]

TÉPHROCHRONOLOGIE n.f. 73
instrumentation > mesure de temps
Datation par la superposition de projections volcaniques.
Es. tefrocronología [7205]

TÉRAGONE n.m. 78
mathématiques
Polygone à très grand nombre de côtés.
De. Teragon (n.)
Es. terágono [8703]

TÉRATOGÉNICITÉ n.f. 78
embryologie
Capacité d'une drogue à engendrer des monstres.
En. teratogenicity
Es. teratogenicidad [9398]

TERMAILLAGE n.m. 74
économie > échanges internationaux
Changement dans le rythme des règlements internationaux,
caractérisé par une accélération et un retard, en sens inverse,
du recouvrement des créances et du paiement des lettres.
En. leads and lags [1579]

TERMINAISON PRÉSYNAPTIQUE n.f. 74
cellule et constitution cellulaire > cellule
Élément nerveux qui, dans une synapse, exerce l'action
(inhibition ou excitation) par opposition à celui qui la reçoit.
En. presynaptic ending
Es. terminación presináptica [3111]

TERMINAL n.m. 73
transport et manutention > infrastructure des transports
Gare urbaine servant de point de départ et d'arrivée des

passagers.
En. city terminal [346]

TERMINAL À PÉNÉTRATION n.m. 77
informatique > équipement d'entrée-sortie
Terminal de visualisation en couleur qui utilise un tube permettant d'obtenir une image par juxtaposition de points colorés (tube à pénétration). [9112]

TERMINAL BANCAIRE n.m. 76
informatique > équipement d'entrée-sortie
Terminal qui permet l'automatisation des opérations bancaires de guichet, l'enregistrement des transactions courantes et la consultation de comptes.
V. terminal industriel ; terminal léger ; terminal lourd ; terminal spécialisé
De. Bankschalterterminal (n.)
En. banking terminal ; teller's console
Es. terminal bancario [7761]

TERMINAL INDUSTRIEL n.m. 76
informatique > équipement d'entrée-sortie
Terminal utilisé en milieu industriel pour le suivi de fabrication et de gestion de la production en temps réel.
V. terminal bancaire ; terminal léger ; terminal lourd ; terminal spécialisé
De. Industrieterminal (n.)
Es. terminal industrial [7762]

TERMINAL LÉGER n.m. 76
informatique > équipement d'entrée-sortie
Terminal de dialogue simple qui permet la saisie de données à partir d'un clavier et l'édition ou la visualisation des informations renvoyées par l'ordinateur.
V. terminal bancaire ; terminal industriel ; terminal lourd ; terminal spécialisé
En. interactive terminal [7763]

TERMINAL LOURD n.m. 76
informatique > équipement d'entrée-sortie
Terminal qui, bâti généralement autour d'une logique câblée ou d'un mini-ordinateur, nécessite, pour être exploité, un certain nombre de périphériques classiques (disques, bandes magnétiques, etc.).
V. terminal bancaire ; terminal industriel ; terminal léger ; terminal spécialisé
En. batch terminal ; remote batch terminal [7764]

TERMINAL SPÉCIALISÉ n.m. 76
informatique > équipement d'entrée-sortie
Terminal étudié, conçu et réalisé en fonction d'une application donnée (distribution, banque, commerce, industrie, etc.).
V. terminal bancaire ; terminal industriel ; terminal léger ; terminal lourd
De. benutzerorientierte Datenstation (f.)
En. specialized terminal ; special-purpose terminal [7765]

TERMINOGRAPHE n. 75
linguistique
Spécialiste de la terminographie.
V. terminographie ; terminographique
De. Terminograph (m.)
En. terminographer ; terminographist
Es. terminógrafo [5453]

TERMINOGRAPHIE n.f. 75
linguistique
Recencement et étude des termes appartenant aux nomenclatures scientifiques et techniques d'une langue.
V. terminographe ; terminographique
De. Terminographie (f.)
En. terminography [5454]

TERMINOGRAPHIQUE adj. 75
linguistique
Propre à la terminographie.
V. terminographe ; terminographie
De. terminographisch
En. terminographic
Es. terminográfico [5455]

TERMINOLOGISME n.m. 75
linguistique
Unité terminologique
De. terminologische Einheit (f.)
En. terminological unit [6936]

TEROTECHNOLOGIE n.f. 76
TÉROTECHNOLOGIE
recherche et développement > ingénierie
Ingénierie appliquée à la conception de systèmes techniques d'entretien.
V. technogénie
En. terotechnology [6809]

TERRAIN → vérité- — .

TERRAIN DE PARCOURS n.m. 78
zootechnie
Type de terrain qui produit du fourrage naturel (par opposition à la terre cultivée ou à la forêt dense).
De. Naturweide (f.) ; Weide (f.) ; Weideland (n.)
En. grazing land ; pasturelands ; range
Es. pastadero ; redunda [8973]

TERRASSE → chaufferie en — .

TERRE ARMÉE n.f. 78
géotechnique
Technique de talutage renforçant des terrains en pente en vue de les rendre constructibles.
V. talutage
De. bewehrte Ende (f.)
En. ground reinforcement ; reinforced earth ; reinforced soil
Es. terra armada [9248]

TERRIÈRE → surface — .

TERRITORIALISME n.m. 73
éthologie
Tendance de tout animal à élire un territoire et à le défendre.
De. Territorialverhalten (n.)
En. territorial imperative [3467]

TERTIAIRE adj. → document — ; traitement — .

TERTIAIRE n.m. › agro- — .

TEST → copy- — .

TESTEUR n.m. 75
instrumentation > essai et contrôle
Appareil permettant d'effectuer certains contrôles.
De. Prüfgerät (n.)
En. tester [4474]

TÊTE → protège- — ; viseur — -basse ; viseur — -haute .

TÊTE ARTIFICIELLE n.f. 75
physique > acoustique
Technique d'enregistrement sonore dans laquelle deux microphones reçoivent les mêmes informations que l'oreille naturelle.
De. Kunstkopf (m.)
En. artificial head recording ; artificial head sound recording ; dummy head recording [9249]

TÊTE DE REMPLISSAGE n.f. 73
opération > remplissage
Dispositif d'une remplisseuse destiné à introduire un produit dans un emballage.
De. Fülltrichter (m.)
En. spout ; nozzle [1580]

TÊTE HAUTE ACTIVITÉ OXYDE (HAO) n.f. 75
économie > industrie nucléaire
Partie de l'usine de traitement de combustibles nucléaires irradiés destinés à traiter des combustibles de réacteurs à eau légère qui existent sous forme d'oxydes.
En. highly-oxidizing head [5074]

TÉTRAÉDROPHONIE n.f. 77
physique > acoustique
Procédé stéréophonique de restitution des sons utilisant quatre haut-parleurs disposés aux sommets d'un tétraèdre quelconque.
V. holophonie
De. Tetraedrophonie (f.)
Es. tetraedrofonía [8182]

TÉTRAGAMIE n.f. 74
réglementation, législation > législation
Régime matrimonial dans lequel un homme peut avoir en même temps quatre épouses légitimes.
De. Tetragamie (f.)
En. tetragamy
Es. tetragamia [2938]

TÉTRAGONALITÉ n.f. 74
propriété > configuration
Propriété des systèmes cristallins possédant un axe quaternaire, quatre axes binaires, un centre, quatre plans de symétrie passant par l'axe principal et un plan perpendiculaire à cet axe.
De. Tetragonalität (f.)
En. tetragonalness
Es. tetragonalidad [4176]

TÉTRAPARENTAL adj. 73
génétique > hybride
Obtenu à partir de quatre sujets donneurs.
De. tetraparental
En. tetraparental [1411]

TÉTRAPHONIE n.f. 72
physique > acoustique
Technique de reproduction des sons qui utilise quatre canaux séparés.
De. Tetraphonie (f.)
En. quadrophony [349]

TÉTRODON n.m. 74
arts > architecture
Construction modulaire susceptible d'agrandissement.
En. tetraodent [1945]

TEXTE → avant- — ; extra- — ; inter- — ; traitement de — .

TEXTILE → architecture — .

TEXTIMAGE n.m. 76
information > moyen d'information
Message scriptovisuel qui allie le texte à l'image.
V. scriptovisuel
De. Bildnachricht (n.)
En. textimage [6810]

TEXTURALE → analyse — .

TEXTURANT n.m. 72
matériau > additif
Additif alimentaire utilisé pour donner une texture déterminée.
De. Strukturfestiger
En. texturiser [178]

TEXTURATEUR n.m. 76
économie > industrie agricole et alimentaire
Appareil dans lequel s'effectue l'opération de texturation du beurre.
De. Butterknetmaschine (f.) [7490]

TEXTURATION n.f. 76
technologie des matériaux > génie alimentaire
Malaxage entraînant une diminution de la taille des cristaux constituant la texture du beurre.
De. Kneten (n.)
Es. texturizacion [7491]

T.G.V. (Train à Grande Vitesse) n.m. 74
transport et manutention > engin de transport
Train conçu pour rouler à très grande vitesse.
De. Fernschnellzug (m.)
En. very high speed train [2124]

THANATIQUE adj. 74
sociologie
Relatif à la mort.
De. Toten-
En. thanatic
Es. tanático [5330]

THANATOCÉNOSE n.f. 75
écologie > écosystème
Ensemble des animaux et végétaux morts dans les mêmes conditions de milieu.
De. Thanatozönose (f.)
En. thanatocoenose ; thanatocoenosis
Es. tanatocenosis [6147]

THANATOPRAXIS n.f. 74
sociologie
Ensemble de pratiques et cérémonies accordées aux morts.
De. Bestattungsbräuche (m.) und Totenkult
En. thanatopraxis
Es. tanatopraxis [5331]

THÉÂTRE → tiers — .

THÉÂTROLOGUE n. 75
sociologie
Spécialiste qui se consacre à l'étude du théâtre. [4576]

THÉONYME n.m. 75
linguistique
Nom qui désigne un dieu.
En. theonym [6009]

THÉOPHORE adj. 74
linguistique
Se dit d'un mot qui contient une racine désignant « dieu ».
En. theophoric ; theophorous [3648]

THÉORIQUE → étage — .

THÉRAPIE PRIMALE n.f. 76
génie biomédical > psychothérapie
Thérapie fondée sur l'exploitation du cri primal.
V. cri primal
De. Urschreitherapie (f.)
En. primal therapy [5738]

THERMIE-FUEL n.f. 72
physique > thermodynamique
Quantité de chaleur égale à une thermie et produite par combustion du fuel. [351]

THERMIE-GAZ n.f. 72
physique > thermodynamique
Quantité de chaleur égale à une thermie et produite par combustion du gaz. [351]

THERMIQUE → bruit — ; caméra de télévision — ; claquage — ; déchet — ; film opaque- — ; héliotrope — ; imprimante — ; papier — ; pointe — ; pont — ; puits — ; séparateur — .

THERMISTORISÉ adj. 75
électronique > équipement électronique
Se dit d'un appareil ou d'un dispositif équipé d'un thermistor.
De. thermistoriert
En. thermistorized
Es. termistorizado [6937]

THERMO → pâte — -mécanique.

THERMOANALYSE n.f. 76
technologie des matériaux > traitement thermique
Étude des variations des caractéristiques d'un échantillon sous
l'effet d'un traitement thermique. [8563]

THERMOANÉMOMÈTRE n.m. 76
instrumentation > mesure mécanique
Anémomètre doté d'un dispositif de mesure de la température
des fluides gazeux.
Es. termoanemómetro [7207]

THERMOCAPSULAGE n.m. 73
conditionnement (emballage) > fermeture
Opération consistant à rendre une bouteille étanche par pose
d'une capsule à chaud.
De. Heißverkapselung (f.)
En. hot capping [700]

THERMOCAPSULEUR n.m. 75
conditionnement (emballage) > fermeture
Machine fixant des capsules à chaud.
V. thermocapsulage
De. Warmverkapselungsmaschine (f.)
En. thermocapsulator
Es. termocapsulador [5202]

THERMOCINÉTIQUE n.f./adj. 74
physique > thermodynamique
[Se dit de la] science des déplacements de la chaleur.
De. Thermokinetik (f.)
En. thermodynamics (n.); thermokinetics (n.)
Es. termocinética [6420]

THERMO-CIRCULATION n.f. 77
THERMOCIRCULATION
action sur l'environnement > climatisation
Circulation de l'air du bas vers le haut provoquée par les
phénomènes de convection. [8564]

THERMOCLASTIE n.f. 67
physique > mécanique
Fragmentation mécanique des roches sous l'effet de variations
de température sans qu'intervienne le passage de l'eau à l'état
de glace.
V. thermoclastisme
Es. termoclastia [3469]

THERMOCLASTISME n.m. 71
physique > mécanique
Fragmentation mécanique des roches sous l'effet de variations
de température sans qu'intervienne le passage de l'eau à l'état
de glace.
V. gélifraction ; thermoclastie
De. Temperaturverwitterung (f.)
En. thermal fracture
Es. termoclastismo [6148]

THERMOCOLLABLE adj. 75
matériau > papier
Collé par un traitement à chaud.
De. durch Erhitzen klebfähig
En. heat-sealable
Es. termoadhesivo [4362]

THERMOCOMPRESSION n.f. 71
technologie des matériaux > traitement thermomécanique
Technique de compression qui utilise l'action de la chaleur.
En. thermocompression [352]

THERMOCONDUCTEUR n.m. 77
environnement et sécurité > prévention contre l'incendie
Isolant susceptible de fondre lorsque la température s'élève et
de créer un court circuit d'alarme.
De. Thermoleiter (m.)
En. line patterned type thermostat ; line thermostat
Es. termoconductor [8038]

THERMOCOUPAGE n.m. 75
technologie des matériaux > traitement thermomécanique
Découpage des matières plastiques obtenu sous l'action de la
chaleur [4577]

THERMODÉSORPTION n.f. 73
chimie > chimie du solide et du fluide
Libération d'une molécule absorbée sous l'action de la chaleur.
De. Thermodesorption (f.)
En. thermal desorption [1326]

THERMODILATABLE adj. 75
propriété > propriété thermique
Se dit d'une substance qui se dilate sous l'effet de la chaleur.
De. warmdehnbar
En. thermodilatable
Es. termodilatable [6938]

THERMODYNAMIQUE → compatibilité — .

THERMOÉCONOMIE n.f. 74
économie > économie de l'énergie
Étude des conditions de rendement économique des systèmes
thermiques.
De. Wärmewirtschaftlichkeit (f.)
Es. termoeconomía [4758]

THERMOÉLÉMENT n.m. 76
électronique > technique des semiconducteurs
Élément comportant deux matériaux conducteurs différents
traversés par un courant continu permettant d'obtenir une
variation de température aux points de jonction.
Es. termoelemento [7208]

THERMOFIXATION n.f. 76
technologie des matériaux > coloration
Opération consistant à fixer les colorants à l'aide d'un
traitement à chaud. [4578]

THERMO-FLUIDE n.m. 74
THERMOFLUIDE
propriété > propriété thermique
Fluide dont la circulation permet de réchauffer ou refroidir
certains produits. [4579]

THERMOFORMABLE adj. 76
matériau > polymère (matériau)
Qui peut être formé par un traitement à chaud.
De. warmformbar
En. thermoformable [6941]

THERMOFORMAGE n.m. 73
technologie des matériaux > formage
Opération de formage à chaud des matières plastiques.
V. thermoformé
En. thermoforming [1050]

THERMOFORMÉ adj. 75
technologie des matériaux > formage
Se dit d'une matière plastique qui a subi un thermoformage.
V. thermoformage
De. warmgeformt
En. thermoformed
Es. termoformado [5077]

THERMOFRACTIONNEMENT n.m. 77
chimie > chimie analytique
Séparation d'espèces en solution utilisant l'effet de la température sur l'équilibre de partage des solutés entre une solution et
un absorbant ou un échangeur d'ions. [8183]

THERMOFRIGORIFIQUE adj. 76
énergie (technologie) > énergétique
Propre à la production alternée de calories et de frigories.
En. thermofrigorific
Es. termofrigorífico [6421]

THERMOFUSIBLE adj. 75
propriété > propriété thermique
Se dit d'une substance qui fond sous l'effet de la chaleur.

De. unter Wärmeeinwirkung schmelzend
En. thermofusible
Es. termofusible [4928]

THERMOGÉNIE n.f. 74
physique > thermodynamique
Ensemble des techniques ayant pour objet la production
d'énergie calorifique.
V. thermogénique
De. Wärmeerzeugung (f.)
En. thermogenesis
Es. termogénesis [4000]

THERMOGÉNIQUE adj. 74
physique > thermodynamique
Se dit d'un appareil thermique à très faible déperdition
calorifique.
V. thermogénie
De. thermogen
En. thermogenic
Es. termogénico [4001]

THERMOHALIN adj. 76
géophysique > hydrologie
Se dit de ce qui a trait à la fois à la température et à la salinité.
En. thermohaline
Es. termohalino [6565]

THERMO-HÉLIOCHIMIQUE adj. 77
THERMOHÉLIOCHIMIQUE
énergie (technologie) > énergie solaire
Se dit d'une centrale qui utilise l'énergie solaire en vue
d'obtenir des réactions chimiques.
V. thermo-hélioélectrique
En. thermochemical solar
Es. termohelioquímico [8974]

THERMO-HÉLIOÉLECTRIQUE adj. 76
THERMOHÉLIOÉLECTRIQUE
énergie (technologie) > énergie solaire
Se dit d'une centrale qui utilise l'énergie solaire en vue
d'obtenir de l'électricité.
V. thermo-héliochimique
De. solarthermisch
En. heliothermal power
Es. termohelioeléctrico [7357]

THERMO-HUMIDOSTAT n.m. 76
THERMOHUMIDOSTAT
action sur l'environnement > climatisation
Appareil destiné à maîtriser la température et l'humidité de
l'air d'une enceinte. [4580]

THERMOHYGROGRAMME n.m. 74
écologie > adaptation biologique
Enregistrement graphique de l'évolution des paramètres de
l'environnement (température, humidité).
V. écogramme [2645]

THERMO-HYGROMÈTRE n.m. 76
THERMOHYGROMÈTRE
instrumentation > hydrométrie
Hygromètre doté d'un dispositif de mesure de la température
de l'air. [7209]

THERMO-IMPRESSION n.f. 74
économie > industrie textile
Technique de transfert de décors sur les objets, faisant appel à
la chaleur pour sublimer des colorants qui se condensent sur le
support définitif.
En. thermoprinting
Es. termoimpresión [4002]

THERMO-IMPRIMANTE n.f. 75
informatique > équipement d'entrée-sortie
Imprimante comportant une source chaude (généralement des
rayons infrarouges), qui permet la révélation des caractères
imprimés.
En. thermal print head
Es. termoimpresora [6566]

THERMOLABILITÉ n.f. 73
propriété > propriété thermique
Propriété d'une substance qui peut être détruite sous l'effet de
la chaleur.
De. Thermolabilität (f.)
En. thermolability [702]

THERMOLECTEUR n.m. 76
génie biomédical > appareillage médical
Type de thermomètre buccal fondé sur les lois de la fusion des
composés chimiques.
En. thermoreader [6149]

THERMOLISATION n.f. 74
technologie des matériaux > génie alimentaire
Stabilisation biologique des vins et des jus de fruits obtenue
par un traitement thermique comportant une seule opération
de chauffage.
De. Kurzzeiterhitzung (f.) [2299]

THERMOMAGNÉTIQUE → générateur — .

THERMOMATURATION n.f. 73
technologie des matériaux > traitement thermique
Action de thermomaturer.
V. thermomaturer
De. Wärmereifung (f.) [1413]

THERMOMATURER v. 75
technologie des matériaux > traitement thermique
Durcir du béton à l'aide d'un procédé de chauffage.
V. thermomaturation
En. to thermoset [5875]

THERMOMÈTRE → oxy- — .

THERMOMÈTRE PROTÉGÉ n.m. 70
instrumentation > mesure thermique
Thermomètre non soumis à la pression hydrostatique.
De. geschütztes Thermometer (n.)
En. protected thermometer [3649]

THERMOMÉTRIQUE → papier — .

THERMOMINÉRAL adj. 72
environnement et sécurité > environnement
Relatif aux eaux chaudes d'origine minérale.
V. thermal
De. thermal
En. thermal [519]

THERMOMOULE n.m. 73
technologie des matériaux > traitement thermique
Moule équipé de thermostats. [1770]

THERMO-MOUSSE n.f. 74
THERMOMOUSSE
matériau > céramique
Matériau de céramique allégé obtenu par cuisson à haute
température d'un mélange argileux susceptible de s'expanser à
la cuisson.
De. Thermoschaum (m.)
En. expanded ceramic ; porous ceramic [3470]

THERMOOPTIQUE adj. 75
propriété > propriété optique
Relatif aux propriétés luminescentes de certaines surfaces
thermosensibles. [4363]

THERMOOXYDATION n.f. 76
chimie > réaction chimique
Oxydation provoquée par une élévation de la température.
V. photooxydation
De. Thermooxidation (f.)
En. thermal oxidation
Es. termooxidación [6811]

THERMOPAPIER n.m. 75
matériau > papier
Papier sensible à un rayonnement thermique utilisé pour

l'impression.
V. papier thermique
En. thermographic paper [6422]

THERMOPÉRIODE n.f. 76
physiologie > physiologie végétale
Durée pendant laquelle une modification de la température provoque une réaction des végétaux.
De. Thermoperiode (f.)
En. thermoperiod
Es. termoperiodo [6291]

THERMOPHORE adj. 75
propriété > propriété thermique
Se dit d'un fluide caloporteur.
De. wärmeabführende Flussigkeit (f.)
En. heat-transferring
Es. termóforo [4929]

THERMOPROGRAMMÉ adj. 72
physique > thermodynamique
Se dit d'un appareil dont les niveaux de température sont déterminés à l'avance en fonction d'un programme.
De. thermoprogrammiert
En. thermogrammed [881]

THERMOPROTECTEUR adj. 72
propriété > propriété thermique
Se dit d'une substance qui protège de la chaleur.
De. wärmeisolierend
En. thermoprotective
Es. termoprotector [6423]

THERMORAYONNANCE n.f. 75
physique > thermodynamique
Mécanisme d'émission dans lequel l'énergie rayonnante provient de l'agitation thermique des particules de la matière.
De. thermische Strahlung (f.); Wärmestrahlung (f.)
En. heat radiation; thermal radiation [6010]

THERMORÉACTEUR n.m. 76
énergie (technologie) > énergétique
Appareil dans lequel s'effectue une réaction exothermique.
Es. termoreactor [6424]

THERMORELAIS n.m. 75
électrotechnique > protection électrique
Relais sensible aux variations de température.
De. Thermorelais (n.)
En. thermorelay; thermostat [6942]

THERMORÉMANENT adj. 75
physique > magnétisme
Se dit d'une propriété acquise à une température élevée et qui subsiste après disparition de la chaleur.
En. thermoremanent
Es. termoremanente [5078]

THERMORÉSISTANCE n.f. 72
propriété > propriété thermique
Propriété d'un produit thermorésistant.
V. thermorésistant
De. Wärmefestigkeit (f.); Wärmebestandigkeit (f.)
En. thermoresistance
Es. termoresistencia [6567]

THERMORÉSISTANT adj. 72
propriété > propriété thermique
Se dit d'un produit ou d'un organisme qui a la propriété de résister à la chaleur.
V. thermorésistance
De. wärmebeständig; hitzebeständig
En. thermoresistant
Es. termoresistente [6568]

THERMORÉTRACTABLE adj. 77
matériau > polymère (matériau)
Se dit d'un film plastique qui se rétracte sous l'effet de la chaleur.
V. thermorétractible

De. Wärmeschrumpf-
En. heat-shrinkable; shrink; shrinkable [8705]

THERMORÉTRACTIBLE adj. 75
matériau > polymère (matériau)
Se dit d'un film plastique qui se rétracte sous l'effet de la chaleur.
V. thermorétractable
De. durch Wärmeeinwirkung verkürzbar
En. thermoretractible [4759]

THERMORIGIDE n.m./adj. 74
matériau > polymère (matériau)
[Se dit d'une] matière plastique qui se solidifie sous l'effet de la chaleur.
De. Hartthermoplast (n.)
En. thermosetting plastic; thermoset [6150]

THERMORUPTEUR n.m. 74
énergie (technologie) > énergétique
Rupteur actionné sous l'effet de la chaleur.
De. Heißleiter (m.); Thermistor (m.)
En. thermal cutout; thermal switch; thermoswitch
Es. termoruptor [6011]

THERMOSCELLABILITÉ n.f. 74
propriété > propriété thermique
Propriété d'un film plastique thermoscellable.
V. thermoscellable [3283]

THERMOSCELLABLE adj. 73
propriété > propriété thermique
Se dit d'un film plastique qui peut être scellé par un traitement à chaud.
V. thermoscellabilité
De. heißsiegelbar
En. heat-sealable
Es. termosellable [4760]

THERMOSCELLEUSE n.f. 76
économie > industrie de transformation des matières plastiques
Machine à sceller à chaud un film plastique.
En. heat sealer; heat-sealing machine [7083]

THERMOSCIE n.f. 75
technologie des matériaux > traitement thermomécanique
Dispositif constitué d'une table et d'un fil de nickel chrome chauffé électriquement qui permet de découper des matières plastiques. [4581]

THERMOSENSIBLE adj. 72
propriété > propriété thermique
Se dit d'un matériau dont les propriétés varient selon l'élévation du degré de chaleur.
De. Wärmeempfindlich
En. heat-sensitive [520]

THERMOSODIQUE adj. 75
propriété > propriété chimique
Se dit d'un procédé d'épuration utilisant l'action à chaud du carbonate de soude.
En. thermosodic
Es. termosódico [5079]

THERMOSOUDABILITÉ n.f. 76
propriété > propriété thermique
Propriété d'un matériau qui peut être soudé à chaud. [4582]

THERMOSOUDER v. 75
mécanique appliquée > assemblage
Assembler hermétiquement à l'aide d'un film de polyéthylène traité à chaud.
V. thermosoudure
De. warmgeschweißen
En. to hot-die seal
Es. termosoldar [4930]

THERMOSOUDURE n.f. 75
mécanique appliquée > assemblage
Opération qui consiste à thermosouder.
V. thermosouder
De. Warmschweissen (n.); Warmverschweissen (n.)
En. heat welding
Es. termosoldadura [5203]

THERMOSTABILITÉ n.f. 75
propriété > propriété thermique
Caractère d'une substance qui garde les mêmes propriétés sous
l'action de la chaleur.
De. thermische Stabilität (f.); Wärmebestandigkeit (f.)
En. heat stability
Es. termoestabilidad [5739]

THERMOSTATAGE n.m. 72
instrumentation > mesure thermique
Opération qui consiste à thermostater; son résultat.
V. thermostater; thermostatisation [3114]

THERMOSTATER v. 73
instrumentation > mesure thermique
Établir et maintenir une température constante à l'aide d'un
thermostat.
V. thermostatage; thermostatisation
De. thermostatieren [703]

THERMOSTATISATION n.f. 76
instrumentation > mesure thermique
Opération qui consiste à thermostater.
V. thermostatage; thermostater
En. thermostating; thermostatting
Es. termoestatización [6569]

THERMO-TIMBRE n.m. 77
THERMOTIMBRE
propriété > propriété thermique
Film adhésif apposé sur un support et subissant un changement de coloration en fonction des variations de la température.
En. temperature-indicating label [8424]

THERMOVÉLOCIMÉTRIQUE → détecteur — .

THERMOVISION n.f. 73
instrumentation > mesure thermique
Ensemble des techniques permettant de visualiser l'image
thermique d'un objet.
De. thermoanalyse (f.)
En. thermovision
Es. termovisión [1051]

THÊTA → ondes — .

THIGMOTHERME adj. 74
physiologie > homéostasis
Se dit d'une espèce animale dont la chaleur provient du sol.
V. ectotherme; exhoméotherme; endotherme; héliotherme
De. thigmotherm
En. thigmothermic [2760]

THIOSYNTHÈSE n.f. 76
chimie > réaction chimique
Synthèse des composants organiques où le soufre est substitué
à l'oxygène.
En. thiosynthesis
Es. tiosíntesis [6425]

THIXOTROPIQUE adj. 73
matériau > matériau de revêtement
Se dit d'une substance liquéfiable par agitation et régénérée
au repos.
De. thixotrop
En. thixotropic [1052]

THROMBOGÉNIQUE adj. 78
pathologie animale > pathologie cardio-vasculaire
Engendré par des thrombus.
De. thrombogen

En. thrombogenic
Es. trombogénico [9250]

THROMBORÉSISTANCE n.f. 78
physiologie > physiologie cardio-vasculaire
Résistance à la formation de caillots sanguins.
De. thromboresistenz (f.)
En. thromboresistance
Es. tromboresistencia [9113]

THYLAKOÏDE n.m. 76
chimie > constitution de la matière
Structure moléculaire membranaire qui assure la photosyn-
thèse chez les végétaux.
De. Thylakoid (n.)
En. thylakoid
Es. tilacoide [5457]

THYMECTOMISÉ adj. 78
génie biomédical > chirurgie
Qui a subi une ablation du thymus.
V. thymiprive
En. thymectomized
Es. timectomisado [9114]

THYMIPRIVE adj. 73
génie biomédical > chirurgie
Dont on a enlevé le thymus.
V. thymectomisé
De. thymopriv; thymoprivus
En. thymoprivic; thymoprivous [2939]

THYMOLEPTIQUE n.m. 74
pharmacologie > médicament
Psycholeptique qui agit comme dépresseur de l'humeur.
De. Thymoleptikum (n.)
En. thymoleptic
Es. timoléptico [3650]

THYRISTORISÉ adj. 73
électronique > technique des semiconducteurs
Muni d'un élément à semiconducteurs (thyristor).
De. mit Thyristoren bestückt; thyristoriert
En. thyristorized [1582]

TICTAC n.m. 77
informatique > système opératoire
Système de téléinformatique domestique conversationnel permettant l'accès à des banques de données à l'aide d'un
terminal relié au réseau commuté avec visualisation sur un
récepteur de télévision.
V. téléinformatique domestique [7629]

TIERS → trafic — .

TIERS-MONDISTE n./adj. 74
politique
1) Propre au Tiers-Monde
2) Habitant du Tiers-Monde.
De. der Dritten Welt
En. Third World (adj.)
Es. tercermundista [4003]

TIERS THÉÂTRE n.m. 78
sociologie
Théâtre de groupe destiné à la communication (par opposition
au théâtre traditionnel et au théâtre d'avant-garde).
En. third theater (U.S.A.); third theatre (U.K.) [8706]

TIGE CUISINE n.f. 77
TIGE-CUISINE
bâtiment et travaux publics > structure mécanique
Conduite montante d'un immeuble collectif destinée à desser-
vir en gaz un appareil de cuisson par logement, sans compteur.
En. kitchen electrical conduit; kitchen electric conduit [7358]

TIGON n.m. 75
génétique > hybride
Hybride de tigre et de lionne.

V. jaguarion ; léopon ; ligre ; zébrâne
En. tigon [4004]

TIGRÉE → brousse — .

TILLOÏDE n.m. 73
géologie > roche
Roche proche des tillites mais dont les caractéristiques gla-
ciaires n'apparaissent pas avec netteté.
En. tilloid
Es. tiloide [3285]

TIMBRE → thermo- — .

TIMBREUSE n.f. 75
cybernétique > automatique
Machine destinée à apposer des timbres.
De. Briefmarkenklebemaschine (f.)
En. stamping machine [5080]

TIR → appauvrisseur de — .

TIRAGE → bas de — .

TIRE-FILS n.m. 75
économie > industrie électrique
Appareil destiné à tirer et à poser des lignes.
En. wire puller [4761]

TIREUR-POUSSEUR n.m. 75
transport et manutention > engin de manutention
Dispositif pour chariot à fourche à fonctionnement hydraulique destiné à la manutention de charges installées sur feuille-
palette.
V. feuille palette
En. push-pull attachment ; push-pull unit [6151]

TIREUSE n.f. 77
technologie des matériaux > équipement de transformation
Machine servant à tirer des tubes plastiques extrudés.
En. pulling machine ; take-away unit [7766]

TIRE-VEINE n.m. 74
génie biomédical > appareillage médical
Appareil utilisé pour l'ablation d'un segment de veine.
De. phlebektom (n.)
En. stripper [2301]

TIROIR DE DISTRIBUTION n.m. 73
mécanique des fluides appliquée
Piston à déplacement commandé qui permet de répartir un
débit volumétrique entre plusieurs tuyauteries.
De. Steuerschieber (m.) [1771]

TIR PLANÉTAIRE n.m. 73
recherche et développement > exploration scientifique
Envoi d'engins spatiaux en direction d'autres planètes.
De. Planetenschuß (m.)
En. planetary launching [1237]

TISSABILITÉ n.f. 78
technologie des matériaux > tissage
Aptitude d'un fil à être tissé.
De. Verwebbarkeit (f.) [9115]

TISSU COMMERCIAL n.m. 77
économie > activité commerciale
Mode d'organisation des activités commerciales dans une
agglomération. [8425]

TISSU URBAIN n.m. 74
localisation
Organisation homogène des éléments qui constituent les villes.
De. Stadtgefüge (m.)
En. urban fabric [8426]

TITRATEUR n.m. 74
chimie > chimie analytique
Appareil de titrage d'une solution.

De. Titrierautomat (m.) ; Titriergerät (n.)
En. titrator [3472]

TITRE n.m. 73
matériau > fil (textile)
Rapport entre la masse et la longueur d'un fil.
En. specification [1053]

TITRE → banc- — ; plan d'options sur — .

TITRE ABRÉGÉ n.m. 73
information > traitement documentaire
Forme abrégée du titre d'un ouvrage ou d'un périodique
destinée à entrer dans une liste ou un catalogue d'informations
limitées.
De. abgekürzter Titel (m.) ; Kürztitel (m.)
En. short title
Es. título abreviado [3832]

TITRE-CLÉ n.m. 76
information > traitement documentaire
Titre normalisé d'une publication.
En. key title ; key-title
Es. título clave [6570]

TITRE HYDROTIMÉTRIQUE n.m. 73
chimie > chimie du solide et du fluide
Somme des concentrations dans l'eau des ions métalliques, à
l'exception des alcalins.
En. degree of hardness
Es. grado hidrotimétrico [2761]

TITRIMÈTRE n.m. 76
chimie > chimie analytique
Appareil permettant de mesurer le titre d'une solution.
Es. dosímetro [7211]

TOBISCOPE n.m. 73
génie biomédical > acupuncture
Appareil électronique qui permet de déterminer l'emplace-
ment des points d'acupuncture.
De. Tobiskop (n.)
En. tobiscope [3116]

TOILISTE n. 74
technologie des matériaux > confection
Ouvrier spécialisé dans l'entoilage d'un vêtement. [2762]

TOIT CHAUD n.m. 74
**bâtiment et travaux publics > élément d'ouvrage du bâti-
ment**
Toit qui couvre un espace sans aération.
V. toit froid [2579]

TOIT FROID n.m. 74
**bâtiment et travaux publics > élément d'ouvrage du bâti-
ment**
Toit qui couvre un espace ventilé.
V. toit chaud [2580]

TOKAMAK n.m. 75
énergie (technologie) > énergie nucléaire
Appareil destiné à produire de l'énergie par fusion thermo-
nucléaire.
De. Tokamak (m.)
En. tokamak [4178]

TOLÉRANCEMENT n.m. 77
physique > mécanique
Établissement de l'ensemble des tolérances admissibles pour
une pièce.
De. Toleranzenfestlegung (f.) [7630]

TOMADOSE n.f. 75
agronomie > production végétale
Variété de petite tomate propre aux régions tropicales humides.
De. Tomadose (f.)
En. tomadose [4931]

TOMOANALYSEUR n.m. 76
électronique > électronique médicale
Appareil de radiologie relié à un ordinateur qui traduit les mesures de radioabsorption en une carte densitométrique.
V. tomodensitomètre
De. Tomoanalysator (m.)
En. tomoanalyzer
Es. tomoanalizador [6012]

TOMODENSIMÉTRIE n.f. 76
radiographie
Méthode de mesure, après absorption par chaque volume élémentaire d'une couche à examiner, des intensités du rayonnement qui traverse chacun d'eux.
En. tomography
Es. tomodensimetría [5740]

TOMODENSITOMÈTRE n.m. 76
génie biomédical > appareillage médical
Dispositif utilisant un fin pinceau de rayons X pour explorer une coupe de l'organisme et permettant de déterminer la densité des points explorés et d'en dresser une carte. [4475]

TOMOSYNTHÈSE n.f. 74
radiographie
Image radiologique tridimensionnelle formée à partir d'une série d'images radiologiques obtenue par une méthode électronique holographique.
De. Tomosynthese (f.)
En. tomosynthesis
Es. tomosíntesis [2764]

TONAL → verbo- — .

TONÉTIQUE n.f. 67
linguistique
Partie de la phonétique qui étudie les tons.
En. tonetics
Es. tonética [4005]

TONNEAU n.m. 77
physique > acoustique
Salle à résonance particulière dans le grave.
De. Faß (n.) [8427]

TONNEAU n.m. 73
anatomie > anatomie animale
Configuration formée par les agrégats cellulaires du cortex (de la souris).
De. Rindenschicht (f.)
En. barrel [883]

TOPAGE n.m. 74
instrumentation > système électroacoustique
Opération qui consiste à déclencher par des signaux une suite d'opérations chronométrées.
De. impulsgesteuerte Auslösung (f.) [2302]

TOP ARTIFICIEL n.m. 73
instrumentation > mesure de temps
Départ ou fin d'un chronométrage du travail d'après des repères silencieux.
V. top naturel
En. silent signal [1415]

TOPÉ adj. 74
information > support documentaire
Se dit d'une bande sur laquelle a été enregistré un ensemble de signaux codés permettant de commander les appareils nécessaires au déroulement d'un programme audiovisuel. [3651]

TOPICALISATION n.f. 73
linguistique
Opération linguistique qui consiste à faire, d'un constituant de la phrase, le thème.
De. Topikalisierung (f.)
En. topicalisation; topicalization [4247]

TOP NATUREL n.m. 73
instrumentation > mesure de temps
Départ ou fin d'un chronométrage du travail d'après des repères sonores.
V. top artificiel
En. sound signal [1416]

TOPOCODEUR n.m. 75
informatique > organe de transmission de données
Dispositif permettant d'entrer des idéographes sur ordinateur.
En. topological transformer [6293]

TOPODÈME n.m. 77
systématique
Population d'individus étroitement reliés du point de vue taxonomique et occupant une surface de terrain définie géographiquement.
V. dème; écodème; cytodème
En. topodeme
Es. topodema [9399]

TOPOLOGUE n. 78
mathématiques
Spécialiste de topologie.
De. Topologie (m.)
En. topologist
Es. topólogo [9255]

TOPOSÉQUENCE n.f. 72
géologie > pédologie
Succession de sols résultant du relief.
V. bioséquence; chronoséquence; climaséquence; clinoséquence; hydroséquence; lithoséquence
De. Toposequenz (f.)
En. toposequence [524]

TOPOSOCIOLOGIE n.f. 75
gestion, organisation, administration > aménagement du territoire
Étude du mode d'occupation de l'espace par une société donnée.
De. Toposoziologie (f.)
En. toposociology; topographic sociology [5601]

TOPOTACTIQUE adj. 74
chimie > réaction chimique
Se dit d'une structure qui est orientée dans l'espace selon des directions bien définies.
De. topotaktisch
En. topotactic
Es. topotáctico [3473]

TOPOTYPE n.m. 76
écologie > communauté (écologie)
Population d'une région géographique qui possède des caractères propres, différents de ceux d'une autre région.
De. Topotyp (m.)
En. topotype
Es. topotipo [7767]

TOR n.f. 77
géophysique > géomorphologie
Forme de déchaussement de dimension décamétrique constitué par un empilement géométrique de blocs en place aux arêtes émoussées et de boules. [7212]

TORCHAGE n.m. 73
économie > industrie pétrolière
Brûlage à la torche, à la sortie d'un puits en production, des gaz associés au pétrole et non utilisés.
De. Abfackeln (n.)
En. flaring [6571]

TORE → bit à — .

TOROLA n.f. 73
organisme vivant > végétal
Levure ou champignon sans spores qui ne produit pas de fermentation alcoolique mais des acides.

De. *Torula-Hefen (f.)*
En. *torula* [2303]

TORSADAGE n.m. 75
technologie des matériaux > formage
Opération qui consiste à donner la forme d'une torsade.
De. *Verwinden (n.)*
En. *coiling; twisting* [4364]

TORSIBLE adj. 77
propriété > propriété mécanique
Se dit d'un matériau qui peut subir une torsion. [8566]

TORSION → désinclinaison de — .

TORTILLEUR n.m. 76
mécanique appliquée > véhicule
Véhicule dont le châssis articulé est constitué de deux ou plusieurs éléments attelés par un ou des joints à trois degrés de liberté.
En. *articulated vehicle; twister* [6943]

TOTALE → énergie — ; paragraphie — .

TOTIPOTENCE n.f. 75
cellule et constitution cellulaire > cellule
Capacité d'une cellule non différenciée de garder des potentialités totales et de donner naissance à un individu nouveau.
De. *Totipotenz (f.)*
En. *totipotency*
Es. *totipotencia* [4932]

TOUCHE À EFFLEUREMENT n.f. 75
électronique > radiotechnique
Touche de commande qui, sensibilisée par simple effleurement, provoque l'émission d'un signal bref et unique.
V. touche fugitive; touche tactile
En. *touch-control* [8975]

TOUCHE FUGITIVE n.f. 76
électronique > radiotechnique
Touche de commande qui, lorsqu'elle est sensibilisée, provoque l'émission d'un signal bref et unique.
V. touche à effleurement; touche tactile [8976]

TOUCHE TACTILE n.f. 76
électronique > radiotechnique
Touche de commande qui, lorsqu'elle est sensibilisée, déclenche une fonction qui s'exécute et se répète identique à elle-même aussi longtemps que dure la sensibilisation.
V. touche fugitive
De. *Dauerfunktonstaste (f.)*
En. *tactile key* [8977]

TOUFFETAGE n.m. 73
économie > industrie textile
Opération effectuée à l'aide d'un métier et consistant à piquer les fils du velours sur un dossier puis à les fixer par enduction.
V. touffeté
En. *tufting* [354]

TOUFFETÉ adj. 73
économie > industrie textile
Se dit d'une moquette obtenue par le procédé du touffetage.
V. touffetage
De. *Tuftex-*
En. *tufted* [525]

TOUR n.m. → capsule quart de — .

TOUR n.f. → centrale à — ; magasin- — .

TOUR À BILLER n.m. 75
transport et manutention > manutention
Dispositif d'arrimage de charges sur véhicule de transport constitué par un petit treuil fixé sur ou sous le plateau du véhicule et destiné au serrage des sangles.
V. boucle à cliquer [4365]

TOURBILLON DE SILLAGE n.m. 78
physique > mécanique
Tourbillon d'air qui se forme sur plusieurs kilomètres à l'extrémité des ailes d'un avion.
De. *Wirbelschleffe (f.)*
En. *wing vortex; trailing vortex* [9116]

TOURNANT → stockage — .

TOURNANTE → mémoire — .

TOURNE-À-GAUCHE n.m. 74
bâtiment et travaux publics > construction
Aménagement qui permet un virage en forme de « U » afin de changer de sens sur une voie à double circulation.
De. *U-kurve (f.)*
En. *U-turn*
Es. *vuelta en U* [2126]

TOURNE-GRUMES n.m. 75
économie > industrie du bois
Dispositif à griffes destiné à tourner les grumes sur le chariot d'un banc de scie.
De. *Stammwendevorrichtung (f.)*
En. *nigger* [4934]

TOUR-VIGIE n.f. 74
transport et manutention > infrastructure des transports
Poste d'observation se trouvant au sommet d'une tour.
De. *Wachturm (m.)*
En. *watchtower*
Es. *torre vigia* [4762]

TOUT OU RIEN → chaudière à marche par — .

TOXIMÈTRE n.m. 75
environnement et sécurité > lutte contre la pollution
Appareil destiné à détecter la présence de gaz toxique.
De. *Gasprüfgerät (n.)*
En. *air pollution monitor*
Es. *toximetro* [5741]

TOXINOGÈNE adj. 76
pathologie animale > agent toxique
Propre à la toxinogénèse.
V. toxinogénèse
De. *toxinbildend*
En. *toxicogenic; toxigenic* [6152]

TOXINOGÉNÈSE n.f. 77
pathologie animale > agent toxique
Production de toxines.
V. toxinogène
De. *Toxinbildung (f.)*
En. *toxin production*
Es. *toxinogénesis* [8978]

TOXIPHILIE n.f. 74
pharmacologie > toxicologie
Tendance à consommer des substances toxiques, drogues, stupéfiants. [5876]

TOXOPHILIE n.f. 75
vie quotidienne > loisirs
Pratique du tir à l'arc.
De. *Bogenschießen (n.)*
En. *toxophily*
Es. *toxofilia* [5459]

TRACTAGE n.m. 75
transport et manutention > manutention
Opération qui consiste à tracter.
De. *Ziehen (n.)*
En. *traction* [4180]

TRACTEUR n.m. 71
opération > exploitation
Dispositif servant à régler la position du papier dans une imprimante.

De. Bandtransport (m.)
En. tractor [526]

TRACTO-CHARGEUR n.m. 74
TRACTOCHARGEUR
bâtiment et travaux publics > matériel de chantier
Tracteur équipé de différents organes de levage et de charge-
ment.
De. Schlepper-Lader (m.)
En. tracto-loader [9474]

TRACTO-GRUE n.f. 73
TRACTOGRUE
transport et manutention > engin de levage
Grue montée sur un tracteur.
De. Schlepperkran (m.)
En. tractor crane [1417]

TRACTOPELLE n.f. 73
bâtiment et travaux publics > matériel de chantier
Pelle mécanique automotrice.
De. selbstfahrender Schaufelbagger (m.)
En. tractor shovel; tractor loader; shovel dozer [885]

TRACTO-PORTEUR n.m. 74
TRACTOPORTEUR
transport et manutention > engin de manutention
Chariot de manutention automoteur entièrement automatique
et destiné à transporter des charges.
En. automatic handling truck [4181]

TRADUCTOLOGIE n.f. 76
linguistique
Étude théorique de la traduction.
En. translatology [7215]

TRAFICABILITÉ n.f. 75
bâtiment et travaux publics > matériel de chantier
Aptitude d'un matériel de chantier à s'intégrer dans la
circulation routière.
En. trafficability; trafficableness [5877]

TRAFIC CONVERGENT n.m. 77
transport et manutention > circulation
Trafic de l'intérieur d'un immeuble dans lequel les usagers
partent d'étages différents pour atteindre un étage unique.
V. trafic divergent; trafic divergent-convergent
De. konvergenter Verkehr (m.)
En. convergent traffic [8428]

TRAFIC DIVERGENT n.m. 77
transport et manutention > circulation
Trafic de l'intérieur d'un immeuble dans lequel les usagers se
rendent d'un niveau unique vers plusieurs autres niveaux.
V. trafic convergent; trafic divergent-convergent
De. divergenter Verkehr (m.)
En. divergent traffic [8429]

TRAFIC DIVERGENT-CONVERGENT n.m. 77
transport et manutention > circulation
Trafic de l'intérieur d'un immeuble composé simultanément
des trafics convergent et divergent.
V. trafic convergent; trafic divergent
De. divergenter und konvergenter Verkehr (m.)
En. divergent-convergent traffic [8430]

TRAFIC TIERS n.m. 74
transport et manutention > circulation
Trafic maritime d'une nation s'effectuant de port étranger à
port étranger.
De. Verkehr (m.) zwischen Auslandshäfen [2765]

TRAICT n.m. 73
TRAIT
géophysique > géomorphologie
Chenal ou détroit.
De. Meeresenge (f.)
En. sound; firth [355]

TRAIN-BLOC n.m. 75
transport et manutention > engin de transport
Train de marchandises rapide constitué uniquement de
wagons conçus pour transporter des conteneurs.
En. unit train [4763]

TRAIN DE RENOUVELLEMENT n.m. 74
transport et manutention > engin de transport
Train-usine qui se déplace sur la voie ferrée en vue d'enlever
les anciens rails, de remettre le ballast en état et de placer de
nouveaux rails.
De. Schnellumbauzug (m.)
En. renewal train [3289]

TRAÎNÉE n.f. 73
arts > photographie
Allongement de l'image dû au déplacement de l'objet par
rapport à l'appareil de prise de vues. [7216]

TRAÎNÉE AÉRODYNAMIQUE n.f. 78
mécanique des fluides appliquée
Composante de la force aérodynamique engendrée par la
réaction de gaz environnant sur un corps en mouvement, dans
le sens du vent relatif.
De. aerodynamischer Widerstand (m.)
En. aerodynamic drag [8039]

TRAIN PLANÉTAIRE COMPOSÉ n.m. 72
mécanique appliquée > organe de machine (transmission)
Train planétaire constitué par plusieurs trains planétaires
simples couplés entre eux.
V. train planétaire simple [527]

TRAIN PLANÉTAIRE SIMPLE n.m. 72
mécanique appliquée > organe de machine (transmission)
Train qui comporte deux roues extrêmes à axe fixe et un
châssis pouvant tourner autour de l'axe commun à ces roues.
V. solaire; train planétaire composé
De. Planetengetriebe (m.)
En. planetary gear train [527]

TRAIN VALSEUR n.m. 76
opération > mélange (opération)
Ensemble cruciforme de palettes rotatives excentrées par
rapport à l'axe du malaxeur.
De. Planeten-Rührwerk (n.)
En. planetary rotating blades; planetary rotating paddles [6705]

TRAITABILITÉ n.f. 75
économie > industrie anti-pollution
Aptitude des eaux résiduaires à subir un traitement.
De. Aufbereitbarkeit (f.)
En. treatability [5204]

TRAITANCE → co- — .

TRAITEMENT DE TEXTE n.m. 76
informatique > traitement de données (informatique)
Ensemble des procédés et des techniques utilisés pour manipuler les mots qui composent un texte : saisie, composition,
stockage, reproduction, transmission, etc. [8040]

TRAITEMENT-MINUTE n.m. 75
génie biomédical > pharmacothérapie
Traitement qui consiste à administrer en une seule fois une
dose massive de médicaments.
De. Schnellbehandlung (f.)
En. bolus treatment [5205]

TRAITEMENT PAR LOTS n.m. 72
informatique > système opératoire
Mode de traitement de l'information suivant lequel les pro-
grammes à exécuter ou les données à traiter sont groupés en
lots.
De. Stapelbetrieb (m.); Stapelverarbeitung (f.)
En. batch processing
Es. procesamiento por lotes [2941]

TRAITEMENT PRIMAIRE n.m. 74
environnement et sécurité > lutte contre la pollution
Première phase de traitement des eaux usées comportant
l'élimination des matériaux macroscopiques.
V. traitement secondaire ; traitement tertiaire
De. mecanische Behandlung (f.) [3652]

TRAITEMENT SECONDAIRE n.m. 74
environnement et sécurité > lutte contre la pollution
Seconde phase du traitement des eaux usées comportant une
épuration biologique par lits bactériens ou boues activées.
V. traitement primaire ; traitement tertiaire
De. biologische Behandlung (f.)
En. secondary treatment
Es. tratamiento secundario [3653]

TRAITEMENT TERTIAIRE n.m. 74
environnement et sécurité > lutte contre la pollution
Troisième phase du traitement des eaux usées comportant des
opérations physicochimiques ou biologiques combinées ou non.
V. traitement primaire ; traitement secondaire
De. physikalisch-chemische Behandlung (f.)
En. tertiary treatment
Es. tratamiento terciario [3654]

TRAMAGE n.m. 74
reprographie
Opération qui consiste à interposer un fin quadrillage entre
l'original et la couche sensible dans les procédés de reproduction en relief.
En. weaving [1949]

TRAMÉ → enduit — .

TRAME D'ACCUEIL n.f. 78
**gestion, organisation, administration > aménagement du
territoire**
Ensemble de logements à bon marché et de services sociaux
groupés autour d'un centre d'emploi en vue d'améliorer les
conditions de vie du prolétariat urbain.
En. site and service [8185]

TRANCHE n.f. 74
électronique > technique des semiconducteurs
Plaque de très faible épaisseur d'un monocristal (en général du
silicium) sur laquelle sont réalisés des semiconducteurs
(transistors, circuits intégrés, etc.).
De. Plättchen (n.) ; Scheibchen (n.)
En. wafer
Es. loncha [3833]

TRANCHE NUCLÉAIRE n.f. 75
économie > industrie nucléaire
Unité autonome de production comportant trois ensembles :
le réacteur, le groupe des turbo-alternateurs et le génie civil.
De. Kernkraftanlage (f.)
En. nuclear unit [4216 bis]

TRANCHEUSE SOUS-SOLEUSE n.f. 74
géotechnique
Type de draineuse qui comprend un corps sous-soleur et une
chaîne excavatrice destinée à creuser des tranchées profondes.
En. subsoil trenching machine [3475]

TRANSACTIONNEL adj. 76
informatique > système opératoire
Se dit d'une informatique permettant d'établir un dialogue
entre l'utilisateur et l'ordinateur.
En. conversational [5460]

TRANSBUS n.m. 74
transport et manutention > engin de transport
Autobus destiné à circuler sur les autoroutes urbaines.
De. Stadtbus (m.) [3655]

TRANSCASIER n.m. 73
stockage > dépôt de stockage
Structure parallélépipédique de stockage subdivisée en couloirs verticaux où les marchandises stockées peuvent être
déplacées par gravité ou mécaniquement dans les deux sens.

V. stockage dynamique
En. dynamic rack ; live storage rack [2581]

TRANSCONTENEUR n.m. 76
conditionnement (emballage) > emballage
Conteneur normalisé utilisé dans les transports à longue
distance de type international afin d'éviter les ruptures de
charge.
De. Transcontainer (m.)
En. transcontainer [6154]

TRANSCULTURATION n.f. 73
sociologie
Formation d'un individu dans la culture d'un autre pays
souvent socioéconomiquement plus développé.
V. réenculturation ; transculturel
En. transculturation
Es. transculturación [2415]

TRANSCULTUREL adj. 73
sociologie
Propre à un autre type de culture.
V. transculturation
De. transkulturell
En. transcultural [1950]

TRANSDISCIPLINARITÉ n.f. 74
enseignement
Étude d'un même thème par des représentants de plusieurs
disciplines.
V. intradisciplinarité [1951]

TRANSDUCTEUR → phage — .

TRANSDUCTION n.f. 76
linguistique
Passage du non-langagier au langagier.
En. transduction
Es. transducción [5878]

TRANSE ACTIVE n.f. 73
génie biomédical > psychothérapie
Identification active consistant pour un sujet sous hypnose à se
substituer à un personnage célèbre afin de développer des
talents correspondant à ceux de ce dernier.
De. aktive Trance (f.)
En. active trance
Es. trance activo [3118]

TRANSÉLÉVATEUR n.m. 74
transport et manutention > engin de levage
Appareil permettant de faire évoluer un transrobot horizontalement et verticalement. [2305]

TRANSFECTER v. 75
microbiologie
Infecter à l'aide d'un vecteur d'agent infectant. [4584]

TRANSFECTION n.f. 75
génétique > génétique cellulaire
Acquisition par une bactérie de gènes nouveaux après introduction d'un bactériophage auquel a été intégré un fragment
d'ADN.
De. Transduktion (f.)
En. transfection [4935]

TRANSFÉRABILITÉ n.f. 74
psychologie > psychophysiologie
Aptitude au transfert des connaissances d'une certaine forme
d'activité à une autre forme d'activité. [8567]

TRANSFÉRÉ → arc — .

TRANSFERMIEN adj. 74
physique > physique des particules
Se dit d'un élément dont le numéro atomique est supérieur à
celui du fermium dans la classification périodique. [6013]

TRANSFERT → bras- — ; doigts de — ; impression-
— ; lettrage par — ; lettres — ; papier- — ; science de — ;
table de — à billes .

TRANSFIXIANT adj. 75
génie biomédical > chirurgie
Se dit d'un type de greffe qui remplace la cornée dans sa
totalité.
V. lamellaire
En. penetrating [4366]

TRANSFLECTIF → afficheur — .

TRANSFORMANTE → faille — .

TRANSFORMATEUR n.m. 75
information > traitement de l'information
Personne ou organisme qui reçoit l'information à l'état brut et
la restitue sous une forme plus ou moins élaborée. [4585]

TRANSFORMATEUR IMMERGÉ n.m. 74
électrotechnique > transformateur électrique
Transformateur dont les enroulements sont plongés dans un
liquide isolant (huile minérale ou pyralène).
V. transformateur sec
De. Öltransformator (m.)
En. oil-immersed transformer [6155]

TRANSFORMATEUR SEC n.m. 74
électrotechnique > transformateur électrique
Transformateur dont les enroulements ne sont pas immergés
dans un liquide isolant.
V. transformateur immergé
De. luftgekühlter Transformator (m.); Trackentransformator (m.)
En. dry-type transformer
Es. transformador seco [6156]

TRANSFORMATION DYNAMIQUE n.f. 74
électronique > circuit électronique
Modification qui se produit dans un circuit ou un système et
qui restitue à la sortie une combinaison des variables d'entrée
compte tenu de l'état antérieur du circuit ou du système
concerné.
V. transformation statique
En. dynamical transformation
Es. transformación dinámica [9256]

TRANSFORMATION STATIQUE n.f. 74
électronique > circuit électronique
Modification qui se produit dans un circuit ou un système et
qui restitue à la sortie une combinaison des variables d'entrée
sans tenir compte de l'état antérieur du circuit ou du système
concerné.
V. transformation dynamique
En. static transformation
Es. transformación estática [9257]

TRANSFRONTALIER adj. 77
réglementation législation > droit
Situé au-delà d'une frontière.
De. grenzüberschreitend
En. transborder [8292]

TRANSGERBEUR n.m. 73
transport et manutention > engin de manutention
Appareil mobile pourvu d'un mécanisme de levier destiné à
déplacer et à gerber des charges lourdes.
De. Umschlagstapler (m.) [1419]

TRANSHORIZON → propagation — .

TRANSIT → cité de — .

TRANSITIVISME n.m. 69
psychologie > pathologie mentale
Transfert qu'un individu fait à d'autres sujets de ses propres
impressions subjectives.
V. transitiviste
De. Transitivismus (m.)

En. transitivism
Es. transitivismo [54612]

TRANSITIVISTE adj. 73
psychologie > pathologie mentale
Se dit d'un individu sujet au transitivisme.
V. transitivisme
De. transitivist [1773]

TRANSITOIRE → régime — .

TRANSLATEUR n.m. 77
information > traitement documentaire
Praticien de la traduction.
V. translaticien; translatique
De. Sprachmittler (m.) [7769]

TRANSLATICIEN n.m. 77
information > traitement documentaire
Théoricien de la traduction.
V. translateur; translatique
De. Übersetzungswissenschaftler (m.) [7770]

TRANSLATIQUE n.f. 77
information > traitement documentaire
Ensemble des études consacrées à la traduction.
V. translateur; translaticien
De. Übersetzungswissenschaft (f.) [7771]

TRANSLIGNEUR n.m. 75
télécommunications > radiotechnique
Dispositif permettant de passer d'une fréquence de balayage
(lignage) à une autre.
De. Zeilenumsetzer (m.)
En. standard converter [4006]

TRANSLINGUISTIQUE adj. 77
information > traitement documentaire
Se dit d'un système de données d'indexation verbales à partir
des termes d'un langage naturel source vers les termes d'un
langage naturel cible.
Es. translingüístico [7900]

TRANSLOCATEUR n.m. 77
chimie > chimie du solide et du fluide
Substance qui permet un transfert d'ions. [7901]

TRANSLOCATION n.f. 67
géophysique > hydrologie
Entraînement par l'eau de pluie, dans les crevasses d'un profil,
de constituants tels que sable, limon, argile, débris végétaux...
De. Translokation (f.)
En. translocation
Es. translocación [7360]

TRANSMANCHE adj. 73
transport et manutention > circulation
Se dit d'une communication établie à travers la Manche.
[1774]

TRANSMISSIF → afficheur — .

TRANSMISSIVITÉ n.f. 74
instrumentation > mesure de rayonnement atmosphérique
Aptitude de l'atmosphère à laisser passer un flux lumineux.
V. transmissomètre
De. Lichtdurchlässigkeit (f.); Transmissionsgrad (m.)
En. transmissivity
Es. transmisividad [3291]

TRANSMISSION → fenêtre de — ; vidéo- — .

TRANSMISSOMÈTRE n.m. 74
instrumentation > mesure de rayonnement atmosphérique
Instrument destiné à mesurer la transmissivité de l'atmos-
phère.
V. transmissivité
De. Transmissometer (n.)
En. transmissometer
Es. transmisómetro [3292]

TRANSNEIGE n.m. 76
transport et manutention > engin de transport
Engin destiné à transporter de la neige.
En. snow air conveyor ; snow conveyor [6944]

TRANSOLVER n.m. 75
TRANSOLVEUR
énergie (technologie) > énergétique
Dispositif électromécanique dans lequel le signal électrique en
sortie du rotor est fonction à la fois de la position de l'axe du
stator et du signal électrique en entrée du stator.
V. résolveur
De. Transolver (m.)
En. transolver [6157]

TRANSPARENCE n.f. 75
automatisme > équipement automatique
Aptitude d'un dispositif d'un certain type à être utilisé, pour
des fonctions analogues, à la place d'un dispositif d'un autre
type sans gêne pour les dispositifs en amont ou en aval et sans
nécessiter de modifications dans le processus antérieur de
traitement.
En. transparency
Es. transparencia [9117]

TRANSPARENCE → fenêtre de — .

TRANSPARENCE FISCALE n.f. 76
économie > fiscalité
Régime de l'impôt qui, dans certaines sociétés de copropriété
immobilière, porte sur l'associé et non sur la société elle-
même. [7902]

TRANSPÉCIFIQUE adj. 74
génétique > génétique des populations
Relatif au changement d'espèce.
De. transspezifisch
En. transspecific
Es. transpecífico [3834]

TRANSPLANTECTOMIE n.f. 73
génie biomédical > chirurgie
Ablation d'un greffon.
De. Transplantektomie (f.)
En. transplantectomy [3119]

TRANSPLANTÉE → classe — .

TRANSPLANTEUSE n.f. 74
matériel agricole
Machine permettant de déplacer des arbres.
V. camion transplantoir
En. transplanter
Es. transplantadora [6426]

TRANSPLANTOIR → camion — .

TRANSPLANTOLOGUE n. 75
génie biomédical > chirurgie
Spécialiste de l'étude des transplantations.
De. Transplantationsspezialist (m.)
En. transplant specialist
Es. transplantólogo [4367]

TRANSPLATE-FORME n.f. 75
TRANSPLATEFORME
conditionnement (emballage) > palette
Transpalette dont la fourche est remplacée par une plate-
forme destinée à soulever et à transporter des charges.
De. Hochhubwagen (m.)
En. platform truck [6812]

TRANSPORISATION n.f. 75
physique > mécanique
Écoulement d'un gaz au travers d'un solide poreux, dû à une
différence de pression.
De. Durchströmen (n.)
En. gas diffusion ; gaseous diffusion
Es. transporización [5742]

TRANSPORTEUR À ACCUMULATION n.m. 74
transport et manutention > engin de manutention
Transporteur permettant d'accumuler les charges en vue de
leur traitement en groupe.
En. accumulation conveyor [3835]

TRANSPORTEUR À ÉCAILLES n.m. 75
transport et manutention > engin de manutention
Convoyeur constitué de plaques se recouvrant partiellement et
entraîné par une chaîne de manutention. [4477]

TRANSPORTEUR À LA DEMANDE n.m. 73
transport et manutention > transport
Personne qui loue un avion pour transporter des groupes à
dates précises.
De. Charterer (m.)
En. charter carrier [1420]

TRANSPORTEUR À ROULEAUX LIBRES n.m. 73
transport et manutention > engin de manutention
Convoyeur constitué d'un système de rouleaux entraîné par les
charges à transporter.
V. transrouleur
En. roller conveyor [1565]

TRANSPORTEUR HECTOMÉTRIQUE n.m. 73
transport et manutention > transport
Système de transport collectif fonctionnant sur des distances
de l'ordre de quelques centaines de mètres. [1054]

TRANSPORT MODULAIRE n.m. 73
transport et manutention > transport
Transport par charges compactes indivisibles, généralement
palettisées et constituant des modules de charge ou de
stockage.
De. Modultransport (m.) [1241]

TRANSPORT SEMI-CONTINU n.m. 74
TRANSPORT SEMICONTINU
transport et manutention > transport
Mode de transport de passagers par véhicules indépendants
dont un au moins se trouve toujours en station afin de
permettre l'embarquement et le débarquement continus.
V. embarquement continu ; débarquement continu ; embar-
quement discontinu ; débarquement discontinu
En. semicontinuous transportation
Es. transporte semi-continuo [3120]

TRANSROULEUR n.m. 74
transport et manutention > engin de manutention
Convoyeur constitué de rouleaux libres ou commandés.
V. transporteur à rouleaux libres
De. Rollenbahn (f.)
En. roller conveyor [4007]

TRANSROULIER n.m. 76
transport et manutention > engin de transport
Navire où la majeure partie de la cargaison est transportée
avec des véhicules à roues automoteurs ou non, qui la
contiennent.
De. Ro/Ro-Schiff (n.) ; Roll-on/Roll-off-Schiff (n.)
En. roll-on - roll-off ship ; ro-ro ship [6572]

TRANSSEXUEL n.m. 76
pathologie animale > pathologie urogénitale
Individu ayant un trouble de l'identification sexuelle.
En. transexual [6427]

TRANSTOCKEUR n.m. 73
transport et manutention > engin de manutention
Engin destiné à la desserte d'alvéoles de magasins de stockage et
roulant sur rails.
V. télégerbeur
En. retriever crane [1056]

TRANSVECTEUR n.m. 78
instrumentation > transducteur
Enceinte acoustique comprenant deux haut-parleurs couplés
acoustiquement et électriquement.
Es. transvector [9118]

TRANSVERSOPROFILOGRAPHE n.m. 74
bâtiment et travaux publics > matériel de chantier
Appareil constitué d'une règle rigide et d'un enregistreur
mécanique permettant de tracer le profil en travers réel de la
chaussée.
De. Querprofilograph (m.)
En. cross-section profilograph [6158]

TRANSVIDAGE n.m. 74
transport et manutention > manutention
Opération qui consiste à vider un conteneur dans la caisse d'un
véhicule collecteur.
De. Umfüllen (n.) [3656]

TRAPPAGE n.m. 73
pathologie animale > pathologie respiratoire
Phénomène par lequel des gaz inspirés sont retenus lors de
l'expiration dans un territoire bronchopulmonaire pathologique.
En. air trapping; trapping [3476]

TRAUMATOGÈNE adj. 72
pathologie animale > pathologie odontostomatologique
Dû à un traumatisme.
De. traumatogen
En. traumatogenic; traumatropic [705]

TRAVAIL → pinceur de — ; temps de — ; valeur- — .

TRAVAIL FORMÉ n.m. 73
économie > travail (main-d'œuvre)
Facteur économique constitué par un être humain qui a acquis
des connaissances et des aptitudes nouvelles, source de
services productifs, grâce à une dépense d'éducation.
En. human capital [6428]

TRÉPIDEUR → marteau — .

TRIANGULAIRE → système — .

TRICAPTEUR n.m. 76
exploitation des ressources minérales
Capteur qui permet d'appréhender simultanément trois gran-
deurs physiques.
De. Dreifachmeßfühler (m.)
En. three-stage fractionater [5743]

TRICHROMATIQUE adj. 74
impression
Qualifie la combinaison des trois rayonnements primaires
nécessaires pour reconstituer l'impression d'une couleur quel-
conque.
De. trichromatisch; Dreifarben-
En. trichromatic
Es. tricromático [4008]

TRI CROISÉ n.m. 76
statistique
Ventilation en fonction de deux ou plusieurs critères. [4368]

TRIFORMANTIQUE adj. 72
physique > spectre
Se dit de la structure d'un son qui présente trois formants. [8293]

TRIGEMME adj. 75
agronomie > technique culturale
Se dit d'une taille conservant trois yeux par rameau.
En. three-budded [4184]

TRIMÉTALLISATION n.f. 76
électronique > électronique industrielle
Opération consistant à revêtir une puce de trois métaux
(titane, platine, or) en couche mince, en vue de protéger le
circuit intégré.
V. puce
Es. trimetalezación [7218]

TRINGLERIE n.f. 75
bâtiment et travaux publics > structure mécanique
Ensemble des tringles, relais et transmissions d'un dispositif
mécanique.
De. Gestänge (n.)
En. rod linkage [4938]

TRIPLOT n.m. 75
arts > architecture
Ensemble architectural composé de trois bâtiments carrés
reliés entre eux par des galeries et s'ordonnant autour d'une
cour intérieure.
En. triplot [4217 bis]

TRIPTON n.m. 74
écologie > formation écologique
Ensemble des détritus d'origine endogène ou exogène en
suspension dans l'eau ou flottant à sa surface.
De. Tripton (n.)
En. tripton
Es. tripton [3657]

TRISPIRALAGE n.m. 74
électrotechnique > composant électrotechnique
Fait de munir une lampe à fluorescence d'une cathode à trois
spirales. [4939]

TRITICALE n.m. 74
génétique > hybride
Hybride amphidiploïde du blé et du seigle.
En. triticale [1957]

T.R.L. (TÉLÉDISTRIBUTION AVEC REDIFFUSION LOCALE)
n.f. 74
télécommunications > télédistribution
Système de télédistribution qui permet de rediffuser des
programmes émis localement.
V. G.A.M. ; T.A.C. ; T.V.R.
En. local access C.A.T.V. [2942]

TROMPE → aile- — ; ventilo- — .

TRONCATURE n.f. 75
physique > mécanique
Surface oblique et unie tranchant le rebord aval d'une roche
moutonnée ou dissymétrique.
De. Abstrumpfung (f.)
En. quarrymark
Es. truncadura [5879]

TROPICAL → euro- — .

TROPICALE → dépression — .

TROU n.m. 75
physique > physique des particules
Absence localisée d'un électron, qui crée un champ électrique
positif à l'intérieur d'un atome.
De. Elektronenloch (n.)
En. hole; electron hole
Es. agujero [4764]

TROUS → scie à — .

TRUITOMÈTRE n.m. 75
environnement et sécurité > prévention
Détecteur biologique de pollution utilisant une truite comme
témoin. [4369]

TRUQUISTE n. 74
arts > photographie
Spécialiste qui utilise l'appareil permettant d'effectuer certains
effets électroniques sur l'image.
En. special effects man [2583]

TRYPANOTOLÉRANT adj. 73
pathologie animale > pathologie infectieuse
Qui résiste aux affections à trypanosomes.
En. trypanotolerant [4218 bis]

TRYPSINISATION n.f. 78
génie biomédical > culture de cellule et de tissu
Procédé qui consiste à soumettre des fragments de tissu à l'action enzymatique de la trypsine.
De. Trypsinbehandlung (f.)
En. trypsinization [9258]

TSIGANOLOGIE n.f. 78
sociologie
Ensemble des études consacrées à la culture tsigane.
De. Zigeunerkunde (f.)
En. gypsology [8833]

TUBE → méthode barreau — .

TUBE ACROSOMIAL n.m. 78
cellule et constitution cellulaire > cellule
Chez les invertébrés, mince filament secrété par l'extrémité de la tête spermatique d'un spermatozoïde.
En. acrosomal process; acrosomal tubule [8707]

TUBE AFFICHEUR n.m. 73
électronique > composant électronique
Lampe en forme de tube destinée à afficher des signaux.
En. display tube [1060]

TUBE À PÉNÉTRATION n.m. 77
électronique > composant électronique
Tube de visualisation qui permet l'obtention d'une image par la juxtaposition de points colorés différemment selon l'énergie portée par l'électron qui frappe l'écran. [9119]

TUBECTOMIE n.f. 74
génie biomédical > chirurgie
Ablation de la trompe de Fallope.
En. tubectomy [1958]

TUBE DE FORCE n.m. 75
technique nucléaire
Tube qui, dans un réacteur nucléaire, renferme le fluide caloporteur dont il supporte la pression et les assemblages combustibles.
De. Druckrohr (n.)
En. pressure tube
Es. tubo de presión [4009]

TUBE DE PRESSION NÉGATIVE n.m. 74
instrumentation > équipement aérospatial
Appareil servant à combattre les effets de l'apesanteur en exerçant sur le système cardiovasculaire le même effet que la pesanteur.
En. negative pressure tube [1585]

TUBE-DRAIN n.m. 77
génie hydraulique
Dispositif de captage de l'eau dans un puits à barbacanes développées.
V. barbacane développée [9400]

TUBE GLAND n.m. 67
TUBE-GLAND
électronique > composant électronique
Petit tube électronique à vide utilisé en ondes décimétriques.
De. Eichelröhre (f.)
En. acorn tube [708]

TUBE MÛRISSEUR n.m. 77
technologie des métaux > métallurgie extractive
Tube dans lequel s'opère une réaction chimique (entre le minerai d'uranium et de l'acide sulfurique).
De. Reaktionsrohr (n.) [8042]

TUBERIE n.f. 77
économie > industrie métallurgique
Usine où l'on fabrique des tubes.
De. Röhrenfabrik (f.)
En. pipe-manufacturing plant; pipe mill [7903]

TUBISTE n. 77
économie > industrie de transformation des matières plastiques
Fabricant de tubes. [772]

TUFACÉ adj. 72
géologie > roche
Se dit d'une roche analogue au tuf et constituée partiellement par du tuf.
De. tuffartig
En. tuffaceous
Es. tobáceo [4010]

TUILE À DOUILLE n.f. 78
bâtiment et travaux publics > structure mécanique
Tuile permettant le passage d'un conduit de ventilation.
V. tuile de courant
De. Dunstrohröffnungfziegel (m.)
En. flange tile [8834]

TUILE DE COURANT n.f. 78
bâtiment et travaux publics > structure mécanique
Tuile canal reposant sur un voligeage.
V. tuile à douille
De. Nonne (Dachziegel) (f.)
En. concave under tile [8835]

TULIPAGE n.m. 76
économie > industrie de transformation des matières plastiques
Élargissement de l'extrémité d'un tube en forme de tulipe pour permettre l'assemblage avec un autre tube.
V. tuliper; tulipeuse
En. flaring [6813]

TULIPER v. 77
économie > industrie de transformation des matières plastiques
Former des tulipes aux extrémités de tubes plastiques.
V. tulipage; tulipeuse [7904]

TULIPEUSE n.f. 77
économie > industrie de transformation des matières plastiques
Machine destinée à tuliper.
V. tulipage; tuliper [7905]

TUNNEL → effet — .

TUNNEL DE RÉTRACTATION n.m. 74
technologie des matériaux > traitement thermique
Tunnel de traitement thermique dans lequel un emballage en feuille plastique rétractable prend sa forme définitive.
En. retraction tunnel [3294]

TUNNELIER n.m. 74
exploitation des ressources minérales
Machine foreuse rotative dont la surface perceuse a le diamètre du tunnel à creuser. [1586]

TURBINIER n.m. 76
mécanique des fluides appliquée
Fabricant de turbines. [4586]

TURBOCHARGÉ adj. 76
mécanique appliquée > moteur
Se dit d'un moteur dont l'air d'alimentation est pressurisé par turbocompresseur.
De. turboverdichtet
En. supercharged [7084]

TURBO-CLASSEUR n.m. 76
TURBOCLASSEUR
économie > industrie papetière
Dispositif de tri des matériaux par turbine.
En. turbine screen [6706]

TURBOFILTRE n.m. 74
opération > séparation physique
Filtre agissant au moyen d'un système rotatif.
De. *Turbofilter (n.)* [2127]

TURBOFOREUSE n.f. 73
exploitation des ressources minérales
Foreuse équipée d'une turbine actionnée par le fluide de forage.
De. *Bohrturbine (f.)*
En. *turbodrill*
Es. *turboperforadora* [3295]

TURBOGÉNÉRATEUR n.m. 72
énergie (technologie) > énergétique
Groupe générateur entraîné par une turbine.
De. *Turbogenerator (m.)*
En. *turbogenerator* [528]

TURBOGROUPE n.m. 76
mécanique des fluides appliquée
Groupe compresseur équipé d'une turbine. [7219]

TURBOMIXEUR n.m. 76
technologie des matériaux > équipement industrie transformation
Mélangeur à rotor qui tourne à grande vitesse.
En. *turbine impeller mixer* [6429]

TURBOMOLÉCULAIRE → pompe — .

TURBO—OXYDEUR n.m. 77
TURBOOXYDEUR
économie > industrie antipollution
Turbine destinée à alimenter en oxygène les eaux usées d'une lagune aérée.
Es. *turbooxidador* [7493]

TURBORALENTISSEUR n.m. 75
mécanique appliquée > organe de machine
Ralentisseur hydrodynamique.
En. *turbo decelerator*
Es. *turbodecelerador* [4185]

TURBO-SÉPARATION n.f. 72
TURBOSÉPARATION
économie > industrie agricole et alimentaire
Opération de classement des particules d'un produit pulvérulent par ventilation.
De. *Windsichten (n.)*
En. *air classification*
Es. *turboseparación* [6430]

TURBOSPHÈRE n.f. 73
géophysique > aéronomie
Zone de transition d'une vingtaine de kilomètres d'épaisseur entre la zone d'atmosphère en équilibre de mélange (homosphère) et la zone d'atmosphère en équilibre de diffusion (hétérosphère).
De. *Turbosphäre (f.)*
En. *turbopause; turbosphere* [1775]

TURBULATEUR n.m. 73
technologie des matériaux > équipement industrie de transformation
Réacteur à haute turbulence pour les traitements thermiques à hautes températures (300 à 1 600° C).
De. *Wirbler (m.); Verwirbler (m.); Turbulator (m.)*
En. *turbulator* [1587]

TURBULENCE → amplificateur à — .

TURBULENCE DÉVELOPPÉE n.f. 78
physique > mécanique
État aléatoire chaotique d'un écoulement réalisé pour de très grandes valeurs du nombre de Reynolds.
En. *fully-developed turbulent flow* [8836]

TURRICULE n.m. 77
zoologie
Dépôt concentrique de terre et de débris végétaux rejetés par les vers de terre après leur digestion.
De. *Kottürmchen (n.)*
En. *pile; worm pile*
Es. *turrículo* [8431]

T.V.R. (TÉLÉDISTRIBUTION AVEC VOIE DE RETOUR) n.f. 74
télécommunications > télédistribution
Système de télédistribution avec utilisation bidirectionnelle du câble qui permet une voie de retour.
V. G.A.M.; T.A.C.; télévision interactive; T.R.L.
En. *reverse communication* [2944]

TUTORIEL → audio- — .

TUYÈRE → arrache- — .

TYPAGE n.m. 74
génétique > information génétique
Opération de recherche d'un type génétique.
De. *Genotypenbestimmung (f.)*
En. *typing* [6014]

TYPIFICATION n.f. 70
sociologie
Processus de contrôle social tendant à maintenir dans la conduite des individus et la vie d'une société les types ou modèles reconnus.
V. atypisme
En. *patterning*
Es. *tipificación* [5464]

TYPOGÉNIQUE adj. 77
géologie > pédologie
Se dit d'un processus de pédogénèse d'un sol type engendrant des caractères de classification des sols.
Es. *tipogénico* [8294]

TYPOLOGISATION n.f. 76
linguistique
Opération qui consiste à classer les éléments d'un ensemble par type.
De. *Typologisierung (f.)*
En. *typologization*
Es. *tipificación* [5880]

TYROLIEN → enduit — .

U

UFOLOGUE n.m. 74
sciences de l'espace
Spécialiste qui étudie le phénomène des OVNI.
V. ovniologiste
En. *ufologist* [1589]

UHURU n.m. 77
instrumentation > métrologie
Unité de mesure équivalente à $1,7 \cdot 10^{-11}$ erg cm^2 s^{-1}.
De. *Uhuru (n.)* [7907]

U.L.P. (UNITÉ LOGIQUE PROGRAMMABLE) n.f. 74
informatique > programmation
Unité logique programmable.
De. *programmierbare Logikeinheit (f.)* [2766]

ULTRACINÉTOMOSCOPE n.m. 73
génie biomédical > appareillage médical
Appareil qui permet de lire sur un écran le tracé des ultrasons au cours d'une ultrasonographie.
De. *Ultrakinetomoskop (m.)* [1422]

ULTRAFICHE n.f. 75
information > support documentaire
Microforme normalisée I.S.O. A6 comportant deux à trois
milliers de microcopies.
De. Ultrafiche (f.)
En. ultrafiche
Es. ultraficha [4478]

ULTRAFILTRAT n.m. 74
opération > séparation physique
Produit d'une dialyse sous pression réalisée à travers la paroi
d'un ultrafiltre.
De. Ultrafiltrat (n.)
En. ultrafiltrate [2128]

ULTRAMAFIQUE adj. 78
propriété > composition
Qui comporte une forte proportion de fer et de magnésium.
En. ultramafic
Es. ultramáfico [9120]

ULTRAMICROTOMIE → cryo- — .

ULTRAMONOCHROMATIQUE adj. 75
électronique > optique électronique
Se dit d'un dispositif (généralement sur laser) qui émet un
rayonnement électromagnétique très fin caractérisé par une
longueur d'onde définie et stable.
De. ultramonochromatisch
En. ultramonochromatic
Es. ultramonocromático [8043]

ULTRANETTOYAGE n.m. 73
technologie des matériaux > génie chimique
Technique d'élimination des particules microniques de solvants par l'utilisation d'un filtre membrane possédant une
gamme importante de compatibilités chimiques.
De. Ultrareinigung (f.)
En. ultra-cleaning [1243]

ULTRASONOGRAPHIE n.f. 73
instrumentation > mesure des phénomènes physiologiques
Observation et enregistrement d'un phénomène à l'aide de
faisceaux d'ultrasons.
De. Ultrasonographie (f.) [1423]

ULTRASONS → détecteur à — .

ULTRASTRUCTURAL adj. 76
physiologie > physiologie cellulaire
Relatif à la structure d'une cellule telle qu'elle apparaît au
microscope électronique.
De. Ultrastruktur-
En. ultrastructural
Es. ultraestructural [6015]

ULTRATREMPE n.f. 76
technologie des matériaux > traitement thermique
Trempe obtenue par un chauffage rapide à de très hautes
températures.
V. autotrempe
En. ultrahardening
Es. ultratemplado [6296]

ULTRAVIDE n.m. 74
physique > mécanique
Vide poussé à des pressions inférieures à 10^{-7} torr.
De. Ultrahochvakuum (n.)
En. ultra high vacuum
Es. ultravacio [3480]

U.M.E. (Unité Monétaire Européenne) n.f. 77
économie > monnaie
Unité de compte dont la valeur est fixée de manière option-
nelle par rapport à un nombre d'unités de différentes monnaies, variable suivant les cas.
De. E.W.E. (Europaïsche WährungsEinheit) (f.)
En. E.C.U. (European Currency Unit) [8432]

UNAIRE adj. 70
linguistique
En grammaire générative, se dit d'une transformation qui
n'opère que sur une seule suite terminale.
De. Einstellig-
En. unary [5881]

UNIALGAL adj. 69
organisme vivant > végétal
Relatif à une seule algue.
V. algal [7220]

UNICLASSISTE adj. 74
sociologie
Se dit de la conception qui présente la société comme ignorant
les antagonismes de classe. [4479]

UNIFIÉE → architecture — de réseau .

UNIMODAL adj. 71
sociologie
Relatif à une réalité qui ne présente qu'un seul caractère
spécifique.
V. amodal ; multimodal
En. unimodal
Es. unimodal [4186]

UNIQUE → dimension de nœud — ; en source — .

UNITAIRE → chaîne — .

UNITÉ DE PASSAGE n.f. 74
propriété > configuration
Unité de mesure correspondant à l'encombrement d'une
personne qui se présente de front.
En. dimensional unit [4480]

UNITÉ DE PAYSAGE n.f. 75
**gestion, organisation, administration > aménagement du
territoire**
Ensemble des éléments de paysage ayant la même définition.
V. élément de paysage
En. landscape unit
Es. unidad de paisaje [5602]

UNITÉ-MULTIPLE n.f. 74
transport et manutention > engin de transport
Ensemble formé par des locomotives accouplées ou attelées en
tête et en queue de train et assurant une traction ou un
freinage renforcés.
En. multiple-unit [2768]

UNITERME n.m. 77
information > traitement documentaire
Unité terminologique constituée d'un seul mot.
V. multiterme
En. one word term ; single-word term
Es. uniterm [7908]

UNITEUR n.m. 77
physique > physique mathématique
Type de nulleur qui présente un point commun entre l'entrée
et la sortie.
V. nulleur
En. unitor [8044]

UNITISATION n.f. 75
transport et manutention > manutention
Constitution de charges unitaires de manutention.
V. unitisé [7909]

UNITISÉ adj. 74
transport et manutention > manutention
Se dit de charges regroupées en un seul volume.
De. gleicher Stückzahl
En. unitized [3659]

UNIVERSELLE → poudre — .

URBAIN → module — de service ; tissu — .

URBAINE → érosion — ; pollution — .

URBANISABLE adj. 77
gestion, organisation, administration > aménagement du territoire
Se dit d'une zone qui peut être urbanisée.
En. urbanizable [8186]

URBONYME n.m. 75
linguistique
Nom d'une composante de l'espace urbain.
V. polisonyme
En. urbonym [6160]

URGENCE → feu vert d' — .

USINAGE → photo- — .

USINAGE EN PANOPLIE n.m. 76
mécanique appliquée > usinage
Se dit d'un procédé qui consiste à usiner de petites pièces dans les alvéoles de grandes pièces. [7467]

USINE → bio- — .

USINE ÉCLUSÉE n.f. 75
génie hydraulique
Usine hydraulique qui stocke les apports à court terme en vue de leur utilisation aux heures de pointe.
V. usine fil de l'eau ; usine lac
De. Pumpspeicherkraftwerk (n.)
En. pumped storage plant [4219 bis]

USINE FIL DE L'EAU n.f. 75
USINE-FIL DE L'EAU
génie hydraulique
Usine hydraulique qui utilise les apports immédiatement tels qu'ils se présentent.
V. usine éclusée ; usine lac
En. run-of-the-river plant [4220 bis]

USINE LAC n.f. 75
USINE-LAC
génie hydraulique
Usine hydraulique qui permet de garder les apports en réserve et de les exploiter à long terme.
V. usine éclusée ; usine fil de l'eau.
De. Talsperrenkraftwerk (n.)
En. storage plant [4221 bis]

USINE-MÈRE n.f. 74
économie > travail (main-d'œuvre)
Usine principale dans un groupement de plusieurs industries connexes.
De. Hauptwerk (n.)
En. mother factory [3122]

USINE PRESSE-BOUTON n.f. 74
électronique > électronique industrielle
Usine dont le fonctionnement intégralement automatisé s'effectue à l'aide d'un tableau de commande.
En. push-button plant ; fully-automated plant [2416]

USINE PRODUITS EN MAIN n.f. 75
USINE - PRODUITS EN MAIN
économie > commercialisation
Usine livrée avec ses machines et les techniciens qui la mettent en service et forment le personnel nécessaire à son fonctionnement.
En. fully-operational plant [4188]

USINEUR n.m. 75
mécanique appliquée > machine-outil
Machine-outil servant à façonner des pièces.
En. manufacturing machine [3836]

U.S.N. (Unité Solaire Neutrinique) n.f. 74
sciences de l'espace
Unité égale à 10^{-36} absorption de neutrinos par atome de chlore par seconde.

De. solare Neutrinodeinheit (f.)
En. solar neutrino unit [1776]

UTÉROTROPHIQUE adj. 77
constituant des organismes vivants
Qui favorise le développement de l'utérus.
De. uterotrophisch
En. uterotrophic
Es. uterotrófico [8979]

UTILITAIRE → programme — .

UTILITÉS → centrale des — .

U.T.L. (Unité de Transport Liquide) n.f. 74
conditionnement (emballage) > emballage
Type de conteneur plastifié en vue du transport des liquides.
En. L.T.U. [2945]

U.T.S. (Unité de Travail de Séparation isotopique) n.f. 73
économie > industrie nucléaire
Unité de travail de séparation isotopique servant à mesurer la capacité de production d'une usine d'enrichissement d'uranium.
En. S.W.U. (Separation Work Unit) [1777]

UVATYPIE n.f. 72
impression
Procédé de tirage faisant appel à un transfert hydrotypique à partir d'une matrice tannée présentant des reliefs proportionnels aux densités de l'image.
De. Uvatypie (f.)
En. uvatype [530]

U.V.T.C. → verre — .

V

VACHE → pieds de — .

VACRÉATION n.f. 76
technologie des matériaux > génie alimentaire
Procédé de désodorisation et dégazage des crèmes consistant en une injection de vapeur dans la crème suivie d'une détente sous vide. [7494]

VACUOLOGIE n.f. 75
mécanique des fluides appliquée
Étude des technologies utilisant le vide.
De. Vakuumtechnik (f.)
En. vacuology
Es. vacuología [5208]

VADOSE adj. 76
géophysique > hydrogéologie
Se dit de la zone tour à tour sèche et mouillée selon les variations de niveau de la nappe phréatique.
De. vados
En. vadose [7773]

VAGUEUR n.m. 77
opération > mécanique (opération)
Dispositif de brassage d'un mélange dans une cuve-matière.
De. Propellrührer (m.)
En. agitator ; mixer ; rake ; stirring device [8045]

VAISSEAU DE SUPPORT n.m. 74
instrumentation > structure marine
Navire de surface équipé pour permettre les forages sous-marins.
En. support vessel [2308]

VALENCE n.f. 76
linguistique
Nombre d'actants qu'un verbe est susceptible de régir.
En. valence
Es. valencia [7085]

VALEUR(S) → densité de — ; accumulation de — s ;
analyse des — s.

VALEUR DE RIBLONAGE n.f. 77
économie > prix
Valeur de matériaux cédés à un prix de déchets.
En. scrap value [8187]

VALEUR-TRAVAIL n.f. 74
gestion, organisation, administration > horaire
Somme des temps nécessaires à l'accomplissement des diffé-
rentes opérations d'un travail.
V. base de fragmentation
De. Arbeitswert (m.); Arbeitszeitaufwand (f.)
En. work value [2129]

VALISETTE n.f. 76
conditionnement (emballage) > emballage
Type d'emballage en carton destiné à contenir plusieurs litres
de lait. [6946]

VALLICULTURE n.f. 76
aquaculture
Aménagement et mise en valeur de milieux en eaux saumâtres.
V. dulçaquiculture ; limniculture ; mariculture
En. brackish water fish farming [6297]

VALORIGRAPHE n.m. 76
économie > industrie agricole et alimentaire
Appareil destiné à mesurer la valeur meunière d'un blé. [7279]

VALSEUR → train — .

VANNE NORMALEMENT FERMÉE n.f. 78
mécanique des fluides appliquée
Vanne qui établit un circuit lorsqu'elle est actionnée.
V. établissement de circuit (à-) ; vanne normalement ouverte
[8838]

VANNE NORMALEMENT OUVERTE n.f. 78
mécanique des fluides appliquée
Vanne qui coupe un circuit lorsqu'elle est actionnée.
V. coupure de circuit (à-) ; vanne normalement fermée [8839]

VANTAIL → guillo- — .

VAPEUR → dépôt en phase — ; pare- — ; vide- — .

VAPO n.f. 75
localisation
Unité qui permet d'exprimer le degré de nordicité.
V. nordicité
En. vapo
Es. vapo [6016]

VAPOCRAQUAGE n.m. 73
technologie des matériaux > raffinage du pétrole
Craquage d'un hydrocarbure en présence de vapeur d'eau.
V. vapocraqueur
De. Steamkracken (n.)
En. steam cracking [357]

VAPOCRAQUEUR n.m. 74
technologie des matériaux > raffinage du pétrole
Appareil utilisé pour le craquage d'hydrocarbures en présence
de vapeur d'eau.
V. vapocraquage
En. steam-cracking unit [2587]

VAPORISEUSE n.f. 78
technologie des matériaux > coloration
Machine soumettant des fils ou des tissus à l'action de la
vapeur en vue de fixer les colorants.
De. Sprühmaschine (f.)

En. ager ; vat ager
Es. vaporizadora [8840]

VARIABLE → signalisation — .

VARISTOR n.m. 78
électronique > circuit électronique
Circuit constitué de résistances variables servant à régler
l'intensité du courant en fonction de la distance entre le
central et le poste téléphonique.
De. Varistor (m.)
En. varistor [8980]

VASE → crème de — .

VASEUX → bouchon — .

VASICOLE adj. 74
écologie > autécologie
Qui vit dans la vase.
V. mixticole
En. limicolous [6707]

VASOMOTRICITÉ n.f. 76
physiologie > physiologie cardiovasculaire
Régulation de la circulation sanguine par constriction ou
dilatation des vaisseaux sanguins.
De. Vasomotion (f.)
En. vasomotricity
Es. vasomotricidad [6708]

VECTEUR n.m. 75
informatique > mémoire (ordinateur)
Structure de base d'une mémoire adressable.
De. Vektor (m.)
En. vector
Es. vector [5209]

VECTEUR ÉNERGÉTIQUE n.m. 78
économie > industrie énergétique
Fluide permettant le transport et le stockage des énergies
primaires.
V. filière énergétique [8568]

VECTORISATION n.f. 76
informatique > traitement de données (informatique)
Adjonction, en tête d'une interruption de programme, d'informations qui précisent l'adresse de mémoire où se trouve le
sous-programme de traitement de cette interruption.
En. vectorization
Es. vectorización [8981]

VÉGÉTALIEN n.m. 77
vie quotidienne > alimentation
Partisan d'un régime diététique excluant tous les produits
d'origine animale y compris le lait et les œufs.
De. Vegetarier (m.)
En. vegan [7495]

VÉGÉTALISATION n.f. 77
vie quotidienne > alimentation
Fait de donner un caractère végétal à un régime alimentaire.
De. Vegetarisierung (f.)
Es. vegetalización [8842]

VÉGÉTALISÉ adj. 77
botanique
Se dit d'un endroit colonisé par la végétation.
De. bewachsen [8569]

VÉGÉTALISTE n. 74
botanique
Spécialiste de biologie végétale.
Es. vegetalista [7496]

VÉGÉTIVORE n. adj. 76
physiologie > nutrition
Qui se nourrit de végétaux.
De. Pflanzenfresser (m.) [7633]

VÉHICULAGE n.m. 73
économie > industrie papetière
Transport à l'aide d'un véhicule.
Es. cartage [1595]

VÉHICULEUR n.m. 76
économie > industrie parachimique
Corps le plus souvent volatil transporteur d'un produit.
En. carrier; dyeing accelerant [6947]

VEINE → tire- — .

VEINE D'AIR (en —) adj. 76
action sur l'environnement > échange de chaleur
Se dit d'un mode de chauffage de l'air dans lequel les produits
de combustion se trouvent mélangés à l'air. [7223]

VÉLOCIMÉTRIE n.f. 76
génie biomédical > analyse biologique
Méthode de mesure du mouvement des microorganismes qui
utilise la diffusion de la lumière fondée sur l'effet Doppler.
V. spermovélocimètre
De. Velozimetrie (f.)
En. velocimetry
Es. velocimetría [5882]

VÉLOERGOMÈTRE n.m. 78
instrumentation > mesure de phénomènes physiologiques
Dispositif actionné à l'aide d'un pédalier et permettant de
mesurer le travail musculaire.
V. cyclergomètre
De. Fahrrad-Ergometer (n.) [8982]

VÉLO-SKI n.m. 73
VÉLOSKI
sport
Type de bicyclette dont les roues sont remplacées par de petits
skis.
De. Skibob (m.) [1778]

VENDANGEUSE n.f. 75
matériel agricole
Machine agricole utilisée pour la récolte du raisin.
De. Traubenerntemaschine (f.)
En. vintaging machine; grape-harvesting machine
Es. vendimiadora [4481]

VENT → cisaillement du — ; coude porte- — ; plaque à
— .

VENTE → barque de — ; îlot de — .

VENTILETTE n.f. 77
action sur l'environnement > ventilation
Ventilateur d'air chaud utilisé en lunetterie.
En. electric frame warmer [8046]

VENTILO-TROMPE n.f. 75
VENTILOTROMPE
mécanique des fluides appliquée
Trompe à air à inducteur annulaire utilisée dans l'industrie. [4370]

VENT INTERSTELLAIRE n.m. 74
sciences de l'espace
Flux de matière que le système solaire rencontre dans son
mouvement dans le milieu interstellaire.
De. Interstellarwind (m.)
En. interstellar wind
Es. viento interestelar [3298]

VENT MAGNÉTIQUE n.m. 75
mécanique des fluides appliquée
Courant gazeux résultant du déplacement des molécules d'un
gaz paramagnétique à l'intérieur d'un champ magnétique.
De. Magnetwind (m.)
En. magnetic wind
Es. viento magnético [6017]

VENTILATEUR → moto- — .

VENTRE BLANC n.m. 76
agronomie > production végétale
Tache opaque dans l'albumen d'un grain de riz.
En. abdominal white [5745]

VENUE n.f. 73
géophysique interne
Épanchement, dans une roche, de matériaux de nature
différente, généralement d'origine éruptive.
De. Eruption (f.)
En. occurrence [1062]

VERBE MODALISATEUR n.m. 74
linguistique
Verbe qui présente la manière d'être d'un message dans un
discours rapporté.
De. modifizierendes Verb (n.) [2130]

VERBO-ICONIQUE adj. 74
information > moyen d'information
Propre aux rapports entre les mots et l'image dans les
techniques audiovisuelles.
V. scriptovisuel; iconique
De. bildsemantisch [2131]

VERBOÏDE adj. 68
linguistique
Se dit d'un élément participant de la fonction verbale.
De. verboid
En. verboid
Es. verboide [4249]

VERBO-TONAL adj. 75
VERBOTONAL
information > moyen d'information
Se dit d'une méthode d'enseignement phonétique en langue
étrangère qui privilégie l'audition et le caractère global de la
perception.
En. verbotonal
Es. verbotónico [6018]

VERCELLI → boîte de — .

VÉRINAGE n.m. 76
transport et manutention > manutention
Opération qui consiste à poser des vérins.
En. packing [7086]

VÉRISIMILITUDE n.f. 74
logique
Dans un énoncé, excédent du contenu de vérité sur le contenu
de fausseté.
En. verisimilitude
Es. verosimilitud [3838]

VÉRITÉ → cinéma- — ; table de — .

VÉRITÉ-TERRAIN n.f. 73
géologie > pédologie
Connaissance de caractéristiques de la scène étudiée, à partir
d'observations et de mesures (enregistrées ou non) réalisées in
situ.
En. ground-truth [7361]

VERNIS DE GLISSEMENT n.m. 77
mécanique des fluides appliquée
Film sec polymérisé composé d'un mélange synergique de
lubrifiants solides dispersés dans une résine organique ou
minérale.
En. solid film lubricant; solid lubricant film [8188]

VERRE DE SPINS n.m. 77
physique > physique du solide et du fluide
Phase métastable d'un matériau magnétique désordonné.
En. spin-glass [9259]

VERRE U.V.T.C. (Ultra Violet-Trempe Chimique)
n.m. 74
matériau > verre
Verre trempé chimiquement résistant aux chocs et aux rayures

et assurant une protection contre les ultraviolets nuisibles.
De. uv- Schutzglas (n.) [3123]

VERROUILLAGE DE PHASE n.m. 76
électronique > radiotechnique
Technique d'asservissement de la phase du signal issu d'un
oscillateur à la phase d'un signal de référence, par comparaison des phases des deux signaux et utilisation du signal
résultant pour ajuster la fréquence de l'oscillateur.
V. synthétiseur de fréquence ; verrouillé en phase
De. Phasenkopplung (f.)
En. phase-lock ; phase locking ; phase-locking [9121]

VERROUILLÉ EN PHASE adj. 76
électronique > radiotechnique
Se dit d'un générateur de fréquence qui a subi un verrouillage
en phase.
V. verrouillage de phase
De. phasenstarr
En. phase-locked [9122]

VERT → charbon — ; circuit — ; feu — d'urgence ; front
— .

VERTE → coupure — ; énergie — ; liqueur — ; onde — .

VERTÉBRISTE n. 74
zoologie
Spécialiste de l'étude des Vertébrés.
De. Vertebraloge (m.)
En. vertebrate paleontologist [6814]

VERTICAL adj. 72
économie > travail (main-d'œuvre)
Se dit d'une organisation fondée sur la hiérarchie.
De. vertikal
En. vertical [3300]

VERTIQUE adj. 75
géologie > pédologie
Se dit d'un sol présentant certaines propriétés des vertisols.
V. vertisol
De. vertisolartig
En. vertic [5210]

VERTISOL n.m. 74
géologie > pédologie
Type de sols formés sur des argiles à réseau extensible et
caractérisés par l'apparition de crevasses profondes en période
sèche.
V. planosol ; vertique
En. vertisol
Es. vertisol [4014]

VERTS n.m.pl. 74
environnement et sécurité > pollution
Partie des ordures ménagères composée des déchets de fruits
et légumes.
De. Marktabfall (m.) ; pflanzlicher Abfall (m.)
En. fruit and vegetable waste [4482]

VÉSICULE JUXTAVESTIBULAIRE n.f. 77
physiologie > physiologie cellulaire
Vésicule oblongue, transparente aux électrons, située à la
hauteur du vestibule cellulaire. [9260]

VÉTÉRIQUE adj. 74
géophysique > géomorphologie
Se dit des eaux d'anciennes mers ou lagunes emprisonnées
avec les évaporites dans les argiles qui encadrent ces dépôts.
[7497]

VIABILISATION n.f. 69
**gestion, organisation, administration > aménagement du
territoire**
Exécution sur un terrain de l'ensemble des travaux de viabilité.
De. Erschließung (f.)
Es. viabilización [4940]

VIANDE CACHECTIQUE n.f. 73
matériau > produit alimentaire
Viande provenant d'animaux parvenus au dernier degré
d'amaigrissement.
De. kachektisches Fleisch (n.) [1244]

VIANDE FORAINE n.f. 73
matériau > produit alimentaire
Viande provenant d'un abattoir autre que ceux établis dans la
région considérée. [1245]

VIANDE HYDROCACHECTIQUE n.f. 73
matériau > produit alimentaire
Viande à la fois hydrohémique et cachectique.
De. hydrokachektisches Fleisch (n.) [1156]

VIANDE HYDROHÉMIQUE n.f. 73
matériau > produit alimentaire
Viande infiltrée de sérosités ou de liquide.
En. hydrohemic meat ; hydraemic meat ; hydremic meat [962]

VIANDE SAIGNEUSE n.f. 74
matériau > produit alimentaire
Viande laissant couler du sang noir. [2588]

VIANDEUX adj. 75
matériau > produit alimentaire
Pourvu de viande.
De. fleischreich
En. meaty
Es. cárnico [5211]

VIBRANTE → règle — .

VIBRÉ → béton — .

VIBRO-ABRASION n.f. 77
VIBROABRASION
mécanique appliquée > enlèvement de matière
Abrasion pratiquée à l'aide d'une machine à éléments vibrants.
De. Schwingschleifen (n.)
En. vibratory finishing ; vibro-abrasive machining
Es. vibroabrasion [7911]

VIBRO-ARRACHEUR n.m.75
VIBROARRACHEUR
bâtiment et travaux publics > matériel de chantier
Engin de travaux publics permettant d'extraire les palplanches
formant les caissons étanches après achèvement des ouvrages
en milieu inondé.
De. rüttelnde Extraktionsmaschine (f.)
*En. vibratory piledrawer ; vibratory pile-extractor ; vibratory
pilepuller* [5465]

VIBROCAROTTAGE n.m. 75
géotechnique
Carottage effectué à l'aide d'une masse vibrante.
V. vibro-carottier
En. vibro-coring [3302]

VIBRO-CAROTTIER n.m. 75
VIBROCAROTTIER
géotechnique
Appareil destiné à prélever des carottes et fonctionnant par
vibrations.
V. vibrocarottage
En. vibrating coring tube [5212]

VIBROCASSEUR n.m. 75
bâtiment et travaux publics > matériel de chantier
Appareil fonctionnant par vibrations et destiné au concassage
des matériaux de construction.
De. Backenbrecher (m.)
En. vibrobreaker [5883]

VIBROCOMPACTEUR n.m. 74
opération > compactage
Appareil de compactage de matériaux par pression et vibration.
En. vibrating compactor [2589]

VIBROCOULÉ adj. 75
mécanique des fluides appliquée
Coulé à l'aide d'un dispositif vibrant.
En. vibroplaced [6815]

VIBRODÉPOUSSIÉREUR n.m. 77
opération > séparation physique
Dispositif vibrant destiné à décoller la poussière accumulée
sur un filtre.
De. Vibrationsentstauber (m.)
En. shaker-type dust-collector [8047]

VIBROFLOTTATION n.f. 76
géotechnique
Procédé de consolidation d'un terrain qui consiste en un
fonçage du sol à l'aide d'un vibreur suivi d'un compactage
réalisé au moment de la remontée de l'appareil grâce aux
vibrations entretenues.
De. Rüttelverdichtung (f.)
En. vibroflotation
Es. vibroflotación [6431]

VIBROFONCEUR n.m. 74
géotechnique
Engin destiné à creuser le sol et fonctionnant par vibrations.
De. Rüttler (m.)
En. vibratory driver [3660]

VIBROGÈNE adj. 77
physique > mécanique
Se dit d'une force dynamique déterminée par les caractéristi-
ques de vibration du compacteur et celles du sol.
De. Rüttel-
En. vibration-inducing
Es. vibrógeno [8048]

VIBRONIQUE adj. 73
physique > physique des particules
Se dit d'une énergie à composantes vibrationnelle et électroni-
que.
V. rovibronique
De. Elektronenschwingungs-
En. vibronic
Es. vibriónico [8295]

VIDE adj. → chaîne — ; fromagerie — ; mot- — ; sous- —.

VIDE n.m. → désaérateur sous- — ; gravité — ; sous-
— ; robinet casse — .

VIDE-FÛT adj. 75
mécanique des fluides appliquée
Se dit d'une pompe pneumatique destinée à transvaser des fûts.
En. drum-draining [5466]

VIDE-LETTRES n.m. 77
bâtiment et travaux publics > structure mécanique
Cheminée assurant la descente en chute libre du courrier-
départ vers le bureau central.
En. mail-chute [8708]

VIDEMÈTRE n.m. 73
instrumentation > mesure mécanique
Appareil destiné à mesurer la raréfaction de l'air.
De. Vakuummesser (n.)
En. vacuum gauge [1597]

VIDÉO → jeu — .

VIDÉO-ANIMATION n.f. 75
VIDÉOANIMATION
information > moyen d'information
Utilisation du transfert des images à distance dans les techni-
ques d'information et d'animation.
En. video animation [5467]

VIDÉOBUS n.m. 77
télécommunications > radiotechnique
Système de visualisation destiné à informer les utilisateurs de
la position des autobus sur leur ligne et de la durée probable
d'attente. [8984]

VIDÉOBUS n.m. 74
information > moyen d'information
Véhicule muni d'un équipement d'appareils vidéo.
De. Video-Bus (m.)
En. mobile unit
Es. videobús [3124]

VIDÉOCARTE n.f. 74
télécommunications > radiotechnique
Carte perforée servant de support à un vidéogramme.
V. vidéogramme
De. Video-Lochkarte (f.)
En. videocard [2947]

VIDÉO-CASSETTE n.f. 73
VIDÉOCASSETTE
instrumentation > système électroacoustique
Cassette sur laquelle ont été enregistrés des sons et des images
restitués par un appareil de lecture relié à un téléviseur.
V. vidéodisque
De. Videokassette (f.)
En. videocassette [2310]

VIDÉO-CODAGE n.m. 75
VIDÉOCODAGE
télécommunications > radiotechnique
Technique utilisant l'impression d'index fluorescents pour
accélérer et diriger l'acheminement d'objets emballés.
De. Videocodierung (f.)
En. video-coding
Es. videocodificación [4191]

VIDÉOCOMMUNICATION n.f. 74
information > moyen d'information
Communication qui utilise le transfert des images à distance.
De. optische Fernmeldeverbindung (f.) [1598]

VIDÉODISQUE n.m. 74
instrumentation > système électroacoustique
Disque sur lequel a été gravé l'enregistrement de sons et
d'images restitués par un appareil de lecture relié à un
téléviseur.
V. vidéo-cassette
De. Videoplatte (f.)
En. video disc [2311]

VIDÉOGRAMME n.m. 74
télécommunications > radiotechnique
Image préenregistrée injectée dans un récepteur de télévision
indépendamment de celle qui vient par onde ou câble.
V. vidéocarte
De. Video-Aufzeichnung (f.)
En. videograph
Es. videograma [2948]

VIDÉOGRAPHIQUE adj. 75
information > document
Propre à un enregistrement et une restitution des sons et des
images par un procédé vidéo.
De. videographisch
En. videographic
Es. videográfico [4483]

VIDÉOLOGIE n.f. 76
information > moyen d'information
Étude consacrée à l'utilisation de la vidéo.
De. Videologie (f.)
En. videology
Es. videologia [5604]

VIDÉOSCOPE n.m. 77
électronique > optoélectronique
Appareil qui permet l'observation d'images par génération et
traitement appropriés des signaux formés par la succession des
impulsions électriques correspondant aux variations de luminance et de chrominance des points d'une image.
Es. videoscopia [8843]

VIDÉOTE n. 75
information > moyen d'information
Utilisateur de la vidéo.
En. video user [5213]

VIDÉOTEXTE n.m. 77
informatique > traitement de données (informatique)
Texte dont la transmission se fait à partir des émetteurs de
télévision, par codage pendant le retour image, et susceptible
d'apparaître sur l'écran d'un poste de télévision.
V. télétexte [8189]

VIDÉOTHÈQUE n.f. 74
information > centre d'information
Local où sont rassemblés les documents destinés à la télévision
et à ses applications.
De. Videothek (f.)
En. videotape library
Es. videoteca [2590]

VIDÉO-THÉRAPIE n.f. 74
VIDÉOTHÉRAPIE
génie biomédical > psychothérapie
Technique de traitement du groupe et de la famille utilisant un
matériel TV.
Es. videoterapia [3125]

VIDÉO-TRANSMISSION n.f. 77
VIDÉOTRANSMISSION
télécommunications > radiocommunication
Projection de programmes acheminés par télécommunications
sur grand écran de salle publique.
De. Videoübertragung (f.)
En. video-transmission
Es. videotransmisión [8985]

VIDE POUR PLEIN adj. 75
transport et manutention > transport
Modalité d'un contrat d'affrètement aux termes duquel l'affrè-
teur s'engage à régler le prix du frêt pour la totalité de la
contenance du navire quelle que soit la quantité de marchandise effectivement transportée. [9123]

VIDE-VAPEUR n.m. 73
technologie des matériaux > génie alimentaire
Procédé de conservation des fruits et des légumes stérilisés à la
vapeur puis placés sous vide.
De. Dampf-Vacuum-Verfahren (n.)
En. steam and vacuum sealing [1424]

VIDEUR → basculeur- — .

VIE → sphère- — .

VIF → mise à — .

VIGIE → tour- — .

VIN DE MOUCHOIR n.m. 77
matériau > produit alimentaire
Vin dont le bouquet est très délicat. [7635]

VINERIE n.f. 73
économie > industrie agricole et alimentaire
Installation de vinification constituant une unité de production
à caractère industriel.
En. winery [2132]

VINOTHÈQUE n.f. 73
économie > industrie agricole et alimentaire
Centre d'exposition et de vente de vin.
De. Weinverkaufslager (n.) [890]

VIRGINE n.f. 77
physiologie > reproduction (physiologie)
Femelle agame et vivipare qui engendre par parthénogénèse.
De. parthenogenetisches Weibchen (n.) [7636]

VIRGULE FLOTTANTE n.f. 75
mathématiques appliquées
Système de rotation numérique qui ramène le nombre à la
double notation d'une partie entière ou fractionnaire représentant les chiffres significatifs, la mantisse, et d'une partie
exponentielle par rapport à la base de numération, la caractéristique.
V. arithmétique flottante
De. Gleitpunkt (m.)
En. floating point
Es. coma flotante [5746]

VIROGÈNE n.m. 75
microbiologie
ADN de virus intégré au matériel génétique et transmis
comme tout autre gène chromosomique.
En. virogen
Es. virógeno [6019]

VIROÏDE n.m. 71
microbiologie
Agent subviral dont la présence provoque notamment des
maladies chez les plantes.
En. viroid [1067]

VIROSÉ adj. 74
pathologie végétale
Atteint d'un maladie provoquée par un virus (virose).
De. virusinfiziert [7498]

VIROSOME n.m. 76
microbiologie
Liposome dans lequel des particules virales ont été introduites.
En. virosome
Es. virosoma [6020]

VIRULIFÈRE adj. 77
organisme vivant > microorganisme
Qui engendre une matière virulente.
En. viruliferous
Es. virulífero [8050]

VISCÉROTROPE adj. 73
organisme vivant > microorganisme
Qui manifeste une affinité pour les viscères.
En. viscerotropic
Es. viscerotrópico [4484]

VISCODOSEUR n.m. 77
chimie > chimie analytique
Appareil de dosage et de distribution de produits visqueux.
En. liquid dispenser [8709]

VISCOÉLASTIQUE adj. 73
physique > mécanique
Se dit d'un matériau qui possède à la fois des propriétés de
viscosité et d'élasticité.
De. viscollastisch; zähelastisch
En. viscoelastic [2133]

VISCOPLASTICITÉ n.f. 74
propriété > propriété mécanique
Propriété d'un matériau viscoplastique.
V. viscoplastique [4371]

VISCOPLASTIQUE adj. 74
propriété > propriété mécanique
Se dit d'un matériau visqueux susceptible de subir des
déformations sous l'application de certaines contraintes.
V. viscoplasticité [4372]

VISEUR TÊTE-BASSE n.m. 77
VISEUR-TÊTE BASSE
automatisme > commande automatique
Dispositif de visée utilisé pour atterrir sans visibilité qui oblige
le pilote à incliner la tête pour contrôler son appareil à partir
des données fournies par les instruments de bord situés à la
partie inférieure du cockpit.
V. viseur tête-haute
En. headdown display [7775]

VISEUR TÊTE-HAUTE n.m. 76
VISEUR-TÊTE HAUTE
automatisme > commande automatique
Dispositif de visée permettant la lecture d'informations sans avoir à mouvoir la tête pour consulter les instruments de bord.
V. viseur tête-basse
En. headup display [7776]

VIS GLOBIQUE n.f. 72
mécanique appliquée > organe de machine
Roue à un ou plusieurs filets hélicoïdaux ayant pour surface de tête et de pied des portions de tores.
De. Globoidschnecke (f.)
En. globoidal worm [2312]

VISIBILIMÈTRE n.m. 73
géophysique > météorologie
Dispositif permettant de mesurer la visibilité.
V. visibilité par contraste ; p.v.p.
De. Sichtbarkeitsmesser (m.)
En. visibility meter
Es. visibilímetro [3481]

VISIBILITÉ PAR CONTRASTE n.f. 74
géophysique > météorologie
Distance maximale à laquelle un observateur peut distinguer un repère noir se détachant sur le ciel à l'horizon.
V. p.v.p.
De. meteorologische Sichtweite (f.)
En. contrast visibility
Es. visibilidad por contraste [3303]

VISIOCONFÉRENCE n.f. 75
information > moyen d'information
Téléconférence permettant, en plus de la transmission de la parole et de documents graphiques, la transmission d'images animées à des participants éloignés.
V. téléconférence
En. audio-visual teleconference [5214]

VISIO-MOTEUR adj. 72
VISIOMOTEUR
physiologie > neurophysiologie
Relatif à la vue et à l'ensemble des fonctions sensorimotrices.
V. visuomoteur [4222 bis]

VISION → parc de — .

VISIOPHONE n.m. 72
télécommunications > téléphonie
Système de transmission de la parole combiné avec un système de transmission de l'image de celui qui parle.
V. visiophoner ; visiophonie ; visiophonique
En. videophone [358]

VISIOPHONER v. 75
télécommunications > téléphonie
Utiliser la visiophonie.
V. visiophone ; visiophonie ; visiophonique
En. to videophone [6432]

VISIOPHONIE n.f. 75
télécommunications > téléphonie
Technique de transmission d'un ensemble image-son à distance.
V. visiophone ; visiophoner ; visiophonique
De. Bildtelephonie (f.)
En. audio-visual teleconferencing
Es. visiofonía [5215]

VISIOPHONIQUE adj. 75
télécommunications > téléphonie
Relatif à la visiophonie.
V. visiophone ; visiophoner ; visiophonie
En. videophonic
Es. visiofónico [4485]

VISITEUR/JOUR n.m. 75
statistique
Unité statistique correspondant à la présence d'un ou plu-
sieurs visiteurs sur des terres ou des eaux considérées comme services de récréation en plein air, pour des périodes continues, intermittentes ou simultanées dont les durées additionnées font un total de 12 heures.
De. Gasttag (m.)
En. visitor day
Es. visitante-día [8845]

VISITEUSE → mini- — .

VISONNERIE n.f. 74
zootechnie
Centre expérimental d'élevage des visons.
En. minkery [2591]

VISSAGE → nez de — .

VISSEUSE n.f. 73
mécanique appliquée > assemblage
Machine servant à visser. [1068]

VISUALISATEUR n.m. 74
télécommunications > communication spatiale
Dispositif électromagnétique restituant sous forme d'images des données acquises par des satellites sous forme numérique.
De. Visualisator (m.)
En. visualizer
Es. visualizador [3839]

VISUALISATION → pupitre de — .

VISUALISER v. 74
informatique > système opératoire
Représenter des données sur un visuel.
De. darstellen
En. to display
Es. visualizar [2770]

VISUALISEUR n.m. 77
électronique > radiotechnique
Appareil électronique d'affichage de données destiné à équiper des machines-outils.
De. Anzeigegerät (n.) [7774]

VISUEL n.m. 74
informatique > équipement d'entrée-sortie
1) Dispositif d'affichage ou d'inscription sur un écran ou une console à tube cathodique.
2) Cet écran ou cette console.
V. écran formaté
De. Anzeige (f.) ; Sichtgerät (n.)
En. display ; display console ; display unit
Es. pantalla de visualizacion [2771]

VISUEL → scripto- — .

VISUO-MOTEUR adj. 75
VISUOMOTEUR
physiologie > neurophysiologie
Relatif à la vue et à l'ensemble des fonctions sensorimotrices.
V. visio-moteur
De. visuell- motorisch
En. visuo-motor
Es. visuomotor [4941]

VITALE → chaîne — .

VITAPARCOURS n.m. 74
sport
Circuit d'entraînement sportif doté d'équipements variés.
V. parcours de santé
De. Trainingszentrum (n.)
En. fitness trail [6433]

VITELLIER adj. 74
zootechnie
Se dit de l'élevage ou de la production du veau. [4192]

VITESSE → zone de faible — .

VITRE → lave- — ; lève- — .

VITRECTOMIE n.f. 74
génie biomédical > chirurgie
Opération consistant, après incision de l'œil, à aspirer le corps vitreux, remplir d'une solution saline pour maintenir la pression interne, puis réintroduire le corps vitreux débarrassé du sang qui l'opacifiait.
V. vitrophage
De. Glaskörperentfernung (f.)
En. vitrectomy [3126]

VITREUX → réseau — .

VITRIFICATION n.f. 78
technique nucléaire
Inclusion de déchets radioactifs dans des verres du type silicoborates.
De. Aufschmelzung zu Borsilikatglas (f.)
En. vitrification
Es. vitrificación [8846]

VITRINE → allume- — .

VITROCÉRAMIQUE n.f. 74
matériau > céramique
Matériau combinant les propriétés du verre et des produits céramiques et obtenu par cristallisation d'une masse vitreuse.
De. Glaskeramik (f.)
En. vitroceramics
Es. vitrocerámica [4015]

VITROCRISTALLIN adj./n.m. 73
matériau > verre
[Se dit d'un] produit qui se présente sous la forme de verre dévitrifié.
En. glass-ceramic ; vitro-ceramic
Es. vitrocristalino [3482]

VITROPHAGE n.m. 74
génie biomédical > chirurgie
Instrument chirurgical composé de deux tubes concentriques et permettant de réaliser une vitrectomie.
V. vitrectomie [3127]

VIVACITÉ DE FRÉQUENCE n.f. 76
électronique > équipement électronique
Caractéristique d'un dispositif qui émet des impulsions de puissance à une fréquence qui varie aléatoirement d'une impulsion à l'autre à l'intérieur d'une bande de modulation la plus large possible.
V. agilité de fréquence
De. Frequenzagilität (f.)
En. frequency agility [9261]

VIVE → mémoire — .

VOCABULAIRE ACTIF n.m. 67
information > théorie de l'information
Vocabulaire effectivement employé par un locuteur par opposition à celui qui est simplement compris.
V. vocabulaire disponible ; vocabulaire passif
De. active vocabulary [4016]

VOCABULAIRE DISPONIBLE n.m. 75
information > théorie de l'information
Vocabulaire immédiatement utilisable pour les besoins de la production linguistique par un locuteur donné.
V. vocabulaire actif ; vocabulaire passif
De. aktiver Wortschatz (m.)
En. active vocabulary
Es. vocabulario disponible [8051]

VOCABULAIRE PASSIF n.m. 76
information > théorie de l'information
Vocabulaire reconnu et compris mais non immédiatement utilisable par le locuteur.
V. vocabulaire actif ; vocabulaire disponible
De. passiver Wortschatz (m.)

En. passive vocabulary ; potential vocabulary
Es. vocabulario pasivo [8052]

VOCALE → réponse — .

VOCOCODEUR n.m. 74
cybernétique > intelligence artificielle
Appareil d'analyse des sons permettant la synthèse de la voix.
De. Vocoder (m.)
En. voice coder ; vocoder [1599]

VOIE n.f. 73
informatique > système opératoire
Ensemble d'une liaison et de son tampon d'entrée-sortie dans un sous-système central.
De. Kanal (m.)
En. channel
Es. canal [5884]

VOILE → planche à — .

VOILE DICHROÏQUE n.m. 72
arts > photographie
Voile caractérisé par la production d'argent colloïdal au sein de la couche sensible développée.
De. Lösungsschleier (m.)
En. dichroïc fog [360]

VOILE SOLAIRE n.f. 77
énergie (technologie) > énergie solaire
Surface aménagée pour capter dans l'espace l'énergie solaire nécessaire à la propulsion d'un véhicule spatial.
De. Sonnensegel (n.) [7499]

VOITURE(S) → dossier- — ; silo à — s.

VOLANT → médecin — .

VOLANTE n.f. 75
économie > travail (main-d'œuvre)
Ouvrière polyvalente pouvant occuper n'importe quel poste défaillant sur une chaîne de montage.
De. Springer (m.)
En. floating worker ; relief worker [4194]

VOLANTE(S) → aile — ; grave-cendres — s.

VOLATILE → mémoire — .

VOLEUR DE FENÊTRE n.m. 76
instrumentation > techniques d'échos
Type de brouilleur qui réémet le signal reçu avec une puissance supérieure à celle de l'écho radar normal et décale progressivement le signal par rapport à l'écho réel de façon à fausser les mesures de distance d'un radar de conduite de tir. [8986]

VOLTINISME n.m. 77
hydrobiologie
Nombre annuel de générations d'une espèce. [8570]

VOLU-CONTACT n.m. 75
VOLUCONTACT
action sur l'environnement > échange de chaleur
Contact électrique s'enclenchant à partir d'un certain débit de fluide.
En. input control valve [6948]

VOLUME DE CONFINEMENT n.m. 74
sciences de l'espace
Espace dans lequel se propage le rayonnement cosmique galactique.
En. confining volume
Es. volumen de confinamiento [6574]

VOLUME EXCLU n.m. 76
physique > physique des particules
Phénomène caractérisé par l'impossibilité pour les segments de la chaîne d'une molécule de se recouper dans l'espace.

En. excluded volume
Es. volumen excluido [5605]

VOLUME MORT n.m. 74
opération > broyage
Partie ou zone d'un appareil ou d'une machine dans laquelle
ne s'accomplit pas le travail prévu pour cet appareil ou cette
machine.
De. toter Raum (m.) [2772]

VOLUME-PLÂTRE n.m. 73
bâtiment et travaux publics > procédé de construction
Volume rigide autoportant, composé d'un sommier formant
plancher et recevant une structure composée des murs et du
plafond. [2135]

VOLUMÉTRIQUE → protection — .

VOÛTAGE n.m. 75
stockage > ensilage
Défaut d'écoulement d'une poudre qui se bloque dans un
conduit en formant une voûte.
V. casse-voûtes; dévoûtage
Es. astaco con formación de boveda [4587]

VOÛTE MOUILLANTE n.f. 75
géophysique > hydrogéologie
Voûte d'une grotte imprégnée d'eau de façon permanente.
En. wetted roof [4195]

VOÛTEMENT n.m. 74
arts > architecture
Ensemble des voûtes d'un édifice.
De. Gewölbe (n.pl.)
En. arching [4373]

VOÛTES → casse- — .

VOYAGE DE STIMULATION n.m. 74
vie quotidienne > loisirs
Voyage destiné au personnel cadre des entreprises en vue de
stimuler les affaires.
En. incentive trip [4374]

VOYANT → non- — .

VOYANT PNEUMATIQUE n.m. 74
instrumentation > essai et contrôle
Appareil de signalisation lumineuse permettant de visualiser
les modifications de pression dans les circuits pneumatiques. [2592]

VOYELLÉ adj. 74
linguistique
Se dit d'un texte arabe qui comporte des voyelles.
En. voweled (U.S.A.); vowelled (U.K.)
Es. vocalizado [2314]

VRAC → petit — .

VRAI → modèle — .

VRAQUIER n.m. 73
transport et manutention > engin de transport
Navire destiné au transport de produits en vrac.
En. bulk carrier [363]

WAGON → demi- — ; franco — .

WAGON ASSISTÉ EN PLAINE n.m. 73
transport et manutention > exploitation des transports
Technique de freinage des trains utilisant en plus des freins de
voies primaires, un dispositif mobile (le chariot freineur)

capable d'absorber le maximum d'énergie cinétique du wagon.
En. flat shunting; flat switching [3304]

WAGON-POCHE n.m. 74
économie > industrie métallurgique
Wagon destiné au transport de la fonte en fusion. [1600]

WALTÉRISÉ adj. 77
matériau > matériau métallique
Se dit d'un acier dont l'aspect a été amélioré par un procédé de
brunissage chimique. [8571]

WOLOFISÉ adj. 74
OUOLOFISÉ
linguistique
Intégré dans la langue ou dans la société des Ouolofs.
De. wolofiziert
En. wolofized [4196]

X DURS n.m.pl. 73
physique > onde ou rayonnement
Rayons X à forte énergie.
V. X mous
De. harte Röntgenstrahlen (m.pl.)
En. hard rays; hard X rays; hard X-rays
Es. rayos X duros [2593]

XÉNOBIOTIQUE n.m. 77
écologie > synécologie
Substance étrangère à l'organisme vivant.
De. Fremdstoff (m.)
En. xenobiotic
Es. xenobiótico [8296]

XÉNOGREFFE n.f. 73
génie biomédical > chirurgie
Greffe effectuée sur un organisme appartenant à une espèce
animale différente de celle du donneur.
V. allogreffe; xénotransplantation
De. Heteroplastik (f.)
En. hetirograft [4017]

XÉNOMÈTRE n.m. 77
économie > industrie de transformation des matières plastiques
Actinomètre qui émet un courant photoélectrique provoquant
une séparation électrolytique de mercure dont la quantité est
mesurée.
De. Xenometer (n.)
Es. xenómetro [7912]

XÉNO-PARASITAIRE adj. 77
XÉNOPARASITAIRE
écologie > synécologie
Se dit d'un complexe formé d'une cellule-hôte et de son
parasite.
De. xenoparasitär
En. xenoparasitomal [8847]

XÉNOPATHIQUE adj. 69
psychologie > pathologie mentale
Se dit de certaines pensées qui, interrompant le cours normal
des idées d'un malade, lui paraissent étrangères ou imposées. [4588]

XÉNOTRANSPLANTATION n.f. 76
génie biomédical > chirurgie
Transplantation d'organe ou partie d'organe sur un organisme
appartenant à une espèce animale différente de celle du
donneur.
V. xénogreffe
De. Fremdtransplantation (f.)
En. xenoplastic transplantation [6434]

XÉRIQUE adj. 75
écologie > milieu (écologie)
Se dit des sites ou des habitats caractérisés par une forte
sécheresse.
De. xerisch
En. xeric
Es. xérico [7362]

XÉROMORPHE adj. 74
écologie > adaptation biologique
Se dit d'un végétal qui, par sa forme physique, présente une
adaptation à la sécheresse mais qui n'est pas nécessairement
un xérophyte.
De. xeromorph
En. xeromorphic
Es. xeromorfo [8433]

XÉRORADIOGRAPHIE n.f. 75
radiographie
Technique radiographique qui utilise, à la place du film
photographique, une plaque d'aluminium recouverte de sélé-
nium ionisé.
V. xéroradiographique
De. Röntgenxerographie (f.); Xeroradiographie (f.)
En. xeroradiography
Es. xeroradiografía [5468]

XÉRORADIOGRAPHIQUE adj. 75
radiographie
Relatif à la xéroriadiographie.
V. xéroradiographie
De. röntgenxerographisch
En. xeroradiographic
Es. xeroradiográfico [5469]

XÉROTHERMIE n.f. 77
géophysique > climatologie
Augmentation de la sécheresse.
De. Xerothermie (f.)
En. xerothermy
Es. xerotermia [8190]

X MOUS n.m.pl. 73
physique > onde ou rayonnement
Rayons X à faible énergie.
V. X durs
De. weiche Röntgenstrahlen (m.pl.)
En. soft rays; soft X rays; soft X-rays
Es. rayos X blandos [2594]

XYLÈME n.m. 78
tissu (biologie) > tissu végétal
Ensemble des tissus conducteurs de la sève brute.
De. Xylem (n.)
En. xylem
Es. xilema [9124]

XYLOCHIMIE n.f. 76
économie > industrie du bois
Partie de la chimie qui traite des bois.
De. Holzchemie (f.)
En. wood chemistry [5606]

XYLOCHRONOLOGIE n.f. 77
botanique
Étude de l'âge des arbres d'après l'examen des accroissements
annuels sur des coupes.
De. Jahresringchronologie (f.)
Es. xilocronología [8434]

Y

Y.A.G. (Yttrium, Aluminium et Grenat) n.m. 73
électronique > optoélectronique
Cristal de laser composé d'yttrium, d'aluminium et de grenat

utilisé pour les travaux de précision.
De. Yag (m.)
En. yttrium-aluminium garnet laser [1246]

YERKISH n.m. 74
information > communication
Langage formé d'un certain nombre de lexigrammes utilisé
par les psychologues pour communiquer avec les chimpanzés.
En. yerkish [2136]

YEUSERAIE n.f. 77
agronomie > ensemble végétal
Végétation composée de chênes-verts.
De. Steineichenwald (m.)
En. holm oak forest [8710]

YO-YO n.m. 75
YOYO
équipement aérospatial
Dispositif destiné à dégyrer un engin spatial.
De. Yo-yo (n.)
En. yoyo [5607]

YRAST adj. 77
physique > physique des particules
Se dit de l'état d'un noyau ivre de rotation.
En. yrast [7913]

Z

ZAÏRISATION n.f. 77
politique
Passage sous le contrôle des autorités zaïroises.
De. Zairisation (f.); Zairisierung (f.)
En. Zaireanization; Zairianization [7914]

ZÉBRÂNE n.m. 75
génétique > hybride
Hybride de zèbre et d'ânesse.
V. jaguarion; leopon; ligre; tigon
En. zebrass [4018]

ZÉBRÉ adj. 75
information > traitement de l'information
Se dit d'un prix d'article de consommation codé au moyen
d'une série de lignes parallèles d'épaisseur et d'espacement
variables en vue de permettre une surveillance par ordinateur.
En. barred [4942]

ZÉGISME n.m. 74
économie > sciences économiques
Doctrine qui préconise un ralentissement de la croissance
économique en vue d'éviter un épuisement des ressources
naturelles.
V. zégiste
De. Verlangsamung (f.) des Wachstums
*En. zero economic growth theory; zero growth theory; theory of
zero economic growth; theory of zero growth* [3484]

ZÉGISTE n.m. 75
économie > sciences économiques
Partisan du zégisme.
V. zégisme
De. Befürworter (m.) des Null-Wachstums
En. Z Gist; zegist [5608]

ZENER → barrière — .

ZÉRO → auto- — .

ZÉRO-PÂTURAGE n.m. 75
zootechnie
Technique d'alimentation du bétail à l'étable consistant à
déposer dans l'auge de l'herbe récoltée quotidiennement.
De. Stallweide (f.)

En. zero grazing
Es. pastoreo en reclusión [5216]

ZEUGMATOGRAPHIE n.f. 78
instrumentation > mesure des phénomènes physiologiques
Méthode d'exploration du corps humain qui utilise la réso-
nance magnétique nucléaire.
De. Zeugmatographie (f.)
En. zeugmatography [8848]

Z.I.F. (ZONE D'INTERVENTION FONCIÈRE) n.f. 75
**gestion, organisation, administration > aménagement du
territoire**
Périmètre urbain à l'intérieur duquel les pouvoirs publics
peuvent exercer un droit de préemption pour une durée
illimitée.
De. Vorkaufrechtszone (f.)
En. land-management intervention area
Es. zona de intervención territorial [5217]

ZOÏDE n.m. 76
cellule et constitution cellulaire > cellule
Zoogamète des algues.
En. zoid [6022]

ZONAGE n.m. 75
stockage > dépôt de stockage
Opération qui consiste à affecter une charge à une zone
d'attente ou de stockage correspondant à sa destination.
V. zoneur [4375]

ZONE ADJACENTE n.f. 74
réglementation, législation > droit
Zone adjacente aux eaux territoriales, dans laquelle l'état
riverain jouit de droits économiques sur les eaux ou sur les
fonds.
V. zone économique
En. contiguous zone
Es. zona adjacente [3662]

ZONE D'ANCRAGE n.f. 69
information > traitement de l'information
Départ d'une chaîne d'enregistrement.
En. anchor field [534]

ZONE DE COUVERTURE n.f. 74
télécommunication > communication spatiale
Partie de la surface terrestre vue d'un satellite.
De. Versorgungsgebiet (f.); Deckungsgebiet (f.)
En. coverage
Es. zona de cobertura [3305]

ZONE DE FAIBLE VITESSE n.f. 78
géophysique > géosphère
Zone de transition située entre l'asthénosphère et la lithos-
phère.
En. low-velocity layer; low-velocity zone
Es. zona de velocidad lenta [9262]

ZONE DE REVANCHE n.f. 74
énergie (technologie) > combustion
Dans un incinérateur, zone de la chambre de combustion où
les particules achèvent leur combustion [7224]

ZONE ÉCONOMIQUE n.f. 74
réglementation, législation > droit
Zone adjacente aux eaux territoriales, dans laquelle l'état
riverain jouit de droits économiques sur les eaux ou sur les
fonds.
V. zone adjacente
De. Zone (f.) wirtschaftlichen Interesses [3306]

ZONE LABORATOIRE n.f. 74
ZONE-LABORATOIRE
instrumentation > essai et contrôle
Partie de l'appareil qui reçoit l'échantillon à traiter. [2950]

ZONEUR n.m. 75
stockage > dépôt de stockage
Employé chargé du zonage.
V. zonage [4376]

ZONOGRAPHIE n.f. 73
radiographie
Technique de tomoradiographie qui permet d'obtenir des
radiographies de couches relativement épaisses.
De. Zonographie (f.)
En. zonography [182]

ZOOMASSE n.f. 77
écologie > synécologie
Ensemble de la biomasse animale. [8572]

ZOOPÉRIPHYTON n.m. 76
écologie > communauté (écologie)
Ensemble des organismes animaux vivant sur les tiges, les
feuilles des plantes aquatiques.
Es. zooperifiton [7500]

ZYMOTHERMIQUE adj. 74
économie > industrie anti-pollution
Relatif à un dégagement de chaleur par fermentation.
De. zymothermisch
En. zymothermal [6436]

Table méthodique

Voir Tableau général
pages 373-375

SIGNES CONVENTIONNELS

ACTION SUR L'ENVIRONNEMENT	classificateurs. Ils sont organisés en suite alphabétique.
ASSAINISSEMENT	sous-classificateurs. Dans chaque rubrique, ils sont présentés en suite alphabétique.
aseptiseur	unité lexicale
( )	à la suite du classificateur, explicitation de la dénomination

A

ACTION SUR L'ENVIRONNEMENT
ASSAINISSEMENT
  aseptiseur
  collecte éolienne
  queue de carpe
  répurgation
CLIMATISATION
  autoclimatisé
  autoclimatisation
  éjecto-convecteur
  électroclimat
  électroclimatisation
  filtre humide
  filtre sec
  laveur
  plenum
  thermo-circulation
  thermo-humidostat
ÉCHANGE DE CHALEUR
  aéroréfrigéré
  airstat
  bouteille anti-coup de liquide
  calextracteur
  caloduc
  caloduc artériel
  calopulseur
  centrale frigorifique
  chaudière à marche continue
  chaudière à marche modulée
  chaudière à marche par tout ou rien
  chaudière mixte
  chaudière solaire
  chaudiériste
  chauffage bi-jonction
  chauffage direct
  chauffage mixte
  chauffage synergétique
  chauffe-air
  chauffe directe
  chauffe indirecte
  chauffe semi-directe
  chaufferie en terrasse
  chicanage
  cryobiologie
  cryofixation
  cryogénérateur
  cryogénisation
  cryogéniste
  cryotechnique
  éjecto-diffuseur
  hydroréfrigéré
  polycombustible

  polyrécupérant
  portée d'air
  surgélateur
  veine d'air (en —)
  volu-contact
ÉCLAIRAGE
  allume-vitrine
  encastré
  lumiduc
  monte-baisse
VENTILATION
  aérateur exutoire
  antirefouleur
  circulation semi-mécanique
  ventilette

AGRONOMIE
CULTURE SPÉCIALE
  castanéicole
  charge
  fraisiculture
  gratte
  hévéaculture
  lévadon
  liniculteur
  maraichéiculture
  nuciculture
  perroquet
  riz de nappe
  rizicultivable
  tabaculteur
ENSEMBLE VÉGÉTAL
  cistaie
  clairière
  clairplanté
  crise de découvert
  jardin à bois
  jardin grainier
  laurisylve
  phoenicicole
  phoeniciculture
  placette
  prucheraie
  raphiale
  suberaie
  yeuseraie
PRODUCTION VÉGÉTALE
  agrostologue
  agrumicole
  ananeraie
  arachidier
  bouchonnable
  coniférien
  crayeux
  doigt
  impanifiable
  main

maïsicole
mèche
milicole
pseudofruit
tomadose
ventre blanc

TECHNIQUE CULTURALE
adossant (en —)
agri-sylviculture
agrobiologie
air ponique
aridoculture
association
auto-fertilisant
botte
briquette
brumisation
chauffage
cheville
chronophytotron
cœur flottant (à —)
confusion des mâles
costière
défanant
démalingrage
dépelliculage
dessiccant
dressé
égourmandage
engrais-retard
film anti-buée
film opaque-thermique
germeur
herbicidage
hydroculture
hydromélangeur
hypovirulent
lutte autocide
lutte génétique
lutte intégrée
maison
multipot
muscalure
nématologiste
nitrojection
ombrière
paillage radiant
pesard
phytoprotecteur
piétinage
plante d'abri
postlevée (en —)
prélevée (en —)
refendant (en —)
regonflage
rejuvénilisation
rejuvéniliser
rendu racine
reverdissement
semencier
semis acquis
serre humide
serre sèche
tararage
trigemme

ANATOMIE
ANATOMIE ANIMALE
apocrine
architectonie
centre supraoptique
corbeillage
craniométrique
cristiforme
denticulation
disclusion
eccrine
embrasure
épicritique
gonadostat

hissien
hydroxylapatite
intercuspidation
isopotentiel
lactogenèse
lemniscal
mastologie
mastologue
microplacodes
molariforme
myocardique
né-encéphalisation
néontologiste
neurocyme
neurhormone
neuromédiateur
neuromédiation
neurotransmetteur
occlusal
organovégétatif
périodontologie
protocritique
psychostat
rétrusion
squelettogène
supère
surfactant
tonneau

ANATOMIE VÉGÉTALE
bourgeon fixé
bourgeon sensible
brachyblaste
circination
embryotectonique
lutoïde
monarche
protocorme
racème
résistance foliaire
rhizogénèse
rhizogénétique
surface terrière

ANTHROPOLOGIE
anthropothanatologie
caucasoïde
europoïde
euro-tropical
paléoanthropologie
paléonégritique
pygmiforme
pygmoïde

AQUACULTURE
aquacole
conchylicole
dulçaquiculture
écloserie
fluvarium
limniculture
mariculture
perliculture
valliculture

ARTS
ARCHITECTURE
architecturologie
arcologie
arcologique
corbusérien
hélio-architecture
immeuble-miroir
maison solaire
maquettoscope
relatoscopique
solarchitecture
tétrodon
triplot
voûtement

ARTS GRAPHIQUES
  corniforme
  dessinateur-scénariste
  graphiste
  ordinartiste
  phylactère
MUSIQUE
  aérophone
  balafongiste
  bracelet sonore
  éoliphone
  géophone
  koriste
  musibus
  musique blanche
  musique brownienne
  odologie
  piano préparé
  pluriarc
  sabar
  tama
PEINTURE *(arts)*
  allègement
  aluchromiste
  muséobus
  objettiste
  post-conceptuel
  poursuite (en —)
PHOTOGRAPHIE
  ambulation
  animateur graphique
  bloc
  caméra-stylo
  cinéholographie
  cinéma-vérité
  cinéphilique
  clicheur
  compensation
  compensation mécanique
  compensation optique
  compensaton optomécanique
  coupe sur l'écho
  cybernographiste
  dérouleur d'images
  détramer
  endocinématographie
  iconométrique
  inter-négatif
  interpositif
  inversible
  isohélie
  macrocinéma
  marcographie
  microcinégraphie
  opérateur de direct
  opérateur film
  pelliculer
  perchiste
  photographisme
  scénarithèque
  scripte
  strobophotographie
  traînée
  truquiste
  voile dichroïque
SCULPTURE
  dé-restauration
  monoxyle
  socleur
  tactilisme

AUTOMATISME
  COMMANDE AUTOMATIQUE
    auto-serrage
    autoserrant
    commandabilité
    gouverneur
    monocommande
    séquenceur

  viseur tête-basse
  viseur tête-haute
ÉQUIPEMENT AUTOMATIQUE
  affranchisseuse
  approximer
  automaticien
  automatiseur
  autopointé
  autosurveillé
  bas de gamme
  bras-transfert
  calculette
  calculmètre
  concentrateur
  coordinographe
  désérialisateur
  dériveur
  disque à calculer
  écharpe
  frontal
  grosse informatique
  haut de gamme
  horodaté
  interpolateur
  interpolation
  machine à adresser
  machine-départ
  micro-automate
  microcalculateur
  microprocessorisé
  milieu de gamme
  mini-informatique
  monnayeur
  ordinateur hôte
  péri-informatique
  photocoordinatographe
  programmabilité
  redressage
  redresseuse
  rupteur
  sommateur
  suiveur
  transparence

B

BÂTIMENT ET TRAVAUX PUBLICS
  AMÉNAGEMENT INTÉRIEUR
    assis debout
    confortement
  CONSTRUCTION
    alvéole technique
    auto-silo
    bulle
    cité de transit
    douchière
    école à aire ouverte
    élevoir
    foyer-soleil
    halle d'assemblage
    hospitel
    i.g.h.
    jetée
    maison-remorque
    ovoïde de drainage
    passe-pied
    pintche
    rez-de-jardin
    rez-de-sol
    silo à voitures
    sursol
    tangentiale
    tourne-à-gauche
  ÉLÉMENT D'OUVRAGE DU BÂTIMENT
    américaine (à l' —)

architecture textile
berlinoise
bloc-porte
claustre
encloisonné
façadier
faux-plancher
gratton
oscillo-battant
paramoustique
pieu-racine
plancher alvéolaire
plancher-champignon
plancher flottant
plancher technique
planelle
portefeuille (en —)
porte souple
porteur
rorifère
sous-plafond
tecticien
toit chaud
toit froid
ÉQUIPEMENT TECHNIQUE (*bâtiment*)
capacité d'accueillement
cuiller
doigt
métallier
monotrou
monte-courrier
rouleau
survitrage
tablier
MATÉRIEL DE CHANTIER
brise-béton
brise-roche
chargeuse-pelleteuse
châssis-benne
coudeuse
foreuse-grue-tarière
fraiseuse routière
fusée souterraine
gyrabenne
lanceur de sable
lisseuse
marteau trépideur
pelleur
perfo-marteau
pinces-rails
pose-poteaux
rétrochargeuse
roue de lavage
table lisseuse
téléréglable
tracto-chargeur
tractopelle
traficabilité
transversoprofilographe
vibro-arracheur
vibrocasseur
MUR
demi-mur
mur emboué
muret californien
OPÉRATION DE CONSTRUCTION
ancrage mobile
autogrimpant
chapiste
cintre auto-lanceur
distancier
épinglage
liteaunage
prédécoupage
pureautage
réservation
second-œuvre
PROCÉDÉ DE CONSTRUCTION
auto-construction
démontabilité

élément spatial
épingler
fermé
gayonnage
prédalle
préfabrication fermée
préfabrication ouverte
système meccano
système ouvert
volume-plâtre
STRUCTURE MÉCANIQUE
buse-arche
cosse-arceau
élévateur
empalage
épiderme
fixe-cadre
fumidome
gerberette
grosse serrurerie
lumidome
parclosage
tige cuisine
tringlerie
tuile à douille
tuile de courant
vide-lettres
TRAITEMENT DE SURFACE
cryodécapage
lasure
latérité
lavabilisateur
règle vibrante

BIOCHIMIE
abiogène
abiogénique
alarmone
anoxique
autoassemblage
autoassembler (s' —)
biochaleur
bioconversion
biodétériogène
bioénergéticien
bioénergie
biogéochimie
biomimétique
biomonomère
biopolymère
biosynthétique
clairance
cryoenzymologie
cuprodéficient
cytochimiste
décapeptide
discrimination
ectopolymère
effecteur
élastolytique
endonucléase de restriction
enzymogramme
fuchsinophile
gloxysome
ionophorique
kérogenèse
lucíférase
monocaténaire
mutatest
nitrogénase
pectolytique
perlurée
peroxysome
photosynthétiser
protobionte
scintillon
scotophobine
seuil photique

BIOGÉOGRAPHIE
démaquisage
isoflore
mésogéen
médioeuropéen

BIOLOGIE MOLÉCULAIRE
caténane
espaceur
opioïde
proténoïde

BOTANIQUE
alibile
alticole
assimilat
auxèse
barochore
broyat
codominant
dendrologue
engane
ethnobotanique
exertion
hydrochorie
lobaison
lobation
longévif
malherbologie
mycorhizé
palynologique
palynologue
phytocartographe
plante molle
profil racinaire
pyrorésistance
rétrocroisement
sessiliflore
stromatolithique
surcimé
végétalisé
végétaliste
xylochronologie

C

CARTOGRAPHIE
anagraphique
atlantographe
catagraphique
intégration biocartographique

CELLULE ET CONSTITUTION CELLULAIRE
CELLULE
acrosomique
axodendritique
axosomatique
capacitation
capacité
cellule granulaire
cellule périglomérulaire
cyanelle
dégranulation
érythrocytaire
exocolonisation
falciformation
falciformer
gamétocinétique
hémagglutination
hépatocyte
hodologie
lymphokine
macrogamétogonie
matrone
microgamétoblaste

microgamétogonie
microneurone
neurosecrétat
noradrénergique
photocyte
sporal
spumeux
synaptogénèse
terminaison présynaptique
totipotence
tube acrosomial
zoïde
CONSTITUTION CELLULAIRE
anticline
anucléolaire
biomembrane
centriolaire
cytosol
fusorial
granaire
microfilament
microtubule
nucléosome
organelle
péricline
phagosome
photosome
plastidial
plastoglobule
proplaste

CHASSE
écoquetage

CHIMIE
AFFINITÉ CHIMIQUE
atmosphile
chalcophile
exocyclique
lithophile
régiosélectivité
sidérophile
stéréosélectivité
CHIMIE ANALYTIQUE
analyse par activation
analyse texturale
aromagramme
banding
capacité de colmatage
catharomètre
chloromètre
chromatographie d'affinité
chromatographiste
dalton
efflumètre
électrophorégramme
émanométrie
équivalent-rad
ionomoléculaire
matelas éliminateur
microcoulomètre
oxymètre
oxy-thermomètre
perméation sur gel
phénolmètre
pipetteur-diluteur
procédure différentielle
procédure globale
quantomètre
rec
respiration
saturation
servocoulomètre
spectrocolorimètre
thermofractionnement
titrateur
titrimètre
viscodoseur
CHIMIE DES RADIATIONS
électrophotochimie

photochimiste
photocycliser
photocycloaddition
photodédoublement
photodimérisation
photodissocié
photoélectrochimie
photoinduit
photolytique
photoproduit

CHIMIE DU SOLIDE ET DU FLUIDE
activité
adion
aéroclassification
association moléculaire
autoprotonisation
chimisorber
cholestérique
coalescer
composé-cage
concentrat
concentrateur
cristallochimiste
cryocristallographie
diadsorbé
diluteur
électroaccepteur
électroattracteur
électrodonneur
forme réduite
héliox
hydrox
interfacial
liqueur mère
mélange sulfochromique
molécule-cage
monoadsorbé
osmosat
perméat
plasmachimie
point d'aniline
point de goutte
quaternarisation
réalignement
rétentat
rétrodonation
site actif
solution solide
solvater
sonification
sulfidité
thermodésorption
titre hydrotimétrique
translocateur

CHIMIE MINÉRALE
clathrate
deutériotritiure
haloacide
inorganicien
syntexie

CINÉTIQUE CHIMIQUE
conrotatoire
disrotatoire
exothermicité
passif
passivable
passivant

COMPOSÉ CHIMIQUE
alloprène
aromaticien
banana
base molle
bioalcool
biohydrocarbure
chalcogénure
composé couronne
copolymère anionique
copolymère-bloc
copolymère cationique
copolymère greffé

copolymère séquencé
eau super-refroidie
fluorotélomère
gâteau jaune
hydroquinonique
isoalkyle
nak
octopamine
organohalogéné
organostannique
paramin
phyllosilicate
polyalcénamère
poly-eau
p.v.c

CONSTITUTION DE LA MATIÈRE
aromativité
conformère
contre-ion
déconjugaison
deutérisant
énantiomère
équiatomique
excimère
exciplexe
hexon
hypermolécule
ionicité
ionogène
isostructural
orbitalaire
pentacoordination
polymolécularité
polyion
pont hydrogène
pontage
pontal
sodocalcique
stéréorégulier
stéréorégularité
syndrome chinois
thylakoïde

ÉLECTROCHIMIE
cellule à diaphragme
croûte
déballage
déioniser
déioniseur
électrode à enzyme
électrode à goutte pendante
électrode réversible
emballage
hydrodimérisation
polyampholyte
potentiostat
potentiostatique
réaction à sphère externe
réaction à sphère interne
rutilo-basique
sensotrode
superconducteur ionique

RÉACTION CHIMIQUE
auto-réticulation
autoxydation
complexation
cyclodimérisation
déamidation
dégrafage
degré de polymérisation
déshydrocyclisation
déshydrohalogénation
dimérisation
effet pouzzolanique
hydrogénable
méthanation
oligomérisation
photocopolymérisation
photooxydation
radiogreffage
réticulant

rétifiant
rétification
solvolyse
sulfoxydation
synthon
thermooxydation
thiosynthèse
topotactique

CIRCONSTANCE OPÉRATOIRE
aérogène
chimisation
chimisé
hydrophilisation
hyperbarie
point blanc
salle blanche
salle grise
sous-vide

CONDITIONNEMENT (emballage)
EMBALLAGE
auto-chauffant
bandothèque
barquetteuse
blistère
bombage
bombé
bouteille-bocal
bouteille buvante
brique
brumisateur
caisse à bec
caisse-outre
canadienne
carton cylindre
carton-outre
cloisonneuse
collier
conserve semi-rigide
conserve souple
conteneurisation
conteneur sec
contre-emballage
corneuse
disposable
emballage au mètre
embarqueteuse
encaisseuse
encartonnage
encartonneuse
enrubannage
enveloppage
enveloppeuse
essencier
fardelage
fardeleuse
fardelisation
flochage
floche
gaine
intermodal
intermodalité
lance-feuillard
masquage
ondulé
pièce de coin
pied porteur
plateau repas
pochon
préemballage
rehausse
remplisseuse-formeuse
sacherie
suremballage
suremballer
suremballeuse
tendeur hors cercle
transconteneur
u.t.l.

valisette
FERMETURE
banderolage
banderoleuse
becquet
bidulle
bondonnage
bouchon-couronne
bouchon-jaugeur
bras plongeant
capsule quart de tour
ciel
clippé
clippeuse
clipsage
clipser
ensacheuse-clipseuse
ficeleuse
jupe
ouverture main-fer blanc
recouvreuse
scelleuse
surbouchage
thermocapsulage
thermocapsuleur
PALETTE
basculeur-présentoir
basculeur-videur
berceau à charges longues
caisse-palette
drapage
entourage-palette
téléniveau
transplate-forme
PRODUIT EN VRAC
lité
petit vrac
préportionné

CONSTITUANT DES ORGANISMES VIVANTS
adréno-récepteur
agarose
allostérique
amélogénine
aminosucre
bioprotéine
ceruloplasmine
cohérine
cybernine
eau libre
eau liée
endorphine
enképhaline
hormono-dépendant
hormonologie
hyposexué
inducteur
internucléosomique
lectine
leucopéniant
miraculline
moins
monelline
morphinique
morphinomimétique
neurotensine
nitrosohème
phosvitine
phototransducteur
plus
plus-moins
radiorestaurateur
somatomédine
somatostatine
stéatométrie
utérotrophique

CYBERNÉTIQUE
AUTOMATIQUE
adaptivité

auto-zéro
barocontact
boucle fermée
boucle ouverte
commande continue
commande point à point
cyclé
déconsigneuse
degré de liberté
inséreuse
moniteur de charge
oculodirectomètre
p.
pi.
pid
pilotage informatique
piloter
proférence
résolvable
résolvabilité
robotique
robot-phare
sémaphore
timbreuse
INTELLIGENCE ARTIFICIELLE
autocalibrer
céphalisation
icophone
mélographe
phonatome
réponse vocale
scrutation
synthétiseur d'écriture
synthétiseur de parole
vococodeur

D

DÉMOGRAPHIE
déruralisation
gérontogénie
indice de masculinité
oligandrie
paléodémographie
paléodémographique

E

ÉCOLOGIE
ADAPTATION BIOLOGIQUE
chronesthésie
écoforme
écogramme
euryhalobe
euryphage
gravimorphisme
néoténique
sténophage
technophile
thermohygrogramme
xéromorphe
AUTÉCOLOGIE
aquariologie
autoécologie
concentreur
démécologie
éco-éthologie
eucalcique
mixticole

paléoécologique
paléoécologiste
périlogie
polluorésistant
radioécologie
savanicole
socio-écologie
vasicole
CLIMAX
monoclimax
plagioclimax
serclimax
symphitie
COMMUNAUTÉ (*écologie*)
consociation
éco-communauté
écotone
endogaion
épigaion
euédaphon
hémiédaphon
holoplancton
hyponeuston
hyponeustonique
ichtyoneuston
macrobenthonte
macrobenthos
méiobenthos
mésoplanctonique
micronecton
micronectonique
microzooplancton
nanoplancton
nectobenthos
périphytophage
phytobenthos
phytoneuston
planctologie
planctologiste
planctonte
psammivore
pseudoplancton
quadrat
topotype
zoopériphyton
ÉCOSYSTÈME
agroécosystème
analyse écosystémique
anthropisation
anthropisé
biome
écophase
écosphère
édaphocénose
fluicole
monotope
nématocénose
parasitocénose
phytoclimatique
phytosociologique
phytosociologue
pléiotope
sociation
socion
sténotope
sténotopie
symbion
thanatocénose
FORMATION ÉCOLOGIQUE
formationiste
physiographique
spectre biologique
steppe erme
steppe garrigue
tripton
HABITAT
gypsophyte
héliophyte
hélophile
hémisciaphile

hygrique
idéotype
paléophénologie
ripiphile
salobre
MILIEU (*écologie*)
climatope
écotope
édaphotope
effet lisière
stationnel
taux de cicatrisation
xérique
SYNÉCOLOGIE
amensalisme
bio-accumulation
biotrophe
cénogramme
chaîne alimentaire
consommateur primaire
consommateur secondaire
décomposeur
détritiphage
détritivore
endobiote
endocommensal
épibionte
ichtyomasse
mycophagie
nécromasse
nécrotrophe
parasitoïde
phorétique
phytomasse
producteur primaire
producteur secondaire
prototrophe
saprolyte
saprotrophie
semiendoparasite
synécologique
xénobiotique
xéno-parasitaire
zoomasse

ÉCONOMIE
ACTIVITÉ COMMERCIALE
apothiconyme
barque de vente
bergerie
billetiste
billetterie
boutique franche
brèche
centre-auto
corolle
debord
essencerie
hypermarché
ilot de vente
jardinerie
libre service de gros
maisonnerie
mur de produits
néorestauration
pont de produits
prolongateur de rayon
promenée
publipostage
tissu commercial
COMMERCIALISATION
département produits-marché
désaisonnaliser
diversification concentrique
diversification hétérogène
fidélisation
franchiseur
marchandisage ,
marchéage
mercatique

positionnement
positionner
produit blanc
produit brun
référencement
re-marque
stratégie défensive
stratégie offensive
usine produits en main
COÛT
analyse des valeurs
déséconomie externe
CRÉDIT
alignement
cession-bail
crédit croisé
crédit face à face
délai de carence
échenillage
prêt-relais
DÉVELOPPEMENT (*économie*)
auto-développement
désindustrialisation
développement auto-centré
développeur
informatisation
informatiser
infotecture
technème
technétronique
technologie douce
ÉCHANGES INTERNATIONAUX
circuit rouge
circuit vert
économologie
noyau
rembours
termaillage
ÉCONOMIE DE L'ÉNERGIE
bloc
thermoéconomie
ÉCONOMIE RURALE
agri-pouvoir
agromonétaire
agro-tertiaire
bétailler
culture de rente
éjidataire
élevage-lié
endodromie pastorale
microfundiaire
microfundium
pastoralisme
substitutisme
FISCALITÉ
décumul
fiscaliste
impôt négatif
péage fermé
péage ouvert
péagier
péagiste
transparence fiscale
INDUSTRIE AGRICOLE ET ALIMENTAIRE
agro-industrie
agrotechnicien
attendrissage
bouton
canetterie
casserie
cassoir
conche
cossette
décaisseuse
dégrossisseuse
détempéreuse
doseuse-sertisseuse
ébouteuse
emboîteuse-juteuse
embossé

embouteilleur
embouteilleuse
épiauteuse
équeuteuse
étêteuse
floconnage
fraisage
fromagerie vide
garde
gravité simple
gravité pression
gravité vide
hétérofermentaire
homofermentaire
inspectrice
insuffleuse
juteuse
juteuse à refus
levurerie
levurier
lochage
micropain
mireuse
multimoule
operculage
pastification
plamotage
plastificateur
portionneuse
post-mix
pré-mix
remplisseuse-doseuse
rizier
salaisonnerie
salaisonnier
sirupeuse
stassanisateur
tempéreuse
texturateur
turbo-séparation
valorigraphe
vinerie
vinothèque

INDUSTRIE ANTI-POLLUTION
aérateur de surface
aération de surface
aération prolongée
biodisque
bio-ioniseur
bioréacteur
bio-usine
bourse de déchets
démanganisation
dilacérateur
hygiénisation
lagunage
lagune
oxynaute
presse à balles
traitabilité
turbo-oxydeur
zymothermique

INDUSTRIE CHIMIQUE
aéroglissière
arme binaire
chambre de plongée
chlorier
décroûtage
déhéxaniseur
dénaphtalinage
désolvation
dévésiculeur
enrichisseur
gaz porteur
hydropyrolyse
lipochimie
mandrin plongeant
oxychloration
précipitateur électrostatique

souffleuse à plongeur
sucrochimie

INDUSTRIE DE LA CÉRAMIQUE
aide estimateur
céramisation
impulseur
salage

INDUSTRIE DE LA FONDERIE
malvenue
paillasse
retorchage

INDUSTRIE DE L'IMPRIMERIE
abrasimètre
jaspage
ramasse-pétouilles

INDUSTRIE DE MATÉRIAUX DE CONSTRUCTION
autoclavage
autoclavé
bétonnier
granitier
maniabilimètre
prédoseur
prisomètre
pulvérimètre
semi-soufflage
servo-ouvrabilimètre

INDUSTRIE DES TRANSPORTS
citernier
roule-conteneur

INDUSTRIE DE TRANSFORMATION DES
MATIÈRES PLASTIQUES
adhésif à chaud
contre pièce
coup de canon
criquage
décarottage
dégrappage
déshydrochloration
écoulement pulsé
effet de pelure
extrudeur
fabrication par enroulement
fibrillation
injection-soufflage
insert
peau de requin
plasticulture
pultrusion
rilsanisé
rotomoulé
rotomouleur
thermoscelleuse
tubiste
tulipage
tuliper
tulipeuse
xénomètre

INDUSTRIE DU BÂTIMENT ET DES TRAVAUX
PUBLICS
calepinage
cirque
maître d'ouvrage
pose en ligne
storiste

INDUSTRIE DU BOIS
dimension de nœud unique
dosseur
maillon-gouge
moto-ventilateur
substitution équivalente
teinteuse
tourne-grumes
xylochimie

INDUSTRIE DU CAOUTCHOUC
caoutchoutier
feuille crêpée
feuille fumée
pneumaticien
pneumatiquier

INDUSTRIE DU CUIR
baisse
noisillé
noisillure
INDUSTRIE DU VERRE
bassin
dépôt en phase vapeur
fibrage
hydrolyse à la flamme
méthode barreau-tube
mouton de Preston
rompage
senage
INDUSTRIE ÉLECTRIQUE
enfichable
tire-fils
INDUSTRIE ÉNERGÉTIQUE
anticapteur
charbon vert
électrosolaire
énergie totale
énergie verte
filière énergétique
héliogéothermie
vecteur énergétique
INDUSTRIE GAZIÈRE
nœud
séparateur thermique
INDUSTRIE MÉCANIQUE
autotracté
avance-bande
bille de manutention
brin de retour
chandelle
chandelle de renfort
chronométrier
coconnage
coiffage
communité
déporteur
encoqué
épilamage
épilamen
établisseur
hélicoptériste
héli-industrie
jockey
jockey chargeur
jockey enleveur
jockey parc
métallisation
micromécanique
ourleuse
rivomètre
rubaneuse
spoiler
table de transfert à billes
INDUSTRIE MÉTALLURGIQUE
andain
atelier à chaud
atelier à froid
bloc à quille
brasage fort
brasage tendre
campagne
carburier
centrale des utilités
chiot
coaxialité
derme
électro-extraction
électro-obtention
essai de cession
euroéchantillon
ferraillé
galvanotechnique
palpeur à rouleau
palpeur par la masse
paquets blancs
perlage

tuberie
wagon-poche
INDUSTRIE NUCLÉAIRE
auto-enfouissement
barrière de diffusion
bituminisation
château
diffusion gazeuse
doigt de gant
ilotage
retraiter
sidéronucléaire
tête haute activité oxyde
tranche nucléaire
u.t.s.
INDUSTRIE PAPETIÈRE
défibremètre
docteur
empâteur
filigraneur
formeur
microsphère
onduleuse
presse à air
pulpeur
ramasse-feuilles
rouleau déplisseur
turbo-classeur
véhiculage
INDUSTRIE PARACHIMIQUE
cuisson électronique
parachimie
pistoleur
préencollage
véhiculeur
INDUSTRIE PÉTROLIÈRE
bullage
chargement sur résidus
déballaster
débullage
gazole
hydrocraqueur
récupération assistée
repreneur
ruban chauffant
tensionneur
torchage
INDUSTRIE TEXTILE
chariot-plieur
ciseau-laser
drapéomètre
machine à aiguille flottante
maturimètre
mini-visiteuse
polymériseuse
préadhérisation
thermo-impression
touffetage
touffeté
MARCHÉ
autoconcurrence directe
autoconcurrence indirecte
consommatique
consommatisme
consumérisme
interindustriel
monnaie-ressources
monoclientèle
oligopoleur
saisonnalité
MARCHÉ FINANCIER
capitaux fébriles
c.c.r.
cotation
euroémissions
euro-obligataire
gendarme
marché baissier
marché haussier
oscillateur

seigneurage
syndicat de placement
MONNAIE
  activation
  asiadollar
  crémaillère
  d.t.s.
  eurco
  eurodollar
  eurofranc
  europa
  eurostable
  flexibiliste
  monnaie à haute puissance
  panier
  pétro-dollar
  point d'or
  serpent
  u.m.e.
PRIX
  f.a.b.
  forfaité
  franco camion
  franco long du bord
  franco wagon
  minimarge
  prix d'appel
  prix de seuil
  prix d'intervention
  prix indicatif
  sous-facturation
  surfacturation
  surprix
  valeur de riblonage
PRODUCTION
  cœfficient de production
  industrie de processus
  recherche-développement
  source unique (en —)
  stratégie autosectorielle
  stratégie intersectorielle
PROMOTION DES VENTES
  accroche
  autocollant
  concepter
  copy-test
  couponnage
  couverture
  créneau
  désémantisation
  image flottante
  matraquage
  p.l.v.
  portatif
  stratégie de communication
SCIENCES ÉCONOMIQUES
  coût d'opportunité
  ergonome
  ergonomique
  inséen
  méso-économie
  monétariste
  noyau
  pas
  population économique
  zégisme
  zégiste
SYSTÈME ÉCONOMIQUE
  auto-subsistance
  autosuffisance
  auto-suffisant
  prépension
  productiviste
  profitabilité
  surproduit
TRAVAIL *(main-d'œuvre)*
  aide senior
  allure
  allure-étalon
  attrition

audiotypiste
bureau en espace ouvert
bureau évolutif
bureau-module
bureau paysager
bureautique
cachetier
carriérisation
carte auto-relève
cercle de qualité
chambre de rendez-vous
classette
cloisonnette
congé-formation
contre-mobilité
co-traitance
déqualification
détaylorisation
doublage
environné
espace alvéolaire
espace semi-ouvert
fonctionnariat
humanique
ilot de production
multicarte
officière
péjorer
plateau-paysage
posté
presté
prime de panier
professionnaliste
professionnalité
stagiarisation
stémiste
tasseur
travail formé
usine-mère
vertical
volante

ÉLECTRONIQUE
  CIRCUIT ÉLECTRONIQUE
    amplificateur à turbulence
    autocorrection
    circuit octopôle
    circuit redondant
    commutation spatiale
    commutation temporelle
    décadique
    défaut de collage à 1
    défaut de collage à 0
    défaut indétectable
    défaut indiscernable
    échantillonneur bloqueur
    indiscernabilité
    macrologique
    masqueur
    monocouche
    monoface
    monotonicité
    monotonique
    numérique-synchro
    photocoupleur
    quad
    régime transitoire
    signature logique
    simulation déductive
    simulation parallèle
    synchronumérique
    transformation dynamique
    transformation statique
    varistor
  COMPOSANT ÉLECTRONIQUE
    autoconvergence
    autoconvergent
    bloc fonction
    bulle
    c.c.d.

couche épaisse
d.e.l.
déviateur
diode rapide
encapsulable
encapsulage
encapsulation
encapsulé
encapsulement
enfiché
interconnecteur
led
luminodiode
photodétecteur
piézorésistif
piezorésistivité
relais-carte
tube afficheur
tube à pénétration
tube gland

ÉLECTRONIQUE INDUSTRIELLE
canon
conformateur
conjugateur
cycloconvertisseur
électro-électronique
électronifier
équipementier
lave-vitre
lève-vitre
militarisé
oscilloscopie
puce
trimétallisation
usine presse-bouton

ÉLECTRONIQUE MÉDICALE
biotélémétrie
biotélémétrique
électronique médicale active
moniteur
monitorage
photocoagulateur
rythmeur cardiaque
téléthèse
tomoanalyseur

ÉQUIPEMENT ÉLECTRONIQUE
agile en fréquence
agilité de fréquence
autodirecteur
cadenceur
détecteur de proximité
ligne sonique
mémoire à bulle
micropont
photorécepteur
plaque-mère
prédisposé
rafraîchir
rafraîchissement
sonde logique
système sensible
thermistorisé
vivacité de fréquence

MICROÉLECTRONIQUE
crayon à souder
fer crayon

OPTIQUE ÉLECTRONIQUE
connectique
eucentrique
exoscopie
opto-détecteur
résistance de liaison
stigmateur
ultramonochromatique

OPTOÉLECTRONIQUE
multisection
optron
optronique
photorécepteur
rideau de lumière

vidéoscope
y.a.g

RADIOTECHNIQUE
affichage électrolytique
afficheur actif
afficheur électrolytique
afficheur passif
afficheur réflectif
afficheur transflectif
afficheur transmissif
analyseur de réponses
autobrouillage
base de temps
blanc
boîte logique
cartographie
cellule de charge
contre-mesure
convoluteur
déconvolué
déconvolution
désentrelacer
détrompage
déverminage
écartomètre
écrêteur
mode commun
mode différentiel
moyennage
photorépétition
réjection
réjection de mode commun
synthétiseur de fréquence
temps à effleurement
temps d'entretien
touche fugitive
touche tactile
verrouillage de phase
verrouillé en phase
visualiseur

TECHNIQUE DES SEMICONDUCTEURS
ballasté
bit à tore
bit semiconducteur
diode PIN
feu intérieur
gazistance
glassivation
gradateur
ovonique
perte dynamique
perte statique
pitran
s.s.i.
thermoélément
thyristorisé
tranche

ÉLECTROTECHNIQUE
CIRCUIT D'ALIMENTATION ÉLECTRIQUE
affranchissement
bas de tirage
bornier
câble-ruban
câble sec
câblette
chronocontact
connexion enroulée
contact glissant
contact normalement fermé
contact normalement ouvert
cryocâble
discontacteur
électroniser
équibrin
interrupteur crépusculaire
manocontacteur
omnipolaire
relais modulateur

COMPOSANT ÉLECTROTECHNIQUE
  anode continue
  bretelle
  charrue
  débrochable
  électrodistributeur
  électro-porteur
  ferrofluide
  hyperconducteur
  interdigité
  isoshunt
  résistance d'obscurité
  rotrode
  sacrificiel
  sintérisé
  statorique
  temporisé
  trispiralage
MESURE ÉLECTRIQUE
  chronopotentiomètre
  diélectromètre
  électropince
  indicateur de décharge
  intensiostatique
  perturbographe
  pinces ampérémétriques
  potentiocinétique
  synchrodétection
PROTECTION ÉLECTRIQUE
  antiétincelle
  armement
  barrière active
  barrière de sécurité intrinsèque
  barrière galvanique
  barrière optoélectronique
  barrière passive
  barrière Zener
  parasurtension
  pore
  thermorelais
TRANFORMATEUR ÉLECTRIQUE
  alternostat
  ferrorésonnant
  hacheur
  onduleur à modulation de largeur d'impulsions
  table de vérité
  transformateur immergé
  transformateur sec

EMBRYOLOGIE
  fœtoprotéine
  endothéliochorial
  épithéliochorial
  gemmuloformateur
  hémochorial
  oozoïde
  progrediens
  protopléon
  rudimentation
  rudimenter
  sistens
  sphérocristal
  sporoblastogénèse
  syndesmochorial
  tératogénicité

ÉNERGIE (technologie)
COMBUSTION
  air primaire
  air secondaire
  autocombustibilité
  autocombustible
  carburant
  carburigène
  combustion humide
  combustion sursaturée
  dur
  rétrocombustion
  rosace
  zone de revanche

CONVERSION D'ÉNERGIE
  aérogénérateur
  cellule noire
  déprimogène
  hélioculaire
  hydrolienne
ÉNERGÉTIQUE
  aquathermique
  centrale à tour
  centrale distribuée
  cryoalternateur
  cryoélectricité
  cryoélectrique
  duo avance-retard
  électro-calogène
  électronisation
  énergéticien
  groupiste
  lignard
  ligne microfente
  ligne microruban
  ligne-plate
  osmopile
  résolveur
  thermofrigorifique
  thermoréacteur
  thermorupteur
  transolver
  turbogénérateur
ÉNERGIE ÉOLIENNE
  anémologique
  moulin américain
  moulin hollandais
  panémone
ÉNERGIE GÉOTHERMIQUE
  doublet
  géothermisé
ÉNERGIE NUCLÉAIRE
  criticité
  ébullition nuclée
  effet tunnel
  kilotonnique
  léthargie
  neutro-pompé
  nucléariste
  période
  tokamak
ÉNERGIE SOLAIRE
  auto-énergétique
  canaleta
  capteur à ruissellement
  capteur solaire plan
  concentrateur
  écohabitat
  effet de serre
  héliocapteur
  héliochimique
  hélio-ingénierie
  héliospatial
  héliotechnicien
  héliothermicien
  héliothermie
  héliothermique
  héliotrope thermique
  houille d'or
  mur à billes
  orienteur
  photo-électrolyse
  photoénergétique
  renouvelabilité
  solarisation
  solarisé
  thermo-héliochimique
  thermo-hélioélectrique
  voile solaire
ÉNERGIE THERMIQUE (mer)
  hydrothermie
  hydrothermique

EXERGIE
exergie
exergonique

ENSEIGNEMENT
alternant
andragogie
andragogique
andragogue
antimagistral
apprenant
audio-oral
autodidaxie
classe jaune
classe préprofessionnelle
classe transplantée
co-éducation
cognitiviste
conseil d'enseignement
déparentalisé
dépaternalisé
désencadrement
déscolarisation
didaxie
doctorant
double aveugle (en —)
doubleur
école intégrée
école pluraliste
éducation récurrente
enseignement par alternance
exercice structural
graduat
groupe de niveau
ingéniorat
institutionnaliste
instituant
intervenant
intradisciplinarité
laboratoire audio-actif comparatif
laboratoire audio-actif semi-comparatif
laboratoire audio-actif simplifié
laboratoire audio-passif
laboratoire de recyclage
l.e.p.
litanique
magistère
matériathèque
option approfondie
oralisation
pédagogie institutionnelle
période
post-gradué
processionnel
professeur correspondant
projectif
relaxopédie
rythmopédie
suggestologie
suggestopédie
suggestopédique
surcorrecteur
téléuniversité
transdisciplinarité

ENVIRONNEMENT ET SÉCURITÉ
ACCIDENT
accidentologie
polyaccidenté
DISPOSITIF DE SÉCURITÉ
absorbeur d'énergie
alarme aveugle
antipanique
barrage immatériel
barrage optique
barrage photoélectrique
barrage-rideau
barre de panique
clôture infrarouge
détecteur à ultrasons

détecteur-barrière
détecteur d'approche
détecteur de bris de glace
détecteur de contact
détecteur microphonique
fuitemètre
homme mort (d'-)
marche-défaut
pare-chute
protection périmétrique
protection ponctuelle
protection volumétrique
robinet coup de poing
sécurité bi-manuelle
tapis-contact
taser
DOMMAGE (*matériel*)
crypto-efflorescence
exomorphique
ENVIRONNEMENT
acrothermal
altéragène
altéralogie
altéramétrie
aridification
aridisation
biogéodynamique
brouillard salin
désalination
désertification
désertisation
eau dure
eau océanique
eau saumâtre
éco-développement
écographie
énergie douce
énergie dure
environnemental
environnementaliste
épilimnique
équitox
espace sensible
hyperthermal
hypodermique
hypolimnique
lénitique
lotique
paysage sonore
riparien
sousverse
subthermal
surverse
thermominéral
EUTROPHISATION
dystrophisation
ISOLATION ACOUSTIQUE
anti-acoustique
antibruit
contre-bruit
dalle flottante
débruitage
fondation flottante
joue d'isolation
oreillère
parabruit
piège à sons
ISOLATION THERMIQUE
calfeutre
doublage sec
double peau
pare-vapeur
LUTTE CONTRE LA POLLUTION
autocombustion
banquette
contrôle continu
déchromatation
démoussage
dépollueur
détoxication

détoxiqué
électrofiltrage
électro-filtre
flottateur
fumimètre
gazéifieur
multiflash
olfactomètre
sous-jupe
toximètre
traitement primaire
traitement secondaire
traitement tertiaire
NUISANCE
 bruyance
 noxologie
POLLUTION
 aérocontaminant
 agressant
 agressivité
 armoire de contrôle
 bio-gaz
 boues jaunes
 cénosphère
 déchet thermique
 écocide
 écolyseur
 ecotoxicologie
 envols
 équipollution
 équivalent habitant
 érosion urbaine
 influent
 macrodéchet
 molysmologie
 pollution urbaine
 polysaprobe
 rupologie
 sédimentable
 verts
PRÉVENTION
 décontaminable
 méthanomètre
 odorologique
 oxygénomètre
 passe-monnaie
 préventionniste
 sécurité active
 sécurité passive
 télégrisoumétrie
 truitomètre
PROTECTION
 aire anthropologique protégée
 aire de nature sauvage
 biomécanique
 bouche-rainure
 coffret de sécurité
 coudière
 détrompeur
 épongeur
 film d'air
 fusible mécanique
 hélitreuillage
 hydrofugation
 hyperglace
 igloo
 occultation
 paillette
 parasismique
 pare-grains
 parisien
 paysage cultivé
 préparc
 protège-cabine
 protège-tête
 réserve naturelle dirigée
 réserve naturelle intégrale
 rideau d'air
 sous-fessière
 soutien-gorge

structure gonflable
surbotte
ténophénisation
PROTECTION CONTRE L'INCENDIE
 arrête-flammes
 bombardier à eau
 canon à mousse
 chambre à feu
 chambre chaude
 désenfumage
 détecteur à flamme
 détecteur ionique
 détecteur optique
 détecteur thermovélocimétrique
 guillo-vantail
 ignifugateur
 pare-flamme
 poudre universelle
 thermoconducteur
PROTECTION CONTRE LES INTEMPÉRIES
 dénébulateur
 déneigeuse
 déverglacer
 étrier
 souffleuse
SURVEILLANCE
 conseiller d'éducation
 conseiller principal d'éducation
 gardienner
 horocontacteur
 radar de gardiennage
 télésurveillance
 télévigile

ÉTHOLOGIE
 activité de substitution
 actogenèse
 caudophagie
 éthogénèse
 éthologue
 intercalation
 inversion de migration
 navigation de retour
 prosoponie
 skototaxie
 sociobiologie
 territorialisme

EXPLOITATION DES RESSOURCES MINÉRALES
 antipilonnement
 autoélévatrice
 balancement
 bateyage
 boueux
 caratage
 couloir roulant
 défruitement
 fusée de forage
 méthode des grappes
 oxy-forage
 pétrolerie
 pied-ponton
 pilonnement
 pilonner
 sous-caratté
 taupe
 tricapteur
 tunnelier
 turboforeuse

F

FAUNE
acridofaune
endofaune
entomofaune
épifaune
faunule
frondicole
malacofaune
malocologue
méiofaune
myrmécofaune
nématofaune
pédofaune
psammique
sabulicole

FORESTERIE
andainage
auto-éclaircie
coupe d'abri
démasclable
doumeraie
forestage
foresterie
front vert
girobroyage
girobroyer
gommeraie
populiculteur
populiculture
reboiseur
rôneraie
styrobloc
subériculteur
subériculture
taungya

G

GÉNÉTIQUE
CLONE
multiclonal
oligoclonal
ortet,
pauciclonal
ramet
GÉNÉTIQUE CELLULAIRE
cellule-cible
cellule souche
diauxie
diauxique
épigénétique
génie génétique
monocytogène
plasmide
polycytogénie
protocellule
transfection
GÉNÉTIQUE DES POPULATIONS
anagénétique
chronogénétique
cladogénétique
dermatoglyphique
dysgénique
francogène
phylon
proposant
raciation
transpécifique

GÉNÉTIQUE MOLÉCULAIRE
cohésif
molécule-fille
molécule-mère
réplication
répliquer (se —)
répression
rétro-inhibiteur
rétro-inhibition
HYBRIDE
hybride cytoplasmique
hybride génique
jaguarion
léopon
ligre
métarace
pomate
surhybridation
tétraparental
tigon
triticale
zébrâne
IMMUNOGÉNÉTIQUE
allo-immunisation fœtomaternelle
bébé-bulle
haplotype
immunogénicité
INFORMATION GÉNÉTIQUE
acrocentrique
apomictique
chimérisme
chromosome inhibiteur
chronon
encapsidation
ergon
héritabilité
intégron
introgression
isogénique
marqueur génétique
médiocentrique
ploïdie
promoteur
quadrinaire
superdominance
typage
MUTATION
mutagénèse
radiomutant
révertant

GÉNIE BIOMÉDICAL
ACUPUNCTURE
dermopuncture
électroperméabilité
tobiscope
ANALYSE BIOLOGIQUE
aléation
amniocentèse
bactérioscopie
immunodiffusion
immunofluorescence indirecte
inductest
spermovélocimètre
vélocimétrie
ANESTHÉSIE
absorbeur
cabrade
déconnexion
inducteur
ANIMAL DE LABORATOIRE
axénicité
axénique
axénisation
gnotoxénie
gnotoxénique
hétéroxénique
holoxénique
APPAREILLAGE MÉDICAL
agglutinoscope

agrégocoagulomètre
ancrage
biocompatible
biomatériau
contour d'oreille
corpocompteur
cryode
crypto-audioprothèse
encastrement
lunettes auditives
micro-instrumentation
mordu
nutripompe
orthèse
photokératoscope
piste de marche
scanographe
sémiophone
squelettomètre
tacographe
taquet
thermolecteur
tire-veine
tomodensitomètre
ultracinétomoscope

CHIRURGIE
allogreffe
antennectomie
aponévrectomie
autogreffon
autologue
autotransplantation
biopsié
cardiatomie
cerveau dédoublé
chirurgie sur établi
cryopulvinectomie
double cœur
explantation
impacter
implantaire
implantologie
intubé
isogreffe
lamellaire
lissage
microcautérisation
odontotomie
opérabilité
orthotopique
pontage
préparant
stéréologie
thymectomisé
thymiprive
transfixant
transplantectomie
transplantologue
tubectomie
vitrectomie
vitrophage
xénogreffe
xénotransplantation

CULTURE DE CELLULE ET DE TISSU
coculture
cryo-ultramicrotomie
cytoculture
ovoculture
trypsinisation

DIAGNOSTIC
clinicisation
double contraste (en —)
festonnement
hyperfixant
hypofixant
infraclinique
iridologie
orthopantomographie
pneumoencéphalographie
scanographie

scanographiste
tacographie
téléthermographie dynamique

ENDOSCOPIE
coloscope
coloscopie
duodénoscope
fibroscope
fibroscopie
fœtoscope
jéjunoscope

PHARMACOTHÉRAPIE
alcooleptique
aromathérapie
catatoxique
chronothérapeutique
chronothérapie
neuroleptisation
oncostatique
pharmacosimulation
polyprescription
syntoxique
traitement-minute

PHYSIOTHÉRAPIE
battade
cinorthèse
claquade
électrosommeil
ostéopraticien
pressothérapie
revalidation

PSYCHOTHÉRAPIE
ambiothérapie
autohypnose
aversion
compère
comportementaliste
congruence
cothérapeute
cothérapie
cri primal
décentration
duel
ego-auxiliaire
ethnopsychanalyse
hétérohypnose
hypnophonothérapie
hypnosophrologie
impromptu
inondation
modelage
onirodrame
psychiatrisation
psychophonie
responsabilisation
scénisation
sexo-thérapeute
sexothérapie
sophrologie
sophrologue
sophronique
sophronisation
thérapie primale
transe active
vidéothérapie

STÉRILISATION
autoclavable
axène

THÉRAPEUTIQUE IMMUNOLOGIQUE
dict $_{50}$
hémoprévention
hyperimmun
immuno-dépression
immunodéprimé
immunosupresseur
immunosupressif
immunothérapie active
lessivé
séroprévention

343

GÉNIE HYDRAULIQUE
- barbacane développée
- baveur
- goutteur
- goutteur à détendeur
- irrigation au goutte à goutte
- juteur
- osmotique
- pécélisation
- pécéliser
- tube-drain
- usine éclusée
- usine fil de l'eau
- usine lac

GÉOCHIMIE
- allitisation
- biogène
- clarke
- effet de matrice
- élément majeur
- ferruginisation
- pédochimique
- prébiotique
- siallitisation

GÉOLOGIE
GÉOCHRONOLOGIE
- chronostratigraphique
- géochronologiste
- géochronologue
- géohistorien
- néolithisation
- néolithiser
- oldowayen
- quaternariste
- radiochronologique
GÎTOLOGIE
- aire
- champ
- chapeau de fer
- corps miné-alisé
- dépôt diagénétique
- dépôt hydrogénétique
- district
- fracturologie
- gîtologie
- gîtologue
- métallogénique
- métallogéniste
- métallotecte
- province
- supergène
- taphonomie
MÉTAMORPHISME
- amorphisation
- anchizone
- catazone
- épizone
- microbiogène
- microbiogénèse
MINÉRALOGIE
- aphanitique
- armalcolite
- coésite
- diaclasage
- épigénisation
- épigénisé
- glauconitisation
- komarovit
- lovdarit
- minéralogénèse
- naticite
- phylliteux
- stishovite
MODIFICATION SUPERFICIELLE
- arcature
- auto-scellage
- biodétritique
- coup d'ongle

- cupule
- débiture
- éraflure
- extravasion
- lithification
- litière
- ostiole
- sédimentogenèse
- synsédimentaire

PALÉONTOLOGIE
- bion
- biostratigraphie
- biostratigraphique
- biozone
- écophylogénie
- gazon primordial
- globulite
- inframammalien
- lithozone
- paléobiologie
- paléovertébriste
- soupe biologique

PÉDOLOGIE
- accumulique
- agradation
- albique
- allochtonie
- andique
- andolisation
- andosol
- andosolisation
- aridosol
- bioséquence
- brunifiant
- brunification
- capacité au champ
- caractère génétique
- caractère morphologique
- chronoséquence
- climaséquence
- climatomorphique
- clinoséquence
- dystrochrique
- édaphisme
- épipédique
- épipédon
- fersiallitique
- flyshoïde
- fragipan
- fragique
- géodoseur
- halomorphie
- halomorphose
- hydromor
- hydroséquence
- isohumique
- lithochrome
- lithoséquence
- lutéfaction
- mésotrophe
- morphopédologie
- motter (se —)
- natronière
- oléogéologue
- pédogénisé
- pédon
- pédopaysage
- pelon
- pierrosité
- planosol
- pluviolessivage
- profil pédologique
- salant
- salant blanc
- salant noir
- salinisation
- steppisation
- toposéquence
- typogénique
- vérité-terrain

vertique
vertisol
PÉTROGÉNÈSE
magmatisme
paléosurface d'érosion
pétrogénétique
ROCHE
albitisé
aphyrique
bioclaste
bioclastique
bloc isolé
coussins (en —)
crustal
litharénite
mantélique
rond-mat
sables noirs
tilloïde
tufacé
SÉDIMENTOLOGIE
arénitite
bioturbation
cutane
drague spatangue
faciologique
sédimentologiste
STRATIGRAPHIE
filonnet
magnétostratigraphie
magnétostratigraphique
stratotype
téléthermal
STRUCTURE GÉOLOGIQUE
coiffe (en —)
cortège ophiolithique
gélistructure
magmatique
pain d'épice
pétroligène

GÉOPHYSIQUE
AÉRONOMIE
aurore équatoriale
cellule à résonance
géocouronne
plasmapause
plasmasphère
radar météorique
turbosphère
CLIMATOLOGIE
agro-climatologie
continentalisation
écoclimatique
finihiver
gisement solaire
hydroclimat
mésoclimat
paléoclimatologiste
préhiver
xérothermie
GÉOMORPHOLOGIE
accrétion
adlittoral
altérite
anémomorphose
antidune
aphytal
arc insulaire
authigène
authigenèse
bioherme
biostrome
champlevure
chandelle
circalittoral
cratonique
cratonisation
dérivé
dinosaure

dos de baleine
durisocle
éo-hellénique
épicontinental
essaim
eucraton
euphotique
faro
gélifluxion
kymatopause
infralittoral
infrapélagique
interlac
lette
lithodépendance
médiolittoral
miocraton
mollisocle
mottureau
néoplaque
nivéolien
olistostrome
paléovallée
pavement
pieds de vache
plattier
pourrière
progradant
regélisol
sillon
supralittoral
synéclise
synorogène
tor
traict
vétérique
GÉOSPHÈRE
couche de Junge
graine
marge active
marge stable
panache
zone de faible vitesse
GLACIOLOGIE
b.i.l.
bourguignon
brouture glaciaire
butée
cryosphère
fracture de broutage
glace de lumière
glaciellisation
glacielliste
glaciellité
infraglaciaire
interstade
juxtaglaciaire
mylonisation
paléoaltimétrie
ride de pression
HYDROGÉOLOGIE
auge marginale
bouchon vaseux
couche mélangée
crème de vase
crénologie
cryokarst
fenêtre hydrogéologique
géosuture
guerah
hélocrène
lavage
limnocrène
méromictique
mésolimnion
phréatologie
plancher interne
rhéocrène
subsurface

vadose
voûte mouillante
HYDROGRAPHIE
  anaclinal
  baissée
  courantométrie
  courantométrique
  eustasie
  houlomarégraphe
  houlomètre
  marée dynamique
  marée saline
HYDROLOGIE
  halocline
  hydrométrologie
  hydrothermalisme
  hydrothermaliste
  interception
  oxycline
  pycnocline
  thermohalin
  translocation
MÉTÉOROLOGIE
  aéroclinométrique
  aquasonde
  barocline
  barotrope
  brumée
  buisson
  cisaillement du vent
  cokrigeage
  courant-jet
  degré-jour
  dépression tropicale
  dynamique de l'atmosphère
  effet de pointe
  enstrophie
  entomométéorologie
  feuillet
  feuilletage atmosphérique
  indice actinothermique
  krigeage
  lithométéore
  mésoéchelle (à —)
  météotron
  méthode du gradex
  moulin à champ
  mur de l'œil
  nivologie
  nivologue
  nivométéorologique
  noctilumineux
  paléotempérature
  perturbation de relief
  plaque à vent
  précurseur
  propagation exceptionnelle
  propagation réelle
  propagation standard
  propagation transhorizon
  p.v.p.
  spectropluviomètre
  superadiabatique
  table à neige
  télémètre de nuages
  visibilimètre
  visibilité par contraste
PHYSIQUE DU GLOBE
  angle d'attaque
  archéomagnéticien
  coquille magnétique
  cornet polaire
  équilibre radiatif
  exurgence
  gros souffle
  inclinométrique
  paléomagnéticien
  point miroir
  riomètre

GÉOPHYSIQUE INTERNE
  aa
  anorogénique
  canal noyé
  chambre magmatique
  déplacement asismique
  dromochronique
  éjectats
  faille transformante
  hygromagmatophile
  intracratérique
  magmatologie
  magmatologue
  néotectonique
  océanisé
  pyroclastique
  réplique
  séismotectonique
  sismotectonique
  sismicien
  spiracle
  subsident
  summital
  syntectonique
  tarditectonique
  tectonicien
  tectonisation
  venue

GÉOTECHNIQUE
  barrette
  bâtilong
  batteur
  bouteur
  carotteuse
  cavage
  clapage
  clapé
  claquage
  consolidation dynamique
  constructibilité
  électroconsolidation
  électrodrainage
  essai pénétrométrique
  essai scissométrique
  géotechnie
  géotechnique
  méga-pilonncuse
  orniérage
  orniérer
  pantofore
  pénétrométrie
  pénévane
  résection
  scalpage
  suceuse
  talutage
  terre armée
  trancheuse sous-soleuse
  vibrocarottage
  vibrocarottier
  vibroflottation
  vibrofonceur

GESTION, ORGANISATION, ADMINISTRATION
AMÉNAGEMENT DU TERRITOIRE
  algues blanches
  banlieusardisation
  barrière de corail
  bidonvillisation
  citification
  coupure verte
  dédensifié
  doigts de gants
  écogéologie
  écogéologue
  écomusée
  élément de paysage
  exurbanisation
  géoarchitecte

macro-aménagement
micro-aménagement
mono-industrie
rugosité
rurbanisable
rurbanisation
savanisation
sitologie
sitologue
toposociologie
trame d'accueil
unité de paysage
urbanisable
viabilisation
z.i.f.
CONTRAT
accumulation de valeurs
assurabilité
assurance multirisque
densité de valeur
façade
f.a.c.o.b.
GESTION
analyse de système
audit externe
cedex
chambre de contrôle
cidex
coactif
coaction
complétage
décideur
décisionnaire
gestion par objectifs
isa
manager
ouvrable
postadex
postet
suivi
GESTION FINANCIÈRE
affacturage
bancairisation
bilantiel
enveloppe-recherche
indiciel
lettre de change-relevé
m.b.a.
plan d'options sur titre
survaloir
syndication
HORAIRE
base de fragmentation
bloc de temps
horaire flexible
horaire libre
plage fixe
plage souple
valeur-travail
PLANIFICATION
biennie
district
géographiser
paramétrisation
secteur
technostructure
POLITIQUE ÉCONOMIQUE
correction monétaire
coups d'accordéon
décroissance
éconologie
monétarisable
multidonateur
multinationalisation
revenu primaire brut
RECHERCHE OPÉRATIONNELLE
code Soufroi
disponibilité asymptotique
disponibilité instantanée
modélisateur

optimiscope
optimiscopie
RELATIONS ENTRE GROUPES
arrangement
cosmofirme
franchisage
impartition
relationniste
seconde source

H

HISTOIRE
achronie
agro-archéologue
archéographe
archéomètre
archéométrie
archéométrique
aristothanasie
artisano-agricole
autocolonisation
bio-histoire
castrologie
celtisation
cliométricien
cliométriste
contemporaniste
ethnoscience
européanité
externaliste
harappéen
historicisation
indologique
internaliste
iranologue
islamologue
laténien
mégaxylique
muche
nanoclimat
océaniste
ostéodontokératique
présargonique
prolographie
proto-écriture
quanto-historien
réciprocité équilibrée
retouchoir
rubanné
scythologue
subnéolithique

HYDROBIOLOGIE
bionomiste
hydrophyte
morphométrie
morphométrique
voltinisme

I

IMMUNOLOGIE
allergénicité
allo-anticorps
alloantigène
allotype
allotypie
analiergisant

microforme
micromatique
microphotogramme
ordinacarte
partition
piste pré-couchée
prépisté
rive
topé
ultrafiche
THÉORIE DE L'INFORMATION
angologie
latéralité
lexigramme
médium chaud
médium froid
métasigne
supersigne
vocabulaire actif
vocabulaire disponible
vocabulaire passif
TRAITEMENT DE L'INFORMATION
adresse
analyseur conceptuel
analyseur linguistique
analyseur perceptif
analyseur syntaxique
barre-code
brachygraphie
chaîne
chaîne unitaire
chaîne vide
clé
commutation de paquets
codet
confidentialité
desserveur
drapeau
embossage
embossé
entuilage
impression électrostatique
lemme
numérisé
paquet
permulettres
point-adresse
préédition
registre à décalage
serveur
transformateur
zébré
zone d'ancrage
TRAITEMENT DOCUMENTAIRE
abstrat
antidictionnaire
autoextrait
bruit
classier
classologue
dictionnaire négatif
fiche de bulletinage
indexable
indexage
indexation
indexer
inventoriage
inventorisation
inventoriste
mot-clé
mot-vide
multiterme
préarchivage
référençage
répertoriage
titre abrégé
titre-clé
translateur
translaticien
translatique

translinguistique
uniterme

INFORMATIQUE
CIRCUIT ARITHMÉTIQUE LOGIQUE
retenue accélérée
retenue anticipée
ÉQUIPEMENT D'ENTRÉE-SORTIE
accent flottant
boucle informatique
clavier optique programmé
console graphique
démultiplexeur
écran formaté
écran graphique
encodeur
imprimante à impact
imprimante à jet d'encre
imprimante à mosaïque
imprimante en parallèle
imprimante sans impact
imprimante sérielle
imprimante thermique
marguerite
mémosphère
multiplexeur
périphérique à impact
reprographe
tasseur d'entrée
terminal à pénétration
terminal bancaire
terminal industriel
terminal léger
terminal lourd
terminal spécialisé
thermo-imprimante
visuel
INFORMATIQUE THÉORIQUE
électro-informatique
ordinatique
MÉMOIRE *(ordinateur)*
annuaire électronique
antémémoire
configurabilité
K-mot
mémoire dynamique
mémoire statique
mémoire tableau noir
mémoire-tampon
mémoire tournante
mémoire volatile
vecteur
ORGANE DE TRANSMISSION DE DONNÉES
analyseur d'états logiques
analyseur logique
bus
bus d'adresse
bus de contrôle
bus de données
bus électrique
bus numérique
bus optique
codec
coupleur
formateur
infoduc
interfaçable
interfaçage
interfacer
matériel
numérisateur
numériseur
ordonnanceur
pavé
pluribus
processeur de réseau
processeur périphérique
rétine
topocodeur

PROGRAMMATION
  assembler
  assembleur
  binon
  cardinalité
  décrémentation
  désassemblage
  émulation
  émuler
  incrémentation
  ingénieur système
  interpréteur
  logiciel
  logiciel d'application
  logiciel d'exploitation
  métacompilateur
  métamoniteur
  multiplexage statistique
  multiplexage temporel
  numérisation
  paramètre
  partitionnement
  portabilité
  portable
  procéduriel
  progiciel
  programmathèque
  programme d'application
  programme général de base
  programme-pièce
  programme-produit
  programme système
  programme utilitaire
  programmeur système
  schématologie
  surprogrammation
  u.l.p.
SYSTÈME OPÉRATOIRE
  architecture distribuée
  architecture répartie
  conversationnel
  informatique au guichet
  informatique répartie
  interruptibilité
  logique partagée
  mode compatibilité
  mode étranger
  modélisation
  mode natif
  mode naturel
  monostation
  multistation
  parallèle
  partage de temps
  pipe-line
  séquentialiser
  séquentialité
  système-.guichet
  système interactif
  télégestion
  téléinformatique
  téléinformatique domestique
  télématique
  temps de réponse
  temps partagé
  temps réel (en —)
  tictac
  traitement par lots
  transactionnel
  visualiser
  voie
TRAITEMENT DE DONNÉES (informatique)
  analyseur de texture
  carte-image
  cavalier
  consignateur de données
  consignateur d'événements
  contrôleur
  correction en ligne
  file

  formatage
  formater
  géomatique
  infographie
  infographie inter-active
  microfilmage
  optimateur
  pager
  pagination
  photo-géomatique
  pile
  photostyle
  rejet simple
  réservation
  tableauter
  télétexte
  traitement de texte
  vectorisation
  vidéotexte
UNITÉ CENTRALE
  allocation dynamique
  mémoire cache
  mémoire morte
  mémoire reprogrammable
  mémoire vive
  micro-informatique
  micro-processeur
  processeur

INSTRUMENTATION
  APPAREIL ÉLECTRONIQUE DE MESURE
    accélérocompteur
    accéléromètre piezorésistif
    calibrateur
    calibration
    compteur réciproque
    discrétion
    diviseur-formeur
    excursiomètre
    linéarisateur
    linéariser
    linéariseur
    logiscope
    moyenneur
    oreille électronique
    périodemètre
    quotientmètre
    ratiomètre
  CAPTEUR DE MESURE
    bathysonde
    masse d'épreuve
    perturbographie
    rayon de la mer
  COLLECTION
    cassétothèque
    diathèque
    lithothèque
  DIFFRACTOMÉTRIE
    diffractogramme
    diffractomètre
    diffractométrique
    ektacytomètre
    piézogoniomètre
  ÉQUIPEMENT ACOUSTIQUE
    silencieux dissipatif
    silencieux réactif
  ÉQUIPEMENT AÉROSPATIAL
    ballon lobé
    catasonde
    céilomètre
    cosmogare
    cosmoport
    ergométrique
    isentrope
    module d'accouplement multiple
    navette
    orbiteur
    patron-analysateur
    puits thermique
    satellite actif

satellite de diffusion directe
satellite de distribution
sonde quadripolaire
statofusée
stratodyne
tube de pression négative
yo-yo
ÉQUIPEMENT OPTIQUE
  ambiguïmètre
  blanter
  convolueur
  four à image
  intensificateur d'images
  palpeur optique
  photocapteur
  quatuor convergent
ESSAI ET CONTRÔLE
  autotesté
  balance-dard
  boîte à lumière
  centralisateur de températures
  chronautographe
  chronocomparateur
  contrôlographe
  défectuologie
  dégradeur
  détectabilité
  disque dépouilleur
  essai aux étincelles
  essai de forabilité
  essai de microfissuration sous charge
  essai de ténacité
  luminomètre
  palpeur de niveau
  palpeur-suiveur
  réflectoscope
  réguler
  reniflage
  renifleur
  répétabilité
  reproductibilité
  ressuage d'hélium
  tâteur de niveau
  testeur
  voyant pneumatique
  zone laboratoire
HYDROMÉTRIE
  détectivité
  thermohygromètre
INSTRUMENT D'OPTIQUE
  antiscope
  épiscopie
  interprétoscope
  rétroréflecteur
  téléloupe
  télélunette
  télémicroscope
  télescomètre
INTERFÉROMÉTRIE
  interférogramme
LABORATOIRE
  chémostat
  labobus
  laborant
  laboriste
MESURE
  erreur macrogéométrique
  erreur microgéométrique
  réversibilité
  télémètre-illuminateur
MESURE ACOUSTIQUE
  célérimètre
  chronoréverbéromètre
  infra-sonomètre
  prothésimètre
  réverbéromètre
MESURE DE DIMENSION
  blocométrie
  blocométrique
  classe granulaire

déclassés
dimensionnement
élutriation
faisceau perspectif
granularité
granulomètre
murbimètre
profilométrie
sous-miniature
tamisat
MESURE DE MASSE
  bascule intégratrice
  crochet-peseur
  dosomètre
  gammadensimètrie
  nucléodensimètre
  nucléohumidimètre
  picogramme
  télépesage
  télépeseur
MESURE DE RAYONNEMENT ATMOSPHÉRIQUE
  pyrradiomètre
  transmissivité
  transmissomètre
MESURE DE RAYONNEMENT IONISANT
  absorptiométrie
  chambre à émulsion
  curie-mètre
  défectoscopie
  dosimètre passif
  dosimétrique
  fantôme
  gray
  irradiance
  irradiance-mètre
  nucléométrie
  scintillation liquide
  sievert
  stylodosimètre
MESURE DES PHÉNOMÈNES PHYSIOLOGIQUES
  audiométriste
  autométrie
  autométrique
  carotidogramme
  cyclergomètre
  échogramme
  échographe
  électro-antennogramme
  électro-oculographie
  électro-olfactogramme
  électropalatographe
  hypnogramme
  idéogramme
  idéographie
  impédancemétrie
  jugulogramme
  magnétocardiographie
  mécanographie
  ondes thêta
  palais artificiel
  palatographie
  palatographie directe
  palatographie dynamique
  palatographie indirecte
  phono-cardiogramme
  pléthysmographie
  polygraphe
  respirométrie
  sonomanométrie
  stimorécepteur
  ultrasonographie
  véloergomètre
  zeugmatographie
MESURE DE TEMPS
  asthmomètre
  diel
  fonction rattrapante
  intervallométrie
  quadrimestriel
  temps de travail

temps humain
temps masqué
temps ouvert
temps technico-humain
téphrochronologie
top artificiel
top naturel
MESURE MAGNÉTIQUE
  axe aisé
  axe difficile
  axe facile
  rapport gyromagnétique
MESURE MÉCANIQUE
  capteur de finesse
  couplemètre
  déchiromètre
  décompressimètre
  déflectomètre
  détimbrage
  dilatomètre
  extensographe
  flexomètre
  géoextensomètre
  maturomètre
  perméabilimètre
  plastogramme
  plastographe
  pressiométrique
  pressostatique
  rebondimètre
  rétractomètre
  rhéographe
  rotamètre
  tensio-fissuromètre
  thermoanémomètre
  videmètre
MESURE OPTIQUE
  bathyphotomètre
  biophotomètre
  bruit d'obscurité
  cytophotométrique
  microréflectométrie
  opacimétrique
  point isobestique
MESURE THERMIQUE
  bathythermique
  bathythermogramme
  calodie
  effusivité
  géothermomètre
  jauge de température
  papier thermométrique
  photothermomètre
  pochette panachée
  radiothermomètre
  silothermomètre
  spectroradiomètre
  thermomètre protégé
  thermostatage
  thermostater
  thermostatisation
  thermovision
MÉTROLOGIE
  équitemps
  exa-
  métromatique
  peta-
  t.e.p.
  uhuru
PHOTOGRAPHIE
  bande photographique
  caméra de télévision thermique
  contrastomètre
  couple
  fausse couleur
  flashmètre
  hydrophotographie
  image diachronique
  intervallomètre
  imagerie

microgranularomètre
microholographie
monocomparateur
multibande
multispectral
photographie scientifique
photomosaïque
pixel
point de canevas
orthophoto-élévation
orthophotographe
orthophotographie
orthophotoplan
radarphotographie
restituteur
scène
spectrozonal
stéréominute
stéréorestitution
stéréoroentgengrammétrie
POLARIMÉTRIE
  ellipsomètre
  photopolarimètre
REPÉRAGE
  capteur
  cartozonage
  équiplage
  équiréflectance
  photo-interprétation
  photozonage
  pistage radioélectrique
  télésondage
SPECTROMÉTRIE
  désorption de champ
  fenêtre atmosphérique
  fenêtre de transmission
  fenêtre de transparence
  fluorosenseur
  photomètre à flamme
  spectomètre de masse
  spectrométrie acoustique
STRUCTURE MARINE
  bouée acoustique
  bouteille
  colis
  gravitaire
  igloo
  marinisation
  marinisé
  sous-marinisation
  vaisseau de support
SYSTÈME ÉLECTROACOUSTIQUE
  audio-disque
  banc-titre
  caméra à images intégrales
  caméra de contact
  cardioïde
  chaîne compacte
  double bande
  imageur
  microcuvette
  omniphonique
  son direct
  table bibliothèque
  table copie directe
  topage
  vidéo-cassette
  vidéodisque
TECHNIQUES D'ÉCHOS
  défruiteur
  échointégrateur
  voleur de fenêtre
TRANSDUCTEUR
  audiophonie
  transvecteur

J

JEU

jeu vidéo
joujouthèque
ludothèque
radiomodélisme
radiomodéliste
télé-jeu

L

LINGUISTIQUE

acrolecte
acronyme
acronymie
actualisateur
adlocution
africanistique
africanophone
africanophonie
amérindophone
aréologie
bantoïde
bantuistique
basilecte
berbérophone
biglotte
bilinguisation
bilinguiser
catalanisant
celticité
celtophone
choronymie
classème
classe nominale
cohyponyme
contextualisation
conventionnalisme
créolisation
créolisme
créoliste
créolographique
créolophone
créolophonie
décréolisatioon
délocution
dénéologicisé
désambiguïsant
désambiguïser
dialectométrie
dialectophone
diglossique
diphonème
discrétisation
éblaïte
écolinguistique
ectosémantique
emboîtement
endophone
endosémantique
éponymie
équilinguisme
esquimaunyme
ethnonyme
ethnophone
euro-langue
euskaroïde
exonyme
exophone
frafricain
fragnol

français central
français instrumental
français prioritaire
francarabe
francisant
francophonien
frandisme
franlof
génératiste
génotexte
géolecte
grammatologie
grammème
graphémologie
graphémologique
holophrase
hyperonyme
hypotaxique
idéophone
idiolectique
impressif
infralexical
insunymie
interlingue
intralingue
isochoronymie
ivoirisme
lexématique
lexicogénique
logocentrisme
logogramme
logologie
logosyllabique
lotharingisme
lusophone
luxembourgeophone
macrostructure
malgachisant
marrisme
mécoupure
même
métamétalangue
métasémie
métaterminologie
monématique
monodisciplinaire
morphogramme
néerlandophone
néographe
néologicité
néonyme
occitanophone
orthologie
ouolophone
paléonyme
pansubstratiste
parisianisation
pélagonyme
performatif
phénotexte
phone
phonostylisticien
phytonymie
pidginisation
plérème
polisonyme
polycatégorie
potamonyme
pro-verbe
quadrigramme
québéciser
recomposé
régionymie
ritualisation
ritualisé
romandicité
saturable
scriptologie
sélénonyme
sénégalisme

sinophone
sociolecte
sous-graphème
spanglais
statif
stemma
subtest
superordonné
surface linguistique
swahiliphone
syntaxicalisation
synthème
systématicité
système linéaire
système quadrangulaire
système triangulaire
tchadique
terminographe
terminographie
terminographique
terminologisme
théonyme
théophore
tonétique
topicalisation
traductologie
transduction
transformation unaire
typologisation
urbonyme
valence
verbe modalisateur
verboïde
voyellé
wolofisé

LOCALISATION
anordir (s' —)
asien
béninois
caraquénois
circumpacifique
kinois
mégapole
nordicité
nordiquement
papouan
phnompenhois
rurbain
rurbanité
subantarctique
tissu urbain
vapo

LOGIQUE
algorithmisation
assertoricité
cohérence
identifiabilité
logicisable
mathématisable
pluricotomie
pseudo-temporel
vérisimilitude

MATÉRIAU
ADDITIF
amérisant
antigélif
antimassant
appétitif
arôme de fumée liquide
gélifiant

pare-gel
renchérisseur
texturant
ADSORBANT
absorbant coulant
absorbant flottant
absorbeur acoustique actif
absorbeur acoustique passif
produit contractant
repousseur
serpillière
AGENT DE SURFACE
agent de surface
auto-émulsifiant
émulgateur
produits de cure
CARTON
carton double-double
celloderme
ondulé double-double
CÉRAMIQUE
biocéramique
céramologie
céramologue
électrofondu
mousse d'argile
thermo-mousse
vitrocéramique
COMBUSTIBLE
biocarburant
compact
éco-fuel
hydro-combustible
ENCRE
aveugle
encre immobilisée
encre libre
encre polydisperse
encre réticulable
encre superficielle
lisible
FIBRE
aramide
autofocalisateur
biphasé
épitropique
gradient d'indice (à —)
macrofibrillaire
mat
monomode
multimode
saut d'indice (à —)
FIL (*textile*)
multibrin
stratifil
titre
GAZ MANUFACTURÉ
butané
gaz exporté
gazothèque
gaz spécial
g.n.l.
LESSIVE RÉSIDUAIRE (*papeterie*)
liqueur blanche
liqueur noire
liqueur verte
LIANT
autodurcissant
bitume de distillation
bitume fluidifié
bitume fluxé
bitume soufflé
grappiers
MATÉRIAU COMPOSITE
argamasse
banco
cermet
composite
isolamiante

MATÉRIAU DE CONSTRUCTION
béton architectonique
béton clouable
béton colloïdal
béton de remplissage
béton-gaz
béton peigné
béton porteur
béton projeté
béton vibré
chalin
ciment-colle
farine crue
feutre-jardin
fines
grave-cendres volantes
grave émulsion
grave-laitier
micromortier
minibéton
oléoplastique
perle d'analyse
MATÉRIAU DE REVÊTEMENT
apprêture
auto-lissant
couché
enduit bâtard
enduit bouchardé
enduit brossé
enduit dressé
enduit feutré
enduit frotté
enduit gratté
enduit grésé
enduit incorporé
enduit lavé
enduit peigné
enduit tramé
enduit tyrolien
enrobé
hors poussière
pelable
thixotropique
MATÉRIAU D'ORIGINE MINÉRALE
crocidolite
gaz coussin
grésant
gumbo
minerai correctif
minéralurgie
MATÉRIAU MÉTALLIQUE
acier auto-protégé
acier ébonité
acier sucré
bainitique
cœur blanc (à —)
ferritique
fonte G.S.
waltérisé
PAPIER
autocopiant
électrographique
étincelable
papier cannelure
papier support de couche
papier thermique
papier-transfert
photothermique
plapier
thermocollable
thermopapier
PÂTE A PAPIER
lignocellulose
pâte chimique
pâte mécanique
pâte mi-chimique
pâte thermo-mécanique
PESTICIDE
acarifuge
algicide

antibleu
antimycotique
aphicide
avifuge
bactospéine
corvifuge
corvicide
cunifuge
détiqueur
graminicide
ixodicide
microbiocide
nématocide
rodenticide
POLYMÈRE (matériau)
amino-fonctionnel
boulochage
caoutchoutique
coextrudat
cristal antistatique
élastomérique
extrudat
filé-lié
géofeuille
géomembrane
géotextile
laminette
peau d'orange
photo-dégradable
photodégradation
polymérique
polymériste
p.p.o.
p.p.s.
préimprégné
p.v.d.f.
résine pré-accélérée
rigidimère
s.a.n.
thermoformable
thermorétractable
thermorétractible
thermorigide
PRODUIT ALIMENTAIRE
aliment semi-humide
a.v.i.v.
bioghourt
boisson rafraîchissante
coule fraîche
dolo
fonte
foutouprêt
grit
hydrogénomonas
inalibile
instantané
lait de suite
lait filé
lyophilevure
mâche
œnomel
oreillonné
ovoproduit
préfromage
raffinade
régénéré
rénové
viande cachectique
viande foraine
viande hydrocachectique
viande hydrohémique
viande saigneuse
viandeux
vin de mouchoir
PRODUIT CHIMIQUE
agent de pontage
agent mouillant
amorceur
charges blanches
chimiostérilisant

désactivateur
incondensable
isolat
perdeutérié
pyrolysat
reminéralisateur
renforçateur
séquestrant
spumogène
PRODUIT DE SUBSTITUTION
hydrotrope
iso-sirop
PRODUIT MÉTALLURGIQUE
billette
électrozingué
microfilament
palfeuilles
TISSU (*textile*)
aérifié
autodéfroissabilité
autodéfroissable
doupionné
indéchirabilité
micro-poussière
nerveux
nervosité
non-tissés
reliéfé
VERRE
céramisé
gobe
multifocal
primitif
verre u.v.t.c.
vitrocristallin

MATÉRIEL AGRICOLE
ameneur
asperseur
boîte de Vercelli
camion transplantoir
chenillard
débusqueuse
démoelleur
dessoucheuse
écabosseuse
effaneuse
effeuilleuse
enjambeur
fusil-plantoir
girobroyeur
motohoue
planeuse
plastiplanteuse
roue cage
rouleau piétineur
transplanteuse
vendangeuse

MATHÉMATIQUES
amas
amassement
atome
auto-semblable
autosimilitude
clan
clique
créneau
degré
échelon
fractal
front descendant
front montant
minterme
planaire
polytope
préexponentiel
scalant
sous-ensemble flou
spirale équiangulaire

téragone
topologue

MATHÉMATIQUES APPLIQUÉES
addende
argument
arithmétique flottante
binaire décalé
binaire pur
cumulande
cumulateur
diminuende
diminuteur
discrétisation
interpolation de Lagrange
linéarisation
méthode des filtres autorégressifs
plongement invariant
pseudo-lien
virgule flottante

MÉCANIQUE APPLIQUÉE
ASSEMBLAGE
adhésivation
aveugle (en —)
blocage
bouterollage
bouteroller
buselure
chaude de retrait
cloueur
collage blanc
collage noir
colle contact
contre-colleuse
déboutonnage
désaffleurement
enliassage
entre pointes
fil chaud
fluxeur
indesserrabilité
indévissabilité
insert-écrou
jeu de construction
jonctionnement
jonctionner
jupe
lot
mécanosoudé
mécanosoudure
micro-soudage
oxybrasage
pistosceller
plasti-rivet
polyfusé
polyfusion
rivelon
soudage à arc non-apparent
soudage par bossages
soudeuse en L
thermosouder
thermosoudure
visseuse
DÉCOUPAGE - DÉCOUPE
cisaille cocheuse
cisaille-guillotine
cisailleur
coupe-soudure
guillotine de soudure
ligne de rupture
scie à trous
scie-cloche
ENLÈVEMENT DE MATIÈRE
abradable
affleurage
arrosage
couche blanche
grains blindés

meuleuse
vibro-abrasion
FINISSAGE
  cryo-ébarbage
JOINT D'ASSEMBLAGE
  aveugle
  écrou autofreiné
  plastojoint
JOINT D'ÉTANCHÉITÉ
  étanchéification
  étanchéiser
  joint diapason
  lèvre frontale
MACHINE-OUTIL
  affleureuse
  angleur
  boulonneuse
  chasse-cône
  chevilleuse
  chocs (à —)
  corroyeuse
  mesurande
  nez de vissage
  pondeur
  prévis
  roto-percutant
  sonotrode
  soudeuse orbitale
  usineur
MOTEUR
  axisymétrique
  détarer
  diéseliste
  hélico-moteur
  moteur à disques
  moteur orbital
  moteur pas à pas
  orbiton
  piézopneumatique
  turbochargé
ORGANE DE MACHINE
  actionneur
  aile supercritique
  aile-trompe
  alvéole
  antipatinage
  boîte d'angle
  bol
  bougie luisante
  cé
  charge
  contacteur de survitesse
  coquille
  creux
  creux de fonctionnement
  creux de référence
  décrabotable
  déport
  doigts de transfert
  haricot
  ligne d'action
  ligne de conduite
  lobe
  moteur premier
  oléopneumatique
  pignonnerie
  pivoterie
  pneu-ceinture
  pneu-lumière
  projecteur biellipsoïde
  propulseur d'étrave
  réacteur d'étrave
  régénératif
  roues pressées
  serpentage
  solaire
  suspension-rotule
  train planétaire composé
  train planétaire simple

turboralentisseur
vis globique
REVÊTEMENT
  adhésivage
  bi-pli
  décolleuse
  dégrossi
  ébonitage
  enrobant
  flocs
  floqué
  floqueur
  pelliplacage
  pelliplaquer
  pelliplaqueuse
  rilsanisation
TRIBOLOGIE
  patin fluide
USINAGE
  appointeuse
  canard
  couche corticale
  embarreur
  entre
  fraisage-aiguilles
  fraise-aiguilles
  fraise-mère
  fraisurage
  fraisurer
  gougeage
  grignotage
  martelage superficiel
  mésalignement
  n'entre pas
  outil pignon
  photo-usinage
  plume
  usinage en panoplie
VÉHICULE
  air-air
  air-sol
  autodune
  autoroutière
  bourrelet d'intercirculation
  crache-plongeur
  électromobile
  modularisation
  motodune
  porte-plongeur
  sub-compacte
  télérail
  tortilleur

MÉCANIQUE DES FLUIDES APPLIQUÉE
  actuateur
  antiretour
  autorité
  blocage sonique
  cage
  chlorostat
  cisaillé
  cisaillement
  coupure de circuit (à —)
  débitmètre massique
  directeur d'air
  doigts de gants froids
  éjecteur
  établissement de circuit (à —)
  fluidificateur
  fluidique
  fluidiseur
  génépipe
  hydroclave
  hydrojet
  hyperclave
  impacteur
  incisaillable
  inclineur
  lit fluidisé
  oléohydraulique

piège froid
pneu hydraulique
pompe à sorption
pompe en ligne
pompe sèche
pompe turbomoléculaire
préréchauffage
prérotation
résorbeur
robinet casse-vide
tiroir de distribution
traînée aérodynamique
turbinier
turbogroupe
vacuologie
vanne normalement fermée
vanne normalement ouverte
ventilo-trompe
vent magnétique
vernis de glissement
vibrocoulé
vide-fût

MÉDECINE
ÉQUIPEMENT MÉDICAL
ambulatoire
atelier protégé
baro-hôpital
biberonnerie
hôpital de jour
lit fluidisé
passe-malade
MÉDECINE SOCIALE
bifurqué
dipsoprophylaxie
euthanasie active
euthanasie passive
fibrogénique
hygiénicité
néo-natologie
périnatologie
pipettage
tapis décontaminant
SANTÉ PUBLIQUE
antimédecine
bi-appartenant
biotechnologie
économie médicale
ergophtalmologie
gestante
hospitalocentrisme
mono-appartenant
noso-politique
préventologie
préventologue
risque morbide
SPÉCIALITÉ MÉDICALE
buiatrie
endodontique
globaliste
interniste
médecine globale
médecine interne
médecin volant
membranologie
monotechnicien
pédodontiste
sacrification
sénologie
sénologue
sociatrie

MICROBIOLOGIE
anaculture
antibiotype
autolysosome
bague de jonction
barophile
cocciforme
framboïde

métachronie
métachronique
méthanigène
microflore
microthèque
mur
oligodynamie
oligodynamique
phyllosphère
prétête
sétosité
souchothèque
superbactérie
transfecter
virogène
viroïde
virosome

MODÈLE
catastrophe
déterministique
maquettisme
modèle discursif
modèle formel
modèle vrai
modélisable
réplique
substitut
ajustement

O

OPÉRATION
BILAN
bilan radiatif
BROYAGE
broyabilité
broyage autogène
broyage cryogénique
cryobroyage
cryoconcassage
gravillonnage
micronisation
volume mort
CENTRIFUGATION
centrifugabilité
centrifugable
centrifugat
isopycnique
COKÉFACTION
cokier
enfournement préchauffé
enfournement sec
COMPACTAGE
compactable
compactibilité
compactomètre
guide-balayage
vibrocompacteur
EXPLOITATION
analyste fonctionnel
analyste organique
appauvrisseur de tir
autocorrecteur
autofreinage
berceau
boucle
cascadable
cascadage
cascader
chaîne vitale
optimiseur
parallélisable
pendentif
pendulage

prédicteur
reconfigurable
reconfiguration
reconfigurer
réenraillement
régularologie
régulé
tareur
tracteur
IMMERSION
  charrue rigoleuse
  ensouillage
  ensouiller
  ensouilleuse
MARQUAGE
  collerette
  contre-étiquette
  cravate
  étiquette de corps
MÉLANGE (*opération*)
  butanisation
  hélico-mélangeur
  mélangeage
  train valseur
  vagueur
NETTOYAGE
  auto-laveur
  autonettoyage
  cureuse
  gratteuse de sol
  inertage
  lave-vitre
  lessivabilité
  nettoyabilité
PROJECTION DE MATIÈRE
  cône creux
  cône plein
  émaillage au poudré
  farinant
  guniteur
  jet plat
  piquetage
  pistolage
  poudrage
  poudrage électrostatique
  poussiérage
REMPLISSAGE
  dégarnissage
  emmouleuse
  tête de remplissage
SÉCHAGE
  autoétuvage
  bourbier
  collapse
  croûtage
  sèche-bord
SÉPARATION PHYSIQUE
  aéroflottation
  bâtissage
  bulloscopie
  clarifloculateur
  clarifloculation
  cofloculation
  cyclonage
  décantat
  décohésion
  défécant
  déliassage
  déliasser
  déliasseuse
  désaérage
  désaérateur sous-vide
  désargilage
  dépileur
  dépileuse
  désiltage
  distillation éclair
  électroflottation
  éluat
  extraction liquide-liquide

filtre absolu
filtro-décanteur
floc
floculabilité
floculant
floculat
floculateur
floculomètre
hémodialyse
hydrocyclone
hyperfiltration
microflottation
osmose inverse
ouvreur
pervaporation
polydisque
précouche
ségrégeable
ségréger
turbofiltre
ultrafiltrat
vibro-dépoussiéreur

ORGANISME VIVANT
ANIMAL
  ahermatypique
  anautogène
  astacologie
  astacologue
  avien
  coquille nidamentaire
  culicidogène
  électrolocation
  élytrophoral
  élytrophore
  endolithe
  endophage
  endophile
  exophile
  fasciature
  hermatypique
  holospondyle
  hominoïde
  hylochère
  ichtyobiologiste
  monogastrique
  monospondyle
  péréiopode
  pléopode
  podomère
  poisson lapin
  potto
  primatologie
  primatologue
  singe-lion
  scutelle
  tarsiiforme
MICROORGANISME
  acholéplasme
  avianisé
  azobacter
  bovipestique
  caprinisé
  capripestique
  cellulolytique
  échinulé
  endoral
  icron
  lapinisé
  leucémogène
  lysogène
  microaérophilie
  mollicute
  mycoplasme
  myxovirus
  oncogène
  oncornavirus
  paroral
  phage transducteur
  phagique

rétrovirus
rhinovirus
spiroplasme
suipestique
virulifère
viscérotrophe
VÉGÉTAL
  algacé
  algal
  algothèque
  cyanophytique
  diatomologie
  ectotrophe
  endosymbionte
  endotrophe
  infleurissable
  lichénologie
  matte
  monadoïde
  torola
  unialgal

P

PATHOLOGIE ANIMALE
 AGENT TOXIQUE
  amatoxine
  cytotoxicité
  dermonécrosant
  entaillé
  ichthyotoxique
  phalloïdine
  phallotoxine
  toxinogène
  toxinogénèse
 ÉTIOLOGIE ET PATHOGÉNIE
  agressologie
  chenilose
  écogénique
  écopathologie
  iatrogène
  ichtyopathologie
  insidiosité
  lichomanie
  malaigue
  pathogénicité
 MALADIE DE LA NUTRITION ET DU MÉTABOLISME
  dysmétabolie
  hypercholestérémie
  hyperphagie
  hyperphagique
  insulinoprive
  maladie de surcharge
  ostéophagie
  surpoids
 PATHOLOGIE CARDIO-VASCULAIRE
  athérogénèse
  gammapathie
  thrombogénique
 PATHOLOGIE CUTANÉE
  acantholyse
  chloracné
  dermatophilose
 PATHOLOGIE DIGESTIVE
  hyposialie
 PATHOLOGIE DU DÉVELOPPEMENT ET DE L'HÉRÉDITÉ
  drépanocytaire
  dysauxie
  dysmélique
  mucoviscodose
 PATHOLOGIE HÉMOLYMPHOPOIÉTIQUE
  bismuthémie

PATHOLOGIE INFECTIEUSE
  arbovirose
  brucellique
  charbon bactéridien
  fibrosant
  trypanotolérant
PATHOLOGIE NEUROLOGIQUE
  audiogène
  bruxomanie
  dysponèse
  dyssomniaque
  hydrochoc
  hyperkinétique
  hypnagnosie
  spongiforme
  tachypsychie
PATHOLOGIE OCULAIRE
  malvoyant
  non voyant
PATHOLOGIE ODONTOSTOMATOLOGIQUE
  biopulpectomie
  biopulpotomie
  cariologie
  traumatogène
PATHOLOGIE OSTÉOARTICULAIRE
  spasticité
PATHOLOGIE OTORHINOLARYNGOLOGIQUE
  nosoacousie
  socioacousie
PATHOLOGIE RESPIRATOIRE
  nocardiose
  trappage
PATHOLOGIE TUMORALE
  cancérogénicité
  cellule HeLa
  cryonécrose
  diarrhéogène
  encéphalitogène
  encéphalomyocardite
  invasif
  oncologie
PATHOLOGIE UROGÉNITALE
  andrologue
  hypoandrisme
  microrragie
  réperméabilisation
  transsexuel
TROUBLE FONCTIONNEL
  asynchronose
  dyslatéralisation
  lalopathie
  latéraliser (se —)
  paido-pathologie

PATHOLOGIE VÉGÉTALE
  anergié
  cécidologie
  chlorosant
  échaudure
  épinastie
  érinose
  frottis
  pathotype
  phytocide
  phytopathogène
  piqûre blanche
  séminiphage
  virosé

PÊCHE
  passe à poissons
  pataugeage

PHARMACOLOGIE
 ACTIVITÉ PHARMACOLOGIQUE
  agropharmacie
  biopharmacie
  cosmétopharmacie
  phytocosmétique

MÉDICAMENT
  alpha-bloquant
  anabolisant
  analogue structural
  antiagrégant
  antiarythmisant
  anticomitial
  anti-génésique
  anti-hormone
  antipsychotique
  antitumoral
  antitussif
  anxiolytique
  bêta-bloquant
  biodisponibilité
  cannabinoïde
  cardio-sélectif
  coccidiostat
  hépato-protecteur
  hypnogène
  iodophore
  myorelaxant
  normothymique
  otocône
  potentialisateur
  prodrogue
  salidiurétique
  sialoprive
  thymoleptique
TOLÉRANCE MÉDICAMENTEUSE
  chronopharmacologie
  chronopharmacologique
  d.j.a.
  d.s.e.
  négativer
  pharmaco-cinétique
TOXICOLOGIE
  agoniste
  alcoologie
  alcoologue
  alcoolomane
  antagoniste
  automédication
  ciliotoxicité
  ciliotoxique
  écotoxicité
  énergisant
  laotienne
  méthadone
  mycotoxicose
  pharmacovigilance
  stressant
  toxiphilie

PHYSIOLOGIE
  DÉVELOPPEMENT *(physiologie)*
  bimaturisme
  dévocalisé
  intermue
  isocroissance
  nématostatique
  nodifuge
  nutrilite
  organitogenèse
  photomorphogenèse
  postexuvial
  préexuvial
  smoltification
HOMÉOSTASIS
  anisosmotique
  ectotherme
  endotherme
  exhoméotherme
  héliotherme
  hyperosmotique
  hypoosmotique
  isosmotique
  osmorégulation
  thigmotherme

NEUROPHYSIOLOGIE
  actogramme
  actographie
  actographique
  ambilatéralité
  anidéique
  binaural
  chémorécepteur
  chémotopie
  coloration
  convergence
  défense perceptive
  divergence
  engrammation
  grapho-moteur
  grapho-motricité
  lipostatique
  macrosmate
  masquage
  mésopique
  microsmate
  mimème
  mimisme
  mnémon
  néophasie
  neuromoteur
  perceptivo-moteur
  pré-langage
  préopératif
  préparole
  rebond de rêve
  rythmicité
  saccade
  sérotoninergique
  somatotopique
  sommeil à ondes lentes
  sommeil paradoxal
  sommeil sismique
  visio-moteur
  visuo-moteur
NUTRITION
  antinutritionnel
  auxotrophe
  auxotrophie
  d.b.o.
  d.c.o.
  d.c.o.-mètre
  guanophage
  malnutrit
  mixotrophe
  monophagie
  nématophage
  nutriants
  ophiophage
  ornithophage
  persistance
  photohétérotrophie
  planctonophage
  spongiophage
  végétivore
PHYSIOLOGIE CARDIOVASCULAIRE
  bullage
  défibrineur
  élastance
  normatendu
  rythmologie
  thromborésistance
  vasomotricité
PHYSIOLOGIE CELLULAIRE
  cinétosomien
  cytosquelette
  exocytose
  isodiamétrique
  mitogénique
  nécrotactisme
  phagocinétique
  procyte
  ultrastructural
  vésicule juxtavestibulaire

ONDE OU RAYONNEMENT
  bande passante
  graser
  isotone
  photon hertzien
  replié
  repliement
  soliton
  x durs
  x mous
OPTIQUE
  achromaticité
  allochromatique
  cathodoluminescence
  chromaticité
  chromie
  coussinet (en —)
  effet photoréfractif
  effet Pockels
  défocalisation
  équiénergétique
  fréquence spatiale
  idiochromatique
  indice extraordinaire
  indice ordinaire
  leucie
  protochrome
  photophysique
  réflectivité
PHYSIQUE DES PARTICULES
  abondance isotopique
  agoniste
  antagoniste
  apochondre
  barrière de fission
  becquerel
  bigyrotropisme
  bouteille optique
  caviton
  cœur équivalent (à —)
  collapson
  comobilité
  conduction ionique
  constante de structure fine
  déplétion
  dilepton
  dimuon
  diproton
  effet Cerenkov
  émission cohérente
  émission exoélectronique
  émission incohérente
  état excité
  état fondamental
  étoile nucléaire
  exciton
  exoélectroémission
  exoémission
  exoémetteur
  fissiogénique
  fluence
  géonium
  granion
  hadronique
  hélicité
  horloge cosmique
  homodynage
  interaction à courants neutres
  largeur naturelle
  mésonique
  microfission
  muonicité
  neutronicien
  neutrophage
  omégatron
  parton
  phase hadronique
  pionisation
  propre
  protonation

  quasi-atome
  quasi-fission
  rapt
  réaction inélastique
  reflexivité
  résonance à cœur excité
  résonance de forme
  rovibronique
  sale
  séchage
  spallatif
  subprotonique
  tau
  tauicité
  tauique
  temps de confinement
  transfermien
  trou
  vibronique
  volume exclu
  yrast
PHYSIQUE DU SOLIDE ET DU FLUIDE
  bilacune
  biocristal
  coin
  collage épidermique
  cône plat
  cristal liquide
  cristaux mixtes
  cryptocristaux
  désinclinaison
  désinclinaison coin
  désinclinaison de torsion
  despiralisation
  détordu
  displacif
  électrosorption
  éponge à molécules
  faute d'empilement
  frustration
  glacogène
  gobelet
  homéotrope
  intergranulaire
  interstitiel
  lame (en —)
  liquide chargé
  mésomorphiste
  mésophase
  millipore
  nucléant
  nucléation
  percolation
  plasmification
  pont cristallin
  pont liquide
  pont solide
  précipité
  réseau vitreux
  suprafluidité
  verre de spins
PHYSIQUE MATHÉMATIQUE
  antiquark
  charme
  charmé
  charmonium
  couleur
  dyon
  gluon
  habillé
  magnon
  mandela
  norateur
  nu
  nullateur
  nulleur
  paracharmonium
  plasmon
  spineur
  uniteur

PROGRAMMATION D'ONDE
  bruit en créneaux
  diffusion incohérente
  effet Mössbauer
  effet synthétique
  rétroréflechi
  rétroréflexion
  sifflement
SPECTRE
  spectre Raman
  triformantique
THERMODYNAMIQUE
  cryo-température
  cycle de Claude
  enthalpimètre
  étage théorique
  point de calcination
  pointe thermique
  système dissipatif
  téléradiothermique
  thermie-fuel
  thermie-gaz
  thermocinétique
  thermogénie
  thermogénique
  thermoprogrammé
  thermorayonnance

POLITIQUE
  andorranisation
  atlantiser
  bénéluxisation
  bizonal
  communautarisation
  conational
  contre-information
  coptisation
  corsisation
  déconfessionnaliser
  désinformation
  développement séparé
  entrisme
  état de lancement
  eurocommunisme
  eurocommuniste
  eurodroite
  europocentrisme
  finlandisation
  guérillérisme
  instituant
  institué
  ivoirisation
  marocanisation
  nigérianisation
  océanopolitique
  Quart-Monde
  sommital
  souverainisme
  tiers-mondiste
  zaïrisation

PROPRIÉTÉ
COMPOSITION
  aprotique
  argilosité
  astérié
  austénité
  chlorosité
  désordre à longue distance
  dessalure
  humidité équivalente
  hypochlorité
  isoteneur
  oligohalin
  polyalcalin
  protique
  salinomètre
  solodisé
  sursalure
  ultramafique

CONFIGURATION
  atactique
  linéaire
  linéaire au sol
  linéaire développé
  losangulaire
  mécanomorphe
  profil creux
  profil ouvert
  puissance
  surdimensionnement
  surdimensionner
  tétragonalité
  unité de passage
MASSE
  équidensité
  équimolarité
  grammage
  isodensimétrique
PROPRIÉTÉ CHIMIQUE
  agressif
  anionicité
  coalesceur
  conservatif
  délignifiant
  hygroscopicité
  indégorgeabilité
  inertie redox
  masqué
  solvoacidité
  substantivité
  thermosodique
PROPRIÉTÉ ÉLECTROMAGNÉTIQUE
  électrétisé
PROPRIÉTÉ MAGNÉTIQUE
  amagnétique
  gyrotropie distribuée
  magnétologue
  responsivité
PROPRIÉTÉ MÉCANIQUE
  abrasivité
  antivibrant
  concentricité
  dégondable
  fading
  fissurabilité
  flexirigide
  gerbabilité
  gerbable
  hydrodynamique
  increvabilité
  intergerbable
  isotensoïde
  parcheminabilité
  pelletable
  photodurcissable
  plastoélastique
  pouvoir piégeant
  radiodurcissable
  rectilignité
  ripable
  rippabilité
  super-choc
  tendéromètre
  tendérométrique
  torsible
  viscoplasticité
  viscoplastique
PROPRIÉTÉ OPTIQUE
  chromostatique
  métamérisme
  optiquement actif
  thermooptique
PROPRIÉTÉ ORGANOLEPTIQUE
  acceptance
  dégustation aveugle
  flaveur
  jutosité
  odorographe
  sucrosité

PROPRIÉTÉ PHYSICO-CHIMIQUE
chromable
aéro-cellulaire
anisotropie diélectique négative
anisotropie diélectique positive
anisotropie optique
autopatinage
cryoprotecteur
cryptant
dégrippant
démulsibilité
déperlance
dispersibilité
égouttabilité
ergapolyse
fluidifiable
fluidisable
hydrodispersable
hydrophobicité
hydrurable
imperméabilisant
ingraissabilité
oléophile
oléofuge
organosoluble
orthotrope
patinable
permsélectif
permsélectivité
plastosoluble
régio-spécificité
rétenteur d'eau
stéréospécificité

PROPRIÉTÉ TECHNOLOGIQUE
anti-déflagrance
assemblable
dragabilité
drainabilité
encliquetable
évolubilité
évolutivité
fibrillable
formabilité
injectabilité
inusinable
machinabilité
mano-mobile
modularité
pompable
pseudo-compatibilité
retournable
soufflabilité
superplasticité
superplastique

PROPRIÉTÉ THERMIQUE
adiathermique
antiarc
diffusitivité
épiradiateur
frigoporteur
non feu
pont thermique
pyrophobe
pyrophoricité
réfractarité
réfrigérable
thermodilatable
thermo-fluide
thermofusible
thermolabilité
thermophore
thermoprotecteur
thermorésistance
thermorésistant
thermoscellabilité
thermoscellable
thermosensible
thermosoudabilité
thermostabilité
thermo-timbre

PROPRIÉTÉ THERMODYNAMIQUE
compatibilité thermodynamique

PSYCHOLOGIE
PATHOLOGIE MENTALE
adultocentrisme
anagnosologie
anosognosie
aphasie amnémonique
aphasie croisée
aprosexique
comportement infractionnel
défectuologique
dyscalculie
dyscalculique
dysgraphique
hypérarginémie
hyperidéation
hypermimie
hypoprosexique
internalisation
leximétrie
maximalisme
multirécidiviste
néoforme
organogénétique
paragraphie complexificatoire
paragraphie séquentielle
paragraphie substitutive
paragraphie totale
paraprosexique
pathologiser
percipient
presque-psychose
psychotisant
sociopathe
somatophobe
somatophobie
suicidant
suicidogène
tachylalie
transitivisme
transitivité
xénopathique

PSYCHOPHYSIOLOGIE
ambiologie
atopie
bi-sociation
bi-socier
carencé
connexionnisme
connexionniste
conscientisant
conscientisateur
conscientisation
conscientisé
coprésence
égosymphorie
globalisation
gnosopraxique
groupal
hyperprotection
hypnopédie
hypnopédique
hypnosopédie
hypnotisabilité
identificatoire
infraliminal
initialiser
maturatif
mnésique
modèle de confluence
néo-associationnisme
néo-associationniste
organicité
psychoacoustique
surdoué
surmoïque
transférabilité

PYROTECHNIE
 détonique
 explosimétrique
 p.a.p.
 pégosité
 pégueux

R

RADIOGRAPHIE
 autoradiographique
 échographe à balayage
 échographe bidimensionnel
 échotomographie
 effet de bord
 gamma-caméra
 gammagraphique
 neutronographier
 radioautographie
 radio-immunologie
 tomodensimétrie
 tomosynthèse
 xéroradiographie
 xéroradiographique
 zonographie

RECHERCHE ET DÉVELOPPEMENT
 EXPLORATION SCIENTIFIQUE
 aquabulle
 dénitrogénisation
 intégration
 m.i.p.
 s.a.d.o.
 sphère humide
 sphère-sas
 sphère-vie
 tir planétaire
 INGÉNIERIE
 ingéniériste
 technogénie
 terotechnologie
 INNOVATION
 machine célibataire
 sérendipité
 RECHERCHE
 aspiranture
 exobiologie
 exobiologiste
 mégascience
 prospectiviste
 science d'action
 science de transfert

RÉGLEMENTATION—LÉGISLATION
 DROIT
 adoptabilité
 bipropriété
 brevetabilité
 concurrence illicite
 concurrence parasitaire
 enclavant
 enveloppe Soleau
 euronorme
 filicide
 fortage
 géronticide
 juge référendaire
 jurimétrie
 juriscratie
 licence sèche
 limologie
 parquetier
 pénologue
 professionnalisation
 sanction prémiale

 transfrontalier
 zone adjacente
 zone économique
 LÉGISLATION
 déconventionnement
 tétragamie

REPRÉSENTATION GRAPHIQUE
 COURBE
 graphiquer
 hyétogramme
 ionogramme
 isokérannique
 isoligne
 isophone
 isopollution
 isopsophique
 isosaturation
 isotache
 isovapo
 limnigramme
 morphogramme
 patate
 pic
 simogramme
 DIAGRAMME
 datagramme
 dendrogramme
 diagramme des quatre quadrants
 émagramme
 logigramme
 symbole à case
 symbole en essuie-glace

REPROGRAPHIE
 anticopie
 contretypage
 copieur
 dupliquer
 électrocopie
 impression-transfert
 lettrage par transfert
 lettres transfert
 microreprographie
 programme lettres-chiffres
 reprographe
 reprographiste
 télédétecteur
 téléreprographie
 tramage

S

SCIENCES DE L'ESPACE
 altazimutal
 astre occlus
 astrochimie
 astroélectronique
 astrophotomètre
 baro-relais
 bras spiral
 circum-sélène
 cométésimal
 composante de base
 constante solaire
 coquille
 courant magellanique
 électronogramme
 électronographie
 étoiles binaires serrées
 étoiles espacées
 faculaire
 géocosmogénie
 géodynamique globale
 gigannée

granulation
granule
groupe local
héliosphère
herse
infrarougiste
interbras
isodensitraceur
isophote
lacertide
lumière fatiguée
mascon
microgravité
o.v.n.i.
ovniologiste
p.a.n.i.
périhélien
photométéore
planétésimal
planétologie
planétologue
protogalactique
protogalaxie
protostellaire
radarastronomie
radiohéliographe
radio-occultation
rayonnement diffus
rayonnement direct
rayonnement global
région II
rotateur
satellite géosynchrone
scintillation interplanétaire
soleil calme
superamas
supergalaxie
supergranulation
supergranule
supersynthèse d'ouverture
ufologue
u.n.s.
vent interstellaire
volume de confinement

SOCIOLOGIE

acculturatif
africanitude
agéisme
aire de refuge
aire interstitielle
aire marginale
alsacianité
ambilocal
amodal
androcratie
anthroponomique
antillanité
arabité
arabographe
arabologue
atypisme
avant-gardisme
avunculo-localité
bidonvillien
bilocalité
capital symbolique
catalanité
coépouse
convivial
convivialité
créolité
culturalité
culturème
égocentré
éméritat
ethnocidaire
ethno-culturel
ethnographie
ethnométhodologie

ethnométhodologique
ethnothanatologie
exode des cerveaux
féminitude
foulanité
gérontosociologie
groupe d'appartenance
groupe de référence
gynécomobile
gynécostatique
gynécrate
implexe
indianité
intersociétal
isogamie
juristicien
ludème
lusitanité
macrosocial
macrosociologie
matrilatéral
matrilocalité
méritocratie
mono-culturel
multicritère
multimodal
négrologue
néolocalité
opérationalisation
opérationalisme
parentisme
patrilocalité
pluri-culturel
polytechnisme
quatrième âge
réenculturation
resocialiser
sédentarisation
séniorité
sinique
sociétal
socio-affectif
socio-centré
socio-cognitif
socio-environnemental
technique douce
technobiologie
technomorphologie
thanatique
thanatopraxis
théâtrologue
tiers-théâtre
transculturation
transculturel
tridimensionnalité
tsiganologie
typification
uniclassiste
unimodal

SPORT

aile volante
assurage
décalage
deltaplane
directissime
géantiste
handballeur
héliski
libériste
managerat
mileur
motoglissage
parcours de santé
phase aérienne
planche à roulettes
planche à voile
plancheur
planchodrome
polyathlon

psychocallisthénie
pyrénéiste
vélo-ski
vitaparcours

STATISTIQUE
analyse canonique
analyse de corrélation
analyse discriminante
anticorellé
caractère discret
centenaire
curvilinéarité
fractile
intertaxonique
intrataxoniquᵉ
loi lognormale
modalité
moyenner
taxoentropie
tri croisé
visiteur/jour

STOCKAGE
DÉPÔT DE STOCKAGE
casier dynamique
emboîtable
magasin de préparation
magasin tampon
palettier
parc primaire
plage d'entrée
premier entré, dernier sorti
premier entré, premier sorti
rime
sapin
stock tampon
stockage dynamique
stockage statique
stockage tournant
transcasier
zonage
zoneur
ENSILAGE
casse-voûtes
dévoutage
dévouteur
voûtage
ENTREPÔT
bâtiment intégré
casier-bâtiment
magasin-tour
silo de stockage
silo-tampon
RÉSERVOIR
gobier

SYSTÉMATIQUE
allotype
chimiotaxonomie
cytodème
cytotaxonomie
cytotype
dème
écodème
juxtaspécifique
juxtespèce
lectotype
paratype
syntype
systémique
topodème

T

TECHNIQUE DES PLASMAS
arc interne
arc superposé
arc transféré
duoplasmatron

TECHNIQUE NUCLÉAIRE
accident de référence
activation neutronique
alpha de Rossi
anneau de stockage
araignée
bloc chaudière
chambre à étincelles
chambre multifils proportionnelle
chouquage
claddé
eau légère
écorceur
éplucheur
excursion nucléaire
furet
impulsionnel
palladié
photoexcitation
poison consommable
pousseur explosé
rayonnement synchrotron
science hyperlourde
stationnaire
stellarateur
surconvertisseur
sûreté-criticité
synchrotronique
tube de force
vitrification

TECHNIQUES SCIENCES DE LA TERRE
battage
diagraphiste
géogrammétrie
photo-fracturation
photo-géologue
point brillant
préleveur
sondage magnétique différentiel
sondage magnétique profond
sondeur multifaisceaux
statoscope

TECHNOLOGIE DES MATÉRIAUX
AGGLOMÉRATION DES MATÉRIAUX
antimottant
gâteau de poussière
prise en masse
COLORATION
azurant optique
azureur optique
coloriste
impression d'enlevage
prévaporisage
teinture espacée
thermofixation
vaporiseuse
CONFECTION
colleteuse
élastiqueuse
garnettage
grignage
pinceur de travail
surjetage
toiliste
DENSIFICATION
densificateur
densification

ÉQUIPEMENT INDUSTRIE DE TRANSFORMATION
arrache-tuyère
autocreuset
bec
câbleuse
coude porte-vent
décocheuse
déflexion
embobineuse
étenderie
four à pot
four borgne
four de revenu
four micro-onde
four poussant
grande cloche
laminoir écrouisseur
machine à draper
pivoteur
poche-four
presse inversée
rotomouleuse
rouleau débulleur
rouleuse
tapis de four
tireuse
turbomixeur
turbulateur
EVAPORATION
effluvage
évaporat
FABRICATION DES PÂTES À PAPIER
cornification superficielle
dépastillage
dépastilleur
formette
FABRICATION DU PAPIER
bouffant
complexage
filigranoscope
incapsulation
micro-glissement
mûrissement
papier incapsulé
plombage
poivrage
poivre
sauce de couchage
FILATURE
barrure
désensimage
soigneuse
FONDERIE (*technique*)
col de liaison
éclipsable
fleurage
modularisant
FORMAGE
angle blanc
aspiré-soufflé
boulage
coextrusion
croquage
cryocintrage
dossé
épanoui
extrudable
fibromatriçage
filé-lié
hydroflambage
moulage-bateau
patenté
photoformage
plaxage
postformable
postformé
préformeuse
rouleau croqueur
serrage
soufflé-soufflé

spiralage
thermoformage
thermoformé
torsadage
GÉNIE ALIMENTAIRE
amylographe
anchoitage
autovinificateur
balancelle
bouleuse
brasseur
brassoir
butyrométrique
calefacteur
carbonateur
chambre de pousse
chambreur
cironné
clarifixation
conchage
décoquer
découennage
déjointer
délactosage
désamérisation
désolvantisation
éraflage
étrognage
étrogner
façonneuse
farinographe
fleurine
fongistat
giclage
instantanéisation
jus de goutte
maturation
maturer
monocuisson
néopain
oxydatif
pasteurisable
pochage
précuire
radappertisation
radioconservation
radiopasteurisation
raduration
rassissage
synergiste
tempérage
texturation
thermolisation
vacréation
vide-vapeur
GÉNIE CHIMIQUE
ammoniation
bain de blanc
barytage
baryter
carbonylation
catalyse dure
chimie douce
chimie hôtelier-client
cicatrisation
cofusion
crypter
décorer
déhafniation
délamination
déminéralisateur
deutération
électrolyseur à diaphragme
électrolyseur à membrane
électroplastie
hémisynthèse
hydroformylation
hygroexpansivité
indice critique d'oxygène
molécularisation

photodimère
photoisomère
plateau
polymérisat
polymérisé en masse
préréduction
préréduit
rinçage mort
rouille blanche
scorifiable
scorification
séquestration
sidérobactérial
sidérobacterie
soudure moléculaire
sulfhydrisation
ultranettoyage
GRAINAGE
grainage
grainage chimique
graineur
MÉTALLURGIE DES POUDRES
frittabilité
fritteur
préallié
MÉTALLURGIE EXTRACTIVE
carotte
couronne
cyaniseur
écriquage
hydrométallurgie
mouillage
nivelance
pyro-métallurgie
roue-pelle
roue pelleteuse
tube mûrisseur
RAFFINAGE DU PÉTROLE
reformage
superfrac
vapocraquage
vapocraqueur
RECYCLAGE DES MATÉRIAUX
rebutage
rebuter
récupérabilité
recyclabilité
recycleur
réutilisation
TISSAGE
envergeur
manetage
porte-ensouples
tissabilité
TRAITEMENT DE SURFACE
anodisation dure
bicône de polissage
billage
démétallisation
grenailleuse
hélicoptère
microbillage
micropolissage
mise à vif
moussé
papérisation
papérisé
sablage humide
surface fraîche
talocheuse-lisseuse
TRAITEMENT THERMIQUE
austénitisation
autotrempe
claquage thermique
cocon
détensionnement
ébullition larvée
globulisation
hypertrempe
pré-tension

thermoanalyse
thermomaturation
thermomaturer
thermomoule
tunnel de rétractation
ultratrempe
TRAITEMENT THERMOCHIMIQUE
ionitruration
nitro-carburation
sulfinuzé
TRAITEMENT THERMOMÉCANIQUE
enfonçage à froid
porogène
thermocompression
thermocoupage
thermoscie
TRANSFORMATION (*industrie papetière*)
désencrage
désencré

TÉLÉCOMMUNICATIONS
CÂBLE DE TRANSMISSION (*télécommunications*)
câblage
câble actif
câble interactif
câble passif
jarretière
COMMUNICATION SPATIALE
accès multiple
autoguidage actif
autoguidage passif
autoguidage semi-actif
circularisation
contrôle d'attitude
demi-circuit
géostation
gravicélération
liaison point à point
lidar
mise à poste
satellite domestique
satellite régional
sodar
système de défilement
visualisateur
zone de couverture
ÉQUIPEMENT TÉLÉCOMMUNICATIONS
appeleur
autocommutateur
biens d'expression
diplexeur
double image
envoyeur
gigaphone
gigapuits
mains-libres
phonomorse
picophone
prompteur
radiotéléphone
scripto-visuel
silencieux de recherche
taxateur
télélimiteur
télé-miroir
téléphone antisatyre
téléprompteur
RADIOCOMMUNICATION
circuiterie
déport
incrustation
macro-télévision
méso-télévision
microtélévision
péritélévision
présonorisation
radiogénique
rtloptère
téléfilm
télévisible

télévision communautaire
télévision locale
télévisualisation
vidéotransmission
RADIOTECHNIQUE
achemineur
ancrage dynamique
bi-standard
concentrateur analogique
concentrateur numérique
concentreur-commutateur
conditionneur
cryptophone
cryptophonie
démodulomètre
égaliseur
enrubanneuse
explorateur
gigue
injecteur de signaux
kinescopage
marqueur
mélangeur commandé
monobande
monostandard
p.p.i.
pupitre de visualisation
réinjection
signaleur
transligneur
vidéobus
vidéocarte
vidéo-codage
vidéogramme
TÉLÉCOMMANDE
bras-esclave
bras manipulateur
filoguidé
maître-esclave
missile à guidage optique
téléaction
télécommandable
télémanipulation
téléopérateur
téléopération
télépancartage
télépilotage
télésymbiotique
TÉLÉDISTRIBUTION
câblo-diffusion
câblodistributeur
câblodistribution
courrier électronique
g.a.m.
t.a.c.
télédistribution interactive
télédistribution passive
téléposte
t.r.l.
t.v.r.
TÉLÉPHONIE
erlang
interphonie
p.c.v.
téléphonie amplifiée
téléphonie discrète
visiophone
visiophoner
visiophonie
visiophonique

TISSU (*biologie*)
TISSU ANIMAL
allogénique
aminergique
entomésodermique
faisceau olivocochléaire
neurobiotaxie
paucimicrobien

TISSU CONJONCTIF
déplaquetté
hémocompatible
hémotype
hémotypologique
plaquettaire
sang anticoagulé
TISSU ÉPITHÉLIAL
desmosome
endocuticule
épicuticule
exocuticule
mucosubstance
TISSU VÉGÉTAL
cal
cambial
dendrochronologiste
méristématicité
méristématique
méristématisation
xylème

TRANSPORT ET MANUTENTION
CANALISATION—CONDUITE
carboduc
éthylénoduc
hydrocarboduc
hydroduc
hydrogénoduc
ligneur
minéraloduc
oxyduc
riser
saumoduc
stéréoduc
CIRCULATION
macrorégulation
microrégulation
onde verte
pointe croisée
pointe descente
pointe montée
renseigné
trafic convergent
trafic divergent
trafic divergent-convergent
trafic tiers
transmanche
ENGIN DE LEVAGE
antiballant
arrache-poteaux
auto-grue
bavette
fléchette
grappin polype
grue école
héligrue
levageur-manutentionnaire
niveleur de quai
pont de liaison
pont-gerbeur
portiqueur
soulèvateur
télescopage
tracto-grue
transélévateur
ENGIN DE MANUTENTION
appareil de reprise
attachement
benne-pince
benne-preneuse
bennier
butineur
chargeur aérien
chariot frontal
chariot latéral
chariot-palan
dépalettiseur
empileur
encamionneuse

enwagonneuse
feuille palette
hayon élévateur
magasinier
palettiseur
poche interne
porte-câbles
porte-charges
porte-conteneur
praticable
quai mobile
secoueur
table motorisée
tapis surface-griffe
télégerbeur
tireur-pousseur
tracto-porteur
transgerbeur
transporteur à accumulation
transporteur à écailles
transporteur à rouleaux libres
transrouleur
transtockeur

ENGIN DE TRANSPORT

a.d.a.v.
aile sans pilote
aluminier
amphibarge
autobus articulé
bi-mode
cabine-taxi
demi-wagon
fourgon-chaudière
fourgon-poutre
gros porteur
module urbain de service
phosphoriquier
porte-barges
porte-conteneurs
radiobus
t.g.v.
train-bloc
train de renouvellement
transbus
transneige
transroulier
unité-multiple
vraquier

EXPLOITATION ET TRANSPORTS

autocabrage
banalisé
bordurette
borne de réservation
brachistochrone
butte-roue
céléromètre
dégarage
dévoyage
essencier
faisceaux battants
feu vert d'urgence
freinage mousse
hauteur de décision
initialisation
jumboïsation
jumboïser
largeur
moquette routière
mouvement
navigation bicoordonnée
navigation météorologique
positionnement dynamique
radioralliement
rainurage
rebond gravitationnel
reptation
signalisation variable
système de préannonce
système de reconformation
wagon assisté en plaine

INFRASTRUCTURE DES TRANSPORTS

abribus
abriquai
adacport
aérosurface
aire de lancement
altisurface
auto-banque
autoport
bataille (en —)
bloc
cisaillement
interville
oléoprise
oléoréseau
oléoserveur
parc rotatif
tour-vigie
terminal

MANUTENTION

banalisable
banalisation
bande d'amenée
barre-poussoir
bennage
boucle à cliquet
butinage
cercleuse
chantourneur
colisable
colisé
débordeur
dépileur
dépilage
écharpage
grutage
habille-palette
injection
manutentionnable
piquage
polygône
pont (en —)
tour à biller
tractage
transvidage
unitisation
unitisé
vérinage

TRANSPORT

allotissement
appairage
auto-déchargeant
avionner
avis de sort
bord (à —)
camion miroitier
cellularisé
chargement ancré
chargement flottant contrôlé
chargement flottant libre
citerne semi-membrane
débarquement continu
débarquement discontinu
débit en descente
débit en montée
dossier-voiture
embarquement continu
embarquement discontinu
ferroutage
flotte sèche
intervalle
livrancier
polytherme
ponton
quai mixte
quai semi-périphérique
retiraison
rompus
solo (en —)
surréservation

transport modulaire
transport semi-continu
transporteur à la demande
transporteur hectométrique
vide pour plein

V

VÉGÉTATION
bauque
brousse tigrée
gizzu
matorral
phrygana

VIE QUOTIDIENNE
ALIMENTATION
auto-gavage
biocuisine
bromatologique
calorico-azoté
diétothérapie
hypocalorique
maternisation
naturopathe
palatabilité
protéagineux
végétalien
végétalisation
ÉQUIPEMENT MÉNAGER
arts-ménagiste
aspiro-brosseur
autolaveuse
décendrage
garde-rôts
lave-linge
LOISIRS
agritourisme
caravanage
caravaneur
forfaitiste
toxophilie
voyage de stimulation
VÊTEMENT
automodelant
combinaison réflectorisée
coupé-cousu
destructuré
portabilité
prêt-à-couture

Z

ZOOLOGIE
antennulaire
arénivore
aversif
chétotaxie
cryptozoologie
écophysiologie
éocraniote
féral
imagocide
lémuriforme
matriarche
néonate
ornithomélographie
ostéométrique
parc de vision
pentaradié
simiiforme
sympatrie
turricule
vertébriste

ZOOTECHNIE
allotement
alpager
ambulance
antibio-supplémentation
antibiosupplémenté
anti-oviposition
charge
cunicole
éjaculat
extra-chaleur
gazaille
himalayen
hors sol
inovulation
orthoxénique
pédiluve
protidosynthèse
pulsateur
salmonicole
sylvocynégétique
tannage
terrain de parcours
visonnerie
vitellier
zéro-pâturage

Tableau général

SIGNES CONVENTIONNELS

[ ]	domaines
AGRICULTURE	sous-domaines
ARTS —	classificateurs
(condition opératoire ; mode opératoire)	à la suite d'une mention, explicitation sémantique de celle-ci

ACTIVITÉS

ARTS — JEU — RECHERCHE ET DÉVELOPPEMENT — SPORT — VIE QUOTIDIENNE.

SCIENCES ET TECHNIQUES

AGRICULTURE

AGRONOMIE — AQUACULTURE — CHASSE — FORESTERIE — MATÉRIEL AGRICOLE — PÊCHE — ZOOTECHNIE.

SCIENCES BIOMÉDICALES

ANATOMIE — BIOCHIMIE — BIOGÉOGRAPHIE — BIOLOGIE MOLÉCULAIRE — BOTANIQUE — CELLULE ET CONSTITUTION CELLULAIRE — CONSTITUANT DES ORGANISMES VIVANTS — ÉCOLOGIE — EMBRYOLOGIE — ÉTHOLOGIE — FAUNE — GÉNÉTIQUE — GÉNIE BIOMÉDICAL — HYDROBIOLOGIE — IMMUNOLOGIE — MÉDECINE — MICROBIOLOGIE — ORGANISME VIVANT — PATHOLOGIE ANIMALE — PATHOLOGIE VÉGÉTALE — PHARMACOLOGIE — PHYSIOLOGIE — SYSTÉMATIQUE — TISSU (BIOLOGIE) — VÉGÉTATION — ZOOLOGIE.

SCIENCES DE LA TERRE ET DE L'ESPACE

GÉOCHIMIE — GÉOLOGIE — GÉOPHYSIQUE — GÉOPHYSIQUE INTERNE — SCIENCES DE L'ESPACE — TECHNIQUES SCIENCES DE LA TERRE.

SCIENCES ET TECHNIQUES GÉNÉRALES

CYBERNÉTIQUE — ENSEIGNEMENT — INFORMATION — LINGUISTIQUE — LOGIQUE.

SCIENCES MATHÉMATIQUES

MATHÉMATIQUES — MATHÉMATIQUES APPLIQUÉES — STATISTIQUE.

SCIENCES PHYSIQUES

CHIMIE — PHYSIQUE.

TECHNIQUES COMMUNES

ACTION SUR L'ENVIRONNEMENT — CONDITIONNEMENT (EMBALLAGE) — ENVIRONNEMENT ET SÉCURITÉ — INFORMATIQUE — INSTRUMENTATION — STOCKAGE — TRANSPORT ET MANUTENTION

TECHNIQUES INDUSTRIELLES

AUTOMATISME — BÂTIMENT ET TRAVAUX PUBLICS — CARTOGRAPHIE — ÉLECTRONIQUE — ÉLECTROTECHNIQUE — ÉNERGIE (TECHNOLOGIE) — EXPLOITATION DES RESSOURCES MINÉRALES — GÉNIE HYDRAULIQUE — GÉOTECHNIQUE —IMPRESSION — MÉCANIQUE APPLIQUÉE — MÉCANIQUE DES FLUIDES APPLIQUÉE — PYROTECHNIE — RADIOGRAPHIE — REPRO-GRAPHIE — TECHNIQUE DES PLASMAS — TECHNIQUE NUCLÉAIRE — TECHNO-LOGIE DES MATÉRIAUX — TÉLÉCOMMUNICATIONS.

SCIENCES SOCIALES ET HUMAINES

ANTHROPOLOGIE — DÉMOGRAPHIE — ÉCONOMIE — GESTION, ORGANISATION, ADMINISTRATION — HISTOIRE — POLITIQUE — PSYCHOLOGIE — RÉGLEMEN-TATION, LÉGISLATION — SOCIOLOGIE.

TERMES COMMUNS

CIRCONSTANCE OPÉRATOIRE (condition opératoire ; mode opératoire). — LOCALISA-TION (lieu géographique ; zone construite). — MATÉRIAU — MODÈLE (modèle biologique ; modèle mathématique ; modèle physique). — OPÉRATION — PROPRIÉTÉ — REPRÉ-SENTATION GRAPHIQUE.

Liste alphabétique des descripteurs

SIGNES CONVENTIONNELS

Tous les renvois ont pour objet d'indiquer au lecteur, d'une part le *classificateur* de référence pour consulter la **Table méthodique**, d'autre part le *domaine* de référence qui permet de situer son interrogation en fonction du **Tableau classificatoire général**. Pour cela, il dispose des renvois suivants :

:	renvoie à une catégorie de descripteurs différente
accident	sous-classificateur
environnement et sécurité	classificateur
(techniques communes)	sous-domaine
ACTIVITÉS	domaine
( )	à la suite d'une autre mention, explicitation sémantique de celle-ci

A

accident :
 environnement et sécurité
acoustique :
 physique
action sur l'environnement :
 (techniques communes)
ACTIVITÉS :
 arts
 jeu
 recherche et développement
 sport
 vie quotidienne
activité commerciale :
 économie
activité pharmacologique :
 pharmacologie
acupuncture :
 génie biomédical
adaptation biologique :
 écologie
additif :
 matériau
adsorbant :
 matériau
aéronomie :
 géophysique
affinité chimique :
 chimie
agent de surface :
 matériau
agent toxique :
 pathologie animale
agglomération des matériaux :
 technologie des matériaux
(agriculture) :
 agronomie
 aquaculture
 chasse
 foresterie
 matériel agricole
 pêche
 zootechnie
agronomie :
 (agriculture)
alimentation :
 vie quotidienne
aménagement du territoire :
 gestion, organisation, administration
aménagement intérieur :
 bâtiment et travaux publics
analyse biologique :
 génie biomédical

anatomie :
 (sciences biomédicales)
anatomie animale :
 anatomie
anatomie végétale :
 anatomie
anesthésie :
 génie biomédical
animal :
 organisme vivant
animal de laboratoire :
 génie biomédical
anthropologie :
 SCIENCES SOCIALES ET HUMAINES
appareillage médical :
 génie biomédical
appareil électronique de mesure :
 instrumentation
aquaculture :
 (agriculture)
architecture :
 arts
arts :
 ACTIVITÉS
arts graphiques :
 arts
assainissement :
 action sur l'environnement
assemblage :
 mécanique appliquée
autécologie :
 écologie
automatique :
 cybernétique
automatisme :
 (techniques industrielles)

B

bâtiment et travaux publics :
 (techniques industrielles)
bilan :
 opération
biochimie :
 (sciences biomédicales)
biogéographie :
 (sciences biomédicales)
biologie moléculaire :
 (sciences biomédicales)
botanique :
 (sciences biomédicales)

broyage :
> **opération**

C

câble de transmission (télécommunications) :
> **télécommunications**

canalisation - conduite :
> **transport et manutention**

capteur de mesure :
> **instrumentation**

cartographie :
> (techniques industrielles)

carton :
> **matériau**

cellule :
> **cellule et constitution cellulaire**

cellule et constitution cellulaire :
> (sciences biomédicales)

centre d'information :
> **information**

centrifugation :
> **opération**

céramique :
> **matériau**

chasse :
> (agriculture)

chimie :
> (sciences physiques)

chimie analytique :
> **chimie**

chimie des radiations :
> **chimie**

chimie du solide et du fluide :
> **chimie**

chimie minérale :
> **chimie**

chirurgie :
> **génie biomédical**

cinétique chimique :
> **chimie**

circonstance opératoire :
> TERMES COMMUNS

circuit d'alimentation électrique :
> **électrotechnique**

circuit arithmétique logique :
> **informatique**

circuit électronique :
> **électronique**

circulation :
> **transport et manutention**

climatisation :
> **action sur l'environnement**

climatologie :
> **géophysique**

climax :
> **écologie**

clone :
> **génétique**

cokéfaction :
> **opération**

collection :
> **instrumentation**

coloration :
> **technologie des matériaux**

combustible :
> **matériau**

combustion :
> **énergie (technologie)**

commande automatique :
> **automatisme**

commercialisation :
> **économie**

communauté (écologie) :
> **écologie**

communication :
> **information**

communication spatiale :
> **télécommunications**

compactage :
> **opération**

composant électronique :
> **électronique**

composant électrotechnique :
> **électrotechnique**

composé chimique :
> **chimie**

composition :
> **propriété**

conditionnement (emballage) :
> (techniques communes)

(condition opératoire) :
> **circonstance opératoire**

confection :
> **technologie des matériaux**

configuration :
> **propriété**

constituant des organismes vivants :
> (sciences biomédicales)

constitution cellulaire :
> **cellule et constitution cellulaire**

constitution de la matière :
> **chimie**

construction :
> **bâtiment et travaux publics**

contrat :
> **gestion, organisation, administration**

conversion d'énergie :
> **énergie (technologie)**

corps noir :
> **physique**

courbe :
> **représentation graphique**

coût :
> **économie**

crédit :
> **économie**

culture de cellule et de tissu :
> **génie biomédical**

culture spéciale :
> **agronomie**

cybernétique :
> (sciences et techniques générales)

D

découpage - découpe :
> **mécanique appliquée**

démographie :
> SCIENCES SOCIALES ET HUMAINES

densification :
> **technologie des matériaux**

dépôt de stockage :
> **stockage**

développement (économie) :
> **économie**

développement (physiologie) :
> **physiologie**

diagnostic :
> **génie biomédical**

diagramme :
> **représentation graphique**

diffractométrie :
> **instrumentation**

diffusion de l'information :
> **information**

dispositif de sécurité :
> **environnement et sécurité**

document :
> **information**

dommage (matériel) :
 environnement et sécurité
droit :
 réglementation, législation

E

échange de chaleur :
 action sur l'environnement
échanges internationaux :
 économie
éclairage :
 action sur l'environnement
écologie :
 (sciences biomédicales)
économie :
 SCIENCES SOCIALES ET HUMAINES
économie de l'énergie :
 économie
économie rurale :
 économie
écosystème :
 écologie
électricité :
 physique
électrochimie :
 chimie
électronique :
 (techniques industrielles)
électronique industrielle :
 électronique
électronique médicale :
 électronique
électrotechnique :
 (techniques industrielles)
élément d'ouvrage du bâtiment :
 bâtiment et travaux publics
emballage :
 conditionnement (emballage)
embryologie :
 (sciences biomédicales)
encre :
 matériau
endoscopie :
 génie biomédical
énergétique :
 énergie (technologie)
énergie éolienne :
 énergie (technologie)
énergie géothermique :
 énergie (technologie)
énergie nucléaire :
 énergie (technologie)
énergie solaire :
 énergie (technologie)
énergie (technologie) :
 (techniques industrielles)
énergie thermique (mer) :
 énergie (technologie)
engin de levage :
 transport et manutention
engin de manutention :
 transport et manutention
engin de transport :
 transport et manutention
enlèvement de matière :
 mécanique appliquée
enseignement :
 (sciences et techniques générales)
ensemble végétal :
 agronomie
ensilage :
 stockage
entrepôt :
 stockage

environnement :
 environnement et sécurité
environnement et sécurité :
 (techniques communes)
équipement acoustique :
 instrumentation
équipement aérospatial :
 instrumentation
équipement automatique :
 automatisme
équipement d'entrée-sortie :
 informatique
équipement électronique :
 électronique
équipement industrie de transformation :
 technologie des matériaux
équipement médical :
 médecine
équipement ménager :
 vie quotidienne
équipement optique :
 instrumentation
équipement technique (bâtiment) :
 bâtiment et travaux publics
équipement télécommunications :
 télécommunications
essai et contrôle :
 instrumentation
éthologie :
 (sciences biomédicales)
étiologie et pathogénie :
 pathologie animale
eutrophisation :
 environnement et sécurité
évaporation :
 technologie des matériaux
exergie :
 énergie (technologie)
exploitation :
 opération
exploitation des ressources minérales :
 (techniques industrielles)
exploitation des transports :
 transport et manutention
exploration scientifique :
 recherche et développement

F

fabrication des pâtes à papier :
 technologie des matériaux
fabrication du papier :
 technologie des matériaux
faune :
 (sciences biomédicales)
fermeture :
 conditionnement (emballage)
fibre :
 matériau
fil (textile) :
 matériau
filature :
 technologie des matériaux
finissage :
 mécanique appliquée
fiscalité :
 économie
fonderie (technique) :
 technologie des matériaux
foresterie :
 (agriculture)
formage :
 technologie des matériaux
formation écologique :
 écologie

G

gaz manufacturé :
    matériau
génétique :
    (sciences biomédicales)
génétique cellulaire :
    génétique
génétique des populations :
    génétique
génétique moléculaire :
    génétique
génie alimentaire :
    technologie des matériaux
génie biomédical :
    (sciences biomédicales)
génie chimique :
    technologie des matériaux
génie hydraulique :
    (techniques industrielles)
géochimie :
    (sciences de la terre et de l'espace)
géochronologie :
    géologie
géologie :
    (sciences de la terre et de l'espace)
géomorphologie :
    géophysique
géophysique :
    (sciences de la terre et de l'espace)
géophysique interne :
    (sciences de la terre et de l'espace)
géosphère :
    géophysique
géotechnique :
    (techniques industrielles)
gestion :
    gestion, organisation, administration
gestion financière :
    gestion, organisation, administration
gestion, organisation, administration :
    SCIENCES SOCIALES ET HUMAINES
gîtologie :
    géologie
glaciologie :
    géophysique
grainage :
    technologie des matériaux

H

habitat :
    écologie
histoire :
    SCIENCES SOCIALES ET HUMAINES
homéostasis :
    physiologie
horaire :
    gestion, organisation, administration
hybride :
    génétique
hydrobiologie :
    (sciences biomédicales)
hydrogéologie :
    géophysique
hydrographie :
    géophysique
hydrologie :
    géophysique
hydrométrie :
    instrumentation

I

immersion :
    opération
immunogénétique :
    génétique
immunologie :
    (sciences biomédicales)
impression :
    (techniques industrielles)
industrie agricole et alimentaire :
    économie
industrie anti-pollution :
    économie
industrie chimique :
    économie
industrie de la céramique :
    économie
industrie de la fonderie :
    économie
industrie de l'imprimerie :
    économie
industrie des matériaux de construction :
    économie
industrie des transports :
    économie
industrie de transformation des matières plastiques :
    économie
industrie du bâtiment et des travaux publics :
    économie
industrie du bois :
    économie
industrie du caoutchouc :
    économie
industrie du cuir :
    économie
industrie du verre :
    économie
industrie électrique :
    économie
industrie énergétique :
    économie
industrie gazière :
    économie
industrie mécanique :
    économie
industrie métallurgique :
    économie
industrie nucléaire :
    économie
industrie papetière :
    économie
industrie parachimique :
    économie
industrie pétrolière :
    économie
industrie textile :
    économie
information :
    (sciences et techniques générales)
information génétique :
    génétique
informatique :
    (techniques communes)
informatique théorique :
    informatique
infrastructure des transports :
    transport et manutention
ingénierie :
    recherche et développement
innovation :
    recherche et développement
instrumentation :
    (techniques communes)
instrument d'optique :
    instrumentation

intelligence artificielle :
cybernétique
interférométrie :
instrumentation
isolation acoustique :
environnement et sécurité
isolation thermique :
environnement et sécurité

J

jeu :
ACTIVITÉS
joint d'assemblage :
mécanique appliquée
joint d'étanchéité :
mécanique appliquée

L

laboratoire :
instrumentation
lessive résiduaire (papeterie) :
matériau
législation :
réglementation, législation
liant :
matériau
(lieu géographique) :
localisation
linguistique :
(sciences et techniques générales)
localisation :
TERMES COMMUNS
logique :
(sciences et techniques générales)
loisirs :
vie quotidienne
lutte contre la pollution :
environnement et sécurité

M

machine-outil :
mécanique appliquée
magnétisme :
physique
maladie de la nutrition et du métabolisme :
pathologie animale
manutention :
transport et manutention
marché :
économie
marché financier :
économie
marquage :
opération
masse :
propriété
matériau :
TERMES COMMUNS
matériau composite :
matériau
matériau de construction :
matériau

matériau de revêtement :
matériau
matériau d'origine minérale :
matériau
matériau métallique :
matériau
matériel agricole :
(agriculture)
matériel de chantier :
bâtiment et travaux publics
mathématiques :
(sciences mathématiques)
mathématiques appliquées :
(sciences mathématiques)
mécanique :
physique
mécanique appliquée :
(techniques industrielles)
mécanique des fluides appliquée :
(techniques industrielles)
médecine :
(sciences biomédicales)
médecine sociale :
médecine
médicament :
pharmacologie
mélange (opération) :
opération
mémoire (ordinateur) :
informatique
mesure :
instrumentation
mesure acoustique :
instrumentation
mesure de dimension :
instrumentation
mesure de masse :
instrumentation
mesure de rayonnement atmosphérique :
instrumentation
mesure de rayonnement ionisant :
instrumentation
mesure des phénomènes physiologiques :
instrumentation
mesure de temps :
instrumentation
mesure électrique :
électrotechnique
mesure magnétique :
instrumentation
mesure mécanique :
instrumentation
mesure optique :
instrumentation
mesure thermique :
instrumentation
métallurgie des poudres :
technologie des matériaux
métallurgie extractive :
technologie des matériaux
métamorphisme :
géologie
météorologie :
géophysique
métrologie :
instrumentation
microbiologie :
(sciences biomédicales)
microélectronique :
électronique
microorganisme :
organisme vivant
milieu (écologie) :
écologie
minéralogie :
géologie
(mode de transfert) :
opération
modèle :
TERMES COMMUNS

(modèle biologique) :
    modèle
(modèle mathématique) :
    modèle
(modèle physique) :
    modèle
(mode opératoire) :
    circonstance opératoire
modification superficielle :
    géologie
monnaie :
    économie
moteur :
    mécanique appliquée
mouvement alternatif :
    physique
moyen d'information :
    information
mur :
    bâtiment et travaux publics
musique :
    arts
mutation :
    génétique

N

nettoyage :
    opération
neurophysiologie :
    physiologie
nuisance :
    environnement et sécurité
nutrition :
    physiologie

O

onde ou rayonnement :
    physique
opération :
    bilan
    exploitation
    (mode de transfert)
    (opération mécanique)
    (opération portant sur la composition des matériaux)
opération de construction :
    bâtiment et travaux publics
(opération mécanique) :
    opération
(opération portant sur la composition des matériaux) :
    opération
optique :
    physique
optique électronique :
    électronique
optoélectronique :
    électronique
organe de machine :
    mécanique appliquée
organe de transmission de données :
    informatique
organisme vivant :
    (sciences biomédicales)

P

paléontologie :
    géologie
palette :
    conditionnement (emballage)
papier :
    matériau
pâte à papier :
    matériau
pathologie animale :
    (sciences biomédicales)
pathologie cardiovasculaire :
    pathologie animale
pathologie cutanée :
    pathologie animale
pathologie digestive :
    pathologie animale
pathologie du développement et de l'hérédité :
    pathologie animale
pathologie hémolymphopoiétique :
    pathologie animale
pathologie infectieuse :
    pathologie animale
pathologie mentale :
    psychologie
pathologie neurologique :
    pathologie animale
pathologie oculaire :
    pathologie animale
pathologie odontostomatologique :
    pathologie animale
pathologie ostéoarticulaire :
    pathologie animale
pathologie otorhinolaryngologique :
    pathologie animale
pathologie respiratoire :
    pathologie animale
pathologie tumorale :
    pathologie animale
pathologie urogénitale :
    pathologie animale
pathologie végétale :
    (sciences biomédicales)
pêche :
    (agriculture)
pédologie :
    géologie
peinture (arts) :
    arts
pesticide :
    matériau
pétrogénèse :
    géologie
pharmacologie :
    (sciences biomédicales)
pharmacothérapie :
    génie biomédical
photographie :
    arts
photographie :
    instrumentation
physiologie :
    (sciences biomédicales)
physiologie cardiovasculaire :
    physiologie
physiologie cellulaire :
    physiologie
physiologie de l'appareil locomoteur :
    physiologie
physiologie végétale :
    physiologie
physiothérapie :
    génie biomédical
physique :
    (sciences physiques)

physique des particules :
physique
physique du globe :
géophysique
physique du solide et du fluide :
physique
physique mathématique :
physique
planification :
gestion, organisation, administration
polarimétrie :
instrumentation
politique :
SCIENCES SOCIALES ET HUMAINES
politique économique :
gestion, organisation, administration
pollution :
environnement et sécurité
polymère (matériau) :
matériau
prévention :
environnement et sécurité
prix :
économie
procédé de construction :
bâtiment et travaux publics
production :
économie
production végétale :
agronomie
produit alimentaire :
matériau
produit chimique :
matériau
produit de substitution :
matériau
produit en vrac :
conditionnement (emballage)
produit métallurgique :
matériau
programmation :
informatique
projection de matière :
opération
promotion des ventes :
économie
propagation d'onde :
physique
propriété :
TERMES COMMUNS
propriété chimique :
propriété
propriété électromagnétique :
propriété
propriété magnétique :
propriété
propriété mécanique :
propriété
propriété optique :
propriété
propriété organoleptique :
propriété
propriété physico-chimique :
propriété
propriété technologique :
propriété
propriété thermique :
propriété
propriété thermodynamique :
propriété
protection :
environnement et sécurité
protection contre l'incendie :
environnement et sécurité
protection contre les intempéries :
environnement et sécurité
protection électrique :
électrotechnique
psychologie :
SCIENCES SOCIALES ET HUMAINES

psychophysiologie :
psychologie
psychothérapie :
génie biomédical
pyrotechnie :
(techniques industrielles)

radiocommunication :
télécommunications
radiographie :
(techniques industrielles)
radiotechnique :
électronique
radiotechnique :
télécommunications
raffinage du pétrole :
technologie des matériaux
réaction chimique :
chimie
recherche :
recherche et développement
recherche et développement :
ACTIVITÉS
recherche opérationnelle :
gestion, organisation, administration
recyclage des matériaux :
technologie des matériaux
réglementation, législation :
SCIENCES SOCIALES ET HUMAINES
relations entre groupes :
gestion, organisation, administration
remplissage :
opération
repérage :
instrumentation
représentation graphique :
TERMES COMMUNS
reproduction (physiologie) :
physiologie
reprographie :
(techniques industrielles)
réservoir :
stockage
revêtement :
mécanique appliquée
roche :
géologie
rythme biologique :
physiologie

santé publique :
médecine
(sciences biomédicales) :
anatomie
biochimie
biogéographie
biologie moléculaire
botanique
cellule et constitution cellulaire
constituant des organismes vivants
écologie
embryologie
éthologie
faune
génétique

T

télédistribution :
télécommunications
téléphonie :
télécommunications
TERMES COMMUNS :
circonstance opératoire
localisation
matériau
modèle
opération
propriété
représentation graphique
théorie de l'information :
information
thérapeutique immunologique :
génie biomédical
thermodynamique :
physique
tissage :
technologie des matériaux
tissu (biologie) :
(sciences biomédicales)
tissu animal :
tissu (biologie)
tissu conjonctif :
tissu (biologie)
tissu épithélial :
tissu (biologie)
tissu (textile) :
matériau
tissu végétal :
tissu (biologie)
tolérance médicamenteuse :
pharmacologie
toxicologie :
pharmacologie
traitement de données (informatique) :
informatique
traitement de l'information :
information
traitement de surface :
bâtiment et travaux publics
traitement de surface :
technologie des matériaux
traitement documentaire :
information
traitement thermique :
technologie des matériaux
traitement thermochimique :
technologie des matériaux
traitement thermomécanique :
technologie des matériaux
transducteur :
instrumentation
transformateur électrique :
électrotechnique
transformation (industrie papetière) :
technologie des matériaux

transport :
transport et manutention
transport et manutention :
(techniques communes)
travail (main-d'œuvre) :
économie
tribologie :
mécanique appliquée
trouble fonctionnel :
pathologie animale

U

unité centrale :
informatique
usinage :
mécanique appliquée

V

végétal :
organisme vivant
végétation :
(sciences biomédicales)
véhicule :
mécanique appliquée
ventilation :
action sur l'environnement
verre :
matériau
vêtement :
vie quotidienne
vie quotidienne :
ACTIVITÉS

Z

(zone construite) :
localisation
zoologie :
(sciences biomédicales)
zootechnie :
(agriculture)

Index cumulatif des traductions
anglais - allemand - espagnol

ABRÉVIATIONS ET SIGNES CONVENTIONNELS

(De)	allemand	*f*	féminin	;	signale un changement de forme
(En)	anglais	*m*	masculin		
(Es)	espagnol	*n*	neutre	:	introduit la forme française

A

Aa, n (De) ;
aa (En) :
   aa
Abbindeprüfgerät, n (De) :
   prisomètre
abbrennbares Reaktorgift, n (De) :
   poison consommable
abdichten (De) :
   étanchéiser
Abdichtung, f (De) :
   étanchéification
Abdichtungsmaterial, n (De) :
   calfeutre
abdominal white (En) :
   ventre blanc
Abdruck, m (De) :
   mordu
Ahfackeln, n (De) :
   torchage
Abfallauge, f (De) :
   liqueur noire
Abfallbörse, f (De) :
   bourse de déchets
abgehängte Decke, f (De) :
   sous-plafond
abgekürzter Titel, m (De) :
   titre abrégé
abhängen (De) :
   maturer
Abhängen, n (De) :
   maturation
Abhauten, n (De) :
   découennage
abiogen (De) :
   abiogène
abiogenetic (En) :
   abiogénique ;
   abiogène
abiogenetisch (De) :
   abiogénique
abiogeno (Es) :
   abiogène
Abkürzungswesen, n (De) :
   brachygraphie

Ablagern, n (De) :
   mûrissement
ablagerungsfähig (De) :
   sédimentable
Ablauge, f (De) :
   liqueur verte
Ablenkteil, n (De) :
   déviateur
abombamiento (Es) :
   bombage
aborregado (Es) :
   moutonnage
aborregado (Es) :
   coussins (en —)
abrasiometer (En) :
   abrasimètre
abrasión por corriente
húmeda (Es) :
   sablage humide
abrasividad (Es) ;
abrasivity (En) :
   abrasivité
Abraumentfernung, f (De) :
   scalpage
Absatzpolitik, f (De) :
   marchandisage
Absaugfähigkeit, f (De) :
   capacité de colmatage
Abschäleffekt, m (De) :
   effet de pelure
Abschaltung, f (De) :
   îlotage
abschleifbar (De) :
   abradable
Abschneide – und
Verschließmaschine, f (De) :
   guillotine de soudure
Abschuppung, f (De) :
   écaillage
Absetzer, m (De) :
   largueur
absorbedor acústico activo (Es) :
   absorbeur acoustique actif
absorbedor acústico pasivo (Es) :
   absorbeur acoustique passif
absorbedor de neutrones (Es) :
   neutrophage
Absorber, m (De) :
   absorbeur

absorciometria (Es) ;
absorptiometry (En) ;
Absorptionsmessung, f (De) :
   absorptiométrie
Absorptionschall-
dämpfer, m (De) :
   piège à sons ;
   silencieux dissipatif
Absprache, f (De) :
   arrangement
Absteigsflanke, f (De) :
   front descendant
abstract (En) :
   abstrat
Abstumpfung, f (De) :
   troncature
Absturz-Sicherheits-
vorrichtung, f (De) :
   pare-chute
Abtaster, m (De) :
   palpeur-suiveur
Abtastung, f (De) :
   scrutation
Abtragung, f (De) :
   démétallisation
Abtrennen, n, der
Schwarte (De) :
   découennage
Abtrennung, f (De) :
   dégrappage
abutment (En) :
   butée
Abwandern, n, von
Intelligenz (De) :
   exode des cerveaux
Abziehbuchstaben, m (De) :
   lettres transfert
Abziehpapier, n (De) :
   papier-transfert
acalculia (En) :
   dyscalculie
acantholysis (En) ;
acantólisis (Es) :
   acantholyse
acarifugo (Es) :
   acarifuge
accelerated resin (En) :
   résine pré-accélérée

acceptance (En) :
  acceptance
accidentology (En) :
  accidentologie
accident-repeater (En) :
  polyaccidenté
acción dinámica específica (Es) :
  extra-chaleur
accretion (En) :
  accrétion
acculturative (En) :
  acculturatif
accumulation conveyor (En) :
  transporteur à accumulation
aceptación (Es) :
  acceptance
Acholeplasma, n (De) ;
acholeplasma (En) :
  acholéplasme
Achromasie, f (De) ;
achromaticity (En) :
  achromaticité
Achronie, f (De) :
  achronie
Achse, f, leichter Magnetisierbarkeit (De) :
  axe aisé ;
  axe facile
achsensymmetrisch (De) :
  axisymétrique
Achse, f, schwerer Magnetisierbarkeit (De) :
  axe difficile
acoplador (Es) :
  coupleur
acoplamiento aeroelástico (Es) :
  couplage aéro-élastique
acorn tube (En) :
  tube gland
acoustical (En) :
  anti-acoustique
acoustical panel (En) :
  parabruit
acoustic anchor (En) :
  ancrage dynamique
acoustic buoy (En) :
  bouée acoustique
acoustic spectrometry (En) :
  spectrométrie acoustique
acquire lateral dominance (En) :
  latéraliser (se −)
acreción (Es) :
  accrétion
acridofauna (Es) :
  acridofaune
acrocentromeric (En) :
  acrocentrique
acrofase (Es) :
  acrophase
acrolect (En) ;
acrolecto (Es) :
  acrolecte
acromaticidad (Es) :
  achromaticité
acronia (Es) :
  achronie
acronimia (Es) :
  acronymie

acrónimo (Es) ;
acronym (En) :
  acronyme
acronymy (En) :
  acronymie
acrophase (En) :
  acrophase
acrosomal process (En) ;
acrosomal tubule (En) :
  tube acrosomial
acrosómico (Es) :
  acrosomique
actinothermic index (En) :
  indice actinothermique
action science (En) :
  science d'action
activación (Es) :
  chauffage
activación neutrónica (Es) :
  activation neutronique
activated charcoal trap (En) :
  éponge à molécules
activation (En) :
  activation
activation analysis (En) :
  analyse par activation
active (En) :
  antimagistral
active C.A.T.V. (En) :
  câble actif
active euthanasia (En) :
  euthanasie active
active homing (En) :
  autoguidage actif
active immunotherapy (En) :
  immunothérapie active
active isolation device (En) :
  barrière active
active margin (En) :
  marge active
active medical electronics (En) :
  électronique médicale active
active satellite (En) :
  satellite actif
active security (En) :
  sécurité active
active sound absorber (En) :
  absorbeur acoustique actif
active trance (En) :
  transe active
active vocabulary (En) :
  vocabulaire actif ;
  vocabulaire disponible
activity (En) :
  activité
activity meter (En) :
  curie-mètre
activity record (En) :
  actogramme
actogenesis (En) ;
actogénesis (Es) :
  actogenèse
actograma (Es) :
  actogramme
actography (En) :
  actographie
actualizador (Es) :
  actualisateur

actuator (En) :
  actionneur ;
  actualisateur ;
  actuateur
aculturativo (Es) :
  acculturatif
adaptive (En) :
  portable
adaptiveness (En) :
  adaptivité
Addend, m (De) ;
addend (En) :
  addende ;
  cumulateur
addendum (En) :
  addende
addendum modification (En) :
  déport
address (En) :
  adresse
address bus (En) :
  bus d'adresse
addressing machine (En) :
  machine à adresser
address-marker (En) :
  point-adresse
addressograph (En) :
  machine à adresser
adhesive (En) :
  pégueux
adhesive bond (En) :
  pégosité
adiatermico (Es) :
  adiathermique
Adion, n (De) ;
adion (En) ;
adión (Es) :
  adion
adlittoral (En) :
  addittoral
adlocución (Es) :
  adlocution
adobe (Es) :
  banco
adrenergic receptor (En) ;
adrenoceptor (En) ;
adrenoreceptor (En) ;
Adrenorezeptoren, m.pl. (De) :
  adréno-récepteur
Adreßbus, m (De) :
  bus d'adresse
Adressiermaschine, f (De) :
  machine à adresser
Adressmarke, f (De) :
  point-adresse
adult education (En) :
  andragogie
adult education specialist (En) ;
adult educator (En) :
  andragogue
adultocentrismo (Es) ;
adultomorphism (En) ;
Adultozentrismus, m (De) :
  adultocentrisme
advance signalling system (En) :
  système de préannonce
advection (En) ;
Advektion, f (De) :
  advection

advertising mail (En) :
publipostage

advisability cost (En) :
coût d'opportunité

aeoliphone (En) :
éoliphone

aereoflotación (Es) :
aéroflottation

aero-cellular (En) :
aéro-cellulaire

aeroclasificación (Es) :
aéroclassification

aerocontaminante (Es) :
aérocontaminant

aerodynamic drag (En) ;
aerodynamischer
Widerstand, m (De) :
traînée aérodynamique

aerodynamische
Verblockung, f (De) :
blocage sonique

aerogenerador (Es) ;
aerogenerator (En) :
aérogénérateur

aerogenic (En) :
aerógeno (Es) :
aérogène

Aerophon, n (De) ;
aerophone (En) :
aérophone

aeropónico (Es) :
air ponique

aerosurface (En) :
aérosurface

Aerothermochemie, f (De) ;
aerothermochemisty (En) :
aérothermochimie

afanítico (Es) :
aphanitique

afasia amnemónica (Es) :
aphasie amnémonique

afírico (Es) :
aphyrique

A-frame rack (En) :
sapin

africanistica (Es) ;
africanistics (En) :
africanistique

africanofonia (Es) :
africanophonie

africanófono (Es) ;
African-speaking (En) :
africanophone

African-speaking peoples (En) :
africanophonie

Afrikanistik, f (De) :
africanistique

aftershock (En) :
réplique

agamogonous (En) ;
monocytogène

agarosa (Es) ;
Agarose, f (De) ;
agarose (En) :
agarose

ageism (En) :
agéisme

Agenturjournalist, m (De)
agencier

ager (En) :
vaporiseuse

agglomeration (En) :
prise en masse

agglutinoscope (En) ;
Agglutinoskop, n (De) :
agglutinoscope

aggradation (En) :
agradation

aggressive (En) :
agressif

aggressiveness (En) ;
Aggressivität, f (De) :
agressivité

Aggressologie, f (De) :
agressologie

aggressology (En) :
agressologie ;
entonologie

agism (En) :
agéisme

agitator (En) :
vagueur

aglutinoscopio (Es) :
agglutinoscope

agonistic (En) :
agoniste

agradación (Es) ;
agradation

Agrarchäologe, m (De) :
agro-archéologue

Agrarmacht, f (De) :
agripouvoir

agrarmonetär (De) :
agromonétaire

agregocoagulómetro (Es) :
agregocoagulomètre

agricultural archaeologist (En) :
agro-archéologue

agrisilvicultura (Es) :
agri-sylviculture

agroarchaeologist (En) :
agro-archéologue

agro-artisanal (En) :
artisano-agricole

Agrobiologie, f (De) :
agrobiology (En) :
agrobiologie

agroecosystem (En) :
agroécosystème

agrofarmacologia (Es) :
agropharmacie

agro-industry (En) :
agro-industrie

agromonetario (Es) ;
agro-monetary (En) :
agromonétaire

Agroökosystem, n (De) :
agroécosystème

Agropharmazeutik, f (De) :
agropharmacie

Agrostologe, m (De) ;
agrostologist (En) :
agrostologue

Agrotechniker, m (De) :
agrotechnicien

agua de constitución (Es) :
eau liée

agua libre (Es) :
eau libre

agua subenfriada (Es) :
eau super-refroidie

agujero (Es) :
trou

ahermatypic (En) :
ahermatypique

Ährenshieben, n (De) :
exertion

air bed (En) :
lit fluidisé

air classification (En) :
turbo-séparation

air contaminant (En) :
aérocontaminant

air-cooled (En) :
aéroréfrigéré

aircraft fueler (En) :
essencier

air curtain (En) :
rideau d'air

air cylinder (En) :
directeur d'air

aire-aire (Es) :
air-air

aire-tierra (Es) :
air-sol

air exhaustion (En) :
dégarnissage

air-film (En) :
film d'air

air-flotation (En) :
aéroflottation

air-ground (En) :
air-sol

air-hardening (En) :
autotrempe

airheader (En) :
directeur d'air

air heater (En) :
chauffe-air

air pollution monitor (En) :
toximètre

air-rectification (En) :
semi-soufflage

air slide (En) :
aéroglissière

air-to-air (En) :
air-air

air-to-surface (En) :
air-sol

air trapping (En) :
trappage

Akantholyse, f (De) :
acantholyse

Akkumulations— (De) :
accumulique

Akrolekt, m (De) :
acrolecte

Akronymie, f (De) :
acronymie

Akrophase, f (De) :
acrophase

Akrosom— (De) :
acrosomique

akrozentrisch (De) :
acrocentrique

Aktienbezugsrechte-Plan, m (De) :
plan d'options sur titres

aktinothermischer
Index, m (De) :
indice actinothermique

aktive Immunotherapie, f (De) ;
aktive Immuntherapie, f (De) :
immunothérapie active

aktive medizinische
Elektronik, f (De) :
électronique médicale active

aktiver Satellit, m (De) :
satellite actif

aktiver Wortschatz, m (De) :
vocabulaire disponible

aktive Serumtherapie, f (De) :
immunothérapie active

aktive Sicherheit, f (De) :
sécurité active

aktive Trance, f (De) :
transe active

Aktiveuthanasie, f (De) :
euthanasie active

Aktivierung, f (De) :
activation

Aktivität, f (De) :
activité

Aktogenese, f (De) :
actogenèse

akustische Boje, f (De) :
bouée acoustique

akustisches Filter, n (De) :
piège à sons

akustische Spektrometrie, f (De) :
spectrométrie acoustique

Alarmauslösestange, f (De) :
barre de panique

Alarmon, n (De) :
alarmone (En) :
alarmone

albic (En) ;
álbico (Es) :
albique

albitisiert (De) ;
albitizado (Es) ;
albitized (En) ,
albitisé

alcohol addict (En) :
alcoolomane

alcoholéptico (Es) :
alcooleptique

alcohologia (Es) :
alcoologie

alcohologist (En) ;
alcohólogo (Es) :
alcoologue

alcohology (En) :
alcoologie

alcohòmano (Es) :
alcoolomane

alergicidad (Es) :
allergénicité

alfa de Rossi (Es) :
alpha de Rossi

algaecide (En) :
algicide

algal (En) :
algacé ;
algal

Algen (De) :
algal

algenartig (De) :
algacé

Algenmatte, f (De) :
matte

Algensammlung, f (De) :
algothèque

Algenvernichtungsmittel, n (De) ;
algicide (En) ;
Algizid, n (De) :
algicide

algorithmization (En) ;
algoritmización (Es) :
algorithmisation

algoteca (Es) :
algothèque

alibil (En) :
alibile

alignment tool (En) :
ligneur

alimento semihúmedo (Es) :
aliment semi-humide

alinación (Es) :
alignement

alisamiento (Es) :
lissage

Alkoholeptikum, n (De) :
alcooleptique

Alkoholiker, m (De) :
alcoolomane

Alkohologe, m (De) :
alcoologue

Alkohologie, f (De) :
alcoologie

allergenicity (En) :
allergénicité

allgemeines Programm, n (De) :
programme général de base

allite formation (En) ;
allitization (En) :
allitisation

allo-antibody (En) :
allo-anticorps

alloantigen (En) :
alloantigène

allochromatic (En) ;
allochromatisch (De) :
allochromatique

allochthone (Boden-)
Bildung, f (De) ;
allochtonous developement (En) :
allochtonie

allogamisch (De) ;
allogamous (En) :
allogame

allogen (De) :
allogénique

allogener Antikorper, m (De) :
allo-anticorps

allograft (En) :
allogreffe

Allograph, m (De) :
allograph (En) :
allographe

Alloimmunisierung, f (De) ;
alloimmunization (En) :
allo-imunisation fœto-
maternelle

allosteric (En) ;
allosterisch (De) :
allostérique

allotment (En) :
allotement ;
allotissement

Allotyp, m (De) ;
allotype (En) :
allotype

Allotypie, f (De) :
allotypie

all-pole (En) :
omnipolaire

almacenamiento dinámico (Es) :
mémoire dynamique

almacenamiento estático (Es) :
mémoire statique

almwritschaftlich (De) :
alpager

aloantigeno (Es) :
alloantigène

alocromático (Es) :
allochromatique

aloctonia (Es) :
allochtonie

alogénico (Es) :
allogénique

alógrafo (Es) :
allographe

aloinjerto (Es) :
allogreffe

alopolen (Es) :
allopollen

alostérico (Es) :
allostérique

alotipia (Es) :
allotypie

alotipo (Es) :
allotype

alpha-adrenergic blocking
agent (En) ;
alpha-receptor blocking
drug (En) :
alpha-bloquant

alsacianidad (Es) ;
Alsatianity (En) ;
Alsatianness (En) :
alsacianité

altazimutal (En) ;
altazimuthal (De) :
altazimutal

Altenpfleger, m (De) ;
Altenpflegerin, f (De) :
aide senior

Altentötung, f (De) :
géronticide

alteralogy (En) :
altéralogie

alterametry (En) :
altéramétrie

alterita (Es) ;
alterite (En) :
altérite

alternant (En) :
alternant

alterología (Es) :
altéralogie
Alterssoziologie, f (De) :
gérontosociologie
Altersvorrang, m (De) :
séniorité
altícola (Es) :
alticole
altoazimutal (Es) :
altazimutal
altura de decisión (Es) :
hauteur de décision
aluchromist (En) :
aluchromiste
alumina carrier (En) :
aluminier
alveolo (Es) :
alvéole
A.M.A. (En) :
taxateur
amagnético (Es) ;
amagnetisch (De) :
amagnétique
amanita toxin (En) ;
Amatoxin, n (De) :
amatoxine
ambientoterapia (Es) :
ambiothérapie
ambifonia (Es) :
ambiophonie
ambilocal (En) :
ambilocal
ambiophonic (En) :
ambiophonique
ambiophony (En) :
ambiophonie
ambulant (En, De) ;
ambulatorio (Es) ;
ambulatory (En) :
ambulatoire
amensalism (En) ;
amensalismo (Es) :
amensalisme
American-type windmill (En) ;
American windmill (En) ;
amerikanische Windmühle, f (De) :
moulin américain
amerindófono (Es) ;
amerindophone (En) :
amérindophone
amienergico (Es) :
aminergique
amilógrafo (Es) :
amylographe
aminic (En) :
amino-fonctionnel
aminergic (En) ;
aminergisch (De) :
aminergique
amino-funcional (Es) :
amino-fonctionnel
aminosugar (En) ;
Aminozucker, m (De) :
aminosucre
ammoniation (En) ;
Ammonierung, f (De) :
ammoniation

amnemonic aphasia (En) ;
amnesic aphasia (En) ;
amnestic aphasia (En) ;
amnetische Aphasie, f (De) :
aphasie amnémonique
amniocentesis (En) ;
Amnioskopie, f (De) :
amniocentèse
amodal (En) ;
amodal (Es) ;
amorfización (Es) ;
Amorphisation, f (De) :
amorphisation
amphibarge (En) ;
amphibischer Leichter, m (De) :
amphibarge
Amylograph, m (De) ;
amylograph (En) :
amylographe
anaboles Steroid, n (De) ;
Anabolikum, n (De) :
anabolisant
anaclinal (En) ;
anaclinal (Es) :
anaclinal
anacultivo (Es) ;
anaculture (En) ;
anaculture
anagenetic (En) ;
anagenético (Es) :
anagénétique
anagráfico (Es) ;
anagraphisch (De) :
anagraphique
Anakultur, f (De) :
anaculture
análisis de sistema (Es) :
analyse de système
análisis discriminante (Es) :
analyse discriminante
análisis textura (Es) :
unalyse texturale
analizador conceptual (Es) :
analyseur conceptuel
analizador de respuestas (Es) :
analyseur de réponses
analizador lingüistico (Es) :
analyseur linguistique
analizador perceptivo (Es) :
analyseur perceptif
analizador sintáxico (Es) .
analyseur syntaxique
anallergic (En) ;
anallergisch (De) :
anallergisant
analog concentrator (En) ;
analogic concentrator (En) ;
Analogkonzentrator, m (De) :
concentrateur analogique
análogo estructural (Es) :
analogue structural
Analyseperle, f (De) :
perle d'analyse
Ananasplantage, f (De) :
ananeraie
anautogen (De) ;
anautógeno (Es) ;
anautogenous (En) :
anautogène

*Anbau, m, in Trockenge-
bieten (De)* :
aridoculture
Anbau, m, von Heveen (De) :
hévéaculture
anbraten (De) :
précuire
Anchizone, f (De) :
anchizone
anchor (En) :
épingler
anchorage (En) :
épinglage
anchorage (En) ;
anchoring (En) :
ancrage
anchor field (En) :
zone d'ancrage
Anchovierung, f (De) :
anchoving (En) :
anchoitage
ancient erosion surface (En) :
paléosurface d'érosion
anclado (Es) :
ancrage
anclado dinámico (Es) :
ancrage dynamique
ando (En) :
andique
Andoboden, m (De) :
andosol
andolización (Es) :
andosolisation
Andorranization (En) :
andorranisation
andosoil (En) :
andosol
andosolization (En) :
andolization ;
andosolisation
Andragoge, m (De) :
andragogue
andragogisch (De) :
andragogique
androcracia (Es) ;
androcracy (En) :
androcratie
Androloge (De) ;
andrologist (En) ;
andrologo (Es) :
andrologue
anemoclinometric (En) ;
anemoclinométrico (Es) ;
anemoklinometrisch (De) :
anémoclinométrique
anemological (En) ;
anemológico (Es) :
anémologique
anemomorfosis (Es) ;
Anemomorphose, f (De) ;
anemomorphosis (En) :
anémomorphose
anergic (En) ;
anérgico (Es) ;
anergisch (De) :
anergié
*Anfertigung, f, von Planzeich-
nungen (De)* :
calepinage

angeklammert (De) :
  clippé
angeregter Zustand, m (De) :
  état excité
angle conduit box (En) :
  boîte d'angle
Angleichung, f, an die
Muttermilch (De) :
  maternisation
angología (Es) :
  angologie
angstbekämpfend (De) ;
angstlösend (De) :
  anxiolytique
angular resolver (En) :
  résolveur
ángulo de ataque (Es) :
  angle d'attaque
anhydrous ammoniac
application (En) :
  nitrojection
anideaistic (En) :
  anidéique
aniline point (En) ;
Anilinpunkt, m (De) :
  point d'aniline
Anionengehalt, m (De) :
  anionicité
anionic copolymer (En) :
  copolymère anionique
anionicidad (Es) ;
anionicity (En) :
  anionicité
anionische Kopolymere, n (De) :
  copolymère anionique
anisosmotic (En) ;
anisosmótico (Es) ;
anisosmotisch (De) :
  anisosmotique
anisotropía dieléctrica
negativa (Es) :
  anisotropie diélectrique
  négative
anisotropía dieléctrica
positiva (Es) :
  anisotropie diélectrique
  positive
anisotropía óptica (Es) :
  anisotropie optique
anisotropic (En) :
  orthotrope
Ankommen, n, eines
Prod·iktes (De) :
  acceptance
Anlassofen, m (De) :
  four de revenu
annotated (En) :
  renseigné
Anodenumhüllung, f (De) :
  sous-jupe
anodización dura (Es) :
  anodisation dure
anomalous water (En) :
  poly-eau
anorogen (De) ;
anorogenetic (En) ;
anorogenic (En) ;
anorogénico (Es) :
  anorogénique

anosognosia (En, Es) ;
Anosognosie, f (De) :
  anosognosie
anoxic (En) ;
anóxico (Es) ;
anoxisch (De) :
  anoxique
Anpaßbarkeit, f (De) :
  adaptivité
anpassen (De) :
  interfacer
Anrede, f (De) :
  adlocution
Anrufautomat, m (De) :
  appeleur
A.N.S. (En) :
  S.A.N.
Ansatzregal, n (De) :
  prolongateur de rayon
Ansaugfähigkeit, f (De) :
  capacité de colmatage
Anschlusstechnik, f (De) :
  connectique
Ansprechempfindlichkeit, f (De) :
  responsivité
Ansprechzeit, f (De) :
  temps de réponse
Anstellwinkel, m (De) :
  angle d'attaque
Anstiegsflanke, f (De) :
  front montant
antagonista (Es) ;
antagonistic (En) ;
antagonistisch (De) :
  antagoniste
antememoria (Es) :
  antémémoire
antenna ablation (En) :
  antennectomie
antennal (En) :
  antennulaire
antenna removal (En) :
  antennectomie
antennary (En) :
  antennulaire
Antennektomie, f (De) :
  antennectomie
Antennen– (De) ;
antennular (En) ;
antennulary (En) :
  antennulaire
antenoctomia (Es) :
  antennectomie
antenulario (Es) :
  antennulaire
anthropization (En) :
  anthropisation
anthropogen (De) :
  anthropisé
anthroponomical (En) :
  anthroponomique
Anthropothanatologie, f (De) ;
anthropothanatology (En) :
  anthropothanatologie
antiacústico (Es) :
  anti-acoustique
antiaggregating (En) ;
antiagregante (Es) :
  antiagrégant

antiakustisch (De) :
  anti-acoustique
antiarrhythmic drug (En) :
  antiarythmisant
Antiatelektasefaktor, m (De) :
  surfactant
Antibeschlagfolie, f (De) :
  film anti-buée
antibiosuplementado (Es) :
  antibiosupplémenté
antibiotic-resistant type (En) :
  antibiotype
antibiotic supplementation (En) ;
Antibiotikazusatz, m (De) :
  antibio-supplémentation
antibiotipo (Es) ;
Antibiotyp, m (De) ;
antibiotype (En) :
  antibiotype
anticipated pension
allowance (En) :
  prépension
anticopia (Es) ;
anticopy (En) :
  anticopie
anticorrelacionado (Es) :
  anticorellé
antidiccionario (Es) :
  antidictionnaire
antiduna (Es) ;
antidune (En) :
  antidune
antiepileptic drug (En) :
  anticomitial
antifreezing solution (En) :
  pare-gel
antigélico (Es) :
  antigélif
Antihormon, n (De) ;
antihormona (Es) ;
antihormone (En) :
  anti-hormone
antiklin (De) :
  anticline
antillama (Es) :
  arrête-flammes
antillanidad (Es) ;
Antilleanity (En) :
  antillanité
antimagistral (Es) :
  antimagistral
antimicótico (Es) ;
antimycotic (En) :
  antimycotique
antinoise (En) :
  antibruit
antinutritional (En) :
  antinutritionnel
antioscillatory (En) :
  antiballant
anti-oviposition (En) ;
anti-ovoposición (Es) :
  anti-oviposition
Antipanik– (De) :
  antipanique
antipsicótico (Es) ;
Antipsychose– (De) ;
antipsychotic (En) ;
antipsychotisch (De) :
  antipsychotique

Antiquark, n (De) ;
antiquark (En, Es) :
antiquark

anti-ruido (Es) :
contre-bruit

antisialic (En) :
sialoprive

Antiskating-Gleitschutz, m (De) ;
antiskid (En) :
antipatinage

antiskid strap (En) :
étrier

antispark (En) :
antiétincelle

antistatic crystal (En) ;
antistatisches Kunstglas, n (De) :
cristal antistatique

antithumping (En) :
antipilonnement

antitropic (En) ;
antitropístico (Es) :
antitropistique

antitumoral (En) ;
antitumoural (En) :
antitumoral

antitussive (En) :
antitussif

anti-vibration (En) :
antivibrant

Antriebsteil, n (De) :
moteur premier

Antriebsvorrichtung, f (De) :
actionneur

antroponómico (Es) :
anthroponomique

antropotanatología (Es) :
anthropothanatologie

anual (En) :
circannuel

anuario electrónico (Es) :
annuaire électronique

anucleolate (En) :
anucléolaire

Anwenderprogramm, n (De) :
programme d'application

Anwendersoftware, f (De) :
logiciel d'application

Anwendungsprogramm, n (De) :
programme d'application

anxiolítico (Es) ;
anxiolytic (En) :
anxiolytique

Anzeige, f (De) :
visuel

Anzeigegerät, n (De) :
visualiseur

Anzugsfestigkeit, f (De) :
indévissabilité

Äoliphon, n (De) :
éoliphone

Apartheid, f (De, En) :
développement séparé

aperture supersynthesis (En) :
supersynthèse d'ouverture

aperture synthesis (En) :
synthèse d'ouverture

Apfelsinenschale, f (De) :
peau d'orange

aphanitic (En) ;
aphanitisch (De) :
aphanitique

aphicidal (En) :
aphicide

aphyric (En) ;
aphyrisch (De) :
aphyrique

aphytal (En) :
aphytal

apocrine (En) ;
apocrino (Es) ;
apokorin (De) :
apocrine

apomictic (En) ;
apomíctico (Es) ;
apomiktisch (De) :
apomictique

aponeurectomy (En) ;
Aponeurektomie, f (De) ;
aponeuroctomía (Es) :
aponévrectomie

appetitanregendes Mittel, n (De) ;
Appetizer, m (De) :
appétitif

applications program (En) ;
applications programme (En) :
programme d'application

applied ecologist (En) :
écolyseur

approximate (En) :
approximer

aprosexic (En) :
aprosexique

aprotic (En) ;
aprótico (Es) ;
aprotisch (De) :
aprotique

aproximar (Es) :
approximer

aquabulle (En) :
aquabulle

Aquariologie, f (De) ;
aquariology (En) ;
aquarium study (En) :
aquariologie

Aquasonde, f (De) :
aquasonde

aquathermal (En) :
aquathermique

aquicultural (En) :
aquacole

Aquidensiten, f (De) :
équidensité

Äquimolarität, f (De) :
équimolarité

Äquipotential– (De) :
isopotentiel

arabidad (Es) :
arabité

Arabist (En) :
arabologue

arabógrafo (Es) ;
arabographer, n (De) :
arabographe

Arabologe, m (De) ;
arabólogo (Es) :
arabologue

Aramid, n (De) :
aramide

arañado (Es) :
griffure

Arbeitsablaufdiagramm, n (De) :
simogramme

Arbeitskontakt, m (De) :
contact normalement ouvert

arbeitsplatzgebunden (De) :
posté

Arbeitsspeicher, m (De) :
mémoire vive

Arbeitswert, m (De) :

Arbeitszeitaufwand, f (De) :
valeur-travail

Arbeitszyklusplan, m (De) :
simogramme

arborescence (En) :
arborescence

arbovirosis (En) ;
arbovirus (En) ;
arbovirus infection (En) ;
Arbovirusinfektion, f (De) :
arbovirose

arcading (En) :
arcature

archaeomagnetician (En) ;
archaeomagnetism
specialist (En) :
archéomagnéticien

archaeometric (En) :
archéométrique

archaeometrist (En) :
archéomètre

archaeometry (En) :
archéomètrie

Archäograph, m (De) :
archéographe

Archäomagnetiker, m (De) :
archéomagnéticien

Archäometer, m (De) :
archéomètre

Archäometrie, f (De) :
archéométrie

archäometrisch (De) :
archéométrique

arching (En) :
voûtement

architectonics (En) :
architectonie

architectural concrete (En) :
béton architectonique

architecturology (En) :
architecturologie

Architekturbeton, m (De) :
béton architectonique

Architekturologie, f (De) :
architecturologie

arco insular (Es) :
arc insulaire

arcología (Es) :
arcologie

arcological (En) ;
arcológico (Es) :
arcologique

arcology (En) :
arcologie

arco superpuesto (Es) :
arc superposé

arco transferido (Es) :
arc transféré

area (En) :
aire

área de refugio (Es) :
aire de refuge

área intersticial (Es) :
aire intersticielle

área marginal (Es) :
aire marginale

arenas negras (Es) :
sables noirs

arenícolo (Es) :
sabulicole

arenicolous (En) :
psammique ;
sabulicole

arenitita (Es) :
arénitite

arenívoro (Es) ;
arenivorous (En) :
arénivore

Argument, n (De) ;
argument (En) :
argument

aridificación (Es) :
aridification

aridisol (En) :
aridosol

aridocultura (Es) :
aridoculture

Aridosol, m (De) ;
aridosol (Es) :
aridosol

aristotanasia (Es) ;
aristothanasia (En) ;
Aristothanasie, f (De) :
aristothanasie

aritmética de punto
flotante (Es) :
arithmétique flottante

Armalcolit, n (De) ;
armalcolita (Es) ;
armalcolite (En) :
armalcolite

aromagrama (Es) :
aromagramme

Aromastoff, m (De) :
renchérisseur

aromaticity (En) ;
Aron. 1tizität, f (De) :
aromaticité

arqueógrafo (Es) :
archéographe

arqueomagnetólogo (Es) :
archéomagnéticien

arquitectura unificada
de red (Es) :
architecture unifiée de réseau

arquitecturología (Es) :
architecturologie

array processor (En) :
processeur de réseau

arreglo (Es) :
arrangement

arriate (Es) :
costière

arrocero (Es) :
rizier

arrumazón (Es) :
amassement

arterial heat pipe (En) :
caloduc artériel

artesa marginal (Es) :
auge marginale

articulated bus (En) :
autobus articulé

articulated vehicle (En) :
tortilleur

artificial head recording (En) ;
artificial head sound
recording (En) :
tête artificielle

artificial meat (En) :
A.V.I.V.

Arzneimittellüberwachung, f (De) :
pharmacovigilance

aseismic (En) :
parasismique

aseptizing apparatus (En) ;
aseptizing device (En) :
aseptiseur

asiadólar (Es) ;
asiadollar (En) :
asiadollar

Asian (En) :
asien

Asiendollar, m (De) :
asiadollar

asincrónosis (Es) :
asynchronose

asmómetro (Es) :
asthmomètre

Aspirantur, f (De) :
aspiranture

assemble (En) :
assembler

Assembler, m (De) ;
assembler (En) :
assembleur

assembler (En) :
établisseur

assembly (En) :
coiffage

assembly building (En) :
halle d'assemblage

Assertorizität, f (De) :
assertoricité

Assimilat, n (De) ;
assimilate (En) :
assimilat

assistant estimator (En) :
aide estimateur

assorted lot (En) :
rompus

astaco conformación de
boveda (Es) :
voûtage

astacologist (En) ;
astacólogo (Es) :
astacologue

asteriated (En) :
astérié

asthmometer (En) :
asthmomètre

Astrobiologie, f (De)
exobiologie

Astrochemie, f (De) ;
astrochemisty (En) :
astrochimie

astroelectrónica (Es) ;
Astroelektronik, f (De) :
astroélectronique

astronomical photometer (En) ;
Astrophotometer, n (De) ;
astrophotometer (En) :
astrophotomètre

Asynchronose, f (De) :
asynchronose

atactic (En) ;
ataktisch (De) :
atactique

atherogenesis (En) :
athérogénèse

atipismo (Es) :
atypisme

Atlantograph, m (De)
atlantographe

atmófilo (Es) ;
atmophil (De) ;
atmophile (En) :
atmosphile

atmosphere dynamics (En) :
dynamique de l'atmosphère

atmospheric window (En) :
fenêtre atmosphérique

atmungsaktiv (De) :
aérifié

Atmungsmessung, f (De) :
respirométrie

Atollon, n (De) :
faro

atomization (En) :
brumisation

atomizer (En) :
brumisateur

átomo (Es) :
atome

atopia (Es) ;
atopy (En) :
atopie

attachment (En) :
attachement

attenuation equalizer (En) :
égaliseur

Atterberg limits (En) :
limites d'Atterberg

attitude control (En) :
contrôle d'attitude

attrition (En) :
attrition

atypisches Verhalten, n (De) ;
atypism (En) :
atypisme

Ätzdruck, m (De) :
impression d'enlevage

ätzend (De) :
agressif

audioconferencia (Es) :
audioconférence

audiogenic (En) ;
audiógeno (Es) :
audiogène

audiometrist (En) :
audiométriste

audiooral (De) ;
audio-oral (En) :
audio-oral

audio response (En) :
réponse vocale

audio teleconferencing (En) :
audioconférence

audio-tutorial (En) :
audio-tutoriel

audio-typist (En) :
audiotypiste

Audiovisions-Fachmann, m (De) :
audio-visual expert (En) :
audiovisualiste

audiovisualisieren (De) ;
audiovisualize (En) :
audiovisualiser

audio-visual teleconference (En) :
visioconférence

audio-visual teleconfe-
rencing (En) :
visiophonie

audio-visuelles
Unterrichtsmittel, n (De) :
film-livre

Aufbäumen, n (De) :
autocabrage

Aufbereitbarkeit, f (De) :
traitabilité

Aufblasrecken, n (De) :
délamination

(auf eine) Ebene bezogen (De) :
planaire

aufgewölbt (De) :
bombé

Aufhänger, m (De) :
accroche

Aufheller, m (De) :
azureur optique

Auflistung, f (De) :
paravent

Auflockerung, f (De) :
piétinage

Aufrauhen, n (De) :
mise à vif

aufrauht (De) :
moussé

Aufreißbarkeit, f (De) :
rippabilité

Aufreissdeckel, m (De) :
ouverture main-fer blanc

Aufreißen, n (De) :
dégrafage

Aufreisslasche, f (De) ;
Aufreißverschluß, m (De) :
ouverture main-fer blanc

Aufschmelzung, f,
zu Borsilikatglas (De) :
vitrification

Aufschütten, n (De) :
clapage

Aufsetzleiste, f (De) :
rehausse

Aufsetzpackung, f (De) :
lité

Aufsetzrahmen, m (De) :
entourage-palette

Aufspulmaschine, f (De) :
embobineuse

Aufweitung, f (De) :
épanoui

Aufzuchtstall, m (De) :
élevoir

Augenblicks-Wirkung, f (De) :
instantanéisme

Augend, m (De) ;
augend (En) :
cumulande

Augendiagnostik, f (De) :
iridologie

Augengrenze, f (De) :
mur de l'œil

augmenter wing with jet
flap (En) :
aile-trompe

Ausbaufähigkeit, f (De) :
évolutivité

Ausbreitung, f, der
Elendsviertel (De) :
bidonvillisation

aus der Luft (De) :
aérogène

auseinandergezogene
Darstellung, f (De) :
éclaté

Ausfall, m (De) :
attrition

Ausflocker, m (De) :
floculateur

Ausgabe, f, von
Warenkupons (De) :
couponnage

Ausgangspflanze, f (De) :
ortet

Ausgeflocktes, n (De) :
floc

ausgewogene Reziprozität, f (De) :
réciprocité équilibrée

ausgeworfene
Strohhalme, m (De) :
pesard

aushängbar (De) :
dégondable

Aushärtung, f, durch
Elektronen (De) :
cuisson électronique

Aushauen, n (De) :
grignotage

Auslagestand, m (De) :
ilot de vente

Auslüftungen, f, unter der
Oberfläche (De) :
crypto-efflorescence

Ausrichten, n (De) :
redressage

Ausrichtmaschine, f (De) :
redresseuse

Ausschuß, m (De) :
rebutage

Aussenhautsicherung, f (De) :
protection périmétrique

Außen-Spannvorrichtung, f (De) :
tendeur hors cercle

Außenverpackung, f (De) :
suremballage

außerordentliche
Brechzahl, f (De) :
indice extraordinaire

aussondern (De) :
rebuter

Aussparung, f (De) :
réservation

Ausstosskonverktor, m (De) :
éjecto-convecteur

austenidad (Es) ;
Austenität, f (De) :
austénité

Austenitizieren, n (De) :
austénitisation

austenity (En) :
austénité

austenización (Es) :
austénitisation

Auswaschung, f (De) :
champlevure

Ausweichzone, f (De) :
aire de refuge

Ausweitung, f, der
Vororte (De) :
banlieusardisation

Auswertegerät, n (De) :
restituteur

Auswertscheibe, f (De) :
disque dépouilleur

Auswertungsstereoskop, n (De) :
interprétoscope

Auswölbung, f (De) :
bombage

Auswürflinge, m.pl. (De) :
éjectats

autark (De) ;
autarkic (En) ;
autarkical (En) :
auto-suffisant

authigen (De) :
authigène

Authigenese, f (De) ;
authigenesis (En) :
authigenèse

authigenic (En) :
authigène

authority (En) :
autorité

autigénesis (Es) :
authigenèse

autigeno (Es) :
authigène

auto-abstract (En) :
autoextrait

autobanco (Es) :
auto-banque

autocalentador (Es) :
autochauffant

autocalibrar (Es) :
autocalibrate (En) :
autocalibrer

Auto-Center (De) ;
autocenter (En) :
centre-auto

autocidal control (En) :
lutte autocide

autoclavable (En) :
autoclavable

autoclaved (En) :
autoclavé

autoclaving (En) :
autoclavage

autoclimatización (Es) :
autoclimatisation

autoclimatizado (Es) :
autoclimatisé

autocolonización (Es) :
autocòlonisation

autoconcurrencia directa (Es) :
autoconcurrence directe

autoconcurrencia indirecta (Es) :
autoconcurrence indirecte

autoconstrucción (Es) :
auto-construction

autoconvergencia (Es) :
autoconvergence

autoconvergente (Es) :
autoconvergent

autocorrector (En) :
autocorrecteur

autocue (En) :
prompteur ;
téléprompteur

autodesarrollo (Es) :
auto-développement

autodescarga (Es) :
autodécharge

autodidaccia (Es) ;
Autodidaktentum, n (De) :
autodidaxie

autodirector (Es) :
autodirecteur

autoecología (Es) ;
autoecology (En) :
autoécologie

autoemulsive (En) :
auto-émulsifiant

autoendurecedor (Es) :
autodurcissant

autoensamblado (Es) :
autoassemblage

autoensamblar (Es) :
autoassembler (s'–)

autofertilizante (Es) ;
auto-fertilizing (En) :
autofertilisant

autofocalizador (Es) :
autofocalisateur

autogene Zerkleinerung, f (De) ;
autogenous crushing (En) :
broyage autogène

autogiración (Es) :
autogiration

autograft (En) :
auto-greffon

autografting (En) :
autotransplantation

autohipnosis (Es) :
autohypnose

Autohof, m (De) :
autoport

Autohypnose, f (De) ;
autohypnosis (En) :
autohypnose

autoignition (En) :
autocombustion

autoimpermeabilización (Es) :
auto-scellage

Autoklavbehandlung, f (De) :
autoclavage

autolimpiado (Es) :
autonettoyage

autolog (De) ;
autológo (Es) ;
autologous (En) :
autologue

Autolysosom, n (De) ;
autolysosome, En :
autolysosome

automatic focus (En) ;
automatic lens adjuster (En) :
palpeur optique

automatic handling truck (En) :
tracto-porteur

automatician (En) :
automaticien

automatic vinifier (En) :
autovinificateur

automatische Spruchverar-
beitung, f (De) :
G.A.M.

automatische Weinbereitungs-
sanlage, f (De) :
autovinificateur

autometría (Es) :
autométrie

autometric (En) ;
autométrico (Es) :
autométrique

Autometrie, f (De) :
autométrie

Autoökologie, f (De) :
autoécologie

autophagic vacuole (En) :
autolysosome

autoplastic graft (En) ;
Autoplastik, f (De) :
auto-greffon

autoport (En) :
autoport

autoprotonation (En) ;
autoprotonización (Es) :
autoprotonisation

autoradiográfico (Es) ;
autoradiographic (En) ;
autoradiographisch (De) :
autoradiographique

autosilo (Es) :
auto-silo ;
silo à voitures

autosimilitud (Es) :
autosimilitude

autoradiography (En) :
radioautographie

autoregressive filtering
method (En) :
méthode des filtres autorégressifs

autoreticulación (Es) :
auto-réticulation

autoridad (Es) :
autorité

Autorotation, f (De) ;
autorotation (En) :
autogiration

Autoschalter, m (De) :
auto-banque

autoscopy (En) :
autoscopie

autosecado (Es) :
autoétuvage

autosectorial strategy (En) :
stratégie autosectorielle

autosubsistencia (Es) :
auto-subsistance

autosuficiencia (Es) :
autosuffisance

auto-suficiente (Es) :
auto-suffisant

autotemplado (Es) :
autotrempe

Autotransplantation, f (De) ;
autotransplantation (En) ;
autotransplante (Es) :
autotransplantation

auto-zero (En) :
auto-zéro

Autumn outdoor education
class (En) :
classe jaune

auxesis (En, Es) :
auxèse

auxiliary ego (En) :
égo-auxiliaire

auxotrofia (Es) :
auxotrophie

auxotrofo (Es) ;
auxotrophic (En) :
auxotrophe

Auxotrophie, f (De) ;
auxotrophy (En) :
auxotrophie

avant-gardism (En) ;
Avantgardismus, m (De) :
avant-gardisme

Aversion, f (De) ;
aversion (En) ;
aversión (Es) :
aversion

aversive (En) :
aversif

avianized (En) :
avianisé

avunculocality (En) :
avunculolocalité

awning apron (En) :
tablier

axenic (En) :
axène
axénique

axénico (Es) :
axénique

axenization (En) :
axénisation

Axialitätsfehler, m (De) :
mésalignement

axissymmetric (En) :
axisymétrique

axodentritic (En) ;
axodendrítico (Es) ;

axodendritisch (De) :
  axodendritique

axosomatic (En) ;
axosomático (Es) ;
axosomatisch (De) :
  axosomatique

ayudante de laboratorio (Es) :
  laboriste

B

back cross (En) :
  rétrocroisement

back-donation (En) :
  rétrodonation

Backenbrecker, m (De) :
  vibrocasseur

backhoe loader (En) :
  chargeuse-pelleteuse

back loader (En) :
  rétrochargeuse

bacterial contamination
control mat (En) :
  tapis décontaminant

bacterioscopia (Es) ;
bacterioscopy (En) :
  bactérioscopie

bactoespeina (Es) ;
bactospein (En) :
  bactospéine

baffling (En) :
  chicanage

bagging (En) :
  sacherie

bagging and stapling
machine (En) :
  ensacheuse-clipseuse

bag-in-box (En) ;
bag-in-box package (En) :
  carton-outre

bainitic (En) ;
bainítico (Es) :
  bainitique

Baissemarkt, m (De) :
  marché baissier

Bakterioskopie, f (De) :
  bactérioscopie

Balafonspieler, m (De) :
  balafongiste

balanced heat recovery (En) :
  chauffage synergétique

balanced reciprocity (En) :
  réciprocité équilibrée

balaphon player (En) :
  balafongiste

baler (En) :
  presse à balles

ball (En) :
  bille de manutention

Ballast, n (De) :
  bruit

Ballenpresse, f (De) :
  presse à balles

balloon (En) :
  phylactère

ball table (En) :
  table de transfert à billes

balon estratosférico (Es) :
  stratodyne

banana (Es) :
  banana

banco de datos (Es) :
  banque de données

banda fotográfica (Es) :
  bande photographique

Bänderung, f (De) ;
banding (En) :
  banding

banding machine (En) :
  élastiqueuse

Bandtransport, m (De) :
  tracteur

Bandwickelmaschine, f (De) :
  rubaneuse

Bankette, f (De) :
  banquette

banking terminal (En) ;
Bankschalterterminal, n (De) :
  terminal bancaire

bank-sloping (En) :
  talutage

bantoid (De, En) :
  bantoïde

bantuistics (En) :
  bantuistique

barachorous (En) :
  barachore

baring (En) :
  mise à vif

baritieren (De) :
  baryter

barium sodium niobate (En) :
  banana

baroclina (Es) ;
baroclinic (En) :
  barocline

barófilo (Es) :
  barophile

barohospital (En) :
  baro-hôpital

baroklin (De) :
  barocline

barophil (De) ;
barophilic (En) :
  barophile

barotrop (De) ;
barotropic (En) ;
barotrópico (Es) :
  barotrope

barquilleria (Es) :
  gaufretterie

barred (En) :
  zébré

barrel (En) :
  tonneau

barrera activa (Es) :
  barrière active

barrera de seguridad
intrinseca (Es) :
  barrière de sécurité intrinsèque

barrera fotoeléctrica (Es) :
  barrage photoélectrique

barrera optoelectrónica (Es) :
  barrière optoélectronique

barrera pasiva (Es) :
  barrière passive

barrera Zener (Es) :
  barrière Zener

barrier (En) :
  barrière de diffusion

barrólogo (Es) :
  boueux

baryte mud weighting (En) :
  barytage

basal area (En) :
  surface terrière

basal ice layer (En) :
  B.I.L.

base de datos (Es) :
  base de données

base level (En) :
  composante de base

base period (En) :
  plage fixe

basic component (En) :
  composante de base

basic French (En) :
  français prioritaire

basic weight (En) :
  grammage

basilèct (En) ;
Basilekt, m (De) :
  basilecte

basket (En) :
  panier

Bastler, m, ferngesteuerter
Modelle (De) :
  radiomodéliste

batch processing (En) :
  traitement par lots

batch terminal (En) :
  terminal lourd

bateado (Es) :
  bateyage

bateria (en −) (Es) :
  bataille (en −)

Bathyphotometer, n (De) ;
bathy-photometer (En) :
  bathyphotomètre

Bathysonde, f (De) ;
bathysounder (En) :
  bathysonde

bathythermal (En) ;
bathythermic (En) :
  bathythermique

bathythermogram (En) :
  bathythermogramme

batido (Es) :
  battade

batisonda (Es) :
  bathysonde

batitérmico (Es) :
  bathythermique

batitermograma (Es) :
  bathythermogramme

battening (En) :
  liteaunage

Baueisenformer, m (De) :
métallier

Bau, m, ferngesteuerter
Modelle (De) :
radiomodélisme

Bauherr, m (De) :
maître d'ouvrage

Bau-Hubschrauber, m (De) :
héligrue

Baumgarten, m (De) :
jardin à bois

Baumstation, f (De) :
cosmoport

Baumtransportwagen, m (De) :
porte-ensouples

Bausatz, m (De) :
jeu de construction ;
lot

Bauxit-Frachter, m (De) :
aluminier

beam-hanger (En) :
gerberette

beaming slide (En) ;
beam rack (En) :
porte-ensouples

Beamter, m, der Staatsan-
waltschaft (De) :
parquetier

beam truck (En) :
porte-ensouples

bearing capacity (En) :
portance

bear market (En) :
marché baissier

beating (En) :
battade

Bebaubarkeit, f (De) :
constructibilité

Becherkristall, m (De) :
gobelet

Becken, n (De) :
bassin

becquerel (Es) ;
becquerel ray (En) :
becquerel

bedding (En) :
paillasse

Bedentungswandel, m (De) :
métasémie

Bedienungsarm, m (De) :
bras-transfert

bedrock control (En) :
lithodépendance

Befehlsadresse, f (De) :
adresse

Befürworter, m, des Null-
Wachstums (De) :
zégiste

Begriffsanalyse, f (De) :
analyseur conceptuel

Begriffshierarchie, f (De) :
arborescence

behaviorist (En) ;
behaviourist (En) :
comportementaliste

behind-the-ear aid (En) :
contour d'oreille

Belatten, n (De) :
liteaunage

Beleuchtungsentfernungs-
meßgerät, n (De) :
télémètre-illuminateur

belted tire (En) ;
belted tyre (En) :
pneu ceinturé

Bemessung, f (De) :
dimensionnement

bench surgery (En) :
chirurgie sur établi

bending machine (En) :
coudeuse

beneficiabilidad (Es) :
profitabilité

beneficiated ore (En) :
minerai correctif

Beneluxization (En) :
bénéluxisation

Benetzen, n (De) :
mouillage

benetzte Oberfläche, f (De) :
surface mouillée

Benin– (De) ;
Beniner, m (De) :
béninois

benutzerorientierte
Datenstation, f (De) :
terminal spécialisé

berberischsprechend (De) ;
Berber-speaking (En) :
berbérophone

Beregnung, f (De) :
irrigation au goutte à goutte

Berieseler, m (De) :
asperseur

Berieselung, f (De) :
arrosage

Berufsschulvorklasse, f (De) :
classe préprofessionnelle

Besatz, m (De) :
charge

Beschickung, f, mit vorgewärmter
Kohle (De) :
enfournement préchauffé

beschleunigtes Harz, n (De) :
résine pré-accélérée

Beschleunigungsknopf, m (De) :
contacteur de survitesse

beschützende Werkstätte, f (De) :
atelier protégé

Besensfritzlutz, m (De) :
enduit brossé

beständig (De) :
conservatif

Beständigkeit, f, gegenüber
Fetten, n (De) :
ingraissabilité

Bestandsaufnahme, f (De) :
inventiorage

Bestattungsbräuche, m, und
Totenkult (De) :
thanatopraxis

Bestrahlungsstärke, f (De) :
irradiance

Besucherhotel, n (De) :
hospitel

beta-adrenergic blocking
agent (En) :
bêta-bloquant

Betanker, m (De) :
essencier

beta-receptor blocking
agent (En) :
bêta-bloquant

Betätigungsvorrichtung, f (De) :
actuateur

Betonbauer, m (De) :
bétonnier

Betonbrecher, m (De) :
brise-béton

Betrauung, f, eines
Bankenkonsortiums (De) :
syndication

Betriebsprogramm, n (De) :
programme utilitaire

betterment (En) :
confortement

Beugungsanalyse, f (De) :
diffractométrie

Beugungsdiagramm, n (De) :
diffractogramme

Beutelabpackung, f (De) :
sacherie

bevorzugter Strömungs-
weg, m (De) :
digitation

bewachsen (De) :
végétalisé

bewegliche Rampe, f (De) :
quai mobile

Bewegung, f (De) :
mouvement

bewehrte Erde, f (De) :
terre armée

bewitterter Stahl, m (De) :
acier autoprotégé

Bewohner Pnom Penhs, m (De) :
phnompenhois

bewußt geworden (De) :
conscientisé

bewußtseinfördernd (De) :
conscientisateur

bewußtseinsbildend (De) :
conscientisant

Bewußtseinswerdung, f (De) :
conscientisation

biaural (Es) :
binaural

bicomponent (En) ;
bicomposant (En) :
biphasé

bicirdadian (En) :
bicirdadien

biconal buffer (En) :
bicône de polissage

bicycle ergometer (En) :
cyclergomètre

Bidelelement, n (De) :
pixel

Biegemaschine, f (De) :
coudeuse ;
rouleuse

403

biellipsoidal head lamp (En) ;
Biellipsoidscheinwerfer, m (De) :
projecteur biellipsoïde
bienio (Es) ;
Biennium, n (De) ;
biennium (En) :
biennie
bifurcado (Es) ;
bifurcated (En) :
bifurqué
Biglotte, m (De) :
biglotte
Big Science, f (De) ;
big science (En) :
mégascience
Bigyrotropie, f (De) ;
bigyrotropism (En) :
bigyrotropisme
B.I.L. (De) :
B.I.L.
Bilanz— (De) ;
bilanzmässig (De) :
bilantiel
Bilderzeugung, f (De) :
imagerie
Bild im Bild, m (De) :
double image
Bildnachricht, n (De) :
textimage
Bildplatte, f (De) :
disque-images
Bildpunktzahl, f (De) :
P.P.I.
Bildreihe, f (De) :
bande photographique
bildsemantisch (De) :
verbo-iconique
Bildserienzeichner, m (De) :
dessinateur-scénariste
Bildtelephonie, f (De) :
visiophonie
Bildungsurlaub, m (De) :
congé-formation
Bildverstärkerröhre, f (De) :
intensificateur d'images
bilepton (Es) :
dilepton
bilingualize (En) :
bilinguiser
bilingüización (Es) :
bilinguisation
bilingüizar (Es) :
bilinguiser
bilinguization (En) :
bilinguisation
billetería (Es) :
billetterie
Billig-Kaufhaus, n (De) :
minimarge
bilocalidad (Es) ;
bilocality (En) :
bilocalité
bimanual safety (En) ;
bimanuelle Sicherheit, f (De) :
sécurité bi-manuelle
binario desfasado (Es) :
binaire décalé

binario puro (Es) :
binaire pur
Binärwort, n (De) ;
binary character (En) :
binon
binary coding (En) :
numérisation
binary offset (En) :
binaire décalé
binary weapon (En) :
arme binaire
binaural (En) ;
binaural (De) :
binaural
binding machine (En) :
ficeleuse
bioaccumulation (En) ;
bioacumulación (Es) ;
Bioakkumulation, f (De) :
bioaccumulation
bioalcohol (En) ;
Bioalkohol, m (De) :
bio-alcool
bioavailability (En) :
biodisponibilité
biocarburante (Es) :
biocarburant
biocerámica (Es) ;
bioceramics (En) :
biocéramique
biochemical systematics (En) :
chimiotaxonomie
bioclast (En) :
bioclaste
bioclastic (En) :
bioclastique
biodétritique
bioclástico (Es) :
bioclastique
bioclasto (Es) :
bioclaste
biocompatible (En) :
biocompatible
bioconversion (En) ;
bioconversión (Es) :
bioconversion
biocristal (Es) ;
biocrystal (En) :
biocristal
biodeteriogenic (En) ;
biodeteriogeno (Es) :
biodétériogène
biodetrítico (Es) ;
biodetritisch (De) :
biodétritique
biodisco (Es) :
biodisque
biodisponibilidad (Es) :
biodisponibilité
bioestratigráfico (Es) :
biostratigraphique
bioestroma (Es) :
biostrome
biofarmacia (Es) :
biopharmacie
biofotómetro (Es) :
biophotomètre

bio-gas (En) :
bio-gaz
biogen (De) ;
biogeno (Es) ;
biogenous (En) :
biogène
Biogeochemie, f (De) ;
biogeochemistry (En) :
biogéochimie
biogeodinámico (Es) ;
biogeodynamic (En) ;
biogeodynamisch (De) :
biogéodynamique
biogeoquimica (Es) :
biogéochimie
Bioghurt, m ou n (De) :
bioghourt
bioherm (En) ;
biohermés (Es) :
bioherme
biohidrocarburo (Es) :
biohydrocarbure
biohistoria (Es) ;
biohistory (En) :
bio-histoire
Biokohlenwasserstoff, m (De) :
biohydrocarbure
Biokeramik, f (De) :
biocéramique
bioklastisch (De) :
bioclastique
bioklastisches Gestein, n (De) :
bioclaste
bioklimatisch (De) :
écoclimatique
Biokraftstoff, m (De) :
biocarburant
Biokristall, m (De) :
biocristal
biological disc (En) ;
biological disk (En) :
biodisque
biological material (En) :
biomatériau
biological plant (En) :
bio-usine
biological spectrum (En) :
spectre biologique
biologische Behandlung, f (De) :
traitement secondaire
biologische Kläranlage, f (De) ;
biologische Reinigung-
sanlage, f (De) :
bio-usine
biologisch verträglich (De) :
biocompatible
Biom, n (De) :
biome
biomass alcohol (En) :
bio-alcool
biomass energy (En) :
énergie verte
biomass hydrocarbon (En) :
biohydrocarbure
biomass motorfuel (En) :
biocarburant

Biomaterial, n (De) ;
biomaterial (En) ;
biomaterial (Es) :
  biomatériau

biomaturism (En) ;
biomaturismo (Es) :
  biomaturisme

biome (En) :
  biome

biomecánica (Es) ;
Biomechanik, f (De) :
  biomécanique

Biomembran, f (De) ;
biomembrana (Es) :
  biomembrane

biomimetic (En) ;
biomimético (Es) :
  biomimétique

Biomonomer, n (De) ;
biomonomer (En) :
  biomonomère

Bion, n (De) ;
bion (En) ;
bion (Es) :
  bion

bionomist (En) :
  bionomiste

bioperiodic (En) :
  biopériodique

bioperiodicidad (Es) ;
bioperiodicity (En) :
  biopériodicité

bioperiódico (Es) :
  biopériodique

biopharmaceutics (En) :
  biopharmacie

Biophotometer, n (De) ;
biophotometer (En) :
  biophotomètre

biopotencial (Es) ;
biopotential (En) :
  biopotentiel

Bioprotein, n (De) ;
bioproteina (Es) :
  bioprotéine

biopsed (En) ;
bioptisch (De) :
  biopsié

biopulpotomia (Es) :
  biopulpotomie

bioreactor (Es) ;
Bioreaktor, m (De) :
  bioréacteur

biorhythm (En) :
  biorythme

biorhythmic (En) :
  biorythmique

Biorhythmik, f (De) :
  biopériodicité

biorhythmisch (De) :
  biorythmique

biorhythm upset (En) :
  dyschronisme

Biorhythmus, m (De) :
  biorythme

Bioscheike, f (De) :
  biodisque

biosecuencia (Es) :
  bioséquence

biosemiótica (Es) ;
biosemiotics (En) ;
Biosemiotik, f (De) :
  biosémiotique

Biosequenz, f (De) :
  bioséquence

biosintético (Es) :
  biosynthétique

biostratigraphic (En) ;
biostratigraphical (En) ;
biostratigraphisch (De) :
  biostratigraphique

biostratigraphy (En) :
  biostratigraphie

Biostrom, m (De) :
  biostrome

biosynthetic (En) ;
biosynthetisch (De) :
  biosynthétique

biotechnological (En) :
  ergonomique

biotelemetria (Es) :
  biotélémétrie

biotelemetric (En) ;
biotelemétrico (Es) :
  biotélémétrique

biotelemetry (En) :
  biotélémétrie

biotérmico (Es) ;
biothermal (En) :
  biothermique

biotrofo (Es) :
  biotrophe

Bioumwandlung, f (De) :
  bioconversion

Biowärme, f (De) :
  biochaleur

biozona (Es) ;
Biozone, f (De) ;
biozone (En) :
  biozone

Biphonem, m (De) :
  diphonème

bird repellent (En) :
  avifuge

bismutemia (Es) :
  bismuthémie

bisociate (En) :
  bi-socier

bisociation (En) :
  bi-sociation

bistandard (En) :
  bi-standard

Bit, n (De) :
  binon

bit semiconductor (En) :
  bit semiconducteur

bittering (En) :
  amérisant

bit tórico (Es) :
  bit à tore

Bituminierung, f (De) ;
bituminización (Es) :
  bituminisation

bizirkadisch (De) :
  bicircadien

bizonal (De, En, Es) :
  bizonal

black alkali (Es) :
  salant noir

black cell (En) :
  cellule noire

black hole (En) :
  astre occlus

black liquor (En) :
  liqueur noire

blackout (En) :
  occultation

black sand (En) :
  sables noirs

Blaseignung, f (De) :
  soufflabilité

Blasenbeseitigung, f (De) :
  débullage

Blasenbildung, f (De) :
  bullage

Blasen-Speicher, m (De) :
  mémoire à bulles

Blavalgenzelle, f (De) :
  cyanelle

Bleistiftdosimeter (De) :
  stylodosimètre

Bleistiftlötkolben, m (De) :
  fer crayon

blind (En) :
  aveugle (en −)
  non voyant

blind bud (En) :
  bourgeon fixé

Blinder, m (De) :
  non voyant

blind taste panel (En) :
  dégustation aveugle

Blisterverpackung, f (De) :
  blistère

Blitzmessgerät, n (De) :
  flashmètre

Block, m (De) ;
block (En) :
  bloc

block (En) :
  blanter

Blockbildung, f (De) :
  blocage

block copolymer (En) :
  copolymère bloc

Blockierung, f (De) :
  blocage

Blockkopolymere, n.pl. (De) :
  copolymère bloc

Blockpolymer, m (De) :
  copolymère séquencé

blood prophylaxis (En) :
  hémoprévention

blood-thermocoagulation (En) :
  pochage

bloqueado (Es) :
  blocage

bloque funcional (Es) :
  bloc fonction

blow-blow method (En) :
  soufflé-soufflé

blow by (En) :
 fuyage

blowing machine (En) :
 insuffleuse

blow-out dune (En) :
 pourrière

blueing (En) ;
bluing (En) :
 azurant optique

Blume, f (De) :
 flaveur

Blutgerinnung, f, durch
Wärme (De) :
 pochage

blutverträglich (De) :
 hémocompatible

B.O.D. (En) :
D.B.O.

bodenabhängige
Faktoren, n.pl. (De) :
 édaphotope

Boden, m, an der
Erdoberfläche (De) :
 sursol

Bodenfauna, f (De) :
 pédofaune

Bodenorganismen, m.pl. (De) :
 euédaphon

Bodenprofil, n (De) :
 profil pédologique

Bodenprofilbank, f (De) :
 profilothèque

Bodenstation, f (De) :
 géostation

bodenunabhängig (De) :
 hors sol

Bodenverdichtungs-
smeßgerät, n (De) :
 compactomètre ;
 guide-balayage

body of paper (En) :
 bouffant

Bogendurchlaßrohr, n (De) :
 buse-arche

Bogenschießen, n (De) :
 toxophilie

Bohrhammer, m (De) :
 perfo-marteau

Bohrrakete, f (De) :
 fusée souterraine

Bohrturbine, f (De) :
 turboforeuse

bola de manutención (Es) :
 bille de manutention

bolting machine (En) :
 boulonneuse

bolus treatment (En) :
 traitement-minute

bomba seca (Es) :
 pompe sèche

bonding (En) :
 métallisation

boom man (En) :
 perchiste

Bördelmaschine, f (De) :
 ourleuse

botella óptica (Es) :
 bouteille optique

bottle (En) :
 bouteille

bottle-buying machine (En) :
 déconsigneuse

bottler (En) :
 embouteilleur

bottle-scanner (En) :
 inspectrice

bottle-shaped column (En) :
 bouteille

bottling department (En) :
 canetterie

bottling-machine (En) :
 embouteilleuse

bottom lining (En) :
 brin de retour

bottom-of-the-line (En) ;
bottom-of-the-range (En) :
 bas de gamme

bound water (En) :
 eau liée

bow-enclosed propeller (En) :
 réacteur d'étrave

bowing machine (En) :
 encaisseuse

bowl (En) :
 bol

bow propeller (En) :
 propulseur d'étrave

Box palette, f (De) ;
box pallet (En) :
 caisse-palette

boya acústica (Es) :
 bouée acoustique

bra (En) :
 soutien-gorge

bracelet rattle (En) :
 bracelet sonore

brachiating (En) :
 brachiateur

brachistochrone (En) :
 brachistochrone

brachyblast (En) :
 brachyblaste

brachygraphy (En) :
 brachygraphie

brackish water (En) :
 eau saumâtre

brackish water fish farming (En) :
 valliculture

Brackwasser, n (De) :
 eau saumâtre

Brain drain, n (De) ;
brain drain (En) :
 exode des cerveaux

braquiblasto (Es) :
 brachyblaste

braquigrafia (Es) :
 brachygraphie

braquistocrono (Es) :
 brachistochrone

Braten-Warmhalter, m (De) :
 garde-rôts

bräunend (De) :
 brunifiant

Bräunung, f (De) :
 brunification

brazalete sonoro (Es) :
 bracelet sonore

brazing (En) :
 brasage fort

brazo espiral (Es) :
 bras spiral

breach (En) :
 brèche

break-bulk cargo ship (En) :
 polytherme

break-off line (En) :
 ligne de rupture

breather (En) :
 renifleur

breathing (En) :
 reniflage
 respiration

Brechen, n (De) :
 gravillonnage

Breckversuch, m (De) :
 essai de ténacité

breeder (En) :
 surconvertisseur

brennbar (De) :
 carburigène

Brenneinrichtung, f (De) :
 affranchissement

brennender Koks, m (De) :
 paillasse

Brennstoffkassette, f (De) :
 araignée

bridge (En) :
 pontal

bridge-building (En) :
 pontage

bridge plate (En) :
 pont de liaison

bridging (En) :
 pontage

bridging agent (En) :
 agent de pontage

bridging loan (En) :
 prêt-relais

Briefmarkenklebe-
maschine, f (De) :
 timbreuse

bright spot (En) :
 point brillant

brine duct (En) :
 saumoduc

briny water (En) :
 eau saumâtre

bromatologic (En) ;
bromatological (En) ;
bromatológico (Es) ;
 bromatologique

brooder house (En) :
 élevoir

brote fijo (Es) :
 bourgeon fixé

brote sensible (Es) :
 bourgeon sensible

Brownian music (En) :
 musique brownienne

Brownian noise (En) :
 bruit brownien

Brown music (En) :
musique brownienne

Brownsches Rauschen, n (De) :
bruit brownien

brucélico (Es) ;
brucellosis-infected (En) ;
brucellous (En) :
brucellique

Brücken– (De) :
pontal

brushed finish (En) :
enduit brossé

brushing-off (En) :
fraisage ;
plamotage

brushing vacuum-cleaner (En) :
aspiro-brosseur

Brustetikett, m (De) :
collerette

Brutplatz, m (De) :
écloserie

Brutreaktor, m (De) :
surconvertisseur

Brutto-Einkommen, n, vor
jedem Abzug (De) :
revenu primaire brut

bruxism (En) ;
bruxomania (En) :
bruxomanie

B.S.B. (De) :
D.B.O.

bubble (En) :
bulle

bubble memory (En) :
mémoire à bulles

bubbling (En) :
bullage

Buckelschweissung, f (De) :
soudage par bossages

bucket wheel (En) :
roue-pelle ;
roue pelleteuse

bucking (En) :
cabrade

buckled (En) :
floche

buckling (En) :
flochage

buffer (En) :
mémoire-tampon

buffer stock (En) :
stock tampon

buffer zone (En) :
préparc

Bugantriebsreaktor, m (De) :
réacteur d'étrave

Bugreeder, n (De) :
propulseur d'étrave

buiatria (Es) ;
buiatrics (En) ;
Buiatrik, f (De) :
buiatrie

built-in (En) :
encastré

bulging (En) :
bombage ;
bombé

bulk (En) :
bouffant

bulk carrier (En) :
vraquier

bulldozer (En) :
bouteur

bull market (En) :
marché haussier

Bündeln, n (De) :
fardelisation

Bündigmachen, n (De) :
affleurage

bundle of perspective rays (En) :
faisceau perspectif

bundling (En) :
fardelisation ;
enliassage

bundling machine (En) :
fardeleuse

Bundschliesse, f (De) :
enliassage

bunkhouse (En) :
colis

burnable poison (En) :
poison consommable

burner (En) :
fluxeur

burn in (En) :
feu intérieur

burning (En) :
affranchissement ;
retorchage

Büronik, f (De) :
bureautique

burster (En) ;
bursting machine (En) :
rupteur

burst noise (En) :
bruit en créneaux

bus (En) :
bus ;
pluribus

bus bar (En) :
bus

Büschelentladung, f (De) :
aigrettage

Buschsteppe, f (De) :
steppe garrigue

bush (En) :
buisson

bus shelter (En) :
abribus

butane (En) :
butané

Butangasmischung, f (De) ;
butanización (Es) ;
butanization (En) :
butanisation

butirométrico (Es) :
butyrométrique

Butterknetmaschine, f (De) :
texturateur

Butyrometer – (De) :
butyrométrique

bypassing (En) :
pontage

C

cable-burying plough (En) :
charrue rigoleuse ;
ensouilleuse

cable activo (Es) :
câble actif

cable-hanger (En) :
porte-câbles

cable interactivo (Es) :
câble interactif

cable operator (En) :
câblodistributeur

cable pasivo (Es) :
câble passif

cablet (En) :
câblette

cable television :
câblo-diffusion

cable television operator (En) :
câblodistributeur

cable T.V. (En) :
câblo-diffusion

cabling (En) :
câblage

cab protector (En) :
protège-cabine

cache memory (En) :
antémémoire

cacheteo (Es) :
claquade

cadena (Es) :
chaîne

cadena alimenticia (Es) :
chaîne alimentaire

cadena unitaria (Es) :
chaîne unitaire

cadena vacia (Es) :
chaîne vide

cadena vital (Es) :
chaîne vitale

cage compound (En) :
composé-cage

cage molecule (En) :
molécule-cage

cage set (En) :
gigaphone

cage-shaft communication
system (En) :
gigapuits

cage-wheel (En) :
roue cage

calcination point (En) :
point de calcination

caldera mixta (Es) :
chaudière mixte

caldera solar (Es) :
chaudière solaire

caldo biológico (Es) :
soupe biologique

calefacción directa (Es) :
chauffage direct

calefacción sinergética (Es) :
  chauffage synergétique
calendering (En) :
  inventoriage
calibrado (Es) :
  calibration
calibrador (Es) ;
calibrater (En) :
  calibrateur
calibration (En) :
  calibration
calibrator (En) :
  calibrateur
calking (En) :
  calfeutre
callus (En) :
  cal
calodie (En) :
  calodie
caloric-nitrogenous (En) ;
calórico-nitrogenado (Es) :
  calorico-azoté
C.A.M.A. (En) :
  taxateur
cámara caliente (Es) :
  chambre chaude
cámara de chispas (Es) :
  chambre à étincelles
cámara de emulsión (Es) :
  chambre à émulsion
cámara de hilos múltiples (Es) :
  chambre multifils proportionnelle
cambial (En) :
  cambial
camión transplantador (Es) :
  camion transplantoir
campo (En) :
  champ
canal (Es) :
  voie
cancerogenicidad (Es) :
  cancérogénicité
candela (Es) :
  chandelle
canister (En) :
  absorbeur
canitist (En) :
  coloriste
cannon (En) :
  canon
canonazo (Es) :
  coup de canon
canonical correlation
analysis (En) :
  analyse canonique
capacidad de retención
  capacité au champ
capacitated (En) :
  capacité
capacitation (En) :
  capacitation
capa cortical (Es) :
  couche corticale
capping (En) :
  coiffe (en —) ;
  operculage

caprinized (En) :
  caprinisé
caption stand (En) :
  banc-titre
caracan (En) :
  caraquénois
carácter binario (Es) :
  binon
caraqueno (En) ;
caraqueño (Es) :
  caraquénois
caratage (En) :
  caratage
carat count (En) ;
  caratage
carateristica discreta (Es) :
  caractère discret
carat weight (En) :
  caratage
Caravaner, m (De) :
  caravaneur
Caravaning, n (De) ;
caravaning (En) :
  caravanage
caravanist (En) :
  caravaneur
carbonator (En) :
  carbonateur
carbón verde (Es) :
  charbon vert
carbonylation (En) ;
Carbonylierung, f (De) :
  carbonylation
carburante (Es) :
  carburant
carburigen (En) ;
carburigeno (Es) :
  carburigène
carburizing flame (En) :
  carburant
carcinogenicity (En) :
  cancérogénicité
card (En) :
  carte de codage
cardiac rhythm study (En) :
  rythmologie
cardiatomia (Es) :
  cardiatomie
cardinalidad (Es) :
  cardinalité
cardioid (En) ;
cardioide (Es) :
  cardioïde
cardioselective (En) ;
cardioselectivo (Es) :
  cardio-sélectif
cardiotomy (En) :
  cardiatomie
careerization (En) :
  carriérisation
carga (Es) :
  charge
cariologia (Es) ;
cariology (En) :
  cariologie
cárnico (En) :
  viandeux

carnivore (En) :
  consommateur secondaire
carotidograma (Es) :
  carotidogramme
carotid tracing (En) :
  carotidogramme
carrier (En) :
  véhiculeur
carrier gas (En) :
  gaz porteur
carrying capacity (En) :
  charge
cartage (En) :
  véhiculage
cartografia (Es) ;
cartography (En) :
  cartographie
carton filler (En) :
  encartonneuse
cartoning (En) :
  encartonnage
cartoonist (En) :
  dessinateur-scénariste
cartridge (En) :
  cartouche
cascadable (En) :
  cascadable
cascade (En) ;
cascade-connect (En) :
  cascader
cascading (En) :
  cascadage
cash and carry, m (De) ;
cash and carry (En) :
  libre service de gros
cash crop (En) :
  culture de rente
cash-flow, m (De) ;
cash-flow (En) :
  M.B.A.
cask (En) :
  château
cassette library (En) :
  cassétothèque
cast-in-place deep pile (En) ;
cast-in-place root pile (En) :
  pieu racine
cast scrap (En) :
  déclassés
catagráfico (Es) :
  catagraphique
catalanidad (Es) :
  catalanité
catalano parlante (Es) :
  catalanisant
catalográfico (Es) :
  catalographique
catalog sample (En) :
  référencement
cataloguer (En) ;
catalogue librarian (En) :
  catalographe
catalogue sample (En) :
  référencement
catasonda (Es) :
  catasonde

catástrofe (Es) ;
catastrophe (En) :
  catastrophe
catatoxic (En) :
  catatoxique
catazona (Es) ;
catazone (En) :
  catazone
cat crawler (En) ;
caterpillar tractor (En) :
  chenillard
catharometre (En) :
  catharomètre
cathodoluminescence (En)
  cathodoluminescence
cationic copolymer (En) :
  copolymère cationique
catodoluminiscencia (Es) :
  cathodoluminescence
C.A.T. scanner (En) :
  scanographe
C.A.T. technician (En) :
  scanographiste
cattle (En) :
  bétailleur
cattle terrace (En) :
  pieds de vache
C.A.T.V. (En) :
  câblo-diffusion ;
  T.A.C.
catwalk (En) :
  passe-pied
caucasoid (En) ;
caucasoide (Es) :
  caucasoïde
caudophagia (En, Es) ;
caudophagy (En) :
  caudophagie
caulking (En) :
  calfeutre
cavitating (En) :
  cavitant
cavitón (Es) :
  caviton
C.B.O.-Meter (De) ;
  D.C.O.-mètre
cecidiología (Es) ;
cecidiology (En) ;
cecidology (En) :
  cécidologie
cefalización (Es) :
  céphalisation
ceilometer (En) :
  ceilomètre
celerímetro (Es) :
  célérimètre
cell-elasticity diffractometer (En) ;
cell-form diffractometer (En) :
  ektacytomètre
cellular floor (En) :
  plancher alvéolaire
cellulolytic (En) :
  cellulolytique
cell wall (En) :
  mur
celticity (En) :
  celticité

Celtic-speaking (En) :
  celtophone
celtización (Es) ;
celtization (En) :
  celtisation
célula de carga (Es) :
  cellule de charge
célula granular (Es) :
  cellule granulaire
celularizado (Es) :
  cellularisé
cement-bound macadam (En) :
  béton colloïdal
cement glue (En) :
  ciment-colle
cement-penetration
macadam (En) :
  béton colloïdal
cenogram (En) :
  cénogramme
cenosphere (En) :
  cénosphère
centelleo interplanetario (Es) :
  scintillation interplanétaire
centenary (En) ;
centennial (En) :
  centenaire
central French (En) :
  français central
centralizador de
temperaturas (Es) :
  centralisateur de températures
central tower power plant (En) :
  centrale à tour
centrifugable (En, Es) ;
centrifugalizable (En) :
  centrifugable
centriolar (En) :
  centriolaire
centro supraóptico (Es) :
  centre supraoptique
cephalization (En) :
  céphalisation
ceramal (En) :
  cermet
ceramic (En) :
  céramisé
ceramización (Es) :
  céramisation
ceramography (En) ;
ceramología (Es) :
  céramologie
ceramólogo (Es) :
  céramologue
cermet (En) :
  cermet
Cerenkov effect (En) ;
Cerenkov-Effekt, m (De) :
  effet Cerenkov
ceruloplasmin (En) ;
Ceruloplasmin, n (De) :
  céruloplasmine
cessation of concentration (En) :
  décentration
cesta (Es) :
  panier

C frame (En) :
  cé
chactotaxy (En) :
  chétotaxie
chaff (En) :
  paillette
chalcogenide (En) :
  chalcogénure
chalkophiles Element, n (De) :
  chalcophile ;
  chalcogénure
chalky (En) :
  crayeux
changeable warning-sign (En) :
  signalisation variable
change into savanna (En) ;
change into savannah (En) :
  savanisation
channel (En) :
  voie
Chaotisierung, f (De) :
  aléation
character printer (En) :
  imprimante sérielle
charge cell (En) :
  cellule de charge
charging circuit unit (En) ;
charging connection
component (En) ;
charging connection unit (En) :
  C.C.D.
charm (En) ;
Charme, m (De) :
  charme
charmed (En) :
  charmé
Charmonium, n (De) ;
charmonium (En) :
  charmonium
charter carrier (En) ;
Charterer, m (De) :
  transporteur à la demande
chasis de volquete (Es) :
  châssis-benne
chattering fracture (En) :
  fracture de broutage
check (En) :
  antiretour
checked plaster (En) :
  enduit tramé
cheese melt (En) ;
cheese milk (En) :
  préfromage
Chelation, f (De) ;
Chelierung, f (De) :
  séquestration
chemical graining (En) :
  grainage chimique
chemicalization (En) :
  chimisation
chemical pulp (En) ;
Chemiepulpe, f (De) :
  pâte chimique
chemische Gaufrage, f (De) ;
chemische Narbung, f (De) ;
chemisches Narben, n (De) :
  grainage chimique

chemisorb (En) ;
chemisorbieren (De) :
  chimisorber

chemoreceptor (En) ;
Chemorezeptor, m (De) :
  chémorécepteur

chemostat (En) :
  chemostat

Chemosterilans, n (De) ;
chemosterilant (En) :
  chimiostérilisant

chemotaxonomy (En) :
  chimiotaxonomie

Chemotopie, f (De) :
  chémotopie

chillable En) ;
  réfrigérable

Chimärismus, m (De) ;
chimerism (En) :
  chimérisme

Chinesensyndrom, n (De) :
  syndrome chinois

Chinese-speaking (En) :
  sinophone

Chinese syndrome (En) :
  syndrome chinois

chinesisch (En) :
  sinique

chip (En) :
  puce

chloracne (En) :
  chloracné

Chlorapparat, m (De) :
  chlorostat

Chlorhersteller, m (De) :
  chlorier

chlorine-metering system (En) :
  chlorostat

chlorine producer (En) :
  chlorier

Chlorometer, n (De) ;
chlorometre (En) :
  chloromètre

chlorosis-inducing (En) :
  chlorosant

Chlorosität, f (De) ;
chlorosity (En) :
  chlorosité

Chlorostat, m (De) :
  chlorostat

Chloroxydation, f (De) :
  oxychloration

cholesteric (En) :
  cholestérique

chopocultura (Es) :
  populiculture

Chopper, m (De) ;
chopper (En) :
  relais modulateur

choronymy (En) :
  choronymie

chromable (En) :
  chromable

chromaticity (En) :
  chromaticité

chromaticness (En) :
  chromie

Chromatograph, m (De) ;
chromatographer (En) :
  chromatographiste

Chromschwefelsäure, f (De) :
  mélange sulfochromique

Chronobiologe, m (De) ;
chronobiologist (En) :
  chronobiologiste

chronobiology (En) :
  chronobiologie

chronogenesis (En) ;
Chronogenetik, f (De) :
  chronogénétique

Chronometerhersteller, m (De) ;
chronometer maker (En) :
  chronométrier

Chronon, n (De) ;
chronon (En) :
  chronon

chronopharmacological (En) :
  chronopharmacologique

chronopharmacology (En) ;
Chronopharmakologie, f (De) :
  chronopharmacologie

chronopharmakologisch (De) :
  chronopharmacologique

Chronophytotron, n (De) :
  chronophytotron

chronopotentiometry (En) :
  chronopotentiométrie

chronostratigrafisch (De) ;
chronostratigraphic (En) :
  chronostratigraphique

chronosusceptibility (En) :
  chronosusceptibilité

chronotherapeutik, f (De) :
  chronothérapeutique

Chronotherapie, f (De) :
  chronothérapie

chronotherapy (En) :
  chronotherapeutique ;
  chronothérapie

chugging (En) :
  chouquage

cibernina (Es) :
  cybernine

cicatrización (Es) :
  cicatrisation

ciclo de Claude (Es) :
  cycle de Claude

ciclo gonotrófico (Es) :
  cycle gonotrophique

ciencia de acción (Es) :
  science d'action

ciencia de la comunica-
ciones (Es) :
  communicatique

ciencia de transferencia (Es) :
  science de transfert

ciliotoxic (En) :
  ciliotoxique

ciliotoxicity (En) :
  ciliotoxicité

ciliotóxico (Es) :
  ciliotoxique

cinchadura (Es) :
  banderolage

cine-holography (Es) :
  cinéholographie

cinema-verite (En) :
  cinéma-vérité

cinephile (En) :
  cinéphilique

cinetosómico (Es) :
  cinétosomien

cintoteca (Es) :
  bandothèque

ciphered (En) :
  numérisé

circalitoral (l e, Es) :
  circalittoral

circannian (En) :
circannual (En) :
  circannuel

circuit-opening (En) :
  coupure de circuits (à −)

circuito redundante (Es) :
  circuit redondant

circuitry (En) :
  circuiterie

circularización (Es) :
circularization (En) :
  circularisation

circular slide rule (En) :
  disque à calculer

circulating memory (En) ;
circulating storage (En) :
  mémoire tournante

circum-pacific (En) ;
circumpacifico (Es) :
  circumpacifique

cisternista (Es) :
cistern maker (En) :
  citernier

citification (En) :
  citification

citocultura (Es) :
  cytoculture

citofotométrico (Es) :
  cythophotométrique

citoquimico (Es) :
  cytochimiste

citotoxicidad (Es) :
  cytotoxicité

citrus-producing (En) :
  agrumicole

city terminal (En) :
  terminal

cizallado (Es) :
  cisaillé

cizallador (Es) :
  cisailleur

cizalladura (Es) :
  cisaillement

cizallamiento éolico (Es) :
  cisaillement du vent

clad (En) :
  claddé

cladogenetic (En) ;
cladogenético (Es) :
  cladogénétique

clamp (En) :
  pinceur de travail

clamp-on meter (En) :
électropince

clamp plate (En) :
pinceur de travail

clan (Es) :
clan

clapping (En) :
claquade

clarifier-floculator (En) ;
clariflocurador (Es) :
clarifloculateur

clarke (En, Es) ;
Clark-zahl, f (De) :
clarke

classeme (En) :
classème

classic (En) :
holoxénique

classification system
specialist (En) :
classologue

clathrate (En) :
clathrate

Claude cycle (En) ;
Claude-Prozeß, m (De) ;
Claudescher Kreisprozeß, m (De) :
cycle de Claude

clave (Es) :
clé

claw clamshell (En) :
benne-pince

clay removal (En) :
désargilage

clean (En) :
propre

cleanability (En) :
nettoyabilité

cleanout auger (En) ;
cleanout jet auger (En) :
cureuse

clean room (En) :
salle blanche

clearance (En) :
clairance

client (En) :
maître d'ouvrage

climatomórfico (Es) :
climatomorphique

climatopo (Es) :
climatope

clinical teacher (En) :
bi-appartenant

clinometric (En) ;
clinometrical (En) :
inclinométrique

clinosecuencia (Es) :
clinoséquence

cliometrician (En) ;
cliometrista (Es) :
cliométriste

clip (En) :
clipser

clipage (En) :
clipsage

Clipapparat, m (De) :
clippeuse

clipper (En) :
hacheur

clipsage (En) :
clipsage

clonal propagation (En) ;
clonal reproduction (En) ;

cloning (En) :
clonage

clorosante (Es) :
chlorosant

clorosidad (Es) :
chlorosité

clorostato (Es) :
chlorostat

close binary stars (En) :
étoiles binaires serrées

closed compartment (En) :
muche

closed diffusion (En) :
diffusion fermée (à −)

closed loop (En) :
boucle fermée

closed prefabrication (En) :
préfabrication fermée

cloud telemeter (En) :
télémètre de nuages

cluster method (En) :
méthode des grappes

coacción (Es) ;
coaction (En) :
coaction

coactive (En) ;
coactivo (Es) :
coactif

coalesce (En) :
coalescer

coalescer (En) :
coalesceur

coal slurry pipeline (En) :
hydrocarboduc

coat (En) :
pelliculer

coating (En) :
couché ;
enrobé

coating agent (En) :
enrobant

coating color (En) ;
coating colour (En) :
sauce de couchage

coating paper (En) :
papier support de couche

coaxialidad (Es) ;
coaxiality (Es) :
coaxialité

coccidiostat (En) ;
Coccidiostaticum, n (De) ;
coccidiostato (Es) :
coccidiostat

coccoid (En) ;
coccoidal (En) :
cocciforme

cocientómetro (Es) :
quotientmètre

coconut palm cultivation (En) ;
coconut palm growing (En) ;
coconut tree cultivation (En) :
nuciculture

cocultura (Es) ;
coculture (En) :
coculture

C.O.D. (En) :
D.C.O.

codec (En, Es) :
codec

code converter (En) :
encodeur

Code-Element, n (De) ;
code element (En) :
codet

coder (En) :
encodeur

coder-decoder (En) :
codec

Codierer, m (De) :
encodeur

Codierkarte, f (De) :
carte de codage

código de barra (Es) :
barre-code

coding (En) :
référençage

C.O.D.-meter (En) :
D.C.O.-mètre

co-dominant (En) ;
codominante (Es) :
codominant

coeficiente de producción (Es) :
coefficient de production

coesite (En) :
coésite

Coextrusion, f (De) ;
coextrusion (En) :
coextrusion

coextrusion (En) :
coextrudat

Coésit, m (De) :
coésite

cofloculación (Es) ;
cofloculation (En) :
cofloculation

co-fusion (En) :
cofusion

cohesive (En) ;
cohesivo (Es) :
cohésif

cohipónimo (Es) ;
cohyponym (En) :
cohyponyme

coiling (En) :
torsadage ;
spiralage

coiner (En) :
néographe

coin tester (En) :
monnayeur

cokriging (En) :
cokrigeage

cola (Es) :
file

colchón magnético (Es) :
coussin magnétique

cold-blooded (En) :
ectotherme

cold forging (En) :
collage noir

cold hubbing (En) :
enfonçage à froid

cold-rolling mill (En) :
  laminoir écrouisseur

cold trap (En) :
  piège froid

cold trimming (En) :
  cryo-ébarbage

colestérico (Es) :
  cholestérique

collapse (En) :
  collapse

collapsing caviton (En) :
  collapson

collar (En, Es) :
  collier

collar (En) :
  rehausse

collar-sewing machine (En) :
  colleteuse

collect call (En) :
  P.C.V.

collecting (En) :
  retiraison

colloidal concrete (En) :
  béton colloïdal

colloquial (En) ;
coloquial (discurso –) (Es) :
  conversationnel

color (En, Es) :
  couleur

coloración (Es) ;
coloration (En) :
  coloration

colored noise (En) :
  bruit coloré

colorfastness (En) :
  indégorgeabilité

color intermediate
negative (En) :
  internégatif

color intermediate
positive (En) :
  interpositif

color saturation (En) :
  saturation

coloscope (En) :
  coloscope

coloscopia (Es) :
  coloscopie

colour (En) :
  couleur

coloured noise (En) :
  bruit coloré

colour-fastness (En) :
  indégorgeabilité

colour intermediate
negative (En) :
  inter-négatif

colour intermediate
positive (En) :
  interpositif

colour saturation (En) :
  saturation

coma flotante (Es) :
  virgule flottante

combustión humeda (Es) :
  combustion humide

combustión sobresaturada (Es) :
  combustion sursaturée

cometesimal (En) :
  cométésimal

Comicstripszeichner, m (De) :
  dessinateur-scénariste

commercial mailbox
system (En) :
  cedex

comminutor (Es) :
  dilacérateur

common mode (En) :
  mode commun

common mode rejection (En) :
  réjection de mode commun

communality (En) :
  communité

communalization (En) :
  communautarisation

communicational (En) :
  communicationnel

communication science (En) :
  communicatique

communicator (En) :
  communicologue

communicologist (En) :
  communicologiste

community (En) :
  communité

community television (En) :
  télévision communautaire

compacta (Es) :
  compact

compactable (Es) :
  compactable

compactabilidad (Es) :
  compactabilité

compactible (En) :
  compactable

compaction (En) :
  compaction

compactometer (En) ;
compactómetro (Es) :
  compactomètre

compatibility (En) :
  portabilité

compatibility mode (En) :
  mode compatibilité

compensación (Es) :
  compensation

compensación mecánica (Es) :
  compensation mécanique

compensación óptica (Es) :
  compensation optique

compensación opto-
mecánica (Es) :
  compensation optomécanique

compensation (En) :
  compensation

competencia ilícita (Es) :
  concurrence illicite

competencia parasitaria (Es) :
  concurrence parasitaire

completion (En) :
  complétage

complexing agent (En) :
  séquestrant

Compliance, f (De) :
  élastance

concentrator-switcher (En) :
  concentreur-commutateur

concentric diversification (En) :
  diversification concentrique

concentricidad (Es) ;
concentricity (En) :
  concentricité

componente básico (Es) :
  composante de base

composite (En) :
  composite

comprehensive insurance (En) :
  assurance multirisque

compressed air mole (En) :
  taupe

computer animator (En) :
  cybernographiste

computer artist (En) :
  ordinartiste

computer-assisted
tomography (En) :
  tacographie

computerization (En) :
  informatisation

computerized (En) :
  informatisé

computer science (En) :
  ordinatique

computer-supervised (En) :
  autosurveillé

computing store (En) :
  mémoire vive

concave under tile (En) :
  tuile de courant

concentrado (Es) :
  concentrat

concentrador (Es) :
  concentrateur

concentrador analógico (Es) :
  concentrateur analogique

concentrador-conmutador (Es) :
  concentreur-commutateur

concentrador digital (Es) :
  concentrateur numérique

concentrate (En) :
  concentrat

concentration (En) :
  option approfondie

concentrator (En) :
  concentrateur ;
  concentreur

concentrator-switcher (En) :
  concentreur-commutateur

concentric diversification (En) :
  diversification concentrique

concentricidad (Es) ;
concentricity (En) :
  concentricité

conceptual analyzer (En) :
  analyseur conceptuel

conceptualize (En) :
  concepter

Conche, f (De) ;
conche (En) :
  conche

conching (En) :
  conchage

412

conchological (En) :
   conchylicole
concientización (Es) :
   conscientisation
concientizado (Es) :
   conscientisé
concourse (En) :
   promenée
concrete-breaker (En) :
   brise-béton
condensation trap (En) :
   piège froid
conditioning (En) :
   écriquage
conducción iónica (En) :
   conduction ionique
conexionismo (Es) :
   connexionnisme
confidencialidad (Es) ;
confidentiality (En) :
   confidentialité
configurabilidad (Es) ;
configurability (En) :
   configurabilité
confining volume (En) :
   volume de confinement
conformational isomer (En) ;
conformer (En) :
   conformère
congelifluction (En) :
   gélifluxion
congruence (En) ;
congruencia (Es) ;
congruity (En) :
   congruence
coniferous (En) :
   coniférien
conmutación espacial (Es) :
   commutation spatiale
conmutación temporal (Es) :
   commutation temporelle
connectionism (En) :
   connexionnisme
connectionist (En) :
   connexionniste
connivance (En) ;
connivence (En) ;
connivencia (Es) :
   connivence
conrotary (En) :
   conrotatoire
consciousness (En) :
   conscientisation
consciousness-raising (En) :
   conscientisant ;
   conscientisateur
conserva semirigida (Es) :
   conserve semi-rigide
conservative (En) :
   conservatif
consistency (En) :
   cohérence
consociation (En) ;
consocietas (Es) :
   consociation
consolidación dinámica (Es) :
   consolidation dynamique

consomática (Es) :
   consommatique
constant current (En) :
   intensiostatique
constante de estructura
fina (Es) :
   constante de structure fine
constante solar (Es) :
   constante solaire
constant-potential (En) :
   potentiostatique
constructibility (En) :
   constructibilité
consumerism (En) :
   consommatisme ;
   consumérisme
consumidor primario (Es) :
   consommateur primaire
consumidor secundario (Es) :
   consommateur secondaire
contact (En) :
   détecteur de contact
contact camera (En) :
   caméra de contact
contador recíproco (Es) :
   compteur réciproque
container (En) :
   fluidiseur ;
   gaine
container carrier (En) :
   porte-conteneurs
containerization (En) :
   conteneurisation
containerized (En) :
   cellularisé
Container-Schiff, n (De) :
   porte-conteneurs
containment time (En) :
   temps de confinement
contaminant (En) :
   agressant
contamination control mat (En) :
   tapis décontaminant
contenedor seco (Es) :
   conteneur sec
contiguous zone (En) :
   zone adjacente
continentalización (Es) ;
continentalization (En) :
   continentalisation
continuous anode (En) :
   anode continue
continuous loading (En) :
   embarquement continu
continuous offloading (En) ;
continuous unloading (En) :
   débarquement continu
contouring control (En) :
   commande continue
contraceptive (En) :
   anti-génésique
contracting out (En) :
   impartition
contraction joint (En) :
   joint-diapason
contraembalaje (Es) :
   contre-emballage

contrast meter (En) ;
contrastómetro (Es) :
   contrastomètre
contrast visibility (En) :
   visibilité par contraste
contratipado (Es) :
   contretypage
controlabilidad (Es) :
   commandabilité
controlador (Es) :
   contrôleur
control bus (En) :
   bus de contrôle
control integrado (Es) :
   lutte intégrée
controllability (En) :
   commandabilité
controlled free load (En) :
   chargement flottant contrôlé
controller (En) :
   contrôleur
control panel (En) :
   armoire de contrôle
control point (En) :
   point de canevas
control products study (En) :
   agropharmacie
control room (En) :
   chambre de contrôle
convencionalismo (Es) :
   conventionnalisme
conventional (En) :
   holoxénique
conventionalism (En) :
   conventionnalisme
convergence (En) ;
convergencia (Es) :
   convergence
convergent traffic (En) :
   trafic convergent
conversacional (Es) ;
conversational (En) :
   conversationnel
conversational (En) :
   transactionnel
conversational terminal (En) :
   conversationnel
conveyor belt (En) :
   bande d'amenée
convolucionador (Es) :
   convolueur ;
   convoluteur
convolutor (En) :
   convoluteur
cooling finger (En) :
cooling probe (En) :
   doigts de gants froids
cooling trap (En) :
   piège froid
cool medium (En) :
   médium froid
cooperative program (En) :
cooperative programme (En) :
   enseignement par alternance
coordinógrafo (Es) :
   coordinographe
copiadora (Es) :
   copieur

413

copo (Es) :
flocon

copolímero aniónico (Es) :
copolymère anionique

copolímero catiónico (Es) :
copolymère cationique

coptisation (En) ;
coptización (Es) :
coptisation

copying machine (En) :
copieur

copy platform (En) ;
copy strategy (En) :
stratégie de communication

copy-test (En) :
copy-test

coral reef (En) :
barrière de corail

Corbusier– (De) :
corbusérien

core (En) :
étrogner ;
graine

core bit (En) :
bit à tore

core cutter (En) :
carotteuse

core hours (En) ;
core time (En) :
plage fixe

coring (En) :
étrognage

cork-oak forest (En) :
suberaie

cork-oak grower (En) :
subériculteur

corner fitting (En) :
pièce de coin

corona (Es) :
couronne

corona discharge (En) :
aigrettage

correccion en línea (Es) :
correction en ligne

correlation analysis (En) :
analyse de corrélation

corriente magallánica (Es) :
courant magellanique

corrugated material (En) :
ondulé

corrugator (En) :
onduleuse

corsican controlling (En) :
corsisation

cortadora rotativa (Es) :
girobroyeur

cortical (Es) :
crustal

cortina de luz (Es) :
rideau de lumière

corvicida (Es) ;
corvicide (En) :
corvicide

cost effectiveness analysis (En) :
analyse des valeurs

cotización (Es) :
cotation

counterinformation (En) :
contre-information

counternoise (En) :
contre-bruit

countersink (En) :
fraisurer

countersinking (En) :
fraisurage

coupler (En) :
coupleur

coupon distribution (En) :
couponnage

coverage (En) :
zone de couverture

co-wife (En) :
coépouse

cracking (En) :
criquage

cracking tendency (En) :
fissurabilité

crane-drill (En) :
foreuse-grue-tarière

crane man (En) :
bennier

craniometric (En) :
craniométrique

cratonal (En) ;
cratonic (En) :
cratonique

cratonización (Es) ;
cratonization (En) :
cratonisation

crease resistance (En) :
autodéfroisabilité

creep (En) :
déplacement asismique

crenologia (Es) :
crénologie

creolism (En) :
créolisme

creolist (En) :
créoliste

creolization (En) :
créolisation

creolofonia (Es) :
créolophonie

creolophone (En) :
créolophone

creped (En) :
reliéfé

Crepekautschukblatt, n (De) :
feuille crêpée

crepe rubber (En) :
feuille crêpée

crestiforme (Es);
crestilike (En) :
cristiforme

criadero (Es) :
élevoir

crioalternador (Es) :
cryoalternateur

criobiologia (Es) :
cryobiologie

criocable (Es) :
cryocâble

criocimbreo (Es) :
cryocintrage

crioclástico (Es) :
cryoclastique

criocristalografía (Es) :
cryocristallographie

criodecapado (Es) :
cryodécapage

crioeléctrico (Es) :
cryoélectrique

crioencimologia (Es) :
cryoenzymologie

criofijación (Es) :
cryofixation

criogenerador (Es) :
cryogénérateur

criogenización (Es) :
cryogénisation

criomolido (Es) :
cryobroyage

crionecrosis (Es) :
cryonécrose

criotécnica (Es) :
cryotechnique

criotrituración (Es) :
cryoconcassage

crioultramicrotomia (Es) :
cryo-ultramicrotomie

criptocristales (Es) :
cryptocristaux

criptófono (Es) :
cryptophone

criptozoologia (Es) :
cryptozoologie

cristal antiestático (Es) :
cristal antistatique

cristalline bridge (En) :
pont cristallin

cristaloquímico (Es) :
cristallochimiste

criticality (En) :
criticité

crocidolite (En) :
crocidolite

cromable (Es) :
chromable

cromaticidad (Es) :
chromaticité

cromatografía de afinidad (Es) :
chromatographie d'affinité

cromatografista (Es) :
chromatographiste

cromosoma inhibidor (Es) :
chromosome inhibiteur

cromostático (Es) :
chromostatique

cronoautógrafo (Es) :
chronautographe

cronobiologia (Es) :
chronobiologie

cronobiólogo (Es) :
chronobiologiste

cronocomparador (Es) :
chronocomparateur

cronoestratigráfico (Es) :
chronostratigraphique

cronofarmacológico (Es) :
chronopharmacologique

cronofitotron (Es) :
　chronophytotron

cronogenético (Es) :
　chronogénétique

cronón (Es) :
　chronon

cronopotenciometría (Es) :
　chronopotentiométrie

cronosecuencia (Es) :
　chronoséquence

cronosusceptibilidad (Es) :
　chronosusceptibilité

cronoterapeútico (Es) :
　chronothérapeutique

cronoterapia (Es) :
　chronothérapie

crop-growing area (En) :
　jardin à bois

cropout (En) :
　gratton

crossed aphasia (En) :
　aphasie croisée

crossing of lines (En) ;
crossing of tracks (En) :
　cisaillement

cross-linking (En) :
　pontage ;
　rétification

cross-linking agent (En) :
　réticulant

cross-section profilograph (En) :
　transversoprofilographe

crown (En) :
　couronne

crown (of the cap) (En) :
　ciel

crown cap (En) :
　bouchon couronne

crown compound (En) :
　composé couronne

crown cork (En) :
　bouchon couronne

crown saw (En) :
　scie-cloche ;
　scie à trous

crow repellent (En) :
　corvifuge

crush resistance (En) :
　autodéfroissabilité

crust (En) :
　croûte

crustal (En) :
　crustal

crustal abundance (En) :
　clarke

cryo-alternator (En) :
　cryoalternateur

cryo-bending (En) :
　cryocintrage

cryobiology (En) :
　cryobiologie

cryocable (En) :
　cryocâble

cryoclastic (En) :
　cryoclastique

cryoconnection (En) :
　cryoliaison

cryocrushing (En) :
　cryoconsassage

cryocrystallography (En) :
　cryocristallographie

cryode (En) :
　cryode

cryoelectric (En) :
　cryoélectrique

cryoelectricity (En) :
　cryoélectricité

cryoenzymology (En) :
　cryoenzymologie

cryoextractor (En) :
　cryode

cryogenerator (En) :
　cryogénérateur

cryogenic crushing (En) :
　broyage cryogénique ;
　cryoconcassage

cryogenic electricity (En) :
　cryoélectricité

cryogenic grinding (En) :
　cryobroyage

cryogenic temperature (En) :
　cryo-température

cryogenist (En) :
　cryogéniste

cryogrinding (En) :
　cryobroyage

cryokarst (En) :
　cryokarst

cryolink (En) :
　cryoliaison

cryonecrosis (En) :
　cryonécrose

cryonics (En) :
　cryogénisation

cryoprotectant (En) :
　cryoprotecteur

Cryopulvinektomie, f (De) :
　cryopulvinectomie

cryosorb trap (En) :
　piège froid

cryosphere (En) :
　cryosphère

cryostylet (En) ;
cryostylette (En) :
　cryode

cryotrimming (En) :
　cryo-ébarbage

cryo-ultramicrotomy (En) :
　cryo-ultramicrotomie

cryptate (En) :
　crypter

cryptating (En) :
　cryptant

cryptocrystals (En) :
　cryptocristaux

crypto-efflorescence (En) :
　crypto-efflorescence

cryptophone (En) :
　cryptophone

cryptozoology (En) :
　cryptozoologie

crystal bridge (En) :
　pont cristallin

crystal chemist (En) :
　cristallochimiste

C.S.B., m (De) :
　D.C.O.

C.S.B.-Meter, n (De) :
　D.C.O.-mètre

cuasifisión (Es) :
　quasi-fission

cuatrimestral (Es) :
　quadrimestriel

cubicity (En) :
　cubicité

cubilete (Es) :
　gobelet

cuchara prensora (Es) :
　benne-pince

cuenca (Es) :
　bassin

culicidógeno (Es) :
　culicidogène

culturality (En) :
　culturalité

cultureme (En) :
　culturème

cuña (Es) :
　coin

cunifuge (En) :
　cunifuge

cupule (En) :
　cupule

curd grain (En) ;
curd granule (En) :
　cossette

Curiemeter, n (De) :
　curie-mètre

curing compound (En) ;
curing products (En) :
　produits de cure

curiómetro (Es) :
　curie-mètre

current measurement (En) :
　courantométrie

current-measuring (En) ;
current-meter (En) :
　courantométrique

cushion gas (En) :
　gaz coussin

custody storage (En) :
　stockage statique

custom application (En) :
　rendu racine

cutan (En) :
　cutane

cut-and-seal (En) :
　coupe-soudure

cutback bitumen (En) ;
cutback liquid asphalt (En) :
　bitume fluidifié

cutter-sealer (En) :
　guillotine de soudure

cutting wheel (En) :
　roue sécatrice

cyanidizer (En) :
　cyaniseur

cyanocell (En) :
　cyanelle

cyanophycean (En) :
cyanophytique
cycled (En) :
cyclé
cycloconverter (En) :
cycloconvertisseur
cyclodimerization (En) :
cyclodimérisation
cyclonic precipitation (En) :
cyclonage
cyclotron radiation (En) :
rayonnement synchrotron
cylinder board (En) :
carton cylindre
cylinder saw (En) :
scie cloche ;
scie à trous
cytochemist (En) :
cytochimiste
cytodeme (En) :
cytodème
cytophotometric (En) :
cytophotométrique
cytoplasmic hybrid (En) :
hybride cytoplasmique
cytosegrosome (En) :
autolysosome
cytosol (En) :
cytosol
cytotoxicity (En) :
cytotoxicité

D

Dachwissenschaft, f (De) :
hyperscience
dachziegelartige
Anordnung, f (De) :
entuilage
daktyloskopisch (De) :
dermatoglyphique
dalton (En) :
dalton
Dämmerungsschalter, m (De) :
interrupteur crépusculaire
Dampf-vakuum-Verfahren, n (De) :
vide-vapeur
damping (En) :
antivibrant
dark resistance (En) :
résistance d'obscurité
darstellen (De) :
visualiser
data bank (En) :
banque de données
data base (En) :
base de données
data bus (En) :
bus de donnée(s)
data concentrator (En) :
concentrateur
datagram (En) :
datagramme

data logger (En) :
consignateur de données
Datenbank, f (De) :
banque de données
Datenbasis, f (De) :
base de données
Datenbus, m (De) :
bus de donnée(s)
Datenkonzentrator, m (De) :
concentrateur
Datenregistriergerät, n (De) :
consignateur de données
Datensichtgerät, n (De) :
console graphique ;
clavier optique programmé
Dauerfunktionstaste, f (De) :
touche tactile
daughter molecule (En) :
molécule-fille
day hospital (En) :
hôpital de jour
dayside cleft (En) ;
dayside cusp (En) :
cornet polaire
deactivator (En) :
désactivateur
dead matter (En) :
nécromasse
deaeration (En) :
désaérage
de-aerator (En) :
désaérateur sous vide
deal tray (En) :
passe-monnaie
deamidation (En) ;
deamidization (En) :
déamidation
deashing (En) ;
de-ashing (En) :
décendrage
debenzolize (En) :
déballaster
debitterization (En) :
désamérisation
decade (En) ;
decádico (Es) :
décadique
decalcificacton (Es) ;
decalcification (En) :
décalcarisation
decalibration (En) :
détimbrage
decantado (Es) :
décantat
decantador de filtro (Es) :
filtro-décanteur
decapeptide (En) :
décapeptide
decision height (En) :
hauteur de décision
decision maker (En) :
décideur ;
décisionnaire
Deckschicht, f (De) :
lavabilisateur
Deckungsgebiet, f (De) :
zone de couverture

decohesión (Es) :
décohésion
decollating (En) :
déliassage
decollating machine (En) :
déliasseuse
decollation (En) :
déliassage
decomposer (En) :
décomposeur
decompression meter (En) :
décompressimètre
deconjugation (En) :
déconjugaison
deconnection (En) :
déconnexion
decorar (Es) ;
decorate (En) :
décorer
decrementation (En) :
décrémentation
decreolization (En) :
décréolisation
decumulation (En) :
décumul
dedendum (En) :
creux
deductive simulation (En) :
simulation déductive
deep sleep (En) :
sommeil à ondes lentes
defecator (En) :
défécant
defecto de empaqueta-
miento (Es) :
faute d'empilement
defectology (En) :
défectuologie
defectoscopia (Es) :
défectoscopie
defectoscopic (En) :
défectuologique
defectoscopy (En) :
défectoscopie
defensa perceptiva (Es) :
défense perceptive
defensive Strategie, f (De) ;
defensive strategy (En) :
stratégie défensive
defibration gauge (En) ;
Defibrationsmessgerät, n (De) :
défibremètre
defibrinator (En) ;
defibrinierender Apparat, m (De) :
défibrineur
deficiency of growth (En) :
dysauxie
deflaker (En) :
dépastilleur
deflaking (En) :
dépastillage
deflation (En) :
cavage
deflection unit (En) :
déviateur
deflectometer (En) ;
deflectómetro (Es) :
déflectomètre

deflector (En) :
  dériveur
defoaming (En) :
  démoussage
defocusing (En) ;
  Defokussierung, f (De) :
  défocalisation
defruiter (En) :
  défruiteur
degassing (En) :
  débullage
degranulation (En) :
  dégranulation
degreasing (En) :
  désensimage
degree (En) :
  degré
degree day (En) :
  degré-jour
degree of freedom (En) :
  degré de liberté
degree of hardness (En) :
  titre hydrotimétrique
degree of polymerization (En) :
  degré de polymérisation
degree of wetness (En) :
  capacité au champ
Dehnungsmessung, f (De) :
  dilatométrie
dehydrocyclisation (En) :
  déshydrocyclisation
dehydrohalogenation (En) ;
  Dehydrohalogenierung, f (De) :
  déshydrohalogénation
Dehydrozyklisierung, f (De) :
  déshydrocyclisation
de-industrialization (En) :
  désindustrialisation
deinking (En) :
  désencrage
deionize (En) :
  déioniser
deionizer (En) :
  déioniseur
dekadisch (De) :
  décadique
Dekantat, n (De) :
  décantat
Dekapeptid, f (De) :
  décapeptide
Dekompressionsmesser, m (De) :
  décompressimètre
dekontaminierbar (De) :
  décontaminable
Dekonvolution, f (De) :
  déconvolution
Dekrementierung, f (De) :
  décrémentation
delamination (En) :
  délamination
deleaving (En) :
  déliassage
delignifying (En) :
  délignifiant
delivery (En) :
  livrancier

delocución (Es) :
  délocution
Delta-Nurflügelflugzeug, n (De) :
  deltaplane
deme (En) :
  dème
demineralizer (En) :
  déminéralisateur
demodulation meter (En) ;
  Demodulometer, n (De) :
  démodulomètre
demountability (En) :
  démontabilité
demulsibility (En) :
  démulsibilité
Demultiplexer, m (De) ;
  demultiplexor (En) :
  démultiplexeur
Dendrochronologe, m (De) ;
  dendrochronologist (En) ;
  dendrocronólogo (Es) :
  dendrochronologiste
Dendrologe, m (De) ;
  dendrologist (En) ;
  dendrólogo (Es) :
  dendrologue
denitrogenization (En) :
  dénitrogénisation
densificación (Es) ;
  densification (En) :
  densification
densifying (En) :
  densificateur
denticulación (Es) ;
  denticulation (En) :
  denticulation
dentpit (En) :
  cupule
deparentalized (En) :
  déparentalisé
depaternalized (En) :
  dépaternalisé
depithing machine (En) :
  démoelleur
depletion (En) :
  déplétion
depopulated (En) :
  dédensifié
depósito diagenético (Es) :
  dépôt diagénétique
depósito hidrogenético (Es) :
  dépôt hydrogénétique
Depot-Dünger, m (De) :
  engrais-retard
deprived (En) :
  carencé
deriva (Es) :
  dérive
(der) Dritten Welt (De) :
  tiers-mondiste
dermatofilosis (Es) :
  dermatophilose
dermatoglífico (Es) ;
  dermatoglyphic (En) ;
  dermatoglyphisch (De) :
  dermatoglyphique

Dermatophilose, f (De) ;
  dermatophytosis (En) :
  dermatophilose
dermonecrotic (En) :
  dermonécrosant
dermopuncture (En) ;
  Dermopunktur, f (De) :
  dermopuncture
deruralization (En) :
  déruralisation
desabrochado (Es) :
  déboutonnage
desalinización (Es) :
  désalination
desamarguización (Es) :
  désamérisation
desamidation (En) ;
  desamidization (En) :
  déamidation
desample (En) :
  détramer
desarrollo autónomo (Es) :
  développement auto-centré
descascarar (Es) :
  décoquer
deschooling (En) :
  déscolarisation
desconjugación (Es) :
  déconjugaison
desconexión (Es) :
  déconnexion
desconfesionalizar (Es) :
  déconfessionnaliser
desconvolución (Es) :
  déconvolution
descromación (Es) :
  déchromatation
desdensificado (Es) :
  dédensifié
deseasonalize (En) :
  désaisonnaliser
desecho térmico (Es) :
  déchet thermique
desembarque continuo (Es) :
  débarquement continu
desembarque discontinuo (Es) :
  débarquement discontinu
deserializer (En) :
  désérialisateur
desert greenhouse (En) :
  serre sèche
desertificación (Es) ;
  desertification (En) :
  désertification
desertification (En) ;
  desertisation (En) :
  désertisation
desertization (En) :
  désertification ;
  désertisation
desfasado (Es) :
  décalage
desfibrinador (Es) :
  défibrineur
desfocalización (Es) :
  défocalisation

desgarrómetro (Es) :
déchiromètre

desgasificador de vacio (Es) :
désaérateur sous vide

deshidrociclización (Es) :
déshydrocyclisation

deshidrohalogenación (Es) :
déshydrohalogénation

deshojadora (Es) :
effeuilleuse

design basis accident (En) :
accident de référence

designed floor assembly (En) :
plancher technique

desinclinación en cuña (Es) :
désinclinaison coin

desindustrialización (Es) :
désindustrialisation

Desinfektionsgerät, n (De) :
aseptiseur

desinformación (Es) ;
Desinformation, f (De) :
désinformation

desionizador (Es) :
déioniseur

desionizar (Es) :
déioniser

deslignificante (Es) :
délignifiant

desmanganización (Es) :
démanganisation

desmetalización (Es) :
démétallisation

desmineralizador (Es) :
déminéralisateur

Desmosom, n (De) ;
desmosoma (Es) ;
desmosome (En) :
desmosome

desnaftalinización (Es) :
dénaphtalinage

desolvatación (Es) :
désolvation

desolvation (En) :
désolvantisation

despatcher (En) :
achemineur

despecialization (En) :
déqualification

desrestauración (Es) :
dérestauration

dessication (En) :
aridification ;
aridisation

destilación relámpago (Es) :
distillation éclair

destramader (Es) :
détramer

destrozadora de matas de
patatas (Es) :
effaneuse

desviador (Es) :
déviateur

desynchronisierter
Schlaf, m (De) ;
sommeil paradoxal

detachable (En) :
débrochable

detectivity (En) :
détectivité

detector (En) :
capteur

detector-barrier (En) :
détecteur-barrière

detector de contacto (Es) :
détecteur de contact

detector de llama (Es) :
détecteur à flamme

detector de ultrasonidos (Es) :
détecteur à ultrasons

detector iónico (Es) :
détecteur ionique

detector microfónico (Es) :
détecteur microphonique

detector óptico (Es) :
opto-détecteur ;
détecteur optique

detector termovelocimétrico (Es) :
détecteur thermovélocimétrique

Detektorelektronen-
rauschen, n (De) :
bruit d'obscurité

deterministic (En) ;
deterministico (Es) :
deterministisch (De) :
déterministique

Detonationstechnik, f (De) ;
detonics (En) :
détonique

detoxicación (Es) :
détoxication

detoxicated (En) :
détoxiqué

detoxication (En) :
détoxication

detoxified (En) :
détoxiqué

detritífago (Es) :
détritiphage

detritivero (Es) ;
detritivor (En) :
détritivore

detrivore (En) :
détritiphage

deuteración (Es) ;
deuteration (En) :
deutération

deuteri-tritide (En) :
deutériotritiure

deuterization (En) :
deutération

developed nature reserve (En) :
réserve naturelle dirigée

deviation indicator (En) :
écartomètre

Dezentration, f (De) :
décentration

Diabetiker, m, mit Insulinmangel (De) :
insulinoprive

diachronisches Bild, n (De) :
image diachronique

diagenetic deposit (En) ;
diagenetische Ablagerung, f (De) :
dépôt diagénétique

Diagrosegerät, n (De) :
table de vérité

diagrama de cuatro
cuadrantes (Es) :
diagramme des quatre
quadrants

dialectófono (Es) :
dialectophone

dialectometria (Es) :
dialectométrie

Dialektgeographie, f (De) :
aréologie

Dialektometrie, f (De) :
dialectométrie

Dialoggerät, n (De) :
conversationnel

Dialogsystem, n (De) :
système interactif

Diaphragmazelle, f (De) ;
diaphragm cell (En) :
cellule à diaphragme

diaphragm cell (En) :
électrolyseur à diaphragme

diarreógeno (Es) ;
diarrheogenic (En) ;
diarrhögen (De) :
diarrhéogène

Diasammlung, f (De) ;
Diathek, f (De) :
diathèque

Diatomeenkunde, f (De) ;
diatomologia (Es) ;
diatomology (En) :
diatomologie

Diätotherapie, f (De) :
diétothérapie

diatype machine operator (En) :
diatypiste

Diauxie, f (De) ;
diauxy (En) :
diauxie

dibbler (En) :
camion transplantoir

diccionario negativo (Es) :
dictionnaire négatif

dichroïc fog (En) :
voile dichroïque

Dickfilm, m (De) :
couche épaisse

dictaphone typist (En) :
audiotypiste

(die) Eiablage verhindernd (De) :
anti-oviposition

diel (En) :
diel

dielectric-coated (En) :
électrographique

dielectrómetro (Es) :
diélectromètre

Dienstprogramm, n (De) :
programme utilitaire

(die) Schwärzungsmessung
betreffend (De) :
opacimétrique

diesel engine mechanic (En) :
diéséliste

diesel fuel (En) :
gazole

Dieselmechaniker, m (De) :
diéséliste

diesel oil (En) ;
Dieselöl, n (De) :
gazole

dietoterapia (Es) ;
dietotherapy (En) :
diétothérapie

Differentialanalyse, f (De) :
procédure différentielle

Differentialfeuermelder, m (De) :
détecteur thermovélocimé-
trique

differential geomagnetic
sounding (En) :
sondage magnétique
différentiel

differential method (En) :
procédure différentielle

differential mode (En) ;
Differenzbetrieb, m (De) :
mode différentiel

Differenzierungsstufe, f (De) :
groupe de niveau

diffractogram (En) :
diffractogramme

diffractometric (En) :
diffractométrique

diffractometry (En) ;
Diffraktometrie, f (De) :
diffractométrie

diffraktometrisch (De) :
diffractométrique

diffuse skylight (En) ;
diffuse sky radiation (En) ;
diffuse Sonnenstrahlung, f (De) :
rayonnement diffus

diffusion barrier (En) ;
Diffusionsbarriere, f (De) ;
diffusionsschranke, f (De) ;
Diffusionswand, f (De) :
barrière de diffusion

diffusivity (En) :
diffusivité

difonema (Es) :
diphonème

difractograma (Es) :
diffractogramme

difractometria (Es) :
diffractométrie

difusión abierta (Es) :
diffusion ouverte (à —)

difusión cerrada (Es) :
diffusion fermée (à —)

difusión incoherente (Es) :
diffusion incohérente

digirotropismo (Es) :
bigyrotropisme

Digitalkonzentrator, m (De) ;
digital concentrator (En) :
concentrateur numérique

digital data bus (En) :
bus numérique

digital disc (En) :
audio-disque

digitaler Datenbus, m (De) :
bus numérique

digitalisiert (De) :
numérisé

Digitalumsetzer, m (De) :
numérisateur

digitation (En) :
digitation

digitizer (En) :
numérisateur ;
numériseur

diglottic (En) :
diglossique

dilatancia (Es) ;
dilatancy (En) :
dilatance

dilatometria (Es) ;
dilatometry (En) :
dilatométrie

Dilepton, n (De) ;
dilepton (En) :
dilepton

diluter (En) :
diluteur

dimensional unit (En) :
unité de passage

Dimensionierung, f (De) :
dimensionnement

Dimerisierung, f (De) ;
dimerización (Es) ;
dimerization (En) :
dimérisation

dimmer (En) :
gradateur

dimuon (En) ;
dimuón (Es) :
dimuon

dinosaur (En) ;
dinosaurio (Es) :
dinosaure

diodo rápido (Es) :
diode rapide

diphoneme (En) :
diphonème

Diplexer, m (De) ;
diplexer (En) :
diplexeur

dipping (En) :
écrêteur

diproton (En) ;
di-proton (En) ;
di-protón (Es) :
diproton

dipsoprofilaxia (Es) ;
Dipsoprophylaxe, f (De) :
dipsoprophylaxie

dirección (Es) :
adresse

direct broadcast satellite (En) :
satellite de diffusion directe

direct firing (En) :
chauffe directe

direct heating (En) :
chauffage direct

directional air cylinder (En) :
directeur d'air

directly-reduced ore (En) :
préréduit

direct medium (En) :
moyen sans inertie

direct reduction (En) :
préréduction

direct self-competition (En) :
autoconcurrence directe

direct solar radiation (En) :
rayonnement direct

Direktempfang-Satellit, m (De) :
satellite de diffusion directe

direkte Sonnenstrahlung, f (De) :
rayonnement direct

direkte Verkehrssteuerung, f (De) :
microrégulation

Direktheizung, f (De) :
chauffage direct

Direttissima, f (De) :
directissime

dirty (En) :
sale

disambiguate (En) :
désambigüiser

disambiguating (En) :
désambigüisant

discharge printing (En) :
impression d'enlevage

disclusion (Es) :
disclusion

disc motor (En) :
moteur à disques

disco blando (Es) :
disque souple

disco de cálculo (Es) :
disque à calculer

discontinuous loading (En) :
embarquement discontinu

discontinuous offloading (En) ;
discontinuous unloading (En) :
débarquement discontinu

disco registrador-totalizador (Es) :
disque dépouilleur

discrete characteristic (En) :
caractère discret

discretización (Es) ;
discretization (En) :
discrétisation

discriminación (Es) ;
discrimination (En) :
discrimination

discriminatory analysis (En) :
analyse discriminante

discursive model (En) :
modèle discursif

diseconomy (En) :
déséconomie externe

disgenic (En) :
dysgénique

dish (En) :
bassin

disjoint (En) :
déjointer

disket (En) :
disquette

diskette (En) :
disque souple

Disklusion, f (De) :
disclusion

diskretes Merkmal, n (De) :
caractère discret

Diskrimination, f (De) :
discrimination

Diskriminanzanalyse, f (De) :
analyse discriminante

dismetabolia (Es) :
dysmétabolie

disminución (Es) :
décroissance ;
décrémentation

dispatcher (En) :
achemineur ;
largueur

Dispergierbarkeit, f (De) ;
dispersabilidad (Es) ;
dispersibility (En) :
dispersibilité

dispiration (En) :
déspiralisation

displacement activity (En) :
activité de substitution

displacive (En) :
displacif

display (En) :
visualiser

display (En) :
visuel ;
mur de produits

display console (En) :
visuel

display formatter (En) :
formateur

display rack (En) ;
display stand (En) :
îlot de vente

display telephone (En) :
téléphone antisatyre

display tube (En) :
tube afficheur

display unit (En) :
visuel

disponibilidad asintótica (Es) :
disponibilité asymptotique

disponibilidad instantánea (Es) :
disponibilité instantanée

disposable (En) :
disposable

disrotary (En) :
disrotatoire

dissipative muffler (En) :
silencieux dissipatif

dissipative system (En) :
système dissipatif

dissolved oxygen-temperature
monitor (En) :
oxy-thermomètre

distance between centres (En) :
entre pointes

Distillationsbitumen, n (De) :
bitume de distillation

distribución dinámica (Es) :
allocation dynamique

distributed computer
systems (En) :
informatique répartie

distributed gyrotropy (En) :
gyrotropie distribuée

distribution coefficient (En) :
chromatographie d'affinité

distribution of coupons (En) :
couponnage

distribution satellite (En) :
satellite de distribution

district (En) :
district

disturbographic (En) :
perturbographique

disturbography (En) :
perturbographie

divergence (En) ;
divergencia (Es) :
divergence

divergent-convergent traffic (En) ;
divergenter und konvergenter
Verkehr, m (De) :
trafic divergent-convergent

divergenter Verkehr, m (De) ;
divergent traffic (En) :
trafic divergent

Divergenz, f (De) :
divergence

diversificación concéntrica (Es) :
diversification concentrique

diversion (En) :
dévoyage

diverter (En) :
dériveur

Divertor, m (De) ;
divertor (En) :
écorceur

divide into pages (En) :
pager

divider screen (En) :
cloisonnette

divider-shaper (En) :
diviseur formeur

division (En) :
partition

dobladilladora (Es) :
ourleuse

dobleto (Es) :
doublet

dockage (En) :
charge

doctor (En) :
docteur

doctorand (En) ;
doctorando (Es) ;
doctorandus (En) :
doctorant

documentografia (Es) :
documentographie

documento primario (Es) :
document primaire

documento secundario (Es) :
document secondaire

documento terciaro (Es) :
document tertiaire

document rejection (En) :
rejet simple

Doktorand, m (De) :
doctorant

Dokumentenverzeichnis, n (De) :
documentographie

dolly shot (En) :
ambulation

dolo (En) :
dolo

domestic satellite (En) :
satellite domestique

doom palm plantation (En) :
doumeraie

door-unit (En) :
bloc-porte

Doppelbeschäftigung, f (De) :
doublage

Doppelfurnier, n (De) :
bi-pli

Doppelkontrast– (De) :
double contraste (en –)

Doppelproton, n (De) :
diproton

doppelschichtig (De) :
double peau

doppelter Duplexkarton, m (De) :
carton double-double

döppern (De) :
bouteroller

Döppern, n (De) :
bouterollage

dormant bud (En) :
bourgeon sensible

Dosier– und Falzmaschine f (De) :
doseuse-sertisseuse

dosimetro (Es) :
titrimètre

dosimetro passivo (Es) ;
dosimetro registrador (Es) :
dosimètre passif

double-blinded (En) :
double aveugle (en –)

double-coated (En) :
double peau

double-double face corrugated
fibreboard (En) :
carton double-double ;
ondulé double-double

double contrast (En) ;
double-contrast (En) :
double contraste (en –)

double glazing (En) :
survitrage

double shift (En) :
doublage

doum palm plantation (En) :
doumeraie

Doupion– (De) ;
doupion (En) :
doupionné

down peak (En) :
pointe descente

down traffic (En) :
débit en descente

draft curtain (En) :
porte souple

draft text (En) :
avant-texte

drahtloses Fernsehen, n (De) :
macro-télévision

drainability (En) :
drainabilité

draping machine (En) :
machine à draper

drawback (En) :
rembours

dredgability (En) ;
dredgeability (En) :
dragabilité

Drehflügelindustrie, f (De) :
héli-industrie

Drehgestellager, n (De) :
stockage tournant

Drehmomentmesser, m (De) :
couplemètre

Drehstrahlregner, m (De) :
asperseur

Drehverschluss, m (De) :
capsule quart de tour

Dreiecksystem, m (De) :
système triangulaire

Dreifachmeßfühler, m (De) :
tricapteur

Dreifarben– (De) :
trichromatique

drenabilidad (Es) :
drainabilité

drepanocytic (En) :
drépanocytaire

drift (En) :
dérive

drillability test (En) :
essai de forabilité

drip irrigation (En) :
irrigation au goutte à goutte

drittes Dokument, n (De) :
document tertiaire

drive (En) :
piloter

drive-in bank (En) :
auto-banque

dromocrónico (Es) :
dromochronique

drop-by-drop irrigation (En) :
irrigation au goutte à goutte

dropper adjustment (En) :
pendulage

dropping mercury electrode (En) :
électrode à goutte pendante

dropping point (En) :
point de goutte

dropsonde (En) :
catasonde

dropstone (En) :
bloc isolé

Druckbelastungsprobe, f (De) :
essai de microfissuration sous
charge

druckknopfbetätigter
Notabsperrhahn, m (De) :
robinet coup de poing

Druckluftmassage, f (De) :
pressothérapie

Druckrohr, n (De) :
tube de force

Druckschalter, m (De) :
manocontacteur

Druckschiebe, f (De) :
marguerite

drum-draining (En) :
vide-fût

dry bulk container (En) :
conteneur sec

dry cell isolation device (En) :
barrière galvanique

dry cleaning filter (En) :
filtre sec

dry coal-charging (En) :
enfournement sec

dry farming (En) :
aridoculture

dry fleet (En) :
flotte sèche

dry monitoring (En) :
pharmacovigilance

dry-type transformer (En) :
transformateur sec

dual-purpose boiler (En) :
chaudière mixte

ductile iron (En) :
fonte GS

duct winding (En) :
fabrication par enroulement

dummy (En) :
fantôme

dummy head recording (En) :
tête artificielle

Dumpalmenanpflanzung, f (De) :
doumeraie

dune buggy (En) :
autodune ;
motodune

Dunkelwiderstand, m (De) :
résistance d'obscurité

dünnbewachsen (De) :
clariplanté

dünne PVC-Platte, f (De) :
épiderme

Dunstrohröffnungsziegel, m (De) :
tuile à douille

duodenoscope (En) ;
duodenoscopio (Es) ;
Duodenoskop, n (De) :
duodénoscope

Duoplasmatron, m (De) ;
duoplasmatron (En) :
duoplasmatron

duplicar (Es) ;
duplicate (En) :
dupliquer

duplicating machine (En) ;
duplicator (En) :
copieur

duplizieren (De) :
dupliquer

Düppel, m (De) :
paillette

durch Erhitzen klebfähig (De) :
thermocollable

Durchflußmesser, m (De) :
efflumètre

Durchgangswohnsiedlung, f (De) :
cité de transit

(durch) Gesten ausgedrückt (De) :
gestué

Durchlassbereich, m (De) :
bande passante

Durchlaufregal, n (De) :
casier dynamique

Durchmischung, f (De) :
mélangeage

(durch) Neutronen angeregt (De) :
neutro-pompé

Durchperlen, f (De) :
bullage

Durchstoßen, m (De) :
four poussant

Durchströmen, n (De) :
transporisation

(durch) Wärmeeinwirkung
verkürzbar (De) :
thermorétractible

Duschecke, f (De) ;
Duschnische, f (De) ;
Duschvorrichtung, f (De) :
douchière

Düse, f (De) :
buselure

Düsenziehmaschine, f (De) :
arrache-tuyère

dusk-to-dawn switch (En) :
interrupteur crépusculaire

dust cake (En) :
gâteau de poussière

dust counter (En) :
pulvérimètre

dust-holding capacity (En) :
capacité de colmatage

dusting (En) :
poudrage ;
poussiérage

Dutch speaker (En) ;
Dutch-speaker (En) :
néerlandophone

Dutch-type windmill (En) ;
Dutch windmill (En) :
moulin hollandais

duty-free shop (En) :
boutique franche

dyeing accelerant (En) :
véhiculeur

dynamic allocation (En) :
allocation dynamique

dynamical transformation (En) :
transformation dynamique

dynamic anchor (En) :
ancrage dynamique

dynamic loss (En) :
perte dynamique

dynamic positioning (En) :
positionnement dynamique

dynamic rack (En) :
transcasier

dynamic storage (En) :
mémoire dynamique

dynamic storage (En) ;
dynamische Lagerung, f (De) :
stockage dynamique

dynamische Meteorologie, f (De) :
dynamique de l'atmosphère

dynamische Positionerung, f (De) :
positionnement dynamique

dynamischer Speicher, m (De) :
mémoire dynamique

dynamisches Verdichten, n (De) :
consolidation dynamique

dynamische Teletheromo-
graphie, f (De) :
téléthermographie dynamique

dynamische Verankerung, f (De) :
　ancrage dynamique
dynamische Zuweisung, f (De) :
　allocation dynamique
Dyon, n (De) ;
dyon (En) :
　dyon
dysgenetisch (De) ;
dysgenic (En) :
　dysgénique
dyslateralization (En) :
　dyslatéralisation
dysmelic (En) ;
dysmelisch (De) :
　dysmélique
Dysponese, f (De) :
　dysponèse
dyssomniac (En) :
　dyssomniaque
dystrophization (En) :
　dystrophisation

E

early winter (En) :
　préhiver
ear muff (En) :
　oreillère
Earth resource survey (En) :
　écographie
Earth station (En) :
　géostation
Earth synchronous satellite (En) :
　satellite géosynchrone
easy axis (En) ;
easy direction (En) ;
　axe aisé ;
　axe facile
ebb (En) :
　baissée
ebonite coated steel (En) :
　acier ébonité
ebonite lining (En) ;
Ebonitieren, n (De) :
　ébonitage
eccrine (En) :
　eccrine
echinulate (En) :
　échinulé
echo fade-in (En) :
　coupe sur l'écho
Echograf, m (De) :
　échographe
Echogramm, n (De) :
　échogramme
echo integrator (En) :
　échointégrateur
Echotomographie, f (De) :
　échotomographie
Echtzeit, f (De) :
　temps réel (en −)
Eckbeschlag, m (De) :
　pièce de coin

ECL study (En) :
　électrophotochimie
ecocide (En) :
　écocide
ecoclimatic (En) ;
ecoclimático (Es) :
　écoclimatique
ecodema (Es) ;
ecodeme (En) :
　écodème
ecodesarrollo (Es) ;
ecodevelopment (En) :
　éco-développement
ecoethology (En) :
　éco-éthologie
ecofase (Es) :
　écophase
ecofisiología (Es) :
　écophysiologie
ecoforma (Es) :
　écoforme
ecogénico (Es) :
　écogénique
ecogeología (Es) :
　écogéologie
eco-geologist (En) ;
ecogeólogo (Es) :
　écogéologue
eco-geology (En) :
　écogéologie
ecógrafo (Es) :
　échographe
ecógrafo bidimensional (Es) :
　échographe bidimensionnel
ecógrafo de barrido (Es) :
　échographe à balayage
ecograma (Es) :
　écogramme ;
　échogramme
ecohabitat (Es) :
　écohabitat
eco-immunology (En) ;
eco-inmunología (Es) :
　eco-immunologie
ecolingüística (Es) ;
ecolinguistics (En) :
　écolinguistique
ecological murder (En) :
　écocide
ecologist (En) :
　bionomiste
ecomorphic variant (En) :
　écoforme
ecomuseum (En) :
　écomusée
econología (Es) ;
econology (En) ;
economic ecology (En) :
　éconologie
economic population (En) :
　population économique
ecopatología (Es) :
　écopathologie
ecosfera (Es) ;
ecosphere (En) :
　écosphère
ecosystem analysis (En) :
　analyse écosystémique

ecotone (En) :
　écotone
ecotoxicología (Es) ;
ecotoxicology (En) :
　écotoxicologie
ectacitómetro (Es) :
　ektacytomètre
ectopolímero (Es) ;
ectopolymer (En) :
　ectopolymère
ectotermo (Es) ;
ectothermic (En) :
　ectotherme
ectotrofo (Es) ;
ectotrophic (En) ;
ectotropic (En) :
　ectotrophe
E.C.U. (En) :
　U.M.E.
edafoquímica (Es) :
　pédochimique
edafotopo (Es) ;
edaphische Faktoren, m.pl. (De) :
　édaphotope
Edaphon, n (De) ;
edaphon (En) :
　édaphocénose
edge (En) :
　lame (en −)
edafocenosis (Es) :
　édaphocénose
edafofauna (Es) :
　pédofaune
edge-dryer (En) :
　sèche-bord
edge effect (En) :
　effet de bord ;
　effet lisière
E.D.P. system (En) :
　boucle informatique
educación de adultos (Es) :
　andragogie
education council (En) :
　conseil d'enseignement
education counsellor (En) :
　conseiller d'éducation
E.D.V., f, auf Grossrechnern (De) :
　grosse informatique
E.D.V., f, auf Kleinrechnern (De) :
　mini-informatique
efecto Cerenkof (Es) :
　effet Cerenkov
efecto de punta (Es) :
　effet de pointe
efecto matriz (Es) :
　effet de matrice
efecto Mosbauer (Es) :
　effet Mössbauer
efecto Pockels (Es) :
　effet Pockels
efecto sintético (Es) :
　effet synthétique
effector (En) ;
Effektor, m (De) :
　effecteur
eflúmetro (Es) :
　efflumètre

efusividad (Es) :
effusivité

egg crate (En) :
canadienne

Egge, f (De) :
herse

egg implantation (En) :
ovoimplantation

egg product (En) :
ovoproduit

egg-shelling plant (En) :
casserie

egocentrado (Es) :
égocentré

egosinforia (Es) ;
egosymphory (En) :
égosymphorie

Egozentriker, m (De) :
égocentré

Eichelröhre, f (De) :
tube gland

Eigenbau, m (De) :
auto-construction

Eigendrehung, f (De) :
autogiration

Eigenentwicklung, f (De) :
auto-développement

Eigenkolonisation, f (De) :
autocolonisation

Eigenkonkurrenz, f (De) :
autoconcurrence directe

eigenständige Entwicklung, f (De):
développement auto-centré

Eigenversinken, n (De) :
auto-enfouissement

Eiimplantation, f (De) :
ovoimplantation

Ein-Ausgabeprozessor, m (De) :
processeur périphérique

einbaufertige Tür, f (De) :
bloc-porte

Einbetten, n (De) :
emboîtement

Einbildkomparator, m (De) :
monocomparateur

Einblendung, f (De) :
incrustation

einfach (De) :
bas de gamme (de —)

Einfrieren, n (De) :
cryogénisation

Einfüll– und
Saftauffüllmaschine, f (De) :
emboîteuse-juteuse

Eingabestapler, m (De) :
tasseur d'entrée

Eingabevorrichtung, f (De) :
pondeur

Einhämmern, n (De) :
matraquage

einklintbar (De) :
encliquetable

Einlaßmittel, n (De) :
apprêture

Einloch– (De) :
monotrou

Einmalbrand, m (De) :
monocuisson

einmodig (De) :
monomode

Einrammen, n (De) :
battage

einrastbar (De) :
encliquetable

Einrichtangshaus, n (De) :
maisonnerie

Einsack– und
Heftmaschine, f (De) :
ensacheuse-clipseuse

Einsatzsicherung, f (De) :
fusible mécanique

einschichtig (De) :
monocouche ;
monostratal

Einschlagen, n (De) :
enveloppage

Einschlagmaschine, f (De) :
fardeleuse ;
enveloppeuse

Einschließungszeit, f (De) :
temps de confinement

einseitig (De) :
monoface

einsteckbar (De) :
enfichable

einstellig– (De) :
unaire

Einträglichkeit, f (De) :
profitabilité

Einwegartikel, m (De) :
disposable

Einwortkette, f (De) :
chaîne unitaire

Einzelstation– (De) :
monostation

Eiprodukt, n (De) :
ovoproduit

Eis beseitigen (De) :
déverglacer

eiserner Hut, m (De) :
chapeau de fer

Eishümpel, m (De) :
bourguignon

ejaculado (Es) ;
Ejakulat, n (De) :
éjaculat

ejecta (En) :
éjectats

ejectoconvector (En) :
éjecto-convecteur

ejidatario (En, Es) :
éjidataire

ekkrin (De) :
eccrine

Ektobiologie, f (De) :
exobiologie

Ektopolymer, n (De) :
ectopolymère

ektosemantisch, (De) :
ectosémantique

ektotherm (De) :
ectotherme

ektotroph (De) :
ectotrophe

Elastance, f (De) ;
elastance (En) :
élastance

elastischer Härter, m (De) :
rigidimère

elastolítico (Es) ;
elastolytic (En) ;
elastolytisch (De) :
élastolytique

Elbogenschutz, m (De) ;
elbow pad (En) :
coudière

electretizado (Es) ;
electretized (En) :
électrétisé

electrical bonding (En) :
métallisation

electric automobile (En) ;
electric car (En) :
électromobile

electric ear (En) :
oreille électronique

electric frame warmer (En) :
ventilette

electric precipitator (En) :
électro-filtre

electric separator (En) :
électro-filtre

electroaceptor (Es) :
électroaccepteur

electroantennogram (En) ;
electroantenograma (Es) :
électro-antennogramme

electroattractive (En) :
électroattracteur

electrocast (En) :
électrofondu

electrochemical display (En) ;
electrochemical plating
display (En) :
afficheur électrolytique

electroclima (Es) ;
electroclimate (En) :
électroclimat

electroclimatización (Es) :
électroclimatisation

electroconsolidation (En) :
électroconsolidation

electrocopia (Es) :
électrocopie

electrodo de enzima (Es) :
électrode à enzyme

electrodo de gota
pendiente (Es) :
électrode à goutte pendante

electrodonante (Es) :
électrodonneur

electro-drainage (En) :
électrodrainage

electroelectronic (En) ;
electro-electrónico (Es) :
électro-électronique

electroestrictivo (Es) :
électrostrictif

electroextracción (Es) ;
electroextraction (En) :
électroextraction

electrofiltrado (Es) ;
electrofiltration (En) :
électrofiltrage

electroflotación (Es) ;
electroflotation (En) :
électroflottation

electroforograma (Es) :
électrophorégramme

electrofotoquímica (Es) :
électrophotochimie

electrofundido (Es) :
électrofondu

electrogalvanized (En) :
électrozingué

electrográfico (Es) ;
electrographic (En) :
électrographique

electro-informático (Es) :
électro-informatique

electrolito sólido (Es) :
superconducteur ionique

electrolizador de diafragma (Es) :
électrolyseur à diaphragme

electrolizador de membrana (Es) :
électrolyseur à membrane

electrolocación (Es) ;
electrolocation (En) :
électrolocation

electrolytic display (En) :
affichage électrolytique

electron acceptor (En) :
électroaccepteur

electronarcosis (En) :
électrosommeil

electron donor (En) :
électrodonneur

electron hole (En) :
trou

electrónica médica activa (Es) :
électronique médicale active

electronic bottle-scanner (En) :
mireuse

electronic dictionary (En) ;
electronic directory (En) :
annuaire électronique

electronicize (En) :
électroniser

electronic mail (En) :
courrier électronique

electronic precipitator (En) :
précipitateur électrostatique

electronic time-switching (En) :
commutation temporelle

electronic T.V. game (En) :
jeu vidéo
télé-jeu

electronify (En) :
électronifier

electronización (Es) :
électronisation

electronizar (Es) :
électronifier ;
électroniser

electronografía (Es) :
électronographie

electronograma (Es) :
électronogramme

electro-oculografía (Es) ;
electro-oculography (En) :
électro-oculographie

electro-olfactogramo (Es) :
électroolfactogramme

electropalatógrafo (Es) :
électropalatographe

electropermeability (En) :
électroperméabilité

electrophoretogram (En) :
électrophorégramme

electroplastia (Es) ;
electroplasty (En) :
électroplastie

electrosolar (Es) :
électrosolaire

electrosorption (En) :
électrosorption

electrostatic powder
printing (En) :
poudrage électrostatique

electrostatic precipitation (En) :
électrofiltrage

electrostatic precipitator (En) :
électro-filtre

electrostatic printing (En) :
poudrage électrostatique ;
impression électrostatique

electrostrictive (En) :
électrostrictif

electrowinning (En) :
électro-obtention

elektretiert (De) :
électrétisé

elektrische Durchlassigkeit, f (De) :
électroperméabilité

elektrische Gasreinigung, f (De) :
électrofiltrage

elektrischer Datenbus, m (De) :
bus électrique

Elektroantennogramm, n (De) :
électro-antennogramme

Elektrofiltration, f (De) :
électrofiltrage

Elektrokopierverfahren, n (De) :
électrocopie

Elektrodränung, f (De) :
électrodrainage

Elektroextraktion, f (De) :
électroextraction

Elektrofahrzeug, n (De) :
électromobile

Elektrofilter, m ou n (De) :
électro-filtre

elektrographisch (De) :
électrographique

elektroinduzierter Schlaf, m (De) :
électrosommeil

Elektroklimatisierung, f (De) :
électroclimatisation

elektrolytische Anzeige, f (De) :
affichage électrolytique ;
afficheur électrolytique

elektrolytische Gewinnung, f (De) :
électro-obtention

elektroneneinfangend (De) :
électroattracteur

Elektronenloch, n (De) :
trou

Elektronenschwingungs– (De) :
vibronique

elektronifizieren (De) :
électronifier

Elektronisation, f (De) :
électronisation

elektronischen Bauteilen
bestücken (mit–) (De) :
électroniser

elektronischer
Künstler, m (De) :
ordinartiste

elektronisches Fernsprechverzeichnis, n (De) :
annuaire électronique

elektronisches Ohr, n (De) :
oreille électronique

elektronisches Steuergerät, n (De) :
autocorrecteur

Elektronogramm, n (De) :
électronogramme

Elektronographie, f (De) :
électronographie

Elektrookulographie, f (De) :
électro-oculographie

Elektroolfaktrogramm, n (De) :
électroolfactogramme

elektro-osmotische
Konsolidierung, f (De) :
électroconsolidation

Elektropalatograph, m (De) :
électropalatographe

Elektropalatographie, f (De) :
palatographie dynamique

Elektropeilung, n (De) :
électrolocation

Elektropermeabilität, f (De) :
électroperméabilité

Elektrophoregramm, n (De) :
électrophorégramme

Elektrophotochemie, f (De) :
électrophotochimie

elektrophysiologisches
Potential, n (De) :
biopotentiel

Elektroschlaf, m (De) :
électrosommeil

elektrosolar (De) :
électrosolaire

Elektrosorption, f (De) :
électrosorption

elektrostatischer
Abscheider, m (De) :
précipitation électrostatique

elektrostatischer Druck, m (De) :
impression électrostatique

Elektrostriktions– (De) ;
elektrostriktiv (De) :
électrostrictif

elektroverzinkt (De) :
électrozingué

Elementgehalt, m (De) :
clarke

elemento de paisaje (Es) :
élément de paysage

elevating tailgate (En) :
  hayon élévateur

elevator (En) :
  élévateur

eliminación simple (Es) :
  rejet simple

elipsómetro (Es) :
  ellipsomètre

elitróforo (Es) :
  elytrophore

ellipsometer (En) :
  ellipsomètre

Elsässertum, n (De) :
  alsacianité

Eluat, n (De) ;
eluate (En) :
  éluat

elutriation (En) :
  élutriation

elytrophore (En) :
  élytrophore

emagram (En) ;
Emagramm, n (De) :
  émagramme

Emanationsmessung, f (De) ;
emanometria (Es) ;
Emanometrie, f (De) ;
emanometry (En) :
  émanométrie

embarque continuo (Es) :
  embarquement continu

embarque discontinuo (Es) :
  embarquement discontinu

embedding (En) :
  emboîtement ;
  encastrement

embossed (En) :
  embossé

embossed plaster (En) :
  enduit bouchardé

embossing (En) :
  grainage

embossing (En) :
  graineur

embossment (En) :
  grainage

embotelladora (Es) :
  embouteilleuse

embrasure (En) :
  embrasure

embriotectónica (Es) ;
Embryotektonik, f (De) :
  embryotectonique

emeritus status (En) :
  éméritat

emisión exoelectrónica (Es) :
  émission exoélectronique

emisión incoherente (Es) ;
  émission incohérente

empfängerorientierte
Lagerung, f (De) :
  allotissement

Empfindlichkeit, f (De) :
  responsivité

empty word (En) :
  mot-vide

emulación (Es) :
  émulation

emulate (En) :
  émuler

Emulation, f (De) ;
emulation (En) :
  émulation

Emulgator, m (De) :
  émulgateur

emulieren (De) :
  émuler

emulsifier (En) :
  émulgateur

emulsion chamber (En) :
  chambre à émulsion

emulsion gravel (En) :
  grave émulsion

Emulsionskammer, f (De) :
  chambre à émulsion

Emulsionsstern, m (De) :
  étoile nucléaire

enantiomer (En) ;
Enantiomere, n (De) :
  énantiomère

encajable (Es) :
  emboîtable

encaje (Es) :
  emboîtement

encapsidation (En) :
  encapsidation

encapsulatable (En) :
  encapsulable

encapsulated (En) :
  encapsulé

encapsulating (En) :
  encapsulage

encapsulation (En) :
  encapsulage ;
  encapsulation ;
  encapsulement ;
  incapsulation

encefalina (Es) :
  enképhaline

encefalitógeno (Es) ;
encephalitogenic (En) ;
encephalitogenous (En) :
  encéphalitogène

encephalomyocarditis (En) :
  encéphalomyocardite

encimograma (Es) :
  enzymogramme

encintadora (Es) :
  nubaneuse

enclaving (En) :
  enclavant

enclosed (En) :
  encloisonné

encoder (En) :
  encodeur

encryption (En) :
  cryptophonie

enderezadora (Es) :
  redresseuse

Endflecken, m (De) :
  ostiole

Endhersteller, m (De) :
  établisseur

endoamnioscope (En) :
  fœtoscope

endobiotic organism (En) :
  endobiote

endocinematografía (Es) ;
endocinematography (En) :
  endocinématographie

endocommensal (En) :
  endocommensal

endocuticle (En) ;
endocuticula (En) ;
endocutícula (Es) :
  endocuticule

endodontic (En) ;
endodóntico (Es) :
  endodontique

endófago (Es) :
  endophage

Endofauna, f (De) ;
endofauna (En, Es) :
  endofaune

endófono (Es) :
  endophone

Endokinematographie, f (De) :
  endocinématographie

Endokommensal– (De) :
  endocommensal

endolithic (En) ;
endolito (Es) :
  endolithe

endonucleasa de restricción (Es) :
  endonucléase de restriction

endophon (De) :
  endophone

endoral (En) :
  endoral

endorphin (En) :
  endorphine

endoscopic photography (En) :
  endocinématographie

endosemántico (Es) ;
endosemantisch (De) :
  endosémantique

endoskopische
Photographie, f (De) :
  endocinématographie

endosymbiont, n (De) ;
endosymbiont (En) :
  endosymbionte

endotermo (Es) :
  endotherme

endotheliochorial (En) :
  endothéliochorial

endotherm (De) ;
endothermic (En) :
  endotherme

endotrofo (Es) ;
endotroph (De) ;
endotrophic (En) ;
endotropic (En) :
  endotrophe

end-to-end coupling (En) :
  jonctionnement

enelicomorphism (En) :
  adultocentrisme

energeticist (En) ;
Energetiker, m (De) :
  énergéticien

energia total (Es) :
  énergie totale

energia verde (Es) :
  énergie verte

*Energieerzeugung, f, durch
  Pflanzenverbrennung (De) :*
  charbon vert

Energiefreisetzung, f (De) :
  ergapolyse

energiegleich (De) :
  équiénergétique

Energiesystem, n (De) :
  filière énergétique

energizing (En) :
  énergisant

energy system (En) :
  filière énergétique

enge Doppelsterne, m (De) :
  étoile binaires serrées

engineering specialist (En) :
  ingénieriste

enhancer (En) :
  renchérisseur

enjambre (Es) :
  essaim

enkephalin (En) :
  enképhaline

enmascaramiento (Es) :
  masquage

ensamblador (Es) :
  assembleur

ensamblar (Es) :
  assembler

ensayo de tenacidad (Es) :
  essai de ténacité

ensayo penetrométrico (Es) :
  essai pénétrométrique

enstrophy (En) :
  enstrophie

Entblattungsmaschine, f (De) :
  effeuilleuse

Entfaltung, f (De) :
  déconvolution

Entfernen der Fühler, n (De) :
  antennectomie

*Entfernen, n, der wilden
  Triebe (De) :*
  égourmandage

Entfettung, f (De) :
  désensimage

entgiftbar (De) :
  décontaminable

Entgiftung, f (De) :
  détoxication

Enthafniumierung, f (De) :
  déhafniation

Enthalpiemeter, n (De) ;
enthalpy gauge (En) ;
enthalpy meter (En) :
  enthalpimètre

Enthaüten, n (De) :
  dépelliculage

Enthexaner, m (De) :
  déhexaniseur

Enthydrochlorierung, f (De) :
  déshydrochloration

Entindustrialisierung, f (De) :
  désindustrialisation

entionisieren (De) :
  déioniser

Entionisierer, m (De) :
  déioniseur

Entkalkung, f (De) :
  décalcarisation

Entladeanzeiger, m (De) :
  indicateur de décharge

Entlehmen, n (De) :
  désargilage

Entmanganierung, f (De) :
  démanganisation

Entmarker, m (De) :
  démoëlleur

Entmineralisierungsanlage, f (De) :
  déminéralisateur

Entnahme, f, vom Lager (De) :
  butinage ;
  piquage

Entnebelungsvorrichtung, f (De) :
  dénébulateur

entomesodermal (En) ;
entomesodérmico (Es) :
  entomésodermique

Entomofauna, n (De) ;
entomofauna (Es) :
  entomofaune

entomogam (En) ;
entomógamo (Es) :
  entomogame

entomometeorologia (Es) ;
Entomometeorologie, f (De) :
  entomométéorologie

entomophilous (En) :
  entomogame

Entrestaurierung, f (De) :
  dé-restauration

Entsalzung, f (De) :
  désalination

entschalen (De) :
  décoquer

Entscheidungshöne, f (De) :
  hauteur de décision

Entscheidungsträger, m (De) :
  décideur ;
  décisionnaire

Entsemantisierung, f (De) :
  désémantisation

Entspannen, n (De) :
  détensionnement

Entstapeln, n (De) :
  dépilage

Entstapelungsmaschine, f (De) :
  dépileuse

Entstrunken, n (De) :
  étrognage

Enttinten, n (De) :
  désencrage

Entwicklungsfähigkeit, f (De) :
  évolubilité

Entzerrer, m (De) :
  égaliseur

Entzug, m, von Bitterstoffen (De) :
  désamérisation

envelope symbol (En) :
  symbole à case

environmental (En) :
  environnemental

environmental analyst (En) :
  écolyseur

environmental geologist (En) :
  écogéologue

environmental geology (En) :
  écogéologie

environmental hearing loss (En) :
  socioacousie

environmentalist (En) :
  environnementaliste

environmental physiology (En) :
  écophysiologie

envoltura magnética (Es) :
  coquille magnétique

Enzephalitis, f (De) :
  arbovirose

enzephalitogen (De) :
  encéphalitogène

Enzephalomyokarditis, f (De) :
  encéphalomyocardite

enzyme electrode (En) :
  électrode d'enzyme

enzymogram (En) ;
Enzymogramm, n (De) :
  enzymogramme

eolifono (Es) :
  éoliphone

Epibiont, m (De) ;
epibiont (En) :
  épibionte

epicontinental (En, Es) :
  épicontinental

epicritic (En) ;
epicrítico (Es) :
  épicritique

epicuticle (En) ;
epicutícula (Es) ;
epicuticule (En) :
  épicuticule

epidermic bond (En) :
  collage épidermique

epifauna (En, Es) :
  épifaune

epigaean fauna (En) ;
Epigaion, n (De) ;
epigeal fauna (En) ;
epigean fauna (En) ;
epigeic fauna (En) :
  épigaion

epigenetic (En) ;
epigenético (Es) ;
epigenetisch (De) :
  épigénétique

epigenización (Es) :
  épigénisation

epigeo (Es) ;
epigeous fauna (En) :
  épigaion

epikontinental (De) :
  épicontinental

epikritisch (De) :
  épicritique

Epilamen, n (De) ;
epilamen (En) :
  épilamen

epilimnetic (En) ;
epilimnial (En) ;
epilimnico (Es) ;
Épilimnion– (De) :
  épilimnique

epinastia (Es) ;
Epinastie, f (De) ;
epinasty (En) :
  épinastie

epipédico (Es) :
  épipédique

epipedon (En) :
  épipédon

epipedonic (En) :
  épipédique

Epiprojektion, f (De) ;
episcopia (Es) :
  épiscopie

epiteliocorial (Es) ;
epitheliochorial (En) :
  épithéliochorial

epizona (Es) ;
Epizone, f (De) :
  épizone

eponimia (Es) ;
eponymism (En) ;
eponymy (En) :
  éponymie

equalizer (En) :
  égaliseur

equal loudness curve (En) :
  isophone

equally-timed (En) :
  équitemps

equiangular spiral (En) :
  spirale équiangulaire

equiatomic (En) :
  équiatomique

equibilingualism (En) :
  équilinguisme

equicontaminación (Es) :
  équipollution

equidensidad (Es) :
  équidensité

equienergetic (En) ;
equinergético (Es) :
  équiénergétique

equipment supplier (En) :
  équipementier

equipo físico (Es) :
  matériel

equipotential (En) :
  isopotentiel

equilingüismo (Es) :
  équilinguisme

equimolaridad (Es) ;
equimolarity (En) :
  équimolarité

equireflectance (En) ;
equirreflectancia (Es) :
  équiréflectance

equistranded (En) :
  équibrin

equivalent core (En) :
  cœur équivalent (à –)

equivalent displacement (En) :
  substitution équivalente

erasable storage (En) :
  mémoire tableau noir

erdbebenschützend (De) ;
erdbebensicher (De) :
  parasismique

Erdbeeranbau, m (De) :
  fraisiculture

Erdgeschoß, m (De) :
  rez-de-sol ;
  rez-de-jardin

Erdnuß– (De) :
  arachidier

Erdöldollar, m (De) :
  pétro-dollar

Erdstation, f (De) :
  géostation

erdsynchroner Satellit, m (De) :
  satellite géosynchrone

Erfrischungsgetränk, n (De) :
  boisson rafraîchissante

ergapólisis (Es) ;
ergapolysis (En) :
  ergapolyse

ergometric (En) ;
ergometrisch (De) :
  ergométrique

Ergon, n (De) ;
ergon (En, Es) :
  ergon

Ergonom, m (De) :
  ergonome

ergonomic (En) ;
ergonómico (Es) ;
ergonomisch (De) :
  ergonomique

ergonomist (En) :
  ergonome

ergophtalmology (En) ;
Ergophthalmologie, f (De) :
  ergophtalmologie

erhaben (De) :
  embossé

Erhärtungsmesser, m (De) :
  prisomètre

erhöhter Fahrspur-
Begrenzungsstreifen, m (De) ;
erhöhter Fahrspur-
Trenzungssbreifen, m (De) :
  bordurette

erinose (En) ;
erinosis (Es) :
  érinose

Erlang, n (De) ;
erlang (En, Es) :
  erlang

Ernährungstherapie, f (De) :
  diétothérapie

erosión urbana (Es) :
  érosion urbaine

error indetectable (Es) :
  défaut indétectable

error indiscernible (Es) :
  défaut indiscernable

error macrogeométrico (Es) :
  erreur macrogéométrique

error microgeométrico Es) :
  erreur microgéométrique

Ersatz, m (De) :
  substitut

Ersatzhandlung, f (De) :
  activité de substitution

Erschließung, f (De) :
  viabilisation

Erstarrungsmeßgerät, n (De) :
  maturomètre

Erstluft, f (De) :
  air primaire

Eruption, f (De) :
  venue

Erwachsenenbildung, f (De) :
  andragogie

erwachsenenpädagogisch (De) :
  andragogique

Erwachsenenpädogogue, m (De) :
  andragogue

erythrocytic (En) ;
erythrozyt (De) :
  érythrocytaire

Erz-Geologe, m (De) :
  métallogéniste

escanografista (Es) :
  scanographiste

escanógrafo (Es) :
  scanographe

escenificación (Es) :
  scénisation

escobajado (Es) :
  éraflage

escorificable (Es) :
  scorifiable

escorificación (Es) :
  scorification

escriptologia (Es) :
  scriptologie

esenciero (Es) :
  essencier

esferocristal (Es) :
  sphérocristal

Eskimonym, n (De) :
  esquimaunyme

eslabón-gubia (Es) :
  maillon-gouge

espectro biológico (Es) :
  spectre biologique

espectrocolorímetro (Es) .
  spectrocolorimètre

espectropluviómetro (Es) :
  spectropluviomètre

espectroradiómetro (Es) :
  spectroradiomètre

espectro Raman (Es) :
  spectre Raman

espermologia (Es) :
  spermologie

espinor (Es) :
  spineur

espiral equiangular (Es) :
  spirale équiangulaire

espiroplasma (Es) :
  spiroplasme

espongiforme (Es) :
  spongiforme

espongiófago (Es) :
  spongiophage

esporoblastogénesis (Es) :
  sporablastogénèse

espumógeno (Es) :
  spumogène

essence jar (En) :
essencier

estación de servicio (Es) :
essencerie

estado excitado (Es) :
état excité

estado fundamental (Es) :
état fondamental

estenófago (Es) :
sténophage

estereología (Es) :
stéréologie

estereorestitución (Es) :
stéréorestitution

estereoselectividad (Es) :
stéréosélectivité

esteroideogénesis (Es) :
stéroïdogénèse

estrategia autosectorial (Es) :
stratégie autosectorielle

estrategia defensiva (Es) :
stratégie défensive

estrategia ofensiva (Es) :
stratégie offensive

estratotipo (Es) :
stratotype

estriado (Es) :
rayure ;
striure

Estrichleger, m (De) :
chapiste

estrobofotografía (Es) :
strobophotographie

etheogenesis (En) :
éthogénèse

ethnic and cultural (En) :
ethno-culturel

ethnocidal (En) :
ethnocidaire

ethnokulturell (De) :
ethno-culturel

ethnomethodological (En) :
ethnométhodologique

Ethnomethodologie, f (De) :
ethnométhodologie

ethnomethodologisch (De) :
ethnométhodologique

ethnomethodology (En) :
ethnométhodologie

ethnonym (En) :
ethnonyme

ethnophon (De) ;
ethnophone (En) :
ethnophone

ethnoscience (En) :
ethno-connaissance

ethnosemiotics (En) ;
Ethnosemiotik, f (De) :
ethnosémiotique

ethnothanatology (En) :
ethnothanatologie

ethnozid (De) :
ethnocidaire

Ethologe, m (De) ;
ethologist (En) :
éthologue

ethylene pipeline (En) :
éthylénoduc

Etikettierwiege, f (De) :
berceau

etnometodológico (Es) :
ethnométhodologique

etnotanatología (Es) :
ethnothanatologie

etogénesis (Es) :
éthogénèse

etólogo (Es) :
éthologue

eucálcico (Es) :
eucalcique

eucraton (Es) :
eucraton

euedaphische
Bodentiere, n.pl. (De) :
euédaphon

eufótico (Es) :
euphotique

Eukraton, n (De) :
eucraton

euphotic (En) ;
euphotisch (De) :
euphotique

Eurco (En) :
eurco

eurífago (Es) :
euryphage

eurígamo (Es) :
eurygame

euro-bond (En) :
euro-obligataire

eurocommunist (En) :
eurocommuniste

eurocomunismo (Es) :
eurocommunisme

eurocomunista (Es) :
eurocommuniste

euroderecha (Es) :
eurodroite

eurodólar (Es) ;
Eurodollar, m (De)
eurodollar (En) :
eurodollar

euroemisiones (Es) :
euroémissions

Eurofranc, m (De) ;
eurofranc (En) ;
eurofranco (Es) ;
eurofranc

euro-issues (En) :
euroémissions

Eurokommunismus, m (De) :
eurocommunisme

eurokommunistisch (De) :
eurocommuniste

Eurolanguage (En) :
euro-langue

Euronorm, f (De) ;
euronoma (Es) :
euronorme

Europa, f (De) ;
europa (En) :
europa

Europäide, m, f (De) :
europoïde

europäische Währungs-
einheit, f (De) :
eurostable

European chauvinism (En) :
europocentrisme

European currency unit (En) :
eurostable

europid (En) ;
europoid (En) :
europoïde

Eurorechte, f (De) :
eurodroite

Eurosprache, f (De) :
euro-langue

euro-tropical (En) ;
eurotropisch (De) :
euro-tropical

eurygam (De) :
eurygamous (En) :
eurygame

euryhaline (En) :
euryhalobe

euryphag (De) ;
euryphagous (En) :
euryphage

Euskarian (En) ;
euskaroid (De) :
euskaroïde

eustasia (Es) ;
Eustasie, f (De) ;
eustatic movement (En) ;
eustatische Bewegung, f (De) :
eustasie

eutanasia activa (Es) :
euthanasie active

eutanasia pasiva (Es) :
euthanasie passive

evaporado (Es) ;
Evaporat, n (De) ;
evaporite (En) :
évaporat

event recorder (En) :
consignateur d'événements

evolutive design (En) ;
evolutivity (En) :
évolutivité

evolvability (En) :
évolubilité

E.W.E., f (De) :
U.M.E.

exa– (De, Es) :
exa–

exceptionnally-gifted (En) :
surdoué

excimer (En) :
excimère

exciplex (En) ;
Exciplexe, m (De) :
exciplexe

excited state (En) :
état excité

exciting (En) :
préparant

exciton (En) :
exciton

excluded volume (En) :
  volume exclu
exclusion from participation (En) :
  déconventionnement
excursión nuclear (Es) :
  excursion nucléaire
Exergie, f (De) :
  exergie
exergonic (En) :
  exergonique
exergy (En) :
  exergie
exhomeotherm (De) ;
exhomeothermic (En) :
  exhoméotherme
Exobiologe, m (De) ;
exobiologist (En) :
  exobiologiste
exobiology (En) :
  exobiologie
exociclico (Es) :
  exocyclique
exocitosis (Es) :
  exocytose
exocolonization (En) :
  exocolonisation
exocuticle (En) ;
exocutícula (Es) :
  exocuticule
exocyclic (En) :
  exocyclique
exocytosis (En) :
  exocytose
exoelectron emission (En) ;
Exoelektronenemission, f (De) ;
exoemisión (Es) :
  émission exoélectronique
Exoemissions– (De) :
  ecoémetteur
exófilo (Es) :
  exophile
exófono (Es) :
  exophone
Exokolonisation, f (De) :
  exocolonisation
exonym (En) ;
Exonymon, n (De) :
  exonyme
exophilic (En) :
  exophile
exophon (De) :
  exophone
exoscopia (Es) ;
exoscopy (En) ;
Exoskopie, f (De) :
  exoscopie
Exozytose, f (De) :
  exocytose
expanded ceramic (En) :
  thermo-mousse
expediency cost (En) :
  coût d'opportunité
Explantation, f (De) ;
explantation (En) :
  explantation
exploded (En) ;
exploded view (En) :
  éclaté

explorador (Es) :
  explorateur
explosion-proof (En) :
  pare-flamme
explosive pusher (En) :
  pousseur explosé
explosives science (En) :
  détonique
exposure stock (En) :
  crise de découvert
ex ship (En) :
  bord (à –)
extended aeration (En) :
  aération prolongée
extensógrafo (Es) ;
extensograph (En) :
  extensographe
external audit (En) :
  audit externe
external diseconomy (En) :
  déséconomie externe
externalistic (En) :
  externaliste
extracción líquido-líquido (Es) :
  extraction liquide-liquide
extractor (En) :
  préleveur
extra heat (En) :
  extra-chaleur
extrakorporale Chirurgie, f (De) :
  chirurgie sur établi
extraordinary index (En) :
  indice extraordinaire
extra-price (En) :
  surprix
extra-text (En) :
  extra-texte
extrudierbar (De) ;
extrusible (En) ;
extrusile (En) ;
extrusionable (Es) :
  extrudable
exurbanisation (En) ;
exurbanización (Es) :
  exurbanisation
exurgencia (Es) :
  exurgence
Exziton, n (De) :
  exciton

F

fabric architecture (En) :
  architecture textile
face-lifting (En) :
  lissage
Fachaufnahme, f (De) :
  ambulation
Fächerstrahl, m (De) :
  jet plat
facilitator (En) :
  facilitateur
facing (En) :
  redressage

facing machine (En) :
  redresseuse
facing operation (En) :
  redressage
faciologic (En) ;
faciological (En) ;
faciológico (Es) :
  faciologique
Factoring, n (De) ;
factoring (En) :
  affacturage
facular (En) ;
faculous (En) :
  faculaire
fading (En) :
  fading
fágico (Es) :
  phagique
fagocinética (Es) :
  phagocinétique
fagosoma (Es) :
  phagosome
fago transductor (Es) :
  phage transducteur
Fahrrad-Ergometer, n (De) :
  cyclergomètre ;
  véloergomètre
Fahrtschreiber, m (De) :
  chronautographe
fake color work (En) :
  fausse couleur
fakultative oder obligatorische
Rückversicherung, f (De) :
  facob
falla transformante (Es) :
  faille transformante
Fallen, n (De) ;
falling (En) :
  baissée
falsch Ernährter, m (De) :
  malnutrit
falsche Sprachsilben-
trennung, f (De) :
  mécoupure
Falschfarbe, f (De) :
  fausse couleur
falsch negativ machen (De) :
  négativer
false color (En) :
  fausse couleur
false floor (En) ;
falso suelo (Es) :
  faux-plancher
Faltenbildung, f (De) :
  grignage
familiäres (De) :
  conversationnel
Farbart, f (De) :
  chromaticité
farbbeständig (De) :
  chromostatique
Färbemaschine, f (De) :
  teinteuse
Farbetrahldrucker, m (De) :
  imprimante à jet d'encre
Färbung, f (De) :
  coloration

Farbzwischennegativ, n (De) :
  inter-négatif
Farbzwischenpositiv, n (De) :
  interpositif
farinograph (En) :
  farinographe
farmacocinética (Es) :
  pharmaco-cinétique
faro (En) :
  faro
Faserstoffherstellung, f (De) :
  fibrage
Faser Vliess, f (De) :
  non-tissé
Faß, n (De) :
  tonneau
Fassadengestalter, m (De) :
  façadier
fast carry (En) :
  retenue accélérée
fast diode (En) :
  diode rapide
fast food (En) ;
fast food catering (En) :
  néorestauration
Fasziation, f (De) :
  fasciature
faultograph (En) :
  perturbographe
feedback inhibition (En) :
  rétro-inhibition
feeding device (En) :
  avancé-bande
feeler-follower (En) :
  palpeur-suiveur
Fegen, n (De) :
  frottis
Fehlermängelunter-
suchung, f (De) :
  défectuologie
Fehleruntersuchung, f (De) :
  défectoscopie
Fehlguß, m (De) :
  malvenue
Feinstrukturkonstante, f (De) :
  constante de structure fine
Felddamm, m (De) :
  levadon
Feldkapazität, f (De) :
  capacité au champ
felodese (En) ;
felonesdese (En) ;
felosdese (En) :
  suicidant
felsitic (En) :
  aphanitique
Felsmeißel, m (De) :
  brise-roche
feminineness (En) :
  féminitude
fenotexto (Es) :
  phénotexte
Fenster, n, der Atmosphäre (De) :
  fenêtre atmosphérique
Fensterheber, m (De) :
  lève-vitre

feral (En) :
  féral
Ferien, f.pl., auf dem
Bauernhof, m (De) :
  agritourisme
Fernanzeige, f (De) :
  télépancartage
fernbedienbar (De) :
  télécommandable
Fernbetätigung, f (De) :
  télémanipulation
Ferndokumentation, f (De) :
  télédocumentation
ferngesteuert (De) :
  régulé
Fernschnellzug, m (De) :
  T.G.V.
Fernsehfilm, m (De) :
  téléfilm
Fernseh-Lenkflugkörper, m (De) :
  missile à guidage optique
fernsehübertragbar (De) :
  télévisible
Fernsehuniversität, f (De) :
  téléuniversité
Fernsprechkonferenz, f (De) :
  audioconférence
fernsteuerbar (De) :
  téléréglable ;
  télécommandable
Fernsteuerung, f (De) :
  télépilotage
Fernüberwachung, f (De) :
  télésurveillance
Fernwaage, f (De) :
  télépeseur
Fernwiegen, n (De) :
  télépesage
Fernwirkung, f (De) :
  téléopération
ferritic (En) :
  ferritique
ferritic nitrocarburizing (En) :
  nitro-carburation
ferrítico (Es) ;
ferritisch (De) :
  ferritique
ferroelasticidad (Es) ;
ferroelasticity (En) ;
Ferroelastizität, f (De) :
  ferroélasticité
ferrofluid (En) ;
ferrofluido (Es) :
  ferrofluide
ferroresonant (De, En) :
  ferrorésonant
ferruginización (Es) :
  ferruginisation
fersialítico (Es) ;
fersiallitic (En) :
  fersiallitique
Fertigungsstation, f (De) :
  îlot de production
fertile arable land (En) :
  paysage cultivé
feste Lösung, f (De) :
  solution solide

festoneado (Es) :
  festonnement
Festpunkt, m (De) :
  point de canevas
Festspeicher, m (De) :
  mémoire morte
Festungskunde, f (De) :
  castrologie
α-fetoproteina (Es) :
  α-foetoprotéine
fetoscope (En) ;
fetoscopio (Es) :
  foetoscope
Fettchemie, f (De) :
  lipochimie
Feuchtgewächshaus, n (De) :
  serre humide
feuerbeständig (De) :
  non feu ;
  pyrophobe
Feuerbeständigkeit, f (De) :
  pyrorésistance
Feuerfestigkeit, f (De) :
  réfractarité
fiberizer (En) :
  dépastilleur
fiber optic data bus (En) :
  bus optique
Fiberskop, n (De) :
  fibroscope
fibre optic data bus (En) :
  bus optique
fibre production (En) :
  fibrage
fibrillable (En) :
  fibrillable
fibrillated film (En) :
  laminette
fibrillation (En) ;
Fibrillierung, f (De) :
  fibrillation
fibrinzerstörender
Apparat, m (De) :
  défibrineur
fibrogenic (En) :
  fibrosant
fibrogénico (Es) ;
fibroid (De, En) :
  fibrogénique
Fibroskop, n (De) :
  fibroscope
Fibroskopie, f (De) :
  fibroscopie
fiche collection (En) :
  microfichethèque
field (En) :
  champ
field generator (En) :
  moulin à champ
Figurenbildung, f, an der
Gußoberfläche (De) :
  fleurage
filactere (Es) :
  phylactère
file clerk (En) :
  classier
filicide (En) :
  filicide

filigranóscopo (Es) :
  filigranoscope
filing clerk (En) :
  classier
filítico (Es) :
  phylliteux
filler (En) :
  fines
filler concrete (En) :
  béton de remplissage
filling and closing machine (En) :
  doseuse-sertisseuse
filling and dosing machine (En) :
  remplisseuse-doseuse
filling and forming machine (En) :
filling and shaping machine (En) :
  remplisseuse-formeuse
filling station (En) :
  essencerie
film cameraman (En) ;
Filmkameramann, m (De) :
  opérateur film
Filmtitelkamera, f (De) :
  banc-titre
filón (Es) :
  phylon
filosilicato (Es) :
  phyllosilicate
filter bed (En) :
  feutre-jardin
Filterdekantiergerät, n (De) :
  filtro-décanteur
Filterschicht, f (De) :
  précouche
filtro absoluto (Es) :
  filtre absolu
filtro húmedo (Es) :
  filtre humide
filtro seco (Es) :
  filtre sec
fines (En) :
  tamisat
fine-structure constant (En) :
  constante de structure fine
Finger, m (De) ;
finger (En) :
  jetée
finishings (En) :
  second-œuvre
Finnlandisierung, f (De) :
  finlandisation
fire resistance (En) :
  pyrorésistance
firing chamber (En) :
  chambre à feu
Firmenwert, m (De) :
  survaloir
Firmenzeichen, n (De) :
  logo
Firnisabnahme, f (De) :
  allègement
first in, first out (En) :
  premier entré, premier sorti
first in, last out (En) :
  premier entré, dernier sorti
firth (En) :
  traict

fiscalist (En) ;
fiscalista (Es) :
  fiscaliste
Fischbrutanstalt, f (De) :
  écloserie
Fischenthäutemaschine, f (De) :
  épiauteuse
Fischschleuse, f (De) :
  passe à poissons
fish biologist (En) :
  ichtyobiologiste
fishway (En) :
  passe à poissons
fisiogénico (Es) :
  fissiogénique
fisiográfico (Es) :
  physiographique
fission (En) :
  fissiogénique
fission barrier (En) :
  barrière de fission
fission-produced (En) :
  fissiogénique
fisurabilidad (Es) :
  fissurabilité
fitness trail (En) :
  vitaparcours
fitobentos (Es) :
  phytobenthos
fitocartógrafo (Es) :
  phytocartographe
fitocida (Es) :
  phytocide
fitoclimático (Es) :
  phytoclimatique
fitomasa (Es) :
  phytomasse
fitonimia (Es) :
  phytonymie
fitopatógeno (Es) :
  phytopathogène
fitoprotector (Es) :
  phytoprotecteur
fitosociólogo (Es) :
  phytosociologue
five-rayed (En) :
  pentaradié
fixed load (En) :
  chargement ancré
fixing (En) :
  cotation
Flächengewicht, n (De) :
  grammage
Flachkabel, n (De) :
  câble-ruban
Flachkollektor, m (De) :
  capteur solaire plan
Flachsbauer, m (De) :
  liniculteur
Flachstrahl, m (De) :
  jet plat
flag (En) :
  drapeau
flake (En) :
  puce ;
  flocon

flaker (En) ;
flaketool (En) :
  retouchoir
flame arrester (En) :
  arrête-flammes
flame-hydrolysis method (En) :
  hydrolyse à la flamme
flame photometer (En) :
  photomètre à flamme
flame-proof (En) :
  pare-flamme
Flammenmelder, m (De) :
  détecteur à flamme
Flammenphotometer, n (De) :
  photomètre à flamme
Flammenschutz, m (De) :
  arrête-flammes
flange tile (En) :
  tuile à douille
flare (En) :
  épanoui
flaring (En) :
  torchage ;
  tulipage
Flaschenabfüllbetrieb, m (De) ;
Flaschnabfüller, m (De) :
  embouteilleur
Flaschenabfüllmaschine, f (De) :
  embouteilleuse
Flaschenentnahmemaschine, f (De) :
  décaisseuse
Flaschenkontrollanlage, f (De) :
  mireuse
flash distillation (En) :
  distillation éclair
Flaschenkeller, m (De) :
  canetterie
flash meter (En) :
  flashmètre
flask (En) :
  château
flat jet (En) :
  jet plat
flat-plate collector (En) :
  capteur solaire plan
flat shunting (En) ;
flat switching (En) :
  wagon assisté en plaine
flat slab mushroom
  construction (En) :
  plancher-champignon
flattened cone (En) :
  cône plat
Flattern, n (De) :
  couplage aéro-élastique
flavor (En) ;
flavour (En) :
  flaveur
flaving (En) :
  criquage
flax grower (En) :
  liniculteur
Fleischfresser, m (De) :
  consommateur secondaire
Fleischkonservenindustrie, f (De) :
  salaisonnerie
fleischreich (De) :
  viandeux

fleurine (En) :
fleurine

flexibilista (Es) :
flexibiliste

flexible package (En) ;
flexible packaging (En) :
conserve souple

flexible working hours (En) ;
flexi-time (En) :
plage souple

fliegender Arzt, m (De) :
médecin volant

Fließwasser– (De) :
fluicole

flight of ideas (En) :
hyperidéation

Flimmerhärchentoxizität, f (De) :
ciliotoxicité

float (En) :
flottateur

floating absorbent (En) :
absorbant flottant

floating floor (En) :
plancher flottant

floating foundation (En) :
fondation flottante

floating leg (En) :
pied-ponton

floating point (En) :
virgule flottante

floating point arithmetic (En) :
arithmétique flottante

floating worker (En) :
volante

floc (En) :
floc ;
floculat

flocculant (En) :
floculant

flocculator (En) :
floculateur

floccumeter (En) ;
Flockungsmesser, m (De) :
floculomètre

Flockungsmittel, n (De) :
floculant

flocs (En) :
flocs

floculado (Es) :
floculat

floculador (Es) :
floculateur

floculante (Es) :
floculant

floculómetro (Es) :
floculomètre

flooding (En) :
inondation ;
arrosage

floor coverer (En) ;
floor layer (En) :
chapiste

floor stand (En) :
barque de vente

floppy disc (En) ;
floppy disk (En) :
disque souple

flotation bed (En) :
lit fluidisé

Flottationsanlage, f (De) :
flottateur

fluence (En) ;
fluencia (Es) ;
Fluenz, f (De) :
fluence

Flugasche, f (De) :
envols

fluicolo (Es) :
fluicole

fluidible (En) :
fluidisable

fluidics (En) :
fluidique

fluidifiable (En) ;
fluidificable (Es) :
fluidifiable

fluidificador (Es) ;·
fluidifier (En) :
fluidificateur

fluidizable (Es) :
fluidisable

fluidized bed (En) :
lit fluidisé

fluidizer (En) :
fluidiseur

fluid-level indicator (En) :
bouchon-jaugeur

fluid pad (En) :
patin fluide

fluorosensor (En) :
fluorosenseur

Fluorotelomer, n (De) ;
fluorotelomer (En) ;
fluorotelómero (Es) :
fluorotélomère

Flüssigaroma, n (De) :
arôme de fumée liquide

flüssiger Kristall, m (De) :
cristal liquide

flüssig-flüssig-Extraktion, f (De) :
extration liquide-liquide

Flüssiggas, n (De) :
G.N.L.

Flüssigkeitshonen, n (De) :
sablage humide

Flüssigkeitsszintillation, f (De) :
scintillation liquide

Flußname, m (De) :
potamonyme

flute (En) :
rainure

fluted paper (En) :
papier cannelure

flutter (En) :
couplage aéro-élastique

Fluvarium, n (De) :
fluvarium

fluxed bitumen (En) :
bitume fluxé

fluxer (En) :
fluxeur

fly ash (En) :
envols

flying doctor (En) :
médecin volant

flying phase (En) :
phase aérienne

fly jib (En) :
fléchette

Flysch– (De) ;
flyshoid (En) :
flyshoïde

foam clay (En) :
mousse d'argile

foam gun (En) :
canon à mousse

foam-producing (En) :
spumogène

F.O.B. (De, En) :
F.A.B.

α-Fœtoprotein, f (De) ;
α-fœtoprotein (En) :
α-fœtoprotéine

fœtoscope (En) :
fœtoscope

fog dispersal device (En) :
dénébulateur

folded (En) :
replié

Földerkugel, f (De) ;
Földertischkugel, f (De) :
bille de manutention

folding (En) :
repliement

Folgeregler, m (De) :
suiveur

follower (En) :
suiveur

follow shot (En) :
ambulation

follow-up (En) :
suivi

fonátomo (Es) :
phonatome

food chain (En) :
chaîne alimentaire

food lure (En) :
appétitif

foolproofing (En) :
détrompage

foot bath (En) :
pédiluve

foot-devil (En) :
buisson

forability test (En) :
essai de forabilité

forcing (En) :
chauffage

Förderband, n, mit Greifern (De) :
tapis surface-griffe

Fördertisch, m (De) :
table motorisée

forester (En) :
reboiseur

forestry (En) :
foresterie

forético (Es) :
phorétique

formabilidad (Es) ;
formability (En) :
formabilité

formación sináptica (Es) :
formation synaptique

formalinized whole culture (En) :
  anaculture

formated screen (En) ;
formatierter Bildschrirm, m (De) :
  écran formaté

Formatierung, f (De) ;
formating (En) :
  formatage

formational (En) :
  formationiste

formation of a crack (En) :
  criquage

Formbarkeit, f (De) :
  formabilité

Former, m (De) ;
former (En) :
  formeur

form word (En) :
  mot-vide

Förmzeichen, n (De) :
  canard

Forschungshaushalts-
Gesamtbetrag, m (De) :
  enveloppe-recherche

forsetzend (De) :
  litanique

Forstwirtschaft, f (De) :
  foresterie

fortlaufend (De) :
  kilomètre (au –)

fortsetzend (De) :
  processionnel

forzamiento (Es) :
  chauffage

fossile Seifen, f (De) :
  sables noirs

Fotobrechungseffekt, m (De) :
  effet photo-réfractif

Fotochemiker, m (De) :
  photochimiste

fotocicloadición (Es) :
  photocycloaddition

fotocito (Es) :
  photocyte

fotocoagulador (Es) :
  photocoagulateur

fotoconductor (Es) :
  cellule photoconductive

fotocoordinatógrafo (Es) :
  photocoordinatographe

fotocopolimerización (Es) :
  photocopolymérisation

fotocromo (Es) :
  photochrome

fotodegradación (Es) :
  photodégradation

fotodetector (Es) :
  photodétecteur

fotodimerización (Es) :
  photodimérisation

fotodímero (Es) :
  photodimère

fotodisociado (Es) :
  photodissocié

fotoelectrólisis (Es) :
  photo-électrolyse

fotoelectroquímica (Es) :
  photoélectrochimie

fotoendurecible (Es) :
  photodurcissable

fotoenergética (Es) :
  photoénergétique

fotoestilo (Es) :
  photostyle

fotoexcitación (Es) :
  photoexcitation

fotofísica (Es) :
  photophysique

Fotogeologe, m (De) ;
fotogeólogo (Es) :
  photo-géologue

fotogeomática (Es) :
  photo-géomatique

fotohärtbar (De) :
  photodurcissable

fotoheterotrofia (Es) :
  photohétérotrophie

fotoinducido (Es) :
  photoinduit

fotointerpretación (Es) :
  photo-interprétation

Fotokoordinatograf, m (De) :
  photocoordinatographe

fotómetro de llama (Es) :
  photomètre à flamme

fotomorfogénesis (Es) :
  photomorphogenèse

fotooxidación (Es) :
  photooxydation

fotoproducto (Es) :
  photoproduit

fotoquímico (Es) :
  photochimiste

fotoreceptor (Es) :
  photorécepteur

fotorepetidor (Es) :
  photorépéteur

fotorespiración (Es) :
  photorespiration

Fotorezeptor, m (De) :
  photorécepteur

fotosoma (Es) :
  photosome

fototérmico (Es) ;
fotothermisch (De) :
  photothermique

fototransductor (Es) :
  phototranducteur

fountain pen dosemeter (En) :
  stylodosimètre

four-element converging
lens (En) :
  quatuor convergent

four-sided counter (En) :
  bergerie

Fourth World (En) :
  Quart-Monde

four-wire network (En) :
  circuit octopôle

Frachtbehälterrollenplatte, f (De) :
  roule-conteneur

fractal (En) :
  fractal

fractile (En) :
  fractile

fracturología (Es) ;
fracturology (En) :
  fracturologie

fragic (En) :
  fragique

fragipan (En) :
  fragipan

fragment antigene binding (En) :
  fab

frame (En) :
  cé

frame-fastener (En) :
  fixe-cadre

franchiser (En) :
  franchiseur

franchising (En) :
  franchisage

francofónico (Es) :
  francophonien

franking machine (En) :
  affranchisseuse

frankophonisch (De) :
  francophonien

franqueadora (Es) :
  affranchisseuse

Fräsen, n (De) :
  fraisurage

fraying (En) :
  frottis

freatología (Es) :
  phréatologie

free alongside ship (En) :
  franco long du bord

free-floating load (En) :
  chargement flottant libre

freelance artist (En) :
  cachetier

free on rail (En) :
  franco wagon

free on truck (En) :
  franco camion

free on wagon (En) :
  franco wagon

free overside (En) :
  bord (à –)

free-run juice (En) :
  jus de goutte

free water (En) :
  eau libre

freeze etching (En) ;
freeze-etching (En) :
  cryodécapage

freeze-resisting agent (En) :
  antigélif

freezing process (En) :
  cryogénisation

frei auf Lastkraftwagen (De) ;
frei auf Lkw (De) :
  franco camion

freies Wasser, n (De) :
  eau libre

frei Feld, n, mit
Ausbringung (De) :
  rendu racine

Freiheitsgrad, m (De) :
degré de liberté

Freilichtmuseum, n (De) :
écomusée

Freiraum, m (De) :
dégarnissage

Freistempler, m (De) :
affranchisseuse

frei Waggon (De) :
franco wagon

Fremdpollen, m (De) :
allopollen

fremdsprachig (De) :
exophone

Fremdstoff, m (De) :
xénobiotique

Fremdtransplantation, f (De) :
xénotransplantation

French language specialist (De) :
francisant

french origin (of − −) (En) :
francogène

frequency-agile (En) :
agile en fréquence

frequency agility (En) :
vivacité de fréquence

frequency monitor (En) :
excursiomètre

frequency synthesizer (En) :
synthétiseur de fréquence

Frequenzagilität, f (De) :
vivacité de fréquence

freshening (En) :
dessalure

fresh water fishery (En) :
dulçaquiculture

Frischlauge, f (De) :
liqueur blanche

Frittbarkeit, f (De) :
frittabilité

frondícolo (Es) :
frondicole

frontal (En) :
frontal

frontal edge (En) :
lèvre frontale

front-end (En) :
frontal

fronting (En) :
façade

Frontlader, m (De) ;
front-loading truck (En) :
chariot frontal

Frostschutzmittel, n (De) :
pare-gel

Frottage, f (De) :
lettrage par transfert

Frühneolithikum, n (De) :
néolithisation

Frührente, f (De) :
prépension

Frühtreiben, n (De) :
chauffage

Frühwinter, m (De) :
préhiver

fruit and vegetable waste (En) :
verts

frustration (En) :
frustration

fuchsinanziehend (De) ;
fuchsinbindend (De) ;
fuchsinophil (En) ;
fuchsinophilic (En) :
fuchsinophile

fuel rod (En) :
compact

fuga de cerebras (Es) :
exode des cerveaux

Führerhausschutz, m (De) :
protège-cabine

fulanity (En) ;
Fulbentum, n (De) :
foulanité

Füllbeton, m (De) :
béton de remplissage

Füll-Dosiermaschine, f (De) :
remplisseuse-doseuse

Fülltrichter, m (De) :
tête de remplissage

Füllungsüberschuss, m (De) :
erreur de jetée

fully-automated plant (En) :
usine presse-bouton

fully-developed turbulent
flow (En) :
turbulence développée

full-operational plant (En) :
usine produits en main

function unit (En) :
bloc fonction

function word (En) :
mot-vide

fungistat (En) ;
Fungistatikum, n (De) :
fongistat

Fungizid, n (De) :
antimycotique

Funk-Bus, m (De) :
radio-bus

funkenentladungsfrei (De) :
antiétincelle

Funktionärdasein, n (De) :
fonctionnariat

Furche, f (De) :
sillon

(für den) Rundfunk geeignet (De) :
radiogénique

furgon-caldera (Es) :
fourgon-chaudière

furrow (En) :
rainure ;
sillon

fused (En) :
holospondyle

fusible mecánico (Es) :
fusible mécanique

Fusshöhe, f (De) :
creux

Futurologe, m (De) :
prospectiviste

G

gaging (En) :
dimensionnement

Galvanoplastik, f (De) :
électroplastie

Galvanotechnik, f (De) ;
galvanotechnique (En) ;
galvanotecnia (Es) :
galvanotechnique

gametocinético (Es) ;
gametokinetisch (De) :
gamétocinétique

gamma camera (En) :
gamma-caméra

gamma-densimetry (En) ;
Gamma-Dichtemessung, f (De) :
gammadensimétrie

gammaglobulinopathy (En) :
gammapathie

gammagráfico (Es) ;
gammagraphic (En) ;
gammagraphisch (De) :
gammagraphique

Gammakamera, f (De) :
gamma-caméra

Gammapathie, f (De) ;
gammapatia (Es) ;
gammópathy (En) :
gammapathie

Gänsemarsch-System, n (De) :
système de défilement

gantry-crane signalman (En) :
débordeur

ganztägig (De) :
diel

garden center (En) ;
garden centre (En) :
jardinerie

garden floor (En) :
rez-de-jardin

garnetting (En) :
garnettage

Gärschrank, m (De) :
chambre de pousse

Garten-Center, n (De) :
jardinerie

Gasaustrittsmesser, m (De) :
fuitemètre

Gasbeton, m (De) ;
gas concrete (En) :
béton-gaz

gas cooling machine (En) :
cryogénérateur

Gasdiffusion, f (De) :
diffusion gazeuse

gas diffusion (En) :
transporisation

Gaseinfüllanlage, f (De) :
insuffleuse

gaseous diffusion (En) :
diffusion gazeuse ;
transporisation

gasificador (Es) ;
gasifier (En) :
gazéifieur

Gasistor, m (De) ;
gasistor (En) :
  gazistance
Gaskissen, n (De) :
  gaz coussin
Gasothek, f (De) ;
Gasprobensammlung, f (De) :
  gazothèque
Gasprüfgerät, n (De) :
  toximètre
gas refrigerating system (En) :
  cryogénérateur
Gasttag, m (De) :
  visiteur/jour
gauging (En) :
  dimensionnement
gearing (En) ;
gears (En) :
  pignonnerie
geblasenes Bitumen, n (De) :
  bitume soufflé
gebundenes Wasser, n (De) :
  eau liée
Geburts– (De) :
  parturiel
Gefällesequenz, f (De) :
  clinoséquence
geflockter Feststoff, m (De) :
  floculat
Gegeninformation, f (De) :
  contre-information
Gegenstück, n (De) :
  contre pièce
Gehörschutz, m (De) :
  oreillère
gekapselte Körner, n (De) :
  grains blindés
gelada baboon (En) :
  singe-lion
geländeformbedingte
Störung, f (De) :
  perturbation de relief
gelatinizer (En) :
  gélifiant
Gelbschlamm, m (De) :
  boues jaunes
Gelchromatographie, f (De) ;
gel chromatography (En) :
  perméation sur gel
Gelddurchreiche, f (De) :
  passe-monnaie
Geldmengenfaktor, m (De) :
  oscillateur
Gelenkbus, m (De) ;
Gelenkomnibus, m (De) :
  autobus articulé
gelichtet (De) :
  clairiéré
Geliermittel, n (De) :
  gélifiant
geliestructura (Es) :
  gélistructure
gelificante (Es) :
  gélifiant
gelifluction (En) ;
gelifluxion (En) ;
gelifluxión (Es) ;

gelisolifluction (En) :
  gélifluxion
gelling agent (En) :
  gélifiant
gel permeation chroma-
tography (En) ;
Gel-Permeations-
Chromatographie, f (De) :
  perméation sur gel
Gemeinsamkeit, f (De) :
  communité
gemmellancy (En) :
  gémellance
gemellation (En) :
  gémellation
gemellologist (En) :
  gémellologue
gemellology (En) ;
gemelología (Es) :
  gémellologie
gemelólogo (Es) :
  gémellologue
Gemüseanbau, m (De) :
  maraichéiculture
generador termomagnético (Es) :
  générateur thermomagnétique
general (En) :
  multicarte
general program (En) ;
general programme (En) ;
general routine (En) :
  programme général de base
generating set operator (En) :
  groupiste
Generativist, n (En) ;
generativist, adj. (En) :
  génératiste
genetic character (En) :
  caractère générique
genetic control (En) :
  lutte génétique
genetic engineering (En) :
  génie génétique
genetic hybrid (En) :
  hybride génique
Genotext, m (De) ;
genotext (En) :
  génotexte
Genotypenbestimmung, f (De) :
  typage
geoarchitect (En) ;
geoarquitecto (Es) :
  géoarchitecte
Geochronologe, m (De) ;
geochronologist (En) :
  géochronologiste ;
  géochronologue
geocosmogenia (Es) ;
geocosmogony (En) :
  géocosmogénie
geocronólogo (Es) :
  géochronologiste ;
  geochronologue
Geoextensometer, m (De) :
  géoextensomètre

Geofolie, f (De) :
  géofeuille
geófono (Es) :
  géophone
geografizar (Es) :
  géographiser
geogrametria (Es) ;
geogrammetry (En) :
  géogrammétrie
geographical dialect (En) :
  géolecte
geographize (En) :
  géographiser
geohistorian (En) :
  géohistorien
Geokorona, f (De) :
  géocouronne
Geokosmologie, f (De) :
  géocosmogénie
geomagnetic deep sounding (En) :
  sondage magnétique profond
geomática (Es) ;
geomatics (En) :
  géomatique
geomembrana (Es) :
  géomembrane
geonio (Es) ;
Geonium, n (De) :
  géonum
Geophon, n (De) ;
geophone (En) :
  géophone
geosutura (Es) ;
geosuture (En) :
  géosuture
geosynchronous satellite (En) :
  satellite géosynchrone
geotechnic (En) ;
geotechnical (En) :
  géotechnique
geotechnics (En) ;
Geotechnik, f (De) :
  géotechnie
geotechnisch (De) :
  géotechnique
geotermómetro (Es) :
  géothermomètre
Geotextilstoff, m (De) :
  géotextile
geothermally-heated (En) ;
geothermisch geheizt (De) :
  géothermisé
Geothermometer, n (De) :
geothermometer (En) :
  géothermomètre
Geradlinigkeit, f (De) :
  rectilignité
Gerät, n, der U-elektronik (De) :
  biens d'expression
geräteeigentümliche
Betriebsart, f (De) :
  mode natif ;
  mode naturel
gerätefremde Betriebsart, f (De) :
  mode étranger
Gerätehersteller, m (De) :
  équipementier

Gerät, n, zur Messung der
Abriebfestigkeit (De) :
abrasimètre

Geräusch, n (De) :
bruit

geräuschdämmend (De) :
antibruit

Geräuschdämpfung, f (De) :
débruitage

Geräuschumgebung, f (De) :
paysage sonore

germ-free (En) :
axénique

geronticida (Es) ;
geronticide (En) :
géronticide

geronto sociologia (Es) ;
gerontosociology (En) :
gérontosociologie

Geruchsentwicklung, f (De) ;
Gerruchsintensität, f (De) :
odorité

Gesamtschule, f (De) :
école intégrée ;
école pluraliste

Gesamtwert, m, aller Risiken (De) :
accumulation de valeurs

gescheibter Putz, m (De) :
enduit frotté

geschichtete organonene
Riffbank, f (De) :
biostrome

geschlossene Schleife, f (De) :
boucle fermée

geschützte Kultur-
landschaft, f (De) :
aire anthropologique protégée

geschutzes Thermometer, n (De) :
thermomètre protégé

gesintert (De) :
sintérisé

Gestänge, n (De) :
tringlerie

gestant (En) ;
gestante (Es) :
gestante

gestured (En) :
gestué

Gesundheitsökonomie, f (De) :
économie médicale

getrennte Veranlagung, f (De) :
décumul

Gewinnbeteiligungs-
grundlage, f (De) :
base de fragmentation

Gewölbe, n (De) :
voûtement

Gewölbebrecher, m (De) :
casse-voûtes

giant forest hog (En) ;
giant forest pig (En) :
hylochère

giant grove (En) :
sillon

giant slalom man/woman (En) ;
giant slalom skier (En) :
géantiste

giant tamper (En) :
méga-pilonneuse

–gießer, m (De) :
socleur

gigafóno (Es) :
gigaphone

Gigajahr, n (De) ;
gigayear (En) :
gigannée

Gitterbaufehler, m (De) :
faute d'empilement

Gitterfrequens–, f, in
Linien (De) :
fréquence spatiale

Gitterstörung, f (De) :
faute d'empilement

glacial chattermark (En) :
brouture glaciaire

glacial groove (En) :
sillon

glacialist (En) :
glacielliste

glacial scour (En) :
champlevure

glacielisation (En) :
glaciellisation

glacielity (En) :
glaciellité

glacielization (En) :
glaciellisation

glacierist (En) :
glacielliste

Glashauswirking, f (De) :
effet de serre

Glaskeramik, f (De) :
vitrocéramique

Glaskörperentfernung, f (De) :
vitrectomie

Glaspassivierung, f (De) :
glassivation

glass-bead blasting (En) :
billage

glass building (En) :
immeuble-miroir

glass casing (En) :
hyperglace

glass-ceramic (En) :
vitrocristallin

glassivated hermetic seal (En) ;
glassivation (En) :
glassivation

Glasziehanlage, f (De) :
étenderie

Glätte, f (De) :
nivelance

Glätten, n (De) :
lissage

Glätter, m (De) :
table lisseuse

Glättmaschine, f (De) :
lisseuse

Glättwerk, n (De) :
rouleau déplisseur

glauconitization (En) ;
Glaukonitbildung, f (De) :
glauconitisation

gleichatomig (De) :
équiatomique

gleicher Stückzahl (De) :
unitisé

gleichsinnige gekoppelte
Augenbewungung, f (De) :
saccade

Gleichtaktunterdrückung, f (De) :
réjection de mode commun

gleichwinklige Spirale, f (De) :
spirale équiangulaire

Gleiskreuzung, f (De) :
cisaillement

Gleitarbeitszeit, f (De) :
plage souple

gleitende Arbeitszeit, f (De) :
horaire libre ;
horaire flexible

Gleitpunkt, m (De) :
virgule flottante

Gleitzeit, f (De) :
plage souple

Gletscherschramme, f (De) :
striure

Glimmentladung, f (De) :
effluvage

Glitch, n (De) ;
glitch (En) :
régime transitoire

globalización (Es) ;
globalization (En) :
globalisation

global method (En) :
procédure globale

global radiation (En) ;
Globalstrahlung, f (De) :
rayonnement global

globoidal worm (En) ;
Globoidschnecke, f (De) :
vis globique

Globulit, m (De) ;
globulite (En) ;
globulito (Es) :
globulite

globulización (Es) ;
Globulization, f (De) :
globulization

gloss ghosting (En) :
fantôme

glow plug (En) :
bougie luisante

Gloxysom, n (De) ;
gloxysom (En) :
gloxysome

glueing (En) :
adhésivage ;
adhésivation

Glühkenze, f (De) :
bougie luisante

gluing (En) :
adhésivage ;
adhésivation

gluon (En) ;
gluón (Es) ;
gluon

gnosopraxic (En) :
gnosopraxique

gnotobiology (En) :
gnotoxénie

gnótobiotic (En) :
gnotoxénique

gnotobiotics (En) ;
gnotoxenia (Es) :
gnotoxénie

gnotoxénico (Es) :
gnotoxénique

Gnotoxenie, f (De) :
gnotoxénie

gnotoxenisch (De) :
gnotoxénique

go (En) :
entre

gold point (En) ;
Goldpunkt, n (De) :
point d'or

gonadostat (En) :
gonadostat

gonotroper Zyklus, m (De) ;
gonotrophic cycle (En) :
cycle gonotrophique

goodwill (En) :
survaloir

gooseneck (En) :
coude-porte-vent

gossan (En) :
chapeau de fer

gouging (En) :
gougeage

governor (En) :
gouverneur

gozzan (En) :
chapeau de fer

grab (En) ;
grabbing bucket (En) ;
grab bucket (En) :
benne preneuse

graded-index (En) :
gradient d'indice (à −)

grader (En) :
planeuse

Gradexmethode, f (De) :
méthode du gradex

gradiometria (Es) ;
gradiometry (En) :
gradiométrie

grado (Es) :
degré

grado hidrotimétrico (Es) :
titre hydrotimétrique

graduat (En) ;
Graduierter, m (De) :
graduat

graft copolymer (En) :
copolymère greffé

grain-cleaning (En) :
tararage

grain-size bracket (En) :
classe granulaire

graminicida (Es) ;
Graminizid, n (De) :
graminicide

grammatical morpheme (En) :
grammème

Grammatologie, f (De) ;
grammatology (En) :
grammatologie

Grammem, n (De) :
grammème

grana (En) :
granaire

granion (En) ;
granión (Es) :
granion

Granit− (De) ;
granitic (En) ;
granitier

granulacion (Es) :
granulation

granular residue (En) :
grappiers

Granulation, f (De) ;
granulation (En) :
granulation

Granule, f (De) ;
granule (En) :
granule

granule cell (En) :
cellule granulaire

Granulen, f (De) :
granule

Granulometer, n (De) ;
granulometer (En) ;
granulómetro (Es) :
granulomètre

Granum− (De) :
granaire

grape-harvesting machine (En) :
vendangeuse

Graphematik, f (De) :
graphémologie

graphematisch (De) :
graphémologique

Graphemologie, f (De) :
graphémologie

graphic animation designer (En) :
animateur graphique

graphic console (En) :
console graphique

graphic display (En) :
infographie

graphics console (En) :
console graphique

graphics copier (En) :
reprographe

Graphiker, m (De) :
graphiste

grapple (En) :
benne preneuse

Graser, m (De) ;
graser (En) :
graser

Grassteppe, f (De) :
steppe erme

gravel-slag mixture (En) :
grave-laitier

gravimorfismo (Es) ;
gravimorphism (En) :
gravimorphisme

Gravitations− (De) ;
gravity (En) :
gravitaire

gray (En, Es) :
gray

graze (En) :
éraflure

grazing land (En) :
terrain de parcours

grease resistance (En) :
ingraissabilité

green belt (En) :
coupure verte

green channel (En) :
circuit rouge

green coal (En) :
charbon vert

green energy (En) :
énergie verte

green front (En) :
front vert

greenhouse effect (En) :
effet de serre

green liquor (En) :
liqueur verte

gregariousness (En) :
convivialité

Greifarm, m (De) :
bras manipulateur

Greiferkübel, m (De) :
benne-pince

Grenzflächen (De) :
interfacial

Grenzgebiet, n (De) :
aire marginale

grenzüberschreitend (De) :
transfrontalier

greyness (En) :
leucie

grindability (En) :
broyabilité

grinder (En) :
meuleuse

grit (En) :
grit

groove filler (De) :
bouche-rainure

grooving (En) :
rainurage

große Gichtglocke, f (De) ;
große Gichtverschlußglocke, f (De) :
grande cloche

große Stampfmaschine, f (De) :
méga-pilonneuse

gross primary income (En) :
revenu primaire brut

Grossraum, m (De) :
mégapole

Großraumbüro, n (De) :
bureau paysager ;
bureau en espace ouvert

ground facilities (En) :
bloc

ground floor (En) :
rez-de-sol

ground reinforcement (En) :
terre armée

ground scraper (En) :
gratteuse de sol

ground state (En) :
état fondamental

ground station (En) :
géostation

ground-truth (En) :
vérité-terrain

groundwood pulp (En) :
pâte mécanique

group (En) :
groupal

group-oriented innovator (En) :
socio-centré

growler (En) :
bourguignon

grua escuela (Es) :
grue école

Grundfläche, f (De) :
surface terrière

Grundkomponent, f (De) :
composante de base

Grundplasma, n (De) :
cytosol

Grundzustand, m (De) :
état fondamental

grüne Energie, f (De) :
énergie verte

grüne Front, f (De) :
front vert

grüner Durchgang, m (De) :
circuit vert

grüne Welle, f (De) :
onde verte

Grünzone, f (De) :
coupure verte

Gruppen– (De) :
groupal

Gruppenheilkunde, f (De) :
sociatrie

guanófago (Es) ;
Guanophage, m (De) ;
guanophil (De) :
guanophage

gueraet (En) ;
guerah (En) :
guerah

guide-slot (En) :
alvéole

Guillotine-Schlagschere, f (De) ;
guillotine shears (En) :
cisaille-guillotine

gumbo (En) :
gumbo

Gummibaumanpflanzung, f (De) ;
Gummibaumplantage, f (De) ;
gumplantation (En) ;
gumtree plantation (En) :
gommeraie

gun injection shot (En) :
coup de canon

Gürtelreifen, m (De) :
pneu ceinturé

Gußkranz, m (De) :
couronne

Gußstopfen, m (De) :
carotte

Güteprüfgruppe, f (De) :
cercle de qualité

gynäkomobil (De) :
gynécomobile

gynäkostatisch (De) :
gynécostatique

gynecomobile (En) :
gynécomobile

gynecostatic (En) :
gynécostatique

gypsology (En) :
tsiganologie

gyratory crusher (En) :
girobroyeur

gyromagnetic ratio (En) ;
gyromagnetisches
Verhältnis, n (De) :
rapport gyromagnétique

H

H II Gebiet, n (De) ;
H II region (En) :
région H II

Haarriß, m (De) :
microcraquelure

hadronic (En) ;
hadrónico (Es) :
hadronique

hadronic phase (En) ;
hadronische Phase, f (De) :
phase hadronique

Haftfestigkeit, f (De) :
indégorgeabilité

Haftion, n (De) :
adion

Hahnenfagd, f (De) :
écoquetage

hair dyer (En);
hair dyer and tinter (En) :
coloriste

halbfestverpackte
Konserve, f (De) :
conserve semi-rigide

Halbleiter-Bit, n (De) :
bit semiconducteur

Halbwertszeit, f (De) ;
Halbwertzeit, f (De) :
période

Halbzellstoff, m (De) :
pâte mi-chimique

half-life (En) :
période

half-wagon (En) :
demi-wagon

haloacid (En) :
haloacide

halocline (En) ;
haloclino (Es) :
halocline

Halogenwasserstoffsäure, f (De) :
haloacide

Haloklin, n (De) :
halocline

Halometer, n (De) :
salinomètre

halomorfia (Es) :
halomorphie

halomorfosis (Es) :
halomorphose

halomorphic conditions (En) :
halomorphie

halomorphic soil formation (En) :
halomorphose

Halomorphie, f (De) :
halomorphie

Halomorphose, f (De) :
halomorphose

Halsetikett, m (De) :
cravate

halved (En) ;
oreillonné

Hämagglutination, f (De) :
hémagglutination

hammer drill (En) :
perfo-marteau

hammering (En) :
matraquage

Hämodialyse, f (De) :
hémodialyse

hämokompatibel (De) :
hémocompatible

Hämoschutzimpfung, f (De) :
hémoprévention

hämotypologisch (De) :
hémotypologique

Hämotypus, m (De) :
hémotype

hand (En) :
main

Handballer, m (De) ;
handball player (En) ;
Handballspieler, m (De) :
handballeur

hand-held calculator (En) :
calculette

hand-operated (En) :
mano-mobile

Handwerks– und Agrar– (De) :
artisano-agricole

Hängedecke, f (De) :
sous-plafond

hang-glider (En) :
daltaplane

hang-gliding pilot (En) :
libériste

hanging mercury electrode (En) :
électrode à goutte pendante

hang pilot (En) :
libériste

haplotipo (Es) ;
haplotype (En) :
haplotype

Happening, n (De) ;
happening (En) :
impromptu

hard axis (En) :
axe difficile

hard catalysis (En) :
catalyse dure

hard-copy unit (En) :
reprographe

hard core (En) :
noyau

hard direction (En) :
axe difficile

hard energy (En) :
énergie dure

hard rays (En) :
X durs

Hardware, f (De) ;
hardware (En) :
matériel

hard water (En) :
eau dure

hard X rays (En) ;
hard X-rays (En) :
X durs

harrow (En) :
herse

harte Katalyse, f (De) :
catalyse dure

Harteloxieren, n (De) :
anodisation dure

harte Röntgenstrahlen, m.pl. (De) :
X durs

hartes Wasser, n (De) :
eau dure

Hartlöten, n (De) :
brasage fort

Hartpappe, f (De) :
celloderme

Hartsockel, m (De) :
durisocle

Hartthermoplast, n (De) :
thermorigide

hatchery (En) :
écloserie

Hauptgemengteil, m (De) :
élément majeur

Hauptrechner, m (De) :
ordinateur hôte

Hauptwerk, n (De) :
usine-mère

Haussemarkt, m (De) :
marché haussier

Haut, f (De) :
derme

H.D.O.-Gerät, n (De) :
contour d'oreille

head (En) :
bouteroller

headdown display (En) :
viseur tête-basse

heading (En) :
bouterollage

heading-machine (En) :
étêteuse

headliner (En) :
phototitreuse

headup display (En) :
viseur tête-haute

healing (En) :
cicatrisation

healing rate (En) :
taux de cicatrisation

health economy (En) :
économie médicale

health run (En) :
parcours de santé

heaped (En) :
clapé

hearing-aid glasses (En) :
lunettes auditives

heart-shaped thimble (En) :
cosse-arceau

heat extractor (En) :
calextracteur

heating ladle (En) :
poche-four

heating van (En) ;

heating wagon (En) :
fourgon-chaudière

heat radiation (En) :
thermorayonnance

heat recuperation system (En) :
polyrécupérant

heat-retaining (En) :
adiathermique

heat-sealable (En) :
thermocollable ;
thermoscellable

heat sealer (En);

heat-sealing machine (En) :
thermoscelleuse

heat-sensitive (En) :
thermosensible

heat-shrinkable (En) :
thermorétractable

heat sink (En) :
puits thermique

heat stability (En) :
thermostabilité

heat-transferring (En) :
thermophore

heat welding (En) :
thermosoudure

heave (En) :
pilonner

heave (En) ;
heaving (En) :
pilonnement

heavy ironwork (En) ;
heavy metalwork (En);
heavy smithing (En) :
grosse serrurerie

hectocotylus (En) :
bras ectotyle

Hefebehälter, m (De) :
levurier

Hefefabrik, f (De) :
levurerie

heisses Geld, n (De) :
capitaux fébriles

Heisskleber, m (De) :
adhésif à chaud

Heißleiter, m (De) :
thermorupteur

heißsiegelbar (De) :
thermoscellable

Heissverkapselung, f (De) :
thermocapsulage

Heizband, n (De) :
ruban chauffant

Heizkessel-Boilerkom-
bination, f (De) :
chaudière mixte

Heizkesselwagen, m (De) :
fourgon-chaudière

Heizkraft— (De) :
électro-calogène

Heizwagen, m (De) :
fourgon-chaudière

HeLa cell (En) ;
HeLa-Zellstamm, m (De) :
cellule HeLa

Helfender, m (De) :
facilitateur

helicidad (Es) ;
helicity (En) :
hélicité

helicomotor (En, Es) :
hélico-moteur

helicopter manufacturer (En) :
hélicoptériste

helicóptero (Es) :
hélicoptère

helicrane (En) ;
heligrua (Es) :
héligrue

helihoisting (En) :
hélitreuillage

helimagnetismo (Es) :
hélimagnétisme

helioarquitectura (Es) :
hélio-architecture

heliochemical (En) ;
heliochemisch (De) :
héliochimique

heliofita (Es) :
héliophyte

heliogeotermia (Es) ;
heliogeothermische
Wärmeerzeugung, f (De) :
héliogéothermie

heliophile Pflanze, f (De) ;
Heliophyt, m (De) ;
heliophyte (En) :
héliophyte

helioquimico (Es) :
héliochimique

heliosfera (Es) ;
Heliosphäre, f (De) ;
heliosphere (En) :
héliosphère

heliostat (En) :
orienteur

heliotechnisch ausgerüstet (De) :
solarisé

heliotechnische
Ausrüstung, f (De) :
solarisation

heliotermia (Es) :
héliothermie

heliotérmico (Es) :
héliothermique

heliotermo (Es) ;
heliotherm (De) :
héliotherme

heliothermal (En) :
héliothermique

heliothermic (En) :
héliotherme

heliothermic (En) ;
heliothermisch (De) :
héliothermique

heliothermische
Wärmeerzeugung, f (De) ;
heliothermy (En) :
héliothermie

heliox (En) :
héliox

Heliumdichtheitkontrolle, f (De) ;
helium leak detection (En) :
ressuage d'hélium

Helligkeit, f (De) :
leucie

helófilo (Es) :
hélophile

hemagglutination (En) ·
hémagglutination

hematoblastic (En) :
plaquettaire

hemeroteca (Es) :
hémérothèque

hemiedafón (Es) ;
hemiedaphische
Bodentiere, n.pl. (De) ;
hemiedaphon (En) :
hémiédaphon

hemisciophilous (En) ;
hemiskiaphil (De) :
hémisciaphile

Hemisynthese, f (De) :
hémisynthèse

hemmer (De) :
ourleuse

hemoaglutinación (Es) :
hémagglutination

hemochorial (En) :
hémochorial

hemocompatible (En, Es) :
hémocompatible

hemodialysis (En) :
hémodialyse

hemoprevención (Es) :
hémoprévention

hemotipo (Es) :
hémotype

hemotipológico (Es) :
hémotypologique

hémotype (En) :
hémotype

hemotypological (En) :
hémotypologique

heparinisiertes Blut, n (De) :
sang anticoagulé

hepatic cell (En) ;
Hepatozyt, n (De) :
hépatocyte

Herappa– (De) :
harappéen

herbicide (En) :
graminicide

herbivore (En) :
consommateur primaire

Herbivoren-Zahl, f, pro
Flächeneinheit (De) :
charge

herder (En) :
repousseur

hermatypic (En) :
hermatypique

Hersteller, m, von
Rotationsgießteilen (De) :
rotomouleur

Herzschrittmacher, m (De) :
rythmeur cardiaque

heterocargas (Es) :
heterocharges (En) ;
hétérocharges

heterofermentative (En) :
heterofermenter (En) ;
heterofermento (Es) :
hétérofermentaire

heterogene Diversifika-
tion, f (De) ;
heterogeneous diversification (En) :
diversification hétérogène

heterogloss (En) ;
heteroglossic (En) :
hétéroglosse

heterograft (En) :
xénogreffe

hetero-hypnosis (En) :
hétérohypnose

heterokaryotic (En) ;
heterokaryotisch (De) :
hétérocaryote

Heteroplastik, f (De) :
xénogreffe

heteroxénico (Es) :
hétéroxénique

Heveaanbau, m (De) :
hévéaculture

Hexamer, m (De) ;
hexon

hexane remover (En) :
déhexaniseur

hexon (En) :
hexon

hibrido citoplásmico (Es) :
hybride cytoplasmique

hidden camera (En) :
télé-miroir

hidroclima (Es) :
hydroclimat

hidrocombustible (Es) :
hydro-combustible

hidrocultura (Es) :
hydroculture

hidrodispersable (Es) :
hydrodispersable

hidrofilización (Es) :
hydrophilisation

hidrofita (Es) :
hydrophyte

hidroformilación (Es) :
hydroformylation

hidrofotografía (Es) :
hydrophotographie

hidrogenable (Es) :
hydrogénable

hidrometalurgia (Es) :
hydrométallurgie

hidrometrología (Es) :
hydrométrologie

hidromorfosis (Es) :
hydromorphose

hidropirólisis (Es) :
hydropyrolyse

hidroquinónico (Es) :
hydroquinonique

hidrosecuencia (Es) :
hydroséquence

hidrotermalismo (Es) :
hydrothermalisme

hidrotermia (Es) :
hydrothermie

hidrotérmico (Es) :
hydrothermique

hidrotropo (Es) :
hydrotrope

hidrox (Es) :
hydrox

high clearance tractor (En) :
enjambeur

highly corrosive (En) :
agressif

highly-oxidizing head (En) :
tête haute activité oxyde

high-powered money (En) :
monnaie à haute puissance

high pressure autoclave (En) :
hyperclave

high-protein oilseed crops (En) :
protéagineux

high-rise block (En) ;
high-rise building (En) :
I.G.H.

high-speed photography (En) :
strobophotographie

higienización (Es) :
hygiénisation

higrospicidad (Es) :
hygroscopicité

Himalayan (En) :
himalayen

Himmelserscheinung, f (De) :
photométéore

hinoholografía (Es) :
cinéholographie

hiperciencia (Es) :
hyperscience

hipercientífico (Es) :
hyperscientifique

hipercinético (Es) :
hyperkinétique

hiperestatismo (Es) :
hyperstatisme

hipersalado (Es) :
sursalure

hiperfiltración (Es) :
hyperfiltration

hipermimia (Es) :
hypermimie

hiperónimo (Es) :
hyperonyme

hiperosmótico (Es) :
hyperosmotique

hipertermal (Es) :
hyperthermal

hipnofonoterapia (Es) :
hypnophonothérapie

hipnógeno (Es) :
hypnogène

hipnograma (Es) :
hypnogramme

hipnopedia (Es) :
hypnopédie

hipnopédico (Es) :
hypnopédique

hipocloritado (Es) :
hypochlorite

hipodérmico (Es) :
hypodermique

hipolímnico (Es) :
hypolimnique

hiposmótico (Es) :
hypoosmotique

hipotáxico (Es) :
hypotaxique

hirse (De) ;
Hirse– (De) :
milicole

histocompatibility (En) :
histocompatibilité

histocompatible (En, Es) :
histo-compatible

Histokompatibilität, f (De) :
histocompatibilité

historización (Es) ;
historicization (En) ;
Historisierung, f (De) :
historicisation

hitzebeständig (De) :
thermorésistant

H-Labor, n (De) :
laboratoire audio-passif

HOB (En) :
fraise-mère

H.O.B.O. (En) :
missile à guidage optique

hochentwickett (De) :
haut de gamme (de – – –)

Hochgarage, f (De) :
auto-silo ;
silo à voitures

Hochhaus, n (De) :
I.G.H.

Hochhubwagen, m (De) :
transplate-forme

hochleistungsfähig (De) :
haut de gamme (de – – –)

hodología (Es) ;
Hodologie, f (De) ;
hodology (En) :
hodologie

hoher Steingehalt, m (De) :
pierrosité

Hohlkegel, m (De) :
cône creux

Hohlprofil, n (De) :
profil creux

hoist (En) :
élévateur

hoisting (En) :
grutage

hoist-truck (En) :
chariot-palan

holding tank (En) :
calefacteur

hole (En) :
trou

hole saw (En) :
scie à trous ;
scie-cloche

holländische Windmühle, f (De) :
moulin hollandais

hollow cone (En) :
cône creux

hollow section (En) :
profil creux

holm oak forest (En) :
yeuseraie

holoespóndilo (Es) :
holospondyle

holofonía (Es) :
holophonie

holofrase (Es) :
holophrase

holographic microscopy (En) :
microholographie

Holophonie, f (De) ;
holophony (En) :
holophonie

holophrase (En) ;
holophrasis (En) :
holophrase

holoplancton (Es) ;
Holoplankton, n (De) ;
holoplankton (En) :
holoplancton

Holoplast-Verfahren, n (De) :
délamination

Holospondyl– (De) :
holospondyle

holoxénico (Es) ;
holoxenisch (De) :
holoxénique

Holzchemie, f (De) :
xylochimie

homeotropic (En) ;
homeótropo (Es) :
homéotrope

homing (En) :
radioralliement

homing device (En) ;
homing head (En) :
autodirecteur

hominoid (En) ;
hominoide (Es) ;
Hominoiden, f (De) :
hominoïde

homocargas (Es) ;
homocharges (En) :
homocharges

homodyning (En) :
homodynage

homofermenter (En) ;
homofermento (Es) :
homofermentaire

homogenate (En) :
broyat

homograft (De) :
allogreffe

homologous (En) :
allogénique

homöotrop (De) :
homéotrope

honey-wine (En) :
œnomel

honorarium artist (En) :
cachetier

hook (En) :
accroche

Hörbrille, f (De) :
lunettes auditives

hormigón arquitectónico (Es) :
béton architectonique

hormigón coloidal (Es) :
béton colloïdal

hormigón de relleno (Es) :
béton de remplissage

hormigón sustentador (Es) :
béton porteur

hormigón vibrado (Es) :
béton vibré

hormonal bedingt (De) ;
hormone-dependent (En) :
hormono-dépendant

hormonología (Es) ;
hormonology (En) :
hormonologie

horo-contactor (En) :
horocontacteur

hospital-based medicine (En) ;
hospitalocentrismo (Es) :
hospitalocentrisme

hospitel (En) :
hospitel

host computer (En) :
ordinateur hôte

host-guest chemistry (En) :
chimie hôtelier-client

Host-Rechner, m (De) :
ordinateur hôte

hot capping (En) :
thermocapsulage

hot chamber (En) :
chambre chaude

hot-die seal (En) :
thermosouder

hot forging (En) :
collage blanc

hot medium (En) :
médium chaud

hotmelt (En) :
adhésif à chaud

hot money (En) :
capitaux fébriles

hot plastic paint (En) :
adhésif à chaud

hot wire addition (En) :
fil chaud

householder article (En) ;
householder mail (En) :
I.S.A.

housing (En) :
cage

hoversailing (En) :
motoglissage

HSA-Labor, n (De) :
laboratoire audio-actif
comparatif

HS-Labor, n (De) :
laboratoire audio-actif
simplifié

Hubinsel, f (De) :
autoélévatrice

Hubschrauberhersteller, m (De) :
hélicoptériste

Hubschrauberindustrie, f (De) :
héli-industrie

Hübstange, f (De) :
chandelle

Huckepackverkehr, n (De) :
ferroutage

Hülle, f (De) :
jupe

Hülse, f (De) :
canon

human capital (En) :
travail formé

humanics (En) :
humanique

humanization (En) :
maternisation

humedad equivalente (Es) :
humidité équivalente

humidificator de aire (Es) :
laveur

husk (En) :
décoquer

hustenhindernd (De) :
antitussif

Hüttensand, m (De) :
grave-laitier

Hyaloplasma, n (De) :
cytosol

hydraemic meat (En) :
viande hydrohémique

hydrant system (En) :
oléoréseau

hydremic meat (En) :
viande hydrohémique

hydrierbar (De) :
hydrogénable

Hydrochorie, f (De) ;
hydrochory (En) :
hydrochorie

hydroclave (En) :
hydroclave

hydroclimate (En) :
hydroclimat

hydrocracker (En) :
hydrocraqueur

hydrocracking (En) :
hydropyrolyse

hydrocution (En) :
hydrochoc

hydrocyclone (En) :
hydrocyclone

hydrodimerization (En) :
hydrodimérisation

hydrodynamic (En) :
hydrodynamique

hydrodynamicist (En) ;
Hydrodynamiker, m (De) :
hydrodynamicien

hydrodynamisch (De) :
hydrodynamique

hydroformylation (En) ;
Hydroformylierung, f (De) :
hydroformylation

hydro-fuel (En) :
hydro-combustible

hydrogenatable (En) :
hydrogénable

hydrogen bridge (En) :
pont hydrogène

hydrogenetische
Ablagerung, f (De) :
dépôt hydrogénétique

hydrogen-fixing (En) :
hydrurable

hydrogenomonas (En) :
hydrogénomonas

hydrogenous deposit (En) :
dépôt hydrogénétique

hydrogen pipeline (En) :
hydrogénoduc ;
hydroduc

hydrogen sulfide formation (En) :
hydrogen sulphide formation (En) :
sulfhydrisation

hydrohemic meat (En) :
viande hydrohémique

hydrojet (En) :
hydrojet

hydrokachektisches
Fleisch, n (De) :
viande hydrocachectique

Hydroklav, m (De) :
hydrockave

Hydroklimat, n (De) :
hydroclimat

Hydrokultur, f (De) :
hydroculture

hydrologic measurement (En) :
hydrométrologie

Hydrometallurgie, f (De) ;
hydrometallurgy (En) :
hydrométallurgie

Hydrometrologie, f (De) :
hydrométrologie

hydromixer (En) :
hydromélangeur

Hydromoor, n (De) :
hydromor

hydromorphic soil
formation (En) :
hydromorphose

Hydromorphie, f (De) :
hydromorphie

Hydromorphose, f (De) :
hydromorphose

hydromorphy (En) :
hydromorphie

Hydrophilisierung, f (De) ;
hydrophilizing (En) :
hydrophilisation

hydrophobicity (En) :
hydrophobicité

Hydrophyt, m (De) ;
hydrophyte (En) :
hydrophyte

hydropneumatic (En) :
oléopneumatique

hydro-pneumatics (En) :
pneumo-hydraulique

hydroponics (En) :
hydroculture

Hydropyrolyse, f (De) ;
hydropyrolysis (En) :
hydropyrolyse

hydroquinone (En) :
hydroquinonique

Hydroschock, m (De) :
hydrochoc

Hydrosequenz, f (De) :
hydroséquence

hydroshock (En) :
hydrochoc

Hydrothermalismus, m (De) :
hydrothermalisme

hydrothermalistisch (De) :
hydrothermaliste

hydrothermal processes (En) :
hydrothermalisme

hydrothermia (En) :
hydrothermie

hydrothermic (En) :
hydrothermique

hydrothermy (En) :
hydrothermie

hydrotrop (De) ;
hydrotropic (En) :
hydrotrope

hydrox (En) :
hydrox

hydroxyapatite (En) ;
Hydroxylapatit, m (De) ;
hydroxylapatite (En) :
hydroxylapatite

Hydrozyklon, m (De) :
hydrocyclone

Hyetogramm, n (De) ;
hyetograph (En) :
hyétogramme

hygienization (En) :
hygiénisation

hygroexpansivity (En) :
hygroexpansivité

hygroscopicity (En) ;
Hygroskopizität, f (De) :
hygroscopacité

hyperarginemia (En) ;
Hyperarginemie, f (De) :
hypérarginémie

Hyperbarie, f (De) ;
hyperbarism (En) :
hyperbarie

hyperfiltration (En) :
hyperfiltration

hyperfixierend (De) :
hyperfixant

hyperheavy science (En) :
science hyperlourde

Hyperimmun– (De) ;
hyperimmune (En) :
hyperimmun

hyperkinetic (En) ;
hyperkinetisch (De) :
 hyperkinétique
Hyperklav, m (De) :
 hyperclave
hypermarket (En) :
 hypermarché
hypermimia (En) ;
Hypermimik, f (De) :
 hypermimie
Hypermolekül, n (De) :
 hypermolécule
Hyperonym, n (De) :
 hyperonyme
hyperosmotic (En) ;
hyperosmotisch (De) :
 hyperosmotique
hyperphagic (En) ;
hyperphagisch (De) :
 hyperphagique
hyperplastisch (De) :
 superplastique
hypersalinity (En) ;
 sursalure
hyperscience (En) :
 hypersience
hyperscientific (En) :
 hyperscientifique
Hypersonenphysik, f (De) :
 science hyperlourde
hyperthermal (De, En) :
 hyperthermal
Hypnogramm, n (De) :
 hypnogramme
Hypnopädie, f (De) :
 hypnopédie
hypnopädisch (De) :
 hypnopédique
hypnopaedia (En) :
 hypnopédie
hypnopaedic (En) :
 hypnopédique
hypnopedia (En) :
 hypnopédie
hypnopedic (En) :
 hypnopédique
Hypnophonotherapie, f (De) :
 hypnophonothérapie
Hypnosophrologie, f (De) ;
hypnosophrology (En) :
 hypnosophrologie
Hypnotikum, n (De) :
 hypnogène
Hypnotisierbarkeit, f (De) ;
hypnotizability (En) :
 hypnotisabilité
hypocaloric (En) :
 hypocalorique
hypochlorited (En) ;
hypochlorithaltig (De) :
 hypochlorité
hypofixierend (De) :
 hypofixant
hypolimnetic (En) ;
hypolimnial (En) ;
Hypolimnion– (De) :
 hypolimnique

hyponeustic (En) ;
hyponeustonic (En) ;
hyponeustonisch (De) :
 hyponeustonique
hypoosmotic (En) :
 hypoosmotique
hypoprosexic (En) :
 hypoprosexique
hypoptyalism (En) ;
Hypotyalismus, m (De) :
 hyposialie
hyposmotic (En) ;
hyposmotisch (De) :
 hypoosmotique
hypotactic (En) ;
hypotaktisch (De) :
 hypotaxique
hypovirulent (De, En) :
 hypovirulent

I

iatrogen (De) ;
iatrogenic (En) :
 iatrogène
ice-producing (En) :
 glacogène
ice skylight (En) :
 glace de lumière
ichthyobiologist (En) :
 ichtyobiologiste
Ichthyologe, m (De) :
 ichtyobiologiste
Ichthyoneuston, n (De) ;
ichthyoneuston (En) :
 ichtyoneuston
Ichthyopathologie, f (De) :
 ichtyopathologie
icon (En) :
 icône
iconic (En) :
 iconique
iconicidad (Es) ;
iconicity (En) :
 iconicité
icónico (Es) :
 iconique
icono (Es) :
 icône
iconometric (En) ;
iconométrico (Es) :
 iconométrique
icron (En) :
 icron
ictiobiólogo (Es) :
 ichtyobiologiste
ictioneuston (Es) :
 ichtyoneuston
ictiopatología (Es) :
 ichtyopathologie
ictiotóxico (Es) :
 ichthyotoxique
idealess (En) :
 anidéique

Ideenflucht, f (De) :
 hyperidéation
identifiability (En) :
 identifiabilité
identificador (Es) ;
identificatory (En) ;
Identifikations– (De) :
 identificatoire
Identifizierbarkeit, f (De) :
 identifiabilité
idéofono (Es) :
 idéophone
ideografía (Es) :
 idéographie
ideogram (En) ;
ideograma (Es) :
 idéogramme
ideography (En) :
 idéographie
ideophone (En) :
 idéophone ;
 impressif
ideotype (En) :
 idéotype
idiochromatic (En) ;
idiochromatisch (De) ;
idiocromático (Es) :
 idiochromatique
Idiolektkunde, f (De) :
 idiolecte
idiom (En) ;
idomatic expression (En) :
 formation synaptique
idiot (En) :
 kilomètre (au –)
idiotípico (Es) ;
idiotypic (En) ;
idiotypical (En) ;
idiotypisch (De) :
 idiotypique
igloo (En) :
 igloo
ikonisch (De) :
 iconique
ikonisches Zeichen, n (De) :
 icône
Ikonizität, f (De) :
 iconicité
illocutionary (En) :
 illocutoire
image intensifier (En) :
 intensificateur d'images
imagocide (En) ;
imagocidio (Es) :
 imagocide
(im) Autoklav (De) :
 autoclavé
(im) Dachspeicher installierte
Heizanlage, f (De) :
 chaufferie en terrasse
(im) Geldwert umrechenbar (De) :
 monétarisable
(im) Krater (De) :
 intracratérique
Immundiffusion, f (De) :
 immunodiffusio
immune deviation (En) :
 immunodéviation

immunocompetent (En) :
immuno-compétent

immunodiffusion (En) :
immunodiffusion

immunodominant (En) :
immunodominant

immunogenicity (En) :
immunogénicité

immunologisch kompetent (De) :
immuno-compétent

Immunomodulation, f (De) ;
immunomodulation (En) :
immunomodulation

immunomodulator (En) :
immunomodulateur

Immunstimulation, f (De) :
immunostimulation

immunosuppressant (En) :
immunosuppresseur

immunosuppression (En) :
immuno-dépression

immunosuppressiv (De) ;
immuno-suppressive (En) :
immunosuppressif

Immunsuppression, f (De) :
immuno-dépression

impact (En) ;
impactar (Es) :
impacter

impactometer (En) ;
impactor (Es) :
impacteur

impact printer (En) :
imprimante à impact

impaktieren (De) :
impacter

Impaktor, m (De) :
impacteur

Impastiervorrichtung, f (De) :
empâteur

impedance measurement (En) ;
Impedanzmessung, f (De) :
impédancemétrie

impeller (En) :
impulseur

impermeabilizador (Es) :
imperméabilisant

Implantations– (De) ;
implanting (En) :
implantaire

implantologia (Es) ;
Implantologie, f (De) ;
implantology (En) :
implantologie

implex (En) :
implexe

imprägnierend (De) :
imperméabilisant

Imprägnierung, f (De) :
hydrofugation

impresora térmica (Es) :
imprimante thermique

improvement (En) :
confortement

impuesto negativo (Es) :
impôt négatif

Impuls– (De) :
impulsionnel

Impulsgeber, m (De) :
impulseur

impulsgesteuerte
Auslösung, f (De) :
topage

impulsive (En) :
impulsionnel

impulsor (En) :
impulseur

(im) Text, m, nicht verwertete
Vorarbeiten, f.pl. (De) :
extra-texte

(im) Text, m, verwertete
Vorarbeiten, f.pl. (De) :
avant-texte

inactive margin (En) :
marge stable

inalible (En) ;
inalimental (En) :
inalibile

(in) bisherigem Zustand
erhaltenes Reservat, n (De) :
réserve naturelle intégrale

incentive trip (En) :
voyage de stimulation

inclinómetro (Es) :
inclinométrique

incoherent diffusion (En) ;
incoherent scattering (En) :
diffusion incohérente

incoherent transmission (En) :
émission incohérente

incommunication (En) :
incommunication

incondensable (Es) :
incondensable

increment (En) ;
incrementación (Es) :
incrémentation

incrustación (Es) :
incrustation

independent development (En) :
auto-développement

Index– (De) :
indiciel

index (En) :
indexer

indexable (En) :
indexable

indexación (Es) :
indexage ;
indexation

indexar (Es) ;
indexieren (De) :
indexer

Indexierung, f (De) ;
indexing (En) :
indexation ;
indexage

Indianidad (Es) ;
Indian identity (En) :
indianité

indicador de nivel (Es) :
palpeur de niveau

índice actinotérmico (Es) :
indice actinothermique

indice extraordinario (Es) :
indice extraordinaire

índice ordinario (Es) :
indice ordinaire

indicial (En) :
indiciel

indirect firing (En) :
chauffe indirecte

indirect immunofluorescence (En) :
immunofluorescence indirecte

indirect medium (En) :
moyen à inertie

indirect self-competition (En) :
autoconcurrence indirecte

indirekte Eigenkon-
kurrenz, f (De) :
autoconcurrence indirecte

indiscernabilidad (Es) ;
indiscernibility (En) :
indiscernabilité

indiscernible error (En) :
défaut indiscernable

individual mailbox system (En) :
cidex

indológico (Es) ;
indologisch (De) :
indologique

inducer (En) :
inducteur

inductest (En) :
inductest

inductor (Es) :
inducteur

Induktionstest, m (De) :
inductest

industria agraria (Es) :
agro-industrie

Industriefernsehen, n (De) :
microtélévision

Industrieterminal, m (De) :
terminal industriel

inelastic reaction (En) :
réaction inélastique

infauna (En) :
endofaune

inflatable structure (En) :
structure gonflable

inflorescence (En) :
exertion

influent (En) :
influent

informal education (En) :
école parallèle

Informatisierung, f (De) ;
informatización (Es) :
informatisation

informatizado (Es) :
informatisé

infraclínico (Es) :
infraclinique

infralexematisch (De) ;
infralexical (En) :
infralexical

infralitoral (De) ;
infralitoral (Es) ;
infralittoral (En) :
infralittoral

Inframammal– (De) ;
infra-mammalian (En) :
inframammalien

infrapaginal (En) :
infra-paginal

infrapelágico (Es) :
infrapélagique

infrared barrier (En) :
clôture infrarouge

infrared detector (En) :
détecteur à flamme

infrared specialist (En) ;
infrared technician (En) :
infrarougiste

infrared television camera (En) :
camera de télévision thermique

infrarot-Lichtschranke, f (De) :
clôture infrarouge

ingeniería genética (Es) :
génie génétique

ingeniería solar (Es) :
hélio-ingénierie

ingreso primario bruto (Es) :
revenu primaire brut

inhibiting chromosome (En) :
chromosome inhibiteur

inhibitory feedback (En) :
rétro-inhibiteur

inicializar (Es) ;
initialisieren (De) :
initialiser

Initialisierung, f (De) ;
initialization (En) :
initialisation

initialize (En) :
initialiser

injection (En) :
injection

injection-blow moulding (En) :
injection-soufflage

ink-jet printer (En) :
imprimante à jet d'encre

inklinometrisch (De) :
inclinométrique

inkohärente Emission, f (De) :
émission incohérente

inkohärente Strahlung, f (De) :
diffusion incohérente

Inkrement, n (De) :
incrémentation

inlet guide vane (En) :
appauvrisseur de tir

in-line correction (En) :
correction en ligne

in-line pump (En) :
pompe en ligne

inmunocompetente (Es) :
immuno-compétent

inmunogeneticidad (Es) :
immunogénicité

inmunomodulación (Es) :
immunomodulation

inmunomodulador (Es) :
immunomodulateur

Innenausbesserung, f (De) :
retorchage

Innenbecker, m (De) :
poche interne

innerer Erdkern, m (De) :
graine

inner floor (En) :
plancher interne

inner orbital reaction (En) :
réaction à sphère interne

innershell-excited resonance (En) :
résonance à cœur excité

innersprachig (De) :
intralingue

innuitonym (En) :
esquimaunyme

inorganic (En) :
inorganicien

in-phase rejection (En) :
réjection de mode commun

input control valve (En) :
volu-contact

input stacker (En) :
tasseur d'entrée

(in) salzarmem Milieu lebend (De) :
oligohalin

(ins) Bewußtsein gedrungen (De) :
conscientisé

Inselbetrieb, m (De) :
îlotage

Inselkette, f (De) :
arc insulaire

Insert, n (De) ;
insert (En) :
insert

insertadora (Es) :
inséreuse

inserted nut (En) :
insert-écrou

insidiosidad (Es) ;
insidiousness (En) :
insidiosité

insolation (En) :
gisement solaire

inspecting-machine (En) :
inspectrice

instant (En) :
instantané

instantaneismo (Es) ;
instantaneity (En) ;
instantaneousness (En) :
instantanéisme

instantanisation (En) ;
instantanization (En) :
instantanéisation

instationär (De) :
instationnaire

institucionalista (Es) :
institutionaliste

instituter (En) :
instituant

institutionalist (En) :
institutionaliste

institutor (En) :
instituant

instruction (En) :
didaxie

instructional material
center (En) ;
instructional material centre (En) :
matériathèque

insulating asbestos (En) :
isolamiante

insulating cladding (En) ;
insulating sheathing (En) :
doublage sec

insunimia (Es) ;
insunymy (En) :
insunymie

insurability (En) :
assurabilité

Inszenierung, f (De) :
scénisation

integración bio-cartográfica (Es) :
intégration bio-cartographique

integrated building (En) :
bâtiment intégré

integrated control (En) :
lutte intégrée

integrated school (En) :
école intégrée

integrated surface coating (En) :
lasure

integrated system (En) :
intégron

Integration, f (De) ;
integration (En) :
intégration

integrierter Pflanzen-
schutz, m (De) :
lutte intégrée

Integron, n (De) :
intégron

intensiostático (Es) :
intensiostatique

interactive C.A.T.V. (En) :
câble interactif

interactive system (En) :
système interactif

interactive television (En) :
télévision interactive

interactive terminal (En) :
terminal léger

interarm (En) :
interbras

intercalación (Es) ;
intercalation (En) :
intercalation

interception (En) :
interception

intercity (En) ;
inter-city (En) :
interville

interconnector (En) :
interconnecteur

intercorrelación (Es) ;
intercorrelation (En) :
intercorrélation

intercuspation (En) ;
intercuspidación (Es) :
intercuspidation

interdigital (En) :
interdigité

interface (En) :
interfacer

interfaceable (En) :
interfaçable

interfacial (En) :
interfacial

interfacing (En) :
interfaçage

interference elimination (En) :
déverminage
interferogram (En) ;
interferograma (Es) ;
Interferogramm, n (De) :
interférogramme
interfonia (Es) :
interphonie
interglacial stage (En) :
interstade
intergrade (En) :
intergrade
intergranular (En) :
intergranulaire
interindustrial (En, Es) ;
interindustry (En) :
interindustriel
interior arc (En) :
arc interne
interiorization (En) :
internalisation
interkristallin (De) :
intergranulaire
Interkuspidation, f (De) :
intercuspidation
interlake (En) :
interlac
intermodal (En, Es) :
intermodal
intermodalidad (Es) ;
intermodality (En) :
intermodalité
internalist (En) :
internaliste
internalización (Es) ;
internalization (En) :
internalisation
internal medicine (En) :
médecine interne
internationalist (En) ;
internationalistic (En) :
conational
internegativo (Es) :
inter-négatif
interne Medizin, f (De) :
médecine interne
Internist, m (De) ;
internista (Es) :
interniste
internucleosómico (Es) :
internucléosomique
interocclusal record
checkbite (En) :
mordu
interphony (En) :
interphonie
interphoto-library (En) :
interphotothèque
interplanetarische
Szintillation, f (De) ;
interplanetary scintillation (En) :
scintillation interplanétaire
interpolación de Lagrange (Es) :
interpolation de Lagrange
interpolater (En) :
interpolateur
Interpolation, f (De) ;
interpolation (En) :
interpolation

Interpolator, m (De) ;
interpolator (En) :
interpolateur
interpositivo (Es) :
interpositif
interpreter (En) ;
interpretierendes
Programm, n (De) ;
Interpretierer, m (De) ;
Interpretierprogramm, n (De) :
interpréteur
interpreting stereoscope (En) ;
interpretoscopio (Es) :
interprétoscope
interruptibilidad (Es) ;
interruptibility (En) :
interruptibilité
interruptor crepuscular (Es) :
interrupteur crépusculaire
intersectorial strategy (En) :
stratégie intersectorielle
intersocietal (En) :
intersociétal
interstackable (En) :
intergerbable
Interstellarwind, m (De) ;
interstellar wind (En) :
vent interstellaire
intersticial (Es) ;
interstitial (En) :
interstitiel
interstitial area (En) :
aire intersticielle
intertaxonic (En) ;
intertaxónico (Es) ;
intertaxonisch (De) :
intertaxonique
inter-text (En) :
inter-texte
interval (En) ;
Intervall, n (De) ;
intérvalo (Es) :
intervalle
intervalometer (En) :
intervallomètre
interval timer (En) :
chronocontact
intervener (En) ;
intervenor (En) :
intervenant
Interventionspreis, m (De) :
prix d'intervention
intracrateral (En) ;
intracratering (En) ;
intracraterous (En) :
intracratérique
intradisciplinarity (En) :
intradisciplinarité
intrataxonic (En) ;
intrataxónico (Es) ;
intrataxonisch (De) :
intrataxonique
intrinsic safety isolation
device (En) :
barrière de sécurité intrinsèque
introgresión (Es) ;
Introgression, f (De) ;
introgression (En) :
introgression

intubado (Es) ;
intubated (En) ;
intubiert (De) :
intubé
inuitonym (En) :
esquimaunyme
invariant embedding (En) ;
invariate Einbettung, f (De) ;
invariant imbedding (En) :
plongement invariant
invasive (En) :
invasif
Inventarisation, f (De) ;
Inventarisierung, f (De) ;
inventorización (Es) ;
inventory (En) :
inventorisation
inventory taker (En) :
inventoriste
invigoration (En) :
regonflage
inyección (Es) :
injection
inyectabilidad (Es) :
injectabilité
ionisation chamber (En) ;
Ionisationsfeuermelder, m (De) ;
ionization chamber (En) :
détecteur ionique
ion spallation (En) :
effluvage
iranólogo (Es) :
iranologue
iron bacterium (En) :
sidérobactérie
irradiancia (Es) :
irradiance
Isoalkyl, m (De) ;
isoalkyl (En) :
isoalkyle
isocrecimiento (Es) :
isocroissance
isodensimetric (En) ;
isodensimétrico (Es) ;
isodensitometrisch (De) :
isodensimétrique
isograde line (En) :
isoteneur
ionenbildend (De) :
ionogène
Ionenleitfähigkeit, f (De) ;
Ionenleitung, f (De) ;
ionic conduction (En) :
conduction ionique
ionicity (En) ;
ionicness (En) ;
Ionisierung, f (De) :
ionicité
ionofórico (Es) :
ionophorique
ionogen (De, En) ;
ionógeno (Es) :
ionogène
ionogram (En) ;
ionograma (Es) ;
Ionogramm, n (De) :
ionogramme
ionomolekular (De) :
ionomoléculaire

ionophorous (En) :
  ionophorique
iridología (Es) ;
iridology (En) :
  iridologie
iron hat (En) ;
ironstone (En) :
  chapeau de fer
irradiancemeter (En) ;
irradiancémetro (Es) :
  irradiance-mètre
irremovability (En) :
  indévissabilité
isentrop (De) ;
isentropic (En) :
  isentrope
islamologist (En) ;
islamólogo (Es) :
  islamologue
island arc (En) :
  arc insulaire
isoceraunic (En) :
  isokéraunique
Iso-Choronym, n (De) ;
isochoronym (En) ;
isocorónimo (Es) :
  isochoronyme
isodensity tracer (En) :
  isodensitraceur
isodiamétrico (Es) ;
isodiametrisch (De) :
  isodiamétrique
isoelectric point (En) ;
isoelektrischer Punkt, m (De) :
  point isoélectrique
isoentrópico (Es) :
  isentrope
isoestructural (Es) :
  isostructural
isoflexure (En) :
  isoflexion
Isoflora, f (De) ;
isoflora (Es) :
  isoflore
isofota (Es) :
  isophote
Isogamie, f (De) ;
isogamy (En) :
  isogamie
isogeneic homograft (En) ;
isograft (En) :
  isogreffe
isogram (En) :
  isoligne
Isohelie, f (De) :
  isohélie
isohumic (En) ;
isohúmico (Es) ;
isohumos (De) :
  isohumique
isoinjerto (Es) :
  isogreffe
isokeraunic (En) ;
isokeráunico (Es) :
  isokeraunique
isokinetic (En) :
  isotache
Isolierasbest, m (De) :
  isolamiante

isoline (En) ;
isolínea (Es) ;
Isolinie, f (De) :
  isoligne
Isophon, n (De) ;
isophon (En) :
  isophone
Isophote, f (De) ;
isophote (En) :
  isophote
isopollution (En) ;
isopolución (Es) :
  isopollution
isopotencial (Es) ;
isopotential (En) :
  isopotentiel
isopsophometric (En) :
  isopsophique
isopycnal (En) ;
isopycnic (En) :
  isopycnique
Isoshunt, m (De) ;
isoshunt (En, Es) :
  isoshunt
isosmotic (En) ;
isosmótico (Es) ;
isosmotisch (De) :
  isosmotique
isoster (En) ;
isóstero (Es) :
  isostère
isostructural (En) :
  isostructural
isótaca (Es) ;
Isotache, f (De) ;
isotach (En) :
  isotache
isotensile (En) ;
isotensional (En) ;
isotensoide (Es) :
  isotensoïde
isothermal curing (En) :
  autoétuvage
isotipia (Es) :
  isotypie
isotipo (Es) :
  isotype
isoton (De) ;
isotone (En) :
  isotone
Isotopen-Bodendich-
temesser, m (De) :
  nucléodensimètre
Isotopenhäufigkeit, f (De) ;
isotopic abundance (En) :
  abondance isotopique
Isotyp, m (De) ;
isotype (En) :
  isotype
Isotypie, f (De) ;
isotypy (En) :
  isotypie
isovapo (En) :
  isovapo
isovel (En) :
  isotache
issue syndicate (En) :
  syndicat de placement

ixodicide (En) ;
Ixodizid, n (De) :
  ixodicide

J

jacking (En) :
  vérinage
jack nut (En) :
  écrou autofreiné
jack-up (En) :
  autoélévatrice
jaguarion (En) :
  jaguarion
Jahres— (De) :
  circannuel
Jahresringchronologie, f (De) :
  xylochronologie
Jahrhundert— (De) :
  centenaire
Jalousienfabrikant, m (De) ;
Jalousienhändler, m (De) :
  storiste
jamming (En) :
  contre-mesure
jaspeado (Es) :
  jaspage
jaw (En) :
  coquille
jejunoscope (En) ;
Jejunoskop, n (De) :
  jéjunoscope
jerk (En) :
  suraccélération
jet stream (En) ;
jet-stream (En) :
  courant-jet
jitter (En) :
  gigue
Jodophor, m (De) :
  iodophore
jugular pulse tracing (En) :
  jugulogramme
juice-canning equipment (En) ;
juice-canning machine (En) :
  emboîteuse-juteuse
juiciness (En) :
  jutosité
jumbo (En) :
  gros porteur
jumper (En) :
  bretelle
  jarretière
Junge-Schicht, f (De) :
  couche de Junge
jurimetrics (En) :
  jurimétrie
juriscracia (Es) ;
Juriskratie, f (De) :
  juriscratie

K

Kabeleinschwemmaschine, f (De) :
ensouilleuse

Kabelfernsehen, n (De) :
câblo-diffusion ;
méso-télévision

Kabelfernsehunternehmen, n (De) :
câblodistributeur

Kabelhalter, m (De) :
porte-câbles

Kabellegepflug, m (De) :
charrue rigoleuse

Kabelträger, m (De) :
porte-câbles

Kabinentaxi, n (De) :
cabine-taxi

kachektisches Fleisch, n (De) :
viande cachectique

Käfigeinschlußverbindung, f (De) :
clathrate

Käfigwalze, f (De) :
roue cage

Kalibrieren, n (De) :
calibration

Kalibriergerät, n (De) :
calibrateur

kalorienarm (De) ;
hypocalorique

kalorienreduziert (De) :
hypocalorique

Kalorien-Stickstoff— (De) :
calorico-azoté

kälteabführend (De) :
frigoporteur

Kältebiologie, f (De) :
cryobiologie

Kältefixierung, f (De) :
cryofixation

Kältetechnik, f (De) :
cryotechnique

Kältetechniker, m (De) :
cryogéniste

Kalzinierungspunkt, m (De) :
point de calcination

kalziumhaltig (De) :
eucalcique

Kambium— (De) :
cambial

Kammputz, m (De) :
enduit peigné

Kanal, m (De) :
voie

Kaninchenaufzuchts— (De) :
cunicole

Kaninchenfisch, m (De) :
poisson lapin

Kaninchenzüchtungs— (De) :
cunicole

Kanonenschußverfahren, n (De) :
coup de canon

kanzerogene Wirkung, f (De) ;
Kanzerogenität, f (De) :
cancérogénicité

Kapsel, f (De) :
jupe

kapselbar (De) :
encapsulable

Kapseldach, n (De) :
ciel

Kapselung, (De) :
encapsulage ;
encapsulation ;
encapsulement

Karatzahl, f (De) :
caratage

Karbonitrieren, n (De) :
nitro-carburation

kardex card (En) :
fiche de bulletinage

Kardioide— (De) :
cardioïde

Kardiotomie, f (De) :
cardiatomie

Karenzzeit, f (De) :
délai de carence

Karotidogramm, n (De) :
carotidogramme

Kartenausgabe, f (De) :
billetterie

Kartoffelkrautvernich-
tungsmittel, n (De) :
défanant

Kartonagenmaschine, f (De) :
encartonneuse

Kartonpalette, f (De) :
feuille palette

Kartonverpackung, f (De) :
encartonnage

Karton-Versandrolle, f (De) :
carton cylindre

Kartothekar, m (De) :
cartothécaire

Kaschieren, n (De) :
masquage

Kaschiermaschine, f (De) :
contre-colleuse
recouvreuse

kaskadierbar (De) :
cascadable

kaskadieren (De) :
cascader

Kassette, f (De) :
cartouche

Kassettothek, f (De) :
cassétothèque

katagraphisch (De) :
catagraphique

Katalogisierungs— (De) :
catalographique

Katalograph, m (De) :
catalographe

Katastrophe, f (De) :
catastrophe

Katazone, f (De) ;
katazone (En) :
catazone

kathodolumineszenz, f (De) :
cathodoluminescence

kationische Kopolymere,
n. pl. (De) :
copolymère cationique

Kaukasoide, m (De) :
caucasoïde

Kautschukverarbeiter, m (De) :
caoutchoutier

kavitierend (De) :
cavitant

Kaviton, n (De) :
caviton

K Bit, n (De) ;
K Byte, n (De) :
K-mot

keelblock (En) :
bloc à quille

keep-alive time (En) :
temps d'entretien

Kehrsauger, m (De) :
aspiro-brosseur

Keimlingproduzert, n (De) :
germeur

Kellerspeicher, m (De) :
premier entré, dernier sorti

Keltentun, n (De) :
celticité

keltischsprachig (De) :
celtophone

Keltisierung, f (De) :
celtisation

kennelosis (En) :
chenilose

Keramik— (De) :
céramisé

Keramologe, m (De) :
céramologue

Kernarbeitszeit, f (De) :
plage fixe

Kernbohrer, m (De) :
carotteuse

Kerngehäuse entfernen (De) :
étrogner

Kernkraftanlage, f (De) :
tranche nucléaire

Kernzeit, f (De) :
plage fixe

Kerogenese, f (De) ;
kerogenesis (En) ;
kerogénesis (Es) ;
kerogenformation (En) :
kérogénèse

Kette, f (De) :
chaîne

key (En) :
clé

key letters in context (En) :
permulettres

key title (En) ;
key-title (En) :
titre-clé

key-word (En) :
mot-clé

kick down (En) ;
Kick-down, m (De) :
postaccélération

Kielklotz, m (De) :
bloc à quille

Kiessandmischung, f (De) :
grave-laitier

Kilotonnen— (De) :
kilotonnique

Kinanthropologie, f (De) ;
kinanthropology (En) :
kinanthropologie

kindermißhandlung, f (De) :
filicide

Kinderzahnarzt, m (De) :
pédodontiste

Kindesmord, m (De) :
filicide

Kineholografie, f (De) :
cinéholographie

kinesic, adj (En) ;
kinésico (Es) ;
kinesics, n (En) ;
Kinesik, f (De) :
kinésique

kinetosomal (En) :
cinétosomien

kink (En) :
boucle

Kinorthese, f (De) :
cinorthèse

Kinshasan (En) :
kinois

Kissen— (De) :
coussins (en —)

kissenförmig (De) :
coussinet (en —)

Kistenfüllmaschine, f (De) :
encaisseuse

Kiste, f (De) :
caisse-outre

kit (En) :
jeu de construction ;
lot

kitchen electrical conduit (En) ;
kitchen electric conduit (En) :
tige cuisine

Klärflockungsanlage, f (De) :
clarifloculateur

Klärstoff, m (De) :
défécant

Klärung, f (De) :
clarifixation

Klathrat, n (De) :
clathrate

Klatschen, n (De) :
claquade

kleine Ader, f (De) :
filonnet

Kleingrundbesitz, m (De) :
microfundium

Kleingrundbesitzer, m (De) :
microfundiaire

Klemmenbrett, n (De) :
bornier

klimaabhängige
Faktoren, m.pl. (De) :
climatope

klimatische Sequenz, f (De) :
climaséquence

klimatomorph (De) :
climatomorphique

Kliometriker, m (De) :
cliométricien

Klockensäge, f (De) :
scie-cloche

klonarm (De) :
pauciclonal

Klonieren, n (De) :
clonage

Klopfen, n (De) :
battade

klumpen bilden (De) :
motter (se —)

klumpenverhindernd (De) :
antimassant

Knabengeburtenindex, m (De) :
indice de masculinité

Kneten, n (De) :
texturation

Knickspur, f (De) :
angle blanc

Kniestück, n (De) :
coude porte-vent

Knitterrückbildungs-
vermögen, n (De) :
autodéfroissabilité

knock (En) :
cognement

knocking-out machine (En) ;
knock-out machine (En) :
décocheuse

Knoten, m (De) :
nœud

knuckle-joint suspension (En) :
suspension-rotule

Koaxialität, f (De) :
coaxialité

Koextrudat, n (De) :
coextrudat

Kohärin, f (De) :
cohérine

Kokardenzelle, f (De) :
cellule-cible

kokkolid— (De) :
cocciforme

Kokospalmenanbau, m (De) :
nuciculture

Koloskop, n (De) :
coloscope

Kombinationspräparat, n (De) :
association

kombiniertes Abschneider /
Verschließen (De) :
coupe-soudure

Kometesimalsubstanz, f (De) :
cométésimal

Kommunalität, f (De) :
communité

kommunikationsbezogen (De) :
communicationnel

Kommunikationsfach-
mann, m (De) :
communicologue

Kommunikationswesen, n (De) :
communicatique

Kompatibilitätsmodus, m (De) :
mode compatibilité

Komplettierung, f (De) :
complétage

Komplexbildung, f (De) :
complexation

komposit (De) :
composite

Konche, f (De) :
conche

Konchieren, n (De) :
conchage

Kondenswasser ausgesetzt (De) :
rorigère

Konfigurabilität, f (De) :
configurabilité

kongenitable Enzepha-
lisierung, f (De) :
né-encéphalisation

Koniferen— (De) :
coniférien

konkaver Zahn, m (De) :
alvéole

Konsistenz, f (De) :
cohérence

Konsociation, f (De) :
consociation

Konstantspannungs— (De) :
potentiostatique

Konstantstrom— (De) :
intensiostatique

Kontaktarmut, f (De) :
incommunication

Kontaktmatte, f (De) :
tapis-contact

Kontinentalisierung, f (De) :
continentalisation

Konturpackungsmaschine, f (De) :
remplisseuse-formeuse

Konventionalismus, m (De) :
conventionnalisme

Konventionswidrigkeit, f (De) :
déconventionnement

konvergenter Verkehr, m (De) :
trafic convergent

Konvergenz, f (De) :
convergence

konvexer Zahn, m (De) :
lobe

Konzentrat, n (De) :
concentrat

Konzentrator, m (De) :
concentrateur

Konzentricität, f (De) :
concentricité

konzentrische Diversi-
fikation, f (De) :
diversification concentrique

Koordinatennavigation, f (De) :
navigation bicoordonnée

Koordinatograph, m (De) :
coordinographe

Kopfabtrenngerät, n (De) :
étêteuse

Kopfschutz, m (De) :
protège-tête

Kopiergerät, n (De) :
copieur

Koptisierung, f (De) :
coptisation

kora player (En) ;
Koraspieler, m (De) :
koriste

Korkeichenwald, m (De) :
suberaie

Korkeichenwaldbesitzer, m (De) :
subériculteur

Korngrößenmeßgerät, n (De) :
microgranularomètre

Körperetikett, m (De) :
étiquette de corps

Korrekturzuschlag, m (De) :
minerai correctif

Korrelationsanalyse, f (De) :
analyse de corrélation

Korsikanisierung, f (De) :
corsisation

Kortikalschicht, f (De) :
couche corticale

kosmetische Pharmazie, f (De) :
cosmétopharmacie

Kosten, n, mit geschlossenen
Augen (De) :
dégustation aveugle

Kottürmchen, n (De) :
turricule

Kraftstoffversor-
gungsnetz, n (De) :
oléoréseau

Kragennähmaschine, f (De) :
colleteuse

Kranhubschrauber, m (De) :
héligrue

kraniometrisch (De) :
craniométrique

Krankheitserreger, m (De) ;
Krankheitskeim, m (De) :
pathotype

Kranverleiher, m (De) :
levageur-manutentionnaire

Kratonbildung, f (De) :
cratonisation

Kratzer, m (De) :
griffure

Kratzputz, m (De) :
enduit gratté

krebshemmendes
Chromosom, n (De) :
chromosome inhibiteur

Krebstierforscher, m (De) :
astacologue

kreidig (De) :
crayeux

Kreis, m (De) :
secteur

Kreisolbenmotor, m (De) :
moteur orbital

Krenologie, f (De) :
crénologie

Kreolisierung, f (De) :
créolisation

Kreolismus, m (De) :
créolisme

Kreolist, m (De) :
créoliste

kreolographisch (De) :
créolographique

Kreolophonie, f (De) :
créolophonie

Kreugkorrelation, f (De) :
intercorrélation

Kriechen, n (De) :
déplacement asismique

kriging (En) :
krigeage

Kristallchemiker, m (De) :
cristallochimiste

Kristallkernbildung, f (De) :
nucléation

kritischer Zustand, m (De) :
criticité

kritische Sauerstoffzahl, f (De) :
indice critique d'oxygène

Kritizität, m (De) :
criticité

Krokydolith, m (De) :
crocidolite

Kronenkorken, m (De) ;
Kronkorken, m (De) :
bouchon couronne

Kronsäge, f (De) :
scie-cloche

krustal (De) :
crustal

Kruste, f (De) :
croûte

Krusten– (De) :
crustal

Kryoabgraten, n (De) :
cryo-ébarbage

Kryobiologie, f (De) :
cryobiologie

Kryoelektrizität, f (De) :
cryoélectricité

Kryogenerator, m (De) :
cryoalternateur ;
cryogénérateur

kryogenes Kabel, n (De) ;
Kryokabel, n (De) :
cryocâble

Kryokarst, m (De) :
cryokarst

Kryosphäre, f (De) :
cryosphère

Kryoultramikrotomie, f (De) :
cryo-ultramicrotomie

Kryptokristalle, m (De) :
cryptocristaux

Kryptozoologie, f (De) :
cryptozoologie

Kugelfördertisch, m (De) :
table de transfert à billes

Kugel-Gelenkaufhängung, f (De) :
suspension-rotule

Kugelgraphit-Gußeisen, n (De) :
fonte GS

Kugelstrahlen, n (De) :
billage

Kugelwandertisch, m (De) :
table de transfert à billes

kühlbar (De) :
réfrigérable

Kühlcontainerschiff, n (De) :
polytherme

Kühlfalle, f (De) :
piège froid

Kühlfinger, m (De) :
doigts de gants froids

Kulturbewußtsein, n (De) :
culturalité

Kulturelement, n (De) :
culturème

Kunstkopf, m (De) :
tête artificielle

kunststofflöslich (De) :
plastosoluble

Kunststoffniet, m (De) :
plasti-rivet

Kunststoffolie, f (De) :
laminette

Kunststoffstopfen, m (De) :
bidulle

Kunststofftür, f (De) :
porte souple

Kuntstoffgelenk, n (De) :
plastojoint

kupferarm (De) :
cuprodéficient

Kurs-Gewinn-Verhältnis, n (De) :
C.C.R.

Kurvenvorgabe, f (De) :
décalage

Kürzen, n, von
Haushaltsmitteln (De) :
échenillage

kurzfristiges Darlehen, n (De) :
prêt-relais

Kurzstartflugplatz, m (De) :
adacport

Kürztitel, m (De) :
titre abrégé

Kurzzeiterhitzung, f (De) :
thermolisation

Kuvertiermaschine, f (De) :
inséreuse

K word (En) :
K-mot

L

labelled (En) :
renseigné

Laborant, m (De) ;
laborante (Es) ;
laboratory assistant (En) :
laborant

labores de huerta (Es) :
maraichéiculture

Laborwaschautomat, m (De) :
auto-laveur

Laborwerker, m (De) :
laboriste

lacertid (En) ;
lacértido (Es) :
lacertide

Lachszucht– (De) :
salmonicole

lactogénesis (Es) :
lactogenèse

lactose separation (En) :
délactosage

Ladelboardwand, f (De) :
hayon élévateur

lag (En) :
pas

Lageregelung, f (De) :
contrôle d'attitude

Lagerstättenkunde, f (De) :
gîtologie

Lagerung, f (De) :
garde

lagoon (En) :
lagune

lagooning (En) ;
Lagoonverfahren, n (De) :
lagunage

Lagrange interpolation (En) :
interpolation de Lagrange

laguna doble (Es) :
bilacune

Laktoseabbau, m (De) :
délactosage

Lalopathie, f (De) ;
lalopathy (En) ;
lalopatia (Es) :
lalopathie

L.A.M.A. (En) :
taxateur

lamellär (De) ;
lamellar (En) :
lamellaire

laminator (En) :
contre-colleuse

Lampenzug, m (De) :
monte-baisse

lamp house (En) :
boîte à lumière

land-clearing (En) :
démaquisage

Landflucht, f (De) :
déruralisation

*land-management intervention
area (En)* :
Z.I.F.

land roller (En) :
rouleau piétineur

landscaped office (En) :
bureau paysager

landscape element (En) :
élément de paysage

landscape unit (En) :
unité de paysage

Landschaftsschutzgebiet, n (De) :
paysage cultivé

*landwirtschafticher Dienstleis-
tungsbereich, m (De)* :
agro-tertiaire

Landwirtschaftsindustrie, f (De) :
agro-industrie

Langlastbehälter, m (De) :
berceau à charges longues

langlebig (De) :
longévif

längsgefaltet (De) :
dossé

Längsstapel, m (De) :
mur de produits

Langsheckenläufer, m (De) :
mileur

*Langzeit-Stickstoff-
Dünger, m (De)* :
engrais-retard

lanzen (De) :
déballaster

laotian heroin (En) :
laotienne

lapinised (En) ;
lapinized (En) :
lapinisé

ldpiz fotosensible (Es) :
photostyle

Lappenbildung, f (De) :
lobaison

Lappenvorkommen, n (De) :
lobation

large bell (En) :
grande cloche

*large data-processing
systems (En)* :
grosse informatique

*large-scale integrated
circuits (En)* :
macrologique

large topbell (En) :
grande cloche

Lärmschutzvorrichtung, f (De) :
parabruit

laser scissors (En) :
ciseau-laser

lash-type ship (En) :
porte-barges

Last, f (De) :
charge

Lastaufnehmer, m (De) :
cellule de charge

last in, first out (En) :
premier entré, dernier sorti

Lastwagenbeladegerät, n (De) :
encamionneuse

Lasur, f (De) :
lasure

Latène— (De) ;
La Tène (En) :
laténien

lateralidad (Es) :
latéralité

Lateralisationsstörung, f (De) :
dyslatéralisation

laterality (En) :
latéralité

laterite mud (En) :
banco

late tectonic (En) :
tarditectonique

late winter (En) :
finihiver

Läufer, m (De) :
orbiton

Laufkatze, f (De) :
chariot-palan

launching into orbit (En) :
mise à poste

launching pad (En) ;
launch pad (En) :
aire de lancement

laurel forest (En) ;
laurisilva (Es) :
laurisylve

lay boy (En) :
ramasse-feuilles

layering (En) :
lité

lazy Suzan storage (En) :
stockage tournant

leader (En) ;
leader streamer (En) ;
leader stroke (En) :
précurseur

leads and lags (En) :
termaillage

leaf-dwelling (En) :
frondicole

leaf litter (En) :
litière

leaf stripper (En) :
effeuilleuse

*leaf transpiration
resistance (En)* :
résistance foliaire

leakage (En) :
perlage

leak meter (En) :
fuitemètre

learner (En) :
apprenant

lease-back (En) :
cession-bail

leasing (En) :
envergeur

Lebensmittelbestrahlung, f (De) :
radioconservation

lecho (Es) :
litière

Lecksucht, f (De) :
lichomanie

lectin (En) :
lectine

lectotipo (Es) ;
lectotype (En) :
lectotype

L.E.D. (En) :
DEL ;
huminodiode

leer (En) :
étenderie

Leerwort, n (De) :
mot-vide

legal sociologist (En) :
juristicien

legierter Stahl, m (De) :
acier sucré

lehr (En) :
étenderie

Leichtwasser, n (De) :
eau légère

Leistungsgrad, m (De) :
allure

Leitstungsausbruch, m (De) :
excursion nucléaire

Leitungsumschalter, m (De) :
concentreur-commutateur

Lektin, f (De) :
lectine

lema (Es) ;
Lemma, n (De) :
lemme

lemniscal (En) :
lemniscal

lemurenartig (De) ;
lemuriform (En) ;
lemuriforme (Es) :
lémuriforme

lenitisch (De) :
lénitique

Leodon, m (De) ;
leopon (En) :
léopon

τ lepton (En) :
tau (τ)

Lernender, m (De) :
apprenant

Lethargie, f (De) ;
lethargy (En) :
léthargie

letter-rotator (En) :
permulettres

leucemógeno (Es) :
leucémogène

Leuchtdiode, f (De) :
luminodiode

Leuchtdrüse, f (De) :
scintillon

Leuchtstab, m (De) :
photostyle

leukämogen (De) ;
leukemogenic (En) :
leucémogène

leukocytopenia-induced (En) ;
leukopenia-induced (En) :
leucopéniant

levee (En) :
levadon

level detector (En) :
tâteur de niveau

level dowelling (En) :
gayonnage

level gauge (En) :
palpeur de niveau

levelness (En) :
nivelance

lexematisch (De) ;
lexemic (En) :
lexématique

lexical cluster (En) :
formation synaptique

lexicogenic (En) ;
lexicogénico (Es) :
lexicogénique

lexigram (En) ;
lexigrama (Es) ;
Lexigramm, n (De) :
lexigramme

leximetry (En) :
leximétrie

L-förmige Schweißköpfe, m (De) :
soudeuse en L

Lichenologie, f (De) :
lichénologie

Lichtabtaster, m (De) :
palpeur optique

Lichtdurchlässigkeit, f (De) :
transmissivité

lichtelektrische Sperre, f (De) :
barrage-rideau

lichtelektrisches
Zählwerk, n (De) :
boîte à lumière

lichtelektrische Zelle, f (De) :
photodétecteur

lichtempfindliches
System, n (De) :
système sensible

Lichtfühler, m (De) :
palpeur optique

Lichtkoagulator, m (De) :
photocoagulateur

Lichtkuppel, f (De) :
lumidome

Lichtschranke, f (De) :
barrage immatériel ;
barrage optique ;
barrage photoélectrique ;
rideau de lumière ;
détecteur-barrière

Lichtspaltung, f (De) :
photodédoublement

licking disease (En) ;
licking sickness (En) :
lichomanie

lidar (En, Es) :
lidar

Liefer— (De) :
livrancier

Lieferant, m (De) :
desserveur

lift (En) :
chandelle ;
soulèvateur

Liften, n (De) :
lissage

lifting magnet (En) :
électro-porteur

lift-on-lift-off system (En) :
porte-conteneur

lift truck (En) :
magasinier

liger (En) :
ligre

light curtain (En) :
rideau de lumière

light detector (En) :
photorécepteur ;
photorépéteur

light-emitting diode (En) :
DEL

lightness (En) :
leucie

light pen (En) :
photostyle

light-sensitive cell (En) :
photodétecteur

light water (En) :
eau légère

lignocellulose (En) ;
lignocelulosa (Es) ;
Lignozellulose, f (De) ;
lignocellulose

limited oxygen index (En) :
indice critique d'oxygène

limicolous (En) :
vasicole

limiting interval availability (En) :
disponibilité asymptotique

limnicultura (Es) ;
limniculture (En) :
limniculture

limnograma (Es) ;
Limnogramm, n (De) ;
limnograph (En) :
limnigramme

Limnokulture, f (De) :
limniculture

limología (Es) ;
limology (En) :
limologie

línea de ruptura (Es) :
ligne de rupture

linealización (Es) :
linéarisation

line analyst (En) :
analyste organique

linearisieren (De) :
linéariser

Linearisierung, f (De) :
linéarisation

Linearisierungsschaltung, f (De) :
linéarisateur ;
linéariseur

linearizar (Es) :
linéariser

linearization (En) :
linéarisation

linearize (En) :
linéariser

linearizer (En) :
linéarisateur
linéariseur

linear power (En) :
puissance linéique

Linearsystem, n (De) ;
linear system (En) :
système linéaire

line-at-a-time printer (En) :
imprimante en parallèle

lineman (En) :
lignard

line of action (En) :
ligne d'action

line-patterned-type
thermostat (En) :
thermoconducteur

line printer (En) :
imprimante en parallèle

linesman (En) :
lignard

line thermostat (En) :
thermoconducteur

linguistic analyzer (En) :
analyseur linguistique

linguistic surface (En) :
surface linguistique

linguistische Analyse, f (De) :
analyseur linguistique

lining (En) :
centre-emballage

link-gouge (En) :
  maillon-gouge
linting (En) :
  piquetage
lipid chemistry (En) ;
lipoquímica (Es) :
  lipochimie
lipostatic (En) ;
lipostatisch (De) :
  lipostatique
liquenología (Es) :
  lichénologie
liquid bridge (En) :
  pont liquide
liquid crystal (En) :
  cristal liquide
liquid dispenser (En) :
  viscodoseur
liquid extraction (En) :
  désolvation
liquid honing (En) :
  sablage humide
liquid-liquid extraction (En) :
  extration liquide-liquide
liquid scintillation (En) :
  scintillation liquide
liquid separator (En) :
  bouteille anti-coup de liquide
liquid smoke (En) :
  arôme de fumée liquide
liquor (En) :
  fonte
listing (En) :
  paravent
litanical (En) :
  litanique
litarenita (Es) ;
litharenite (En) :
  litharénite
lithifaction (En) ;
lithification (En) ;
Lithifikation, f (De) :
  lithification
lithizone (En) :
  lithozone
lithochromic (En) :
  lithochrome
Lithometeor, m (De) ;
lithometeor (En) :
  lithométéore
Lithosequenz, f (De) :
  lithoséquence
Lithothek, f (De) :
  lithothèque
Lithozone, f (De) ;
lithozone (En) :
  lithozone
litificación (Es) :
  lithification
litocromo (Es) :
  lithocrome
litodependencia (Es) :
  lithodépendance
litófilo (Es) :
  lithophile
litometeoro (Es) :
  lithométéore

Litophil (De) ;
litophile (En) :
  lithophile
litosecuencia (Es) :
  lithoséquence
litoteca (Es) :
  lithothèque
litozona (Es) :
  lithozone
liveliness (En) :
  nervosité
livestock (En) :
  bétailleur
live storage (En) :
  stockage dynamique
live storage rack (En) :
  casier dynamique ;
  transcasier
Lizenzgeber, m (De) :
  franchiseur
LKW-Ladenachweis, m (De) :
  dossier-voiture
load (En) :
  charge
load-bearing concrete (En) :
  béton porteur
load-bearing unit (En) :
  porteur
load capacity (En) ;
load-carrying capacity (En) :
  portance
load on top (En) :
  chargement sur résidus
lobasion (En) :
  lobaison
lobation (En) :
  lobation
lobe (En) :
  lobe
lobed balloon (En) :
  ballon lobé
local access C.A.T.V. (En) :
  T.R.L.
local group (En) :
  groupe local
local television (En) :
  télévision locale
lock-nut (En) :
  écrou autofreiné
Lockpreis, m (De) :
  prix d'appel
locutionary (En) :
  locutoire
Löffelbagger, m (De) :
  chargeuse-pelleteuse
log analyst (En) :
  diagraphiste
logarithmic-normal
  distribution (En) :
  loi lognormale
logicalizable (En) :
  logicisable
logic diagram (En) :
  logigramme
logicizable (En) :
  logicisable
logic probe (En) :
  sonde logique

logigrama (Es) :
  logigramme
Logik, f (De) :
  boîte logique
Logikanalysator, m (De) :
  analyseur logique
logiscope (En) ;
logiscopio (Es) :
  logiscope
lognormal (En) ;
lognormal distribution (En) :
  loi lognormale
logo (En) :
  logo
logogram (En) ;
Logogramm, n (De) :
  logogramme
logología (Es) ;
logology (En) :
  logologie
lokale Gruppe, f (De) :
  groupe local
loncha (Es) :
  tranche
longevo (Es) ;
long-lived (En) :
  longévif
long milk (En) :
  lait filé
long range disorder (En) :
  désordre à longue distance
look-ahead carry (En) :
  retenue anticipée
look-through (En) :
  blanc
looster (En) :
  renforçateur
losa flotante (Es) :
  dalle flottante
lösen (De) :
  déjointer
Lösungsazidität, f (De) :
  solvoacidité
Lösungsschleier, m (De) :
  voile dichroïque
Lothringismus, m (De) :
  lotharingisme
lotisch (De) :
  lotique
Lötstift, m (De) :
  crayon à souder
lovdarita (Es) :
  lovdarit
low-battery indicator (En) :
  indicateur de décharge
low cycle fatigue (En) :
  fatigue oligocyclique
low divider (En) :
  cloisonnette
Löwenaffe, m (De) :
  singe-lion
lower sublittoral (En) :
  circalittoral
low-pressure gravity (En) :
  gravité pression
low-temperature crystallography (En) :
  cryocristallographie

453

low-velocity layer (En) ;
low-velocity zone (En) :
zone de faible vitesse
lozenged (En) ;
lozenge-shaped (En) :
losangulaire
L-shaped welder (En) :
soudeuse en L
L.S.I. circuits (En) :
macrologique
L.T.U. (En) :
U.T.L.
lucha genética (Es) :
lutte génétique
lucha integrada (Es) :
lutte intégrée
luciferase (En) :
luciférase
Lücke, f (De) :
créneau ;
brèche
Ludem, n (De) ;
ludem (En) ;
ludema (Es) :
ludème
ludoteca (Es) :
ludothèque
Luftbett, n (De) :
lit fluidisé
Luft/Boden— (De) :
air-sol
luftdurchlässig (De) :
aérifié
Luftenziehung, f (De) :
désaréage
Lufterhitzer, m (De) :
chauffe-air
Luftfilm, m (De) :
film d'air
luftgekühlt (De) :
aéroréfrigéré
luftgekühlter Transfor-
mator, m (De) :
transformateur sec
Lufthydraulik, f (De) :
pneumo-hydraulique
Luftkrafwaage, f (De) :
balance-dard
Luftkultur, f (De) :
air ponique
Luft/Luft— (De) :
air-air
luftporenbildendes
Betonzusatzmittel, n (De) ;
Luftporenbilder, m (De) :
antigélif
Luftschleier, m (De) :
rideau d'air
Lufttransportbehälter, m (De) :
gaine
Luminometer, n (De) ;
luminómetro (Es) :
luminomètre
lumisome (En) :
photosome
lump (En) :
motter (se —)

lunar (En) :
circum-sélène
lunch allowance (En) ;
lunchbox allowance (En) :
prime de panier
lunch tray (En) :
plateau repas
lusitanidad (Es) ;
Lusitanität, f (De) ;
lusitanity (En) :
lusitanité
lutefaction (En) ;
Lutefaktion, f (De) :
lutéfaction
lutoide (En) :
lutoïde
Luxembourg-speaking (En) :
luxembourgeophone
Luziferase, f (De) :
luciférase
lymphokine (En) :
lymphokine
lyophilized yeast (En) :
lyophilevure
lyosogen (De) ;
lysogenic (En) :
lysogène

M

macerator (En) :
dilacérateur
machinability (En) :
machinabilité
machine-minder (En) :
soigneuse
Mächtigkeit, f (De) :
cardinalité
macrobenthon (En) :
macrobenthonte
macrobentos (Es) :
macrobenthos
macrocinematografia (Es) ;
macrocinematography (En) :
macrocinéma
macroerror (En) :
erreur macrogéométrique
macroestructura (Es) :
macrostructure
macrofibrillar (En) :
macrofibrillaire
macrogametogony (En) :
macrogamétogonie
macrogeometrical error (En) :
erreur macrogéométrique
macroinformática (Es) :
grosse informatique
macroregulación (Es) :
macrorégulation
macrosmatic (En) :
macrosmate
macrosocial (En) :
macro-social

macrosociologia (Es) ;
macrosociology (En) :
macrosociologie
macrostructure (En) :
macrostructure
macrotelevision (En) ;
macrotelevisión (Es) :
macro-télévision
maduración (Es) :
múrissement ;
maturation
mag card (En) :
mémocarte
Magellanic stream (En) :
courant magellanique
magicall (En) :
appeleur
Magister, m (De) :
magistère
magma chamber (En) ;
Magmatasche, f (De) :
chambre magmatique
magmatism (En) ;
magmatismo (Es) ;
Magmatismus, m (De) :
magmatisme
magmatologia (Es) ;
Magmatologie, f (De) :
magmatologie
magmatologist (En) ;
magmatólogo (Es) ;
Magmatologue, m (De) :
magmatologue
magmatology (En) :
magmatologie
Magnetbandarchiv, n (De) ;
Magnetbandbibliothek, f (De) :
bandothèque
magnetic card (En) :
mémocarte
magnetic cushion (En) :
coussin magnétique
magnetic mirror (En) :
point miroir
magnetic rotator (En) :
rotateur
magnetic shell (En) :
coquille magnétique
magnetic stratigraphy (En) :
magnétostratigraphie
magnetic wind (En) :
vent magnétique
magnetischer Spiegel, m (De) :
point miroir
Magnetkern-Bit, n (De) :
bit à tore
magnetocardiografia (Es) ;
magnetocardiography (En) :
magnétocardiographie
magnetoestratigrafía (Es) :
magnétostratigraphie
magnetoestratigráfico (Es) :
magnétostratigraphique
magnetospheric dayside cusp (En) :
cornet polaire
Magnetostratigraphie, f (De) :
magnétostratigraphie

magnetostratigraphisch (De) :
  magnétostratigraphique

Magnetwind, m (De) :
  vent magnétique

Magnon, n (De) ;
magnon (En) ;
magnon (Es) :
  magnon

Mahlbarkeit, f (De) :
  broyabilité

mail-chute (En) :
  vide-lettres

mailing (En) :
  publipostage

mail-riser (En) :
  monte-courrier

main line (En) :
  interville

main memory (En) :
  mémoire vive

main plate (En) :
  plaque-mère

maintainability engineering (En) :
  technogénie

Maisanbau– (De) :
  maïsicole

major element (En) :
  élément majeur

major subject (En) :
  option approfondie

make more northern (En) :
  anordir (s' –)

making fast (En) :
  assurage

Makrofaser– (De) :
  macrofibrillaire

Makrogametogonie, f (De) :
  macrogamétogonie

makrogeometrischer
Fehler, m (De) :
  erreur macrogéométrique

Makrokinematographie, f (De) :
  macrocinéma

makroskopische Steuerung, f,
des Verkehrsablaufs (De) :
  macrorégulation

Makrosoziologie, f (De) :
  macrosociologie

makrosozial (De) :
  macro-social

malacofauna (Es) :
  malacofaune

malacologist (En) ;
malacólogo (Es) :
  malacologue

Malakofauna, f (De) :
  malacofaune

Malakologe, m (De) :
  malacologue

malherbologia (Es) :
  malherbologie

mall (En) :
  promenée

malla y contremalla (Es) :
  bi-pli

malocclusion (En) :
  disclusion

manage (En) :
  manager

management by objectives (En) :
  gestion par objectifs

mandela (En) :
  mandela

mando continuo (Es) :
  commande continue

Männerherrschaft, f (De) :
  androcratie

Mantel, m (De) :
  bol

Mantel– (De) ;
mantle (En) :
  mantélique

manufacturing machine (En) :
  usineur

manumóbil (Es) :
  mano-mobile

map librarian (En) :
  cartothécaire

maquetóscopio (Es) :
  maquettoscope

máquina de aguja flotante (Es) :
  machine à aiguille flottante

máquinas físicas (Es) :
  matériel

máquinas lógicas (Es) :
  logiciel

marbling (En) :
  jaspage

marca pasos (Es) :
  rythmeur cardiaque

marcar (Es) :
  décorer

marcografia (Es) :
  marcographie

marea dinámica (Es) :
  marée dynamique

marea salina (Es) :
  marée saline

margen activo (Es) :
  marge active

margin (En) :
  rive

marginal area (En) :
  aire marginale

marginal lagoon (En) :
  auge marginale

mariculture (En) :
  mariculture

marine adaptation (En) :
  marinisation

marker (En) :
  marqueur ;
  marqueur génétique

market gardening (En) :
  maraichéiculture

Marketing, n (De) ;
marketing (En) :
  mercatique ;
  marchéage

Marketingabteilung, f (De) ;
marketing department (En) :
  département produits-marché

Marktabfall, m (De) :
  verts

Marmorierung, f (De) :
  jaspage

Marokkanisierung, f (De) :
  marocanisation

marqueting (Es) :
  marchéage

Marrism (En) ;
Marrismus, m (De) :
  marrisme

maschinelle Bearbeit-
barkeit, f (De) :
  machinabilité

maschinell erstelltes
Referat, n (De) :
  auto-extrait

maschinengeschweißt (De) :
  mécanosoudé

Mascon, n (De) ;
mascon (En, Es) :
  mascon

masked (En) :
  masqué

masking (En) :
  masquage

masking device (En) :
  masqueur

Maßanalyse, f (De) :
  essai de cession

mass concentration (En) :
  mascon

Massedurchflußmesser, m (De) :
  débitmètre massique

Massenspektrometer, n (De) :
  spectromètre de masse

mass feeler (En) :
  palpeur par la masse

mass flowmeter (En) :
  débitmètre massique

mass spectrometer (En) :
  spectromètre de masse

Massverbindung, f (De) :
  métallisation

Master of Arts degree (En) :
  magistère

master-slave manipulator (En) :
  maître-esclave

Mastologie, f (De) :
  mastologie

mastologist (En) :
  sénologue

mastology (En) :
  mastologie ;
  sénologie

mat (En) :
  mat ;
  matte

matching (En) :
  alignement

matematizable (Es) :
  mathématisable

Materialarchiv, n (De) :
  matériathèque

Materialprüfung, f (De) :
  défectoscopie

maternización (Es) :
  maternisation

mathematicizable (En) ;
mathematisierbar (De) ;

mathematizable (En) :
mathématisable

matorral (En, Es) :
matorral

matriarca (Es) ;
matriarch (En) ;
Matriarchin, f (De) :
matriarche

matrilocality (En) ;
matrilokale Heiratswohn-
folge, f (De) :
matrilocalité

Matrixdrucker, m (De) :
imprimante à mosaïque

matrix effect (En) :
effet de matrice

matrix printer (En) :
imprimante à mosaïque

matte shot (En) :
incrustation

mature (En) :
climatomorphique

maturing (En) :
mûrissement

maturity meter (En) :
maturimètre ;
maturomètre

maximalism (En) ;
maximalismo (Es) :
maximalisme

MAZ-Kameramann, m (De) :
opérateur de direct

mazologist (En) :
sénologue

mazology (En) :
sénologie

measuring electrode (En) ;
measuring sonde (En) :
sensotrode

meat-salting industry (En) :
salaisonnerie

meaty (En) :
viandeux

mecanomorfo (Es) :
mécanomorphe

mechanical claw (En) :
bras manipulateur

mechanical compensation (En) :
compensation mécanique

mechanically-welded (En) :
mécanosoudé

mechanical wood pulp (En) ;
mechanical woodpulp (En) :
pâte mécanique

mechanische Behandlung, f (De) :
traitement primaire

mechanisches Peripherie-
gerät, n (De) :
périphérique à impact

mechanized welding (En) :
mécanosoudure

mechanomorphic (En) :
mécanomorphe

media librarian (En) :
médiathécaire

media library (En) ;
Mediathek, f (De) :
médiathèque

Mediathekar, m (De) :
médiathécaire

medicina global (Es) :
médecine globale

medicina interna (Es) :
médecine interne

mediocentromeric (En) :
médiocentrique

mediolitoral (De, Es) :
médiolittoral

mediozentrisch (De) :
médiocentrique

Medium, n (De) :
percipient

Meeresenge, f (De) :
traict

Meeresname, m (De) :
pélagonyme

Megalopolis, f (De) ;
megalopolis (En) ;
megalópoli (Es) :
mégapole

megaxilico (Es) ;
megaxylic (En) :
mégaxylique

Mehraufwand, m (De) :
surprix

Mehrband— (De) :
multibande

Mehrfachzugriff, m (De) :
accès multiple

Mehrlingsgeburten, f.pl. (De) :
gémellance

mehrmalig programmierbarer
Speicher, m (De) :
mémoire reprogrammable

Mehrscheiben, f (De) :
polydisque

Mehrstärken-Brillenglas, n (De) :
multifocal

Mehrstationen— (De) :
multistation

Mehrstrahlechograph, m (De) :
sondeur multifaisceaux

meiobenthos (En) ;
meiobentos (Es) :
méiobenthos

Meiofauna, f (De) ;
meiofauna (En, Es) :
méiofaune

melógrafo (Es) ;
melograph (En) :
mélographe

membership group (En) :
groupe d'appartenance

membrane (En) :
barrière de diffusion

membrane cell (En) :
électrolyseur à membrane

membranologia (Es) :
Membranologie, f (De) ;
membranology (En) :
membranologie

memoesfera (Es) :
mémosphère

memoria de transición (Es) :
mémoire-tampon

memoria muerta (Es) :
mémoire morte

memoria provisional (Es) :
mémoire-tampon

memoria reprogramable (Es) :
mémoire reprogrammable

memoria viva (Es) :
mémoire vive

memory typewriter (En) :
mémosphère

merchandiser (En) :
barque de vente ;
îlot de vente

merchandising (En) :
marchandisage

mercury delay line (En) :
ligne sonique

merismatic (En) :
méristématique

meristematicidad (Es) :
méristématicité

meristemático (Es) ;
meristematisch (De) :
méristématique

Meristematisierung, f (De) ;
meristematización (Es) :
méristématisation

Meristematizität, f (De) :
méristématicité

meritocracia (Es) ;
meritocracy (En) :
méritocratie

Merkmal, n (De) :
marqueur génétique

meromictico (Es) ;
meromiktisch (De) :
méromictique

mesa de bolas (Es) :
table de transfert à billes

mesic (En) :
mésonique

mesoclima (Es) ;
mesoclimate (En) :
mésoclimat

mesoeconomia (Es) ;
mesoeconomy (en) :
méso-économie

mesoescala (Es) :
mésoéchelle

mesofase (Es) :
mésophase

Mesogean (En) :
mesogéen

Mesoklimat, n (De) :
mésoclimat

mesolimnion (En) :
mésolimnion

mesomorphist (En) :
mésomorphiste

Meson— (De) ;
mesonic (En) ;
mesónico (Es) ;
mesonisch (De) :
mésonique

Mesoökonomie, f (De) :
méso-économie

mesopelagic (En) :
infrapélagique

Mesophase, f (De) ;
mesophase (En) :
mésophase

mesopic (En) :
mésopique

mesoplanctónico (Es) ;
Mesoplankton— (De) ;
mesoplanktonic (En) :
mésoplanctonique

mesoscale (En) :
mésoéchelle

mesotelevisión (Es) :
méso-télévision

mesotroph (De) ;
mesotrophic (En) ;
mesotropo (Es) :
mésotrophe

Meßsender, m (De) :
injecteur de signaux

Meßwert, m (De) :
mesurande

Meßzange, f (De) :
électropince

metabolic disease (En) :
dysmétabolie

metachronal (En) :
métachronique

Metachronie, f (De) ;
metachrony (En) :
métachronic

metacompilador (Es) ;
metacompiler (En) :
métacompilateur

metacronia (Es) :
métachronie

metacrónico (Es) :
métachronique

Metakompilierer, m (De) :
métacompilateur

Metall-keramik, f (De) :
cermet

metallogenetic (En) ;
metallogenetisch (De) ;
metallogenic (En) :
métallogénique

metallogenist (En) :
métallogéniste

metallotect (En) :
métallotecte

Metallschichtabtragung, f (De) :
démétallisation

metalogénico (Es) :
metallogénique

metalogenista (Es) :
métallogéniste

metalotecto (Es) :
métallotecte

metamere Farbgleichheit, f (De) ;
metamerism (En) ;
metamerismo (Es) :
métamérisme

metametalanguage (En) :
métamétalangue

Metamonitor, m (De) ;
metamonitor (En, Es) :
métamoniteur

metanación (Es) :
méthanation

metanígeno (Es) :
méthanigène

metanómetro (Es) :
méthanomètre

metarace (En) ;
Metarasse, f (De) :
métarace

metasemia (Es) ;
metasemy (En) :
métasémie

metaterminologia (Es) ;
Metaterminologie, f (De) ;
metaterminology (En) :
métaterminologie

Metazeichnen, n (De) :
métasigne

meteorite radar (En) :
radar météorique

meteorologische
Navigation, f (De) :
navigation météorologique

meteorologische
Sichtweite, f (De) :
visibilité par contraste

Meteotron, n (De) ;
meteotron (En) ;
meteotrón (Es) :
météotron

meter-reading card (En) :
carte auto-relève

meterweise Verpackung, f (De) :
emballage au mètre

Methadon, n (De) ;
methadone (En) :
méthadone

methanation (En) :
méthanation

methane-producing (En) ;
methanerzeugend (De) :
méthanigène

methane tester (En) :
méthanomètre

Methanisierung, f (De) :
méthanation

Methanometer, n (De) ;
methanometer (En) :
méthanomètre

método de análisis global (Es) :
procédure globale

método diferencial (Es) :
procédure différentielle

metromática (Es) ;
Metromatik, f (De) :
métromatique

micofagia (Es) :
mycophagie

micoplasma (Es) :
mycoplasme

micotoxicosis (Es) :
mycotoxicose

microanalytic teaching (En) :
micro-enseignement

microautómata (Es) :
micro-automate

microbicida (Es) ;
microbicide (En) :
microbiocide

microbiogenesis (En) ;
microbiogénesis (Es) :
microbiogénèse

microbiogenetic (En) ;
microbiogenic (En) ;
microbiógeno (Es) :
microbiogène

microbiogeny (En) :
microbiogénèse

microbridge (En) :
micropont

microcalculador (Es) ;
microcalculator (En) :
microcalculateur

microcinematography (En) :
microcinégraphie

microconversación (Es) :
microconversation

microcoulombmeter (En) ;
microcoulometer (En) ;
microcoulómetro (Es) :
microcoulomètre

microcrack (En) :
microcraquelure

microcracking load test (En) :
essai de microfissuration pour
charge

microdialogue (En) :
microconversation

microedición (Es) :
microédition

microeditar (En) :
microéditer

microerror (En) :
erreur microgéométrique

microfauna (Es) :
faunule

microfiche collection (En) :
microfichethèque

microfilament (En) :
microfilament

microfilmación (Es) :
microfilmage

microfilm frame (En) :
microphotogramme

microfilming (En) :
microfilmage

microfisión (Es) ;
microfission (En) :
microfission

microfissure (En) ;
microfisura intracristalina (Es) :
microcraquelure

microflora (Es) :
microflore

microflotación (Es) :
microflotation (En) :
microflottation

microform (En) ;
microforma (Es) :
microforme

microfotograma (Es) :
microphotogramme

microfractográfico (Es) ;
microfractographic (En) :
microfractographique

microfractura (Es) ;
microfracture (En) :
microfracture

microfundio (Es) ;
microfundium (En) :
microfundium

microgametoblast (En) ;
microgametoblasto (Es) :
microgamétoblaste

microgametogonia (Es) ;
microgametogony (En) :
microgamétogonie

microgeometrical error (En) :
erreur microgéométrique

microgranulometer (En) ;
microgranulómetro (Es) :
microgranularomètre

microgravedad (Es) ;
microgravity (En) :
microgravité

microgrove (En) :
microcuvette

microholografia (Es) :
microholographie

microinformàtica (Es) :
micro-informatique

microinstrumentation (En) :
microinstrumentation

micromàtica (Es) :
micromatique

micro-media (En) :
micromédias

micronectónico (Es) :
micronectonique

micronekton (En) :
micronecton

micronektonic (En) :
micronectonique

micro-neuron (En) ;
microneurona (Es) :
microneurone

micronization (En) :
micronisation

microplacodes (En) :
microplacodes

micropolvo (Es) :
micropoussière

microprocesador (Es) :
microprocesseur

microprocessing (En) :
micro-informatique

microprocessing unit (En) :
micro-automate

microprocessor (En) :
micro-automate ;
microprocesseur

microprocessor-controlled (En) :
microprocessor-equipped (En) :
microprocessorisé

micropublish (En) :
microéditer

micro-publishing (En) :
microédition

micropulido (Es) :
micropolissage

microreflectometria (Es) :
microreflectométrie

microreprografia (Es) ;
microreprography (En) :
microreprographie

microsfera (Es) :
microsphère

microslot line (En) :
ligne microfente

microsoldadura (Es) :
micro-soudage

microsphere (En) :
microsphère

microstrip line (En) :
ligne microruban

Microteaching, n (De) :
micro-enseignement

microteca (Es) :
microthèque

microtelevision (En) ;
microtelevisión (Es) :
microtélévision

Microunterricht, m (De) :
micro-enseignement

microwave furnace (En) :
four microonde

micro-welding (En) :
micro-soudage

microzooplancton (Es) ;
micro-zooplankton (En) :
microzooplancton

Middle-European (En) :
médioeuropéen

middle-of-the-game (En) ;
middle-of-the-range (En) :
milieu de gamme (de —)

migmático (Es) ;
migmatisch (De) :
migmatique

migration inversion (En) :
inversion de migration

mikrobiogen (De) :
microbiogène

Mikrobiogenese, f (De) :
microbiogénèse

Mikrobiozid, n (De) :
microbiocide

Mikrocomputer, m (De) :
microcalculateur

Mikrocoulometer, n (De) :
microcoulomètre

Mikrofaser, f (De) :
microfilament

Mikrofauna, f (De) :
faunule

Mikrofiche-Sammlung, f (De) :
microfichethèque

Mikrofilmaufnahme, f (De) :
microfilmage

Mikrofotogramm, n (De) :
microphotogramme

Mikrofundium, m (De) :
microfundium

Mikrogametogonie, f (De) :
microgamétogonie

*mikrogeometrischer
Fehler, m (De)* :
erreur microgéométrique

Mikrogravitation, f (De) :
microgravité

Mikroholographie, f (De) :
microholographie

Mikroinformatik, f (De) :
micro-informatique

Mikroinstrumentierung, f (De) :
microinstrumentation

Mikrokinematografie, f (De) :
microcinégraphie

Mikromechanik, f (De) :
micromécanique

Mikromedien, n (De) :
micromédias

Mikro-Messbrücke, f (De) :
micropont

Mikromöstel, m (De) :
micromortier

Mikronekton, n (De) :
micronecton

micronektonic (De) :
micronectonique

Mikroneuron, n (De) :
microneurone

Mikroprozessor, m (De) :
microprocesseur

mikroprozessoriert (De) :
microprocessorisé

Mikrorechner, m (De) :
microcalculateur

Mikroreproduktion, f (De) :
microédition

Mikroreprographie, f (De) :
microreprographie

Mikroriß, m (De) :
microfracture

*Mikroskop, n, mit Fernseh—
anschluß (De)* :
télémicroscope

Mikrostaub, m (De) :
micro-poussière

Mikroträger, m (De) :
microforme

Mikrovoltameter, n (De) :
microcoulomètre

Mikrowellenofen, m (De) :
four microonde

Mikrozooplankton, n (De) :
microzooplancton

milbenvertreibend (De) ;
Milbenvertreibungsmitte, n (De) :
acarifuge

miler (En) :
mileur

milieu therapy (En) :
ambiothérapie

militärisch (De) ;
militarizado (Es) ;
military (En) :
militarisé

millboard (En) :
celloderme

mimeme (En) :
mimème

mimicry (En) :
mimisme

mineralization (En) ;
Mineralbildung, f (De) :
minéralogénèse

mineralized body (En) :
corps minéralisé

mineral line (En) :
minéraloduc

minerallurgy (En) :
minéralurgie

mineraloducto (Es) :
minéraloduc

mineralogénesis (Es) :
minéralogénèse

Mineralurgie, f (De) ;
mineralurgy (En) :
minéralurgie

miniature calculator (En) ;
minicalculator (En) :
calculette

mini-disk (En) :
disque souple

mini-informática (Es) :
mini-informatique

Minimum-Flugweg, m (De) :
brachistochrone

minkery (En) :
visonnerie

minnow-disk (En) :
disque souple

mintérmino (Es) :
minterme

Minuend, m (De) ;
minuend (En) ;
minuendo (Es) :
diminuende

Minus– (De) ;
minus (En) :
moins

miocárdico (Es) :
myocardique

miocratón (Es) ;
Miokraton, n (De) :
miocraton

miorelajante (Es) :
myorelaxant

mirmecofauna (Es) :
myrmécofaune

misalignment (En) :
mésalignement

Mischbuch, n (De) :
livre brouillé

Mischkristalle, m (De) :
cristaux mixtes

misinformation (En) :
désinformation

misrun (En) :
malvenue

mist eliminator (En) :
dévésiculeur

(mit) Bolzensetzgerät
einsetzen (De) :
pistosceller

(mit) Energierückgewinnung (De) :
régénératif

mite repellent (En) :
acarifuge

mite-ripened (En) :
cironné

mitherrschend (De) :
codominant

(mit) Kautschukzusatz (De) :
caoutchoutique

(mit) Klammern, f
befestigt (De) :
clippé

(mit) Lateritdecke (De) :
latérité

(mit) Lufteinschlüssen (De) :
aéro-cellulaire

(mit) Magnetspur (Film–) (De) :
prépisté

(mit) mikroprogrammiertem
Prozessor (De) :
microprocessorisé

mitogenetic (En) ;
mitogenético (Es) ;
mitogenic (En) :
mitogénique

(mit) Reliefmuster (De) :
reliéfé

(mit) Sonnenenergie beheiztes
Haus, n (De) :
maison solaire

Mittelphase, f (De) :
mésophase

(mit) Thyristoren bestückt (De) :
thyristorisé

mittlerer Maßstab, m (De) :
mésoéchelle

mittlere Tagestemperatur, f (De) :
degré-jour

mittleuropäisch (De) :
médioeuropéen

(mit) Uhrzeitangabe (De) :
horodaté

mixed crystals (En) :
cristaux mixtes

mixed layer (En) :
couche mélangée

mixed platform (En) :
quai mixte

mixer (En) :
vaqueur

mixing (En) :
mélangeage

mixótrofo (Es) ;
mixotroph (De) ;
mixotrophic (En) :
mixotrophe

mixticolous (En) :
mixticole

Mnemon, n (De) ;
mnemon (En) ;
mnemón (Es) :
mnémon

mnésico (Es) ;
mnestic (En) ;
mnestisch (De) :
mnésique

mobile conservation
laboratory (En) :
labobus

mobile home (En) :
maison-remorque

mobile unit (En) :
vidéobus

Mobilheim, n (De) :
maison-remorque

Mobilkran, m (De) :
auto-grue

Modalität, f (De) ;
modality (En) :
modalité

modeler (En) :
radiomodéliste

modeling (En) :
modelage

modelizable (Es) :
modélisable

modelización (Es) ;
modelization (En) :
modélisation

modelization specialist (En) :
modélisateur

Modell, n (De) :
modélisation

Modellbau, m (De) :
maquettisme

Modellbetrachtung, f (De) ;
Modelldarstellung, f (De) :
modélisation

modeller (En) :
radiomodéliste

modellierbar (De) :
modélisable

Modellierung, f (De) ;
modelling (En) ;
Modellpsychose, f (De) :
modelage

modelscope (En) :
maquettoscope

modern historian (En) :
contemporaniste

modifizierendes Verb, n (De) :
verbe modalisateur

Modul, m (De) :
bloc fonction

modularization (En) :
modularisation

modular office (En) :
bureau évolutif

module (En) :
bureau-module ;
élément spatial

Modulisierung, f (De) :
modularisation

Modultransport, m (De) :
transport modulaire

moisture equivalent (En) :
humidité équivalente

moisture expansivity (En) :
hygroexpansivité

molarähnlich (De) ;
molariform (En) ;
molariforme (Es) :
molariforme

molécula-jaula (Es) :
molécule-cage

molecular association (En) :
association moléculaire

molecularización (Es) :
molécularisation

molecular welding (En) ;
molekulares Schweissen, n (De) :
soudure moléculaire

Molekularization, f (De) :
molécularisation

Molekularverbindung, f (De) :
  association moléculaire

molido (Es) :
  broyat

Molysmologie, f (De) :
  molysmologie

monadic (En) ;
monadical (En) :
  monadoïde

monarch (En) :
  monarche

Monematik, f (De) :
  monématique

monetarist (En) :
  monétariste

monetarizable (Es) :
  monétarisable

Monitor, m (De) ;
monitor (En) :
  moniteur

monitored (En) :
  régulé

Monitorgerät, n (De) :
  pupitre de visualisation

monitoring (En) :
  monitorage ;
  contrôle continu

Monitorsystem, n (De) :
  monitorage

monocapa (Es) :
  monocouche

monocitógeno (Es) :
  monocytogène

monoclientela (Es) ;
monoclientele (En) :
  monoclientèle

monoclimax concept (En) ;
monoclimax theory (En) :
  monoclimax

monocomparador (Es) ;
monocomparator (En) :
  monocomparateur

monodisciplinary (En) ;
monodisziplinär (De) :
  monodisciplinaire

monoestandard (Es) :
  mono-standard

monofagia (Es) :
  monophagie

monohybrid heterosis (En) :
  superdominance

Mono-Industrie, f (De) :
  mono-industrie

Monomode, m (De) ;
monomode (En) ;
monomodo (Es) :
  monomode

Monophagie, f (De) ;
monophagy (En) :
  monophagie

monospóndilo (Es) ;
Monospondyl– (De) ;
monospondylic (En) :
  monospondyle

monostandard (En) :
  mono-standard

Monosteuerung, f (De) :
  monocommande

monostratal (En) :
  monostratal

monotechnician (En) ;
Monotechniker, m (De) ;
monotécnico (Es) :
  monotechnicien

monotonicidad (Es) :
  monotonicité

monotónico (Es) :
  monotonique

monotopic (En) ;
monotopo (Es) :
  monotope

monoxilo (Es) ;
monoxylous (En) :
  monoxyle

monozytogen (De) :
  monocytogène

Montagehalle, f (De) :
  halle d'assemblage

monte bajo estepario (Es) :
  steppe garrigue

montera (Es) :
  chapeau de fer

morfinomimético (Es) :
  morphinomimétique

morfoedafología (Es) :
  morphopédologie

morfometría (Es) :
  morphométrie

morfométrico (Es) :
  morphométrique

Moroccanization (En) :
  marocanisation

morphematische Schrift, f (De) :
  morphémographie

morphemics (En) :
  monématique

morphemic writing system (En) :
  morphémographie

morphinmimetisch (De) ;
morphinomimetic (En) :
  morphinomimétique

morphogram (En) ;
Morphogramm, m (De) :
  morphogramme

morphological character (En) :
  caractère morphologique

morphometric (En) :
  morphométrique

Morphometrie, f (De) :
  morphométrie

morphometrisch (De) :
  morphométrique

morphometry (En) :
  morphométrie

Morphopedologie, f (De) :
  morphopédologie

morse phone (En) ;
Morsetelefon, n (De) :
  phonomorse

mosaic printer (En) :
  imprimante à mosaïque

mosquito net (En) :
  paramoustique

Mössbauer effect (En) ;
Mössbauer Effekt, m (De) :
  effet Mössbauer

mother factory (En) :
  usine-mère

mother liquor (En) :
  liqueur mère

mother molecule (En) :
  molécule-mère

motion picture cameraman (En) :
  opérateur film

motor crane truck (En) :
  auto-grue

Motorhacke, f (De) ;
motor hoe (En) :
  motohoue

motorisiertes Baumverp-
flanzgerät, n (De) :
  camion transplantoir

motor orbital (Es) :
  moteur orbital

mottle (En) :
  moutonnage

movable anchorage (En) :
  ancrage mobile

mucosubstance (En) :
  mucosubstance

mucoviscidosis (En) :
  mucoviscodose

mud (En) :
  banco

mud man (En) :
  boueux

Mukoviszidose, f (De) :
  mucoviscodose

multiband (En) :
  multibande

multicriteria (En) ;
multicriterio (Es) :
  multicritère

multidate image (En) :
  image diachronique

multi disc (En) :
  polydisque

multidonor (En) :
  multidonateur

multiespectral (En) :
  multispectral

multifilament (En) :
  multibrin

multifocal (En, Es) :
  multifocal

multi-media resource center (En) ;
multi-media resource centre (En) :
  polythèque

multimodal (En, Es) :
  multimodal

multimode (En) ;
multimodo (Es) :
  multimode

Multimolekularität, f (De) :
  polymolécularité

Multinationalisierung, f (De) ;
multinationalization (En) :
  multinationalisation

multiple-access (En) :
  accès multiple

multiple bow-harp (En) :
  pluriarc

multiple docking adapter (En) ;
multiple docking adaptor (En) :
  module d'accouplement
  multiple

multiple recidivist (En) :
  multirécidiviste

multiple-unit (En) :
  unité-multiple

Multiplexer, m (De) ;
multiplexer (En) ;
multiplexor (En, Es) :
  multiplexeur

multipot (En) :
  multipot

multireincidente (Es) :
  multirécidiviste

multisection (En) ;
Multisektion, f (De) :
  multisection

multispectral (En) :
  multispectral

multi-storey car park (En) :
  auto-silo ;
  silo à voitures

multitemporal image (En) :
  image diachronique

multiword term (En) :
  multiterme

Mundartsprecher, m (De) :
  dialectophone

Münzprüfer, m (De) :
  monnayeur

muonicidad (Es, En) :
  muonicité

murbimeter (En) :
  murbimètre

muro (Es) :
  mur

muscalure (En) :
  muscalure

Muschelzucht— (De) :
  conchylicole

muscle relaxant (En) :
  myorelaxant

musibus (En) :
  musibus

música blanca (Es) :
  musique blanche

música browniana (Es) :
  musique brownienne

Mutagenese, f (De) ;
mutagenesis (En) :
  mutagénèse

muting tuning (En) :
  silencieux de recherche

Mutterlauge, f (De) :
  liqueur mère

Muttermolekül, n (De) :
  molécule-mère

mycoplasm (En) ;
mycoplasma (En) :
  mycoplasme

mycorrhizal (En) :
  mycorhizé

mycotoxicosis (En) :
  mycotoxicose

Mykoplasma, n (De) :
  mycoplasme

Mylonitisierung, f (De) ;
mylonitization (En) ;
mylonization (En) :
  mylonisation

myocardial (En) :
  myocardique

myoelectricity (En) :
  myoélectricité

Myokard— (De) :
  myocardique

myorelaxant (En) :
  myorelaxant

Myrmekofauna, f (De) :
  myrmécofaune

mythogram (En) :
  mythogramme

Myxovirus, n (De) ;
myxovirus (En) :
  myxovirus

N

Nachbehandlungsmittel, n (De) :
  produits de cure

(nach dem) Aufgehen (De) :
  postlevée (en—)

nachformbar (De) :
  postformable

nachgeformt (De) :
  postformé

Nachheben, n (De) :
  réplique

Nachrichtenverfalschung, f,
und Unterdrückung (De) :
  désinformation

nachtleuchtend (De) :
  noctilumineux

nachträglich formbar (De) :
  postformable

Nachweisvermögen, n (De) :
  détectivité

Nadelfräsen, n (De) :
  fraisage-aiguilles

Nadelfräser, m (De) :
  fraise-aiguilles

Nadelwald, m (De) :
  prucheraie

Naderism (En) :
  consommatisme

nagelbarer Beton, m (De) :
  bétonclouable

Nähr— (De) :
  bromatologique

Nährstoffe, f (De) :
  nutriants

Nahrungskette, f (De) :
  chaîne alimentaire

Nahrungstoffe, f (De) :
  nutriants

nailable concrete (En) :
  béton clouable

nailing machine (En) :
  cloueur

NaK (En) ;
nak (Es) :
  nak

nanoclima (Es) ;
nanoclimate (En) ;
Nanoklima, n (De) :
  nanoclimat

nanoplankton (En) :
  nanoplancton

naphthalene removal (En) :
  dénaphtalinage

Narrensicherung, f (De) :
  détrompage

Nassfilter, n (De) :
  filtre humide

Naßmetallurgie, f (De) :
  hydrométallurgie

naticita (Es) :
  naticite

native mode (En) :
  mode natif ;
  mode naturel

Natorum-Kalzium— (De) :
  sodocalcique

natural line-breadth (En) :
  largeur naturelle

natural liquified gas (En) :
  G.N.L.

natural radiation (En) :
  rayonnement naturel

Naturarzt, m (De) :
  naturopathe

Naturdenkmal, n (De) :
  aire de nature sauvage

nature reserve (En) :
  parc de vision

natürliche Linienbreite, f (De) :
  largeur naturelle

natürliche Strahlung, f (De) :
  rayonnement naturel

Naturreservat, n (De) ;
Naturschutzgebiet, n (De) :
  réserve naturelle dirigée

Naturweide, f (De) :
  terrain de parcours

naupliar stage (En) :
  protopléon

Navalisierung, f (De) :
  marinisation

navegación meteorológica (Es) :
  navigation météorologique

necrotactismo (Es) :
  nécrotactisme

necrotrofo (Es) :
  nécrotrophe

nectobentos (Es) :
  nectobenthos

needle cutter (En) :
  fraise-aiguilles

needle-cutting (En) :
  fraisage-aiguilles

negative (En) :
  négativer

negative air ionisation (En) ;
negative air ionization (En) :
  électroclimatisation

negative Besteuerung, f (De) :
  impôt négatif

461

negative dielectric
anisotropy (En) ;
negative Dielektrizitäts-
anisotropie, f (De) :
anisotropie diélectrique
négative
negative income tax (En) :
impôt négatif
negative lift (En) :
déportance
negatively correlated (En) :
anticorellé
negative pressure tube (En) :
tube de pression négative
negativer Auftrieb, m (De) :
déportance
negativ korreliert (De) :
anticorellé
Negrologe, m (De) ;
negrologist (En) :
négrologue
Nektobenthos, n (De) ;
nektobenthos (En) :
nectobenthos
nemacide (En) ;
nematicide (En) :
nématocide
nematocenose (En) ;
nematocenosis (Es) :
nématocénose
nematocide (En) :
nématocide
nematodenfressend (De) ;
nematófago (Es) :
nématophage
nematofauna (En, Es) :
nématofaune
Nematologist, m (De) ;
nematologist (En) :
nématologiste
nematostático (Es) ;
nematostatisch (De) :
nématostatique
neoassociationism (En) :
néo-associationnisme
neoassociationist (En) :
néo-associationniste
neofasia (Es) :
néophasie
neolithization (En) ;
neolitización (Es) :
néolithisation
neolocalidad (Es) ;
neolocality (En) :
néolocalité
Neologe, m (De) :
néographe
neological character (En) :
néologicité
Neologismus, m (De) :
néonyme
neologistic character (En) ;
Neologizität, f (De) :
néologicité
neonatalogy (En) :
néo-natalogie
neonate (En) ;
neonato (Es) :
néonate

neonatología (Es) ;
Neonatologie, f (De) :
néo-natalogie
Neontologe, m (De) ;
neontologista (Es) :
néontologiste
neonym (En) :
néonyme
neophasia (En) :
néophasie
neoplaca (Es) :
néoplaque
neotectónico (Es) ;
neotectonics (En) ;
Neotektonik, f (De) :
néotectonique
neotenic (En) ;
neoténico (Es) ;
neotenisch (De) :
néoténique
nervöses Zähneknirschen, n (De) :
bruxomanie
nestable (En) :
emboîtable
Netzfarbe, f (De) :
encre réticulable
Netzmittel, m (De) :
agent mouillant
Netzprozessor, m (De) :
processeur de réseau
neugeboren (De) :
néonate
neurobiotaxia (Es) :
neurobiotaxie
Neurohormon, n (De) ;
neurohormone (En) :
neurhormone
neurokyme (En) :
neurocyme
neuroleptic treatment (En) ;
neuroleptización (Es) :
neuroleptisation
neuromediación (Es) ;
neuromediation (En) :
neuromédiation
neuromotor (En, Es) :
neuromoteur
neurosecretion (En) ;
Neurosekret, n (De) :
neurosecrétat
neurotensin (En) :
neurotensine
neutron-absorbing (En) :
neutrophage
neutron activation (En) :
activation neutronique
Neutronen absorbierend (De) :
neutrophage
Neutronenaktivierung, f (De) :
activation neutronique
Neutronen einfangend (De) :
neutrophage
neutron physicist (En) :
neutronicien
neutron-pumped (En) :
neutro-pompé
news agency correspondent (En) :
agencier

nibbling (En) :
grignotage
niche (En) :
créneau
nicht erkennbarer Fehler, m (De) :
défaut indétectable
nichtlasttragende Leicht-
decke, f (De) :
faux-plancher
nichtträges Medium, n (De) :
moyen sans inertie
nicht unterscheidbarer
Fehler, m (De) :
défaut indiscernable
Nichtunterscheidbarkeit, f (De) :
indiscernabilité
nicht vom Elternbild
bestimmt (De) :
déparentalisé
nicht vom Vaterbild
bestimmt (De) :
dépaternalisé
nicht zu Brot verarbeitet (De) :
impanifiable
nicked (En) :
entaillé
nidamental shell (En) :
coquille nidamentaire
niebla salina (Es) :
brouillard salin
Nigerianisierung, f (De) ;
Nigerianization (En) :
nigérianisation
nigger (En) :
tourne-grumes
nitrobacter (En) :
azobacter
nitrocarburación (Es) :
nitro-carburation
nitrogenasa (Es) ;
Nitrogenase, f (De) ;
nitrogenase (En) :
nitrogénase
nitroinyección (Es) :
nitrojection
nitrosoheme (En) :
nitrosohème
nivalmeteorologisch (De) :
nivométéorologique
niveolian (En) ;
niveólico (Es) :
nivéolien
nivología (Es) ;
Nivologie, f (De) :
nivologie
nivólogo (Es) :
nivologue
nivology (En) :
nivologie
nivometeorológico (Es) :
nivométéorologique
nocardiasis (En) :
nocardiose
noctilucent (En) ;
noctiluminoso (Es) :
noctilumineux
node (Es) :
nœud

nodular cast iron (En) :
fonte G.S.

nodularizante (Es) ;
nodulating (En) ;
nodulizing (En) :
nodularisant

noise (En) :
bruit

noise silencer (En) :
silencieux de recherche

noise suppression (En) :
déverminage

noisiness (En) :
bruyance

no magnético (Es) :
amagnétique

nominal class (En) :
classe nominale

non-bread (En) :
impanifiable

noncondensable (En) :
incondensable

non-dissipative muffler (En) :
silencieux réactif

nonflam (En) ;
nonflammable (En) :
non feu

non-impact printer (En) :
imprimante à jet d'encre ;
imprimante sans impact

non-magnetic (En) :
amagnétique

non-native bilingual (En) :
biglotte

nonne (Dachziegel), f (De) :
tuile de courant

non-R.E.M. (En) ;
non-R.E.M. sleep (En) :
sommeil à ondes lentes

non-return (En) :
antiretour

non-standard (En) :
fermé

non-surgical embryo
transfer (En) :
inovulation

nontraversable rigid barriers (En) :
muret californien

non-woven (En) :
non-tissé

noradrenergic (En) ;
noradrenergisch (De) :
noradrénergique

norator (En) :
norateur

nordicidad (Es) ;
nordicity (En) :
nordicité

nordisch (De) :
nordiquement

normale Schwerkraft, f (De) :
gravité simple

Normalfrequenzge-
nerator, m (De) :
synthétiseur de fréquence

Normalleistung, f (De) :
allure-étalon

normally-closed contact (En) :
contact normalement fermé

normally-open contact (En) :
contact normalement ouvert

Normothym— (De) :
normothymique

northerly (En) :
nordiquement

northness (En) :
nordicité

note (En) :
mingogramme

not go (En) :
n'entre pas

notice of receipt (En) :
avis de sort

Notierung, f (De) :
cotation

noxología (Es) ;
noxology (En) :
noxologie

nozzle (En) :
tête de remplissage

nozzlelike emitter (En) :
goutteur à détendeur

nozzleman (En) :
guniteur

N.R.E.M. (En) ;
N.R.E.M. sleep (En) :
sommeil à ondes lentes

nubes (Es) :
amas

nucleación (Es) :
nucléation

nuclear believer (En) :
nucléariste

nuclear criticality safety (En) :
sûreté-criticité

nuclearist (En) :
nucléariste

nuclear star (En) :
étoile nucléaire

nuclear steam supply
system (En) :
bloc chaudière

nuclear unit (En) :
tranche nucléaire

nucleating (En) :
nucléant

nucleation (En) :
nucléation

nucleodensímetro (Es) :
nucléodensimètre

nucleohumidómetro (Es) :
nucléohumidimètre

núcleo interno (Es) :
graine

nucleometria (Es) :
nucléométrie

nucleosoma (Es) ;
nucleosome (En) :
nucléosome

nucleus (En) :
noyau

nudo (Es) :
nœud

nuisance studies (En) :
noxologie

nullator (En) :
nullateur

Nullkette, (De) :
chaîne vide

nullor (En) :
nulleur

null string (En) :
chaîne vide

number blindness (En) :
dyscalculie

numerización (Es) :
numérisation

numerizado (Es) :
numérisé

numerizador (Es) :
numérisateur

Nurflügelflugzeug, n (De) :
aile volante

Nut, n (De) :
rivelon

nutrient broth (En) :
soupe biologique

nutrientes (Es) ;
nutrients (En) :
nutriments

nutri-flow (En) :
nutripompe

nutrilite (En) :
nutrilite

Nutstopfen, m (De) :
bouche-rainure

O

Oberflächenaktiver Stoff, m (De) :
agent de surface

Oberflächenbelüfter, m (De) :
aérateur de surface

Oberflächenbelüftung, f (De) :
aération de surface

Oberflächenhaftung, f (De) :
collage épidermique

oberflächennah (De) :
supergène

Oberflächenstruktur, f (De) :
surface linguistique

object-maker (En) :
objettiste

observer-actor situation (En) :
coprésence

occitanophone (En) :
occitanophone

occlusal (En) :
occlusal

occurrence (En) :
venue

oceanic water (En) :
eau océanique

oceanized (En) :
océanisé

ocean politics (En) :
océanopolitique

oculodirectometer (En) :
oculodirectomètre

O.D.A.S. (En) :
 sado

Odologie, f (De) :
 odologie

Odontotomie (De) ;
 odontotomy (En) :
 odontotomie

odorógrafo (Es) ;
 odorograph (En) :
 odorographe

odorológico (Es) :
 odorologique

oenomel (En) :
 oenomel

Ofenförderband, n (De) :
 tapis de four

offene Schleife, f (De) :
 boucle ouverte

offensive Strategie, f (De) ;
 offensive strategy (En) :
 stratégie offensive

office automation (En) :
 bureautique

Öffner, m (De) :
 contact normalement fermé

Öffnungssynthese, f (De) :
 synthèse d'ouverture

ofiófago (Es) :
 ophiophage

oil-immersed transformer (En) :
 transformateur immergé

oil mop (En) :
 serpillère

oil-repellant (En) ;
 oil-repellent (En) :
 oléofuge

oil-sorbent product (En) :
 absorbant flottant

ökoarchitektonisch (De) :
 arcologique

Ökoarchitektur, f (De) :
 arcologie

Öko-Ethologie, f (De) :
 éco-éthologie

Ökoform, f (De) :
 écoforme

Ökogeologe, m (De) :
 écogéologue

Ökogeologie, f (De) :
 écogéologie

Ökogramm, n (De) :
 écogramme

Ökographie, f (De) :
 écographie

Ökoimmunologie, f (De) :
 éco-immunologie

Ökokommune, f (De) :
 éco-communauté

Ökolinguistik, f (De) :
 écolinguistique

ökologischer Analysator, m (De) :
 écolyseur

ökologische Wohmweise, f (De) :
 écohabitat

Ökonologie, f (De) :
 éconologie

Ökopathologie, f (De) :
 écopathologie

Ökophase, f (De) :
 écophase

Ökophysiologie, f (De) :
 écophysiologie

Ökosystemanalyse, f (De) :
 analyse écosystémique

Okosphäre, f (De) :
 écosphère

Ökotop, m (De) :
 écotone

Ökotoxikologie, f (De) :
 écotoxicologie

Oktopamin, n (De) :
 octopamine

Ölabschöpfgerät, n (De) :
 dépollueur

ölabstossend (De) :
 oléofuge

Ölaufnehmer, m (De) :
 dépollueur

old craton (En) :
 eucraton

oldowan (En) ;
 Oldowan (En) ;
 Oldoway– (De) :
 oldowayen

old word (En) :
 paléonyme

oleohidráulico (Es) :
 oléohydraulique

oleophilic (En) :
 oléophile

oleoplástico (Es) :
 oléoplastique

olfactometer (En) :
 olfactomètre

olfactory efficiency (En) :
 odorité

Olfaktometer, n (De) ;
 olfatómetro (Es) :
 olfactomètre

Ölhydraulik, f (De) :
 oléohydraulique

oligodinamia (Es) :
 oligodynamie

oligodinámico (Es) ;
 oligodynamic (En) :
 oligodynamique

oligodynamics (En) ;
 Oligodynamie, f (De) :
 oligodynamie

oligodynamisch (De) :
 oligodynamique

oligohaline (En) ;
 oligohalino (Es) :
 oligohalin

Oligomerisation, f (De) :
 oligomérisation

oligopolist (En) :
 oligopoleur

oligoptyalism (En) ;
 oligosiala (Es) :
 hyposialie

oligozyklische Bean-
 spruchung, f (De) :
 fatigue oligocyclique

Olistostrom, n (De) ;
 olistostrome (En) :
 olistostrome

olivocochleares Bündel, n (De) ;
 olivocochlear fasciculus (En) :
 faisceau olivocochléaire

Öltransformator, m (De) :
 transformateur immergé

Omegatron, n (De) ;
 omegatron (En) ;
 omegatrón (Es) :
 omégatron

omnifónico (Es) ;
 omniphonic (En) :
 omniphonique

omnipolar (De) :
 omnipolaire

omnivalent (En) :
 pansémique

oncogenic (En) :
 oncogène

oncology (En) :
 oncologie

Oncornavirus, n (De) :
 oncornavirus

oncostatic (En) ;
 oncostático (Es) :
 oncostatique

onda verde (Es) :
 onde verte

ondulado (Es) :
 ondulé

oneirodrama (En) :
 onirodrame

one-sided (En) :
 monoface

one-way (En) :
 antiretour

one-word term (En) :
 uniterme

onirodrama (Es) :
 onirodrame

Onkologie, f (De) :
 oncologie

onkostatisch (De) :
 oncostatique

oozing (En) :
 perlage

Oozoid, n (De) ;
 oozooid (En) ;
 oozoide (Es) :
 oozoïde

op (En) :
 op

opacimetric (En) ;
 opacimetro (Es) :
 opacimétrique

open (En) :
 clairiéré

open area school (En) :
 école à aire ouverte

open-cover (En) :
 facob

open diffusion (En) :
 diffusion ouverte (à –)

open education (En) :
 pédagogie institutionnelle

open loop (En) :
boucle ouverte
open prefabrication (En) :
préfabrication ouverte
open section (En) :
profil ouvert
open university (En) ;
open university courses (En) :
téléuniversité
operabilidad (Es) ;
Operabilität, f (De) ;
operability (En) :
opérabilité
Operations— (De) :
op
ophiolitic suite (En) :
cortège ophiolitique
Ophiophage, m (De) :
ophiophage
opiate-like (En) :
opioïde
Opportunitätskosten, f (De) :
coût d'opportunité
optical anisotropy (En) :
anisotropie optique
optical barrier (En) :
barrage optique
optical bleach (En) :
azureur optique
optical bottle (En) :
bouteille optique
optical brightening agent (En) :
azureur optique
optical compensation (En) :
compensation optique
optical coupler (En) :
optron
optical detector (En) :
opto-détecteur
optical-electronic isolation
device (En) :
barrière optoélectronique
optical homodyning (En) :
homodynage
optical smoke detector (En) :
détecteur optique
opticamente activo (Es) :
optiquement actif
opticomechanic compensa-
tion (En) :
compensation optomécanique
Optimalisierung, f (De) :
optimiscopie
Optimeter, n (De) :
optimiscope
Optimierungsrechner, m (De) :
optimateur
optimiscope (En) :
optimiscope
optimiscopia (Es) :
optimiscopie
optimiscopio (Es) :
optimiscope
optimiscopy (En) :
optimiscopie
optimizador (Es) ;
optimizer (En) :
optimiseur

optimizer (En) :
optimateur
optisch aktiv (De) :
optiquement actif
optische Anisotropie, f (De) :
anisotropie optique
optische Fernmeldever-
bindung, f (De) :
vidéocommunication
optischer Datenbus, m (De) :
bus optique
optischer Detektor, m (De) :
opto-détecteur
optischer Feuermelder, m (De) :
détecteur optique
optischer Fühler, m (De) :
palpeur optique
optisch lesbare Farbe, f (De) :
lisible
Optron, n (De) :
optron
optronic (En) ;
optrónico (Es) ;
optronisch (De) :
optronique
oralización (Es) :
oralisation
orange peel (En) :
peau d'orange
Orbital— (De) ;
orbital (En) :
orbitalaire
orbital motor (En) :
moteur orbital
orbital welder (En) :
soudeuse orbitale
Orbiter, m (De) ;
orbiter (En) :
orbiteur
orbiting (En) :
mise à poste
orbitón (Es) :
orbiton
ordentliche Brechzahl, f (De) :
indice ordinaire
ordered dither (En) :
mélangeur commandé
ordinary greenhouse (En) :
serre sèche
ordinary index (En) :
indice ordinaire
organella (Es) ;
Organelle, f (De) ;
organelle (En) :
organelle
organelle biogenesis (En) :
organitogenèse
Organellen, f (De) :
organelle
Organitogenese, f (De) ;
organitogénesis (Es) :
organitogenèse
organoeständnico (Es) :
organostannique
organogen (De) ;
organogenetic (En) ;
organogenético (Es) :
organogénétique

Organohalogen— (De) ;
organohalogenado (Es) ;
organohalogenated (En) :
organohalogéné
organolöslich (De) ;
organo-soluble (En) :
organosoluble
organostanic (En) :
organostannique
organovegetativ (De) :
organovégétatif
orientador (Es) :
orienteur
originator (En) :
desserveur
Ornithomelographie, f (De) ;
ornithomelography (En) :
ornithomélographie
ornitófago (Es) ;
Ornitophage, m (De) :
ornitophage
ortet (En, Es) :
ortet
Orthese (De) :
orthèse
orthodoxer Schlaf, m (De) :
sommeil à ondes lentes
orthogonal (En) :
orthotrope
Orthologie, f (De) :
orthologie
Orthopantomographie, f (De) :
orthopantomographie
Orthophoto, n (De) ;
orthophoto (En) :
orthophotographie
Orthophotogerät, n (De) :
orthophotographe
orthophotograph (En) ;
orthophotography (En) :
orthophotographie
orthophotomap (En) :
orthophotoplan
orthophoto printer (En) :
orthophotographe
orthotic device (En) :
orthèse
orthotop (De) ;
orthotopic (En) :
orthotopique
orthotrop (De) :
orthotrope
orthoxenic (En) :
orthoxénique
ortofotografia (Es) :
orthophotographe ;
orthophotographie
ortología (Es) :
orthologie
ortotópico (Es) :
orthotopique
Ortsfernsehen, n (De) :
télévision locale
oscilador (Es) ;
oscillator (En) :
oscillateur

oscilloscopy (En) ;
oscilloscopía (Es) :
oscilloscopie

osmological (En) :
odorologique

osmopila (Es) ;
osmopile (En) :
osmopile

osmoregulación (Es) ;
Osmoregulation, f (De) ;
osmoregulation (En) :
osmorégulation

osmotic (En) ;
osmótico (Es) ;
osmotisch (De) :
osmotique

osmotisches Element, n (De) :
osmopile

osteodontokeratic (En) :
ostéodontokératique

osteopath (En) :
ostéopraticien

osteophagia (En) ;
Osteophagie, f (De) :
ostéophagie

ostreiculture (En) :
perliculture

Oszilloskopie, f (De) :
oscilloscopie

Otokon, m (De) ;
Otolith, m (De) :
otocône

O.U. courses (En) :
téléuniversité

outcrop (En) ;
outcropping (En) :
gratton

outer orbital reaction (En) :
réaction à sphère externe

outlines (En) :
pavé

oval drain (En) :
ovoïde de drainage

oven band conveyor (En) ;
oven belt conveyor (En) ;
oven conveyor belt (En) :
tapis de four

over-adjustment (En) :
sur-ajustement

overbooking (En) :
surréservation

overcasting (En) :
surjetage

overdominance (En) :
superdominance

overhead guard (En) :
protège-tête

overhead loader (En) :
chargeur aérien

overhead projector (En) :
rétroprojecteur

overhead travelling stacking-
crane (En) :
pont-gerbeur

overpacking (En) :
suremballage

overpricing (En) :
surfacturation

oversize (En) :
surdimensionner

overspeed contactor (En) :
contacteur de survitesse

overtopped (En) :
surcimé

overwrapper (En) :
recouvreuse

ovniólogo (Es) :
ovniologiste

ovocultura (Es) ;
ovoculture (En) :
ovoculture

ovoimplantación (Es) :
ovoimplantation

ovónica (Es) ;
ovonics (En) ;
Ovonik, f (De) :
ovonique

own brand (En) :
re-marque

oxidative (En) :
oxydatif

oxigenómetro (Es) :
oxygénomètre

oxímetro (Es) :
oxymètre

oxitermómetro (Es) :
oxy-thermomètre

oxychlorination (En) :
oxychloration

Oxydationszone, f (De) :
chapeau de fer

oxygen meter (En) ;
Oxygenometer, n (De) :
oxygénomètre

oxygen pipeline (En) :
stéréoduc

oyster-breeding (En) :
perliculture

ozeanisches Datener-
fassungs-system, n (De) :
sado

ozeanisches Wasser, n (De) :
eau océanique

Ozeanist, m (De) :
océaniste

Ozeanopolitik, f (De) :
océanopolitique

P

Paar, n (De) :
couple

pace (En) :
allure

pacemaker (En) :
rythmeur cardiaque

package (En) :
progiciel ;
programme-produit

packaging by the yard (En) :
emballage au mètre

packet (En) :
paquet

packet switching (En) :
commutation de paquets

Pädagothek, f (De) :
pédagothèque

paediatric pathology (En) :
paido-pathologie

page (En) :
pager

page-turning (En) ;
paginación (Es) :
pagination

página sonora (Es) :
page sonore

paging (En) :
pagination

paid participant (En) :
compère

paint sprayer (En) :
pistoleur

pair (En) :
couple

pairing (En) :
appairage

paisaje edáfico (Es) :
pédopaysage

paisaje sonoro (Es) :
paysage sonore

Paketvermittlung, f (De) :
commutation de paquets

Paläbiologie, f (De) :
paléobiologie

palabra vacia (Es) :
mot-vide

pala-cargadora (Es) :
chargeuse-pelleteuse

paladar artificial (Es) :
palais artificiel

palaeoaltimetry (En) :
paléoaltimétrie

palaeoanthropology (En) :
paléoanthropologie

palaeobiology (En) :
paléobiologie

palaeoecologic (En) ;
palaeoecological (En) :
paléoécologique

palaeoerosion surface (En) :
paléosurface d'érosion

palaeomagnetist (En) :
paléomagnéticien

palaeonegritic (En) :
paléonégritique

palaeotemperature (En) :
paléotempérature

palaeovalley (En) :
paléovallée

Paläerosionsfläche, f (De) :
paléosurface d'érosion

Paläoaltimetrie, f (De) :
paléoaltimétrie

Paläomagnetiker, m (De) :
paléomagnéticien

paläonegrid (De) ;
paläonegritisch (De) :
paléonégritique

Paläonym, n (De) :
　paléonyme

paläoökologisch (De) :
　paléoécologique

Paläotemperatur, f (De) :
　paléotempérature

Paläovertebratenforscher, m (De):
　paléovertébriste

Palatabilität, f (De) ;

palatability (En) ;

palatableness (En) :
　palatabilité

palatografía dinàmica (Es) :
　palatographie dynamique

palatografía indirecta (Es) :
　palatographie indirecte

paleoaltimetría (Es) ;

paleoaltimetry (En) :
　paléoaltimétrie

paleoanthropology (De) ;

paleoantropología (Es) :
　paléoanthropologie

paleobiología (Es) ;

paleobiology (En) :
　paléobiologie

paleoecologic (En) ;

paleoecological (En) :
　paléoécologique

paleoerosion surface (En) :
　paléosurface d'érosion

paleomagnetist (En) :
　paléomagnéticien

paleonegritic (En) ;

paleonegrítico (Es) :
　paléonégritique

paleosuperficie de erosión (Es) :
　paléosurface d'érosion

paleotemperature (En) :
　paléotempérature

paleovalley (En) :
　paléovallée

Palettengabel, f (De) :
　palettiseur

Palettenumreifungs-
maschine, f (De) :
　cercleuse ;
　habille-palette

palinólogo (Es) :
　palynologue

palladinized (En) :
　palladié

pallet cover (En) :
　habille-palette

pallet framework (En) :
　entourage-palette

pallet loader (En) :
　palettiseur

pallet rack (En) ;

pallet racking (En) ;

pallet storage rack (En) :
　palettier

pallettizer (En) ;

pallet truck (En) :
　palettiseur

palm cultivation (En) ;

palm growing (En) :
　phœniciculture

palmyra plantation (En) :
　rôneraie

palpador óptico (Es) :
　palpeur optique

Palynologe, m (De) :
　palynologue

palynologic (En) ;

palynologisch (De) :
　palynologique

panel cabinet (En) :
　armoire de contrôle

panic bar (En) :
　barre de panique

Pannensicherheit, f (De) :
　increvabilité

pansem (De) ;

pansemic (En) ;

pansémico (Es) :
　pansémique

pansubstratist (En) :
　pansubstratiste

pantalla de visualización (Es) :
　visuel

papel incapsulado (Es) :
　papier incapsulé

papel termométrico (Es) :
　papier thermométrique

paperboard pallet (En) :
　feuille palette

paperlike (En) :
　papérisé

paperlike finish (En) :
　papérisation

paper pallet (En) :
　feuille palette

papierartig (De) :
　papérisé

Papierdicke, f (De) :
　bouffant

Papiervorschublochband, n (De) :
　rive

Pappelzucht, f (De) :
　populiculture

Pappelzüchter, m (De) :
　populiculteur

Pappschachtel, f (De) :
　caisse-outre

papuan (En) ;

papuanisch (De) :
　papouan

Paraaminophenol, n (De) :
　paramin

paracaidas (Es) :
　pare-chute

paracharmonio (Es) ;

Paracharmonium, n (De) ;

paracharmonium (En) :
　paracharmonium

Parachemie, f (De) ;

parachemistry (En) :
　parachimie

parachute radiosonde (En) :
　catasonde

paradoxaler Schlaf, m (De) ;

paradoxical sleep (En) :
　sommeil paradoxal

paraglyph (En) :
　isohélie

paralelo (Es) ;

Parallel– (De) ;

parallel (En) :
　parallèle

Paralleldrucker, m (De) :
　imprimante en parallèle

parallel education (En) :
　école parallèle

parallelizable (En) :
　parallélisable

parallel printer (En) :
　imprimante en parallèle

Parallelreflektor, m (De) :
　rétroréflecteur

Parallelreflexion, f (De) :
　rétroréflexion

parallel schaltbar (De) :
　parallélisable

parallel simulation (En) :
　simulation parallèle

parameterization (En) :
　paramétrisation

parametrado (Es) :

parametrisiert (De) :
　paramétré

Parametrisierung, f (De) ;

parametrización (Es) :
　paramétrisation

parametrized (En) :
　paramétré

paramin (En) :
　paramine

paraprosexic (En) :
　paraprosexique

paraquímica (Es) :
　parachimie

parasitocœnosis (En) :
　parasitocénose

Parasitoid, m (De) ;

parasitoid (En) ;

parasitoide (Es) :
　parasitoïde

paratipo (Es) ;

Paratyp, m (De) ;

paratype (En) :
　paratype

Parazitozönose, f (De) :
　parasitocénose

parcela de ensayo (Es) :
　placette

parchmentiness (En) ;

parchment likeness (En) ;

parchment quality (En) :
　parcheminabilité

parentism (En) :
　parentisme

parisianization (En) :
　parisianisation

parking rotatorio (Es) :
　parc rotatif

parking-silo (En) :
　auto-silo ;
　silo à voitures

Park, m, mit einheimischen
Tieren (De) :
　parc de vision

parous (En) :
pare
partenótico (Es) :
parthénote
parthenogenetic fruit (En) :
pseudofruit
parthenogenetisches
Weibchen, n (De) :
virgine
parthenote (En) :
parthénote
partial varnish removal (En) :
allègement
participative (En) :
antimagistral
partition chromatography (En) ;
partition coefficient (En) :
chromatographie d'affinité
partitioned (En) :
encloisonné
partitioning (En) :
partitionnement
partitioning machine (En) :
cloisonneuse
part program (En) ;
part programme (En) :
programme-pièce
pasivable (Es) :
passivable
pasivo (Es) :
passif
paso (Es) :
pas
pass-band (En) :
bande passante
passivable (En) :
passivable
passivator (En) :
passivant
passive (En) :
passif
passive C.A.T.V. (En) :
câble passif
passive euthanasia (En) :
euthanasie passive
passive homing (En) :
autoguidage passif
passive isolation device (En) :
barrière passive
passiver Dosimeter, m (De) :
dosimètre passif
passiver Wortschatz, m (De) :
vocabulaire passif
passive safety (En) :
sécurité passive
passives Dosismessgerät, n (De) :
dosimètre passif
passive Sicherheit, f (De) :
sécurité passive
passive sound absorber (En) :
absorbeur acoustique passif
Passiveuthanasie, f (De) :
euthanasie passive
passive vocabulary (En) :
vocabulaire passif
passivierbar (De) :
passivable

Passivierungsmittel, n (De) :
passivant
pastadero (Es) :
terrain de parcours
pasta production (En) :
pastification
paster (En) :
empâteur
pasteurisierbar (De) ;
pasteurizable (En, Es) :
pasteurisable
pastoreo en reclusión (Es) :
zéro-pâturage
pasture lands (En) :
terrain de parcours
patching (En) :
retorchage
patentability (En) :
brevetabilité
patented (En) :
patenté
Patentierbarkeit, f (De) :
brevetabilité
path of contact (En) :
ligne de conduite
pathogenicity (En) ;
Pathogenität, f (De) :
pathogénicité
pathologisieren (De) ;
pathologize (En) :
pathologiser
pathotype (En) :
pathotype
patient's hatch (En) :
passe-malade
patinable (En, Es) ;
patinable
patotipo (Es) :
pathotype
patrilocality (En) :
patrilocalité
pattern drill (En) :
exercice structural
patterning (En) :
typification
pattern of confluence (En) :
modèle de confluence
paucimicrobial (En) ;
paumicrobian (En) :
paucimicrobien
pauschaliert (De) :
forfaité
pavement (En) :
pavement
pazifikumschließend (De) :
circumpacifique
peak (En) :
pic
peak chopper (En) :
hacheur
peanut (En) :
arachidier
pearl-form urea (En) :
perlurée
pectinolytic (En) ;
pectolítico (Es) ;

pectolytic (En) :
pectolytique
pedagogía institucional (Es) :
pédagogie institutionnelle
pedagogic microscopy (En) :
micro-enseignement
pedestal-maker (En) :
socleur
pediatric pathology (En) :
paido-pathology
pedogenetic (En) ;
pedogenic (En) :
pédogénisé
pedo-landscape (En) :
pédopaysage
pedon (En) :
pédon
pedodontist (En) :
pédodontiste
peel (En) :
décoquer
peel (En) :
déboutonnage
peel effect (En) :
effet de pelure
peeler (En) :
épiauteuse
pelagiónimo (Es) :
pelagonym (En) :
pélagonyme
pellet (En) :
gobe
pelletable (En) :
pelletable
pencil iron (En) ;
pencil soldering-iron (En) :
fer crayon ;
crayon à sonder
pendant control station (En) :
pendentif
pendulum impact-machine (En) :
mouton de Preston
penetrating (En) :
dégrippant ;
transfixiant
penetration test (En) :
essai pénétrométrique
penologist (En) ;
penólogo (Es) :
pénologue
pentacoordinación (Es) ;
pentacoordination (En) ;
Pentakoordination, f (De) :
pentacoordination
pentaradiado (Es) :
pentaradié
penthouse heating plant (En) :
chaufferie en terrasse
perceptual analyzer (En) :
analyseur perceptif
perceptual defense (En) :
défense perceptive
perch man (En) :
perchiste
percipient (En) :
percipient

percolación (Es) ;
percolation (En) :
   percolation
perdeuterated (En) ;
perdeuteriert (De) :
   perdeutérié
perdida dinámica (Es) :
   perte dynamique
perdida estática (Es) :
   perte statique
pereiopod (En) ;
Pereiopode, f (De) ;
pereiópodo (Es) :
   péréiopode
perfil abierto (Es) :
   profil ouvert
perfil hueco (Es) :
   profil creux
perfiloteca (Es) :
   profilothèque
perforadora grua (Es) :
   foreuse-grue-tarière
Pergamentierfähigkeit, f (De) :
   parcheminabilité
perifitófago (Es) :
   périphytophage
periglomerular cell (En) :
   cellule périglomérulaire
Perihel– (De) ;
perihelial (En) ;
perihelian (En) ;
perihélico (Es) ;
perihelion (En) :
   périhélien
Periinformatik, f (De) :
   péri-informatique
periklin (De) :
   péricline
perilogy (En) :
   périlogie
perinatal care (En) ;
perinatale Medizin, f (De) :
   périnatologie
period (En) :
   période
periodicals collection (En) ;
periodicals library (En) :
   hémérothèque
period meter (En) :
   périodemètre
periodo de semidesin-
tegración (Es) :
   période
periodontologia (Es) ;
Periodontologie, f (De) ;
periodontology (En) :
   périodontologie
peripheral processor (En) :
   processeur périphérique
Perlenkultur, f (De) :
   perliculture
perlocutionary (En) :
   perlocutoire
perlurea (Es) :
   perlurée
perma-nest plant tray (En) :
   multipot

permeabilimetria (Es) ;
Permeabilitätsmessung, f (De) ;
permeametry (En) :
   perméabilimétrie
permoselectividad (Es) ;
permselectivity (En) :
   permsélectivité
permselektiv (De) :
   permsélectif
Permutationsschlüssel, m (De) :
   permulettres
peroxisoma (Es) ;
Peroxysom, n (De) ;
Peroxysomen, n (De) :
   peroxysome
perpendicular rows (in –) (En) :
   bataille (en –)
Persian scholar (En) :
   iranologue
persistence (En) ;
persistencia (Es) ;
Persistenz, f (De) :
   persistance
perturbografía (Es) :
   perturbographie
perturbográfico (Es) :
   perturbographique
perturbógrafo (Es) :
   perturbographe
pest management (En) :
   lutte intégrée
peta– (De) ;
peta– (Es) :
   peta–
petrodólar (Es) :
   pétro-dollar
petrogenetic (En) ;
petrogenético (Es) ;
petrogenetisch (De) ;
petrogenic (En) :
   pétrogénétique
petroprotein (En) :
   bioprotéine
pflanzenformationistisch (De) :
   formationiste
Pflanzenfresser, m (De) :
   consommateur primaire ;
   végétivore
Pflanzengift, n (De) :
   phytocide
pflanzlicher Abfall, m (De) :
   verts
Pfropfkopolymere, n (De) :
   copolymère greffé
pharmacokinetic (En) :
   pharmaco-cinétique
pharmaco-simulation (En) :
   pharmacosimulation
Pharmakokinetik, f (De) :
   pharmaco-cinétique
Pharmakosimulation, f (De) :
   pharmacosimulation
phage (En) :
   phagique
phagokinetics (En) ;
Phagokinetik, f (De) :
   phagocinétique

phagosome (En) ;
Phagosomen, n (De) :
   phagosome
Phalloidin, n (De) ;
phalloidin (En) ;
phalloidine (En) :
   phalloïdine
Phallotoxin, n (De) ;
phallotoxin (En) :
   phallotoxine
Phänotext, m (De) :
   phénotexte
phase-lock (En) :
   verrouillage de phase
phase-locked (En) :
   verrouillé en phase
phase locking (En) ;
phase-locking (En) ;
Phasenkopplung, f (De) :
   verrouillage de phase
phasenstarr (De) :
   verrouillé en phase
phenol gauge (En) ;
Phenolmesser, m (De) ;
phenol meter (En) :
   phénolmètre
phenotext (En) :
   phénotexte
Phlebektom, n (De) :
   tire-veine
phonocardiogram (En) ;
Phonokardiogramm, n (De) :
   phono-cardiogramme
phonostylistician (En) :
   phonostylisticien
Phonotypistin, f (De) :
   audiotypiste
phoretic (En) ;
phoretisch (De) :
   phorétique
phosphate bulk carrier (En) ;
phosphate carrier (En) ;
phosphoric acid carrier (En) ;
phosphoric acid tanker (En) ;
Phosphorsäuretrans-
porter, m (De) :
   phosphoriquier
phosvitin (En) :
   phosvitine
Photoanregung, f (De) :
   photoexcitation
Photochemiker, m (De) :
   photochimiste
photochemischer Abbau, m (De) :
   photodégradation
photochemisch zersetz (De) :
   photodissocié
photochemisch zersetzbar (De) :
   photo-dégradable
photochemist (En) :
   photochimiste
photochromic (En) :
   photochrome
photocoagulator (En) :
   photocoagulateur
photoconductive cell (En) :
   cellule photoconductive

photocopolymerization (En) :
photocopolymérisation

photocurable (En) :
photodurcissable

photo-cyclize (En) :
photocycliser

photocyte (En) :
photocyte

photodegradable (En) :
photo-dégradable

photodegradation (En) :
photodégradation

photodetector (En) :
photodétecteur ;
photorépéteur

photodimer (En) :
photodimère

Photodimerisation, f (De) ;
photodimerization (En) :
photodimérisation

photodissociated (En) :
photodissocié

photoelectric barrier (En) :
barrage photoélectrique

photoelectric smoke
detector (En) :
détecteur optique

photoelectrochemistry (En) :
photoélectrochimie

photoelectrolysis (En) :
photo-électrolyse

Photoelektrochemie, f (De) :
photoélectrochimie

Photoelektrolyse, f (De) :
photo-électrolyse

Photoelektron, n (De) :
électron habillé

Photoenergetik, f (De) :
photoénergétique

Photoerzeugnis, n (De) :
photoproduit

photoexcitation (En) :
photoexcitation

photogeologist (En) :
photo-géologue

photogeomatics (En) :
photo-géomatique

photogrammetrische
Bildauswertung, f (De) :
photo-interprétation

Photographik, f (De) :
photographisme

Photoheterotrophie, f (De) ;
photoheterotrophy (En) :
photohétérotrophie

photo-induced (En) ;
photoinduziert (De) :
photoinduit

photo interpretation (En) :
photo-interprétation

photo-inversion (En) :
photo dédoublement

Photoisomer, n (De) :
photoisomère

photokeratoscope (En) ;
Photokeratoskop, n (De) :
photokératoscope

Photokoppler, m (De) :
photocoupleur

photolytic (En) ;
photolytisch (De) :
photolytique

photometeor (En) :
photométéore

Photomorphogenese, f (De) ;
photomorphogenesis (En) :
photomorphogenèse

photomosaic (En) ;
Photomosaik, n (De) :
photomosaïque

Photooxidation, f (De) ;
photooxidation (En) :
photooxydation

Photopolarimetrie, f (De) ;
photopolarimetry (En) :
photopolarimétrie

photoproduct (En) :
photoproduit

photo-receiver (En) :
photorécepteur ;
photorépéteur

photorefractive effect (En) :
effet photoréfractif

Photorespiration, f (De) ;
photorespiration (En) :
photorespiration

photosensor (En) :
photorécepteur ;
photorépéteur

photo-story (En) :
photorécit

photothermal (En) ;
photothermic (En) :
photothermique

phototitling (En) :
phototitrage

photo-tooling (En) :
photo-usinage

phototransducer (En) :
phototransducteur

Photozelle, f (De) :
photodétecteur

photozyklisieren (De) :
photocycliser

Photozyten, n (De) :
photocyte

Phreatologie, f (De) ;
phreatology (En) :
phréatologie

Phrygana, f (De) :
phrygana

phyllitic (En) ;
phyllitisch (De) :
phylliteux

phylloplane (En) ;
Phyllosphäre, f (De) ;
phyllosphere (En) :
phyllosphère

phylon (En) ;
Phylum, n (De) :
phylon

physiographic (En) ;
physiographisch (De) :
physiographique

Phytobenthos, n (De) ;
phytobenthos (En) :
phytobenthos

phytocartographer (En) :
phytocartographe

phytocide (En) :
phytocide

phytoclimatic (En) :
phytoclimatique

Phytokartograph, m (De) :
phytocartographe

phytoklimatisch (De) :
phytoclimatique

Phytokosmetik, f (De) :
phytocosmétique

phytomass (En) ;
Phytomasse, f (De) :
phytomasse

phytoncide (En) :
phytoncide

phytonymy (En) :
phytonymie

phytopathogen (En) ;
phytopathogenic (En) :
phytopathogène

phytophagan (En) :
consommateur primaire

Phytoprotektor, m (De) :
phytoprotecteur

phytosociologist (En) ;
Phytosoziologe, m (De) :
phytosociologue

pi (En) :
pi

pick and place (En) :
bras-transfert

picking (En) :
butinage ;
piquage

pick-up (En) :
rapt ;
retiraison

picnoclina (Es) :
pycnocline

pico (Es) :
pic

picófono (Es) :
picophone

picogram (En) ;
Picogramm, n (De) :
picogramme

pictonom (En) :
pictonom

pid (En) :
pid

pidginization (En) :
pidginisation

piel de naranja (Es) :
peau d'orange

piezobeständiger
Beschleunigungsmesser, m (De) :
accéléromètre piézorésistif

piezoelectric transistor (En) :
pitran

piezogoniómetro (Es) :
piézogoniomètre

piezopneumático (Es) ;
piezopneumatisch (De) :
 piézopneumatique

piezoresistant acceleration
meter (En) :
 accéléromètre piézorésistif

piezoresistive (En) :
 piézorésistif

piezo-resistive accelero-
meter (En) :
 accéléromètre piézorésistif

piezoresistividad (Es) ;
piezoresistivity (En) ;
piezo-resistivity (En) :
 piézo-résistivité

piggy back (En) :
 ferroutage

pila (Es) :
 pile

pile (En) :
 turricule

piled (En) :
 clapé

pile driver (En) ;
pile engine (En) :
 batteur

piling (En) :
 boulochage ;
 clapage

Pillingeffekt, m (De) :
 boulochage

pillow (En) :
 coussins (en —)

Pilzdecke, f (De) :
 plancher-champignon

pinching (En) :
 croquage

pinch roll (En) :
 rouleau croqueur

pinch-type roll (En) :
 rouleau croqueur

p-i-n Diode, f (De) ;
PIN diode (En) :
 diode PIN

pineapple plantation (En) :
 ananeraie

pinion-type cutter (En) :
 . outil pignon

pink noise (En) :
 bruit rose

Pion[en]bildung, f (De) :
 pionisation

Pionisierung, f (De) ;
pionización (Es) ;
pionization (En) :
 pionisation

pipe-forming bell (En) :
 rouleuse

Pipeline, f (De) :
 mineraloduc

pipeline (En) :
 pipe-line

pipe-manufacturing plant (En) :
 tuberie

pipe mill (En) :
 tuberie

pipetter-diluter (En) :
 pipetteur-diluteur

pipetting (En) :
 pipetage

piroclástico (Es) :
 pyroclastique

pirófobo (Es) :
 pyrophobe

piroforicidad (Es) :
 pyrophoricité

pirolisado (Es) :
 pyrolysat

pirometalurgia (Es) :
 pyro-métallurgie

piroradiómetro (Es) :
 pyrradiomètre

piroresistencia (En) :
 pyrorésistance

piscitoxic (En) :
 ichtyotoxique

Pistenschicht, f (De) :
 P.V.P.

pitch angle (En) :
 angle d'attaque

pitch-up (En) :
 autocabrage

pixel (En) :
 pixel

planar (En) :
 planaire

planctología (Es) :
 planctologie

planctologista (Es) :
 planctologiste

planctonófago (Es) :
 planctonophage

planetary gear train (En) :
 train planétaire simple

planetary launching (En) :
 tir planétaire

planetary rotating blades (En) :
planetary rotating paddles (En) :
 train valseur

Planetengetreibe, m (De) :
 train planétaire simple

Planeten-Rührwerk, n (De) :
 train valseur

Planetenschuss, m (De) :
 tir planétaire

planetesimal (En, Es) ;
Planetesimalsubstanz, f (De) :
 planétésimal

Planetologe, m (De) :
 planétologue

planetología (Es) ;
Planetologie, f (De) :
 planétologie

planetologist (Es) ;
planetólogo (Es) :
 planétologue

planetology (En) :
 planétologie

Planierholz, n (De) :
 planeuse

plankter (En) :
 planctonte

planktivorous (En) :
 planctonophage

planktologist (En) :
 planctologiste

Planktology (En) :
 planctologie

plankton-eating (En) ;
planktonfressend (De) :
 planctonophage

Planktonkunde, f (De) :
 planctologie

Planktonologe, m (De) :
 planctologiste

planktont (En) :
 planctonte

planosol (En, Es) :
 planosol

planta baja (Es) :
 rez-de-sol

planta terna (Es) :
 plante molle

planting gun (En) :
 fusil-planton

plant protector (En) :
 phytoprotecteur

plant shutdown (En) :
 îlotage

plaper (En) :
 plapier

Plasmachemie, f (De) ;
plasma chemistry (En) :
 plasmachimie

plasma formation (En) :
 plasmification

Plasmagen, n (De) :
 plasmide

Plasmapause, f (De) ;
plasmapause (En) :
 plasmapause

plasmasfera (Es) ;
Plasmasphäre, f (De) ;
plasmasphere (En) :
 plasmasphère

Plasmastrahl, n (De) :
 plasmon

Plasmid, n (De) ;
plasmid (En) ;
plásmido (Es) :
 plasmide

plasmificación (Es) :
 plasmification

plasmon (En, Es) :
 plasmon

plasmoquímica (Es) :
 plasmachimie

plastic closure (En) :
 bidulle

plasticizer (En) :
 plastificateur

plastic joint (En) :
 plastojoint

plastic mulch planter (En) :
 plastiplanteuse

plasticograma (Es) :
 plastogramme

plastic rivet (En) :
 plasti-rivet

plastic-soluble (En) :
 plastosoluble

plasticulture (En) :
 plasticulture

Plastiden– (De) ;
plastidial (En) :
  plastidial
plastidial oil droplet (En) :
  plastoglobule
plastificador (Es) ;
Plastifikator, m (De) :
  plastificateur
plastigrafo (Es) :
  plastographe
Plastizitätsdiagramm, n (De) :
  plastogramme
plastoelastisch (De) :
  plastoélastique
Plastoglobulin, n (De) :
  plastoglobule
plastogram (En) ;
Plastogramm, n (De) :
  plastogramme
Plastograph, m (De) ;
plastograph (En) :
  plastographe
plate truck (En) :
  camion miroitier
platform truck (En) :
  transplate-forme
plato (Es) :
  plateau
Plättchen, n (De) :
  tranche
plattiert (De) :
  claddé
Playback, n (De) ;
Play-back, n (De) ;
play-back (En, Es) :
  présonorisation
pleater (En) :
  chariot-plieur
pleiotopo (Es) :
  pléiotope
plenum (En) :
  plenum
pleopod (En) ;
Pleopode, f (De) ;
pleópodo (Es) :
  pléopode
plereme (En) :
  plérème
Plethysmographie, f (De) ;
plethysmography (En) :
  pléthysmographie
ploid degree (En) ;
ploidy (En) :
  ploïdie
plough (En) ;
plow (En) :
  charrue
P.L.U. (En) :
  U.L.P.
plug (En) :
  carotte
plugged in (En) ;
plugged-in (En) :
  enfiché
plugging up (En) :
  bondonnage
plug-in (En) :
  enfichable

plume (En) :
  panache
plunger mandrel (En) :
  mandrin plongeant
pluralistic school (En) :
  école pluraliste
pluriarc (En) :
  pluriarc
pluricotomia (Es) :
  pluricotomie
Plus– (De) :
plus (En) :
  plus
plus and minus (En) ;
Plus-Minus (De) :
  plus-moins
pneumatically-placed
concrete (En) :
  béton projeté
pneumoencephalography (En) :
  pneumoencéphalographie
pneumohidráulica (Es) ;
pneumohydraulics (En) :
  pneumo-hydraulique
población económica (Es) :
  population économique
Pockels effect (En) ;
Pockels-effekt, m (De) :
  effet Pockels
pocket calculator (En) ;
pocket-size calculator (En) :
  calculette
podomere (En) ;
podómero (Es) :
  podomère
pogo-effect (En) ;
Pogo-Effekt, m (De) ;
pogo-stick effect (En) :
  effet Pogo ;
  effet pogo
point effect (En) :
  effet de pointe
point-of-purchase
advertising (En) ;
point-of-sale advertising (En) :
  P.L.V.
point per frame (En) :
  P.P.I.
point-to-point control (En) :
  commande point à point
point-to-point link (En) :
  liaison point à point
pointwise avaibility (En) :
  disponibilité instantanée
polar cusp (En) :
  cornet polaire
poleman (En) :
  perchiste
poliagua (Es) :
  poly-eau
polialcenómero (Es) :
  polyalcénamère
poliatlón (Es) :
  polyathlon
policitogenia (Es) :
  polycytogénie
polifusión (Es) :
  polyfusion

poli-ión (Es) :
  polyion
polimérico (Es) :
  polymérique
polimerista (Es) :
  polymériste
polimerizado (Es) :
  polymérisat
poliploidia (Es) :
  ploïdie
polisónimo (Es) :
polisonym (En) :
  polisonyme
polispérmico (Es) :
  polyspermique
politeca (Es) :
  polythèque
politermo (Es) :
  polytherme
politopo (Es) :
  polytope
polución urbana (Es) :
  pollution urbaine
polyalkaline (En) ;
polyalkalisch (De) :
  polyalcalin
Polyampholyt, m (De) ;
polyampholyte (En) :
  polyampholyte
polyathlon (En) :
  polyathlon
polycategory (En) :
  polycatégorie
polychotomy (En) :
  pluricotomie
polydisc (En) :
  polydisque
polydisperse Druckfarbe, f (De) :
  encre polydisperse
Polyfusion, f (De) ;
polyfusion (En) :
  polyfusion
Polygraph, m (De) ;
polygraph (En) :
  polygraphe
Polyion, n (De) ;
polyion (En) :
  polyion
polymer (En) :
  polymérisat
polymer (De) ;
polymeric (En) :
  polymérique
Polymerisat, n (De) :
  polymérisat
Polymerisationsgrad, m (De) :
  degré de polymérisation
polymerist (En) :
  polymériste
polymerized in bulk (En) :
  polymérisé en masse
polymerized paper (En) :
  papier incapsulé
polymolecularity (En) :
  polymolécularité
polyolefin (En) :
  polyalcénamère

polypaper (En) :
  papier incapsulé
polyphagous (En) :
  euryphage
polyprescription (En) :
  polyprescription
Polypropylenoxid, n (De) :
  P.P.O.
polysaprobial (En) :
  polysaprobe
Polyspermie– (De) :
  polyspermique
polytechnism (En) :
  polytechnisme
polytope (En) :
  polytope
polytopic (En) :
  pléiotope
polyvinyl chloride (En) :
  P.V.C.
polywater (En) :
  poly-eau
Polyzytogenese, f (De) :
  polycytogénie
pomato (En) :
  pomate
ponic air (En) :
  air ponique
Pönologe, m (De) :
  pénologue
pop rivet (En) :
  aveugle
popcorn noise (En) :
  bruit en créneaux
poplar cultivation (En) :
  populiculture
poplar cultivator (En) :
  populiculteur
population dynamics (En) :
  démécologie
Pore, f (De) ;
pore (En) :
  pore
pore-forming material (En) ;
porenbildender Stoff, m (De) :
  porogène
poro (Es) :
  pore
porous ceramic (En) :
  thermo-mousse
porous concrete (En) :
  béton-gaz
porpoising (En) :
  marsouinage
portancia (Es) :
  portance
Portioniermaschine, f (De) :
  portionneuse
Portionpackung, f (De) :
  micropain
portugiesisch sprechend (De) ;
Portuguese-speaking (En) :
  lusophone
position (En) :
  positionner
positioning (En) :
  positionnement

positioning control (En) :
  commande point à point
position-measuring system (En) :
  système de reconformation
postadex (En) :
  postadex
posgraduado (Es) ;
post-graduate (En) :
  post-gradué
positive dielectric
anisotropy (En) ;
positive Dielektrizitäts-
anisotropie, f (De) :
  anisotropie diélectrique
  positive
postage meter (En) ;
postal meter (En) :
  affranchisseuse
Postaufzug, m (De) :
  monte-courrier
post-aural aid (En) :
  contour d'oreille
postconceptual (En) :
  post-conceptuel
posted (En) :
  posté
post-exuvial (En) :
  postexuvial
postformable (En) :
  postformable
postformed (En) :
  postformé
postgraduate study (En) ;
postgraduate walk (En) :
  aspiranture
postmix (En) :
  post-mix
potato haulm remover (En) :
  effaneuse
potenciocinético (Es) :
  potentiocinétique
potenciostático (Es) :
  potentiostatique
Potentialschwelle, f (De) :
  barrière de fission
potentiator (En) :
  renchérisseur
potentiokinetic (En) ;
potentiokinetisch (De) :
  potentiocinétique
Potentiostat, m (De) :
  potentiostat
pot furnace (En) :
  four à pot
potomato (En) :
  pomate
Potto, n (De) ;
potto (En) :
  potto
powder duct (En) :
  carboduc
powder enameling (En) ;
powder enamelling (En) :
  émaillage au poudré
powder pipeline (En) :
  carboduc
power excursion (En) :
  excursion nucléaire

power float (En) :
  talocheuse-lisseuse
power hoe (En) :
  motohoue
power shovel operator (En) :
  pelleur
power tailgate (En) :
  hayon élévateur
power trowel (En) :
  talocheuse-lisseuse
pozzolanic property (En) ;
pozzuolanic property (En) :
  effet pouzzolanique
P.P. oxide (En) :
  P.P.O.
P.P.S. (En) :
  P.P.S.
präexponential (De) :
  préexponentiel
Prägewalzen, n (De) :
  grainage
präsargonisch (De) :
  présargonique
Präventivmedizin, f (De) :
  préventologie
Präventologe, m (De) :
  préventologue
Präzipitat, n (De) :
  précipité
pre-accelerated resin (En) :
  résine pré-accélérée
prearchivado (Es) :
  préarchivage
precambrian flora (En) :
  gazon primordial
precast slab (En) :
  prédalle
precess (En) :
  précessionner
precipitado (Es) :
  précipite
precipitador electrostático (Es) :
  précipitateur électrostatique
precipitate (En) :
  précipité
precipitator (En) :
  précipitateur électrostatique
precoating layer (En) :
  précouche
precocer (Es) ;
precook (En) :
  précuire
predictor (En, Es) :
  prédicteur
predisposed (En) :
  prédisposé
preedición (Es) ;
pre-edit (En) :
  préédition
preforming machine (En) :
  préformeuse
preglueing (En) ;
pregluing (En) :
  préencollage
preheated coal-charging (En) :
  enfournement préchauffé

preimpregnado (Es) ;
preimpregnated matter (En) :
  préimprégné
pre-language (En) :
  préparole
premeasured (En) :
  préportionné
premix (En) :
  pré-mix
preoperational (En) :
  préopératif
prepack (En) ;
prepackage (En) :
  préemballage
preparation building (En) :
  halle d'assemblage
preparatory (En) :
  préparant
prepared piano (En) :
  piano préparé
pre-pension allowance (En) :
  prépension
preprofessional class (En) :
  classe préprofessionnelle
prerecording (En) :
  présonorisation
prereducción (Es) :
  préréduction
prereduced iron ore (En) :
  préréduit
prereduction (En) :
  préréduction
prereheating (En) :
  préréchauffe
prerotación (Es) :
prerotation (En) :
  prérotation
pre-sargonic (En) :
  présargonique
prescoring (En) :
  présonorisation
pre-slab (En) :
  prédalle
presonorización (Es) :
  présonorisation
presostático (Es) :
  pressostatique
presplit blasting (En) ;
presplitting (En) :
  prédécoupage
Presse, f, mit Unterflur-
antrieb (De) :
  presse inversée
Pressen, n (De) :
  serrage
pressostatic (En) ;
pressostatisch (De) :
  pressostatique
pressure mat (En) :
  tapis-contact
pressure ridge (En) :
  ride de pression
pressure switch (En) :
  barocontact
pressure tube (En) :
  tube de force
pre-steaming (En) :
  prévaporisage

prestonsches Pendel, n (De) :
  mouton de Preston
prestress (En) :
  pré-tension
pre-striped (En) :
  prépisté
pre-striped magnetic track (En) ;
pre-striped sound track (En) :
  piste pré-couchée
pre-stripped (En) :
  prépisté
pre-stripped magnetic
track (En) ;
pre-stripped sound track (En) :
  piste pré-couchée
presynaptic ending (En) :
  terminaison présynaptique
pre-texto (Es) :
  avant-texte
prevaporización (Es) :
  prévaporisage
preventive control (En) :
  sécurité active
preventive medicine (En) :
  préventologie
price-earning ratio (En) :
  C.C.R.
prima facie Haftung, f (De) :
  façade
primal cry (En) :
  cri primal
primal therapy (En) :
  thérapie primale
primäres Dokument, n (De) :
  document primaire
Primärproduzent, m (De) :
  producteur primaire
Primärspeicher, m (De) :
  mémoire vive
primary air (En) :
  air primaire
primary area (En) :
  parc primaire
primary document (En) :
  document primaire
primary producer (En) :
  producteur primaire
Primatologe, m (De) :
  primatologue
primatologia (Es) ;
Primatologie, f (De) :
  primatologie
primatologist (En) ;
primatólogo (Es) :
  primatologue
primatology (En) :
  primatologie
prime mover (En) :
  moteur premier
print wheel (En) :
  marguerite
private label (En) :
  re-marque
P.R. man (En) ;
P.R.O. (En) :
  relationniste
proband (En) :
  proposant

probe (En) :
  géodoseur
Probefläche, f (De) :
  placette
procedural (En) :
procedure (En) :
  procéduriel
procesador (Es) :
  processeur
procesamiento por lotes (Es) :
  traitement par lots
processional (En) :
  processionn·l
process of rainwash (En) :
  pluviolessivage
processor (En) :
  processeur
procito (Es) :
procyte (En) :
  procyte
pro-drug (En) :
  prodrogue
product bridge (En) :
  pont de produits
production coefficient (En) :
  coefficient de production
production unit (En) :
  ilot de production
productivist (En) ;
productivista (Es) ;
produktivistisch (De) :
  productiviste
Profellrührer, m (De) :
  vagueur
Professionalisierung, f (De) ;
professionalization (En) :
  professionnalisation
P.R. officer (En) :
  relationniste
profile library (En) :
  profilothèque
profitability (En) :
  profitabilité
prograding (En) :
  progradant
programabilidad (Es) :
  programmabilité
programa de aplicación (Es) :
  programme d'application
programa general de base (Es) :
  programme général de base
programa sistema (Es) :
  programme système
program library (En) :
  programmathèque
programmability (En) :
  programmabilité
Programmathek, f (De) :
  programmathèque
programmed keyboard
entry (En) :
  clavier optique programmé
programme library (En) :
  programmathèque
programmierbare
Logikeinheit, f (De) :
  U.L.P.

Programmierbarkeit, f (De) :
  programmabilité
progredien (En) ;
progrediens (En) :
  progrediens
progressive (En) :
  autogrimpant
project (En) :
  projectif
projection of opaque
objects (En) :
  épiscopie
projection welding (En) :
  soudage bossages
projektorientiert (De) :
  projectif
promoter (En) ;
promotor (Es) :
  promoteur
proof cabinet (En) :
  chambre de pousse
prophylactic odontotomy (En) :
  odontotomie
Proplastid, n (De) ;
proplastid (En) ;
proplasto (Es) :
  proplaste
proportional (En) ;
  P
proportional-plus-integral (En) :
  PI
proportional-plus-integral-
plus-derivative (En) :
  PID
proprioceptive sense (En) ;
propriozeptives Organ, n (De) ;
Propriozeptor, m (De) :
  sens proprioceptif
prosecutor (En) :
  parquetier
prosoponia (Es) ;
Prosoponie, f (De) :
  prosoponie
proteaginous (En) :
  protéagineux
protected (En) :
  gardienné
protected grains (En) :
  grains blindés
protected nature reserve (En) :
  aire anthropologique protégée
protected thermometer (En) :
  thermomètre protégé
protector (En) :
  armement
proteinhaltig (De) :
  protéagineux
proteinoid (En) ;
protenoide (Es) :
  proténoïde
protein synthesis (En) ;
Proteogenese, f (De) ;
proteogénesis (Es) :
  protéogenèse
protesimetro (Es) ;
Prothesimeter, n (De) :
  prothésimètre

protic (En) ;
prótico (Es) :
  protique
protide synthesis (En) ;
protidosintesis (Es) :
  protidosynthèse
protocell (En) ;
protocélula (Es) :
  proto-cellule
protocorm (En) :
  protocorme
protocritic (En) ;
protocrítico (Es) :
  protocritique
proto-escritura (Es) :
  proto-écriture
protoestelar (Es) :
  protostellaire
protogalactic (En) ;
protogaláctico (Es) ;
protogalaktisch (De) :
  protogalactique
protogalaxia (Es) ;
Protogalaxis, f (De) ;
protogalaxy (En) :
  protogalaxie
proton fixation (En) :
  protonation
Protopleon, n (De) ;
protopleón (Es) :
  protopléon
Protoschrift, f (De) :
  proto-écriture
protostar (En) ;
protostellar (De) :
  protostellaire
prototrofo (Es) ;
prototroph (De) ;
prototrophic (En) :
  prototrophe
protowriting (En) :
  proto-écriture
Proverb, n (De) ;
pro-verb (En) :
  pro-verbe
province (En) :
  province
proxemics (En) :
  proxémique
proximity detector (En) :
  détecteur de proximité
Prozedur— (De) :
  proxéduriel
Prozeßbrechner, m (De) :
  processeur
Prozeßindustrie, f (De) :
  industrie de processus
Prozeßleitrechner, m (De) :
  processeur de réseau
Prüfgerät, n (De) :
  testeur
pruning (En) :
  égourmandage
psámico (Es) ;
psammitisch (De) :
  psammique
psamívoro (Es) ;
psammivor (De) :
  psammivore

pseudoenlace (Es) :
  pseudo-lien
Pseudofrucht, f (De) ;
pseudo fruit (En) :
  pseudofruit
pseudolink (En) :
  pseudo-lien
pseudoplancton (Es) ;
Pseudoplankton, n (De) ;
pseudoplankton (En) :
  pseudoplancton
pseudotemporal (Es) :
  pseudo-temporel
Pseudoverknüpfung, f (De) :
  pseudo-lien
psicoacústica (Es) :
  psychoacoustique
psicoestato (Es) :
  psychostat
psicofonía (Es) :
  psychophonie
psiquiatriciación (Es) ;
psychiatrische Behand-
lung, f (De) ;
psychiatrization (En) :
  psychiatrisation
psychoacoustics (En) ;
Psycho-Akustik, f (De) :
  psychoacoustique
psychocalisthenics (En) :
  psychocallisthénie
psychologische Akustik, f (De) :
  psychoacoustique
Psychophonie, f (De) :
  psychophonie
psychosis-precipitating (En) ;
psychotisierend (De) :
  psychotisant
public relations man (En) ;
public relations officer (En) :
  relationniste
puckering (En) :
  grignage
Puderemaillieren, n (De) :
  émaillage au poudré
puente térmico (Es) :
  pont thermique
Puffersilo, m (De) :
  silo-tampon
Pufferspeicher, m (De) :
  antimémoire ;
  mémoire-tampon
Puffervorrat, m (De) :
  stock tampon
pulling machine (En) :
  tireuse
pulpectomy (En) :
  biopulpectomie
Pulper, m (De) ;
pulper (En) :
  pulpeur
pulpotomy (En) :
  biopulpotomie
Puls— (De) :
  impulsionnel
pulsador (Es) ;
pulsator (En) :
  pulsateur

pulse (En) ;
pulsed (En) :
impulsionnel
pulse wave modulated
undulator (En) :
onduleur à modulation de
largeur d'impulsions
pulverimetro (Es) :
pulvérimètre
Pump– (De) ;
pumpable (En) :
pompable
pump dredger (En) :
suceuse
pumped storage plant (En) ;
Pumpspeicherkrafwerk, n (De) :
usine éclusée
puncture resistance (En) :
increvabilité
Punkt-zu-Punkt
Verbindung, f (De) .
liaison point à point
punto de calcinación (Es) :
point de calcination
punto de gota (En) :
point de goutte
punto de oro (Es) :
point d'or
punto isoeléctrico (Es) :
point isoélectrique
pure binary (En) :
binaire pur
purging with inert gas (En) :
inertage
purposeless machine (En) :
machine célibataire
push bar (En) :
barre-poussoir
push-button plant (En) :
usine presse-bouton
pusher-type furnace (En) ;
pushing furnace (En) :
four poussant
push-pull attachment (En) ;
push-pull unit (En) :
tireur-pousseur
putting into orbit (En) :
mise à poste
puzzolanic property (En) ;
puzzolanische Eigenschaft, f (De) :
effet pouzzolanique
P.V.C. (De, En) :
P.V.C.
P.V.D.F. (En) :
P.V.D.F.
pycnocline (En) :
pycnocline
Pyrenäenbesteiger, m (De) ;
Pyrenean mountain climber (En):
pyrénéiste
Pyrolysat, n (De) ;
pyrolyzate (En) :
pyrolysat
Pyrometallurgie, f (De) ;
pyrometallurgy (En) :
pyro-métallurgie
Pyrometer, n (De) :
radiothermomètre

pyrradiometer (En) :
pyrradiomètre

Q

Quad, m (De) ;
quad (En) :
quad
quadrangular system (En) :
système quadrangulaire
Quadrat, n (De) ;
quadrat (En) :
quadrat
Quadrigramm, n (De) :
quadrigramme
quadrinär (De) ;
quadrinary (En) :
quadrinaire
quadriphonic system (En) ;
quadriphony (En) :
ambiophonie
quadripolar probe (En) :
sonde quadripolaire
quadro– (En) ;
Quadro– (De) :
ambiophonique
Quadrophonie, f (De) :
ambiophonie
quadrophony (En) :
tétraphonie
Quadrupolsonde, f (De) :
sonde quadripolaire
quality control team (En) :
cercle de qualité
Quantenmesser, m (De) :
quantomètre
quantizer (En) :
numérisateur
quanto-historian (En) :
quanto-historien
quantometer (En) :
quantomètre
quarrying (En) :
débiture
quarrymark (En) :
tronature
Quartärexperte, m (De) :
quaternariste
Quasiatom, n (De) ;
quasi-atom (En) :
quasi-atome
quasi-fission (En) :
quasi-fission
Quasi-Psychose, f (De) :
presque-psychose
Quatärforscher, m (De) ;
quaternarist (En) :
quaternariste
quaternization (En) :
quaternarisation
quebecize (En) :
québéciser
Querprofilograph, m (De) :
transversoprofilographe

Querstapel, m (De) :
pont de produits
Querverbindungskabel, n (De) :
câble interactif
queue (En) :
file
quiet sleep (En) :
sommeil à ondes lentes
quiet sun (En) :
soleil calme
quimerismo (Es) :
chimérisme
quimica anfitrión-huesped (Es) :
chimie hôtelier-client
quimica suave (Es) :
chimie douce
quimioesterilizante (Es) :
chimiostérilisant
quimiotaxonomia (Es) :
chimiotaxonomie
quitotaxia (Es) :
chétotaxie
Quotientenmesser, m (De) :
quotientmètre

R

rabbit (En) :
furet
Rabengift, n (De) :
corvicide
raceme (En) :
racème
raciation (En) :
raciation
Rad-Äquivalent, n (De) :
équivalent-rad
Radarastronomie, f (De) ;
radar astronomy (En) :
radarastronomie
Radarfotographie, f (De) ;
radar imagery (En) ;
radar imaging (En) :
radarphotographie
rad equivalent (En) ;
rad-equivalent (En) :
équivalent-rad
Räderwerk, n (De) :
pignonnerie
radiación directa (Es) :
rayonnement direct
radiación global (Es) :
rayonnement global
radiación natural (Es) :
rayonnement naturel
radiance (En) ;
radiancy (En) :
irradiance
radiation balance (En) :
bilan radiatif
radiation cure (En) :
cuisson électronique
radiation preservation (En) :
radioconservation

radiation-type densimeter (En) ;
radiation-type density
meter (En) :
 nucléodensimètre

radiative equilibrium (En) :
 équilibre radiatif

radioactive half-life (En) :
 période

radioactivity meter (En) :
 curie-mètre

radioaktiver Bodendichte-
messer, m (De) :
 nucléodensimètre

radioautografia (Es) ;
radioautography (En) :
 radioautographie

radiobus (En) :
 radio-bus

radiochemical grafting (En) ;
radiochemische
Freisetzung, f (De) :
 radiogreffage

radiochronological (En) ;
radiochronologisch (De) ;
radiocronológico (En) :
 radiochronologique

radiogenic (En) :
 radiogénique

radiohardenable (En) ;
radio-hardening (En) :
 radiodurcissable

radioheliógrafo (Es) ;
Radioheliograph, m (De) ;
radioheliograph (En) :
 radiohéliographe

radiomodelismo (Es) :
 radiomodélisme

radiomodelista (Es) :
 radiomodéliste

radio occultation (En) ;
radio-occultation (En) ;
radioocultación (Es) ;
Radiookkultation, f (De) :
 radio-occultation

Radiopasteurisierung, f (De) ;
radiopasteurization (En) :
 radappertisation

radiophone (En) :
 radiotéléphone

radio-shielded line (En) :
 ligne plate

radio-shielding (En) :
 déverminage

radiosterilization (En) :
 raduration

radiotermómetro (Es) ;
radiothermometer (En) :
 radiothermomètre

radiotracking (En) ;
radio-tracking (En) ;
 pistage radioélectrique

Radiovision, f (De) :
 radiovision

raffia palm-grove (En) :
 raphiale

Raffinade, f (De) :
 raffinade

raft foundation (En) :
 dalle flottante

Rahmenblech-
Schlagschere, f (De) :
 cisaille-guillotine

rail clip (En) :
 pinces-rails

rake (En) :
 ameneur ;
 vagueur

raked plaster (En) :
 enduit gratté

Raman spectrum (En) ;
Raman-Spektrum, n (De) :
 spectre Raman

ramjet (En) ;
ramjet engine (En) :
 statofusée

Ramme, f (De) :
 batteur

ramming (En) :
 battage ;
 serrage

ramset (En) :
 pistosceller

Randeffekt, m (De) :
 effet de bord

Randomisation, f (De) ;
randomization (En) :
 aléation

range (En) :
 terrain de parcours

ranura (Es) :
 rainure

Raphiawald, m (En) :
 raphiale

rapid eye movement sleep (En) :
 sommeil paradoxal

rapid quenching (En) :
 hypertrempe

rapid-stroke hammer (En) :
 marteau trépideur

Rapputz, m (De) :
 dégrossi

rascadura (Es) :
 frottis

rate (En) :
 allure

rate-of-rise detector (En) :
 détecteur thermovélocimétrique

rate-regulator (En) :
 cadenceur

Ratiometer, n (De) ;
ratiometer (En) :
 ratiomètre

ratio meter (En) :
 quotientmètre

Rauchabzug, m (De) :
 désenfumage

Rauchabzugkuppel, f (De) :
 fumidome

Rauchdichtemesser, m (De) :
 fumimètre

Rauhigkeit, f (De) :
 rugosité

Rauhwalze, f (De) :
 rouleau piétineur

räumliche Regelmäßigkeit, f (De) :
 stéréorégularité

Raumsicherung, f (De) :
 protection volumétrique

Raupenschlepper, m (De) :
 chenillard

Rauschsperrschalter, m (De) :
 silencieux de recherche

Rauschunterdrückung, f (De) :
 déverminage

raw meal (En) :
 farine crue

rayos X blandos (Es) :
 X mous

rayos X duros (Es) :
 X durs

razemöser Blütenstand, m (De) :
 racème

R/C modeler (En) :
 radiomodéliste

R/C modeling (En) :
 radiomodélisme

R/C modeller (En) :
 radiomodéliste

R/C modelling (En) :
 radiomodélisme

reacción inelástica (Es) :
 réaction inélastique

reactive muffler (En) :
 silencieux réactif

readable (En) :
 lisible

reading analysis (En) :
 anagnosologie

read only memory (En) ;
read-only memory (En) :
 mémoire morte

Reaktionsrohr, n (De) :
 tube mûrisseur

realignment (En) :
 réalignement

real time (En) ;
Realzeit— (De) :
 temps réel (en −)

rebote de sueño (Es) :
 rebond de rêve

Rechenscheibe, f (De) :
 disque à calculer

Rechenstörung, f (De) :
 dyscalculie

Rechneranschlußsystem, n (De) :
 informatique répartie

Rechnerwesen, n (De) :
 ordinatique

Rechtssoziologe, m (De) :
 juristicien

reciclabilidad (Es) :
 recyclabilité

recidivist (En) :
 multirécidiviste

reciprocal counter (En) :
 compteur réciproque

reciprocidad equilibrada (Es) :
 réciprocité équilibrée

reclaimer (En) ;
reclaiming machine (En) ;
reclaiming unit (En) :
 appareil de reprise

reconfigurable (En) :
 reconfigurable

reconfiguración (Es) :
reconfiguration

reconfigurar (Es) :
reconfigurer

reconfiguration (En) :
reconfiguration

reconfigure (En) :
reconfigurer

records system specialist (En) :
classologue

rectangular array (En) :
herse

rectilinearity (En) :
rectilignité

recuperabilidad (Es) ;
recuperability (En) :
récupérabilité

recuperación asistida (Es) :
récupération assistée

recurrent education (En) :
éducation récurrente

recyclability (En) :
recyclabilité

red channel (En) :
circuit rouge

redox inertia (En) ;
Redox-Trägheit, f (De) :
inertie redose

reduced form (En) :
forme réduite

redunda (Es) :
terrain de parcours

redundant circuit (En) ;
Redundanzkreis, m (De) :
circuit redondant

reefer (En) :
polytherme

reef flat (En) :
plattier

re-enculturation (En) :
réenculturation

referencer dedendum (En) :
creux de référence

refinery bitumen (En) :
bitume de distillation

reflection display (En) ;
reflective display (En) :
afficheur réflectif

reflectividad (Es) ;
reflectivity (En) :
réflectivité

reflectorized suit (En) :
combinaison réflectorisée

reflectoscope (En) :
reflectoscopio (Es) ;
Reflektoskop, m (De) :
réflectoscope

reflex (En) :
antiretour

Reflexionsschalldämpfer, m (De) :
silencieux réactif

Reflexivität, f (De) ;
reflexivity (En) :
réflexivité

reforming (En) :
reformage

reforzador (Es) :
renforçateur

refractividad (Es) ;
refractoriness (En) :
réfractarité

refresco (Es) :
boisson rafraîchissante

refresch (En) :
rafraîchir

refreshment (En) :
rafraîchissement

refrigerable (En, Es) :
réfrigérable

refrigerado por agua (Es) :
hydroréfrigéré

refrigerado por aire (Es) :
aéroréfrigéré

Regal, n (De) :
palettier

Regelkreis, m (De) :
boucle fermée

Regenerat, n (De) ;
regenerate (En) :
régénérat

regenerative (En) :
régénératif

regenerieren (De) :
rafraîchir

Regenerieren, n (De) :
rafraîchissement

regeneriert (De) :
régénéré

Regierungsbezirk, m (De) :
district

regional satellite (En) :
satellite régional

Regionymie, f (De) ;
regionymy (En) :
régionymie

Regler, m (De) :
gouverneur

regmagenesis (En) :
rhegmagenèse

Regner, m (De) :
baveur ;
goutteur ;
juteur

regrowth (En) :
bauque

regular (Es) ;
regulate (En) :
réguler

regulator (En) :
gouverneur

Rehabilitation, f (De) ;
rehabilitation (En) ;
Rehabilitierung, f (De) :
revalidation

Reifemesser, m (De) :
maturimètre

Reifen, n (De) :
mûrissement

Reifenfabrikant, m (De) ;
Reifenhersteller, m (De) :
pneumatiquier

reinforced earth (En) ;
reinforced soil (En) :
terre armée

reinforcing prop (En) :
chandelle de renfort

Reinigung, f (De) :
axénisation

Reinigungsmöglichkeit, f (De) :
nettoyabilité

reisanbaugeeignet (De) :
rizicultivable

Reisverarbeiter, m (De) :
rizier

reject (En) :
rebuter

rejection (En) :
réjection

rejects (En) :
rebutage

Rekompositionsform, f (De) :
recomposé

Rekonfiguration, f (De) :
reconfiguration

rekonfigurieren (De) :
reconfigurer

relación giromagnética (Es) :
rapport gyromagnétique

Relaiskarte, f (De) :
relais-carte

related species (En) :
juxtespèce

relative fugacity (En) :
activité

relatoscopic (En) :
relatoscopique

Relaxationszeit, f (De) ;
relaxation time (En) :
temps de relaxation

relaxopaedia (En) :
relaxopédie

relay-card (En) :
relais-carte

relief of internal stresses (En) :
détensionnement

relief worker (En) :
volante

remote action (En) :
téléaction

remote batch terminal (En) :
terminal lourd

remote-controllable (En) :
télécommandable

remote control operation (En) :
téléopération

remote control posting (En) :
télépancartage

remote firedamp detection (En) :
télégrisoumétrie

remote manipulation (En) :
télémanipulation

remote processing (En) :
téléinformatique

remote sounding (En) :
télésondage

remote supervision (En) :
télésurveillance

remote train-announcing
system (En) :
télépancartage

remove black ice from (En) ;
remove glazed ice from (En) :
  déverglacer
R.E.M. sleep (En) :
  sommeil paradoxal
renewability (En) :
  renouvelabilité
renewal train (En) :
  train de renouvellement
renovado (Es) :
  rénové
reógrafo (Es) :
  rhéographe
repeatability (En) :
  répétabilité
repeater (En) ;
repetidor (Es) :
  doubleur
replica (En) :
  réplique
replicación (Es) :
  réplication
replicate (En) :
  répliquer (se –)
replication (En) ;
Replikation, f (De) :
  réplication
repoblador (Es) :
  reboiseur
represión (Es) ;
Repression, f (De) ;
repression (En) :
  répression
reprocess (En) :
  retraiter
reproductibility (En) :
  reproductibilité
reproductivity control (En) :
  lutte génétique
Reproduzierbarkeit, f (De) :
  reproductibilité
reprógrafo (Es) :
  reprographe
reprogrammable memory (En) :
  mémoire reprogrammable
Reprograph, m (De) ;
reprographer (En) :
  reprographe
re-railing (En) :
  réenraillement
re-restoration (En) :
  dérestauration
research and development (En) :
  recherche-développement
resección (Es) ;
resection (En) :
  résection
reserva natural dirigida (Es) :
  réserve naturelle dirigée
reserva natural integral (Es) :
  réserve naturelle intégrale
resident of Phnom Penh (En) :
  phompenhois
resistance to loosening (En) :
  indesserrabilité
resistancia foliar (Es) :
  résistance foliaire

resocialize (En) :
  resocialiser
resolvability (En) :
  résolvabilité
resolvable (En) :
  résolvable
Resolver, m (De) ;
resolver (En) :
  résolveur
resonance cell (En) :
  cellule à résonance
resource money (En) :
  monnaie-ressources
resozialisieren (De) :
  resocialiser
respiración (Es) :
  respiration
Respirometrie, f (De) ;
respirometry (En) :
  respirométrie
responsabilización (Es) ;
responsabiliza tion (En) :
  responsabilisation
response recorder (En) :
  analyseur de réponses
response time (En) :
  temps de réponse
responsive (En) :
  nerveux
rest (En) :
  taquet
restriction endonuclease (En) ;
Restriktionsendonu-
kleasen, f (De) :
  endonucléase de restriction
retainer (En) :
  rétenteur d'eau
retent (En) ;
Retentat, n (De) ;
retentate (Es) :
  rétentat
retractable (En) :
  éclipsable
retraction tunnel (En) :
  tunnel de rétraction
retractometer (En) ;
retractómetro (Es) :
  rétractomètre
retransmission (En) ;
retransmission of radar
data (En) :
  déport
retriever crane (En) :
  transtockeur
retrocombustion (En) ;
retrocombustión (Es) :
  rétrocombustion
retrocruziamento (Es) :
  rétrocroisement
retrodonación (Es) :
  rétrodonation
retroinhibición (Es) :
  rétro-inhibition
retro-inhibidor (Es) :
  rétro-inhibiteur
retrorreflected (En) :
  rétroréfléchi

retroreflection (En) :
  rétroréflexion
retroreflector (En, Es) :
  rétroréflecteur
retrorreflexión (Es) :
  rétroréflexion
retrovirus (En) :
  rétrovirus
Retrusion, f (De) ;
retrusion (En) :
  rétrusion
returnable (En) :
  retournable
return feed (En) :
  réinjection
re-use (En) ;
re-utilisation (En) ;
reutilización (Es) :
  réutilisation
revalidación (Es) :
  revalidation
revegetation (En) :
  reverdissement
reverberómetro (Es) :
  réverbéromètre
reverdecimiento (Es) :
  reverdissement
reversal film (En) ;
reversal material (En) ;
reversal paper (En) :
  inversible
reverse-charge call (En) :
  P.C.V.
reverse communication (En) :
  T.V.R.
reverse migration (En) :
  inversion de migration
reverse mutant (En) :
  révertant
reverse osmosis (En) :
  osmose inverse
reverse piece (En) :
  contre pièce
reversibilidad (Es) ;
reversibility (En) :
  réversibilité
reversible electrode (En) :
  électrode réversible
revestimiento escodado (Es) :
  enduit bouchardé
revestimiento tirolés (Es) :
  enduit tyrolien
revestimiento tramado (Es) :
  enduit tramé
revitalization (En) :
  regonflage
revolving storage (En) :
  stockage tournant
Reziprokwert-Zähler, m (De) :
  compteur réciproque
rezumo de helio (Es) :
  ressuage d'hélium
Rhegmagenese, f (De) ;
rhegmagenesis (En) :
  rhegmagenèse
rheograph (En) :
  rhéographe

Rheokrene, f (De) :
rhéocrène

rhinovirus (En) :
rhinovirus

rhombisch (De) :
losangulaire

rhythmicity (En) :
rythmicité

Rhythmologie, f (De) :
rythmologie

rhythmopaedia (En) :
rythmopédie

ribbon cable (En) :
câble-ruban

ribbon development (En) :
doigts de gants

ribbonlike (En) :
rubanné

rice-cultivable (En) ;
rice-cultivatable (En) :
rizicultivable

rice grain (En) :
granule

rice specialist (En) :
rizier

Richtpreis, m (De) :
prix indicatif

Riesenslalomläufer, m (De) :
géantiste

Riffelputz, m (De) :
enduit bouchardé

Riffsohle, f (De) :
plancher interne

Rille, f (De) :
rainure

rilsanization (En) :
rilsanisation

rilsanverkleidet (De) :
rilsanisé

rim (En) :
couronne

Rindenschicht, f (De) :
tonneau

Rinderpest– (De) :
bovipestique

Ringdimerisation, f (De) :
cyclodimérisation

Ringstrasse, f (De) :
tangentiale

Riometer, n (De) ;
riometer (En) :
riomètre

riparian (En) :
ripiphile

rippability (En) :
rippabilité

rise and fall pendant (En) :
monte-baisse

Riser, m (De) ;
riser (En) :
riser

Rispenschieben, n (De) :
exertion

Rißbeseitigung, f (De) :
écriquage

Rissbildung, f (De) :
criquage

ritmicidad (Es) :
rythmicité

ritmología (Es) :
rythmologie

Ritualisierung, f (De) ;
ritualization (En) :
ritualisation

ritualiziert (De) :
ritualisé

Ritz, m (De) :
éraflure

Ritzabbrechnung, f (De) :
rompage

river-name (En) :
potamonyme

river tide (En) :
marée dynamique

Rivometer, n (De) ;
rivometer (En) :
rivomètre

road-milling machine (En) :
fraiseuse routière

roaring fumarole (En) :
gros souffle

robotics (En) :
robotique

rociador (Es) :
asperseur

rock-breaker (En) :
brise-roche

rock collection (En) :
lithothèque

Rodemaschine, f (De) :
dessoucheuse

rodenticide (En) ;
Rodentizid, n (De) :
rodenticide

rodete paleador (Es) :
roue-pelle

rod-feed (En) :
embarreur

rod linkage (En) :
tringlerie

roedura (Es) :
grignotage

roguing (En) :
démalingrage

Rohdruckfarbe, f (De) :
encre libre

Rohmehl, n (De) :
farine crue

Röhrenfabrik, f (De) :
tuberie

Rollbrett, n (De) :
planche à roulettes

Rollbrettbahn, f (De) :
planchodrome

Rollbrettläufer, m (De) :
plancheur

Rollbrettplatz, m (De) :
planchodrome

Rollen, m, am Boden (De) :
mouvement

Rollenbahn, f (De) :
transrouleur

roller caption (En) :
dérouleur d'images

roller coater (En) :
teinteuse

roller conveyer (En) :
transporteur à rouleaux libres

roller conveyor (En) :
transrouleur

roller feeler (En) :
palpeur à rouleau

roller mark (En) :
bassin

Roll-on / Roll-off-Schiff, n (De) ;
roll-on-roll-off ship (En) :
transroulier

roll surf (En) :
planche à roulettes

romboidal (En) :
losangulaire

rompe-roca (Es) :
brise-roche

Röntgenxerographie, f (De) :
xéroradiographie

röntgenxerographisch (De) :
xéroradiographique

roofer (En) :
tecticien

root cutter (En) :
dessoucheuse

root profile (En) :
profil racinaire

root rake (En) :
déssoucheuse

rope (En) :
paillette

roriferous (En) :
rorifère

Ro/Ro-Schiff, n (De) ;
ro-ro ship (En) :
transroulier

rosette (En) :
rosace

Rossi-Alpha, m (De) ;
Rossi alpha particle (En) :
alpha de Rossi

Rotameter, n (De) ;
rotameter (En) ;
rotámetro (Es) :
rotamètre

rotary car park (En) :
parc rotatif

rotary float (En) :
talocheuse-lisseuse

rotary-percussive (En) :
roto-percutant

rotary slasher (En) :
girobroyeur

rotary storage (En) :
stockage tournant

rotary trowel (En) :
talocheuse-lisseuse

rotating electrode (En) :
rotrode

Rotationsgießmaschine, f (De) :
rotomouleuse

Rotationsgußhersteller, m (De) :
rotomouleur

Rotator, m (De) :
rotateur

roter Durchgang, m (De) :
circuit rouge

rotierende Scheibene-
lektrode, f (De) :
rotrode

rotomoulded (En) :
rotomoulé

rotomoulding enterprise (En) ;
rotomouleur

rotomoulding machine (En) :
rotomouleuse

rotor (En) :
bol

rotorcraft industry (En) :
héli-industrie

roughened (En) :
moussé

roughing-in (En) :
dégrossi

router plane (En) :
affleureuse

rovibronic (En) :
rovibronique

roving (En) :
stratifil

rubbed finish (En) :
enduit frotté

rubber biscuit (En) :
feuille crêpée

rubber coated steel (En) :
acier ébonité

rubberized (En) :
caoutchoutique

rückbar (De) :
ripable

Rückenetikett, m (De) :
contre-étiquette

Rückflanke, f (De) :
front descendant

Rückgabe, f (De) :
réinjection

Rückkreuzung, f (De) :
rétrocroisement

Rückladgerät, n (De) :
appareil de reprise

Rücknahme— (De) :
retournable

Rückschlag— (De) :
antiretour

Rücktransformation, f (De) :
déconvolution

Rückwandprojektor, m (De) :
rétroprojecteur

rudiment (En) :
rudimenter

rudimentation (En) :
rudimentation

rueda-jaula (Es) :
roue cage

Rufsatz, m (De) :
signaleur

rugosidad (Es) ;
rugosity (En) :
rugosité

ruhige Sonne, f (De) :
soleil calme

Rührschraube, f (De) :
hélico-mélangeur

Rührwerk, n (De) :
brassoir ;
brasseur

ruido (Es) :
bruit

ruido browniano (Es) :
bruit brownien

ruido coloreado (Es) :
bruit coloré

ruido de oscuridad (Es) :
bruit d'obscurité

ruido en almena (Es) :
bruit en créneaux

ruido térmico (Es) :
bruit thermique

rundgeschliffener
mattglänzender Quarz-
kristall, m (De) :
rond-mat

running recorder (En) :
contrôlographe

run-of-the-river plant (En) :
usine fil de l'eau

runway visual range (En) :
P.V.P.

rurbanite (En) :
rurbain

rurbanity (En) :
rurbanité

rurbanizable (En) :
rurbanisable

rurbanization (En) :
rurbanisation

rurban resident (En) :
rurbain

rut (En) :
orniérer

rutilo-basic (En) :
rutilo-basique

Rüttelbeton, m (De) :
béton vibré

Rüttelbohle, f (De) :
règle vibrante

rüttelnde Extraktions-
machine, f (De) :
vibro-arracheur

Rüttelverdichtung, f (De) :
vibroflottation

rutting (En) :
orniérage

Rüttler, m (De) :
vibrofonceur ;
secoureur

S

Saat— (De) :
semencier

sabar (En) :
sabar

saccadic movement (En) :
saccade

sacrificial (En) :
sacrificiel

safety barrier (En) :
pare-chute

safety glass eyeshield (En) ;
safety glass shield (En) :
pare-grains

safety panel (En) :
coffret de sécurité

Saftgehalt, m (De) ;
Saftigkeit, f (De) :
jutosité

sailwing (En) :
aile volante

Saisonbedingtheit, f (De) :
saisonnalité

salidiurético (Es) :
salidiurétique

salimeter (En) ;
salimetro (Es) :
salinomètre

saline mist (En) :
brouillard salin

saliness (En) :
salant

salinification (En) :
salinisation

salinity intrusion (En) :
marée saline

salinización (Es) :
salinisation

salinometer (En) ;
salinómetro (Es) :
salinomètre

salobre (Es) :
salobre

salt-glazing (En) :
salage

salt-marsh (En) :
salobre

saluretic (En) :
salidiurétique

salzarm (De) :
oligohalin

salzdiuretisch (De) :
salidiurétique

Salzgehaltmesser, m (De) :
salinomètre

Salzgehaltsprungschicht, f (De) :
halocline

Salzsprühnebel, m (De) :
brouillard salin

Samengarten, m (De) :
jardin grainier

Samenreinigung, f (De) :
tararage

Sammelschlene, f (De) :
bus électrique

Sammelverpackung, f (De) :
fardelage

sample plot (En) :
placette

sampler (En) :
échantillonneur bloqueur

Sandbewohner, m (De) :
sabulicole

Sandgebläse, n (De) ;
sand thrower (En) :
lanceur de sable
sandwich course (En) :
enseignement par alternance
sandwich student (En) :
alternant
Sanierung, f (De) :
hygiénisation
Saprobiont, m (De) :
détritivore
saprolito (Es) :
saprolyte
saprophag (De) :
détritiphage
Saprotrophie, f (De) :
saprotrophie
saprozoisch (De) :
détritiphage
satélite activo (Es) :
satellite actif
satélite de difusion directa (Es) :
satellite de diffusion directe
satélite de distribución (Es) :
satellite de distribution
satélite regional (Es) :
satellite régional
Satellit, m, für
Direktempfand (De) :
satellite de diffusion directe
Satellit, m, für indirekten
Empfang (De) :
satellite de distribution
satellite photo-imaging (En) :
imagerie
Sattelanhänger, m (De) :
fourgon-poutre
Sättigung, f (De) :
saturation
Sättigungsreflexionsgrad, m (De) :
réflectivité
saturación (Es) :
saturation
Saturationsgefäß, n (De) :
carbonateur
Saubagger, m (De) :
suceuse
sauber (De) :
propre
Sauerstoffgehalts-
prungschicht, f (De) :
oxycline
Sauerstoffleitung, f (De) :
oxyduc
Sauerstofflötung, f (De) :
oxybrasage
Sauerstoff– und
Temperaturmeßgerät, n (De) :
oxy-thermomètre
Saug-Blasverfahren, m (De) :
aspiré-soufflé
Sauglüfter, m (De) :
moto-ventilateur
savanicolo (Es) :
savanicole
savanización (Es) :
savanisation

savanna (En) ;
savannah (En) ;
Savannen– (De) :
savanicole
Savannenbildung, f (De) :
savanisation
scab (En) :
galeux
scald (En) :
échaudure
scaling (En) :
écaillage
scaling noise (En) :
bruit scalant
scalloping (En) :
festonnement
scalping (En) :
scalpage
Scanner, m (De) :
tacographe
scanner (En) :
explorateur
scanning (En) :
scrutation
scanning ultrasonograph (En) :
échographe à balayage
scarring rate (En) :
taux de cicatrisation
scene (En) :
scène
Schadstoff, m (De) :
agressant
Schalbrettnachschneider, m (De) :
dosseur
Schale, f (De) :
coquille
Schalenbräune, f (De) :
échaudure
schallschluckend (De) :
antibruit
Schältrommel, f (De) :
boîte de Vercelli
Schaltschrank, m (De) :
armoire de contrôle
Schaltung, f (De) :
circuiterie
Schaltverdust, m (De) :
perte dynamique
Schaufelradbagger, m (De) :
roue-pelle
schaukelfähig (De) :
pelletable
schaumbildend (De) :
spumogène
scheduler (En) :
ordonnanceur
Scheibchen, n (De) :
tranche
Scheibenwäscher, m (De) :
lave-vitre
Schichtdicke, f (De) :
puissance
Schieberegister, n (De) :
registre à décalage
Schiffsadaptierung, f (De) :
marinisation

Schirmarmatur, f (De) :
armement
Schirmhieb, m (De) :
coupe d'abri
schizogonial (De) :
schizogonic (En) ;
schizogonous (En) :
schizogonial
Schlafmittel, n (De) :
hypnogène
Schlag– (De) :
chocs (à –)
Schlammpropfen, m (De) :
bouchon vaseux
Schlammteichverfahren, n (De) :
lagunage
Schlange, f (De) :
file
Schleifen, n (De) :
plamotage
Schleiffähigkeitsversuch, m (De) :
essai de forabilité
Schleifkontakt, m (De) :
contact glissant
Schleifmaschine, f (De) :
meuleuse
Schleifschalenbear-
beitung, f (De) :
boulage
Schlepperkran, m (De) :
tracto-grue
Schlepper-Loader, m (De) :
tracto-chargeur
Schleuderstrahlgebläse, n (De) :
grenailleuse
rezenter Schlickerton, m (De) :
gumbo
Schließ– (De) :
établissement de circuits (à –)
Schließer, m (De) :
contact normalement ouvert
Schlüssel, m (De) :
clé
Schmierbluting, f (De) :
microraggie
Schneeforscher, m (De) :
nivologue
Schneemeßbrett, n (De) :
table à neige
Schneeraümer, m (De) ;
Schneeschmelzmachine, f (De) :
déneigeuse
Schnellbehandlung, f (De) :
traitement-minute
Schnellrestauration, f (De) :
néorestauration
Schnellschaltdiode, f (De) :
diode rapide
Schnellübertrag, m (De) :
retenue accélérée
Schnellumbauzug, m (De) :
train de renouvellement
Schraubenzuführung, f (De) :
nez de vissage
Schrauberverdichter, m (De) :
hélico-moteur

Schreibsynthetisiergerät, m (De) :
synthétiseur d'écriture

Schriftkunde, f (De) :
scriptologie

Schrittmotor, m (De) ;
Schrittschaltmotor, m (De) :
moteur pas à pas

Schutzblende, f (De) :
chicanage

Schutzhäuschen, n (De) :
abribus

Schutzoxydbildung, f (De) :
cicatrisation

schutzschichtbildend (De) :
patinable

Schutzstiefel, m (De) :
surbotte

schwammförmig (De) :
spongiforme

Schwangere, f (De) :
gestante

schwarzes Loch, n (De) :
astre occlus

schwarze Solarzelle, f (De) :
cellule noire

Schwarzlauge, f (De) :
liqueur noire

Schweinepest– (De) :
suipestique

schweissbeständig (De) :
antiarc

Schweißpunktzerstörung, f (De) :
déboutonnage

Schweissung, f, mit
verdecktem Lichtbogen (De) :
soudage à arc non-apparent

Schwellenpreis, m (De) :
prix de seuil

Schwerkraft– (De) :
gravitaire

Schwerkraft, f, mit Druck (De) :
gravité pression

Schwerkraft, f, mit
Vakuum (De) :
gravité vide

schwimmender Estrich, m (De) :
dalle flottante

schwimmendes
Fundament, n (De) :
fondation flottante

Schwingbohle, f (De) :
règle vibrante

Schwingkletterer– (De) :
brachiateur

Schwingschleifen, n (De) :
vibro-abrasion

schwingungsdämpfend (De) :
antivibrant

Schwund, m (De) :
fading

scintillon (En) :
scintillon

scoop of spoon (En) :
coup de cuiller

score (En) :
baisse

scores (En) ;
scorings (En) :
rayure

scotophobin (En) :
scotophobine

scototaxis (En) :
scototaxie

scouring (En) :
champlevure

scraper (En) :
gratteuse de sol

scraping (En) :
fraisage ;
plamotage

scrapped (En) :
ferraillé

scrap value (En) :
valeur de riblonage

scratch (En) :
éraflure ;
griffure ;
striure

screen (En) :
cloisonnette

Scriptgirl, n (De) ;
script girl (En) :
scripte

script library (En) :
scénarithèque

scriptovisual (En) :
scriptovisuel

scutella (En) :
scutelle

scythianologist (En) :
scythologue

S.D.R. (En) :
D.T.S.

seal (En) :
étanchéiser

sealer (En) :
scelleuse ;
clippeuse

sealing (En) :
operculage

sealing machine (En) :
scelleuse

sealing unit (En) :
clippeuse

sea ray (En) :
rayon de la mer

seasonality (En) :
saisonnalité

seat-strap (En) :
sous-fessière

secant impedance (En) :
impédance sécantielle

secondary air (En) :
air secondaire

secondary document (En) :
document secondaire

secondary producer (En) :
producteur secondaire

secondary treatment (En) :
traitement secondaire

second source (En) :
seconde source

sector (En) :
secteur

secuencialidad (Es) :
séquentialité

sedentarización (Es) ;
sedentation (En) :
sédentarisation

sedimentable (En) :
sédimentable

sedimentationist (En) ;
Sedimentologe, m (De) ;
sedimentologist (En) ;
sedimentologista (Es) :
sédimentologiste

Sedimentverfestigung, f (De) :
lithification

seed (En) :
semencier

seed grower (En) ;
seed man (En) :
germeur

seed producing area (En) ;
seed production area (En) :
jardin grainier

seed starter tray (En) :
multipot

seeker head (En) :
autodirecteur

seepage (En) :
perlage

segmenting (En) :
partitionnement

segregable (En) :
ségrégeable

segregate (En) :
ségréger

segregation (En) :
claquage

seguridad pasiva (Es) :
sécurité passive

Sehbehinderter, m (De) :
malvoyant

Seidigkeit, f (De) :
sétosité

seigniorage (En) :
seigneurage

seismic sleep (En) :
sommeil sismique

seismotectonic (En) :
sismotectonique

seismotectonics (En) ;
Seismotektonik, f (De) :
séismotectonique

seismotektonisch (De) :
sismotectonique

Seitenführung, f (De) :
dérive

Seitengabelstabler, m (De) :
chariot latéral

Seitenwechsel, m (De) :
pagination

Seitigkeitsstörung, f (De) :
dyslatéralisation

seitliche Sequenz, f (De) :
chronoséquence

Sekantenwiderstand, m (De) :
impédance sécantielle

sektorformige Warenaus-
lage, f (De) :
 corolle

Sekundärproduzent, m (De) :
 producteur secondaire

sekundares Dokument, n (De) :
 document secondaire

Selbsahnlichkeit, f (De) :
 autosimilitude

Selbstablesekarte, f (De) :
 carte auto-relève

Selbstbedienungsgroß-
markt, m (De) :
 libre service de gros

selbstdüngend (De) :
 autofertilisant

selbstemulgierend (De) :
 auto-émulsifiant

Selbstentladung, f (De) :
 autodécharge

Selbstentzündbarkeit, f (De) :
 pyrophoricité

Selbstentzündung, f (De) :
 autocombustion

selbsterwärmend (De) :
 autochauffant

selbstfahrender Schaufel-
bagger, m (De) :
 tractopelle

Selbstfokussierer, m (De) :
 autofocalisateur

selbstformend (De) :
 automodelant

selbstgeregelt (De) :
 autotesté

selbstgesteuert (De) :
 autosurveillé

selbstglättend (De) :
 autodéfroissable ;
 auto-lissant

Selbsthärten, n (De) :
 autotrempe

selbsthärtend (De) :
 autodurcissant

Selbsthypnose, f (De) :
 autohypnose

Selbstkleber, m (De) :
 autocollant

selbstklimatisiert (De) :
 autoclimatisé

Selbstklimatisierung, f (De) :
 autoclimatisation

Selbstkonvergenz, f (De) :
 autoconvergence

selbstkonvergierend (De) :
 autoconvergent

selbstkopierend (De) :
 autocopiant

Selbstkorrigieren, n (De) :
 autocorrection

Selbstlichtung, f (De) :
 auto-éclaircie

Selbstmedikation, f (De) :
 automédication

selbstlöschend (De) :
 auto-déchargeant

Selbstmeß– (De) :
 autométrique

Selbstmessen, n (De) :
 autométrie

Selbstmordgefährdeter, m (De) :
 suicidant

selbstpatinierbar (De) :
 autopatinable

Selbstreinigung, f (De) :
 autonettoyage

Selbstsicherung, f (De) :
 autofreinage

selbstsperrend (De) :
 autoserrant

selbsttätig kalibrieren (De) :
 autocalibrer

Selbstunterricht, m (De) :
 autodidaxie

Selbstverbrennung, f (De) :
 autocombustion

Selbstverpflegungszulage, f (De) :
 prime de panier

Selbstversinken, n (De) :
 auto-enfouissement

Selbstversorgung, f (De) :
 auto-subsistance

Selbstwarbehandlung, f (De) :
 autoétuvage

selenónimo (Es) ;
selenonym (En) :
 sélénonyme

self-assembly (En) :
 autoassemblage

self-burial (En) :
 auto-enfouissement

self-cleaning (En) :
 autonettoyage

self-cleaning contact (En) :
 contact glissant

self-colonization (En) :
 autocolonisation

self-convergence (En) :
 autoconvergence

self-convergent (En) :
 autoconvergent

self-copying (En) :
 autocopiant

self-correction (En) :
 autocorrection

selfcrosslinking (En) :
 auto-réticulation

self-crucible (En) :
 autocreuset

self-culture (En) :
 autodidaxie

self-curing (En) :
 autoétuvage

self-discharge (En) :
 autodécharge

self-fitting (En) :
 automodelant

self-focusing (En) :
 autofocalisateur

self-hardening (En) :
 autodurcissant

self-heating (En) :
 autochauffant

self-jacking platform (En) :
 autoélévatrice

self-levelling (En) :
 auto-lissant

self-locking (En) :
 autofreinage

self-locking nut (En) :
 écrou autofreiné

self-lubricating pump (En) :
 pompe sèche

self-medication (En) :
 automédication

self-molding (En) :
 automodelant

self-nestable (En) :
 intergerbable

self-patinating (En) :
 autopatinable

self-propelled (En) :
 autotracté

self-reliance (En) :
 auto-développement ;
 développement auto-centré

self-sealing (En) :
 auto-scellage

self-similarity (En) :
 autosimilitude

self-subsistence (En) ;
self-subsistency (En) :
 auto-subsistance

self-sufficiency (En) :
 autosuffisance

self-sufficient (En) :
 auto-suffisant

self-supervision (En) :
 désencadrement

self-supporting (En) :
 auto-suffisant

self-tested (En) :
 autotesté

self-thinning (En) :
 auto-éclaircie

self-tightening (En) :
 autoserrant

self-unloading (En) :
 auto-déchargeant

selling group (En) :
 syndicat de placement

semáforo (Es) :
 sémaphore

semantischer Aspekt, m (De) :
 classème

semaphore (En) :
 sémaphore

seme (En) :
 mène

semiactive homing (En) :
 autoguidage semi-actif

semichemical pulp (En) :
 pâte mi-chimique

semi-conductor bit (En) :
 bit semiconducteur

semicontinuous transportation (En) :
 transport semi-continu

semidirect firing (En) :
 chauffe semi-directe

Semiendoparasit, m (De) ;
semi-endoparasite (En) ;
semiendoparásito (Es) :
semiendoparasite

semi-mechanical ventilation (En) :
circulation semi-mécanique

semimoist food (En) :
aliment semi-humide

seminiphag (De) ;
seminivorous (En) :
séminiphage

Semiogenese, f (De) :
sémiogénèse

semiophone (En) :
sémiophone

semi-rigid package (En) ;
semi-rigid packaging (En) :
conserve semi-rigide

semitrailer (En) :
fourgon-poutre

sender (En) :
envoyeur

senegalism (En) ;
Senegalismus, m (De) :
sénégalisme

senior education counsellor (En) :
conseiller principal d'éducation

seniority (En) :
séniorité

Senkung, f, des Standards (De) :
déqualification

sensitive area (En) :
espace sensible

sensitizing (En) :
préparant

separador (Es) :
rupteur

separador térmico (Es) :
séparateur thermique

separate development (En) :
développement séparé

sequencer (En) :
séquenceur

sequentiality (En) :
séquentialité

sequentialize (En) :
séquentialiser

sequentieller Ablauf, m (De) :
séquentialité

sequestering agent (En) :
séquestrant

sequestration (En) :
séquestration

serendipismo (Es) ;
serendipity (En) :
sérendipité

serial printer (En) :
imprimante sérielle

serial - to - parallel
converter (En) :
désérialisateur

Seriendrucker, m (De) :
imprimante sérielle

Serien-Parallel-Umsetzer, m (De) :
désérialisateur

seroprevención (Es) ;
seroprevention (En) ;

seroprophylaxis (En) :
séroprévention

serotipo (Es) ;
Serotyp, m (De) ;
serotype (En) :
sérotype

Serumschutzimpfung, f (De) :
séroprévention

service program (En) ;
service programme (En) :
programme utilitaire

servicer (En) :
oléoserveur ;
serveur

service station (En) :
essencerie

servo-tachometer (En) :
servo-ouvrabilimètre

Sesshaftmachung, f (De) :
sédentarisation

setosity (En) :
sétosité

setting indicator (En) ;
setting meter (En) :
prisomètre

settleable (En) :
sédimentable

settled solids (En) :
décantat

sewer maintenance (En) :
répurgation

sex ratio (En) :
indice de masculinité

sex therapist (En) ;
Sexualtherapeut, m (De) :
sexo-thérapeute

shake-out machine (En) :
décocheuse

shaker (En) :
secoueur

shaker-type dust-collector (En) :
vibrodépoussiéreur

shape resonance (En) :
résonance de forme

sharkskin (En) :
peau de requin

shearer (En) ;
shearman (En) :
cisailleur

sheep track (En) :
pieds de vache

sheet (En) :
feuillet

sheeting (En) :
feuilletage atmosphérique

shelf extender (En) :
prolongateur de rayon

shell (En) :
coquille ;
décoqueur

sheltered workshop (En) :
atelier protégé

shelter woodcutting (En) ;
shelter wood-felling (En) :
coupe d'abri

shett former (En) ;
shett mold (En) ;

shett mould (En) :
formette

shielding (En) :
coconnage

shiftable (En) :
ripable

shifting (En) :
décalage axial

shift register (En) :
registre à décalage

shock-resistant (En) :
super-choc

shoe colter (En) ;
shoe coulter (En) :
botte

shopping mall (En) :
promenée

short specs registration (En) :
calepinage

short title (En) :
titre abrégé

shot-blasting machine (En) :
grenailleuse

shot panning (En) :
martelage superficiel

shovel dozer (En) :
tractopelle

shovelman (En) ;
shovel operator (En) :
pelleur

showcase (En) :
îlot de vente

shower bath (En) :
douchière

shrink (En) ;
shrinkable (En) :
thermorétractable

shrinkage joint (En) :
joint-diapason

shrink tunnel (En) :
four borgne

shrink wrap (En) :
pelliplacage

shrink-wrapping machine (En) :
pelliplaqueuse

shuck (En) :
décoquer

shunt-Bypass, m (De) :
pontage

shutt off (En) :
coupure de circuits (à –)

shuttlecraft (En) :
navette

sialittisch (De) :
fersiallitique

siallitization (En) :
siallitisation

Sichern, n (De) :
assurage

(sich) nähern (De) :
approximer

Sichtbarkeitsmesser, m (De) :
visibilimètre

Sichtgerät, n (De) :
visuel

sickling (En) :
falciformation

side and end ramp (En) :
quai semi-périphérique ;
ponton

side-loading truck (En) :
chariot latéral

side platform (En) ;
side ramp (En) :
ponton

sideronuclear (En, Es) :
sidéronucléaire

sideslip (En) :
dérive

side wall (En) :
joue d'isolation

Siebdurchgang, m (De) :
tamisat

Siegelmaschine, f (De) :
scelleuse

Sievert, n (De) ;
sievert (En) :
sievert

Signalbündel, n (De) :
paquet

Signalformer, m (De) :
conformateur

Signalgeber, m (De) ;
signal injector (En) :
injecteur de signaux

silent signal (En) :
top artificiel

silo de almacenamiento (Es) :
silo de stockage

Silospeicher, m (De) :
premier entré, premier sorti

silo termometría (Es) ;
Silo-thermometrie, f (De) ;
silo thermometry (En) :
silothermométrie

silt plug (En) :
bouchon vaseux

simple gravity (En) :
gravité simple

simulación deductiva (Es) :
simulation déductive

simulación paralela (Es) :
simulation parallèle

simulated meat product (En) :
A.V.I.V.

sinaptogénesis (Es) :
synaptogénèse

sincrodetección (Es) :
synchrodétection

sincronotrónico (Es) :
synchrotronique

sincronumérico (Es) :
synchronumérique

sindesmocorial (Es) :
syndesmochorial

sinecológico (Es) :
synécologique

sine-cosine generator (En) :
résolveur

single-band (En) :
monobande

single control (En) :
monocommande

single industry (En) :
mono-industrie

single-layered (En) :
monocouche

single-sided (En) :
monoface

single-stranded (En) :
monocaténaire

single-word term (En) :
uniterme

sinitic (En) :
sinique

sinking agent (En) :
absorbant coulant

sinophon (De) :
sinophone

sinorógeno (Es) :
synorogéne

sinsedimentario (Es) :
synsédimentaire

sintectónico (Es) :
syntectonique

sintered (En) ;
sinterizado (Es) :
sintérisé

Sinterungsfachmann, m (De) :
fritteur

Sinterwerkstoff, m (De) :
cermet

sintesis de apertura (Es) :
synthèse d'ouverture

Sirupdosiermaschine, f (De) :
sirupeuse

sismotectónica (Es) :
séismotectonique

sismotectónico (Es) :
sismotectonique

sistema cuadrangular (Es) :
système quadrangulaire

sistema disipativo (Es) :
système dissipatif

sistema energético (Es) :
filière énergétique

sistema lineal (Es) :
système linéaire

sistema triangular (Es) :
système triangulaire

sisten (En) ;
sistens (En) :
sistens

site and service (En) :
trame d'accueil

site specificity (En) :
régio-spécificité

sitiologia (Es) :
sitologie

size (En) '
sizing (En) :
apprêture

Skateboard, n (De) ;
skateboard (En) ;
skate board (En) :
planche à roulettes

skateboarder (En) :
plancheur

skateboard park (En) :
planchodrome

skateboard rider (En) :
plancheur

Skibob, m (De) :
vélo-ski

skimmer (En) :
dépollueur

skin (En) :
derme

skinning (En) :
découennage

skinning-machine (En) :
épiauteuse

skin pack (En) :
pelliplaquer

skin packaging (En) :
pelliplacage

skin-packaging machine (En) :
pelliplaqueuse

skinpacking (En) :
pelliplacage

skirting (En) :
sous-jupe

Skotophobin, m (De) :
scotophobine

Skototaxie, f (De) :
skototaxie

skriptovisuell (De) :
scriptovisuel

sky radiation (En) :
rayonnement diffus

Skythologe, m (De) :
scythologue

slabber (En) :
dosseur

slack (En) :
lette

slave arm (En) :
bras-esclave

slave switch (En) :
discontacteur

sleep encephalogram (En) :
hypnogramme

slicer machine (En) :
portionneuse

slick-licker (En) :
dépollueur

slide book (En) :
dialivre

slide library (En) :
diathèque

sliding contact (En) :
contact glissant

sliding time (En) :
plage souple

slip stacking (En) :
entuilage

slope construction (En) ;
slope work (En) ;
sloping (En) :
talutage

sloping bed (En) :
costière

slot (En) :
créneau

slow-release fertilizer (En) :
engrais-retard

slug (En) :
déboutonnage

slumdweller (En) :
bidonvillien

slurry pipeline (En) :
hydrocarboduc

small cavity (En) :
cupule

small data-processing
systems (En) :
mini-informatique

smock mill (En) ;
smock windmill (En) :
panémone

Smog, m (De) ;
smog (En) :
brumée

smoke and heat vent (En) :
aérateur exutoire

smoke detector (En) :
détecteur ionique

smoked sheet (En) :
feuille fumée

smoke ejection (En) :
désenfumage

smoke meter (En) :
fumimètre

smoke removal (En) :
désenfumage

smoltification (En) :
smoltification

snack allowance (En) :
prime de panier

Snaking, n (De) ;
snaking (En) :
reptation ;
serpentage

snap-on (En) :
encliquetable

snarl (En) :
boucle

snout-drawer (En) :
arrache-tuyère

show air conveyor (En) :
transneige

snow blower (En) ;
snowblower (En) :
souffleuse

snow board (En) :
table à neige

snow conveyor (En) :
transneige

snow remover (En) :
déneigeuse

snow thrower (En) :
souffleuse

sobrepeso (Es) :
surpoids

sobreproducto (Es) :
surproduit

sobresuelo (Es) :
sursol

sociación (Es) :
sociation

social-cognitive (En) :
socio-cognitif

social dialects (En) :
sociolecte

sociation (En) :
sociation

sociatry (En) :
sociatrie

societal (En) :
sociétal

socioaffective (En) :
socio-affectif

sociobiologia (Es) ;
sociobiology (En) :
sociobiologie

socioecologia (Es) ;
socioecology (En) :
socio-écologie

socioenvironmental (En) :
socio-environnemental

socion (En) ;
soción (Es) :
socion

Sockelbauer, m (De) :
socleur

sodar (En) :
sodar

sodiocalcic (En) :
sodocalcique

soffione (En) :
gros souffle

soffione (En) ;
sofión (Es) :
gros souffle

sofrólogo (Es) :
sophrologue

soft architecture (En) :
architecture textile

soft base (En) :
base molle

soft chemistry (En) :
chimie douce

soft drink (En) :
boisson rafraîchissante

softener (En) :
plastificateur

soft energy (En) :
énergie douce

soft rays (En) :
X mous

soft soldering (En) :
brasage tendre

software (En) :
logiciel

software package (En) ;
Softwareprodukt, n (De) :
progiciel

soft X rays (En) ;
soft X-rays (En) :
X mous

soil profile (En) :
profil pédologique

solar architecture (En) :
hélio-architecture

solarchitecture (En) :
solarchitecture

Solarchitektur, f (De) :
hélio-architecture

solar collector (En) :
héliocapteur

solar constant (En) :
constante solaire

solar energy (En) :
houille d'or

solare Neutrinodeinkeit, f (De) :
U.S.N.

solar engineering (En) :
hélio-ingénierie

solar eyeball (En) :
hélioculaire

Solarflachkollektor, m (De) :
capteur solaire plan

solar furnace (En) :
chaudière solaire

solar heating engineer (En) :
héliothermicien

solarización (Es) :
solarisation

solarizado (Es) :
solarisé

Solarkonstante, f (De) :
constante solaire

solar neutrino unit (En) :
U.S.N.

solar technician (En) ;
Solartechnicker, m (De) :
héliotechnicien

solarthermisch (De) :
thermo-hélioélectrique

Solar-Tower-Kraftwerk, n (De) :
centrale à tour

Solarzelle, f (De) :
héliocapteur

soldering (En) :
brasage tendre

Soleau enveloppe (En) :
enveloppe Soleau

solid bridge (En) :
pont solide

solid cone (En) :
cône plein

solid electrolyte (En) :
superconducteur ionique

solid film lubricant (En) ;
solid lubricant film (En) :
vernis de glissement

solid solution (En) :
solution solide

solitary wave (En) ;
solitón (Es) :
soliton

Sollbruchlinie, f (De) :
ligne de rupture

solo (En) :
solo (en −)

solodisiert (De) ;
solodizado (Es) ;
solodized (En) :
solodisé

solucion sólida (Es) :
solution solide

solvatar (Es) ;
solvate (En) ;
solvatisieren (De) :
solvater

solvent extraction (En) :
extraction liquide-liquide ;
séchage ;
désolvation

solvoacidity (En) :
solvoacidité

solvólisis (Es) :
Solvolyse, f (De) ;
solvolysis (En) :
solvolyse

somatostatin (En) :
somatostatine

somatotopic (En) ;
somatotopisch (De) :
somatotopique

sonda lógica (Es) :
sonde logique

sondeo magnético diferencial (Es) :
sondage magnétique différentiel

sondeo magnético profundo (Es) :
sondage magnétique profond

Sonderziehungsrecht, n (De) :
D.T.S.

sonication (En) :
sonification

sonic block (En) ;
sonic blocking (En) ;
sonic cutoff (En) :
blocage sonique

sonic detector (En) :
détecteur microphonique

sonificación (Es) :
sonification

Sonnen– (De) :
solaire

Sonnenarchitektur, f (De) :
hélio-architecture

Sonnenbestrahlung, f (De) ;
Sonneneinstrahlung, f (De) :
gisement solaire

Sonnenkessel, m (De) :
chaudière solaire

Sonnenschutz, m (De) :
ombrière

Sonnensegel, n (De) :
voile solaire

Sonnenwärmespezialist, m (De) :
héliothermicien

sonomanometria (Es) ;
sonomanometry (En) :
sonomanométrie

Sonotrode, f (De) ;
sonotrode (En) :
sonotrode

Sophrologie, f (De) :
sophrologie

sophrologist (En) :
sophrologue

sophrology (En) :
sophrologie

sophronical (En) :
sophronique

Sophronierung, f (De) :
sophronisation

sophronisch (De) :
sophronique

sophronization (En) :
sophronisation

Sorbat, n (De) ;
sorbate (En) :
sorbat

Sorbens, n (De) ;
sorbent (En) ;

Sorptionsmittel, n (De) :
sorbant

S.O.S. (En) :
S.S.I.

sound (En) :
traict

sound detector (En) :
détecteur microphonique

sound film (En) :
double bande

sound-film (En) ;
sound-on-film (En) :
son direct

sound page (En) :
écritoire sonore ;
page sonore

soundproofing (En) :
débruitage

soundscape (En) :
paysage sonore

sound signal (En) :
top naturel

sound-trap (En) :
piège à sons

sovereign thesis (En) :
souverainisme

Sozialmedizin, f (De) :
sociatrie

Sozial– und Umwelt– (De) :
socio-environnemental

Soziation, f (De) :
sociation

Soziatrie, f (De) :
sociatrie

Soziobiologie, f (De) :
sociobiologie

sozio-emotional (De) :
socio-affectif

sozio-kognitiv (De) :
socio-cognitif

Sozion, f (De) :
socion

Sozioökologie, f (De) :
socio-écologie

space division (En) :
commutation spatiale

space dyeing (En) :
teinture espacée

space solar (En) :
héliospatial

space station (En) :
cosmogare

Spallations– (De) ;
spallative (En) :
spallatif

Spaltalgenzelle, f (De) :
cyanelle

Spalten, f (De) :
rayure

Spanglish (En) :
spanglais

Spannungsrißmesser, m (De) :
tensio-fissuromètre

spark chamber (En) :
chambre à étincelles

spasticity (En) ;
Spastizität, f (De) :
spasticité

spatial frequency (En) :
fréquence spatiale

Spatiierung, f (De) :
cadratinage

spättektonisch (De) :
tarditectonique

Spätwinter, m (De) :
finihivier

special effects man (En) :
truquiste

specialist in the quaternary (En) :
quaternariste

specialized terminal (En) ;
special-purpose terminal (En) :
terminal spécialisé

specification (En) :
titre

specific choice (En) :
option approfondie

specific dynamic action (En) :
extra-chaleur

speck (En) :
poivre

speckling (En) :
poivrage

spectral rain-gauge (En) :
spectropluviomètre

spectroradiometer (En) :
spectroradiomètre

speech synthesizer (En) :
synthétiseur de parole(s)

Speicherkarte, f (De) :
mémocarte

Speicherplatte, f (De) :
disquette

Speicherring, m (De) :
anneau de stockage

Spektralmeßgerät, n (De) :
spectrocolorimètre

Spektroradiometer, n (De) :
spectroradiomètre

spektrozonal (De) :
spectrozonal

spermatology (En) :
spermologie

spermovelocimeter (En) ;
Spermovelozimeter, n (De) :
spermovélocimètre

Spezialgas, n (De) :
gaz spécial

Spezialist, m, für
Audiometrie (De) :
audiométriste

spezifischer Piezowi-
derstand, m (De) :
piézo-résistivité

spherocrystal (En) :
sphérocristal

spheroidal graphite cast
iron (En) :
fonte G.S.

Spiegelbau, m (De) :
immeuble-miroir

Spielzeugbank, f (De) :
joujouthèque

spindle (En) :
fusorial

spin-glass (En) :
verre de spins

Spinor, m (De) ;
spinor (En) :
spineur

Spiralarm, m (De) ;
spiral arm (En) :
bras spiral

spiral winder (En) :
spiraleuse

Spiroplasma, n (De) ;
spiroplasma (En) :
spiroplasme

Spitze, f (De) :
pic

Spitzenweite, f (De) :
entre pointes

splashing (En) :
giclage

split brain (En) :
cerveau dédoublé

Spoiler, m (De) ;
spoiler (En) :
déporteur ;
spoiler

spoken signature (En) :
pictonoms

sponge iron (En) :
préréduit

spongiform (En) :
spongyforme

spongiophage (En) :
spongiophage

spontaneous combustion (En) :
autocombustion

sporal (En) ;
Sporen— (De) :
sporal

sporoblastogenesis (En) :
sporablastogénèse

spotting (En) :
microrragie

spout (En) :
tête de remplissage ;
bec

Sprachausgabe, f (De) :
réponse vocale

Sprachmittler, m (De) :
translateur

Sprachsynthetisiergerät, n (De) :
synthétiseur de parole(s)

Sprachverschlüsseler, m (De) :
cryptophone

Sprachverschlüsselung, f (De) :
cryptophonie

Sprachverschlüsselungs-
gerät, n (De) :
cryptophone

sprag (En) :
haricot

spray-painting (En) :
pistolage

spray quenching (En) :
ébullition larvée

spreader (En) ;
spread roll (En) :
rouleau déplisseur

Sprechblase, f (De) :
phylactère

Spricherplatz, m (De) :
adresse

Springer, m (De) :
volante

spring (thermal—) (De) :
exurgence

sprinkler (En) :
asperseur

Spritzanstrich, m (De) :
pistolage

Spritzbeton, m (De) :
béton projeté

Spritzpistolenarbeiter, m (De) :
pistoleur

Spritzputz, m (De) :
enduit tyrolien

Sprühmaschine, f (De) :
vaporiseuse

spunbonded (En) :
filé-lié

squelch (En) ;
squelch circuit (En) :
silencieux de recherche

S.S.R.-Störunterdrücker, m (De) :
défruiteur

Stab-Rohrmethode, f (De) :
méthode barreau, tube

stack (En) :
pile

stackability (En) :
gerbabilité

stackable (En) :
gerbable

stacker-crane (En) :
pont-gerbeur

stacking (En) :
andainage

stacking stillage (En) :
praticable

Stadtbus, m (De) :
transbus

Stadterosion, f (De) :
érosion urbaine

Stadtgefüge, m (De) :
tissu urbain

stadtische Umweltbe-
lastung, f (De) :
pollution urbaine

staggering (En) :
décalage

stagnant rinse (En) :
rinçage mort

Stahl, m, mit Ebonit-
überzug, m (De) :
acier ébonité

staling (En) :
rassissage

stalking (En) :
dégrappage

Stallweide, f (De) :
zéro-pâturage

Stammesname, m (De) :
ethnonyme

Stammlösung, f (De) :
liqueur mère

Stammwendevorrichtung, f (De) :
tourne-grumes

Stampfausgleichsystem, n (De) :
antipilonnement

stampfen (De) :
pilonner

Stampfen, n (De) :
pilonnement

stamping machine (En) :
timbreuse

Stand, m (De) :
portatif

standard converter (En) :
transligneur

standard pace (En) ;
standard rating (En) :
allure-étalon

standard propagation (En) :
propagation standard

stand basal area (En) :
surface terrière

Ständer— (De) :
statorique

Standzeit, f (De) :
abrasivité

stapelbar (De) :
gerbable

Stapelbetrieb, m (De) :
traitement par lots

Stapelfähigkeit, f (De) :
gerbabilité

Stapel-Laufkran, m (De) :
pont-gerbeur

Stapelpackung, f (De) :
lité

Stapelung, f (De) :
andainage

Stapelverarbeitung, f (De) :
traitement par lots

star (En) :
astérié

starter (En) :
inducteur

starting device (En) :
machine-départ

Startplattform, n (De) :
aire de lancement

start/stop controller (En) :
chronautographe

Start— und Landeplatz, m (De) :
aérosurface

states' right (En) :
souverainisme

static indeterminacy (En) :
hyperstatisme

static loss (En) :
perte statique

static storage (En) :
mémoire statique ;
stockage statique

static transformation (En) :
transformation statique

stational (En) :
stationnel

stationary (En) :
stationnaire

statischer Speicher, m (De) :
  mémoire statique
statische Überbe-
stimmung, f (De) :
  hyperstatisme
statistical multiplexing (En) :
  multiplexage statistique
statistography (En) :
  statistographie
stative (En) :
  statif
Statolith, m (De) :
  otocône
Stator– (De) ;
stator (En) :
  statorique
statoscope (En) :
  statoscope
Status, m, eines Emeritus (De) :
  éméritat
Staubdlichtemesser, m (De) :
  pulvérimètre
Stauben, n (De) :
  poussiérage ;
  poudrage
Staubhaufen, m (De) :
  gâteau de poussière
Staustrahlrakete, f (De) :
  statofusée
steam and vacuum sealing (En) :
  vide-vapeur
steam cracking (En) :
  vapocraquage
steam-cracking unit (En) :
  vapocraqueur
Steamkracken, n (De) :
  vapocraquage
Steatomerie, f (De) ;
steatomery (En) :
  stéatomérie
steckbar (De) :
  débrochable
steel sheet piles (En) ;
steel sheet piling (En) :
  palfeuilles
Steg, m, über Talsperre (De) :
  passe-pied
Stehsitz, m (De) :
  assis debout
Steineichenwald, m (De) :
  yeuseraie
stellarator (En) :
  stellarateur
stellata (Es) :
  astérié
Stelzenschlepper, m (De) :
  enjambeur
stemma (En) :
  stemma
stemmer (En) :
  équeuteuse
stenophag (De) ;
stenophagous (En) :
  sténophage
stenotop (De) ;
stenotopic (En) :
  sténotope

Stenotopie, f (De) ;
stenotopy (En) :
  sténotopie
stenotropic (En) :
  sténotope
step-by-step motor (En) :
  moteur pas à pas
step index (En) :
  saut d'indice (à –)
stereochemische
  Spezifität, f (De) :
  stéréospécificité
stereology (En) :
  stéréologie
stereo-pipeline (En) :
  stéréoduc
stereoregularity (En) :
  stéréorégularité
stereoroentgenometry (En) ;
Stereoröntgengrammetrie, f (De) :
  stéréoroentgengrammétrie
stereoselectivity (En) :
  stéréosélectivité
stereospecificity (En) :
  stéréospécificité
steroidogen (De) :
  stéroïdogène
Steroidogenese, f (De) ;
steroidogenesis (En) :
  stéroïdogenèse
steroidogenic (En) :
  stéroïdogène
Steuerbarkeit, f (De) :
  commandabilité
Steuerbus, m (De) :
  bus de contrôle
(Steuer–) Schalter, m (De) :
  discontacteur
Steuerschieber, m (De) :
  tiroir de distribution
steuern (De) :
  piloter
Stichovit, n (De) :
  stishovite
sticker (En) :
  autocollant
sticking to 1 (En) :
  défaut de collage à 1
sticking to O (En) :
  défaut de collage à O
Stickstoffentzug, m (De) :
  dénitrogénisation
Stiege, f (De) :
  canadienne
Stigmator, m (De) ;
stigmator (En) :
  stigmateur
stillroom lady (En) :
  officière
stilt tractor (En) :
  enjambeur
stimulated recovery (En) :
  récupération assistée
stimulation (En) :
  regonflage
sting (En) :
  balance-dard

stipendiary (En) :
  cachetier
stipoverite (En) :
  coésite
stirrer (En) :
  brassoir ;
  brasseur
stirring device (En) :
  vaqueur
stirrup strap (En) :
  gerberette
stishovite (En) :
  coésite ;
  stishovite
stock option plan (En) :
  plan d'option sur titres
Stoffwechselstörung, f (De) :
  dysmétabolie
stolport (En) ;
STOLport (En) :
  adacport
stone-crusher (En) :
  brise-roche
stoneware (En) ;
stoneware clay (En) :
  grésant
stoniness (En) :
  pierrosité
stoodge (En) :
  compère
Stop and Go, n (De) ;
stop-go (En) :
  coups d'accordéon
storage (En) :
  garde
storage plant (En) :
  usine lac
storage ring (En) :
  anneau de stockage
storage silo (En) :
  silo de stockage
Störungsmessung, f (De) :
  perturbographie
Störungsschreiber, m (De) :
  perturbographe
Strahldiffusor, m (De) :
  éjecto-diffuseur
strahlenhärtbar (De) :
  radiodurcissable
Strahlenkonservierung, f (De) :
  raduration
Strahlströmung, f (De) :
  courant-jet
Strahlungsbilanz, f (De) :
  bilan radiatif
Strahlungsgleichgewicht, n (De) :
  équilibre radiatif
straight binary (En) :
  binaire pur
strand (En) :
  médiolittoral
Strangenvorschub, m (De) :
  embarreur
strap (En) :
  étrier
strapping (En) :
  banderolage ;
  enrubannage

strapping dispenser (En) :
lance-feuillard
strapping machine (En) :
cercleuse
Straßenöl, n (De) :
bitume fluxé
Stratosphärenballon, m (De) :
stratodyne
stratospheric aerosol layer (En) :
couche de Junge
stratospheric balloon (En) :
stratodyne
Streckenfärbung, f (De) :
teinture espacée
Streichen, n, von
Haushaltsmitteln (De) :
échenillage
stress deviator (En) :
déviateur de contraintes
stressing (En) :
stressant
stria (En) ;
striation (En) :
striure
string (En) :
chaîne
stringer (En) :
filonnet
strip (En) :
décoquer ;
bande photographique
strip development (En) :
doigts de gants
strippable (En) :
pelable ;
démasclable
strip packaging (En) :
emballage au mètre
stripper (En) :
tire-veine ;
éplucheur ;
décocheuse
stripping (En) :
éraflage ;
démétallisation
stripping machine (En) :
décocheuse
strobe photography (En ;
stroboscopic photography (En) ;
Stroboskopphotographie, f (De) :
strobophotographie
stromal (En) ;
stromatic (En) ;
stromatolytisch (De) :
stromatolithique
Strömungs– (De) ;
Strömungsmeß– (De) :
courantométrique
Strömungsmessung, f (De) :
courantométrie
Strömungstechnik, f (De) :
fluidique
structural analogue (En) :
analogue structural
Strukturfestiger, m (De) :
texturant
strukturgleich (De) :
isostructural

Strunkbeseitigung, f (De) :
éraflage
Stückzeit, f (De) :
bloc de temps
Stückzeitberechner, m (De) :
stémiste
stuffed (En) :
embossé
stuffing machine (En) :
inséreuse
stumping (En) :
étrognage
stylolite developement (En) ;
stylolite formation (En) ;
Stylolithbildung, f (De) ;
stylolitization (En) :
stylolitisation
stylus printer (En) :
imprimante à mosaïque
styroblock (En) :
styrobloc
Styrol-Acrylnitril-
Mischpolimerisat, m (De) :
S.A.N.
Styroltopf, m (De) :
styrobloc
subantarctic (En) ;
subantarktisch (De) :
subantarctique
subclinical (En) :
infraclinique
subcompact (En) :
sub-compacte
sub-conjunto nebuloso (Es) :
sous-ensemble flou
subglacial (En) ;
subglaciar (Es) :
infraglaciaire
Subkompaktwagen, m (De) :
sub-compacte
submerged arc welding (En) :
soudage à arc non-apparent
Subminiatur– (De) ;
subminiatura (Es) ;
sub-miniature (En) :
sous-miniature
subneolithic (En) ;
subneolitico (Es) :
subnéolithique
suboxidische Form, f (De) :
forme réduite
subprotonic (En) ;
subprotónico (Es) :
subprotonique
subreprecio (Es) :
surprix
subsidente (Es) :
subsident
subsoil trenching machine (En) :
trancheuse sous-soleuse
substance (En) ;
substance number (En) :
grammage
Substantivität, f (De) ;
substantivity (En) :
substantivité
substitute (En) :
substitut

substitution (En) :
réservation
substraendo (Es) :
diminuteuse
subsurface (En) :
subsurface
sub-system (En) :
filière énergétique
Subtrahend, m (De) ;
subtrahend (En) :
diminuteur
suburbanization (En) ;
suburbianización (Es) :
banlieusardisation
succulent plant (En) :
plante molle
suck and blow method (En) :
aspiré-soufflé
sucker removal (En) :
égourmandage
sucroquimica (Es) :
sucrochimie
suction accumulator (En) :
bouteille anti-coup de liquide
suction fan (En) :
moto-ventilateur
sueño de ondas lentas (Es) :
sommeil à ondes lentes
sueño sismico (Es) :
sommeil sismique
sugar chemistry (En) :
sucrochimie
sugestionología (Es) :
suggestologie
Suggestionspädagogik, f (De) :
suggestopédie
suggestionspädagogisch (De) :
suggestopédique
Suggestologie, f (De) ;
suggestology (En) :
suggestologie
suggestopaedia (En) :
suggestopédie
suggestopaedic (En) :
suggestopédique
suicide (En) :
suicidant
sulfhidrización (Es) :
sulfhydrisation
Sulf-inuziert (De) ;
sulfinuz-treated (En) :
sulfinuzé
sulfooxidación (Es) ;
Sulfoxidation, f (De) :
sulfoxidation (En) :
sulfoxydation
sumenoto (Es) ;
Summand, m (De) :
addende
summit (En) :
sommital
summital (En) :
summital
sun gear (En) :
solaire
sun-heated house (En) :
maison solaire

superaceleración (Es) :
suroccélération

superbacteria (Es) ;
superbacterium (En) ;
Superbakterie, f (De) :
super-bactérie

supercalendering (En) :
micro-glissement

superchaged (En) :
turbochargé

supercluster (En) :
super-amas

supercomputing (En) :
grosse informatique

supercooled water (En) :
eau super refroidie

supercritical wing (En) ;
supercritical wing profile (En) :
aile supercritique

superdominància (Es) :
superdominance

superdotado (Es) :
surdoué

superego (En) :
surmoïque

superficial cornification (En) :
cornification superficielle

superfinishing (En) :
micropolissage

Superfluidität, f (De) :
superfluidity (En) :
suprafluidité

superfrac (En) :
superfrac

supergalaxia (Es) ;
Supergalaxis, f (De) ;
supergalaxy (En) :
supergalaxie

supergene (En) ;
supergénico (Es) :
supergène

supergranulación (Es) ;
supergranulation (En) :
supergranulation

supergranule (En) :
supergranule

Superhaufen, m (De) :
super-amas

superhighway vehicle (En) :
autoroutière

superhybridization (En) :
surhybridation

Superionenleiter, m (De) :
superconducteur ionique

superior (En) :
supère

superkritischer Flügel, m (De) :
aile supercritique

Superöffnungssynthese, f (De) :
supersynthèse d'ouverture

superordenado (Es) ;
superordered (En) :
superordonné

superplastic (En) :
superplastique

superplasticidad (Es) ;
superplasticity (En) :
superplasticité

superplastisch (De) :
superplastique

Superplastizität, f (De) :
superplasticité

superposed arc (En) :
arc superposé

supersign (En) ;
supersigno (Es) :
supersigne

superstoßfest (De) :
super-choc

supersufficiency disorder (En) :
maladie de surcharge

superwet combustion (En) :
combustion sursaturée

support cradle (En) :
berceau

supporting capacity (En) :
portance

supporting wall-unit (En) :
barrette

support vessel (En) :
vaisseau de support

Supraleiter, m (De) :
hyperconducteur

supralitoral (De, Es) ;
supralittoral (En) :
supralittoral

supraoptic center (En) ;
supraoptic centre (En) ;
supraoptisches Zentrum, n (De) :
centre supraoptique

surbooking (En) :
surréservation

surface-active agent (En) :
agent de surface

surface aeration (En) :
aération de surface

surface aerator (En) :
aérateur de surface

surface coating (En) :
lasure

surface collection agent (En) :
repousseur

surface leakage (En) :
perlage

surface tension modifier (En) :
repousseur

surfactant (En) :
agent de surface

Surfactant, m (De) ;
surfactant (En) :
surfactant

Surfkrett, n (De) :
planche à voile

surplus materials exchange (En) :
bourse de déchets

surveillance radar (En) :
radar de gardiennage

suspended ceiling (En) :
sous-plafond

Süße, f (De) :
sucrosité

Süßwasserkultur, f (De) :
dulçaquiculture

Swahili-speaking (En) :
swahiliphone

Swap, m (De) ;
swap (En) :
crédit croisé

swaping guide (En) :
guide-balayage

swarm (En) :
essaim

sweating (En) :
brasage tendre

sweetness (En) :
sucrosité

swing arm (En) :
bras plongeant

Swing-by, n (De) ;
swing-by (En) :
gravicélération ;
gravidéviation ;
rebond gravitationnel

swingmeter (En) :
excursiomètre

S.W.U. (En) :
U.T.S.

symbion (En) ;
Symbiont, m (De) ;
symbiont (En) :
symbion

Symbiose, f (De) :
symphitie

symbolisches Kapital, n (De) :
capital symbolique

Sympatrie, f (De) ;
sympatry (En) :
sympatrie

symphysis (En) ;
Symphytie, f (De) :
symphitie

Synaptogenese, f (De) ;
synaptogenesis (En) :
synaptogénèse

Synchronaufnahme, f (De) :
son direct

Synchronisator, m (De) :
conjugateur

synchroposition
measurement (En) :
synchrodétection

synchro resolver (En) :
résolveur

synchro-to-digital (En) :
synchronumérique

Synchrotron− (De) ;
synchrotron (En) :
synchrotonique

Synchrotronstrahlung, f (De) :
rayonnement synchroton

syndesmochorial (En) :
syndesmochorial

syndication (En) :
syndication

synecologic (De) ;
synecological (En) :
synécologique

Syneklise, f (De) :
synéclise

Synergetikum, n (De) :
synergiste

synergetische Heizung, f (De) :
chauffage synergétique

syngeneic graft (En) ;
syngeneic homograft (En) :
   isogreffe
Syn-Hyponym, n (De) :
   cohyponyme
synkinematic (En) :
   syntectonique
synorogen (De) :
   synorogène
synsedimentär (De) ;
synsedimentary (En) :
   synsédimentaire
syntactic analyzer (En) :
syntaktische Analyse, f (De) :
   analyseur syntaxique
syntaktische Analyse, f (De) :
   syntaxicalisation
syntectonic (En) ;
syntektonisch (De) :
   syntectonique
Syntexie, f (De) ;
syntexis (En) :
   syntexie
synthetically-insulated
cable (En) :
   câble sec
synthetic effect (En) :
   effet synthétique
synthetisches Papier, n (De) :
   plapier
Synthon, n (De) ;
synthon (En) :
   synthon
syntoxic (En) ;
syntoxisch (De) :
   syntoxique
Syntyp, m (De) ;
syntype (En) :
   syntype
syruper (En) :
   sirupeuse
Systemanalyse, f (De) :
   analyse de système
Systemanalytiker, m (De) :
   analyste fonctionnel ;
   ingénieur système
systematic nature (En) ;
Systematizität, f (De) :
   systématicité
system designer (En) :
   analyste organique
systemic (En) ;
systemisch (De) :
   systémique
Systemplaner, m (De) :
   ingénieur système
Systemprogramm, n (De) :
   programme système
systems analysis (En) :
   analyse de système
systems analyst (En) :
   analyste fonctionnel
systems engineer (En) :
   ingénieur système
systems network
architecture (En) :
   architecture unifiée de réseau

Systemsoftware, f (De) :
   logiciel d'exploitation
systems-program (En) ;
systems-programme (En) :
   programme système
System, n, zur Gewinnung von
Meeresdaten (De) :
   S.A.D.O.
Szintillationskamera, f (De) :
   gamma-caméra

T

Tabakanbauer, m (De) :
   tabaculteur
tabicado (Es) :
   encloisonné
tablado flotante (Es) :
   plancher flottant
table (En) ;
tabulate (En) :
   tableauter
tachylalia (En) ;
Tachylalie, f (De) :
   tachylalie
tachypsychia (En) :
   tachypsychie
tack (En) :
   pouvoir piégeant
tacografia (Es) :
   tacographie
tacógrafo (Es) ;
tacograph (En) :
   tacographe
Tacographie, f (De) :
   tacographie
tactile key (En) :
   touche tactile
tafonomia (Es) :
   taphonomie
Tagesklinik, f (De) :
   hôpital de jour
Tageslichtprojektor, m (De) :
   rétroprojecteur
tail-biting (En) :
   caudophagie
tailboard lift (En) :
   hayon élévateur
take-away unit (En) :
   tireuse
Talsperrenkraftwerk, n (De) :
   usine lac
tama (En) :
   tama
tanático (Es) :
   thanatique
tanatocenosis (Es) :
   thanatocénose
tanatopraxis (Es) :
   thanatopraxis
tangential impedance (En) ;
Tangentialwiderstand, m (De) :
   impédance tangentielle

Tankstelle, f (De) :
   essencerie
Tankwart, m (De) :
   essencier
tanning (En) :
   tannage
tape library (En) :
   bandothèque
taper (En) :
   enrubanneuse
tape tin (En) :
   bandothèque
Taphonomie, f (De) ;
taphonomy (En) :
   taphonimie
taphrogenesis (En) ;
taphrogeny (En) :
   taphrogenèse
taquilalia (Es) :
   tachylalie
taquipsiquia (Es) :
   tachypsychie
tarditectónico (Es) :
   tarditectonique
target cell (En) ;
target corpuscle (En) :
   cellule-cible
tarjeta codificada (Es) :
   carte de codage
tarsiiformes (En) :
   tarsiiforme
tasa de cicatrización (Es) :
   taux de cicatrisation
Taschenbildung, f (De) :
   claquage
Taschenrechner, m (De) :
   calculette
taser public defender (En) :
   taser
Tastspeicherschaltung, f (De) :
   échantillonneur bloqueur
Tau, n (De) ;
τ (En) ;
tau (En) :
   tau (τ)
tau (En) ;
Tau– (De) :
   tauìque
Taucher-Transport-
Uboot, n (De) :
   porte-plongeur ;
   crache-plongeur
tau lepton (En) :
   tau (τ)
taulikeness (En) :
   tauicité
taungya system (En) :
   taungya
tax-free shop (En) :
   boutique franche
taxi (En) ;
taxiing (En) :
   mouvement
taxoentropia (Es) ;
Taxoentropie, f (De) ;
taxoentropy (En) ;
taxonomic entropy (En) :
   taxoentropie

Tchadic (En) :
tchadique

T.C.I.D. 50 (De) :
dict 50

tear tester (En) :
déchiromètre

Technästhesie, f (De) :
technesthésie

techneme (En) :
technème

technische Arbeits-
fähigkeit, f (De) :
exergie

technische Zelle, f (De) :
alvéole technique

technologische
Morphologie, f (De) :
technomorphologie

technology assessment
specialist (En) ;
technology assessor (En) :
prospectiviste

technomorphology (En) :
technomorphologie

technophil (De) :
technophile

technostructure (En) :
technostructure

teclado óptico (Es) :
clavier optique programmé

técnico agrícola (Es) :
agrotechnicien

tectonician (En) :
tectonicien

tectonización (Es) ;
tectonization (En) :
tectonisation

tefrocronología (Es) :
tephrochronologie

Teigwarenherstellung, f (De) :
pastification

Teilchenfluenz, f (De) :
fluence

Teilnehmerbetrieb, m (De) :
partage de temps

teilungsfähig (De) :
méristématique

Tektoniker, n (De) :
tectonicien

Tektonisierung, f (De) :
tectonisation

teleacción (Es) :
téléaction

telecentro (Es) :
télécentre

teleconference (En) :
téléconférence

teleconference room (En) :
télécentre

telecontrollable (En) :
téléréglable

teledocumentación (Es) ;
teledocumentation (En) :
télédocumentation

telefilm (En, Es) ;
téléfilm

teleinformática (Es) :
téléinformatique

telelector (En) :
télélecteur

telelupa (Es) :
téléloupe

telemanipulación (Es) :
télémanipulation

telémetro (Es) :
télémètre-illuminateur

telémetro de nubes (Es) :
télémètre de nuages

telemicroscope (En) ;
telemicroscopio (Es) :
télémicroscope

teleoperación (Es) :
téléopération

teleoperator (En) :
téléopérateur

teleprocessing (En) :
télégestion ;
téléinformatique

teleprompter (En) :
téléprompteur ;
prompteur

teleradiothermic (En) :
téléradiothermique

telerail (En) :
télérail

teleregulable (Es) :
téléréglable

telereprografía (Es) ;
Telereprographie, f (De) ;
telereprography (En) :
téléréprographie

telescometer (En) :
télescomètre

telescoping (En) :
télescopage

telesimbiótica (Es) :
télésymbiotique

Telespiel, n (De) :
télé-jeu ;
jeu vidéo

telesymbiotics (En) ;
Telesymbiotik, f (De) :
télésymbiotique

teletérmico (Es) ;
telethermal (De, En) ;
telethermometer (En) :
téléthermal

telethesis (En) :
téléthèse

televising (En) :
télévisualisation

televisión interactiva (Es) :
télévision interactive

teller's console (En) :
terminal bancaire

Tellertablett, m (De) :
plateau repas

temperate rain forest (En) :
laurisylve

temperature centralizer (En) :
centralisateur de température

temperature gauge (En) :
jauge de température

temperature-indicating
label (En) :
thermo-timbre

Temperaturleitfähigkeit, f (De) :
diffusivité

Temperaturmeßan-
ordnung, f (De) :
pochette panachée

Temperaturregler, m (De) :
airstat

Temperaturverwitte-
rung, f (De) :
thermoclastisme

Temperaturzentrali-
sator, m (De) :
centralisateur de température

temperer (En) ;
Temperieranlage, f (De) :
tempéreuse

Temperieren, n (De) ;
tempering (En) :
tempérage

tempering-machine (En) :
tempéreuse

tempering oven (En) :
four de revenu

tempo (En) :
allure

temporal multiplexage (En) :
multiplexage temporel

temporizado (Es) :
temporisé

tenacity test (En) :
essai de ténacité

tenderizing (En) :
attendrissage

tender plant (En) :
plante molle

T.E.P. (Es) :
T.E.P.

Teragon, n (De) ;
terágono (Es) :
téragone

teratogenicidad (Es) ;
teratogenicity (En) :
tératogénicité

tercermundista (Es) :
tiers-mondiste

terminación presináptica (Es) :
terminaison présynaptique

terminal bancario (Es) :
terminal bancaire

terminal board (En) :
bornier

terminal industrial (Es) :
terminal industriel

terminal strip (En) :
bornier

terminográfico (Es) :
terminographique

terminógrafo (Es) ;
Terminograph, m (De) ;
terminographer (En) :
terminographe

terminographic (En) :
terminographique

Terminographie, f (De) :
terminographie

terminographisch (De) :
  terminographique
terminographist (En) :
  terminographe
terminography (En) :
  terminographie
terminological unit (En) ;
  terminologische Einheit, f (De) :
  terminologisme
termistorizado (Es) :
  thermistorisé
termoadhesivo (Es) :
  thermocollable
thermoanemómetro (Es) :
  thermoanémomètre
termocapsulador (Es) :
  thermocapsuleur
termocinética (Es) :
  thermocinétique
termoclastia (Es) :
  thermoclastie
termoclastismo (Es) :
  thermoclastisme
termoconductor (Es) :
  thermoconducteur
termodilatable (Es) :
  thermodilatable
termoeconomia (Es) :
  thermoéconomie
termoelemento (Es) :
  thermoélément
termoestabilidad (Es) :
  thermostabilité
termoestatización (Es) :
  thermostatisation
termoformado (Es) :
  thermoformé
termóforo (Es) :
  thermophore
termofrigorifico (Es) :
  thermofrigorifique
termofusible (Es) :
  thermofusible
termogénesis (Es) :
  thermogénie
termogénico (Es) :
  thermogénique
termohalino (Es) :
  thermohalin
termohelioeléctrico (Es) :
  thermo-hélioélectrique
termohelioquimico (Es) :
  thermo-héliochimique
termoimpresión (Es) :
  thermo-impression
termoimpresora (Es) :
  thermo-imprimante
termooxidación (Es) :
  thermooxydation
termoperiodo (Es) :
  thermopériode
termoprotector (Es) :
  thermoprotecteur
termoreactor (Es) :
  thermoréacteur

termoremanente (Es) :
  thermorémanent
termoresistencia (Es) :
  thermorésistance
termoresistente (Es) :
  thermorésistant
termoruptor (Es) :
  thermorupteur
termosellable (Es) :
  thermoscellable
termosódico (Es) :
  thermosodique
termosoldadura (Es) :
  thermosoudure
termosoldar (Es) :
  thermosouder
termovisión (Es) :
  thermovision
terotechnology (En) :
  terotechnologie
terra armada (Es) :
  terre armée
terrestrisches Sonnens-
  pektrum, n (De) :
  fenêtre de transmission
territorial imperative (En) ;
  Territorialverhalten, n (De) :
  territorialisme
tertiäres Dokument, n (De) :
  document tertiaire
tertiary crushing (En) :
  gravillonnage
tertiary document (En) :
  document tertiaire
tester (En) :
  testeur
test frame (En) :
  masse d'épreuve
Tethyan (En) ;
Tethys (En) :
  mésogéen
tetraedrofonia (Es) ;
Tetraedrophonie, f (De) :
  tétraédrophonie
tetragamia (Es) ;
Tetragamie, f (De) ;
tetragamy (En) :
  tétragamie
tetragonalidad (Es) ;
Tetragonalität, f (De) ;
tetragonalness (En) :
  tétragonalité
tetraodont (En) :
  tétrodon
tetraparental (De, En) :
  tétraparental
Tetraphonie, f (De) :
  tétraphonie
tetraphony (En) :
  ambiophonie
Tetronix, f (De) :
  formateur
Textilarchitektur, f (De) :
  architecture textile
Textilmaschinenbedie-
  nerin, f (De) :
  soigneuse

textimage (En) :
  textimage
Texturanalyse, f (De) :
  analyse texturale
texturiser (En) :
  texturant
texturización (Es) :
  texturation
thanatic (En) :
  thanatique
thanatocoenose (En) ;
thanatocoenosis (En) :
  thanatocénose
thanatopraxis (En) :
  thanatopraxis
Thanatozönose, f (De) :
  thanatocénose
theonym (En) :
  théonyme
theophoric (En) ;
theophorous (En) :
  théophore
theoretical plane (En) ;
theoretical stage (En) ;
theoretischer Gleich-
  gewichtszustand, m (De) :
  étage théorique
theory of zero economic
  growth (En) ;
theory of zero growth (En) :
  zégisme
therapeutic theatre (En) :
  scénisation
thermal (De, En) :
  thermominéral
thermal (En) :
  téléthermal
thermal breakdown (En) :
  claquage thermique
thermal bridge (En) :
  pont thermique
thermal cutout (En) :
  thermorupteur
thermal desorption (En) :
  thermodésorption
thermal diffusivity (En) :
  effusivité
thermal fracture (En) :
  thermoclastisme
thermal noise (En) :
  bruit thermique
thermal oxidation (En) :
  thermooxydation
thermal point (En) :
  pointe thermique
thermal printer (En) :
  imprimante thermique
thermal print head (En) :
  thermo-imprimante
thermal radiation (En) :
  thermorayonnance
thermal rupture (En) :
  claquage thermique
thermal separator (En) :
  séparateur thermique
thermal switch (En) :
  thermorupteur

thermal waste (En) :
déchet thermique

thermic point (En) :
pointe thermique

thermische Brücke, f (De) :
pont thermique

thermischer Durchbruch, m (De) :
claquage thermique

thermisches Gerausch, n (De) :
bruit thermique

thermische Stabilität, f (De) :
thermostabilité

thermische Strahlung, f (De) :
thermorayonnance

Thermistor, m (De) :
thermorupteur

thermistoriert (De) ;
thermistorized (En) :
thermistorisé

Thermoanalyse, f (De) :
thermovision

thermocapsulator (En) :
thermocapsuleur

thermochemical solar (En) :
thermo-héliochimique

thermocline (En) :
mésolimnion

thermocompression (En) :
thermocompression

Thermodesorption, f (De) :
thermodésorption

thermodilatable (En) :
thermodilatable

thermodynamics (En) :
thermocinétique

thermoformable (En) :
thermoformable

thermoformed (En) :
thermoformé

thermoforming (En) :
thermoformage

thermofrigorific (En) :
thermofrigorifique

thermofusible (En) :
thermofusible

thermogen (De) :
thermogénique

thermogenesis (En) :
thermogénie

thermogenic (En) :
thermogénique

thermogrammed (En) :
thermoprogrammé

thermographic paper (En) :
thermopapier

thermohaline (En) :
thermohalin

thermokinetics (En) ;
Thermokinetik, f (De) :
thermocinétique

Thermolabilität, f (De) ;
thermolability (En) :
thermolabilité

Thermoleiter, m (De) :
thermoconducteur

thermomagnetic generator (En) ;
thermomagnetischer

Generator, m (De) :
générateur thermomagnétique

thermomechanical ground
pulp (En) :
pâte thermo-mécanique

Thermometerpapier, n (De) ;
thermometric paper (En) :
papier thermométrique

Thermooxidation, f (De) :
thermooxydation

Thermopapier, n (De) :
papier thermique

thermoperiod (En) ;
Thermoperiode, f (De) :
thermopériode

thermoprinting (En) :
thermo-impression

thermoprogrammiert (De) :
thermoprogrammé

thermoprotective (En) :
thermoprotecteur

thermoreader (En) :
thermolecteur

Thermorelais, n (De) ;
thermorelay (En) :
thermorelais

thermoremanent (En) :
thermorémanent

thermoresistance (En) :
thermorésistance

thermoresistant (En) :
thermorésistant

thermoretractible (En) :
thermorétractible

Thermoschaum, m (De) :
thermo-mousse

thermoset (En) :
thermomaturer ;
thermorigide

thermosetting plastic (En) :
thermorigide

thermosodic (En) :
thermosodique

thermostat (En) :
thermorelais

thermostaticren (De) :
thermostater

thermostating (En) ;
thermostatting (En) :
thermostatisation

thermoswitch (En) :
thermorupteur

thermovision (En) :
thermovision

theta wave (En) ;
Theta-wellen, f (De) :
ondes thêta

thick-film (En) ;
thick-film resistor (En) :
couche épaisse

thickness (En) :
puissance

thigmotherm (De) ;
thigmothermic (En) :
thigmotherme

thimble trap (En) ;
thimble-type trap (En) :
doigts de gants froids

third theater (En) ;
third theatre (En) :
tiers théâtre

third world, adj. (En) :
tiers-mondiste

thiosynthesis (En) :
thiosynthèse

thixotrop (De) ;
thixotropic (En) :
thixotropique

three-budded (En) :
trigemme

three-stage fractionater (En) :
tricapteur

three-way dump body (En) ;
three-way dump truck (En) ;
three-way tipper (En) ;
three-way tipping body (En) :
gyrabenne

threshold level (En) :
niveau-seuil

thrombocytic (En) :
plaquettaire

thrombogen (De) ;
thrombogenic (En) :
thrombogénique

thromboresistance (En) ;
Thromboresistenz, f (De) :
thromborésistance

Thylakoid, n (De) ;
thylakoid (En) :
thylakoïde

thymectomized (En) :
thymectonisé

thymoleptic (En) ;
Thymoleptikum, n (De) :
thymoleptique

thymopriv (De) ;
thymoprivic (En) ;
thymoprivous (En) ;
thymoprivus (De) :
thymiprive

thyristoriert (De) ;
thyristorized (En) :
thyristorisé

ticket agent (En) :
billetiste

ticketing (En) ;
ticket office (En) :
billetterie

tick mark (En) :
noisillure

Tick-removing (En) :
détiqueur

tidal marsh (En) :
salobre

Tiefschlaf, m (De) :
sommeil à ondes lentes

Tiefsttemperaturzer-
kleinerung, f (De) :
broyage cryogénique
cryobroyage

Tieftauchmodul, m (De) :
MIP

Tieftemperatur, f (De) :
cryo-température

Tieftemperatur-
elektrizität, f (De) :
  cryoélectricité
tiempo de respuesta (Es) :
  temps de réponse
tienda libre de impuestos (Es) :
  boutique franche
tigon (En) :
  tigron
tilacoide (Es) :
  thylakoïde
tilloid (En) ;
tiloide (Es) :
  tilloïde
tilting device (En) :
  inclineur
time and motion study
technician (En) :
  stèmiste
time base (En) :
  base de temps
timectomisado (Es) :
  tnymectomisé
time-distance (En) :
  dromochronique
time frame (En) :
  bloc de temps
time interval measu-
rement (En) :
  intervallométrie
Time-sharing, n (De) ;
time-sharing (En) :
  partage de temps ;
  temps partagé
time-stamped (En) :
  horodaté
time-stratigraphic (En) :
  chronostratigraphique
timing (En) :
  pseudo-temporel
timing machine (En) :
  chronocomarateur
timoléptico (Es) :
  thymoleptique
Tintenstrahlschreiber, m (De) :
  imprimante à jet d'encre
tiny parcel (En) :
  gratte
tiosintesis (Es) :
  thiossynthèse
tipificación (Es) :
  typification ;
  typologisation
tipogénico (Es) :
  typogénique
tip-on (En) :
  ordinacarte
tippling belt conveyor (En) :
  chantourneur
tirante (Es) :
  bretelle
tired light (En) :
  lumière fatiguée
Titelkamera, f (De) :
  banc-titre
titrator (En) ;
Titrierautomat, m (De) ;

Titriergerät, n (De) :
  titrateur
título abreviado (Es) :
  titre abrégé
título clave (Es) :
  titre-clé
tobacco grower (En) :
  tabaculteur
tobacéo (Es) :
  tufacé
tobiscope (En) ;
Tobiskop, n (De) :
  tobiscope
Tochtermolekül, n (De) :
  molécule-fille
T.O.E. (En) :
  T.E.P.
togetherness (En) :
  convivialité
toggle-joint suspension (En) :
  suspension-rotule
Tokamak, m (De) ;
tokamak (En) :
  tokamak
Toleranzenfestlegung, f (De) :
  tolérancement
toll-collector (En) ;
toller (En) ;
  péagier ;
  péagiste
Tomadose, f (De) ;
tomadose (En) :
  tomadose
tomoanalizador (Es) ;
Tomoanalysator, m (De) ;
tomoanalyzer (En) :
  tomoanalyseur
tomodensimetría (Es) ;
tomography (En) :
  tomodensimétrie
tomosintesis (Es) ;
Tomosynthese, f (De) ;
tomosynthesis (En) :
  tomosynthèse
Tonangler, m (De) :
  perchiste
Tonblatt, n (De) :
  écritoire sonore
Tondiapositiv, n (De) :
  diapositive parlante
tonética (Es) ;
tonetics (En) :
  tonétique
Tonfilm, m (De) :
  double bande
Tonschaum, m (De) :
  mousse d'argile
tooth space (En) :
  entredent
topato (En) :
  pomate
tope (Es) :
  butée
Topfglühofen, m (De) :
  four à pot
topicalisation (En) ;
topicalization (En) ;
Topikalisierung, f (De) :
  topicalisation

top killer (En) :
  défanant
topodema (Es) ;
topodeme (En) ;
  topodème
top-of-the-line (En) ;
top-of-the-range (En) :
  haut de gamme
topographic sociology (En) :
  toposociologie
topological transformer (En) :
  topocodeur
Topologe, m (De) ;
topologist (En) ;
topólogo (Es) :
  topologue
toposequence (En) ;
Toposequenz, f (De) :
  toposéquence
toposociology (En) ;
Toposoziologie, f (De) :
  toposociologie
topotactic (En) ;
topotáctico (Es) ;
topotaktisch (De) :
  topotactique
topothesiology (En) :
  sitologie
topotipo (Es) ;
Topotyp, m (De) ;
topotype (En) :
  topotype
torch brazing (En) :
  oxybrasage
torquemeter (En) :
  couplemètre
torre vigia (Es) :
  tour-vigie
torula (En) ;
Torula-Hefen, f (De) :
  torola
total body counter (En) :
  corpocompteur
total energy (En) :
  énergie totale
totalizing scale (En) :
  bascule intégratrice
Toten– (De) :
  thanatique
toter Raum, m (De) :
  volume mort
totipotencia (Es) ;
totipotency (En) ;
Totipotenz, f (De) :
  totipotence
Totspeicher, m (De) :
  mémoire morte
touch-control (En) :
  touche à effleurement
toughness test (En) :
  essai de ténacité
tower warehouse (En) :
  magasin-tour
toxicogenic (En) ;
toxigenic (En) :
  toxinogène
toximetro (Es) :
  toximètre

toxinbildend (De) :
toxinogène

Toxinbildung, f (De) ;
toxinogenesis (Es) ;
toxin production (En) :
toxinogénèse

toxofilia (Es) :
toxophilie

Toxoid, n (De) ;
toxoid (En) :
anavenin

toxophily (En) :
toxophilie

toy lending library (En) ;
toy library (En) ;
toy-library (En) :
joujouthèque ;
ludothèque

tracking (En) :
autopointé

tracking shot (En) :
ambulation

tracklayer (En) :
chenillard

traction (En) :
tractage

tracto-loader (En) :
tracto-chargeur

tractor (En) :
tracteur

tractor crane (En) :
auto-grue ;
tracto-grue

tractor loader (En) ;
tractor shovel (En) :
tractopelle

trafficability (En) ;
trafficableness (En) :
traficabilité

Tragband, n (De) :
collier

Tragbarkeit, f (De) :
portabilité

Tragbeton, m (De) :
béton porteur

tragendes Magnetfeld, n (De) :
coussin magnétique

Träger, m (De) :
porteur

Trägergas, n (De) :
gaz porteur

Trägerplatte, f (De) :
plaque-mère

träges Medium, n (De) :
moyen à inertie

Tragfähigkeit, f (De) :
portance

Traglagereinheit, f (De) :
pivoterie

trailer (En) :
maison-remorque

trailing vortex (En) :
tourbillon de sillage

training crane (En) :
grue école

training leave (En) :
congé-formation

Trainingszentrum, n (De) :
vitaparcours

trampa de sonido (Es) :
piège à sons

trance activo (Es) :
transe active

transborder (En) :
transfrontalier

transceiver (En) :
picophone

Transcontainer, m (De) ;
transcontainer (En) :
transconteneur

transculturación (Es) :
transculturation

transcultural (En) :
transculturel

transculturation (En) :
transculturation

transducción (Es) ;
transduction

transducing phage (En) :
phage transducteur

transduction (En) :
transduction

Transduktion, f (De) :
transfection

Transduktionsphage, m (De) :
phage transducteur

transfection (En) :
transfection

transferable (En) :
portable

transfer lettering (En) :
lettrage par transfert

transfer letters (En) :
lettres transfert

transferred arc (En) :
arc transféré

transformación dinámica (Es) :
transformation dynamique

transformación estática (Es) :
transformation statique

transexual (En) :
transsexuel

transfer arm pick and place (En) :
bras-transfert

transfer capsule (En) :
porte-plongeur

transferencia (Es) :
cession-bail

transfer paper (En) :
papier-transfert

transfer science (En) :
science de transfert

transformador seco (Es) :
transformateur sec

transformation into plasma (En) :
plasmification

transform fault (En) :
faille transformante

transhorizon propagation (En) :
propagation transhorizon

transient (En) ;
transient response (En) ;
transient state (En) :
régime transitoire

transition into savanna (En) ;
transition into savannah (En) :
savanisation

transitivism (En) ;
transitivismo (Es) ;
Transitivismus, m (De) :
transitivisme

transitivist (De) :
transitiviste

transkulturell (De) :
transculturel

translatology (En) :
traductologie

translingüistico (Es) :
translinguistique

translocación (Es) ;
translocation (En) ;
Translokation, f (De) :
translocation

transmisividad (Es) :
transmissivité

transmisómetro (Es) :
transmissomètre

transmission display (En) :
afficheur transmissif

Transmissionsgrad, m (De) :
transmissivité

transmission window (En) :
fenêtre de transmission

transmissive display (En) :
afficheur transmissif

transmissivity (En) :
transmissivité

Transmissometer, n (De) ;
transmissometer (En) :
transmissomètre

transnational (En) :
conational

Transolver, m (De) ;
transolver (En) :
transolver

transparencia (Es) ;
transparency (En) :
transparence

transpecífico (Es) :
transpécifique

transplantadora (Es) :
transplanteuse

Transplantations-
spezialist, m (De) :
transplantologue

transplantectomy (En) ;
Transplantektomie, f (De) :
transplantectomie

transplanter (En) :
transplanteuse

transplantólogo (Es) ;
transplant specialist (En) :
transplantologue

transporización (Es) :
transporisation

transportabilidad (Es) :
portabilité

transportable (Es) :
portable

transporte semi-continuo (Es) :
transport semi-continu

transpecific (En) ;
transspezifisch (De) :
  transpécifique

transvector (En) :
  transvecteur

transverse line of action (En) :
  ligne d'action

transverse path of contact (En) :
  ligne de conduite

trapping (En) :
  trappage

tratamiento secundario (Es) :
  traitement secondaire

Traubenerntemaschine, f (De) :
  vendangeuse

Traubenmet, m (De) :
  œnomel

traumatogen (De) ;
traumatogenic (En) ;
traumatropic (En) :
  traumatogène

travelling shot (En) :
  ambulation

travel-time (En) :
  dromochronique

tray-type proofer (En) :
  balancelle

treading (En) :
  piétinage

treatability (En) :
  traitabilité

Treibstoffdrosselvor-
richtung, f (De) :
  appauvrisseur de tir

Treibstoffversorgungs-
leitung, f (De) :
  oléoserveur

Trenn– (De) :
  coupure de circuits (à –)

trennen (De) :
  ségréger ;
  déliasser

Trennkontakt, m (De) :
  contact normalement fermé

Trennwand, f (De) :
  joue d'isolation

triangular system (En) :
  système triangulaire

triannual (En) :
  quadrimestriel

trichromatic (En) ;
trichromatisch (De) :
  trichromatique

trickle irrigation (En) :
  irrigation au goutte à goutte

trickler (En) :
  baveur ;
  goutteur ;
  juteur

tricromático (Es) :
  trichromatique

trimetalezación (Es) :
  trimétallisation

Trimm-dich-Pfad, m (De) :
  parcours de santé

triplot (En) :
  triplot

tripod (En) :
  perroquet

Tripton, n (De) ;
tripton (En, Es) :
  tripton

triticale (En) :
  triticale

trituración autógena (Es) :
  broyage autogène

trituración criogénica (Es) :
  broyage cryogénique

Trockenbestickung, f (De) :
  enfournement sec

Trockenfarmerei, f (De) :
  aridoculture

Trockenfilter, n (De) :
  filtre sec

Trockenfrachterflotte, f (De) :
  flotte sèche

Trockengerüst, n (De) :
  perroquet

Trockengewächshaus, n (De) :
  serre sèche

Trockenkabel, n (De) :
  câble sec

Trockenpumpe, f (De) :
  pompe sèche

Trockentransformator, m (De) :
  transformateur sec

trombogénico (Es) :
  thrombogénique

tromboresistencia (Es) :
  thromborésistance

Tropfbewässerung, f (De) :
  irrigation au goutte à goutte

Tropfpunkt, m (De) ;
Tropftemperatur, f (De) :
  point de goutte

tropical depression (En) :
  dépression tropicale

tropical greenhouse (En) :
  serre humide

tropische Depression, f (De) :
  dépression tropicale

tropismushemmend (De) :
  antitropistique

truck-loading conveyor (En) ;
truck-loading conveyor
belt (En) :
  encamionneuse

truck shot (En) :
  ambulation

truncadura (Es) :
  troncature

trunk (En) :
  pluribus

truth table (En) :
  table de vérité

trypanotolerant (En) :
  trypanotolérant

trypsinbehandlung, f (De) :
trypsinization (En) :
  trypsinization

tubectomy (En) ;
  tubectomie

tube-like arch (En) :
  buse-arche

tubo de presión (Es) :
  tube de force

tuffaceous (En) ;
tuffartig (De) :
  tufacé

tuft (En) :
  mèche

tufted (En) ;
Tuftex– (De) :
  touffeté

tufting (En) :
  touffetage

Tumorhemmend– (De) :
  antitumoral

tundra ostiole (En) :
  ostiole

tunnel effect (En) ;
Tunneleffekt, m (De) :
  effet tunnel

turbid liquid (En) :
  liquide chargé

turbine impeller mixer (En) :
  turbomixeur

turbine screen (En) :
  turbo-classeur

turbodecelerador (Es) ;
turbo decelerator (En) :
  turboralentisseur

turbodrill (En) :
  turboforeuse

Turbofilter, n (De) :
  turbofiltre

Turbogenerator, m (De) ;
turbogenerator (En) :
  turbogénérateur

turbomolecular pump (En) :
  pompe turbomoléculaire

turbooxidador (Es) :
  turbo-oxydeur

turbopause (En) :
  turbosphère

turboperforadora (Es) :
  turboforeuse

turboseparación (Es) :
  turbo-séparation

Turbosphäre, f (De) ;
turbosphere (En) :
  turbosphère

turboverdichtet (De) :
  turbochargé

Turbulator, m (De) ;
turbulator (En) :
  turbulateur

turbulence amplifier (En) ;
Turbulenzverstärker, m (De) :
  amplificateur à turbulence

turrículo (Es) :
  turricule

T.V. film (En) ;
T.V. movie (En) :
  téléfilm

T.V.P. (En) :
  A.V.I.V.

T.V. video game (En) :
  jeu vidéo ;
  télé-jeu

twin-heart operation (En) ;
twin-heart procedure (En) :
double cœur

twist disclination (En) :
désinclinaison de torsion

twister (En) :
tortilleur

twisting (En) :
torsadage

twist-off cap (En) ;
twist-off capsule (En) :
capsule quart de tour

two-dimensional ultrasonic
scanner (En) :
échographe bidimensionnel

two-ply (En) :
bi-pli

two-way peak (En) ;
pointe croisée

two-wire network (En) :
circuit octopôle

type section (En) :
stratotype

typing (En) :
typage

Typologisierung, f (De) ;
typologisation (En) :
typologisation

tyrolian plaster (En) :
enduit tyrolien

U

überdimensionieren (De) :
surdimensionner

Überdimensionierung, f (De) :
surdimensionnement

überdurchschnittlich
begabt (De) :
surdoué

Überführung, f, in den
Plasmazustand (De) :
plasmification

Übergewicht, n (De) :
surpoids

Überhitzungsbereich, m (De) :
point thermique

Überlauf, m (De) :
surverse

übermodig (De) :
multimode

übernational (De) :
conational

Übersalzigkeit, f (De) :
sursalure

Übersetzung in eine algo-
rithmische Sprache, f (De) :
algorithmisation

Übersetzungswissenschaft, f (De) :
translatique

Überstzungswissen-
schaftler, m (De) :
translaticien

Übertragung, f, von
Radarinformationen (De) :
déport

Uberwachungsleitung, f (De) :
bus de contrôle

überwendliches Nähen, n (De) :
surjetage

Ufo, n (De) ;
U.F.O. (En) :
OVNI

U.F.O. expert (En) ;
Ufologe, m (De) ;
ufologist (En) :
ovniologiste ;
ufologue

Uhuru, n (De) :
uhuru

U-kurve, f (De) :
tourne-à-gauche

ultra-cleaning (En) :
ultranettoyage

ultraestructural (Es) :
ultrastructural

ultraficha (Es) ;
Ultrafiche, f (De) ;
ultrafiche (En) :
ultrafiche

Ultrafiltrat, n (De) ;
ultrafiltrate (Es) :
perméat ;
ultrafiltrat

ultrahardening (En) :
ultratrempe

ultra high vacuum (En) ;
Ultrahochvakuum, n (De) :
ultravide

Ultrakinetomoskop, m (De) :
ultracinétomoscope

ultramafic (En) ;
ultramáfico (Es) :
ultramafique

ultramonochromatic (En) ;
ultramonochromatisch (De) ;
ultramonocromático (Es) :
ultramonochromatique

Ultrareinigung, f (De) :
ultranettoyage

Ultraschalldetektor, m (De) :
détecteur à ultrasons

Ultraschallreflektoskop, m (De) :
réflectoscope

ultrasonic detector (En) :
détecteur à ultrasons

ultrasonogram (En) :
échogramme

ultrasonograph (En) :
échographe

Ultrasonographie, f (De) :
ultrasonographie

ultrastructural (En) ;
Ultrastruktur— (De) :
ultrastructural

ultratemplado (Es) :
ultratrempe

ultravacio (Es) :
ultravide

Umfüllen, n (De) :
transvidage

Umkehrfilm, m (De) :
inversible

Umkippen, n (De) :
dystrophisation

Umkleideraum, m (De) :
chambre de rendez-vous

Umleitung, f (De) :
dévoyage

Umlenkvorrichtung, f (De) :
dériveur

Umreifung, f (De) :
banderolage ;
enrubannage

Umreifungsmaschine, f, fur
Sammelpachungen (De) :
banderoleuse

Umschlagstapler, m (De) :
transgerbeur

Umschnürungsband-
geber, m (De) :
lance-feuillard

Umschnürungsmachine, f (De) :
ficeleuse

Umwelt— (De) :
environnemental

umweltbedingt (De) :
écogénique

Umweltveränderungs-
faktor, m (De) :
altéragène

Umweltzerstörung, f (De) :
écocide

Umwickelmaschine, f (De) :
enrubanneuse

unary (En) :
unaire

unbemanntes Nurflügel-
luftfahrzeug, n (De) :
aile sans pilote

unboxing machine (En) ;
uncasing machine (En) :
décaisseuse

unconstructed (En) :
destructuré

undenominationalize (En) :
déconfessionnaliser

under-assistant to the
laboratory chief (En) :
laboriste

underbilling (En) :
sous-facturation

undercooled water (En) :
eau super-refroidie

underdrive press (En) :
presse inversée

underflow (En) :
sousverse

undersexed (En) :
hyposexué

undersize (En) :
tamisat

understanding (En) :
arrangement

underweight (En) :
sous-caratté

undetected error (En) :
défaut indétectable

undeveloped nature
reserve (En) :
  réserve naturelle intégrale

undisturbed sun (En) :
  soleil calme

unelastische Reaktion, f (De) :
  réaction inélastique

Unentzündlichkeit, f (De) :
  anti-déflagrance

unerlaubter Wettbewert, m (De) :
  concurrence illicite

uneveness (En) :
  désaffleurement

unfree water (En) :
  eau liée

unhingeable (En) :
  dégondable

unidad de paisaje (Es) :
  unité de paysage

unidisciplinar (Es) :
  monodisciplinaire

unimodal (En, Es) :
  unimodal

uniterm (En) :
  uniterme

unitized (En) :
  unitisé

unitor (En) :
  uniteur

unit string (En) :
  chaîne unitaire

unit train (En) :
  train-bloc

universal bus (En) :
  infoduc

universal powder (En) :
  poudre universelle

universidad a distancia (Es) :
  téléuniversité

unlawful competition (En) :
  concurrence illicité

Unlösbarkeit, f (De) :
  indesserrabilité

unmachinable (En) :
  inusinable

unmarked (En) :
  banalisé

unstacking machine (En) :
  dépileuse

Unterbrechbarkeit, f (De) ;
Unterbrechungsmö-
glichkeit, f (De) :
  interruptibilité

Unterfakturierung, f (De) :
  sous-facturation

Untergraphen, n (De) :
  sous-graphème

unterkarätig (De) :
  sous-caratté

Unterkorn, n (De) :
  tamisat

Unterrichtsstunde, f (De) :
  période

(unter) Wärmeeinwirkung
schmelzend (De) :
  thermofusible

unwoven (En) :
  non-tissés

Unzerreißbarkeit, f (De) :
  indéchirabilité

Unzipping, f (De) ;
unzipping (En) :
  dégrafage

Uperizationskammer, f (De) :
  chambreur

upland rice (En) :
  riz de nappe

up peak (En) :
  pointe montée

upper label (En) :
  cravate

upright (En) :
  dressé

up traffic (En) :
  débit en montée

Urankonzentrat, n (De) :
  gâteau jaune

urban erosion (En) :
  érosion urbaine

urban fabric (En) :
  tissu urbain

urbanizable (En) :
  urbanisable

urban pollution (En) :
  pollution urbaine

urbonym (En) :
  urbonyme

Urrasen, m (De) :
  gazon primordial

Urschrei, m (De) :
  cri primal

Urschreitherapie, f (De) :
  thérapie primale

Ursuppe, f (De) :
  soupe biologique

Urzelle, f (De) :
  proto-cellule

uterotrófico (Es) ;
uterotrophic (En) ;
uterotrophisch (De) :
  utérotrophique

utility program (En) :
utility programme (En) ;
utility routine (En) :
  programme utilitaire

U-turn (En) :
  tourne-à-gauche

uvatype (En) ;
Uvatypie, f (De) :
  uvatypie

uv-Schutzglas, n (De) :
  verre U.V.T.C.

V

vacancy (En) :
  faute d'empilement

vacuología (Es) ;
vacuology (En) :
  vacuologie

vacuum (En) :
  sous-vide

vacuum and blowing
method (En) :
  aspiré-soufflé

vacuum breaker (En) :
  robinet casse vide

vacuum brushing cleaner (En) :
  aspiro-brosseur

vacuum deaerator (En) :
  désaérateur sous-vide

vacuum gauge (En) :
  videmètre

vacuum gravity (En) :
  gravité vide

vados (De) ;
vadose (En) :
  vadose

Vakuumbrechhahn, m (De) :
  robinet casse vide

Vakuummesser, n (De) :
  videmètre

Vakuumpumpe, f (De) :
  pulsateur

Vakuumtechnik, f (De) :
  vacuologie

valence (En) ;
valencia (Es) :
  valence

valle glaciar (Es) :
  sillon

valor suplementario (Es) :
  survaloir

vane deflection meter (En) :
  inclineur

vane shear test (En) :
  essai scissométrique

vanguardismo (Es) :
  avant-gardisme

vapo (En, Es) :
  vapo

vapor blasting (En) :
  sablage humide

vapor deposition (En) :
  dépôt en phase vapeur

vaporizadora (Es) :
  vaporiseuse

vaporization (En) :
  brumisation

vaporizer (En) :
  brumisateur

vapour barrier (En) :
  pare-vapeur

vapour blasting (En) :
  sablage humide

vapour deposition (En) :
  dépôt en phase vapeur

variac (En) :
  alternostat

Varistor, m (De) ;
varistor (En) :
  varistor

Vasomotion, f (De) ;
vasomotricity (En) ;
vasomotricidad (Es) :
  vasomotricité

vat ager (En) :
  vaporiseuse

V-body (En) :
  nucléosome

V.D.U. (En) :
clavier optique programmé

vector (En, Es) :
vecteur

vectorización (Es) ;
vectorization (En) :
vectorisation

vegan (En) :
végétalien

vegetalista (Es) :
végétaliste

vegetalización (Es) :
végétalisation

Vegetarier, m (De) :
végétalien

Vegetarisierung, f (De) :
végétalisation

vegetationslos (De) :
aphytal

vegetative reproduction (En) :
polycytogénie

veinlet (En) :
filonnet

Vektor, m (De) :
vecteur

velocimeter (En) :
célérimètre

velocimetria (Es) ;
velocimetry (En) ;
Velozimetrie, f (De) :
vélocimétrie

vendimiadora (Es) :
vendangeuse

ventana hidrogeológica (Es) :
fenêtre hydrogéologique

Verallgemeinerung, f (De) :
globalisation

Verankerung, f (De) :
ancrage

Verarmung, f (De) ;
Verarmung, f, an
Ladungsträgern (De) :
déplétion

Verbindungsbrücke, f (De) :
pont de liaison

Verbindungsrakete, f (De) :
navette

verboid (De, En) ;
verboide (Es) :
verboïde

verbotonal (En) ;
verbotónico (Es) :
verbo-tonal

Verbraucherschutz, m (De) :
consommatisme

Verbundfenster, n (De) :
survitrage

Vercelli box (En) :
boîte de Vercelli

verchrombar (De) :
chromable

verdekte Auslüftungen, f (De) :
crypto-efflorescence

Verdichtbarkeit, f (De) :
compactibilité

verdichtbar (De) :
compactable

Verdichtung, f (De) :
compaction ;
densification

Verdichtungs– (De) :
densificateur

Verdichtungsdruckun-
terschied, m (De) :
déviateur de contraintes

Verdunkelung, f (De) :
occultation

Verfestigung, f (De) :
compaction

verflüssigbar (De) :
fluidisable

Verflüssiger, m (De) :
fluxeur

Verfrühung, f (De) :
chauffage

Verhaltensentwicklung, f (De) :
éthogénèse

Verhaltensforscher, m (De) :
comportementaliste

verisimilitude (En) :
vérisimilitude

Verkabelung, f (De) :
câblage

Verkaufsstand, m (De) :
bergerie

Verkehr, m, zwischen
Auslandshäfen (De) :
trafic tiers

Verkrusten, n (De) :
croûtage

Verkummerung, f (De) :
rudimentation

Verladen, n, mit Verankerung
am Chassis (De) :
chargement ancré

Verladen, n, mit Verankerung
and der Ladefläche (De) :
chargement flottant contrôlé

Verladen, n, ohne
Verankerung (De) :
chargement flottant libre

Verlangsamung, f, des
Wachstums (De) :
zégisme

Verlindungsring, m (De) :
bague de jonction

Verlustwärme, f (De) :
déchet thermique

Vermengen, n (De) :
mélangeage

vermittelter Kredit, m (De) :
crédit face à face

vermonatlich (De) :
quadrimestriel

Vernetzung, f (De) :
rétification ;
pontage

verosimilitud (Es) :
vérisimilitude

verschlackbar (De) :
scorifiable

Verschlackung, f (De) :
scorification

Verschließen, n (De) :
operculage

Verschluß, m, mit Meßstab (De) :
bouchon-jaugeur

Verschmelzen, n (De) :
cofusion

Verschnittbitumen, n (De) :
bitume fluidifié

verschrottet (De) :
ferraillé

Versicherbarkeit, f (De) ;
Versicherungsfahigkeit, f (De) :
assurabilité

Versorgungsanlage, f (De) :
centrale des utilités

Versorgungsgebiet, f (De) :
zone de couverture

verspannen (De) :
épingler

Verspannung, f (De) :
épinglage

Versprühen, n (De) :
brumisation

Verspunden, n (De) ;
Verspundung, f (De) :
bondonnage

Verstädterung, f (De) :
citification

Verstärkungsstütze, f (De) :
chandelle de renfort

versteckte Kamera, f (De) :
télé-miroir

Verstepping, f (De) :
steppisation

Vertebraloge, m (De) :
vertébriste

vertebrate palaeontologist (En) ;
vertebrate paleontologist (En) :
vertébriste

Verteilungschromato-
graphie, f (De) :
chromatographie d'affinité

Verteilungskabel, n (De) :
câble passif

vertic (En) :
vertique

vertical (En) :
vertical

Vertiefung, f (De) :
bassin

vertikal (De) :
vertical

vertisol (En, Es) :
vertisol

vertisolartig (De) :
vertique

Vertraulichkeit, f (De) :
confidentialité

Vertreter, m, der Kommunika-
tionswissenschaften (De) :
communicologiste

Vervollständigung, f (De) :
complétage

verwandter Text, m (De) :
inter-texte

Verwebbarkeit, f (De) :
tissabilité

Verwerfungslinie, f (De) :
géosuture

Verwertbarkeit, f (De) :
récupérabilité
verwildert (De) :
féral
Verwinden, n (De) :
torsadage
Verwirbler, m (De) :
turbulateur
verwürfeltes Buch, n (De) :
livre brouillé
Verwüstung, f (De) :
désertisation
very high speed train (En) :
T.G.V.
vessel (En) :
fluidiseur
veta (Es) :
filonnet
viabilización (Es) :
viabilisation
vía periférica (Es) :
tangentiale
vibrated concrete (En) :
béton vibré
vibrating beam (En) :
règle vibrante
vibrating compactor (En) :
vibrocompacteur
vibrating coring table (En) :
vibro-carottier
Vibrationsentstauber, m (De) :
vibrodépoussiéreur
vibratory driver (En) :
vibrofonceur
vibratory finishing (En) :
vibro-abrasion
vibratory piledrawer (En) ;
vibratory pile-extractor (En) ;
vibratory pilepuller (En) :
vibro-arracheur
vibriónico (Es) :
vibronique
vibroabrasión (Es) ;
vibro-abrasive machining (En) :
vibro-abrasion
vibrobreaker (En) :
vibrocasseur
vibro-coring (En) :
vibrocarottage
vibroflotación (Es) ;
vibroflotation (En) :
vibroflottation
vibronic (En) :
vibronique
vibroplaced (En) :
vibrocoulé
video animation (En) :
vidéo-animation
Video-Aufzeichnung, f (De) :
vidéogramme
Video-Bus, n (De) ;
videobús (Es) :
vidéobus
videocard (En) :
vidéocarte
videocassette (En) :
vidéo-cassette

Videocodierung, f (De) ;
videocodificación (Es) ;
video-coding (En) :
vidéo-codage
video disc (En) :
disque-images ;
vidéodisque
video disc recorder (En) :
disque-images
video game (En) :
jeu vidéo ;
télé-jeu
videográfico (Es) :
vidéographique
videograma (Es) ;
videograph (En) :
vidéogramme
videographic (En) ;
videographisch (De) :
vidéographique
Videokassette, f (De) :
vidéo-cassette
Video-Lochkarte, f (De) :
vidéocarte
videología (Es) ;
Videologie, f (De) ;
videology (En) :
vidéologie
videophone (En) :
visiophoner ;
visiophone
videophonic (En) :
visiophonique
Videoplatte, f (De) :
vidéodisque
videoscopia (Es) :
vidéoscope
videotape library (En) ;
videoteca (Es) :
vidéothèque
videoterapia (Es) :
vidéo-thérapie
Videothek, f (De) :
vidéothèque
videotransmisión (Es) ;
video-transmission (En) ;
Videoübertragung, f (De) :
vidéo-transmission
video user (En) :
vidéote
Vielfachleitung, f (De) :
bus
Vielfaser– (De) :
multibrin
viento interestelar (Es) :
vent interstellaire
viento magnético (Es) :
vent magnétique
Vierecksystem, n (De) :
système quadrangulaire
Vierergruppe, f (De) :
quad
Vierquadrantendiagramm, n (De) :
diagramme des quatre
quadrants
Vierte Welt, f (De) :
Quart-Monde

vintaging machine (En) :
vendangeuse
virogen (En) ;
virógeno (Es) :
virogène
viroid (En) :
viroïde
virosoma (Es) ;
virosome (En) :
virosome
virulífero (Es)
viruliferous (En) :
virulifère
virusinfiziert (De) :
virosé
viscerotropic (En) ;
viscerotrópico (Es) :
viscérotrope
viscoelastic (En) ;
viscoelastisch (De) :
viscoélastique
visibilidad por contraste (Es) :
visibilité par contraste
visibilímetro (Es) ;
visibility meter (En) :
visibilimètre
visible index-card (En) ;
visible periodical record
card (En) :
fiche de bulletinage
visiofonía (Es) :
visiophonie
visiofónico (Es) :
visiophonique
visitante-día (Es) ;
visitor day (En) :
visiteur/jour
visual display unit (En) :
clavier optique programmé
Visualisator, m (De) ;
visualizador (Es) :
visualisateur ;
visualiseur
visualizar (En) :
visualiser
visualizer (En) :
visualisateur
visuell-motorisch (De) ;
visuomotor (Es) ;
visuo-motor (En) :
visuo-moteur
vital chain (En) :
chaîne vitale
vitrectomy (En) :
vitrectomie
vitreous network (En) :
réseau vitreux
vitrificación (Es) ;
vitrification (En) :
vitrification
vitrocerámica (Es) ;
vitroceramics (En) :
vitrocéramique
vitro-ceramic (En) ;
vitrocristalino (Es) :
vitrocristallin
vividiffusion (En) :
hémodialyse

vocabulario disponible (Es) :
vocabulaire disponible
vocabulario pasivo (Es) :
vocabulaire passif
vocalizado (Es) :
voyellé
Vocoder, m (De) ;
vocoder (En) :
vococodeur
Vogel– (De) :
avien
voice answer back (En) :
réponse vocale
voice channel (En) :
demi-circuit
voice coder (En) :
vococodeur
voice response (En) :
réponse vocale
volatile memory (En) ;
volatile-storage (En) :
mémoire volatile
Vollkegel, m (De) :
cône plein
voltage selector (En) :
hacheur
volumen de confinamiento (Es) :
volume de confinement
volumen excluido (Es) :
volume exclu
(von der) Brucellose
befallen (De) :
brucellique
(von) mittlerer Leistungs-
fahigkeit (De) :
milieu de gamme (de – – –)
Vorarchivierung, f (De) :
préarchivage
Voraufheizung, f (De) :
préréchauffe
vorbereitend (De) :
préparant
(vor dem) Aufgehen (De) :
prélevée (en –)
vordere Dichtlippe, f (De) :
lèvre frontale
Vorderflanke, f (De) :
front montant
Vordosierer, m (De) :
prédoseur
vorgefertigte Wohneinheit, f (De):
élément spatial
vorgepackte Menge, f (De) :
préemballage
Vorhaltrechner, m (De) :
prédicteur
Vorkaufrechtszone, f (De) :
Z.I.F.
Vorredaktion, f (De) :
préédition
Vorreduktion, f (De) :
préréduction
vorreduziertes Eisenerz, n (De) :
préréduit
Vorsignalsystem, n (De) :
système de préannonce
Vorspanngestalter, m (De) :
animateur graphique

Vorverdampfung, f (De) :
prévaporisage
voweled (En) ;
vowelled (En) :
voyellé
V.T.O.L. (En) :
A.D.A.V.
vuelta en U (Es) :
tourne-à-gauche

W

Wächterradar, n (De) :
radar de gardiennage
Wachturm, m (De) :
tour-vigie
wadi (En) :
guelta
wading (En) :
pataugeage
wafer (En) :
tranche
wafer plant (En) ;
Waffelfabrik, f (De) :
gaufretterie
Wagenheber, m (De) :
chandelle
wagon-loading unit (En) :
enwagonneuse
Wahl, f, der Fachrichtung (De) :
option approfondie
Wahrnehmungsanalyse, f (De) :
analyseur perceptif
Währungsausgleich, m (De) :
correction monétaire
Waldbau, m (De) :
forestage
Waldfauna– (De) :
sylvocygénétique
Waldfeldbau-Taungya, f (De) :
taungya
Waldrandeffekt, m (De) :
effet lisière
wall (En) :
mur
Walze, f, zur Luftblasen-
beseitigung (De) :
rouleau débulleur
Wanderschäferei, f (De) :
ambulance
warmdehnbar (De) :
thermodilatable
wärmeabführende
Flüssigkeit, f (De) :
thermophore
Wärmeableiter, m (De) :
puits thermique
wärmebeständig (De) :
thermorésistant
Wärmebeständigkeit, f (De) :
thermorésistance ;
thermostabilité
wärmeempfindlich (De) :
thermosensible

Wärmeerzeugung, f (De) :
thermogénie
Wärmefestigkeit, f (De) :
thermorésistance
wärmeisolierend (De) :
thermoprotecteur
Wärmeleiter, m (De) :
caloduc
Wärmeleitfähigkeits-
messzelle, f (De) :
catharomètre
Wärmerauschen, n (De) :
bruit thermique
Wärmereifung, f (De) :
thermomaturation
Wärmerückhaltig (De) :
adiathermique
Wärmeschrumpf– (De) :
thermorétractable
Wärmesenke, f (De) :
puits thermique
Wärmeseparator, m (De) :
séparateur thermique
Wärmestrahlung, f (De) :
thermorayonnance
Wärmetrennsystem, n (De) :
séparateur thermique
Wärmeübergangstahl, f (De) :
effusivité
Wärmewirtschaftlichkeit, f (De)
thermoéconomie
warmformbar (De) :
thermoformable
warmgeformt (De) :
thermoformé
Warmhalteofen, n (De) :
poche-four
Warmschweissen, n (De) :
thermosoudure
Warmverkapselungs-
machine, f (De) :
thermocapsuleur
Warmverschweissen, n (De) :
thermosoudure
Waschautomat, m (De) :
autolaveuse
Waschbarkeit, f (De) :
lessivabilité
Wasch-Blau, n (De) :
azurant optique
Waschmaschine, f (De) :
lave-linge
Waschmittelverstärken, m (De) :
renforçateur
Waschputz, m (De) :
enduit lavé
washability (En) :
lessivabilité
washboard effect (En) :
polygone
washburn riser (En) :
col de liaison
washed plaster (En) :
enduit lavé
washer (En) ;
washing machine (En) ;

washing-machine (En) :
lave-linge

wash primer (En) :
lavabilisateur

wash-troughing (En) :
bateyage

wasserabstossende
Eigenschaft, f (De) :
déperlance

wasserabweisende
Eigenschaft, f (De) :
hydrophobicité

Wasserbomber, m (De) :
bombardier à eau

wassergekühlt (De) :
hydroréfrigéré

wasserrückhaltendes
Mittel, n (De) :
rétenteur d'eau

Wasserstandsaufzei-
chnung, f (De) :
limnigramme

Wasserstoffbrücke, f (De) :
pont hydrogène

Wasserstoffdimeri-
sierung, f (De) :
hydrodimérisation

Wasserstoff-Pipeline, f (De) :
hydrogénoduc

Wasserstrablantrieb, m (De) :
hydrojet

Wassertierzucht— (De) :
aquacole

Wasserzeichensucher, m (De) :
filigranoscope

waste materials exchange (En) :
bourse de déchets

watchtower (En) :
tour-vigie

water bomber (En) :
bombardier à eau

water-cooled (En) :
hydroréfrigéré

water-dispersible (En) :
hydrodispersable

watered-down (En) :
lavé

waterhole (En) :
guelta

watermark detector (En) :
filigranoscope

water proofing (En) :
hydrofugation ;
imperméabilisant

water repellency (En) :
déperlance

water-retaining agent (En) :
rétenteur d'eau

water-trickle collector (En) :
capteur à ruissellement

wave and tide gauge (En) :
houlomarégraphe

wave probe (En) :
houlomètre

way bill check list (En) :
dossier-voiture

wearability (En) :
portabilité

weathered steel (En) :
acier autoprotégé

weaving (En) :
tramage

Webfehler, m (De) :
barrure

Weschselrichter, m (De) :
onduleur à modulation de
largeur d'impulsions

Wechselsprechtechnik, f (De) :
interphonie

wedge (En) :
coin

wedge disclination (En) :
désinclinaison coin

weed science (En) :
malherbologie

Weiblichkeit, f (De) :
féminitude

weiche Röntgenstrahlen, m.pl. (De) :
X mous

Weichlöten, n (De) :
brasage tendre

Weichpackungskonserve, f (De) :
conserve souple

Weichsockel, m (De) :
mollisocle

Weide, f (De) ;
Weideland, n (De) :
terrain de parcours

weighing-hook (En) :
crochet-peseur

Weinverkaufslager, n (De) :
vinothèque

weiße Algen, f (De) :
algues blanches

weisser Rost, m (De) :
rouille blanche

weiße Schicht, f.pl. (De) :
couche blanche

Weißpunkt, m (De) :
point blanc

weite Doppelsterne, m (De) :
étoiles espacées

weithalsige Flasche, f (De) :
bouteille-bocal ;
bouteille buvante

welded in multiple spots (En) :
polyfusé

Wellpapier, n (De) ;
Wellpappe, f (De) :
papier cannelure

Wellpappemaschine, f (De) :
onduleuse

Weltraumbahnhof, m (De) :
cosmogare

Weltraum-Sonnen (De) :
héliospatial

Weltraumstation, f (De) :
cosmoport

Weltunternehmung, f (De) :
cosmofirme

Wendelung, f (De) :
spiralage

Wertanalyse, f (De) :
analyse des valeurs

wet cleaning filter (En) :
filtre humide

wet combustion (En) :
combustion humide

wetted roof (En) :
voûte mouillante

wetted surface (En) :
surface mouillée

wetting (En) :
mouillage

wetting agent (En) ;
wetting-out agent (En) :
agent mouillant

whaleback (En) :
dos de baleine

wheel-dike (En) :
butte-roue

whirlaway (En) :
ouverture main-fer blanc

Whistler, m (De) ;
whistler (En) :
sifflement

white alkali (En) :
salant blanc

white faggot (En) ;
white fagot (En) :
paquets blancs

whiteheart (En) :
cœur blanc (à —)

white liquor (En) :
liqueur blanche ;
raffinade

white music (En) :
musique blanche

whitening (En) :
couche blanche

white pickling (En) :
bain de blanc

white room (En) :
salle blanche

white rust (En) :
rouille blanche

whole-body counter (En) ;
whole-body gamma
spectrometer (En) :
corpocompteur

Wickelverbindung, f (De) :
connexion enroulée

wide-mouthed bottle (En) :
bouteille-bocal ;
bouteille buvante

wide-spaced (En) :
clairplanté

wiederaufbereiten (De) :
retraiter

Wiederaufforster, m (De) :
reboiseur

Wiederaufgleisen, n (De) ;
Wiedereingleisen, n (De) :
réénraillement

wieder frisch gemacht (De) :
rénové

Wiederholbarkeit, f (De) :
répétabilité

Wiederholer, m (De) :
doubleur

Wiederverwendbarkeit, f (De) :
recyclabilité

Wiederverwertung, f (De) :
réutilisation

Weidewirtschaft, f (De) :
  pastoralisme
Wiegehaken, m (De) :
  crochet-peseur
wilderness area (En) ;
wildlife sanctuary (En) :
  aire de nature sauvage ;
  parc de vision
Windgenerator, m (De) :
  aérogénérateur
winding machine (En) :
  embobineuse ;
  éoliphone
window (En) :
  paillette
window illumination system (En)
  allume-vitrine
window-washer (En) :
  lave-vitre
Windscherung, f (De) ;
wind shear (En) :
  cisaillement du vent
Windsichten, n (De) :
  turbo-séparation
Windsurfer, n (De) ;
wind-surfer (En) :
  planche à voile
wine mead (En) :
  œnomel
winery (En) :
  vinerie
wing vortex (En) :
  tourbillon de sillage
Winkeltrieb, m (De) :
  boîte d'angle
wiping contact (En) :
  contact glissant
Wirbelschleppe, f (De) :
  tourbillon de sillage
Wirbler, m (De) :
  turbulateur
wire data bus (En) :
  bus électrique
wire guided (En) ;
wire-guided (En) :
  filoguidé
wire printer (En) :
  imprimante à mosaïque
wire puller (En) :
  tire-fils
wire-wrap connection (En) ;
wire-wrapped connection (En) ;
wire-wrapping connection (En) :
  connextion enroulée
wiring termination (En) :
  connectique
wirtschaftliche
Warchstumsminderung, f (De) :
  décroissance
Wirtschaftslehre, f (De) :
  économologie
Wismutämie, f (De) :
  bismuthémie
withdrawable (En) :
  éclipsable
Wolkenhöhenmesser, m (De) :
  ceilomètre ;
  télémètre de nuages

wolofized (En) ;
wolofiziert (De) :
  wolofisé
Wolof-speaking (En) ;
wolofsprachig (De) :
  ouolophone
wood chemistry (En) :
  xylochimie
word synthesizer (En) :
  synthétiseur d'écriture
workability meter (En) :
  maniabilimètre
work chart (En) :
  simogramme
work clamp (En) :
  pinceur de travail
working dedendum (En) :
  creux de fonctionnement
working French (En) :
  français instrumental
working storage (En) :
  mémoire vive
work-study program (En) ;
work-study programme (En) :
  enseignement par alternance
work value (En) :
  valeur-travail
worminess (En) :
  jaspage
wormpile (En) :
  turricule
Wortgruppe, f (De) :
  multiterme
wrapper (En) :
  enveloppeuse
wrapping (En) :
  enveloppage
wrapping machine (En) :
  enveloppeuse
wrong segmentation (En) :
  mécoupure
Würfelform, f (De) :
  cubicité
Wurzelbewässerungs– (De) :
  osmotique
Wüstenbildung, f (De) :
  désertisation

X

xenobiotic (En) ;
xenobiótico (Es) :
  xénobiotique
Xenometer, n (De) ;
xenómetro (Es) :
  xénomètre
xenoparasitär (De) ;
xenoparasitomal (En) :
  xéno-parasitaire
xenoplastic transplantation (En) :
  xénotransplantation
xeric (En) ;
xérico (Es) ;
xerisch (De) :
  xérique

xerography (En) :
  électrocopie
xeromorfo (Es) ;
xeromorph (De) ;
xeromorphic (En) :
  xéromorphe
xeroradiografia (Es) :
  xéroradiographie
xeroradiográfico (Es) ;
xeroradiographic (En) :
  xéroradiographique
Xeroradiographie, f (De) ;
xeroradiograp hy (En) :
  xéroradiogr. phie
xerotermia (Es) ;
Xerothermie, f (D) ;
xerothermy (En) :
  xérothermie
xilema (Es) :
  xylème
xilocronología (Es) :
  xylochronologie
X-ray goniometer (En) :
  piézogoniomètre
Xylem, n (De) ;
xylem (En) :
  xylème

Y

Yag, m (De) :
  yag
yarder (En) :
  débusqueuse
yeast bucket (En) :
  levurier
yeast factory (En) :
  levurerie
yeast tub (En) :
  levurier
yellow cake (En) :
  gâteau jaune
yermo (Es) :
  aphytal
yerkish (En) :
  yerkish
yield test (En) :
  essai de cession
young craton (En) :
  miocraton
Yo-Yo, n (De) ;
yoyo (En) :
  yo-yo
yrast (En) :
  yrast
yttrium-aluminium garnet
laser (En) :
  yag

Z

Zäckchen, n (De) :
denticulation

zähelastisch (De) :
viscoélastique

Zahlendarstellung, f (De) :
numérisation

Zahnzwischenraum, m (De) :
embrasure

zaireanization (En) ;
zairianization (En) ;
Zairisation, f (De) ;
Zairisierung, f (De) :
zaïrisation

Zangenmeßgerät, f (De) :
électropince

zebrass (En) :
zébrâne

Zeckenbeseitigend (De) ;
zeckenvernichtend (De) :
détiqueur

zegist (En) :
zégiste

Zeilenumsetzer, m (De) :
transligneur

Zeitbasis, f (De) :
base de temps

Zeitmultiplexverfahren, n (De) :
multiplexage temporel

Zeitschalter, m (De) :
horocontacteur

Zeitschriftenbibliothek, f (De) ;
Zeitschriftensammlung, f (De) :
hémérothèque

Zeitschritt, m (De) :
pas

Zellenkultur, f (De) :
cytoculture

Zellstoffbrei, m (De) :
pâte chimique

Zellwand, f (De) :
mur

Zener isolation device (De) :
barrière Zener

Zentralspeicher, m (De) :
mémoire vive

zentrifugierbar (De) :
centrifugable

zerfaserbar (De) :
fibrillable

Zerhacher, m (De) :
hacheur

Zerkleinerer, m (De) :
dilacérateur

Zerkleinerungsprodukt, n (De) :
broyat

Zero economic growth
theroy (En) :
zégisme

zero-grazing (En) :
zéro-pâturage

zero growth theory (En) :
zégisme

Zerstäuber, m (De) :
brumisateur

Zerstäubung, f (De) :
brumisation

Zeugmatographie, f (De) ;
zeugmatography (En) :
zeugmatographie

Zezidiologie, f (De) :
cécidologie

Z Gist (En) :
zégiste

Ziegenpest— (De) :
capripestique

Ziehen, n (De) :
tractage

zielgruppenorientierte
Werbung, f (De) :
positionnement

zielgruppenorientiert
werben (De) :
positionner

Zielsuchgerät, n (De) ;
Zielsuchkopf, m (De) :
autodirecteur

Zigeunerkunde, f (De) :
tsiganologie

Zitrusfrüchteanbau— (De) :
agrumicole

Zitterverzerrung, f (De) :
gigue

zoid (En) :
zoïde

Zolleinnehmer, m (De) :
péagier

Zollfreiladen, n (De) :
boutique franche

Zollrückvergütung, f (De) :
rembours

zona adyacente (Es) :
zone adjacente

zona de cobertura (Es) :
zone de couverture

zona de intervención
territorial (Es) :
zif

zona de velocidad lenta (Es) :
zone de faible vitesse

zonal (En) :
climatomorphique

zona verde (Es) :
coupure verte

Zone, f, wirtschaftlichen
Interesses, n (De) :
zone économique

Zonographie, f (De) ;
zonography (En) :
zonographie

zooperifiton (Es) :
zoopériphyton

Zubringer, m (De) :
ameneur

Zubringerband, n (De) :
bande d'amenée

Zuckerchemie, f (De) :
sucrochimie

zufällige Entdeckung, f (De) ;
Zufallsentdeckung, f (De) :
sérendipité

Zugdraht, m (De) :
câblette

zyanophytisch (De) :
cyanophytique

zyklisch (De) :
cyclé

Zyklodimerisation, f (De) :
cyclodimérisation

Zyklokonverter, m (De) :
cycloconvertisseur

zymothermal (En) ;
zymothermisch (De) :
zymothermique

Zukunftsforscher, m (De) :
prospectiviste

Zulieferungsauftrag, m (De) :
impartition

Zusammenwirken, n (De) :
coaction

zusammenwirkend (De) :
coactif

Zusatzgerät, n (De) :
attachement

Zuweisung, f (De) :
allotement

zweckfreie Maschine, f (De) :
machine célibataire

zweidimensionaler
Echograf, m (De) :
échographe bidimensionnel

Zweilagenfurnier, n (De) :
bi-pli

Zweiweg— (De) :
retournable

Zweiphasen— (De) :
diauxique

zweisprachige Ausbildung, f (De) :
bilinguisation

Zweisprachigkeit einführen (De) :
bilinguiser

Zweitluft, f (De) :
air secondaire

Zwillingsforscher, m (De) :
gémellologue

Zwillingsforschung, f (De) :
gémellologie

Zwillingsgeburt, f (De) :
gémellation

Zwinger-Psychose, f (De) :
chenilose

Zwischengitter— (De) :
interstitiel

Zwischenlager, n (De) :
magasin tampon

zwischensprachig (De) :
interlingue

Zwischenstadium, n (De) :
interstade

Zwischenstufen— (De) :
bainitique

Zwischenvorrat, m (De) :
stock tampon

Zwischenzeitspoppung, f (De) :
fonction rattrapante

DEUXIEME PARTIE

Introduction

Répertoire de formants morphosémantiques

INTRODUCTION

I. OBJECTIFS ET MOYENS

Faisant suite à la première partie de l'ouvrage constituée par le **Dictionnaire alphabétique**, la **Table méthodique** et l'**Index des traductions**, on trouvera ici un **Répertoire alphabétique exhaustif des éléments mis en œuvre pour former tous les mots construits de la nomenclature.**

La mise au point de théories ou de méthodes nouvelles pour définir et classifier les éléments formateurs a, jusqu'alors, tenté davantage les spécialistes que l'application systématique de l'une d'elles à l'ensemble des problèmes posés par la collecte, l'identification et l'analyse des créations terminologiques, complexités et contradictions incluses. Chaque essai théorique déplace ou recule ainsi les limites des précédents mais occulte (ou s'abstient de résoudre) les difficultés représentées par les données qui lui restent rebelles. Toute description significative réclame des inventaires, étendus et diversifiés mais non expurgés, dont la majeure partie reste encore à établir.

En dépit de la modestie de ses moyens et de ses ambitions, notre contribution se fonde sur cette nécessité et s'inscrit dans la perspective d'études portant sur le nombre et la variété des formes et des modèles, la répartition et le rendement respectifs de chacun des éléments utilisés, c'est-à-dire sur **les moyens effectifs de la dynamique dénominative actuelle dans sa réelle diversité.**

Le Répertoire est constitué par une liste d'items qui présentent les éléments morphologiques indexés, suivis d'une référence sémantique et des réalisations qui en sont issues. Il propose ainsi l'essentiel des données linguistiques d'une certaine dynamique dénominative, matériel auquel il convient par ailleurs d'associer l'action de forces déterminantes comme la vitalité des modèles, le poids des séries, la convergence des charges sémantiques et, plus généralement, l'influence des conditions psycholinguistiques et sociolinguistiques qui les déterminent.

Les limites du Répertoire (qui sont celles du Dictionnaire, donc du corpus de référence aléatoire sur lequel il se fonde) ne permettent d'appréhender qu'une partie des ressources morphologiques utilisées par la néologie scientifique et technique entre 1965 et 1978. Il aidera toutefois à compléter utilement les listes existantes et, peut-être, à orienter ou à renouveler quelques analyses.

II. LES FORMANTS MORPHOSEMANTIQUES

L'étude des éléments morphosémantiques formateurs de dénominations construites, de créations néologiques en particulier, a été prise en charge par de nombreuses spécialités linguistiques : grammaire traditionnelle, lexicologie, étymologie, syntaxe et sémantique modernes, lexicographie, dictionnairique, etc. Chacune d'elles l'a appréhendée en son temps, en ses termes, selon ses postulats ou ses objectifs, et en fonction de sa propre représentation de la langue-objet. Il en résulte une série de conceptions fragmentaires, diversement fondées sur le plan théorique. Reste à généraliser des études intrinsèques à leur objet et propres à rendre compte de l'ensemble des ressources, des exigences et des contingences de la création néologique d'aujourd'hui. Il leur appartiendrait de codifier la réalité mouvante et multiforme encore dans son devenir, sans appauvrir ou déformer les données observables, et de réaménager les présupposés théoriques en fonction des réalités qui, effectivement, les infléchissent.

1. Définition

Nous avons entrepris la réalisation de ce Répertoire, résolument descriptif, avec un parti pris pragmatique affirmé et sans recourir à des discriminations, fort pertinentes par ailleurs, impliquées par certaines désignations métalinguistiques usuelles. La répartition en préfixes et suffixes traditionnellement reconnue, par exemple, même enrichie d'exceptions et de regroupements discutés (préfixoïdes et suffixoïdes) est impuissante à saisir l'ensemble des moyens et des formules que met en œuvre la dynamique lexicale des affixes. Pour ne pas ajouter aux distorsions et aux extensions qui pèsent déjà sur les distinctions classiques, nous avons donc regroupé les divers types de radicaux et de bases ainsi que les diverses classes d'affixes, préfixes, suffixes, éléments préfixés, suffixés et infixés dans une même catégorie générique dite de **formants morphosémantiques**.

Les formants représentent, à l'échelle du Dictionnaire, l'ensemble des éléments lexicaux effectivement utilisés pour construire les signes nécessaires à la dénomination de réalités et de notions nouvelles ou renouvelées. Pour que les données recensées restent conformes à cette définition, aucune élimination, aucune intervention normalisatrice n'ont été pratiquées. La cohérence de l'inventaire tient alors à l'identité du traitement appliqué de manière exhaustive à une même classe de désignations : les **mots construits**. A l'évidence, cela exclut de nos relevés les lexies simples, les syntagmes dénominatifs constitués d'unités déjà connues et attestées, les lexies construites antérieurement mais recensées dans le Dictionnaire en qualité de néologismes passifs (dérivés impropres, par extension ou glissement de sens) et les emprunts aux langues étrangères ressentis comme tels. Les sigles et les acronymes ont été retenus et leurs formations particulières explicitées.

Sont répertoriés à titre de **formants** :

1) les radicaux [—*adhér*— → préadhérisation, *tract*— → tractage] issus de verbes ou les bases (unités lexicales simples ou construites, nouvelles ou déjà attestées, acceptant une ou plusieurs adjonctions, avec ou sans aménagements formels) dont notre patrimoine lexical s'est enrichi :
— par le jeu de la dérivation [*orbital*— → orbitalaire, —*inclinaison* → désinclinaison] ou de la composition [*carto*— + —*zonage* → cartozonage] ;

— par la pratique, si productive, de la troncation et de l'ellipse [—*frac* = fracturation → superfrac, —*somniaque* = insomniaque → dyssomniaque] sous toutes leurs formes, jusqu'aux mots-valise, simples : plapier = *pla*stique + pa*pier* ; moins simples : brumée = *bru*me + fu*mée*, éconologie = *écono*mie + éco*logie* ou multiples : *li*on + ti*gre* → ligre, *léop*ard + li*on* → léopon, *jaguar* + *lion* → jaguarion ;

— par le recours, souvent décrié, à l'emprunt naturalisé [—*processor*— → microprocessorisé, *zeg*— = zero growth → zégisme].

2) Les éléments de composition tirés des «réserves culturelles» gréco-latines, qu'ils soient déjà productifs dans la langue (*hélio*—, —*onyme*), ou nouvellement mis en usage grâce à un recours érudit (*édapho*—, *pléthysmo*—) ou par le truchement de créations étrangères auxquelles revient l'initiative de la reprise, (ce qui leur confère un statut parfois équivoque, comme l'hispanisme *sophrologie*, l'anglicisme *térotechnologie*, à côté de la création *ceilomètre*, de l'anglais *ceiling* plafond, en anglais *ceilometer*).

3) Les affixes traditionnels et les désinences héréditaires avec leurs variantes combinatoires [*dé*—/*des*—, —*el*/—*iel*, —*eur*/*iseur*, —*er*/—*ifier*/—*iser*, —*ité*/—*abilité*/ —*ibilité*/—*icité*/—*ivité*/—*osité*, etc.], les affixes savants, souvent très voisins par leur contenu et la fonction des éléments qui les composent [*acro*— → acrothermal, *dys*— → dyscalculie, *endo*—, *eo*—, *exo*—, etc.].

4) Les sigles et acronymes faisant fonction de bases de dérivation ou de composition [*radar*— → radarphotographie, *tac*— = Tomographie Axiale avec Calculatrice → tacographe, —*rna*— = Ribo Nucleus Aerd → oncornavirus].

2. Procédure de délimitation

Mettre en évidence les éléments morphosémantiques ayant joué le rôle de formants lexicaux impliquait la localisation préalable des points de segmentation où des mécanismes créatifs s'étaient exercés. Elle permettait de dégager d'une part la forme qui fait fonction de radical ou de base et, d'autre part, ses diverses expansions, affixes ou éléments de composition, qu'elles proviennent de la langue, des «réserves culturelles», des langues d'emprunt, ou même de noms propres ou de marques déposées.

Cette procédure est fondée sur la reconnaissance des unités lexicales ou des éléments de construction déjà existants utilisés par la nouvelle dénomination et sur l'identification des segments effectivement mis en œuvre. Est considérée comme une unité lexicale existante celle dont les dictionnaires fournissent l'attestation. Les limites de ce critère d'identification sont évidentes, mais au moins procure-t-il une référence de départ sans équivoque et, de surcroît, commode. On remarquera aussi qu'il n'est pas fait appel aux formes virtuelles, en dépit de leur importance dans les «patrons» qui prés'dent à la création de certains néologismes. Lorsque la dénomination est considérée comme **fait de communication** en prise avec des réalités extra-linguistiques, l'antériorité ou l'absence de telle ou telle forme intermédiaire dans le paradigme dérivationnel (**sucreux* supposé antérieur à *sucrosité*, par ex.) peut être tenue pour une information signifiante, réserve faite, ici encore, de l'insuffisance des attestations disponibles. La référence aux seules formes attestées entraîne divers dégroupements, mesure de la non-conformité aux «règles» de certains enchaînements morphosémantiques ; l'artifice des formes virtuelles suffit habituellement à la neutraliser [*—ité* → *insidiosité*, cf. insidieux, → *pierrosité* cf. pierreux, mais *—osité* → *pégosité* ou *sétosité*, faute d'attestation dans un dictionnaire du néologisme *pégueux* ou de l'adjectif *séteux, comme pour *—ité* → *identifiabilité*, cf. identifiable, mais *—ibilité* → *interruptibilité*, *interruptible, ou *—ité* → *organicité*, cf. organique, mais *—icité* → *cancerogénicité*, *cancerogénique].

Le rapprochement de certains affixes comme •*a—, ad—, af—*, •*—al, —ial*, •*—ande, —ende*, •*—ant, —ifiant, —isant*, ne doit pas être interprété comme un regroupement **grammatical** des variantes ou des formes étendues de préfixes ou suffixes dans la mesure où la double présentation des formes aménagées ayant une référence sémantique commune est pratiquée dans l'ensemble du répertoire pour en faciliter la consultation [•*oxygéno—* cf. oxygène → oxygénomètre, *oxy—* → oxybrasage, *—ox* → héliox, •*—plastique* n.m. → oléoplastique, *plasti—* → plasticulture, *plasto—* → plastogramme]. Un renvoi à la place alphabétique stricte permet de consulter chaque rubrique sans tenir compte de ces rapprochements.

III. LE REPERTOIRE DE FORMANTS

1. Définition

En fait, la dynamique néologique du français actuel trouve une assise très large, trop aux dires de certains. Elle gomme sans scrupules excessifs bien des nuances historico-stylistiques et nombre de barrières catégorielles classiques, tout comme elle croise sans trop de réticences les procédés créatifs les plus divers. Cela permet aux créateurs de disposer très librement et sans véritables difficultés d'une somme de matériaux quasi illimitée. Il importait d'en rendre compte.

Le foisonnement des formants morphosémantiques est d'autant plus intéressant à inventorier qu'il est géré en profondeur par des mécanismes qui demeurent, pour leur part, d'une constance assez remarquable. C'est pourquoi l'observation des éléments lexicaux, lorsqu'elle doit rendre compte de la réalité dans toute sa complexité, s'accommode mal d'à prioris limitatifs, théoriques ou idéologiques. Mais à l'inverse, leur analyse et celle de leur mise en œuvre, qui s'efforce de dégager des schémas fondamentaux et les additifs susceptibles de les nuancer, n'est possible qu'à partir des corps de doctrine les mieux élaborés et les plus cohérents. Tous les praticiens dans l'embarras, dictionnaristes, terminologues, traducteurs, enseignants attendent beaucoup, en ce double sens, des lexicographes et des linguistes. Pourtant, la pratique éditoriale la plus courante consiste à illustrer par des relevés d'éléments choisis telle catégorie étymologique ou grammaticale, à la manière des exemples proposés par les manuels ou les traités théoriques. Quant aux dictionnaires généraux, ils tentent de plus en plus d'inclure les éléments formants dans leur nomenclature, mais faute peut-être de définitions permettant de répertorier et d'ordonner l'ensemble de ce matériel linguistique, celui-ci n'y figure que de façon incomplète et peu systématisée.

L'appréhension sélective ou normative des faits lexicaux, déclarée ou non, reste donc la plus fréquente. Un classement des travaux publiés ferait apparaître, ici encore, la nécessaire distinction des moyens et des méthodes entre ceux qui visent l'inventaire des éléments formants dont use la dynamique dénominative en un temps, en un lieu, dans une situation de communication donnée, et ceux qui s'attachent sélectivement à l'identification catégorielle de ces mêmes éléments pour fonder la cohérence d'un relevé ou de la démarche dont il procède. Le Répertoire s'est voulu distinct de ce dernier groupe par ailleurs riche en ouvrages fondamentaux. Il se rattache résolument au premier et tient de cette appartenance l'essentiel de ses options méthodologiques. La validité de celles-ci en fonction d'utilisations ultérieures demande à être mise en cause, c'est pourquoi cette présentation des formants souhaite susciter la discussion plus que l'approbation.

2. Principales caractéristiques

a) Répertoire synchronique

Aucune époque ne tire également parti des ressources lexicogéniques dont elle dispose, mais utilise de façon privilégiée telles ou telles d'entre-elles. L'héritage cumulatif dont nous bénéficions aujourd'hui multiplie les possibilités offertes, mais pérennise le principe des choix d'élection. Dans les limites qui sont les siennes, le Répertoire aidera à déterminer quels sont ces choix, procédés et éléments formants.

Délibérément synchronique, notre travail porte sur une période d'environ dix à quinze ans, les attestations de référence se situant pour l'essentiel entre 1968 et 1978. Il ne s'agit pas ici d'un relevé de datations néologiques, aussi n'est-ce pas sur la valeur intrinsèque de ces dates que nous attirons l'attention. D'autant que le rapport entre la date de l'attestation citée et le statut néologique perd de sa rigueur lorsqu'il est tributaire d'un corpus d'exclusion constitué par des dictionnaires. Faute d'espace ceux-ci ne relèvent pas bon nombre de constructions ou de dérivés dont la valeur morphosémantique est évidente et ils abandonnent à d'autres nomenclatures bien des syntagmes développés, des dénominations techniques spécifiques ou de pratique professionnelle, des néologismes d'implantation récente ou marginale, etc. Ces artifices, qui sont de règle dans les dictionnaires généraux, en font des références mutilantes pour certaines recherches. On retiendra donc seulement que les attestations relèvent d'une série d'usages suffisamment limités pour permettre à des analyses linguistiques ultérieures de tenir compte des corrélats extra-linguistiques.

b) Répertoire de type descriptif

A ce titre, il exclut toute visée normative. L'observation de la néologie et de ses modalités ne reconnaît à priori ni «bons» ni «mauvais» formants et ne jette d'exclusive sur aucun d'eux ni sur l'usage qui en est fait. La dynamique des mécanismes créatifs se révèle également (bien que souvent moins facile à dégager) dans des constructions dites «vicieuses», dans l'échec comme dans la réussite d'une nouvelle dénomination. Il est assuré, en tout cas, que l'un et l'autre doivent peu à l'orthodoxie étymologique dès lors que le sentiment linguistique de l'utilisateur est satisfait et que la conformité avec les séries existantes est assurée.

Au même titre, il exclut toute visée étymologique ou analytique particulière. L'utilisateur non linguiste dispose ainsi d'une liste de références unique au lieu d'être renvoyé, comme il est d'usage, d'une table d'éléments grecs à une table d'éléments latins — sans jamais rencontrer celle des éléments germaniques, anglais ou franco-français —, du regroupement étymologique des éléments savants à celui des éléments héréditaires, ou du relevé des préfixes à celui des suffixes, souvent assortis de longues suites d'exceptions ou d'incertitudes. Restant entendu que la consultation de ces relevés sélectifs demeure irremplaçable pour traiter des aspects spécifiques, étymologie, morphologie, histoire des mots, etc.

Les modalités de la description synchronique, il faudrait ici dire aussi contrastive, sont elles-mêmes fort variables. Le découpage des segments morphosémantiques selon les vues auxquelles nous nous référons en est un exemple. L'observation de la génèse d'un néologisme en 1975 et celui de l'adaptation en latin d'une dénomination grecque faite il y a plusieurs siècles, par exemple, ne témoignent pas des mêmes réalités. Il y a donc quelque artifice à vouloir décrire tous les phénomènes qui se sont succédés, aussi liés soient-ils, à partir de formes et de modèles constants.

Si l'origine des racines anciennes offre peu matière à discussion, les détours des cheminements historiques et le jeu complexe des prêtés-rendus dont témoignent les mentions «venu du grec par le latin, du grec ou du latin par l'anglais, du français par l'allemand ou l'anglais, etc.» rendent souvent ambiguës les références de type étymologique du synchronicien, nous l'avons vu pour les éléments de composition issus des «réserves culturelles». Des attestations de variabilité permettent des regroupements élargis, plus que jamais importants dans la mesure où la création la plus récente et la moins érudite tient une partie de sa dynamique de la charge de sémantismes qu'elle partage avec toutes les réalisations de sa famille étymologique. Cela explique le succès de formations issues d'étymons anciens déjà productifs en anglais et en français, par exemple, et qui sont, de ce fait, faciles à aménager. Et cela donne à certains l'espoir de détenir là un schéma néologique à l'échelle des besoins internationaux.

La présentation du Répertoire de formants n'introduit aucune hypothèse grammaticale délimitative et ne se réfère à aucune théorie linguistique établie. Les formants ne sont considérés ni comme des lexies ou des lexèmes, des morphèmes ou des monèmes, ni comme des éléments simples ou des racines savantes, etc. Le décompte des uns ou des autres est possible (il a déjà été partiellement réalisé), il ne pouvait trouver place ici, en dehors d'une problématique de recherche particulière qui fonderait la pertinence de telle ou telle approche distinctive.

La fonction syntaxique interne des éléments construits n'a pas été explicitée [—scope : «appareil pour l'observation» «de» dans coloscope, fœtoscope, et «pour l'observation» «avec, par le moyen de» dans fibroscope, réflectoscope ; —pathe : «en relation avec la maladie», «pour le médecin» dans naturopathe, «pour le malade» dans sociopathe]. Une distinction de cette sorte prend son intérêt véritable lorsque l'ensemble des fonctions possibles est suffisamment représenté et qu'il est alors justifié de les opposer ou de les organiser en modèles cohérents. On sait aussi quelles hésitations (nécessaires) entraîne l'analyse fine des recréations de la syntaxe interne de nombreuses unités construites.

Nous avons accepté la pesanteur d'un relevé unique des mots autonomes et des éléments formants non-lexicalisés en raison de ses avantages de principe. Le passage de l'une à l'autre catégorie est d'usage courant. Les hésitations sur le modèle base / extension (en termes de fonction, puisqu'une. même unité peut assurer l'un ou l'autre rôle : *autoradio*, voiture équipée de radio, n.f., ou radio placée dans une voiture, n.m., par ex.), se multiplient considérablement. Quant aux variantes morphologiques de mots autonomes, elles en font de véritables formants pluriformes [*—européen* → médioeuropéen, *européan—* → européanité, *europ—* → europoïde, *europo—* → europocentrisme ; *—informatique* → micro-informatique, *informat—* → informatisation, *info—* → infographie, *—matique* → géomatique, *—tique* → bureautique]. Les mots pleins attestés dans les dictionnaires d'usage sont les seuls à porter une mention grammaticale, ils peuvent ainsi être identifiés sans peine dans nos colonnes.

c) Répertoire de type «lexicographique»

L'identification morphosémantique des formants est fondée sur l'hypothèse d'une innovation néologique particulière (non sur une étude au niveau du système de la langue), dans une situation de communication donnée (en opposition à une analyse achronique) et, nous l'avons dit, sans volonté normalisatrice ni sélective. Il en résulte une nomenclature plus «lexicographique» que «dictionnairique», recueil de formes saisies et conservées telles qu'elles apparaissent dans leurs contextes, c'est-à-dire en respectant leurs diverses variations discursives. Le mot attesté peut ainsi être reconstitué par simple juxtaposition des éléments formants indexés [électro/olfacto/gramme, dé/palettis/eur, parallélis/able, perméabili/mètrie, micro/rragie, sessili/flore, topo/codeur, sténo/top/ie, sténo/tope]. Ce n'était pas toujours facile, notre conditionnement dictionnairique répugne à cette nomenclature quelque peu insolite en regard des habitudes du lecteur [*anan—* → ananeraie ; *—barquet—*, pour barquette → embarqueteuse ; *démodulo—* → démodulomètre ; *dépollu—* → dépollueur ; *objett—*, pour objet → objettiste]. Celui-ci percevra pourtant très vite les mécanismes linguistiques qui la lui rendront familière [*contextual*(isation), de contextuel, *séquential*(iser), de séquentiel ; *insidios*(ité), d'insidieux, *pierros*(ité), de pierreux ; *compactibil*(ité), de compactible, *détectabil*(ité), de détectable ; *doupionn*(é), de doupion, *impulsionn*(el), d'impulsion ; *détriti*(phage), de détritus, *maïsi*(cole), de maïs ; *caoutchout*(ique), de caoutchouc, *talut*(age), de talus].

Le Répertoire se présente comme une suite d'items, par exemple :

●DI– [deux]	●–HALIN [salé]	●FIBR(E)– n.f.	●–FORMER v.
diadsorbé	oligohalin	fibrage	thermoformer
diauxie	thermohalin	**FIBRO– cf. fibre**	**FORM– cf. former**
diauxique		fibrogénique	formabilité
dilepton		fibromatriçage	formeur
dimuon		fibroscope	**–FORM– cf. former**
diphonème		fibroscopie	postformable
diplexeur			thermoformable
diproton			
DY– [deux]			
dyon			

Chaque item comprend trois indications : (1) le formant, (2) un élément d'explicitation sémantique, (3) les unités lexicales correspondantes :

(1)	(2)	(3)
DI–	[deux]	diadsorbé
DY–	[deux]	dyon
FIBRO–	cf. fibre	fibrogénique
FIBRE–	n.f.	fibrage
FER–	cf. chemin de fer	ferroutage
FORM–	cf. former	formabilité
–FORM–	cf. former	postformable
–HALIN	[salé]	oligohalin

(1) **Les données morphologiques** (suite alphabétique des entrées) signalent par la place des tirets la position des formants dans les unités construites. L'observation des variantes morphographiques d'un même formant permet de noter la constance de certains mécanismes ou le jeu contingent des consonnes et des voyelles de liaison. Ces variantes, qui ajoutent pourtant à l'insécurité néologique (on se souvient par exemple des hésitations autour d'*aquaculture/aquiculture)* sont rarement répertoriées, comme ici, de manière systématique.

On peut remarquer aussi, par la différenciation sémantique d'un même formant, la richesse polysémique croissante de certains d'entre eux [*hydro*– «eau» → *hydrocarboduc ; hydro*– «hydraulique» → *hydroflamblage ; hydro*– «hydrogénation» → *hydrocraqueur ; hydro*– «hydrohémique» → *hydrocachectique ; électro*– «électrique» → *électroconsolidation ; électro*– «électrolyse» → *électroextraction ; électro*– «électrostatique» → *électrofiltrage ; électro*– «électron» → *électroaccepteur*], à moins qu'à l'inverse on n'assiste à une neutralisation morphosémantique progressive de certaines distinctions étymologiques : le sème «végétal» se confond avec «qui pousse» pour désigner diverses plantes en fonction de leurs caractères propres ou de leur environnement [*–phyte* → *gypsophyte, phyto*– → *phytobentos, –phyt* → *aphytal, –phyton* → *phytoncide, –phit* → *symphitie*].

Le renouvellement des formants le plus notable procède de l'aménagement des unités lexicales elles-mêmes, catégorie facilement identifiable dans le Répertoire par la mention «*cf*» qui leur est propre [*bactério*– cf *bactérie* → bactérioscopie ; *bacto*– cf *bactérie* → bactospéine ; *neutro* –cf *neutron* → neutrophage ; *neutrono*– cf *neutron* → neutronographier]. La dérivation et la composition jouent alors sur ces nouveaux radicaux ou bases par l'adjonction d'un affixe ou d'un autre élément issu lui-même d'une dénomination existante [anachronisme → *–chronisme* + *dys*– → *dyschronisme* ; insomniaque → *somniaque* + *dys*– → *dyssomniaque* ; porphyrique → *–phyrique* + *a*– → *aphyrique* ; corps → *corpo*– + *–compteur* → *corpocompteur* ; scission → *scisso*– + *–métrique* → *scissométrique*]. C'est une ressource aussi diversifiée qu'inépuisable. Elle trouve ici un de ses premiers inventaires systématiques.

(2) **Les notations sémantiques** sont présentées sous quatre formes, selon la filiation établie :

a) A partir d'un noyau sémantique d'étymologie française, savante ou étrangère [*hélo*– [marécage] → hélocrène ; *nitro*– [azote] → nitro-carburation ; *nivo*– [neige] → nivologie ; *pré*– [avant] → prébiotique]. Il s'agit alors essentiellement d'éléments savants et d'affixes.

b) A partir d'une unité lexicale française ou étrangère fournissant le radical, la base ou l'expansion (élément de composition) du néologisme [*ordina—*, cf *ordinateur* → ordinacarte ; *—phyrique*, cf *porphyrique* → aphyrique ; *communico—*, cf *communication* → communicologue ; *—adhér—*, cf *adhérer* → préadhérisation ; *po—*, cf *pomme de terre*, *—mate*, cf *tomate* → pomate]. A partir des troncations et des aménagements les plus divers, ce modèle fournit indifféremment des éléments de dérivation, de composition, des calques ou des mots-valise.

c) A partir d'une unité lexicale telle qu'elle est attestée dans les dictionnaires français ; il est alors simplement fait mention de sa catégorie grammaticale. Le *e* final élidable, présenté entre parenthèses, et l'alternance vocalique (apophonie) liée à la construction ne constituent pas des exceptions : [*fibr(e)* n.f. → *fibrage* ; *fibrin(e)* n.f. → *défibrineur* ; *amer* adj. → *désamérisation* ; *biogèn(e)* adj. → *abiogénique* ; *biote* n.m. → *endobiote* ; *brasage* n.m. → *oxybrasage*].

d) Pour les sigles et les acronymes, le rappel de la forme développée dont ils procèdent tient lieu d'explicitation sémantique [*adac—* «Avion à Décollage et Atterrissage Court» → adacport ; *icr—* «Institute for Cancer Research» → icron ; *taco—* «Tomographie Axiale avec Calculatrice» → tacographie ; *armalcol—* «ARMstrong ALdrin COLlins» → armalcolite].

(3) Les unités lexicales

Point de départ de l'analyse, le relevé alphabétique des formes construites de la nomenclature du Dictionnaire est ici redistribué à partir des éléments formateurs qui en ont été dégagés. Qu'il s'agisse d'une centaine de dérivés, pour le suffixe *—age*, d'une occurrence unique du substantif *aigrette* ou des nombreuses réalisations issues de la base *thermo—*, toutes les formes ont été traitées selon le même principe. Leur regroupement à la suite d'une vedette commune permet d'apprécier, toute hypothèse statistique exclue, la productivité de chacun des formants.

IV. UNE ETAPE NEOLOGIQUE

Rappelons pour terminer que ce travail représente un exemple, non un modèle de **traitement morphosémantique exhaustif** d'une nomenclature donnée, afin de dégager les **éléments d'une dynamique** opérant à **un moment de l'enrichissement de la langue**, et que les résultats, comme la démarche, sont proposés à la réflexion critique des lecteurs.

La complexité de ces données est telle qu'elle autorise bien des approches. L'hypothèse d'un recours à la procédure de création ne va pas toujours sans ambiguïté. L'auteur d'un néologisme a parfois quelque peine à retrouver, à postériori, les enchaînements des diverses opérations morphosémantiques dont procède sa création ; plus souvent encore, il renonce à exclure radicalement les autres voies convergentes possibles. L'analyste ne peut espérer être plus assuré dans ses déterminations. Par ailleurs, il doit se garder d'exiger des formules créatives qu'il dégage plus de rigueur normative qu'elles n'en ont jamais inclus. L'observation ne porte pas sur une langue artificielle ou systématique, comme le sont par exemple certaines terminologies scientifiques ou les langages documentaires, mais sur des éléments de vocabulaires, de nature et de niveau de spécificité ou d'emploi variables, dans lesquels apparaissent toutes sortes de contradictions et de manquements aux règles. De plus, il s'agit d'un moment précis du développement des sciences et des techniques. D'autres étapes de la formation des lexiques des sciences et de leurs applications industrielles ont connu d'autres modalités, par exemple lorsque le recours aux éléments grécolatins était plus strictement codifié et observé par des usagers encore familiers de ces deux langues (tradition relativement conservée par la néologie médicale, en particulier).

L'influence des usages anglo-américains aidant, on voit à présent s'affirmer le goût des abréviations, des troncations et d'une libre distribution des formants. A travers la systématisation de certains procédés, un renouvellement très sensible de la dynamique dénominative, comme de ses moyens, se met en place. Certains traits nouveaux, peu conformes à l'image établie des caractères du français moderne, apparaissent ici, par exemple l'aptitude à une création plus spontanée, morphosyntaxiquement simplifiée, plus synthétique ou plus abrégée.

Il est indéniable que, dans les niveaux de langue où se situent nos relevés et sous la pression des besoins terminologiques qui s'y révèlent, l'action des divers stimuli créatifs a pesé plus que la nécessaire pondération entre la compétence et le savoir linguistiques dont certains rêvent de doter la «machine à créer les mots». Ce sont là des réalités dont atteste aussi le Répertoire des formants, dans les limites qui sont les siennes, bien sûr.

*

* *

En rendant hommage à l'équipe avec laquelle j'ai eu le plaisir de travailler, je demande, en son nom comme au mien, toute l'indulgence du Lecteur pour les insuffisances qu'a nécessairement entraînées la grande indigence en moyens de toutes sortes en dépit de laquelle nous avons réalisé ce travail. Quant aux erreurs qu'en toute hypothèse nous aurions commises, nous suggérons avec la plus grande simplicité qu'il veuille bien nous en faire part, nous en tiendrons compte dans les suites possibles de ce travail. Qu'il en soit, par avance, remercié.

Gabrielle QUEMADA

Répertoire de formants.
morphosémantiques

ABREVIATIONS ET SIGNES CONVENTIONNELS

adj. adjectif.

cf. précède le mot de référence morphosémantique.

m.d. marque déposée.

n.f. nom féminin.

n.m. nom masculin.

n. pr. nom propre.

prép. préposition.

v. verbe.

v. devant un formant, renvoie à la forme sous laquelle la vedette est traitée (mention précédée de ●).

● devant le formant, introduit la rubrique. La suite des formants précédés de ● correspond à la suite alphabétique.

AD—, AF— entrées rattachées à l'entrée principale (précédée de ●). Elles sont organisées en suite alphabétique secondaire.

—F;F—;–F– indique la place du formant (**F**) dans l'unité construite.

[ ] à la suite de la vedette, indique le sémantisme étymologique ou un trait sémantique.

[ ] graphie finale qui figure aussi à l'initiale du formant suivant.

(E) e caduc.

(O) (I/O) voyelles de liaison qui figurent dans des unités construites données dans la rubrique.

( ) explicitation sémantique, en cas de polysémie.

A

●A— [vers]
   agradation
AD— [vers]
   adlittoral
   adlocution
AF— [vers]
   affacturage

●A— [privatif, négatif]
   abiogène
   abiogénique
   acholéplasme
   adiathermique
   amagnétique
   amnémonique
   amodal
   anucléolaire
   aphyrique
   aphytal
   aprotique
   atactique
AN— [privatif, négatif]
   anallergisant
   anautogène
   anergié
   anidéique
   anionicité
   anisosmotique

●—ABILITÉ v. —ITÉ [aptitude]

●—ABLE [apte à être]
   abradable
   assemblable
   autoclavable
   autodéfroissable
   autopatinable
   banalisable
   bouchonnable
   cascadable

centrifugable
clouable
colisable
compactable
décontaminable
décrabotable
dégondable
démasclable
encapsulable
encliquetable
enfichable
étincelable
extrudable
fibrillable
fluidifiable
fluidisable
gerbable
hydrodispersable
hydrogénable
hydrurable
incisaillable
indexable
infleurissable
interfaçable
intergerbable
manutentionnable
mathématisable
parallélisable
passivable
pasteurisable
patinable
pelable
pelletable
photo-dégradable
photodurcissable
pompable
postformable
radiodurcissable
reconfigurable
réfrigérable
retournable
ripable
rurbanisable
sédimentable
ségrégeable

télécommandable
thermocollable
thermoformable
thermoscellable
urbanisable
—IFIABLE [apte à être]
   scorifiable
—ISABLE [apte à être]
   logicisable
   monétarisable

●ABRAD— [râcler]
   abradable

●—ABRASION n.f.
   vibro-abrasion
ABRAS(I)— cf. abrasion
   abrasimètre

●ABRASIV— cf. abrasif
   abrasivité

●ABRI— n.m.
   abribus
   abriquai

●ABSORPTIO— cf. absorption
   absorptiométrie

●ABSTR— cf. abstraire
   abstrat

●ACANTHO— [épine]
   acantholyse

●ACARI— cf. acarien
   acarifuge

●—ACCÉLÉRATION n.f.
   suraccélération
—CÉLÉRATION cf. accélération
   gravicélération

●—ACCÉLÉRÉE adj.
   pré-accélérée

●ACCÉLÉRO— cf. accélérer
accélérocompteur

●—ACCEPTEUR n.m.
électroaccepteur

●—ACCIDENTÉ adj.
polyaccidenté

●ACCIDENTO— cf. accident
accidentologie

●ACCRÉ[T]— [accroître]
accrétion

●ACCUEILL— cf. accueillir
accueillement

●ACCULTURAT— cf. accul-
turation
acculturatif

●—ACCUMULATION n.f.
bioaccumulation
ACCUMUL— cf. accumula-
tion
accumulique

●—ACÉ [qui ressemble à]
algacé
tufacé

●ACHEMIN— cf. acheminer
achemineur

●ACHROMATIC— cf. achro-
matique
achromaticité

●—ACIDE n.m.
haloacide

●—ACNÉ n.m.
chloracné

●—ACOUSIE [surdité]
socioacousie
nosoacousie

●—ACOUSTIQUE n.f.
psychoacoustique

●ACRIDO— cf. acridien
acridofaune

●ACR[O]— [à l'extrémité]
acrocentrique
acrolecte
acronyme
acronymie
acrophase
acrothermal

●ACROSOM(E)— n.m.
acrosomial
acrosomique

●—ACTIF adj.
coactif
interactif
semi-actif

●ACTINO— cf. actinium
actinothermique

●—ACTION n.f.
coaction
téléaction

●ACTIONN— cf. actionner
actionneur

●—ACTIVATEUR n.m.
désactivateur

●ACTO— cf. acte
actogenèse
actographie
actographique

●AD— v. A— [vers]

●AD— v.— ADSORBÉ

●ADAC— Avion à Décollage et
Atterrissage Courts
adacport

●ADD— cf. additionner
addende

●—ADDITION n.f.
photocycloaddition

●—ADE [action, produit de l'ac-
tion]
battade
cabrade
claquade
raffinade

●—ADHÉR— cf. adhérer
préadhérisation

●—ADHÉSIV— cf. adhésif
adhésivage
adhésivation

●—ADOPTABIL— cf. adoptable
adoptabilité

●—ADRÉNO— [accolé aux reins]
adrénorécepteur

●—ADSORBÉ cf. adsorber
diadsorbé
monoadsorbé
AD— cf. adsorber
adion

●ADULTO— cf. adulte
adultocentrisme

●AÉR(I/O)— [air]
aérifié
aéro-cellulaire
aéroclassification
aérocontaminant
aéroflottation
aérogène
aérogénérateur
aéroglissière
aérophone
aéroréfrigéré
aérosurface

●—AÉROPHILIE n.f.
microaérophilie

●AÉROTHERMO— cf. aéro-
therme
aérothermochimie

●AF— v. A— [vers]

●—AFFECTIF adj.
socio-affectif

●AFFLEUR— cf. affleurer
affleurage
affleureuse

●—AFFLEUREMENT n.m.
désaffleurement

●—AFRICAIN adj.
frafricain
AFRICAN(I/O)— cf. africain
africanitude
africanophone
africanophonie

●AGAR— cf. agar-agar
agarose

●—AGE [action, résultat de l'ac-
tion]
adhésivage
affacturage
affleurage
aigrettage
anchoitage
andainage
autoclavage
banderolage
bateyage
bennage

billage
bondonnage
boulage
boulochage
bullage
bulletinage
cadratinage
calepinage
caravanage
cascadage
chicanage
clapage
clipsage
clonage
coiffage
cokrigeage
complétage
complexage
conchage
contretypage
couponnage
criquage
croquage
débullage
dégarnissage
dégrafage
dégrappage
délactosage
déliassage
démalingrage
démaquisage
dénaphtalinage
désargilage
désiltage
détrompage
déverminage
dévoutage
dévoyage
diaclasage
drapage
ébonitage
écabossage
écharpage
écoquetage
écriquage
effluvage
égourmandage
empalage
enfonçage
enliassage
enrubannage
ensouillage
enveloppage
éraflage
étrognage
fardelage
ferroutage
fibrage
flochage
floconnage
formatage
fraisurage
franchisage

giclage
herbicidage
îlotage
indexage
inertage
interfaçage
inventoriage
kinescopage
krigeage
lagunage
liteaunage
marchandisage
marchéage
marsouinage
mélangeage
microbillage
monitorage
moyennage
operculage
orniérage
parclosage
pendulage
piétinage
pipetage
plaxage
rassissage
référençage
répertoriage
retorchage
rompage
scalpage
seigneurage
serpentage
spiralage
surjetage
talutage
tararage
tempérage
termaillage
thermostatage
topage
torchage
torsadage
touffetage
tractage
trappage
trispiralage
tulipage

●**ÂGÉ**— adj.
    âgéisme

●**AGENC(E)**— n.f.
    agencier

●—**AGGLUTINATION** n.f.
    hémagglutination
    AGGLUTINO— cf. agglu-
    tination
    agglutinoscope

●—**AGNOL** cf. espagnol
    fragnol

●—**AGNOSIE** n.f.
    hypnagnosie

●—**AGOGIE** cf. pédagogie
    andragogie

●—**AGOGIQUE** cf. pédagogi-
    que
    andragogique

●—**AGOGUE** cf. pédagogue
    andragogue

●—**AGRÉG**— cf. agréger
    antiagrégant

●**AGRÉGO**— cf. agrégation
    agrégocoagulomètre

●**AGRESSO**— cf. agression
    agressologie

●**AGRI**— [campagne]
    agritourisme

●**AGR(I/O)**— cf. agriculture
    agripouvoir
    agri-sylviculture
    agro-archéologue
    agrobiologie
    agro-climatologie
    agroécosystème
    agro-industrie
    agromonétaire
    agropharmacie
    agrotechnicien
    agro-tertiaire

●**AGROSTO**— cf. agrostis
    agrostologue

●—**AIE** [plantation]
    cistaie
    subéraie
    —**ERAIE** [plantation]
    ananeraie
    doumeraie
    prucheraie
    rôneraie
    yeuseraie

●**AIGRETT(E)**— n.f.
    aigrettage

●—**AILL**— [collectif]
    termaillage

●**AIR**— n.m.
    airstat

●—**AIRE** [relatif à]
    antennulaire
    anucléolaire

centriolaire
érythrocytaire
ethnocidaire
faculaire
granaire
hétérofermentaire
homofermentaire
implantaire
orbitalaire
périglomérulaire
plaquettaire
quadrinaire
racinaire
unaire

●—AJUSTEMENT n.m.
sur-ajustement

●—AL [relatif à]
algal
aphytal
crustal
fractal
infra-paginal
intersociétal
lemniscal
monostratal
multiclonal
occlusal
oligoclonal
pauciclonal
pontal
postexuvial
préexuvial
primal
sidérobactérial
sociétal
sporal
summital
unialgal
—ALE [relatif à]
primale
—IAL [relatif à]
acrosomial
fusorial
interfacial
—IALE [relatif à]
prémiale
tangentiale

●ALAR[M]— cf. alarme
alarmone

●ALBIT— [blanc]
albitisé

●—ALCALIN adj.
polyalcalin

●—ALCÉNA— cf. alcène
polyalcénamère

●—ALCOOL n. m.
bio-alcool
ALCOO— cf. alcool
alcooleptique
alcoologie
alcoologue
ALCOOLO— cf. alcool
alcoolomane

●—ALE v. —AL

●—[A]LE [ensemble de]
raphiale

●ALÉA— n.m.
aléation

●ALG(I/O)— cf. algue
algacé
algal
algicide
algothèque
—ALG— cf. algue
unialgal

●ALGORITHM(E)— n.m.
algorithmisation

●ALIBIL(E) [aliment]
alibile
—ALIBIL(E) [aliment]
inalibile

●—ALIGNEMENT n.m.
mésalignement

●—ALLERGISANT n.m.
anallergisant

●—ALLIÉES adj.
préalliées

●—ALLIT(E)— n.f.
allitisation

●ALLO— [autre]
alloantigène
allochromatique
allogame
allogénique
allographe
allogreffe
allo-immunisation
allopollen
alloprène
allostérique
allotype
allotypie

●ALPAG(E)— n.m.
alpager

●ALTÉR(A/O)— cf. altération
altéragène
altéralogie
altéramétrie
altérite

●—ALTERNATEUR n.m.
cryoalternateur

●ALTERNO— cf. alterner
alternostat

●ALT(I)— [hauteur]
altazimutal
alticole

●—ALTIMÉTRIE n.f.
paléoaltimétrie

●ALU— cf. aluminium
aluchromiste

●AMA— cf. amanite
amatoxine

●—AMAS n.m.
superamas

●AMASS— cf. amasser
amassement

●AMBI— [tous deux]
ambilatéralité
ambilocal

●—AMBIGU— adj.
désambiguïsant
désambiguïser

●AMBIGUÏ— cf. ambiguïté
ambiguïmètre

●AMBIO— cf. ambiance
ambiologie
ambiophonie
ambiophonique
ambiothérapie

●AMBUL— [promenade]
ambulation

●AMÉLO— [émail]
amélogénine

●AMEN— cf. amener
ameneur

●—AMÉNAGEMENT n.m.
macro-aménagement
micro-aménagement

●AMER— adj.
amérisant

—AMER— adj.
désamérisation

●AMÉRINDO— cf. amérindien
amérindophone

●—AMIANTE n.f.
isolamiante

●—AMIDE n.f.
aramide
—AMID(E)— n.f.
déamidation

●—[A]MIN cf. aminophénol
paramin

●AMIN(O)— cf. amine
aminergique
amino-fonctionnel
aminosucre

●AMNIO— cf. amniotique
amniocentèse

●AMORPH(E)— adj.
amorphisation

●AMPÈREMÈTR(E)— n.m.
ampèremétrique

●AMPHI— cf. amphibie
amphibarge

●—AMPHOLYTE n.m.
polyampholyte

●AMYLO— [amidon]
amylographe

●AN— v. A— [privatif, négatif]

●—AN [qui appartient à]
papouan

●ANA— [de bas en haut]
anaclinal
anagnosologie
anagraphique

●ANA— [contraire à]
anaculture
anagénétique
anavenin

●ANALYS— cf. analyser
analysateur

●—ANALYSEUR n.m.
tomoanalyseur

●ANAN— cf. ananas
ananeraie

●—ANCE [propriété, aptitude à]
anti-déflagrance
bruyance
déperlance
gémellance
nivelance
thermorayonnance

—ANC— [propriété, aptitude à]
livrancier

●ANCHI— [près, superficiel]
anchizone

●ANCHOIT— cf. anchoité
anchoitage

●ANDAIN— n.m.
andainage

●—ANDE [qui doit être]
cumulande
mesurande
—ENDE [qui doit être]
addende
diminuende

●AND(O)— [sol noir]
andique
andosol
andosolisation

●ANDORRAN— adj.
andorranisation

●—ANDRIE cf. polyandrie
oligandrie

●ANDR(O)— [homme]
andragogie
andragogique
andragogue
androcratie
andrologue
—ANDR— [homme]
hypoandrisme

●—ANE [carbures saturés]
caténane

●—ÂNE n.m.
zébrâne

●ANÉMO— [vent]
anémoclinométrique
anémologique
anémomorphose
—[A]NÉMONE [vent]
panémone

●—ANÉMOMÈTRE n.m.
thermoanémomètre

●—[A]NÉMONE v. ANÉMO—

●—[A]NGLAIS n.m.
spanglais

●ANGL(E)— n.m.
angleur

●ANGO— [message]
angologie

●—ANIMATION n.f.
vidéo-animation

●—[A]NNÉE n.f.
gigannée

●—ANNONCE n.f.
préannonce

●—[A]NNUEL adj.
circannuel

●—ANT [relatif à]
progradant
scalant

●—ANT [agent animé]
doctorant
laborant
—ANTE [agent animé]
gestante
—ISANT [spécialiste de]
catalanisant
malgachisant

●—ANT [agent inanimé]
aérocontaminant
antiagrégant
antimassant
antimottant
auto-déchargeant
automodelant
autoserrant
cavitant
chlorosant
cryptant
défanant
dermonécrosant
dessicant
fibrosant
leucopéniant
nucléant
polyrécupérant
réticulant
—[I]FIANT [agent inanimé]
brunifiant
rétifiant
—ISANT [agent inanimé]
amérisant
antiarythmisant
désambiguïsant
deutérisant

nodularisant
psychotisant

●—ANTARCTIQUE adj.
subantarctique

●—ANTE v.— ANT [agent ani-
mé]

●ANTÉ— [avant]
antémémoire

●ANTENN(E)— n.f.
antennectomie
—ANTENNO— cf. antenne
électro-antennogramme

●ANTENNUL(E)— n.f.
antennulaire

●ANTHROP(O)— [homme]
anthropisation
anthropisé
anthroponomique
anthropothanatologie

●—ANTHROPOLOGIE n.f.
kinanthropologie
paléoanthropologie

●ANTI— [qui s'oppose à, contraire à]
antiagrégant
antiarc
antiarythmisant
antiballant
antibleu
antibruit
anticapteur
anticline
anticoagulé
anticomitial
anticopie
anticorrélé
anti-déflagrance
antidictionnaire
antidune
antiétincelle
antigélif
anti-génésique
anti-hormone
antimagistral
antimassant
antimottant
antimycotique
antinutritionnel
anti-oviposition
antipanique
antipatinage
antipilonnement
antipsychotique
antiquark
antirefouleur

antiretour
antisatyre
antiscope
antitropistique
antitumoral
antitussif
antivibrant

●ANTIBIO— cf. antibiotique
antibio-supplémen-
tation
antibiosupplémenté
antibiotype

●—ANTIGÈNE n.m.
alloantigène

●ANTILLAN— cf. antillais
antillanité

●ANXIO— cf. anxiété
anxiolytique

●—APATITE n.f.
hydroxylapatite

●APHI— [puceron]
aphicide

●APO— [éloigné de]
apochondre
apocrine

●—APOLYSE [libération]
ergapolyse

●APOMICT— cf. apomixie
apomictique

●APONÉVR— cf. aponévrose
aponevrectomie

●APOTHIC— [boutique]
apothiconyme

●—APPARTENANT cf. appar-
tenir
mono-appartenant

●APPEL— n.m.
appeleur

●—APPERT— n. pr.
radappertisation

●APPÉTIT— n.m.
appétitif

●APPOINT— cf. appointer
appointeuse

●—[A]PPRENTISSAGE
n.m.
parapprentissage

●APROSEX— cf. aprosexie
aprosexique

●AQUA— [eau]
aquabulle
aquacole
aquasonde
aquathermique

●AQUARIO— cf. aquarium
aquariologie

—ARIUM cf. aquarium
fluvarium

●AQUICULTURE n.f.
dulçaquiculture

●AR— cf. aromatique
aramide

●—ARABE n.m.
francarabe
ARAB(O)— cf. arabe
arabité
arabographe
arabologue

●ARACHID(E)— n.f.
arachidier

●ARBOVIR— cf. arbovirus
arbovirose

●AR[C]— v.— ARCHITEC-
TURE

●—ARC n.m.
antiarc
pluriarc

●—ARCHE cf. patriarche
matriarche

●ARCHÉO— [ancien]
archéographe

●ARCHÉO— cf. archéologie
archéomagnéticien
archéomètre
archéométrie
archéométrique

●—ARCHÉOLOGUE n.m.
agro-archéologue

●—ARCHITECTE n.m.
géoarchitecte

•ARCHITECTON— cf. archi-
tectonique
architectonie

•—ARCHITECTURE n.f.
hélio-architecture
solarchitecture
ARCHITECTURO— cf. ar-
chitecture
architecturologie
AR[C]— cf. architecture
arcologie
arcologique
—TECTURE cf. architecture
infotecture

•—ARCHIVAGE n.m.
préarchivage

•—ARD [ensemble de]
pesard

•—ARD [outil]
chenillard

•ARÉNI(T)— [sable]
arénitite
arénivore
—ARÉN— [sable]
litharénite

•ARÉO— [aire]
aréologie

•—ARGIL(E) n.f.
désargilage

•ARGILOS— cf. argileux
argilosité

•—ARGIN— cf. arginine
hypérarginémie

•ARID(E)— adj.
aridification
aridisation
ARIDO— cf. aride
aridoculture
aridosol

•ARISTO— cf. aristocrate
aristothanasie

•—ARIUM v. AQUARIO—

•ARMALCOL— ARMstrong
ALdrin COLlins
armalcolite

•AROMA— [arôme]
aromagramme
aromathérapie

•AROMATIC— cf. aromatique
aromaticien
aromaticité

•—ARRACHEUR n.m.
vibro-arracheur

•—ARTISTE n.m.
ordinartiste

•—ARYTHM— cf. arythmie
antiarythmisant

•—ASE [enzyme]
nitrogénase

•ASEPTIS— cf. aseptiser
aseptiseur

•AS(I/A)— cf. Asie
asiadollar
asien

•ASPERS— cf. aspersion
asperseur

•ASPIRO— cf. aspirateur
aspiro-brosseur

•—ASSEMBLAGE n.m.
autoassemblage
désassemblage

•—ASSEMBLER v.
autoassembler(s'—)
ASSEMBL— cf. assembler
assemblable
assembleur

•ASSERTORIC— cf. assertorique
assertoricité

•—ASSIMIL— cf. assimiler
assimilat

•—ASSOCIATIONNISME
n.m.
néo-associationnisme

•—ASSOCIATIONNISTE
n.m.
néo-associationniste

•ASTACO— [grand crustacé]
astacologie
astacologue

•ASTHMO— cf. asthme
asthmomètre

•—AT [produit résultant d'une
action]
abstrat
assimilat
broyat
centrifugat
concentrat
décantat
éjaculat
éluat
évaporat
floculat
neurosecrétat
osmosat
perméat
polymérisat
pyrolysat
régénérat

•—AT [état, profession]
éméritat
fonctionnariat
ingéniorat
managerat

•—ATE [sel en chimie minérale]
clathrate

•—ATEUR [agent]
analysateur
autofocalisateur
calibrateur
concentrateur
conjugateur
conscientisateur
déminéralisateur
désérialisateur
dilacérateur
ignifugateur
nullateur
optimateur
potentialisateur
pulsateur
stellarateur
turbulateur
—ISATEUR [agent]
brumisateur
linéarisateur
numérisateur
stassanisateur
—ISATEUR [spécialiste de]
modélisateur

•ATHÉRO— cf. athérome
athérogénèse

•—ATHLON cf. pentathlon
polyathlon

•—ATION v. —TION

●—**ATIQUE** cf. syntagmatique
lexématique
monématique

●—**ATOME** n.m.
quasi-atome
phonatome

●—**ATOMIQUE** adj.
équiatomique

●—**ATTRACTEUR** n.m.
électroattracteur

●—**AUDIOPROTHÈSE** n.f.
crypto-audioprothèse

●—**AURAL** [auriculaire]
binaural

●**AUSTÉNIT(E)**— n.f.
austénitisation

●**AUTHI**— [du lieu-même]
authigène
authigenèse

●**AUT[O]**— [soi-même]
autoassemblage
autoassembler
autobrouillage
autocabrage
autocalibrer
autochauffant
autocide
autoclimatisation
autoclimatisé
autocollant
autocolonisation
autocombustibilité
autocombustible
autocombustion
autocommutateur
autoconcurrence
auto-construction
autoconvergence
autoconvergent
autocopiant
autocorrecteur
autocorrection
autocreuset
autodécharge
auto-déchargeant
autodéfroissabilité
autodéfroissable
auto-développement
autodirecteur
autodurcissant
auto-éclaircie
autoécologie
autoélévatrice
auto-émulsifiant
auto- énergétique

auto-enfouissement
autoétuvage
autoextrait
autofertilisant
autofocalisateur
autofreinage
autofreiné
auto-gavage
autogiration
auto-greffon
autogrimpant
autoguidage
autohypnose
auto-laveur
autolaveuse
auto-lissant
autologue
autolysosome
automédication
autométrie
autométrique
automodelant
autonettoyage
autopatinable
autopointé
autoprotégé
autoprotonisation
autorégressif
auto-réticulation
auto-scellage
autosectorielle
auto-semblable
auto-serrage
autoserrant
autosimilitude
auto-subsistance
autosuffisance
auto-suffisant
autosurveillé
autotesté
autotracté
autotransplantation
autotrempe
autovinificateur
autoxydation
auto-zéro

—**AUTO**— [soi-même]
chronautographe
radioautographie

●**AUTO**— n.f.
auto-banque
autodune
auto-grue
autoport
auto-silo

●**AUTOCLAV(E)**— n.m.
autoclavable
autoclavage
autoclavé

●—**AUTOGÈNE** adj.
anautogène

●**AUTOMATIC**— cf. automatique
automaticien

●**AUTOMATIS**— cf. automatiser
automatiseur

●**AUX**— [augmentation]
auxèse
—**AUX**— [augmentation]
diauxie
diauxique
dysauxie

●—**AUXILIAIRE** n.m.
ego-auxiliaire

●**AVUNCULO**— [oncle maternel]
avunculolocalité

●**AXÈN(E)**— [inhospitalier]
axène
axénicité
axénique
axénisation

●—**AXIAL**— adj.
coaxialité

●—**AZIMUTAL** adj.
altazimutal

B

●**BACTÉRID**— cf. bactéridie
bactéridien

●—**BACTÉRIE** n.f.
sidérobactérie
super-bactérie
—**BACTÉRI(E)**— n.f.
sidérobactérial
BACTÉRIO— cf. bactérie
bactérioscopie
BACTO— cf. bactérie
bactospéine

●**BAINIT(E)**— n.f.
bainitique

●**BAISS**— cf. baisser
baissier

●**BALAFONG**— cf. balafon
balafongiste

●—**BALLANT** adj.
antiballant

●—**BALLASTER** v.
déballaster

●**BANALIS**— cf. banaliser
banalisable

●—**BANDE** n.f.
monobande
multibande

●**BANDEROL(E)**— n.f.
banderolage
banderoleuse

●**BANDO**— cf. bande magnétique
bandothèque

●**BANLIEUSARD**— n.m.
banlieusardisation

●—**BANQUE** n.f.
auto-banque

●**BANTU**— n.m.
bantuistique

●—**BARGE** n.f.
amphibarge

●**BARO**— [pression]
barochore
barocline
barocontact
baro-hôpital
barophile
baro-relais
barotrope

●**BARQUETT(E)**— n.f.
barquetteuse
—**BARQUET**— cf. barquette
embarqueteuse

●**BARR**— cf. barrer
barrure

●—**BARREUR** n.m.
embarreur

●**BARYT(E)**— n.f.
baryter

●**BASI**— cf. base
basilecte

●—**BASIQUE** adj.
rutilo-basique

●**BATEY**— cf. batée
bateyage

●**BATHY**— [en profondeur]
bathyphotomètre
bathysonde
bathythermique
bathythermogramme

●**BÂTI**— cf. bâtiment
bâtilong

●**BATT**— cf. battre
battade

●—**BATTANT** adj.
oscillo-battant

●**BÉNÉLUX**— n. pr.
bénéluxisation

●**BÉNIN**— n. pr.
béninois

●—**BENNE** n.f.
gyrabenne
BENN(E)— n.f.
bennage
bennier

●—**BENTHOS** n.m.
macrobenthos
méiobenthos
phytobenthos
—**BENTH**— cf. benthos
macrobenthonte

●**BERBÉRO**— cf. berbère
berbérophone

●**BÊTA**— n.m.
bêta-bloquant

●**BÉTAILL**— cf. bétail
bétailler

●—**BÉTON** n.m.
minibéton
BÉTONN— cf. béton
bétonnier

●**BI**— [deux]
bicircadien
bicône
bicoordonnée
bidimensionnel
biellipsoïde
biennie
biglotte
bigyrotropisme

bilacune
bilocalité
bimaturisme
bi-mode
bi-pli
bipropriété
bi-sociation
bi-socier
bi-standard
bizonal
BIN— [deux]
binaural
binon

●**BIBERONN**— cf. biberon
biberonnerie

●**BIDONVILL(E)**— n.m.
bidonvillien
bidonvillisation

●**BILANT**— cf. bilan
bilantiel

●**BILINGU(E)**— adj.
bilinguisation
bilinguiser

●**BILL(E)**— n.f.
billage
—**BILL(E)**— n.f.
microbillage

●**BILLET**— n.m.
billetiste
BILLETT— cf. billet
billetterie

●**BIN**— v. BI—

●**BI[O]**— [vie]
bioaccumulation
bio-alcool
biocarburant
biocéramique
biochaleur
bioclaste
bioclastique
biocompatible
bioconversion
biocristal
biocuisine
biodétériogène
biodisponibilité
biodisque
bioénergéticien
bioénergie
bio-gaz
biogéochimie
biogéodynamique
bioherme
bio-histoire
bio-ioniseur

biomatériau
biomécanique
biomembrane
biomimétique
biomonomère
bion
biopériodicité
biopériodique
biopharmacie
biophotomètre
biopolymère
biopotentiel
bioprotéine
biopulpotomie
bioréacteur
biorythme
biorythmique
bioséquence
biostratigraphie
biostratigraphique
biostrome
biosynthétique
biotechnologie
biotélémétrie
biotélémétrique
biothermique
biotrophe
bio-usine
biozone
—BI[O]— [vie]
épibionte
protobionte

●—BIOCIDE n.m.
microbiocide

●BIOÉNERGÉTIC— cf. bio-
énergétique
bioénergéticien

●—BIOGÈNE adj.
abiogène
microbiogène
—BIOGÈN(E)— adj.
abiogénique

●—BIOGÉNÈSE n.f.
microbiogénèse

●—BIOLOGIE n.f.
agrobiologie
chronobiologie
cryobiologie
exobiologie
paléobiologie
sociobiologie

●—BIOLOGISTE n.m.
chronobiologiste
exobiologiste
ichtyobiologiste

●BIONOMI(E)— n.f.
bionomiste

●BIOPSI(E)— n.f.
biopsié

●—BIOTAXIE n.f.
neurobiotaxie

●—BIOTE n.m.
endobiote

●—BIOTIQUE adj.
prébiotique
xénobiotique

●BISMUTH— n. m.
bismuthémie

●—BLASTE [bourgeon]
brachyblaste

●—BLEU n.m.
antibleu

●BLOCO— cf. bloc
blocométrie
blocométrique

●—BLOQUANT cf. bloquer
bêta-bloquant

●BONDONN— cf. bondonner
bondonnage

●BORDUR(E)— n.f.
bordurette

●BORN(E)— n.f.
bornier

●—BOTANIQUE n.f.
ethnobotanique

●—BOTTE n.f.
surbotte

●—BOUCHAGE n.m.
surbouchage

●BOUCHONN— cf. bouchon-
ner
bouchonnable

●BOUL(E)— n.f.
boulage
bouleuse

●BOULOCH— cf. boulocher
boulochage

●BOULONN— cf. boulonner
boulonneuse

●BOUT— cf. bouter
bouteur

●BOUTEROLL(E)— n.f.
bouteroller

●BOVI— cf. bovidés
bovipestique

●BRACHISTO— [le plus court]
brachistochrone

●BRACHY— [court]
brachyblaste
brachygraphie

●—BRAS n.m.
interbras

●—BRASAGE n.m.
oxybrasage

●BRASS— cf. brasser
brassoir

●BREVETABIL— cf. breveta-
ble
brevetabilité

●—BRIN n.m.
équibrin
multibrin

●BROMATOLOG— cf. bro-
matologie
bromatologique

●—BROSS— cf. brosser
aspiro-brosseur

●—BROUILLAGE n.m.
autobrouillage

●BROUT— cf. brouter
brouture

●—BROYAGE n.m.
cryobroyage
girobroyage

●—BROYER v.
girobroyer
BROY— cf. broyer
broyabilité
broyat

●BRUCELL— cf. brucellose
brucellique

●—BRUIT n.m.
antibruit
parabruit

●—BRUITAGE n.m.
débruitage

●BR[UM](E)— n.f.
brumée
brumisateur
brumisation

●BRUN— adj.
brunifiant
brunification

●BRUXO— [grincer des dents]
bruxomanie

●BRUY— cf. bruyant
bruyance

●BU— [bœuf]
buiatrie

●—BULLE n.f.
aquabulle
BULL(O)— cf. bulle
bullage
bulloscopie

●BULLETIN— n.m.
bulletinage

●BULL(O)— v. —BULLE

●BUREAU— n.m.
bureautique

●—BUS n. m. (autobus)
abribus
labobus
muséobus
musibus
radio-bus
transbus
vidéobus

●—BUS n.m. (voie de transmission)
pluribus

●BUTAN(E)— n.m.
butané

●BUTYROMÈTR(E)— n.m.
butyrométrique

C

●—CÂBLE n.m.
cryocâble

CÂBL(E)— n.m.
câbleuse
CÂBLO— cf. câble
câblo-diffusion
câblodistributeur
câblodistribution

●—CABOSS(E)— n.f.
écabossage

●CABR— cf. cabrer
cabrade

●—CABRAGE n.m.
autocabrage

●—CACHECTIQUE adj.
hydrocachectique

●CACHET— n.m.
cachetier

●CADENC(E)— n.f.
cadenceur

●CADRATIN— n.m.
cadratinage

●—CAISS(E)— n.f.
décaisseuse

●—CALCAR— cf. calcaire
décalcarisation

●—CALCIQUE adj.
eucalcique
sodocalcique

●CALCUL— n.m.
calculette
calculmètre
—CALCUL— n.m.
dyscalculie
dyscalculique

●—CALCULATEUR n.m.
microcalculateur

●—[C]ALE cf. sécale
triticale

●CAL(E)— [chaleur]
calefacteur
calextracteur
CALO— [chaleur]
calodie
caloduc
calopulseur
—CALO— [chaleur]
électro-calogène

●CALEPIN— n.m.
calepinage

●—CALIBRER v.
autocalibrer
CALIBR— cf. calibrer
calibrateur

●—CALLISTHÉN— [belle force]
psychocallisthénie

●CALO—, —CALO— v. CAL(E)—

●—CALORIQUE adj.
hypocalorique

●—CAMÉRA n.m.
gamma-caméra

●—CAMIONN— cf. camion
encamionneuse

●CANCÉROGÈN(E)— adj.
cancérogénicité

●CANETT(E)— n.f.
canetterie

●CANNABIN— cf. cannabinacée
cannabinoïde

●CAOUTCHOUT— cf. caoutchouc
caoutchoutique

●CAPRI(N)— n.m.
caprinisé
capripestique

●CAPSID(E)— n.f.
encapsidation

●—CAPSULAGE n.m.
encapsulage
thermocapsulage

●—CAPSUL(E)— n.f.
encapsulable
encapsulation
encapsulement
incapsulation

●—CAPSULÉ cf. capsuler
encapsulé

●—CAPSULEUR n.m.
thermocapsuleur

●—CAPTEUR n.m.
anticapteur
héliocapteur
photocapteur
tricapteur

●**CARAVAN(E)**— n.f.
caravanage
caravaneur

●**CARBO**— [charbon]
carboduc
—**CARBO**— [charbon]
hydrocarboduc

●**CARBONYL(E)**— n.m.
carbonylation

●**CARBURANT** n.m.
biocarburant

●—**CARBURATION** n.f.
nitro-carburation

●**CARBUR(I)**— cf. carbure
carburier
carburigène

●**CARDIA**— n.m.
cardiatomie

●**CARDINAL**— adj.
cardinalité

●**CARDIO**— [cœur]
cardio-sélectif

●—**CARDIOGRAPHIE** n.f.
magnétocardiographie

●**CARIO**— cf. carie
cariologie

●**CAROTIDO**— cf. carotide
carotidogramme

●—**CAROTTAGE** n.m.
décarottage
vibrocarottage

●—**CAROTTIER** n.m.
vibro-carottier

●**CARRIÈR(E)**— n.f.
carriérisation

●—**CARTE** n.f.
mémocarte
multicarte
ordinacarte
vidéocarte

●**CARTO**— [carte géographique]
cartothécaire
cartozonage

●—**CARTOGRAPHE** n.m.
phytocartographe

●—**CARTONNAGE** n.m.
encartonnage

●—**CARTONNEUSE** adj.
encartonneuse

●—**CARY**— [noyau]
hétérocaryote

●**CASCAD(E)**— n.f.
cascadable
cascadage
cascader

●—**CASIER** n.m.
transcasier

●**CASS**— cf. casser
cassoir

●—**CASSETTE** n.f.
vidéo-cassette
CASSÉTO— cf. cassette
cassétothèque

●—**CASSEUR** n.m.
vibrocasseur

●**CASTANÉI**— [châtaignier]
castanéicole

●**CASTRO**— [château]
castrologie

●**CATA**— [de haut en bas]
catagraphique
catasonde
catatoxique
catazone

●**CATALAN**— n.m.
catalanisant
catalanité

●**CATALO**— cf. catalogue
catalographe
catalographique

●—**CATÉGORIE** n.f.
polycatégorie

●**CATÉN**— [chaîne]
caténane

●—**CATÉNAIRE** adj.
monocaténaire

●**CATHARO**— [purification]
catharomètre

●**CATHODO**— cf. cathode
cathodoluminescence

●**CATION**— n.m.
cationique

●**CAUCAS**— cf. caucasien
caucasoïde

●**CAUDO**— [queue]
caudophagie

●—**CAUTÉRISATION** n.f.
microcautérisation

●**CAVIT**— [creux, cavité]
cavitant
caviton

●**CÉCIDO**— [galle]
cécidologie

●**CEILO**— [plafond]
ceilomètre

●—**CÉLÉRATION** v. ACCÉLÉRATION

●**CÉLÉR(I/O)**— [vitesse]
célérimètre
céléromètre

●**CELLO**— cf. celler
celloderme

●—**CELLULAIRE** adj.
aéro-cellulaire
CELLULAR— cf. cellulaire
cellularisé

●—**CELLULE** n.f.
proto-cellule

●—**CELLULOSE** n.f.
lignocellulose
CELLULO— cf. cellulose
cellulolytique

●**CELTIC**— cf. celtique
celticité

●**CELT(O)**— cf. celte
celtisation
celtophone

●—**CENDRAGE** n.m.
décendrage

●**CÉNO**— [commun]
cénogramme

●**CÉNO**— [vide]
cénosphère

●—**CÉNOSE** cf. biocénose
édaphocénose

nématocénose
parasitocénose
thanatocénose

●—CENTÈSE [ponction]
amniocentèse

●—CENTR— cf. centromère
acrocentrique
médiocentrique

●—CENTRÉ adj.
égocentré
socio-centré

●CENTRIFUG(E)— adj.
centrifugabilité
centrifugable
centrifugat

●CENTRIOL(E)— n.m.
centriolaire

●—CENTRIQUE [relatif au centre]
eucentrique

●—CENTRISME n.m.
adultocentrisme
europocentrisme
logocentrisme

●CÉPHAL— [tête]
céphalisation

●—CÉRAMIQUE n.f.
biocéramique
vitrocéramique
CÉRAM(O)— cf. céramique
céramisation
céramisé
céramologie
céramologue
CER— cf. céramique
cermet

●CERCL— cf. cercler
cercleuse

●CÉRULO— [bleu, vert]
céruloplasmine

●CHALCO— [cuivre]
chalcophile

●CHALCOGÈN(E)— n.m.
chalcogénure

●—CHALEUR n.f.
biochaleur
extra-chaleur

●CHAMBR— cf. chambrer
chambreur

●CHAMPLEV— cf. champlever
champlevure

●CHANTOURN— cf. chantourner
chantourneur

●CHAP(E)— n.f.
chapiste

●—CHARGÉ adj.
turbochargé

●—CHARGES n.f. pl.
hétérocharges
homocharges

●—CHARGEUR n.m.
tracto-chargeur

●—CHARGEUSE n.f.
rétrochargeuse

●CHARM(E)— n.m.
charmonium
—CHARM(E)— n.m.
paracharmonium

●CHAUDIÈR(E)— n.f.
chaudiériste

●—CHAUFFANT adj.
autochauffant

●CHÉMO— [chimie]
chémorécepteur
chemostat
chémotopie

●CHENIL— n.m.
chenilose

●CHENILL(E) n.f.
chenillard

●—CHÈRE [cochon]
hylochère

●CHÉTO— [système pileux]
chétotaxie

●CHEVILL(E)— n.f.
chevilleuse

●CHICAN(E)— n.f.
chicanage

●CHIMÈR(E)— n.f.
chimérisme

●—CHIMIE n.f.
aérothermochimie
lipochimie
parachimie
plasmachimie
sucrochimie
xylochimie
CHIMI(E)— n.f.
chimisation
chimisé
chimisorber
CHIMIO— cf. chimie
chimiostérilisant
chimiotaxonomie

●—CHIMIQUE adj.
héliochimique
pédochimique

●—CHLORATION n.f.
déshydrochloration
oxychloration

●CHLOR(O)— cf. chlore
chloracné
chlorier
chloromètre
chlorosité
chlorostat

●CHLOROS(E)— n.f.
chlorosant

●—CHOC n.m.
hydrochoc
super-choc

●—CHOLÉ— cf. cholestérol
acholéplasme

●—CHONDRE [grain]
apochondre

●—CHORE [espace]
barochore
CHOR— [espace]
choronymie
—CHOR— [espace]
isochoronyme

●—CHORIAL adj.
endothéliochorial
épithéliochorial
hémochorial
syndesmochorial

●—CHROM— v. —CHROME

●—CHROMAT(E)— n.m.
déchromatation

●—CHROMATIQUE adj.
allochromatique

idiochromatique
trichromatique
CHROMATIC— cf. **chromatique**
chromaticité

●—**CHROME** [couleur]
lithochrome
photochrome
—**CHROM**— [couleur]
aluchromiste
CHROMO— [couleur]
chromostatique

●—**CHRONE** [temps]
brachistochrone
—**CHRONO**— [temps]
géochronologue
CHRON(O)— [temps]
chronautographe
chronesthésie
chronobiologie
chronobiologiste
chronocomparateur
chronocontact
chronogénétique
chronon
chronopharmacologie
chronopharmacologique
chronophysiologie
chronophytotron
chronopotentiométrie
chronoréverbéromètre
chronoséquence
chronostratigraphique
chronosusceptibilité
chronothérapeutique
chronothérapie

●—**CHRONIE** cf. **synchronie**
métachronie

●—**CHRONIQUE** adj.
dromochronique
métachronique

●—**CHRONISME** cf. **anachro-nisme**
dyschronisme

●**CHRON(O)**— v. —**CHRONE**

●—**CHRONOLOGIE** n.f.
téphrochronologie
xylochronologie

●—**CHRONOLOGISTE** n.m.
géochronologiste

●**CHRONOMÈTR(E)**— n.m.
chronométrier

●—**C[I]**— cf. **Si**, symbole chimi-que du silicium
naticite

●—**CIDE** [qui tue]
algicide
aphicide
autocide
corvicide
écocide
filicide
géronticide
imagocide
ixodicide
nématocide
phytocide
phytoncide
rodenticide
—**CID**— [qui tue]
ethnocidaire

●**CILIO**— [cil]
ciliotoxicité
ciliotoxique

●—**CIM(E)**— n.m.
surcimé

●**CINÉ**— [mouvement]
cinéholographie
CIN— [mouvement]
cinorthèse
KIN— [mouvement]
kinanthropologie

●—**CINÉGRAPHIE** n.f.
microcinégraphie

●**CINÉMA**— n.m.
cinémathécaire
—**CINÉMA** n.m.
macrocinéma

●—**CINÉMATOGRAPHIE** n.f.
endocinématographie

●**CINÉPHIL(E)**— n.m.
cinéphilique

●—**CINÉTIQUE** adj.
gamétocinétique
pharmaco-cinétique
thermocinétique

●**CINÉTOSOM(E)**— n.m.
cinétosomien

●—**CINTRAGE** n.m.
cryocintrage

●**CIRC[A]**— [autour de]
circalittoral
circannuel
CIRCUM— [autour de]
circumpacifique
circum-sélène

●—**CIRCADIEN** adj.
bicircardien

●**CIRCIN**— cf. **circiné**
circination

●**CIRCUIT**— n.m.
circuiterie

●**CIRCULAR**— cf. **circulaire**
circularisation

●—**CIRCULATION** n.f.
intercirculation

●**CIRCUM**— v. **CIRC[A]**

●**CIRONN**— cf. **ciron**
cironné

●**CISAILL**— cf. **cisailler**
cisailleur
—**CISAILL**— cf. **cisailler**
incisaillable

●**CIST(E)**— n.f.
cistaie

●**CITERN(E)**— n.f.
citernier

●**CLADO**— [rameau]
cladogénétique

●**CLAIR**— cf. **clairsemé**
clairplanté

●**CLAIRIÈR(E)**— n.f.
clairiéré

●**CLAP**— [tas de pierres]
clapage
clapé

●**CLAQU**— cf. **claquer**
claquade

●**CLARI**— [clair]
clarifixation

●**CLASS(E)**— n.f.
classème
—**CLASS(E)**— n. f.
uniclassiste

●—CLASSEUR n.m.
   turbo-classeur

●—CLASSIFICATION n.f.
   aéroclassification

●CLASS(O)— cf. classer
   classette
   classier
   classologue

●—CLASTE [brisé]
   bioclaste
—CLAST— [brisé]
   thermoclastie
   thermoclastisme

●—CLASTIQUE adj.
   bioclastique
   cryoclastique
   pyroclastique

●CLATHR— [grillage]
   clathrate

●—CLAVE cf. autoclave
   hydroclave
   hyperclave

●CLICH— cf. cliché
   clicheur

●—CLIENTÈLE n.f.
   monoclientèle

●—CLIMAT n.m.
   électroclimat
   hydroclimat
   mésoclimat
   nanoclimat
CLIMA— cf. climat
   climaséquence
   climatope
CLIMATO— cf. climat
   climatomorphique

●—CLIMATIQUE adj.
   écoclimatique
   phytoclimatique

●—CLIMATISATION n.f.
   autoclimatisation
   électroclimatisation

●—CLIMATISÉ adj.
   autoclimatisé

●CLIMATO— v. —CLIMAT

●—CLIMATOLOGIE n.f.
   agro-climatologie

●—CLIMAX n.m.
   monoclimax

●—CLINAL cf. cataclinal
   anaclinal

●—CLINE [pente]
   anticline
   barocline
   halocline
   oxycline
   péricline
CLINO— [pente]
   clinoséquence
—CLINO— [pente]
   anémoclinométrique

●CLINIC— cf. clinique
   clinicisation

●—CLINIQUE adj.
   infraclinique

●CLINO—,   —CLINO— v.
CLINE

●CLIO— n. pr.
   cliométricien
   cliométriste

●CLIPS— n.m.pl.
   clipsage
   clipser
CLIPP— cf. clip
   clippé
   clippeuse

●CLOISONN— cf. cloisonner
   cloisonnette
   cloisonneuse

●—CLOISONNÉ adj.
   encloisonné

●CLON(E)— n.m.
   clonage
—CLON(E)— n.m.
   multiclonal
   oligoclinal
   pauciclonal

●CLOU— cf. clouer
   clouable
   cloueur

●—CLUSION cf. occlusion
   disclusion

●CO— [avec]
   coactif
   coaction
   coaxialité
   coculture

codominant
co-éducation
coépouse
coextrusion
cofusion
cohyponyme
cokrigeage
conational
copolymère
coprésence
cothérapeute
cothé apie
co-traitance
CON— [avec]
   conrotatoire
   consociation

●—COAGULÉ adj.
   anticoagulé

●—COAGULOMÈTRE n.m.
   agrégocoagulomètre

●COALESC— cf. coalescence
   coalesceur

●COCCI— [grain]
   cocciforme

●COCCIDIO— cf. coccidiose
   coccidiostat

●COCH— cf. cocher
   cocheuse

●—CODAGE n.m.
   vidéo-codage

●COD(E)— n.m.
   codet

●—CODEUR n.m.
   topocodeur
   vococodeur

●COÉS— [bleuâtre]
   coésite

●—COGNITIF adj.
   socio-cognitif

●COHÉR— cf. cohérence
   cohérine

●—COHÉSION n.f.
   décohésion

●COIFF— cf. coiffer
   coiffage

●COK(E)— n.m.
   cokier

●—COLE [qui vit dans]
　alticole
　fluicole
　frondicole
　mixticole
　savanicole
　vasicole

●—COLE [relatif à la culture, à l'élevage de]
　aquacole
　castanéicole
　conchylicole
　cunicole
　maïsicole
　milicole
　phœnicicole

●COLIS— n.m.
　colisable
　colisé

●—COLL— cf. coller
　thermocollable

●—COLLANT adj.
　autocollant

●COLLAPS(E)— n.m.
　collapson

●COLO— cf. colon
　coloscope
　coloscopie

●—[C]OLOGIE v. ÉCOLOGIE

●—[C]OLOGIQUE v. ÉCO-
LOGIQUE

●—COLONISATION n.f.
　autocolonisation
　exocolonisation

●—COLORIMÈTRE n.m.
　spectrocolorimètre

●—COMBUSTIBILITÉ n.f.
　autocombustibilité

●—COMBUSTIBLE n.m.
　hydro-combustible

●—COMBUSTIBLE adj.
　autocombustible
　polycombustible

●—COMBUSTION n.f.
　autocombustion
　rétrocombustion

●COMÈT(E)— n.f.
　cométésimal

●—COMITIAL adj.
　anticomitial

●COMMAND— cf. com-
mander
　commandabilité

●—COMMANDE n.f.
　monocommande

●—COMMENSAL n.m.
　endocommensal

●COMMUNAUTAR— cf.
communautaire
　communautarisation

●—COMMUNAUTÉ n.f.
　éco-communauté

●—COMMUNICATION n.f.
　vidéocommunication
COMMUNICATIONN— cf.
communication
　communicationnel
COMMUNICAT— cf. com-
munication
　communicatique
COMMUNICO— cf. commu-
nication
　communicologiste
　communicologue

●—COMMUNISME n.m.
　eurocommunisme

●—COMMUNISTE adj.
　eurocommuniste

●—COMMUTATEUR n.m.
　autocommutateur

●—COMPACTE adj.
　sub-compacte

COMPAC[T](O)— cf.
compact
　compactable
　compactibilité
　compaction
　compactomètre

●—COMPACTEUR n.m.
　vibrocompacteur

●COMPAC[T](O) v. —COM-
PACTE

●—COMPARATEUR n.m.
　chronocomparateur
　monocomparateur

●—COMPARATIF adj.
　semi-comparatif

●—COMPATIBILITÉ n.f.
　histocompatibilité
　pseudo-compatibilité

●—COMPATIBLE adj.
　biocompatible
　hémocompatible
　histo-compatible

●—COMPILATEUR n.m.
　métacompilateur

●COMPLÉT— cf. compléter
　complétage

●COMPLEX— cf. complexer
　complexage
　complexation

●COMPLEXIFICAT— cf.
complexification
　complexificatoire

●COMPORTEMENTAL—
adj.
　comportementaliste

●—COMPOSÉ n.m.
　recomposé

●—COMPRESSIMÈTRE
n.m.
　décompressimètre

●—COMPRESSION n.f.
　thermocompression

●—COMPTEUR n.m.
　accélérocompteur
　corpocompteur

●CON— v. CO—

●—CONCASSAGE n.m.
　cryoconcassage

●CONCENTR— cf. concentrer
　concentrat
　concentrateur
　concentreur

●CONCENTRIC— cf. concen-
trique
　concentricité

●CONCEPT— n.m.
　concepter

●—CONCEPTUEL adj.
　post-conceptuel

●CONCH— [coquille]
conchage
CONCHYLI— [coquille]
conchylicole
conchyliculture

●—CONCURRENCE n.f.
autoconcurrence

●—CONDENSABLE adj.
incondensable

●—CONDUCTEUR n.m.
thermoconducteur

●—CONDUCTEUR adj.
hyperconducteur
superconducteur

●—CÔNE n.m.
bicône
otocône

●—CONFÉRENCE n.f.
téléconférence
visioconférence

●—CONFESSIONALISER v.
déconfessionaliser

●CONFIDENTIAL— cf.
confidentiel
confidentialité

●—CONFIGURATION n.f.
reconfiguration

●—CONFIGURER v.
reconfigurer
CONFIGUR— cf. configurer
configurabilité
—CONFIGUR— cf. configu-
rer
reconfigurable

●CONFOR[M]— cf. conforma-
tion
conformère

●CONFORT— cf. conforter
confortement

●CONIFÈR(E)— n.m.
coniférien

●CONJUG— cf. conjuguer
conjugateur

●—CONJUGAISON n.f.
déconjugaison

●—CONNAISSANCE n.f.
ethno-connaissance

●CONNECT— cf. connecter
connectique

●—CONNECTEUR n.m.
interconnecteur

●—CONNEXION n.f.
déconnexion
CONNEXIONN— cf.
connexion
connexionnisme
connexionniste

●CONSCIENTIS— cf.
conscientiser
conscientisateur
conscientisation

●—CONSERVATION n.f.
radioconservation

●—CONSIGN— cf. consigner
déconsigneuse

●—CONSOLIDATION n.f.
électroconsolidation

●CONSOMMAT— cf.
consommation
consommatique
consommatisme

●CONSTRUCTIBIL— cf.
constructible
constructibilité

●—CONSTRUCTION n.f.
auto-construction

●—CONTACT n.m.
barocontact
chronocontact
volu-contact

●—CONTACTEUR n.m.
discontacteur
horocontacteur
manocontacteur

●—CONTAMIN— cf. contami-
ner
aérocontaminant
décontaminable

●CONTEMPORAN— cf.
contemporain
contemporaniste

●CONTENEUR— n.m.
conteneurisation
—CONTENEUR n.m.
transconteneur

●CONTEXTUAL— cf. con-
textuel
contextualisation

●CONTINENTAL— adj.
continentalisation
—CONTINENTAL adj.
épicontinental

●—CONTINU adj.
semi-continu

●CONTRASTO— cf. contraste
contrastomètre

●CONTRETYP(E)— n.m.
contretypage

●CONTRÔLO— cf. contrôler
contrôlographe

●—CONVECTEUR n.m.
éjecto-convecteur

●—CONVENTIONNE-
MENT n.m.
déconventionnement

●—CONVERGENCE n.f.
autoconvergence

●—CONVERGENT adj.
autoconvergent

●—CONVERSATION n.f.
microconversation
CONVERSATIONN— cf.
conversation
conversationnel

●—CONVERSION n.f.
bioconversion

●—CONVERTISSEUR n.m.
cycloconvertisseur

●—CONVOLUTION n.f.
déconvolution
CONVOLU(T)— cf. convolu-
tion
convoluteur
convoluteur

●—COORDINATION n.f.
pentacoordination

●—COORDONNÉE adj.
bicoordonnée

●—COPIANT cf. copier
autocopiant

●—**COPIE** n.f.
  anticopie
  électrocopie

●—**COPOLYMÉRISATION** n.f.
  photocopolymérisation

●**COPT(E)**— adj.
  coptisation

●—**COQU(E)**— n.f.
  décoquer

●—**CORBUSÉR**— cf. Le Corbusier
  corbusérien

●—**CORME** cf. cormus
  protocorme

●**CORN[I]**— cf. corne
  cornification
  corniforme

●**CORPO**— cf. corps
  corpocompteur

●—**CORRECTEUR** adj.
  autocorrecteur

●—**CORRECTION** n.f.
  autocorrection

●—**CORRÉLÉ** cf. corréler
  anticorrélé

●**CORROY**— cf. corroyer
  corroyeuse

●**CORS(E)**— adj.
  corsisation

●**CORVI**— [corbeau]
  corvicide
  corvifuge

●—**COSMÉTIQUE** n.f.
  phytocosmétique

●**COSMO**— cf. cosmos
  cosmofirme
  cosmogare
  cosmoport

●—**COSMOGÉNIE** n.f.
  géocosmogénie

●—**COTOMIE** cf. dichotomie
  pluricotomie

●—**COUCHE** n.f.
  monocouche
  précouche

●—**COUD**— cf. couder
  coudeuse

●—**COULÉ** cf. couler
  vibrocoulé

●—**COULOMÈTRE** n.m.
  microcoulomètre
  servocoulomètre

●—**COUPAGE** n.m.
  thermocoupage

●**COUPLE**— n.m.
  couplemètre

●—**COUPLEUR** n.m.
  photocoupleur

●**COUPONN**— cf. coupon
  couponnage

●—**COUPURE** n.f.
  mécoupure

●**COURANTO**— cf. courant
  courantométrie
  courantométrique

●—**COURONNE** n.f.
  géocouronne

●—**CRABOT**— n.m.
  décrabotable

●**CRANI(O)**— cf. crâne
  craniométrique
  —**CRANI**— cf. crâne
  éocraniote

●—**CRAQUAGE** n.m.
  vapocraquage

●—**CRAQUELURE** n.f.
  microcraquelure

●—**CRAQUEUR** n.m.
  hydrocraqueur
  vapocraqueur

●—**CRATÈR(E)**— n.m.
  intracratérique

●—**CRATIE** [pouvoir]
  androcratie
  idéocratie
  juriscratie
  méritocratie
  pancratie

●**CRATON**— n.m.
  cratonisation
  —**CRATON** n.m.
  miocraton
  eucraton

●—**CRÈNE** [source]
  hélocrène
  limnocrène
  rhéocrène
  CRÉNO— [source]
  crénologie

●**CRÉOL(E)** adj.
  créolisation
  créolisme
  créoliste
  créolité
  —**CRÉOL(E)**— adj.
  décréolisation
  CRÉOLO— cf. créole
  créolographique
  créolophone
  créolophonie

●**CRÊP(E)**— n.f.
  crêpée

●—**CREUSET** n.m.
  autocreuset

●—**CRINE** [qui secrète]
  apocrine
  eccrine

●**CRIQU(E)**— n.f.
  criquage
  —**CRIQU(E)**— n.f.
  écriquage

●—**CRISTAL** n.m.
  biocristal

●—**CRISTALLIN** adj.
  vitrocristallin

●—**CRISTALLOGRAPHIE** n.f.
  cryocristallographie

●—**CRISTAUX** n.m.pl.
  cryptocristaux

●**CRISTI**— [crête]
  cristiforme

●—**CRITÈRE** n.m.
  multicritère

●—**CRITIQUE** adj.
  épicritique
  protocritique

CRITIC— cf. critique
  criticité

•CROCIDO— [duvet]
  crocidolite

•—CROISEMENT n.m.
  rétrocroisement

•—CROISSANCE n.f.
  isocroissance

•CROQU— cf. croquer
  croquage
  croqueur

•CRUST— [croûte]
  crustal

•CRY[O]— [froid]
  cryoalternateur
  cryobiologie
  cryobroyage
  cryocâble
  cryocintrage
  cryoclastique
  cryoconcassage
  cryocristallographie
  cryode
  cryodécapage
  cryo-ébarbage
  cryoélectricité
  cryoélectrique
  cryoenzymologie
  cryofixation
  cryogénérateur
  cryokarst
  cryoliaison
  cryonécrose
  cryoprotecteur
  cryopulvinectomie
  cryosphère
  cryotechnique
  cryo-température
  cryo-ultramicrotomie

•CRYOGÈN(E)— adj.
  cryogénisation
  cryogéniste

•CRYPT(O)— [caché]
  cryptant
  crypter
  crypto-audioprothèse
  cryptocristaux
  crypto-efflorescence
  cryptophone
  cryptophonie
  cryptozoologie

•—CUIRE v.
  précuire

•—CUISINE n.f.
  biocuisine

•—CUISSON n.f.
  monocuisson

•CULICIDO— [moustique]
  culicidogène

•—CULTEUR cf. agriculteur
  liniculteur
  populiculteur
  subériculteur
  tabaculteur

•—CULTIVABLE adj.
  rizicultivable

•CULTURAL— v. CUL-
  TUREL

•—CULTURATION cf. accul-
  turation
  réenculturation
  transculturation

•—CULTURE n.f. (production)
  anaculture
  aridoculture
  coculture
  conchyliculture
  cytoculture
  fraisiculture
  hévéaculture
  hydroculture
  limniculture
  mariculture
  nuciculture
  ovoculture
  perliculture
  phœniciculture
  plasticulture
  populiculture
  subériculture

•CULTUR(E)— n.f. (ensem-
  ble de connaissances)
  culturème

•—CULTUREL adj.
  ethno-culturel
  mono-culturel
  pluri-culturel
  transculturel
  CULTURAL— cf. culturel
  culturalité

•CUMUL— n.m.
  cumulande
  —CUMUL n.m.
  décumul

•CUNI— [lapin]
  cunicole
  cunifuge

•CUPRO— [cuivre]
  cuprodéficient

•CUR— cf. curer
  cureuse

•CURIE— n.m.
  curie-mètre

•CURVI— [courbe]
  curvilinéarité

•—CUSPID(E)— n.f.
  intercuspidation

•—CUTE [peau]
  mollicute

•—CUTICULE n.f.
  endocuticule
  épicuticule
  exocuticule

•—CUVETTE n.f.
  microcuvette

•CYAN— [bleu]
  cyanelle

•CYANIS— cf. cyanisation
  cyaniseur

•CYANOPHYT— cf. cyano-
  phycées
  cyanophytique

•CYBERN(O)— [diriger]
  cybernine
  cybernographiste

•CYCL[E]— n. m. (monocycle)
  cyclergomètre

•CYCL(E)— n.m. (suite de
  phénomènes)
  cyclé
  CYCLO— cf. cycle
  cycloconvertisseur

•—CYCLIQUE adj.
  exocyclique

•—CYCLISATION n.f.
  déshydrocyclisation

•—CYCLISER v.
  photocycliser

●CYCLO— v. CYCL(E) (suite de phénomènes)

●CYCLO— cf. cycle (chaîne carbonée fermée)
    cyclodimérisation
—CYCLO— cf. cycle (chaîne carbonée fermée)
    photocycloaddition

●—CYCLONE n.m.
    hydrocyclone

●—CYME [influx]
    neurocyme

●—CYNÉGÉTIQUE adj.
    sylvocynégétique

●—CYTE [cellule]
    hépatocyte
    photocyte
    procyte
  CYTO— [cellule]
    cytoculture
    cytodème
    cytophotométrique
    cytosquelette
    cytotaxonomie
    cytotoxicité
    cytotype
  —CYTO— [cellule]
    ektacytomètre
    monocytogène
    polycytogénie

●CYTO— cf. cytoplasme
    cytosol

●CYTOCHIM— cf. cytochimie
    cytochimiste

D

●—DALLE n.f.
    prédalle

●—DAR v. RADAR

●DATA— [données]
    datagramme

●—DATÉ cf. dater
    horodaté

●DCO— Demande Chimique en Oxygène
    dco-mètre

●D[É]— [séparation, négation]
    déamidation
    déballaster
    débruitage
    décaisseuse
    décalcarisation
    décarottage
    décendrage
    déchromatation
    décohésion
    décompressimètre
    déconfessionnaliser
    déconjugaison
    déconnexion
    déconsigneuse
    décontaminable
    déconventionnement
    déconvolution
    décoquer
    décrabotable
    décréolisation
    décumul
    dédensifié
    défanant
    défibrineur
    défocalisation
    défruitement
    défruiteur
    dégarage
    dégranulation
    dégrappage
    dégrippant
    déhafniation
    déhexaniseur
    déioniser
    déioniseur
    déjointer
    délactosage
    délamination
    déliassage
    déliasser
    déliasseuse
    démalingrage
    démanganisation
    démaquisage
    démétallisation
    démoelleur
    démoussage
    démulsibilité
    démultiplexeur
    dénaphtalinage
    dénitrogénisation
    dépalettiseur
    déparentalisé
    dépastillage
    dépastilleur
    dépaternalisé
    dépelliculage
    déperlance
    dépileur
    dépileuse
    déplaquetté
    déportance

    déqualification
    dé-restauration
    déruralisation
    désalination
    déscolarisation
    désémantisation
    désérialisateur
    désiltage
    désolvantisation
    désolvation
    despiralisation
    détarer
    détaylorisation
    détempéreuse
    détensionnement
    détimbrage
    détiqueur
    détordu
    détramer
    déverglacer
    déverminage
    dévésiculeur
    dévocalisé
    dévoutage
    dévouteur
—DÉ— [séparation, négation]
    autodéfroissabilité
    autodéfroissable
DÉS— [séparation, négation]
    désactivateur
    désaffleurement
    désambiguïsant
    désambiguïser
    désamérisation
    désargilage
    désassemblage
    déséconomie
    désencadrement
    désencrage
    désencré
    désenfumage
    désensimage
    désentrelacer
    désinclinaison
    désindustrialisation
    désinformation
    dessalure

●DÉBIT— n.m.
    débiture

●DÉBORD— cf. déborder
    débordeur

●DÉBULL— cf. débuller
    débullage

●DÉBUSQU— cf. débusquer
    débusqueuse

●DÉCA— [dix]
    décapeptide

●DÉCAD(E)— n.f.
décadique

●DÉCANT— cf. décanter
décantat

●—DÉCANTEUR n.m.
filtro-décanteur

●—DÉCAPAGE n.m.
cryodécapage

●DÉCENTR— cf. décentrer
décentration

●—DÉCHARGE n.f.
autodécharge

●—DÉCHARGE— cf. décharger
auto-déchargeant

●—DÉCHET n.m.
macrodéchet

●DÉCHIRO— cf. déchirer
déchiromètre

●DÉCID— cf. décider
décideur

●DÉCOCH— cf. décocher
décocheuse

●DÉCOLL— cf. décoller
décolleuse

●DÉCOMPOS— cf. décomposer
décomposeur

●—DÉCOUPAGE n.m.
prédécoupage

●DÉCRÉMENT— n.m.
décrémentation

●—DÉDOUBLEMENT n.m.
photodédoublement

●DÉFECTO— cf. défectueux
défectoscopie

●—DÉFECTUO— cf. défectuosité
défectuologie
défectuologique

●DÉFIBRE— cf. défibreur
défibremètre

●—DÉFICIENT adj.
cuprodéficient

●—DÉFLAGR— cf. déflagrer
anti-déflagrance

●DÉFLECTO— cf. déflecter
déflectomètre

●DÉGARNISS— cf. dégarnir
dégarnissage

●DÉGOND— cf. dégonder
dégondable

●—DÉGORGE— cf. dégorger
indégorgeabilité

●DÉGRAD— cf. dégrader
dégradeur
—DÉGRAD— cf. dégrader
photo-dégradable

●—DÉGRADATION n.f.
photodégradation

●DÉGRAF— cf. dégrafer
dégrafage

●DÉGROSSISS— cf. dégrossisseur
dégrossisseuse

●DELTA— n.m.
deltaplane

●DÉMASCL— cf. démascler
démasclable

●—DÈME [population, peuple]
cytodème
écodème
topodème
DÈM(E)— [population, peuple]
démécologie

●DÉMINÉRALIS— cf. déminéraliser
déminéralisateur

●DÉMODULO— cf. démodulation
démodulomètre

●—DÉMOGRAPHIE n.f.
paléodémographie

●—DÉMOGRAPHIQUE adj.
paléodémographique

●DÉMONTABIL— cf. démontable
démontabilité

●DENDRO— [arbre]
dendrogramme
dendrologue

●DENDROCHRONOLOG—
cf. dendrochronologie
dendrochronologiste

●DÉNÉBULAT— cf. dénébulation
dénébulateur

●DÉNEIG— cf. déneiger
déneigeuse

●—DENSIFIÉ cf. densifier
dédensifié

●—DENSIMÈTRE n.m.
nucléodensimètre

●—DENSIMÉTRIE n.f.
gammadensimétrie

●—DENSIMÉTRIQUE adj.
isodensimétrique

●—DENSITÉ n.f.
équidensité
—DENSITO— cf. densité
tomodensitomètre
tomodensitométrie

●—DENT n.f.
entredent

●DENTICUL(E)— n.f.
denticulation

●—DÉPENDANCE n.f.
lithodépendance

●—DÉPENDANT adj.
hormono-dépendant

●DÉPLISS— cf. déplisser
déplisseur

●DÉPOLLU— cf. dépolluer
dépollueur

●DÉPORT— cf. déporter
déporteur

●—DÉPOUSSIÉREUR n.m.
vibrodépoussiéreur

●—DÉPRESSION n.f.
immuno-dépression

●—DÉPRIMÉ adj.
immunodéprimé

•**DÉPRIMO—** cf. déprimer
déprimogène

•—**DERME** [peau]
celloderme
DERMO— [peau]
dermonécrosant
dermoponcture
DERMATO— [peau]
dermatophilose

•**DÉS—** v. DÉ—

•**DÉSHYDRO—** cf. déshydro-
géner
déshydrochloration
déshydrocyclisation
déshydrohalogénation

•—**DÉSORPTION** n.f.
thermodésorption

•—**DESSERR—** cf. desserrer
indesserrabilité

•**DESSERV—** cf. desservir
desserveur

•**DESSICC—** [dessécher]
dessiccant

•**DESSOUCH—** cf. dessoucher
dessoucheuse

•**DÉTECTABIL—** cf. détectable
détectabilité

•—**DÉTECTEUR** n.m.
opto-détecteur
photodétecteur

•—**DÉTÉRIO—** cf. détériorer
biodétériogène

•**DÉTOXIQU—** cf. détoxication
détoxiqué

•**DÉTRITI—** cf. détritus
détritiphage
détritivore

•**DÉTROMP—** cf. détromper
détrompage
détrompeur

•**DEUTÉR—** cf. deutérium
deutération
deutérisant
—**DEUTÉRI—** cf. deutérium
perdeutérié

•**DEUTÉRIO—** cf. deutérium
deutériotritiure

•**DÉVELOPP—** cf. développer
développeur

•—**DÉVELOPPEMENT** n.m.
auto-développement
éco-développement

•—**DÉVIATION** n.f.
immunodéviation

•**DÉVOY—** cf. dévoyer
dévoyage

•**DI—** [deux]
diadsorbé
diauxie
diauxique
dilepton
dimuon
diphonème
diplexeur
diproton
DY— [deux]
dyon

•**DI—** [jour]
diel
—**DIE** [jour]
calodie

•**DIA—** cf. diapositive
dialivre
diathèque

•**DIACLAS(E)—** n.f.
diaclasage

•**DIAGRAPH(E)—** n.m.
diagraphiste

•**DIALECTO—** cf. dialecte
dialectométrie
dialectophone

•—**DIALYSE** n.f.
hémodialyse

•—**DIAMÈTR(E)—** n.m.
isodiamétrique

•—**DIARRHÉO—** cf. diarrhée
diarrhéogène

•—**DIATHERMIQUE** adj.
adiathermique

•**DIATOMO—** cf. diatomée
diatomologie

•—**DICTIONNAIRE** n.m.
antidictionnaire

•—**DIE** v. DI— [jour]

•—**DIEN** cf. quotidien
infradien

•**DIÉSEL—** n.m.
diéséliste

•**DIÉTO—** cf. diététique
diétothérapie

•**DIFFRACTO—** cf. diffraction
diffractogramme

•**DIFFRACTOMÈTR(E)—**
n.m.
diffractométrie
diffractométrique

•**DIFFUS—** v. DIFFUSION

•—**DIFFUSEUR** n.m.
éjecto-diffuseur

•—**DIFFUSION** n.f.
câblo-diffusion
immunodiffusion
DIFFUS— cf. diffusion
diffusivité

•**DIGLOSS—** cf. diglossie
diglossique

•**DILACÉR—** cf. dilacérer
dilacérateur

•—**DILATABLE** adj.
thermodilatable

•**DILATOMÈTR(E)—** n.m.
dilatométrie

•**DILUT—** cf. dilution
diluteur

•**DIMENSIONN—** cf. dimension
dimensionnement
—**DIMENSIONN—** cf. di-
mension
surdimensionnement

•—**DIMENSIONNEL** adj.
bidimensionnel

•—**DIMÈRE** n.m.
photodimère
DIMÈR(E)— n.m.
dimérisation

—DIMÈR(E)— n.m.
cyclodimérisation
hydrodimérisation
photodimérisation

●DIMINU— cf. diminuer
diminuende

●—DIODE n.f.
luminodiode

●DIPSO— [soif]
dipsoprophylaxie

●—DIRECTEUR adj.
autodirecteur

●—DIRECTIONNEL adj.
multidirectionnel

●—DIRECTO— cf. direction
oculodirectomètre

●DIS— [séparation, négation]
disclusion
discontacteur
disrotatoire

●—DISCIPLINAIRE adj.
monodisciplinaire

●—DISCIPLINARITÉ cf.
interdisciplinarité
intradisciplinarité
transdisciplinarité

●DISCRET— adj.
discrétisation

●—DISME v. —ISME [tournu-
re propre à une langue]

●—DISPERSE cf. disperser
polydisperse
—DISPERS— cf. disperser
hydrodispersable

●—DISPONIBILITÉ n.f.
biodisponibilité

●—DISQUE n.m.
biodisque
polydisque
vidéodisque

●—DISSOCIÉ adj.
photodissocié

●DISTANC(E)— n.f.
distancier

●—DISTRIBUTEUR n.m.
câblodistributeur

●—DISTRIBUTION n.f.
câblodistribution

●DOCTOR— cf. doctorat
doctorant

●—DOCUMENTATION n.f.
telédocumentation

●DOCUMENTO— cf. docu-
ment
documentographie

●—DOLLAR n.m.
asiadollar
pétro-dollar

●—DOME n.m.
fumidome
lumidome

●—DOMINANCE n.f.
superdominance

●—DOMINANT adj.
codominant
immunodominant

●—DONATEUR n.m.
multidonateur

●—DONATION n.f.
rétrodonation

●—DOSEUR n.m.
prédoseur
viscodoseur

●—DOSEUR adj.
géodoseur

●—DOSIMÈTRE n.m.
stylodosimètre
DOSIMÈTR(E)— n.m.
dosimétrique

●DOSO— cf. dose
dosomètre

●DOSS(E)— n.f.
dossé
dosseur

●—DOUÉ adj.
surdoué

●DOUM— n.m.
doumeraie

●DOUPIONN— cf. doupion
doupionné

●DRAG— cf. draguer
dragabilité

●DRAIN— cf. drainer
drainabilité

●—DRAINAGE n.m.
électrodrainage

●—DRAME n.m.
onirodrame

●DRAP— cf. draper
drapage

●DRAPÉO— cf. drapé
drapéomètre

●DRIO— [sec]
driographie

●—DROGUE n.f.
prodrogue

●—DROITE n.f.
eurodroite

●—DROME cf. hippodrome
planchodrome

●DROMO— [déplacement]
dromochronique

●—DUC [conduit]
caloduc
carboduc
éthylénoduc
hydrocarboduc
hydroduc
hydrogénoduc
infoduc
lumiduc
minéraloduc
oxyduc
saumoduc
stéréoduc

●DULÇ— [doux]
dulçaquiculture

●—DUNE n.f.
antidune
autodune
motodune

●DUO— [deux]
duoplasmatron

●DUODÉNO— cf. duodénum
duodénoscope

●—[D]UR— cf. durer
raduration

●—DURCISSABLE adj.
   photodurcissable
   radiodurcissable

●—DURCISSANT cf. durcir
   autodurcissant

●DURI— cf. dur
   durisocle

●DY— v. DI—

●—DYNAMIE [force]
   oligodynamie

●—DYNAMIQUE adj.
   oligodynamique

●—DYNE cf. aérodyne
   stratodyne

●DYS— [trouble]
   dysauxie
   dyscalculie
   dyscalculique
   dyschronisme
   dysgénique
   dysgraphique
   dysmétabolie
   dysponèse
   dyssomniaque

●DYSMEL— cf. dysmélie
   dysmélique

●DYSTR[O]— cf. dystrophie
   dystrochrique

E

●É— [privation]
   écabossage
   écriquage
   égourmandage
   étrognage
   étrogner

●—É [état résultant d'une action]
   anergié
   autoclavé
   biopsié
   butané
   cironné
   clairiéré
   clairplanté
   clapé
   clippé
   colisé
   cyclé

   déplaquetté
   détoxiqué
   dossé
   doupionné
   ébonité
   électrozingué
   forfaité
   formaté
   gardienné
   gélifracté
   latérité
   oreillonné
   paramétré
   perdeutérié
   polyfusé
   préportionné
   presté
   reliéfé
   rotomoulé
   séquencé
   sintérisé
   surcimé
   topé
   virosé
   voyellé

—ÉE [état résultant d'une action]
   crêpée
—IFIÉ [état résultant d'une action]
   aérifié
—ISÉ [état résultant d'une action]
   albitisé
   anthropisé
   caprinisé
   cellularisé
   céramisé
   chimisé
   déparentalisé
   dépaternalisé
   électrétisé
   épigénisé
   géothermisé
   lapinisé
   marinisé
   microprocessorisé
   numérisé
   papérisé
   pédogénisé
   rilsanisé
   thyristorisé
   wolofisé

●—É [relatif à]
   échinulé
   hypochlorité

●—EAU n.f.
   poly-eau

●—ÉBARBAGE n.m.
   cryo-ébarbage

●ÉBLA— n.pr.
   éblaïte

●ÉBONIT(E)— n.f.
   ébonitage
   ébonité

●EC— [en dehors]
   eccrine

●ÉCARTO— cf. écart
   écartomètre

●—ÉCHANTILLON n.m.
   euroéchantillon

●ÉCHARP— cf. écharper
   écharpage

●ÉCHAUD— cf. échauder
   échaudure

●—ÉCHELLE n.f.
   mésoéchelle

●ÉCHINUL— [petite épine]
   échinulé

●ÉCHO— n.m.
   échogramme
   échographe
   échointégrateur
   échotomographie

●—ÉCLAIRCIE n.f.
   auto-éclaircie

●—ÉCLISE [inclinaison]
   synéclise

●ÉCLOS— cf. éclosion
   écloserie

●ÉCO— [milieu naturel]
   écocide
   écodème
   éco-développement
   éco-éthologie
   écoforme
   écogénique
   écogéologie
   écogéologue
   écogramme
   écographie
   écohabitat
   éco-immunologie
   écolinguistique
   écolyseur
   écopathologie
   écophase

écophylogénie
écophysiologie
écotone
écotope
écotoxicité
écotoxicologie

●[ÉCO]— v. ÉCOLOGIE

●ÉCO— v. ÉCOLOGIQUE

●ÉCO— [habitat]
écomusée

●—ÉCOLOGIE n.f.
autoécologie
démécologie
radioécologie
socio-écologie
[ÉCO]— LOGIE n.f.
économologie
—[C]OLOGIE cf. écologie
arcologie

●—ÉCOLOGIQUE adj.
paléoécologique
ÉCO— cf. écologique
écoclimatique
éco-communauté
éco-fuel
écosphère
—[C]OLOGIQUE cf. écologique
arcologique

●—ÉCOLOGISTE n.m.
paléoécologiste

●[ÉCO]NO— cf. économie politique
économologie

●—ÉCONOMIE n.f.
déséconomie
méso-économie
thermoéconomie
ÉCONOMO— cf. économie
économologie

●ÉCOQUET— cf. écoqueter
écoquetage

●ÉCORC(E)— n.f.
écorceur

●—ÉCOSYSTÈME n.m.
agroécosystème

●ÉCRÊT— cf. écrêter
écrêteur

●—ÉCRITURE n.f.
proto-écriture

●ECTO— [dehors, vers l'extérieur]
ectopolymère
ectosémantique
ectotherme
ectotrophe
ectotyle

●—ECTOMIE [ablation, incision]
antennectomie
aponevrectomie
cryopulvinectomie
transplantectomie
tubectomie
vitrectomie
—TOMIE [ablation, incision]
cardiatomie
odontotomie

●ÉDAPH(O)— [sol, terre]
édaphisme
édaphocénose
édaphotope
—ÉDAPH— [sol, terre]
euédaphon
hémiédaphon

'●—ÉDITER v.
microéditer

●—ÉDITION n.f.
microédition
préédition

●ÉDUCATION n.f.
co-éducation

●—[ÉE]N [relatif à]
harappéen
mésogéen

●—[ÉE]N [élève de]
inséen

●EFFAN— cf. effaner
effaneuse

●—EFFLORESCENCE n.f.
crypto-efflorescence

●EFFLUV(E)— n.m.
effluvage
EFFLU— cf. effluve
efflumètre

●EFFUS— cf. effusion
effusivité

●ÉGO— n.m.
ego-auxiliaire
égocentré
égosymphorie

●ÉGOUTT— cf. égoutter
égouttabilité

●ÉJACUL— cf. éjaculer
éjaculat

●—ÉJECTION n.f.
réjection

●ÉJECTO— cf. éjecteur
éjecto-convecteur
éjecto-diffuseur

●EKTA— [extension]
ektacytomètre

●—EL [relatif à]
communicationnel
conversationnel
diel
impulsionnel
infractionnel
parturiel
stationnel
—IEL [relatif à]
bilantiel
procéduriel
quadrimestriel
—IELLE [relatif à]
sécantielle

●—ÉLASTICITÉ n.f.
ferroélasticité

●ÉLASTIQU(E)— adj.
élastiqueuse

—ÉLASTIQU(E) adj.
plastoélastique
viscoélastique

●ÉLASTO— cf. élastine
élastolytique

●ÉLASTOMÈR(E)— n.m.
élastomérique

●ÉLECTRET— n.m.
électrétisé

●—ÉLECTRICITÉ n.f.
cryoélectricité
myoélectricité

●—ÉLECTRIQUE adj.
cryoélectrique
ÉLECTRO— cf. électrique
électro-antennogramme
électro-calogène
électroconsolidation
électrocopie
électrodrainage
électroélectronique

électroflottation
électrofondu
électrographique
électromobile
électro-oculographie
électroolfactogramme
électropalatographe
électroperméabilité
électrophotochimie
électropince
électroplastie
électro-porteur
électrosolaire
électrosommeil
électrosorption

●ÉLECTRO— v. ÉLECTRO-
LYSE

●ÉLECTRO— cf. électron
électroaccepteur
électroattracteur
électroclimat
électroclimatisation

●ÉLECTRO— cf. électrostatique
électrofiltrage
électro-filtre

●—ÉLECTROCHIMIE n.f.
photoélectrochimie

●—ÉLECTROLYSE n.f.
photo-électrolyse
ÉLECTRO— cf. électrolyse
électroextraction
électro-obtention

●—ÉLECTRONIQUE adj.
électroélectronique
ÉLECTRON(O)— cf. électro-
nique
électronifier
électronisation
électroniser
électronogramme
électronographie
—[T]RONIQUE cf. électro-
nique
optronique
—ONIQUE cf. électronique
rovibronique
vibronique

●ÉLECTRON(O)— v. ÉLEC-
TRONIQUE

●ÉLECTROPHORÉ— cf.
électrophorèse
électrophorégramme

●ÉLECTROSTRICT— cf.
électrostriction
électrostrictif

●ÉLECTROZINGU— cf.
électrozingage
électrozingué

●—ÉLÉMENT n.m.
thermoélément

●ÉLEV— cf. élever (soigner)
élevoir

●—ÉLÉVATEUR n.m.
transélévateur

●—ÉLÉVATION n.f.
orthophoto-élévation

●—ÉLÉVATRICE n.f.
autoélévatrice

●—ELLE [petite]
cyanelle
organelle

●ELLIPSO— cf. ellipse
ellipsomètre

●—ELLIPSOÏDE adj.
biellipsoïde

●ÉLU— cf. élution
éluat

●ÉLYTRO— cf. élytre
élytrophore

●EM— v. EN—

●ÉMANO— cf. émanation
émanométrie

●—EMBALLAGE n.m.
préemballage
suremballage

●—EMBALLEUSE n.f.
suremballeuse

●EMBOBIN— cf. embobiner
embobineuse

●EMBOÎT— cf. emboîter
emboîteuse

●EMBRYO— cf. embryon
embryotectonique

●—[ÈM]E [unité minimale ou
distinctive, catégorie]
classème

culturème
ludème
mème
mimème
plérème
synthème
technème
xylème

●—EMENT [action, résultat de
l'action]
accueillement
amassement
antipilonnement
confortement
défruitement
détensionnement
dimensionnement
encapsulement
festonnement
jonctionnement
réenraillement
référencement
surdimensionnement
tolérancement
voûtement

●ÉMÉRIT(E)— adj.
éméritat

●—ÉMETTEUR n.m.
exoémetteur

●—ÉMIE [sang]
bismuthémie
hypérarginémie

●—ÉMISSION(S) n.f.
euroémissions
exoélectroémission
exoémission

●EMPAL— cf. empaler
empalage

●—[É]MULSIBILITÉ n.f.
démulsibilité

●—ÉMULSIFIANT adj.
autoémulsifiant

●EN— [dans]
encamionneuse
encapsidation
encapsulable
encapsulage
encapsulation
encapsulement
encapsulé
encartonnage
encartonneuse
encloisonné
enfichable

enfiché
ensouillage
ensouiller
ensouilleuse
entuilage
envergeur
enwagonneuse
—EN— [dans]
réenculturation
EM— [dans]
embarqueteuse
embarreur
emmouleuse

●ÉNANTIO— [opposé, en face]
énantiomère

●—ENCADREMENT n.m.
désencadrement

●ENCAISS— cf. encaisser
encaisseuse

●ENCÉPHALITO— cf. encéphalite
encéphalitogène

●ENCÉPHALO— cf. encéphale
encéphalomyocardite

●ENCLIQUET— cf. encliqueter
encliquetable

●——ENCOLLAGE n.m.
préencollage

●—ENCRAGE n.m.
désencrage

●ENCRÉ cf. encrer
désencré

●—ENDE v. —ANDE

●END[O]— [intérieur]
endobiote
endocinématographie
endocommensal
endocuticule
endofaune
endolithe
endonucléase
endophage
endophile
endophone
endorphine
endosémantique
endosymbionte
endotherme
endotrophe

●—ENDOPARASITE n.m.
semiendoparasite

●—ENDOTHÉLIO— cf. endothélium
endothéliochorial

●—ÉNERGÉTIQUE n.f.
photoénergétique
ÉNERGÉTIC— cf. énergétique
énergéticien

●—ÉNERGÉTIQUE adj.
auto-énergétique
équiénergétique

●—ÉNERGIE n.f.
bioénergie

●—[ÉN]ERGIQUE adj.
noradrénergique

●ENFONÇ— cf. enfoncer
enfonçage

●—ENFOUISSEMENT n.m.
auto-enfouissement

●—ENFUMAGE n.m.
désenfumage

●ENGRAMM(E)— n.m.
engrammation

●ENJAMB— cf. enjamber
enjambeur

●ENLIASS— cf. enliasser
enliassage

●—ENNIE [année]
biennie

●—ENRAILL— cf. enrailler
réenraillement

●ENRICHISS— cf. enrichissement
enrichisseur

●ENRUBANN— cf. enrubanner
enrubannage
enrubanneuse

●—ENSEIGNEMENT n.m.
micro-enseignement

●—ENSIMAGE n.m.
désensimage

●ENTHALPI(E)— n.f.
enthalpimètre

●ENTO— [en dedans]
entomésodermique

●ENTOMO— [insecte]
entomofaune
entomogame
entomométéorologie

●ENTRE— prép.
entredent

●—ENTRELACER v.
désentrelacer

●ENTROPIE n.f.
taxoentropie

●ENVELOPP— cf. envelopper
enveloppage

●ENZYMO— cf. enzyme
enzymogramme

●—ENZYMOLOGIE n.f.
cryoenzymologie

●ÉO— [commencement]
éocraniote
éo-hellénique

●ÉOLI— [vent]
éoliphone

●—ÉOLIEN adj.
nivéolien

●ÉPI— [sur]
épibionte
épicontinental
épicritique
épicuticule
épifaune
épigaion
épilamage
épilamen
épipédon
épiradiateur
épizone

●ÉPI— [surajouté]
épigénétique
épipédique

●ÉPIGÉN— cf. épigénie
épigénisation
épigénisé

●ÉPILIMN— cf. épilimnion
épilimnique

●**ÉPITHÉLIO**— cf. épithélium
  épithéliochorial

●**ÉPONG**— cf. éponger
  épongeur

●—**ÉPOUSE** n.f.
  coépouse

●**ÉQUEUT**— cf. équeuter
  équeuteuse

●**ÉQUI**— [égal, même]
  équiatomique
  équibrin
  équidensité
  équiénergétique
  équilinguisme
  équiplage
  équipollution
  équiréflectance
  équitemps
  équitension
  équitox

●**ÉQUIMOLAR**— cf. équimo-
laire
  équimolarité

●**ÉQUIPEMENT**— n.m.
  équipementier

●—**ER** [action]
  baryter
  bouteroller
  cascader
  clipser
  concepter
  crypter
  découper
  ensouiller
  étrogner
  falciformer
  fraisurer
  interfacer
  jonctionner
  négativer
  orniérer
  pager
  péjorer
  précessionner
  rudimenter
  ségréger
  tableauter
  thermostater
  tuliper
—**IFIER** [action]
  électronifier
—**ISER** [action]
  bilinguiser
  désambiguïser
  électroniser
  géographiser

jumboïser
linéariser
néolithiser
pathologiser
pécéliser
photosynthétiser
québéciser
rejuveniliser
séquentialiser

●—**ER** [relatif à]
  alpager
  bétailler
—**IER** [relatif à]
  arachidier
  baissier

●**ÉRAFL**— cf. érafler
  éraflage

●—**ERAIE** v. —**AIE**

●**ERG**— [travail]
  ergapolyse
  ergophtalmologie
ERGO— [travail]
  ergométrique
—**[E]RG(I/O)**— [travail, force]
  aminergique
  anergié
  cyclergomètre
  sérotoninergique

●**ERGONOM(E)**— cf. ergonomie
  ergonome
  ergonomique

●—**[E]RIE** [industrie, activité]
  billetterie
  canetterie
  gaufretterie
  levurerie
  pétrolerie
  tuberie
  vinerie

●—**[E]RIE** [ensemble de]
  circuiterie
  pignonnerie
  pivoterie
  tringlerie

●—**[E]RIE** [lieu d'une activité]
  biberonnerie
  billetterie
  écloserie
  essencerie
  jardinerie
  maisonnerie
  visonnerie

●**ÉRIN**— [hérisson]
  érinose

●**ÉRYTHROCYT(E)**— n.m.
  érythrocytaire

●—**ÈSE** [mouvement vers]
  auxèse
  dysponèse

●—**ÉSIMAL** [fraction de]
  cométésimal
  planétésimal

●—**ESPÈCE** n.f.
  juxtespèce

●**ESQUIMAU**— n.m.
  esquimaunyme

●**ESSENC(E)**— n.f.
  essencerie
  essencier

●—**ESTHÉSIE** [sensibilité]
  chronesthésie

●—**ET** [petit]
  codet
  filonnet
—**ETTE** [petite]
  bordurette
  calculette
  classette
  cloisonnette

●**ÉTÊT**— cf. étêter
  étêteuse

●**ETHNO**— [groupe humain]
  ethnobotanique
  ethnocidaire
  ethno-connaissance
  ethno-culturel
  ethnométhodologie
  ethnométhodologique
  ethnonyme
  ethnophone
  ethnopsychanalyse
  ethnoscience
  ethnosémiotique
  ethnothanatologie

●**ÉTHO**— [comportement]
  éthogénèse
  éthologue

●—**ÉTHOLOGIE** n.f.
  éco-éthologie

●**ÉTHYLÉNO**— cf. éthylène
  éthylénoduc

●—ÉTINCELLE n.f.
  antiétincelle
ÉTINCEL— cf. étincelle
  étincelable

●—ÉTIQUE cf. phonétique
  tonétique

●—ETTE v. —ET

●—ÉTUVAGE n.m.
  autoétuvage

●EU— [bien]
  eucalcique
  eucentrique
  eucraton
  euédaphon
  euphotique
  eustasie
  eutonologie

●—EUR [agent animé]
  achemineur
  automatiseur
  caravaneur
  cisailleur
  débordeur
  décideur
  décomposeur
  dépileur
  desserveur
  développeur
  floqueur
  guniteur
  largueur
  mileur
  oligopoleur
  pelleur
  portiqueur
  reboiseur
  rotomouleur
  socleur
  zoneur

●—EUR [agent inanimé]
  actionneur
  ameneur
  angleur
  appeleur
  aseptiseur
  aspiro-brosseur
  asperseur
  assembleur
  bouteur
  cadenceur
  chambreur
  chantourneur
  clicheur
  cloueur
  concentreur
  convolueur
  convoluteur

croqueur
cyaniseur
défibrineur
défruiteur
dégradeur
démoelleur
dénébulateur
dépalettiseur
dépileur
déplisseur
dépollueur
déporteur
desserveur
détiqueur
détrompeur
dévésiculeur
dévouteur
diluteur
dosseur
écorceur
écrêteur
embarreur
enjambeur
enrichisseur
envergeur
épongeur
fluidificateur
fluidiseur
formeur
gazéifieur
imageur
inclineur
juteur
ligneur
masqueur
moyenneur
orbiteur
ordonnanceur
palettiseur
pipetteur-diluteur
pivoteur
photocoagulateur
plastificateur
recycleur
résorbeur
séquenceur
spineur
stigmateur
tareur
téléprompteur
tensionneur
tortilleur
transligneur
transtockeur
trépideur
—ISEUR [agent inanimé]
  déhexaniseur
  linéariseur
  numériseur

●—EUR [relatif à]
  coalesceur
  fluidificateur

●—EUROPÉEN adj.
  médioeuropéen
EUROPÉAN— cf. européen
  européanité
EUROP(O)— cf. européen
  europocentrisme
  europoïde
EURO— cf. européen
  eurocommunisme
  eurocommuniste
  eurodroite
  euroéchantillon
  euroémission(s)
  eurofranc
  euro-langue
  euronorme
  euro-obligataire
  eurostable
  euro-tropical

●EURY— [large]
  eurygame
  euryhalobe
  euryphage

●—EUSE [machine]
  affleureuse
  appointeuse
  banderoleuse
  barquetteuse
  bouleuse
  boulonneuse
  câbleuse
  cercleuse
  chevilleuse
  clippeuse
  cloisonneuse
  cocheuse
  corroyeuse
  coudeuse
  cureuse
  débusqueuse
  décaisseuse
  décocheuse
  décolleuse
  déconsigneuse
  dégrossisseuse
  déliasseuse
  déneigeuse
  dépileuse
  dessoucheuse
  détempéreuse
  effaneuse
  élastiqueuse
  embarqueteuse
  embobineuse
  emboiteuse
  encaisseuse
  encamionneuse
  enrubanneuse
  ensouilleuse
  enwagonneuse
  équeuteuse

étêteuse
façonneuse
fardeleuse
ficeleuse
inséreuse
insuffleuse
méga-pilonneuse
meuleuse
ourleuse
pelliplaqueuse
phototitreuse
polymériseuse
portionneuse
préformeuse
recouvreuse
rotomouleuse
scelleuse
spiraleuse
teinteuse
tempéreuse
thermoscelleuse
transplanteuse
tulipeuse
visseuse

●**EUSKAR**— cf. euscara
euskaroïde

●—**EUX** [ayant la qualité de]
pégueux
phylliteux
viandeux

●**ÉVAPOR**— cf. évaporer
évaporat

●**ÉVOLUTIV(E)**— adj.
évolutivité

●**EX**— v. EXO—

●**EXCI(T)**— cf. excité
excimère
exciplexe
exciton

●—**EXCITATION** n.f.
photoexcitation

●**EXCURSIO**— cf. excursion
excursiomètre

●**EXER[T]**— [apparaître]
exertion

●**EXO**— [hors de]
exobiologie
exobiologiste
exocolonisation
exocuticule
exocyclique
exonyme
exophile

exophone
exothermicité
EX— [hors de]
exhoméotherme
exurbanisation
exurgence

●**EXOÉLECTRON**— n.m.
exoélectronique
EXOÉLECTRO— cf. exo-électron
exoélectroémission
EXO— cf. exoélectron
exoémetteur
exoémission

●**EXOMORPH**— cf. exo-morphisme
exomorphique

●**EXPLOSI**— cf. explosion
explosimétrique

●—**EXPONENTIEL** adj.
préexponentiel

●**EXTENSO**— cf. extension
extensographe

●—**EXTENSOMÈTRE** n.m.
géoextensomètre

●**EXTRA**— [au-delà de]
extra-chaleur
extra-texte

●—**EXTRACTEUR** n.m.
calextracteur

●—**EXTRACTION** n.f.
électroextraction

●—**EXTRAIT** n.m.
autoextrait

●**EXTRUD**— cf. extruder
extrudable

●—**EXTRUSION** n.f.
coextrusion

●—**EXUVI**— cf. exuviation
postexuvial
préexuvial

F

●**FAÇAD(E)**— n.f.
façadier

●—**FACE** n.f.
monoface

●**FACIO**— cf. faciès
faciologique

●**FAÇONN**— cf. façonner
façonneuse

●—**FACTEUR** n.m.
calefacteur

●—**FACTUR(E)**— n.f.
affacturage

●—**FACTURATION** n.f.
surfacturation

●**FACUL(E)**— n.f.
faculaire

●—**FAISCEAUX** n.m.pl.
multifaisceaux

●**FALCIFORM(E)**— adj.
falciformation
falciformer

●—**FAN(E)**— n.f.
défanant

●**FARDEL**— cf. fardeau
fardelage
fardeleuse
fardelisation

●**FARINO**— cf. farine
farinographe

●**FASCIAT**— [à bandes]
fasciature

●**FAUN(E)**— n.f.
faunule
—**FAUNE** n.f.
acridofaune
endofaune
entomofaune
épifaune
malacofaune
méiofaune
myrmécofaune
nématofaune
pédofaune

●—FECTER cf. infecter
 transfecter

●—FECTION cf. infection
 transfection

●FÉMIN— cf. féminin
 féminitude

●FER— n.m.
 fersiallitique
 FERRO— cf. fer
 ferroélasticité
 ferrofluide
 ferrorésonant

●FER— cf. chemin de fer
 ferroutage

●—FÈRE [qui porte]
 rorifère
 virulifère

●—FERM— cf. fermium
 transfermien

●—FERMENT— n.m.
 hétérofermentaire
 homofermentaire

●FERRIT(E)— n.f.
 ferritique

●FERRO— v. FER— n.m.

●—FERTILISANT adj.
 autofertilisant

●FESTONN— cf. festonner
 festonnement

●—FEUILLE(S) n.f.
 géofeuille
 palfeuilles

●FIBR(E)— n.f.
 fibrage
 FIBRO— cf. fibre
 fibrogénique
 fibromatriçage
 fibroscope
 fibroscopie

●—FIBRILLAIRE adj.
 macrofibrillaire

●FIBRILL(E)— n.f.
 fibrillable

●—FIBRIN(E)— n.f.
 défibrineur

●FIBRO— v. FIBR(E)—

●FIBROS(E)— n.f.
 fibrosant

●FICEL— cf. ficeler
 ficeleuse

●—FICHÉ adj.
 enfiché
 —FICH— cf. fiché
 enfichable

●FIDÈL(E)— adj.
 fidélisation

●—FIL(S) n.m.
 multifils
 stratifil
 FILO— cf. fil
 filoguidé

●—FILAMENT n.m.
 microfilament

●FILI— [progéniture]
 filicide

●FILIGRANO— cf. filigrane
 filigranoscope

●—FILM n.m.
 téléfilm

●FILO— v. FIL(S)

●FILONN— cf. filon
 filonnet

●—FILTRAGE n.m.
 électrofiltrage

●—FILTRAT n.m.
 ultrafiltrat

●—FILTRATION n.f.
 hyperfiltration

●—FILTRE n.m.
 électro-filtre
 turbofiltre
 FILTRO— cf. filtre
 filtrodécanteur

●FINI— cf. finir
 finihiver

●FINLAND(E)— n.pr.
 finlandisation

●—FIRME n.f.
 cosmofirme

●FISCAL— adj.
 fiscaliste

●—FISSION n.f.
 microfission
 quasi-fission
 FISSIO— cf. fission
 fissiogénique

●FISSUR— cf. fissurer
 fissurabilité

●—FISSUROMÈTRE n.m.
 tensio-fissuromètre

●—FIXANT cf. fixer
 hyperfixant
 hypofixant

●—FIXATION n.f.
 clarifixation
 cryofixation
 thermofixation

●—FLAMBAGE n.m.
 hydroflambage

●FLANELLO— cf. flanelle
 flanellogramme

●—FLASH n.m.
 multiflash

●—FLECTIF cf. réflectif
 transflectif

●—FLEURISS— cf. fleurir
 infleurissable

●—FLEXION n.f.
 isoflexion
 FLEXO— cf. flexion
 flexomètre

●FLOCH(E)— n.f.
 flochage

●FLOCONN— cf. floconner
 floconnage

●FLOCUL(O)— cf. floculation
 floculabilité
 floculat
 floculomètre

●FLOQU— cf. floc
 floqueur

●—FLORE n.f.
 isoflore
 microflore
 sessiliflore

●—FLOTTATION n.f.
 aéroflottation
 électroflottation

microflottation
vibroflottation

●—FLUIDE n.m.
ferrofluide
thermo-fluide
FLUI— cf. fluide
fluicole

●FLUIDIFI— cf. fluidifier
fluidifiable

●FLUIDIFICAT— cf. fluidification
fluidificateur

●FLUIDIS— cf. fluidiser
fluidisable
fluidiseur

●—FLUIDITÉ n.f.
suprafluidité

●FLUORO— cf. fluor
fluorotélomère

●FLUV— cf. fluvial
fluvarium

●—FLUXION cf. solifluxion
gélifluxion

●FLYSH— n.m.
flyshoïde

●—FOCAL adj.
multifocal

●—FOCALIS— cf. focaliser
autofocalisateur

●—FOCALISATION n.f.
défocalisation

●FŒTO— cf. fœtus
fœtoscope

●—FONCEUR n.m.
vibrofonceur

●FONCTIONNARI— cf.
fonctionnaire
fonctionnariat

●—FONCTIONNEL adj.
amino-fonctionnel

●—FONDU adj.
électrofondu

●FONGI— [champignon]
fongistat

●—FORAGE n.m.
oxy-forage

●—FORE cf. forer
pantofore

●—FOREUSE n.f.
turboforeuse

●FORFAIT— n.m.
forfaité
forfaitiste

●FORM— cf. former
formabilité
formeur
—FORM— cf. former
postformable
thermoformable

●—FORMAGE n.m.
photoformage
reformage
thermoformage

●FORMAT— n.m.
formatage
formaté

●—FORMATEUR n.m.
gemmuloformateur

●FORMATION— n.f.
formationiste

●—FORME n.f.
cocciforme
corniforme
cristiforme
écoforme
lémuriforme
microforme
molariforme
néoforme
pygmiforme
simiiforme
tarsiiforme

●—FORMÉ adj.
postformé
thermoformé

●—FORMYL(E)— n.m.
hydroformylation

●FOULAN— [peul]
foulanité

●FOUTOU— n.m.
foutouprêt

●FR— v. FRANC(O)—

●—FRAC v. FRACTURATION

●FRACT— v. FRACTURE

●—FRACTIONNEMENT
n.m.
thermofractionnement

●—FRACTURATION n.f.
photofracturation
—FRAC cf. fracturation
superfrac

●—FRACTURE n.f.
microfracture
FRACT— cf. fracture
fractal
FRACTURO— cf. fracture
fracturologie

●FRAG— cf. fragipan
fragique

●FRAISI— cf. fraise
fraisiculture

●FRAISUR(E)— n.f.
fraisurage
fraisurer

●FRAMB— cf. framboise
framboïde

●FRAN— v. FRANC(O)—

●—FRANC n.m.
eurofranc

●FRANCHIS(E)— n.f.
franchisage

●FRANC(O)— cf. français
francogène
francarabe
FRAN— cf. français
frandisme
franlof
FR— cf. français
frafricain
fragnol

●FRANCOPHON— cf. franco-
phonie
francophonien

●—FREINAGE n.m.
autofreinage

●—FREINÉ adj.
autofreiné

●FRIGO— [froid]
frigoporteur

555

●—FRIGORIFIQUE adj.
thermofrigorifique

●FRITT— cf. fritter
frittabilité

●—FROISSABILITÉ n.f.
autodéfroissabilité

●—FROISSABLE adj.
autodéfroissable

●—FROMAGE n.m.
préfromage

●FRONDI— [feuillage]
frondicole

●—FRONTALIER adj.
transfrontalier

●—FRUIT n.m.
pseudofruit
—FRUIT— n.m.
défruitement
défruiteur

●FUCHSINO— cf. fuchsine
fuchsinophile

●—FUEL n.m.
éco-fuel

●—FUGE [qui fuit]
acarifuge
corvifuge
cunifuge
nodifuge
oléofuge

●FUITE— n.f.
fuitemètre

●FUMI— cf. fumée
fumidome
fumimètre

●—FUNDIAIRE cf. latifun-
diaire
microfundiaire

●—FUNDIUM cf. latifundium
microfundium

●—FUS— v. FUSION

●—FUSÉE n.f.
statofusée

●—FUSIBLE n.m.
thermofusible

●—FUSION n.f.
cofusion
polyfusion
—FUS— cf. fusion
polyfusé

●FUSOR— [fuseau]
fusorial

G

●—GAI— v. GÉ[O]— [terre]

●—GALACTIQUE adj.
protogalactique

●—GALAXIE n.f.
protogalaxie
supergalaxie

●GALVANO— cf. galvanisme
galvanotechnique

●—GAME [mariage]
allogame
entomogame
eurygame

●GAMÉTO— cf. gamète
gamétocinétique

●GAMMA— n.m.
gamma-caméra
gammadensimétrie
gammagraphique
gammapathie

●—GARAGE n.m.
dégarage

●GARDIENN—cf. gardiennage
gardienné

●—GARE n.f.
cosmogare

●—GASTRIQUE adj.
monogastrique

●GAUFRETT(E)— n.f.
gaufretterie

●—GAVAGE n.m.
auto-gavage

●GAZ— n.m.
gazistance

—GAZ n.m.
bio-gaz
GAZO— cf. gaz
gazothèque

●GAZÉIFI— cf. gazéifier
gazéifieur

●GAZO— v. GAZ—

●GÉANT— adj.
géantiste

●GÉLI— cf. gel
gélifluxion
gélistructure

●—GÉLIF adj.
antigélif

●GÉLIFRACT— cf. gélifrac-
tion
gélifracté

●—GÉLISOL n.m.
regélisol

●—GEMME n.f.
trigemme

●GEMELL(O)— [jumeaux]
gémellance
gémellation
gémellologie
gémellologue

●GEMMULO— cf. gemmule
gemmuloformateur

●—GÈNE [qui est produit par]
aérogène
authigène
francogène
iatrogène
monocytogène
traumatogène
supergène
vibrogène
virogène

●—GÈNE [qui produit]
altéragène
biodétériogène
carburigène
culicidogène
déprimogène
diarrhéogène
électro-calogène
encéphalitogène
hypnogène
ionogène
leucémogène
lysogène

méthanigène
oncogène
pétroligène
porogène
spumogène
squelletogène
suicidogène
toxinogène

●—GÉNÉRATEUR n.m.
aérogénérateur
cryogénérateur
turbogénérateur
GÉNÉ— cf. générateur
génépipe

●—GÉNÈSE [formation]
actogenèse
athérogénèse
authigenèse
éthogénèse
kérogenèse
lactogenèse
minéralogénèse
organitogenèse
protéogenèse
rhegmagenèse
rhizogénèse
sémiogénèse
sporoblastogénèse
stéroïdogénèse
synaptogénèse
taphrogenèse

●—GÉNÉSIQUE adj.
anti-génésique

●—GÉNÉTIQUE n.f.
chronogénétique

●—GÉNÉTIQUE adj.
anagénétique
cladogénétique
épigénétique
organogénétique
pétrogénétique
rhizogénétique

●—GÉNIE [formation, production]
gérontogénie
polycytogénie
technogénie
thermogénie

●—GÉNINE n.f.
amélogénine

●—GÉNIQUE adj.
allogénique
dysgénique
écogénique
fibrogénique

fissiogénique
lexicogénique
radiogénique
thermogénique
typogénique

●—GÉNO— cf. génération
génotexte

●—GÉ[O]— [terre]
géoarchitecte
géochronologiste
géochronologue
géocosmogénie
géocouronne
géodoseur
géoextensomètre
géofeuille
géogrammétrie
géohistorien
géolecte
géomatique
géomembrane
géonium
géophone
géostation
géosuture
géosynchrone
géotechnie
géotechnique
géotextile
géothermomètre
—GÉO— [terre]
photogéomatique
—GAI— [terre]
épigaion

●—GÉO— v. GÉOGRAPH—

●—GÉOCHIMIE n.f.
biogéochimie

●—GÉODYNAMIQUE n.f.
biogéodynamique

●—GÉOGRAPH— cf. géographique
géographiser
GÉO— cf. géographique
géogrammétrie

●—GÉOLOGIE n.,f.
écogéologie

●—GÉOLOGUE n.m.
écogéologue
oléogéologue
photogéologue

●—GÉOTHERMIE n.f.
héliogéothermie

GÉOTHERM— cf.
géothermie
géothermisé

●—GERB— cf. gerber
gerbabilité
gerbable
—GERB— cf. gerber
intergerbable

●—GERBEUR n.m.
télégerbeur
transgerbeur

●—GÉRONT(I/O)— [vieillard]
géronticide
gérontogénie
gérontosociologie

●—GEST— cf. gestation
gestante

●—GESTION n.f.
télégestion

●—GICL— cf. gicler
giclage

●—GIG[A]— [milliard]
gigannée

●—GIGA— [géant]
gigaphone
gigapuits

●—GIRATION n.f.
autogiration

●—GIRO— [rotation]
girobroyage
girobroyer

●—GÎTO— cf. gîte
gîtologie
gîtologue

●—GLACE n.f.
hyperglace

●—GLACIAIRE adj.
infraglaciaire
juxtaglaciaire

●—GLACIELL— cf. glaciel
glaciellisation
glacielliste
glaciellité

●—GLAUCONIT(E)— n.f.
glauconitisation

●—GLISSAGE n.m.
motoglissage

●—GLISSEMENT n.m.
  micro-glissement

●—GLISSIÈRE n.f.
  aéroglissière

●GLOBALIS— cf. globaliser
  globalisation

●—GLOBULE n.m.
  plastoglobule
  GLOBUL(E)— n.m.
  globulisation
  globulite

●—GLOMÉRUL(E)— n.m.
  périglomérulaire

●—GLOSSE [langue]
  hétéroglosse
  homoglosse

●—GLOTTE n.f.
  biglotte

●GLU— n.f.
  gluon

●GNOSO— [connaissance]
  gnosopraxique
  —GNOSO— [connaissance]
  anagnosologie
  GNOTO— [connaissance]
  gnotoxénie
  gnotoxénique

●—GON— v. GONO—

●—GONIOMÈTRE n.m.
  piézogoniomètre

●GONO— [semence]
  gonotrophique
  —GON— [semence]
  macrogamétogonie
  microgamétogonie

●—GOURMAND— n.m.
  égourmandage

●—GRADATION cf. dégrada-
  tion
  agradation

●—GRADE n.m.
  intergrade

●—GRADUÉ adj.
  post-gradué

●—GRAISS— cf. graisser
  ingraissabilité

●—GRAMME n.m.
  picogramme

●—GRAMME [lettre, tracé]
  aromagramme
  carotidogramme
  cénogramme
  datagramme
  dendrogrammme
  diffractogramme
  échogramme
  écogramme
  électro-antennogramme
  électronogramme
  électroolfactogramme
  électrophorégramme
  enzymogramme
  flannellogramme
  hyétogramme
  hypnogramme
  interférogramme
  ionogramme
  jugulogramme
  lexigramme
  logigramme
  logogramme
  morphogramme
  mythogramme
  plastogramme
  quadrigramme
  vidéogramme

●—GRAMMÉTRIE cf. photo-
  grammétrie
  géogrammétrie

●GRAN— cf. grain
  granaire
  granion

●—GRANULAIRE adj.
  intergranulaire
  —GRANULARO— cf. granu-
  laire
  microgranularomètre

●—GRANULATION n.f.
  dégranulation

●—GRAPHE [forme écrite]
  allographe

●—GRAPHE [qui écrit]
  amylographe
  chronautographe
  contrôlographe
  échographe
  électropalatographe
  extensographe
  faringraphe
  mélographe
  odorographe
  perturbographe

plastographe
rhéographe
scanographe
tacographe

●—GRAPHE [spécialiste de]
  arabographe
  archéographe
  catalographe
  néographe
  reprographe
  terminographe

●—GRAPHIE [enregistrement]
  actographie
  brachygraphie
  driographie
  électronographie
  électro-oculographie
  infographie
  marcographie
  mythographie
  ornithomélographie
  perturbographie
  pléthysmographie
  scanographie
  tacographie
  ultrasonographie
  xéroradiographie

●—GRAPHIE [recensement,
  étude]
  documentographie
  statistographie
  terminographie

●—GRAPHIE cf. géographie
  écographie

●—GRAPHIE cf. radiographie
  radioautographie

●—GRAPHIER cf. radiogra-
  phier
  neutronographier

●—GRAPHIQUE adj.
  actographique
  anagraphique
  catagraphique
  catalographique
  créolographique
  dysgraphique
  électrographique
  gammagraphique
  terminographique
  vidéographique
  xéroradiographique

●—GRAPHISTE n.m.
  cybernographiste
  scanographiste

●—GRAPP(E)— n.f.
dégrappage

●GRAVI— cf. gravitation
gravicélération

●—GRAVITÉ n.f.
microgravité

●—GRE cf. tigre
ligre

●—GREFFAGE n.m.
radiogreffage

●—GREFFE n.f.
allogreffe
isogreffe
xénogreffe

●—GREFFON n.m.
auto-greffon

●—GRIMPANT adj.
autogrimpant

●—GRIPPANT cf. gripper
dégrippant

●—GROUPE n.m.
turbogroupe

●—GRUE n.f.
auto-grue
tracto-grue

●GUANO— n.m.
guanophage

●GUÉRILLER— cf. guerillero
guérillérisme

●—GUIDAGE n.m.
autoguidage

●—GUIDÉ cf. guider
filoguidé

●GUILLO— cf. guillotine
guillo-vantail

●GUNIT(E)— n.f.
guniteur

●GYNÉCO— [femme]
gynécomobile
gynécostatique

●GYPSO— cf. gypse
gypsophyte

●GYRA— [rotation]
gyrabenne

—GYRO— [rotation]
bigyrotropisme

H

●—HABITAT n.m.
écohabitat

●HADRON— n.m.
hadronique

●—HAFNI— cf. hafnium
déhafniation

●—HALIN [salé]
oligohalin
thermohalin

●HALO— [sel]
halocline
halomorphie
halomorphose

●HALO— cf. halogénure
haloacide

●—HALOBE cf. halobios
euryhalobe

●—HALOGÉNATION n.f.
déshydrohalogénation

●—HALOGÉNÉ adj.
organohalogéné

●HAPLO— [simple]
haplotype

●HARAPP— cf. Harappa
harappéen

●HE— cf. Helen
HeLa

●HÉLI— v. HÉLICOPTÈRE

●HÉLI— cf. hélium
héliox

●HÉL[I]— [spiral, tournant]
hélicité
héli-industrie
hélimagnétisme
HÉLICO— [spiral, tournant]
hélico-mélangeur
hélico-moteur

●HÉLICOPTÈR(E)— n.m.
hélicoptériste

HÉLI— cf. hélicoptère
héliski
hélitreuillage
—OPTÈRE cf. hélicoptère
rtloptère

●—HÉLIE cf. héliogravure
isohélie

●HÉLI[O]— [soleil]
hélio-architecture
héliocapteur
héliochimique
hélioculaire
héliogéothermie
hélio-ingénierie
héliophyte
héliospatial
héliosphère
héliotechnicien
héliotherme
héliothermicien
héliothermie
héliothermique

●—HÉLIOÉLECTRIQUE
adj.
thermo-hélioélectrique

●—HÉLIOGRAPHE n.m.
radiohéliographe

●—HELLÉNIQUE adj.
éo-hellénique

●HÉLO— [marécage]
hélocrène
hélophile

●—HEM—, —HÈME
v. HÉM(O)—

●HÉMÉRO— [jour]
hémérothèque

●HÉMI— [demi, à demi]
hémiédaphon
hémisciaphile
hémisynthèse

●HÉM(O)— [sang]
hémagglutination
hémochorial
hémocompatible
hémodialyse
hémoprévention
hémotype
hémotypologique
—HÉM— [sang]
hydrohémique
—HÈME [sang]
nitrosohème

●HÉPATO— [foie]
  hépatocyte
  hépato-protecteur

●HERBICID(E)— n.m.
  herbicidage

●—HERBO— cf. herbe
  malherbologie

●HÉRIT— cf. hériter
  héritabilité

●—HERME cf. Hermelles
  bioherme

●HÉTÉRO— [différent]
  hétérocaryote
  hétérocharges
  hétérofermentaire
  hétéroglosse
  hétérohypnose
  hétéroxénique

●—HÉTÉROTROPHIE n.f.
  photohétérotrophie

●HÉVÉA— n.m.
  hévéaculture

●HEX— [six]
  hexon

●—HEXAN(E)— n.m.
  déhexaniseur

●HISS— n.pr.
  hissien

●HISTO— [tissu]
  histocompatibilité
  histo-compatible

●—HISTOIRE n.f.
  bio-histoire

●HISTORIC— cf. historique
  historicisation

●—HISTORIEN n.m.
  géohistorien
  quanto-historien

●—HIVER n.m.
  finihiver
  préhiver

●HODO— [chemin]
  hodologie

●HOLO— [entier]
  holophonie
  holophrase

holoplancton
holospondyle
holoxénique

●—HOLOGRAPHIE n.f.
  cinéholographie
  microholographie

●HOMÉO— [semblable]
  homéotrope

●—HOMÉOTHERME adj.
  exhoméotherme

●HOMIN— [homme]
  hominoïde

●HOMO— [même]
  homocharges
  homofermentaire
  homoglosse

●—HÔPITAL n.m.
  baro-hôpital

●—HORMONE n.f.
  anti-hormone
  neurhormone
HORMONO— cf. hormone
  hormono-dépendant
  hormonologie
—[M]ONE cf. hormone
  alarmone

●HORO— [heure]
  horocontacteur
  horodaté

●—HOUE n.f.
  motohoue

●HOULO— cf. houle
  houlomarégraphe
  houlomètre

●—HUMIDE adj.
  semi-humide

●—HUMIDIMÈTRE n.m.
  nucléohumidimètre

●—HUMIDOSTAT n.m.
  thermo-humidostat

●—HUMIQUE adj.
  isohumique

●—HYBRIDATION n.f.
  surhybridation

●—HYDRAULIQUE adj.
  oléohydraulique
  pneumo-hydraulique

HYDRO— cf. hydraulique
  hydroflambage

●HYDRO— [eau]
  hydrocarboduc
  hydrochoc
  hydroclave
  hydroclimat
  hydro-combustible
  hydroculture
  hydrocyclone
  hydrodispersable
  hydrohémique
  hydrojet
  hydrolienne
  hydromélangeur
  hydrométallurgie
  hydrométrologie
  hydromor
  hydrophotographie
  hydrophyte
  hydroréfrigéré
  hydroséquence
  hydrothermie
  hydrothermique
  hydrotrope

●HYDRO— v. HYDROGÉN—

●HYDRO— v. HYDRO-
GÉNO—

●HYDRO— cf. hydrohémique
  hydrocachectique

●HYDROCHOR(E)— n.m.
  hydrochorie

●HYDRODYNAMIC— cf. hydrodynamique
  hydrodynamicien

●HYDROFUG— cf. hydrofuger
  hydrofugation

●HYDROGÉN— cf. hydrogénation
  hydrogénable
HYDRO— cf. hydrogénation
  hydrocraqueur

●HYDROGÉNO— cf. hydrogène
  hydrogénoduc
  hydrogénomonas
HYDR[O]— cf. hydrogène
  hydrodimérisation
  hydroduc
  hydroformylation
  hydropyrolyse
  hydrox

●**HYDROGÉOLOG**— cf. hy-
drogéologie
hydrogéologique

●**HYDROPHIL(E)**— adj.
hydrophilisation

●**HYDROPHOB**— cf. hydro-
phobie
hydrophobicité

●**HYDROQUINON(E)**— n.f.
hydroquinonique

●**HYDROTHERMAL**— adj.
hydrothermalisme
hydrothermaliste

●**HYDROXYL(E)**— n.m.
hydroxylapatite

●**HYDRUR(E)**— n.m.
hydrurable

●**HYÉTO**— [pluie]
hyétogramme

●**HYGIÉN**— cf. hygiénique
hygiénisation
HYGIÉNIC— cf. hygiénique
hygiénicité

●**HYGR(O)**— [humidité]
hygrique
hygromagmatophile

●**—HYGROMÈTRE** n.m.
thermo-hygromètre

●**HYGROSCOPIC**— cf. hygro-
scopique
hygroscopicité

●**HYLO**— [bois, forêt]
hylochère

●**HYPER**— [très, au-dessus]
hypérarginémie
hyperclave
hyperconducteur
hyperfiltration
hyperfixant
hyperglace
hyperidéation
hyperimmun
hyperkinétique
hypermarché
hypermolécule
hyperonyme
hyperosmotique
hyperprotection
hyperstatisme

hyperthermal
hypertrempe

●**HYPERBAR(E)**— adj.
hyperbarie

●**HYPERPHAG**— cf. hyperphagie
hyperphagique

●**HYPN(O)**— [sommeil]
hypnagnosie
hypnogène
hypnogramme
hypnopédie
hypnopédique
hypnophonothérapie

●**—HYPNOSE** n.f.
autohypnose
hétérohypnose
HYPNO[SO]— cf. hypnose
hypnosopédie
hypnosophrologie

●**HYPNOTIS**— cf. hypnotiser
hypnotisabilité

●**HYPO**— [en dessous]
hypoandrisme
hypocalorique
hypofixant
hyponeuston
hyponeustonique
hypoosmotique
hyposexué
hyposialie
hypovirulent

●**HYPOCHLORIT(E)**— n.f.
hypochlorité

●**HYPOLIMN**— cf. hypolimnion
hypolimnique

●**—HYPONYME** n.m.
. cohyponyme

●**HYPOPROSEX**— cf. hypoprosexie
hypoprosexique

●**HYPOTAX(E)**— n.f.
hypotaxique

I

●**—IAL, IALE** v. **—AL**

●**IATRO**— [médecine]
iatrogène
—[I]ATRIE [médecine]
buiatrie
sociatrie

●**—IBILITÉ** v. **—ITÉ** [aptitude]

●**ICHTYO**— [poisson]
ichtyobiologiste
ichtyomasse
ichtyoneuston
ichtyopathologie
ichtyotoxique

●**—ICIEN** v. **—IEN** [spécialiste
de]

●**—[I]CITÉ** v. **—ITÉ** [qualité]

●**ICO**— cf. icône
icophone

●**—ICONIQUE** adj.
verbo-iconique
ICONIC— cf. iconique
iconicité

●**ICONOMÈTR(E)**— n.m.
iconométrique

●**ICR**— Institute for Cancer
Research
icron

●**—IDÉATION** n.f.
hyperidéation

●**—IDÉ(E)**— n.f.
anidéique
IDÉO— cf. idée
idéotype

●**IDENTIFICAT**— cf. identification
identificatoire

●**IDENTIFIABIL**— cf. identifiable
identifiabilité

●**IDÉO**— v. **IDÉE**

●**IDÉO**— cf. idéologie
idéocratie

●IDÉO— cf. idéogramme
  idéophone

●IDIO— [particulier]
  idiochromatique
  idiotypie
  idiotypique

●IDIOLECT(E)— n.m.
  idiolectique

●—IE [état, qualité, activité]
  chémotopie
  dilatométrie
  dysauxie
  dyscalculie
  dysmétabolie
  égosymphorie
  halomorphie
  hydrochorie
  hyperbarie
  hyposialie
  leucie
  macrogamétogonie
  microgamétogonie
  microréflectométrie
  prosoponie
  psychocallisthénie
  sténotopie
  symphitie
  thermoclastie
  toxiphilie
  toxophilie
  vélocimétrie

●—IE [savoir]
  architectonie
  cryo-ultramicrotomie
  gnotoxénie
  interphonie
  oscilloscopie

●—IEL [agent]
  logiciel

●—IEL, IELLE v. —EL [relatif à]

●—IEN [relatif à]
  bactéridien
  cinétosomien
  coniférien
  corbusérien
  francophonien
  hissien
  laténien
  oldowayen
  riparien
  transfermien

●—IEN [spécialiste de]
  archéomagnéticien
  aromaticien
  automaticien
  bioénergéticien
  énergéticien
  hydrodynamicien
  neutronicien
  paléomagnéticien
  phonostylisticien
  pneumaticien
  sismicien
  tectonicien

—ICIEN [spécialiste de]
  juristicien
  tecticien
  translaticien

●—IEN [partisan]
  végétalien

●—IEN [habitant, originaire de]
  asien
  bidonvillien

●—IER [agent]
  agencier
  bennier
  bétonnier
  cachetier
  carburier
  chlorier
  chronométrier
  citernier
  classier
  cokier
  équipementier
  essencier
  façadier
  livrancier
  parquetier
  péagier
  pneumatiquier
  turbinier

●—IER [instrument]
  bornier
  distancier
  tunnelier

●—IER [qui contient]
  essencier
  phosphoriquier
—IÈRE [qui contient]
  natronière
  ombrière

●—IER v. —ER [relatif à]

●—IÈRE v. —IER [qui contient]

●—IF [agent]
  antitussif
  appétitif

●—[I]F [relatif à]
  acculturatif
  électrostrictif
  longévif
  oxydatif
  piézorésistif
  préopératif
  transmissif

●—IFIABLE v. —ABLE

●—[I]FIANT v. —ANT

●—[I]FICATION v. —TION

●—IFIÉ v. —É

●—IFIER v. —ER

●IGNIFUG— cf. ignifuger
  ignifugateur

●IL— v. IN— [privatif]

●ÎLOT— n.m.
  îlotage

● —IMAGE n.f.
  textimage
IMAG(E)— n.f.
  imageur

●IMAGO— n.m.
  imagocide

●IMMUN n.m.
  hyperimmun

●IMMUNISATION n.f.
  allo-immunisation

●IMMUNO— v. IMMUNOLO-
GIE

●IMMUNOGÈN(E)— adj.
  immunogénicité

●IMMUNOLOGIE n.f.
  éco-immunologie
  radio-immunologie
IMMUNO— cf. immunologie
  immuno-dépression
  immunodéprimé
  immunodéviation
  immunodiffusion
  immunodominant
  immunomodulateur
  immunomodulation
  immuno-surveillance

●IMPÉDANCE— n.m.
  impédancemétrie

●—IMPLANTATION n.f.
    ovoimplantation
IMPLANT(O)— cf. implantation
    implantaire
    implantologie

●—IMPRÉGNÉ adj.
    préimprégné

●—IMPRESSION n.f.
    thermo-impression

●IMPULSIONN— cf. impulsion
    impulsionnel

●IN— [dans]
    incapsulation
    inovulation

●IN— [privatif]
    inalibile
    incisaillable
    incondensable
    indégorgeabilité
    indesserrabilité
    infleurissable
    ingraissabilité
    instationnaire
IL— [privatif]
    illocution
    illocutoire

●INCLIN— cf. incliner
    inclineur

●—INCLINAISON n.f.
    désinclinaison
INCLINO— cf. inclinaison
    inclinométrique

●INCREVABIL— cf. increvable
    increvabilité

●INCRÉMENT— n.m.
    incrémentation

●INDÉCHIRABIL— cf. indéchirable
    indéchirabilité

●INDÉVISSABIL— cf. indévissable
    indévissabilité

●INDEX— cf. indexer
    indexable
    indexage

●INDUC[T]— cf. induction
    inductest

●—INDUSTRIALISATION n.f.
    désindustrialisation

●—INDUSTRIE n.f.
    agro-industrie
    héli-industrie
    mono-industrie

●—INDUSTRIEL adj.
    interindustriel

●—INE [substance]
    cohérine
    cybernine
    miraculline
    neurotensine
    scotophobine

●INERT(E)— adj.
    inertage

●INFO— v. —INFORMATION

●INFO— v. —INFORMATIQUE

●INFORMAT— v. —INFORMATIQUE

●—INFORMATION n.f.
    désinformation
INFO— cf. information
    infoduc

●—INFORMATIQUE n.f.
    micro-informatique
    mini-informatique
    péri-informatique
    téléinformatique
INFORMAT— cf. informatique
    informatisation
INFO— cf. informatique
    infographie
    infotecture
—MATIQUE cf. informatique
    géomatique
    métromatique
    micromatique
    photogéomatique
—TIQUE cf. informatique
    bureautique

●INFRA— [en dessous]
    infraclinique
    infradien
    infraglaciaire
    infralexical
    infralittoral
    inframammalien
    infra-paginal
    infrapélagique

●INFRACTIONN— cf. infraction
    infractionnel

●INFRAROUG(E)— n.m.
    infrarougiste

●—INGÉNIERIE n.f.
    hélio-ingénierie

●INGÉNIOR— cf. ingénieur
    ingéniorat

●—INHIBITEUR adj.
    rétro-inhibiteur

●—INHIBITION n.f.
    rétro-inhibition

●INJECTABIL— cf. injectable
    injectabilité

●INS[EE]— Institut National de la Statistique et des Études Économiques
    inséen

●INSÉR— cf. insérer
    inséreuse

●INSIDIOS— cf. insidieux
    insidiosité

●INSTANTANÉ— adj.
    instantanéisation
    instantanéisme

●INSTITUTIONNAL— cf. institutionnel
    institutionnaliste

●—INSTRUMENTATION n.f.
    microinstrumentation

●INSU— cf. insulaire
    insunymie

●INSUFFL— cf. insuffler
    insuffleuse

●INSULINO— cf. insuline
    insulinoprive

●INTÉGR— cf. intégrer
    intégron

●—INTÉGRATEUR n.m.
    écho-intégrateur

●INTENSIO— cf. intensité
    intensiostatique

●INTER— [commun à]
intermodalité

●INTER— [entre]
interactif
interbras
intercirculation
interconnecteur
intercuspidation
intergerbable
intergrade
intergranulaire
interindustriel
interlingue
intermue
inter-négatif
interphotothèque
interpositif
intersectorielle
intersociétal
interstade
intertaxonique
inter-texte
interville

●INTERFAC(E)— n.f.
interfaçable
interfaçage
interfacer
interfacial

●INTERFÉRO— cf. interférence
interférogramme

●INTERN— cf. médecine interne
interniste

●INTERPHON(E)— n.m.
interphonie

●INTERPRÉTO— cf. interpréter
interprétoscope

●INTERRUPT— cf. interruption
interruptibilité

●INTERVALLO— cf. intervalle
intervallomètre
intervallométrie

●INTRA— [à l'intérieur de]
intracratérique
intradisciplinarité
intralingue
intrataxonique

●INVENTORI— cf. inventorier
inventoriage

●IODO— cf. iode
iodophore

●—ION v. LI—

●—ION n.m.
adion
granion
polyion
IO[N]— n.m.
ionitruration

●IONIC— cf. ionique
ionicité
—IONIC— cf. ionique
anionicité

●—IONISER v.
déioniser

●—IONISEUR n.m.
bio-ioniseur
déioniseur

●IONO— cf. ionisation
ionogène
ionomoléculaire

●IONO— cf. ionosphère
ionogramme

●IONOPHOR(E)— n.m.
ionophorique

●—IQUE [discipline]
communicatique
consommatique
idiolectique
mercatique
ordinatique
translatique

●—IQUE [individu]
aprosexique
hypoprosexique
paraprosexique

●—[I]QUE [relatif à]
abiogénique
accumulique
acrocentrique
acrosomique
allostérique
aminergique
ampéremétrique
andique
anidéique
antimycotique
apomictique
aprotique
axénique
bainitique
bromatologique

brucellique
butyrométrique
cationique
caoutchoutique
cinéphilique
climatomorphique
cyanophytique
décadique
diauxique
diglossique
dosimétrique
dyscalculique
dysmélique
dystrochique
élastomérique
épilimnique
épipédique
ergonomique
euphotique
exoélectronique
exomorphique
ferritique
fersiallitique
fragique
gnotoxénique
hadronique
hétéroxénique
holoxénique
hydrogéologique
hydrohémique
hydroquinonique
hygrique
hyperphagique
hypolimnique
hyponeustonique
hypotaxique
iconométrique
idiolectique
idiotypique
intertaxonique
intracratérique
intrataxonique
ionophorique
isodiamétrique
isogénique
isokéraunique
isopsophique
kilotonnique
lénitique
lotique
magellanique
mantélique
médiocentrique
méristématique
mésonique
mésoplanctonique
métallogénique
microfractographique
micronectonique
migmatique
morphinique
orthoxénique
paléonégritique

photique
photolytique
physiographique
polymérique
polyspermique
pouzzolanique
pressostatique
protique
psammique
radiochronologique
relatoscopique
sérotoninergique
scissométrique
sinique
statorique
surmoïque
tchadique
thanatique

●—IQUE cf. électronique
   connectique

●IRANO— cf. Iran
   iranologue

●IRIDO— cf. iridoscopie
   iridologie

●IRRADIANCE— n.f.
   irradiance-mètre

●—ISABLE v. —ABLE

●—ISANT v. —ANT

●—ISATEUR v. —ATEUR

●—ISATION v. —TION

●—ISÉ v. —É

●—ISER v. —ER

●—ISEUR v. —EUR

●ISLAMO— cf. Islam
   islamologue

●—ISME [fait, ensemble de phénomènes]
   bimaturisme
   édaphisme
   hydrothermalisme
   hypoandrisme
   instantanéisme
   magmatisme
   territorialisme
   thermoclastisme
   transitivisme

●—ISME [profession]
   maquettisme

●—ISME [système, doctrine]
   agéisme
   chimérisme
   connexionnisme
   consommatisme
   guérillérisme
   marrisme
   maximalisme
   métamérisme
   opérationalisme
   pastoralisme
   polytechnisme
   substitutisme
   tactilisme
   zégisme

●—ISME [tournure propre à une langue]
   créolisme
   ivoirisme
   lotharingisme
   sénégalisme
—DISME cf. tchadisme
   frandisme

●IS[O]— [même]
   isochoronyme
   isocroissance
   isodensimétrique
   isodiamétrique
   isoflexion
   isoflore
   isogreffe
   isohélie
   isohumique
   isokéraunique
   isoligne
   isophone
   isophote
   isopollution
   isopotentiel
   isopsophique
   isopycnique
   isosaturation
   isoshunt
   iso-sirop
   isosmotique
   isostructural
   isotache
   isoteneur
   isovapo
—IS[O]— [même]
   anisosmotique

●ISODENSI— cf. isodensité
   isodensitraceur

●ISOGÈN(E)— adj.
   isogénique

●ISOL— cf. isolant
   isolamiante

●—ISTANCE cf. résistance
   gazistance

●—ISTE [produit]
   synergiste

●—ISTE [relatif à]
   connexionniste
   fiscaliste
   formationiste
   hydrothermaliste
   institutionnaliste
   monétariste
   pansubstratiste
   parentaliste
   productiviste
   professionnaliste
   uniclassiste

●—ISTE [spécialiste de]
   aluchromiste
   balafongiste
   billetiste
   bionomiste
   chapiste
   chaudiériste
   cliométriste
   comportementaliste
   contemporaniste
   créoliste
   cryogéniste
   cytochimiste
   dendrochronologiste
   diagraphiste
   diéseliste
   forfaitiste
   géantiste
   glacielliste
   hélicoptériste
   infrarougiste
   interniste
   koriste
   laboriste
   libériste
   mésomorphiste
   métallogéniste
   nucléariste
   objettiste
   océaniste
   paléovertébriste
   pédodontiste
   photochimiste
   polymériste
   préventionniste
   prospectiviste
   pyrénéiste
   quaternariste
   relationniste
   reprographiste
   sédimentologiste
   stémiste
   storiste
   toiliste

transitiviste
truquiste
zégiste

●—**ISTIQUE** [activité scientifique]
　bantuistique

●—**ITE** [relatif à, habitant de]
　éblaïte

●—**[I]TE** [structure minérale]
　altérite
　arénitite
　armalcolite
　coésite
　globulite
　litharénite
　naticite

●—**ITÉ** [aptitude]
　adoptabilité
　brevetabilité
　cardinalité
　constructibilité
　démontabilité
　increvabilité
　injectabilité
　lessivabilité
　nettoyabilité
　opérabilité
　programmabilité
　recyclabilité
　traitabilité
　—**ABILITÉ** [aptitude]
　broyabilité
　centrifugabilité
　commandabilité
　configurabilité
　dragabilité
　drainabilité
　égouttabilité
　fissurabilité
　floculabilité
　formabilité
　frittabilité
　gerbabilité
　héritabilité
　hypnotisabilité
　indégorgeabilité
　indesserrabilité
　ingraissabilité
　machinabilité
　palatabilité
　parcheminabilité
　thermoscellabilité
　—**IBILITÉ** [aptitude]
　compactibilité
　interruptibilité

●—**ITÉ** [qualité]
　abrasivité
　achromaticité

anionicité
antillanité
arabité
argilosité
aromaticité
assertoricité
catalanité
celticité
chromaticité
coaxialité
concentricité
confidentialité
créolité
criticité
culturalité
détectabilité
équimolarité
européanité
foulanité
glaciellité
hygiénicité
hygroscopicité
iconicité
identifiabilité
indéchirabilité
indévissabilité
insidiosité
ionicité
lusitanité
modularité
muonicité
néologicité
nordicité
organicité
pathogénicité
pierrosité
polymolécularité
portabilité
pyrophoricité
rectilignité
récupérabilité
réfractarité
renouvelabilité
rythmicité
séquentialité
substantivité
systématicité
tétragonalité
—**[I]CITÉ** [qualité]
　axénicité
　cancérogénicité
　hélicité
　hydrophobicité
　immunogénicité
　méristématicité
　romandicité
—**IVITÉ** [qualité]
　diffusivité
　effusivité
　transmissité
—**OSITÉ** [qualité]
　chlorosité
　pégosité

sétosité
sucrosité

●—**ITUDE** [qualité]
　africanitude
　féminitude

●—**IVITÉ** v. —**ITÉ** [qualité]

●**IVOIR**— cf. Côte d'Ivoire
　ivoirisation
　ivoirisme

●**IXODI**— [tique]
　ixodicide

J

●**JAGUAR**— n.m.
　jaguarion

●**JARDIN**— n.m.
　jardinerie

●—**JECTION** cf. injection
　nitrojection

●**JÉJUNO**— cf. jéjunum
　jéjunoscope

●—**JET** n.m.
　hydrojet

●—**JOINT** n.m.
　plastojoint

●—**JOINTER** v.
　déjointer

●**JONCTIONN**— cf. jonction
　jonctionnement
　jonctionner

●**JOUJOU**— n.m.
　joujouthèque

●**JUGULO**— cf. vaisseau jugulaire
　jugulogramme

●**JUMBO**— cf. jumbo-jet
　jumboïsation
　jumboïser

●**JURI**— [droit]
　jurimétrie

●**JURIST(E)**— n.m.
    juristicien
JURIS— cf. juriste
    juriscratie

●**JUT**— cf. juter
    juteur

●—**JUVÉNIL(E)**— adj.
    rejuvénilisation
    rejuvéniliser

●**JUXT(A)**— [tout près]
    juxtaglaciaire
    juxtaspécifique
    juxtavestibulaire
    juxtespèce

K

●—**K** [symbole chimique du potassium]
    nak

●—**KARST** [région de roches calcaires]
    cryokarst

●—**KÉRATIQUE** adj.
    ostéodontokératique

●—**KÉRATOSCOPE** cf. kératoscopie
    photokératoscope

●—**KÉRAUN**— [fondre]
    isokéraunique

●**KÉRO**— cf. kérosène
    kérogenèse

●**KILOTONN(E)**— n.f.
    kilotonnique

●**KIN**— cf. Kinshasa
    Kinois

●**KIN**— v. CINÉ

●**KINESCOP(E)**— n.m.
    kinescopage

●—**KINÉTIQUE** adj.
    hyperkinétique

●**KOR**— cf. kora
    koriste

●**KRIGE**— n.pr.
    krigeage
—**KRIGE**— n.pr.
    cokrigeage

●**KYMATO**— [vague]
    kymatopause

L

●—**LA** cf. Lane
    HeLa

●**LABOR**— cf. laboratoire
    laborant
    laboriste
LABO— cf. laboratoire
    labobus

●**LACTO**— [lait]
    lactogenèse

●—**LACTOS(E)**— n.m.
    délactosage

●—**LACUNE** n.f.
    bilacune

●**LAGUN(E)**— n.f.
    lagunage

●—**LALIE** [parler]
    tachylalie

●—**LAMAGE** n.m.
    épilamage

●—**LAMEN** [lame, pellicule]
    épilamen

●—**LAMIN**— cf. laminer
    délamination

●—**LANGAGE** n.m.
    pré-langage

●—**LANGUE** n.f.
    euro-langue

●**LAPIN**— n.m.
    lapinisé

●—**LARGU**— cf. larguer
    largueur

●**LATÉN**— cf. La Tène
    laténien

●—**LATÉRAL** adj.
    matrilatéral

●—**LATÉRALITÉ** n.f.
    ambilatéralité

●**LATÉRIT(E)**— n.f.
    latérité

●—**LAVEUR** n.m.
    auto-laveur

●—**LAVEUSE** n.f.
    autolaveuse

●—**LECTE** [langage]
    acrolecte
    basilecte
    géolecte
    sociolecte

●—**LECTEUR** n.m.
    thermolecteur
    télélecteur

●**LECTO**— [choisir]
    lectotype

●**LEMNISC**— cf. lemniscus
    lemniscal

●**LÉMURI**— cf. lémurien
    lémuriforme

●**LÉNIT**— [doux]
    lénitique

●**LÉOP**— cf. léopard
    léopon

●—**LEPTIQUE** [qui accepte]
    thymoleptique
    alcooleptique

●—**LEPTON** n.m.
    dilepton

●**LESSIVABIL**— cf. lessivable
    lessivabilité

●—**LESSIVAGE** n.m.
    pluviolessivage

●—**LETTRES** n.f. pl.
    permulettres

●**LEUC**— [blanc, lumineux]
    leucie

●**LEUCÉMO**— cf. leucémie
    leucémogène

●LEUCOPÉNI(E)— n.f.
leucopéniant

●—LEVÉE n.f.
postlevée

●—LEVURE n.f.
lyophilevure
LEVUR(E)— n.f.
levurerie

●LEXÈM(E)— n.m.
lexématique

●—LEXICAL adj.
infralexical

●LEXICO— cf. lexicologie
lexicogénique

●LEXI(E)— n.f.
lexigramme
leximétrie

●LI— cf. lion
ligre
—ION cf. lion
jaguarion
—ON cf. lion
léopon

●LI— Laser Infrared
lidar

●—LIAISON n.f.
cryoliaison

●—LIASS(E)— n.f.
déliassage
déliasseuse

●—LIASSER cf. enliasser
déliasser

●LIBÉR— cf. libérer
libériste

●LICHÉNO— cf. lichen
lichénologie

●LICHO— [lécher]
lichomanie

●—LIEN n.m.
pseudo-lien

●—LIENNE cf. éolienne
hydrolienne

●LIGN— cf. ligner
ligneur
—LIGN— cf. ligner
transligneur

●—LIGNE n.f.
isoligne

●LIGNO— cf. lignine
lignocellulose

●—LIMITEUR n.m.
télélimiteur

●LIMN(I/O)— [eau stagnante]
limniculture
limnocrène

●—LIMNION cf. hypolimnion
mésolimnion

●—LIMO— cf. limite
limologie

●LINÉAR— cf. linéaire
linéarisateur
linéarisation
linéariser
linéariseur

●—LINÉARITÉ n.f.
curvilinéarité

●—LINGUE [langue]
interlingue
intralingue

●—LINGUISME cf. bilinguisme
équilinguisme

●—LINGUISTIQUE n.f.
écolinguistique

●—LINGUISTIQUE adj.
translinguistique

●LINI— cf. lin
liniculteur

●LIPO— cf. lipide
lipochimie
lipostatique

●—LISSANT cf. lisser
auto-lissant

●—LITE v. —LITHE

●LITEAUN— cf. liteau
liteaunage

●—LITHE [pierre]
endolithe
LITH(O)— [pierre]
litharénite
lithification
lithochrome

lithodépendance
lithométéore
lithoséquence
lithothèque
lithozone
—LITE [pierre]
crocidolite

●—LITTORAL n.m.
adlittoral
circalittoral
infralittoral
médiolittoral
supralittoral

●LIVR— cf. livrer
livrancier

●—LIVRE n.m.
dialivre

●—LOCAL adj.
ambilocal

●—LOCALITÉ n.f.
avunculolocalité
bilocalité
matrilocalité
néolocalité
patrilocalité

●—LOCUTION n.f.
adlocution
illocution
LOCUT— cf. locution
locutoire
—LOCUT— cf. locution
illocutoire
perlocutoire

●—LOF cf. ouolof
franlof

●LOGI(C)— cf. logique
logiciel
logicisable
logigramme
logiscope

●—LOGIE [science de, étude de]
accidentologie
agressologie
alcoologie
altéralogie
ambiologie
anagnosologie
angologie
aquariologie
architecturologie
aréologie
astacologie
cariologie

castrologie
cécidologie
céramologie
crénologie
défectuologie
diatomologie
économologie
eutonologie
fracturologie
gémellologie
gîtologie
hodologie
hormonologie
implantologie
iridologie
lichénologie
limologie
logologie
magmatologie
malherbologie
mastologie
membranologie
molysmologie
nivologie
noxologie
odologie
oncologie
orthologie
phréatologie
planctologie
planétologie
préventologie
régularologie
rupologie
rythmologie
schématologie
sénologie
sitologie
spermologie
stéréologie
suggestologie
traductologie
vacuologie
vidéologie

●—LOGIE v. ÉCOLOGIE

●—LOGIQUE [relatif à l'étude de]
anémologique
bromatologique
défectuologique
faciologique
odorologique
palynologique

●—LOGIQUE cf. circuit logique
macrologique

●—LOGISTE [spécialiste de]
communicologiste
nématologiste

ovniologiste
planctologiste

●LOGO— cf. logos
logocentrisme
logogramme
logologie
logosyllabique

●—LOGUE [spécialiste de, qui étudie]
agrostologue
alcoologue
andrologue
arabologue
astacologue
céramologue
classologue
communicologue
dendrologue
éthologue
gémellologue
géochronologue
gîtologue
iranologue
islamologue
magmatologue
malacologue
mastologue
négrologue
nivologue
palynologue
pénologue
planétologue
préventologue
primatologue
scythologue
sénologue
sitologue
théâtrologue
transplantologue
ufologue

●—LOGUE [en rapport avec]
autologue

●—LON cf. boulon
rivelon

●—LONG adj.
bâtilong

●LONGÉV[I]— cf. longévité
longévif

●—LOT— [lavé]
lotique

●—LOUPE n.f.
téléloupe

●LOTHARING— cf. Lotharingie
lotharingisme

●LUD(O)— [jeu]
ludème
ludothèque

●LUMI— cf. lumière
lumidome
lumiduc

●—LUMINESCENCE n.f.
cathodoluminescence

●—LUMINEUX adj.
noctilumineux
LUMINO— cf. lumineux
luminodiode
luminomètre

●—LUNETTE n.f.
télélunette

●LUSITAN— [Portugal]
lusitanité
LUSO— [Portugal]
lusophone

●LUXEMBOURGEO— cf. luxembourgeois
luxembourgeophone

●LYOPHI— cf. lyophiliser
lyophilevure

●—LYSE n.f.
acantholyse
LYSO— cf. lyse
lysogène

●—LYSEUR cf. analyseur
écolyseur

●—LYSO— v. —LYSE

●—LYSOSOME n.m.
autolysosome

●—LYTIQUE adj.
anxiolytique
cellulolytique
élastolytique
pectolytique

M

●MACHIN— cf. machine
machinabilité

●MACRO— [grand]
    macro-aménagement
    macrobenthos
    macrobenthonte
    macrocinéma
    macrodéchet
    macrofibrillaire
    macrologique
    macrorégulation
    macro-social
    macrosociologie
    macro-télévision

●MACROGAMÉTO— cf. macrogamète
    macrogamétogonie

●MAGELLAN— n.pr.
    magellanique

●—MAGISTRAL adj.
    antimagistral

●MAGMAT(O)— cf. magmatique
    magmatisme
    magmatologie
    magmatologue
  —MAGMATO— cf. magmatique
    hygromagmatophile

●MAGN— v. —MAGNÉTIQUE

●MAGNÉT— cf. support magnétique
    magnétuscrit

●—MAGNÉTIQUE adj.
    amagnétique
    thermomagnétique
  —MAGNÉTIC— cf. magnétique
    archéomagnéticien
    paléomagnéticien
  MAGN— cf. magnétique
    magnon

●—MAGNÉTISME n.m.
    hélimagnétisme

●MAGNÉTO— cf. champ magnétique
    magnétocardiographie
    magnétostratigraphie
    magnétostratigraphique

●MAÏSI— cf. maïs
    maïsicole

●MAISONN— cf. maison
    maisonnerie

●MAL— [mauvais]
    malherbologie
    malvoyant

●MALACO— [mollusque]
    malacofaune
    malacologue

●MALGACH(E)— n.m.
    malgachisant

●—MALINGR(E)— adj.
    démalingrage

●—MAMMALIEN adj.
    inframammalien

●MANAGER— n.m.
    managerat

●—MANCHE n.pr.
    transmanche

●—MANE [qui est fou de, qui raffole de]
    alcoolomane

●—MANGAN— cf. manganèse
    démanganisation

●MANIABILI— cf. maniabilité
    maniabilimètre

●—MANIE n.f.
    bruxomanie
    lichomanie

●—MANIPULATION n.f.
    télémanipulation

●MANO— [main]
    manocontacteur
    mano-mobile

●MANTÉL— cf. manteau
    mantélique

●MANUTENTIONN— cf. manutentionner
    manutentionnable

●MAQUETT(O)— cf. maquette
    maquettisme
    maquettoscope

●—MAQUIS— n.m.
    démaquisage

●MARCHANDIS(E)— n.f.
    marchandisage

●MARCHÉ— n.m.
    marchéage
  —MARCHÉ n.m.
    hypermarché

●—MARÉGRAPHE n.m.
    houlomarégraphe

●—MARGE n.f.
    minimarge

●MARIN— adj.
    marinisation
    marinisé
  MARI— cf. marin
    mariculture

●MAROCAN— cf. marocain
    marocanisation

●—MARQUE n.f.
    re-marque
  MARCO— cf. marque
    marcographie

●MARR— n.pr.
    marrisme

●MARSOUIN— n.m.
    marsouinage

●—MARTEAU n.m.
    perfo-marteau

●MASQU— cf. masquer
    masqueur

●—MASS— cf. masser
    antimassant

●—MASSE n.f.
    ichtyomasse
    nécromasse
    phytomasse

●MASTO— [mamelle, mamelon]
    mastologie
    mastologue

●—[M]ATE cf. tomate
    pomate

●—MATÉRIAU n.m.
    biomatériau
  MATÉRIA— cf. matériau
    matériathèque

●MATERNIS— cf. materniser
    maternisation

●**MATHÉMATIS**— cf. mathé-matisation
   mathématisable

●—**MATIQUE** v. INFORMA-TIQUE

●**MATRI**— [mère]
   matriarche
   matrilatéral
   matrilocalité

●—**MATRIÇAGE** n.m.
   fibromatriçage

●—**MATURATION** n.f.
   thermomaturation
MATURO— cf. maturation
   maturomètre

●—**MATUR(E)**— adj.
   bimaturisme

●**MATURI**— cf. maturité
   maturimètre

●**MATURO**— v. MATURA-TION

●**MAXIMAL**— adj.
   maximalisme

●**MÉ**— [mauvais]
   mécoupure
MÉS— [mauvais]
   mésalignement

●—**MÉCANIQUE** n.f.
   biomécanique
   micromécanique

●—**MÉCANIQUE** adj.
   optomécanique
   semi-mécanique

●**MÉCANO**— [machine]
   mécanomorphe
   mécanosoudé
   mécanosoudure

●**MÉDIA**— n.m.
   médiathécaire
   médiathèque
—**MÉDIAS** n.m.pl.
   micromédias

●—**MÉDIATEUR** n.m.
   neuromédiateur

●—**MÉDIATION** n.f.
   neuromédiation

●—**MÉDICATION** n.f.
   automédication

●**MÉDIO**— [milieu]
   médiocentrique
   médioeuropéen
   médiolittoral

●**MÉGA**— [grand]
   méga-pilonneuse
   mégascience

●**MÉIO**— [moindre]
   méiobenthos
   méiofaune

●—**MEL** cf. hydromel
   œnomel

●**MÉLANGE**— cf. mélanger
   mélangeage

●—**MÉLANGEUR** n.m.
   hélico-mélangeur
   hydromélangeur

●**MÉLO**— [musique, chant]
   mélographe
—**MÉLO**— [musique, chant]
   ornithomélographie

●**M[ÈM]**— v. —MÉMOIRE

●—**MEMBRANE** n.f.
   biomembrane
   géomembrane
   semi-membrane
MEMBRANO— cf. mem-brane
   membranologie

●—**MÉMOIRE** n.f.
   antémémoire
M[ÈM]— cf. mémoire
   mème
MÉMO— cf. mémoire
   mémocarte
   mémosphère

●**MERCAT**— [marché]
   mercatique

●—**[M]ÈRE** cf. isomère
   conformère
   énantiomère

●—**MÈRE** cf. polymère
   excimère
   polyalcénamère
   rigidimère

●**MÉRISTÉMAT**— cf. mé-ristème
   méristématicité
   méristématique
   méristématisation

●**MÉRITO**— cf. mérite
   méritocratie

●**MÉS**— v. MÉ—

●**MÉSO**— [moyen, milieu]
   mésoclimat
   mésoéchelle
   méso-économie
   mésolimnion
   méso-télévision
   mésotrophe

●—**MÉSODERMIQUE** adj.
   entomésodermique

●**MÉSOG[ÉE]**— n.pr.
   mésogéen

●**MÉSOMORPH(E)**— adj.
   mésomorphiste

●**MÉSON**— n.m.
   mésonique

●**MÉSOPLANCTON**— n.m.
   mésoplanctonique

●**MESUR**— cf. mesurer
   mesurande

●—**MET** cf. métal
   cermet

●**MÉTA**— [au-delà]
   métachronie
   métachronique
   métacompilateur
   métamétalangue
   métamoniteur
   métarace
   métasémie
   métasigne
   métaterminologie

●—**MÉTABOL**— cf. métabo-lisme
   dysmétabolie

●—**MÉTALANGUE** n.f.
   métamétalangue

●—**MÉTALLISATION** n.f.
   démétallisation
   trimétallisation

●MÉTALLO— [mine]
  métallotecte

●MÉTALLOGÉN— cf. métal-
logénie
  métallogénique
  métallogéniste

●—MÉTALLURGIE n.f.
  hydrométallurgie
  pyro-métallurgie
—URGIE cf. métallurgie
  minéralurgie

●MÉTAMÈR(E)— adj.
  métamérisme

●MÉTÉO— n.f.
  météotron

●—MÉTÉORE n.m.
  lithométéore
  photométéore

●—MÉTÉOROLOGIE n.f.
  entomométéorologie

●—MÉTÉOROLOGIQUE
adj.
  nivométéorologique

●MÉTHAN(I/O)— cf. méthane
  méthanation
  méthanigène
  méthanomètre

●—MÉTHODOLOGIE n.f.
  ethnométhodologie

●—MÉTHODOLOGIQUE
adj.
  ethnométhodologique

●—MÈTRE [spécialiste qui
mesure]
  archéomètre
—MÈTR— [spécialiste qui
mesure]
  cliométriste

●—MÈTRE [instrument qui
mesure]
  abrasimètre
  ambigüimètre
  asthmomètre
  calculmètre
  catharomètre
  ceilomètre
  célérimètre
  céléromètre
  chloromètre
  chronoréverbéromètre
  compactomètre

contrastomètre
couplemètre
curie-mètre
cyclergomètre
dco-mètre
déchiromètre
défibremètre
déflectomètre
démodulomètre
dosomètre
drapéomètre
écartomètre
efflumètre
ektacytomètre
ellipsomètre
enthalpimètre
excursiomètre
flexomètre
floculomètre
fuitemètre
fumimètre
houlomètre
intervallomètre
irradiance-mètre
luminomètre
maniabilimètre
maturimètre
maturomètre
méthanomètre
microgranularomètre
murbimètre
oculodirectomètre
olfactomètre
oxygénomètre
oxymètre
périodemètre
phénolmètre
prisomètre
prothésimètre
pulvérimètre
quantomètre
quotientmètre
ratiomètre
rebondimètre
rétractomètre
réverbéromètre
riomètre
rivomètre
servo-ouvrabilimètre
squelettomètre
téléscomètre
tendéromètre
tomodensitomètre
toximètre
transmissomètre
truitomètre
visibilimètre
vulcamètre
xénomètre

●—MÉTRICIEN n.m.
  cliométricien

●—MÉTRIE [mesure, évalua-
tion]
  absorptiométrie
  altéramétrie
  archéométrie
  autométrie
  blocométrie
  courantométrie
  dialectométrie
  diffractométrie
  émanométrie
  impédancemétrie
  intervallométrie
  jurimétrie
  leximétrie
  nucléométrie
  pénétrométrie
  perméabilimétrie
  profilométrie
  respirométrie
  tomodensitométrie

●—MÉTRIQUE adj.
  anémoclinométrique
  archéométrique
  autométrique
  blocométrique
  courantométrique
  craniométrique
  diffractométrique
  ergométrique
  explosimétrique
  inclinométrique
  morphométrique
  opacimétrique
  ostéométrique
  tendérométrique

●—MÉTROLOGIE n.f.
  hydrométrologic
MÉTRO— cf. métrologie
  métromatique

●MEUL— cf. meuler
  meuleuse

●MICRO— [petit]
  microaérophilie
  micro-aménagement
  microbillage
  microbiocide
  microbiogène
  microbiogénèse
  microcalculateur
  microcautérisation
  microcinégraphie
  microconversation
  microcoulomètre
  microcraquelure
  microcuvette
  microéditer
  microédition
  micro-enseignement

microfilament
microfission
microflore
microflottation
microforme
microfracture
microfundiaire
microfundium
micro-glissement
microgranularomètre
microgravité
microholographie
micro-informatique
microinstrumentation
micromécanique
micromédias
micromortier
micronecton
micronectonique
microneurone
micropain
microphotogramme
microplacodes
micropolissage
micropont
micro-poussière
microprocesseur
microprocessorisé
microréflectométrie
microrégulation
microreprographie
microrragie
micro-soudage
microsphère
microtélévision
microtubule
microzooplancton

●MICRO— cf. microbe
microthèque

●MICRO— cf. micrographie
micromatique

●—MICROBIEN adj.
paucimicrobien

●MICROFICHE— n.f.
microfichethèque

●MICROFRACTOGRAPH—
cf. microfractographie
microfractographique

●MICROGAMÉTO— cf.
microgamète
microgamétogonie

●MICRON— n.m.
micronisation

●—MICROSCOPE n.m.
télémicroscope

●—MICROTOM(E)— n.m.
cryo-ultramicrotomie

●MIGMAT— cf. migmatite
migmatique

●MIL— cf. mille anglais
mileur

●MILI— cf. mil
milicole

●MILLI— cf. mille
millipore

●MIM(E)— n.m.
mimème

●—MIMÉTIQUE adj.
biomimétique
morphinomimétique

●MINÉRAL— n.m.
minéralurgie
MINÉRALO— cf. minéral
minéraloduc
minéralogénèse

●—MINÉRAL adj.
thermominéral

●—MINÉRALISATEUR n.m.
reminéralisateur

●MINÉRALO— v. MINÉ-
RAL— n.m.

●MINI—[petit]
minibéton
mini-informatique
minimarge
mini-visiteuse

●—MINUTE n.f.
stéréominute

●MIO— [plus petit]
miocraton

●MIRACULL— [miracle]
miraculline

●—MIROIR n.m.
télé-miroir

●—MIX cf. mixer
post-mix
pré-mix

●—MIXEUR n.m.
turbomixeur

●MIXO— cf. mixte
mixotrophe
MIXTI— cf. mixte
mixticole

●MNÉM[O]— [mémoire]
mnémon

●—MNÉMONIQUE adj.
amnémonique

●—MOBILE cf. automobile
électromobile

●—MOBILE adj.
gynécomobile
mano-mobile

●—MODAL adj.
amodal
multimodal
unimodal

●—MODALITÉ n.f.
intermodalité

●—MODE n.m.
bi-mode

●—MODEL— cf. modeler
automodelant

●MODÈL(E)— n.m.
modélisateur
modélisation

●—MODÉLISME n.m.
radiomodélisme

●—MODÉLISTE n.m.
radiomodéliste

●MODULAR— cf. modulaire
modularisation
modularité

●—MODULATEUR adj.
immunomodulateur

●—MODULATION n.f.
immunomodulation

●—MOELL(E)— n.f.
démoelleur

●MOLARI— cf. molaire
molariforme

●—MOLÉCULAIRE adj.
ionomoléculaire
turbomoléculaire

MOLÉCULAR— cf. molécu-
laire
    molécularisation
—MOLÉCULAR— cf. molé-
culaire
    polymolécularité

●—MOLÉCULE n.f.
    hypermolécule

●MOLLI— [mou]
    mollicute
    mollisocle

●MOLYSMO— [souillure]
    molysmologie

●MONAD(E)— n.f.
    monadoïde

●—MONAS [unité, entité soli-
taire]
    hydrogénomonas

●—[M]ONE v. —HORMONE

●MONÈM(E)— n.m.
    monématique

●—MONÉTAIRE adj.
    agromonétaire
MONÉTAR— cf. monétaire
    monétarisable
    monétariste

●—MONITEUR n.m.
    métamoniteur
MONITOR— cf. moniteur
    monitorage

●MONO— [un, seul]
    monoadsorbé
    mono-appartenant
    monobande
    monocaténaire
    monoclientèle
    monoclimax
    monocommande
    monocomparateur
    monocouche
    monocuisson
    mono-culturel
    monocytogène
    monodisciplinaire
    monoface
    monogastrique
    mono-industrie
    monospondyle
    mono-standard
    monostation
    monostratal
    monotechnicien
    monotonicité

    monotonique
    monotope
    monotrou

●—MONOCHROMATIQUE
[d'une seule couleur]
    ultramonochromatique

●—MONOMÈRE n.m.
    biomonomère

●—MOR n.m.
    hydromor

●MORPHIN(O)— cf. morphine
    morphinique
    morphinomimétique
—[O]RPHINE cf. morphine
    endorphine

●MORPHO— [forme]
    morphométrique
—MORPHE [forme]
    mécanomorphe
    xéromorphe
—MORPH— [forme]
    climatomorphique
    halomorphie

●MORPHO— v. MORPHOLO-
GIE

●—MORPHOGÉNÈSE n.f.
    photomorphogenèse

●—MORPHOLOGIE n.f.
    technomorphologie
MORPHO— cf. morphologie
    morphogramme
    morphopédologie

●—MORPHOSE cf. métamor-
phose
    anémomorphose
    halomorphose

●—MORSE n.m.
    phonomorse

●—MORTIER n.m.
    micromortier

●—MOSAÏQUE n.f.
    photomosaïque

●—MOTEUR n.m.
    hélico-moteur

●—MOTEUR adj.
    neuromoteur
    perceptivo-moteur
    visio-moteur

●MOTO— cf. motoriser
    motoglissage
    motohoue
    moto-ventilateur

●MOTO— n.f.
    motodune

●—MOTT— cf. motter
    antimottant

●—MOULE n.m.
    multimoule
    thermomoule

●—MOULEUSE n.f.
    emmouleuse

●—MOUSSAGE n.m.
    démoussage

●—MOUSSE n.f.
    thermo-mousse

●—MOUSTIQUE n.m.
    paramoustique

●MOYENN(E)— n.f.
    moyennage
    moyenneur

●MUCO— cf. muqueuse
    mucosubstance

●—MUE n.f.
    intermue

●MULTI— [nombreux]
    multibande
    multibrin
    multicarte
    multiclonal
    multicritère
    multidirectionnel
    multidonateur
    multifaisceaux
    multifils
    multiflash
    multifocal
    multimodal
    multimoule
    multinationalisation
    multipot
    multirécidiviste
    multispectral
    multistation
    multiterme

●—MULTIPLEXEUR n.m.
    démultiplexeur

●—MUON n.m.
    dimuon

●MUONIC— cf. muonique
muonicité

●MURBI— [friabilité]
murbimètre

●—MUSÉE n.m.
écomusée
MUSÉO— cf. musée
muséobus

●MUSI— cf. musique
musibus

●MUTA— cf. mutation
mutatest

●—MUTANT n.m.
radiomutant
—TANT cf. mutant
révertant

●MYCO— [champignon]
mycophagie
mycotoxicose

●—MYCOT— cf. mycose
antimycotique

●MYLON— cf. mylonite
mylonisation

●MYO— [muscle]
myoélectricité
myorelaxant

●—MYOCARDITE n.f.
encéphalomyocardite

●MYRMÉCO— [fourmi]
myrmécofaune

●MYTHO— cf. mythe
mythogramme
mythographie

●MYXO— [mucosité]
myxovirus

N

●NA— [symbole chimique du sodium]
nak
naticite

●NANO— [nain]
nanoclimat
nanoplancton

●—NAPHTALIN(E)— n.f.
dénaphtalinage

●—NATE [né]
néonate

●—NATIONAL adj.
conational

●—NATIONALISATION n.f.
multinationalisation

●NATRON— n.m.
natronière

●NATURO— cf. nature
naturopathe

●—NAUTE [navigateur]
oxynaute

●NÉCRO— [mort]
nécromasse
nécrotactisme
nécrotrophe

●—NÉCROSE n.f.
cryonécrose
—NÉCROS(E)— n.f.
dermonécrosant

●—NECTON n.m.
micronecton
—NECTON— n.m.
micronectonique

●NÉERLANDO— cf. néerlandais
néerlandophone

●—NÉGATIF adj.
inter-négatif
NÉGATIV— cf. négatif
négativer

●NÉGRO— cf. nègre
négrologue
—NÉGRIT— cf. nègre
paléonégritique

●—NEIGE n.f.
transneige

●NÉMATO— cf. nématode
nématocénose
nématocide
nématofaune
nématologiste
nématophage
nématostatique

●NÉ[O]— [nouveau]
néo-associationnisme

néo-associationniste
néoforme
néographe
néolocalité
néonate
néontologiste
néonyme
néopain
néophasie
néoplaque
néorestauration
néotectonique

●—NÉOLITHIQUE adj.
subnéolithique
NÉOLITH— cf. néolithique
néolithisation
néolithiser

●NÉOLOGIC— cf. néologique
néologicité

●NETTOYABIL— cf. nettoyable
nettoyabilité

●—NETTOYAGE n.m.
autonettoyage
ultranettoyage

●NEURO— [nerf]
neuromoteur
neurotensine
neurotransmetteur

●NEUR(O)— v. NEURONE

●NEUROLEPT— cf. neuroleptique
neuroleptisation

●—NEURONE n.m.
microneurone
NEUR(O)— cf. neurone
neurhormone
neurobiotaxie
neurocyme
neuromédiateur
neuromédiation

●NEUROSECRÉT— cf. neurosécrétion
neurosecrétat

●—NEUSTON n.m.
hyponeuston
ichtyoneuston
phytoneuston
—NEUSTON— n.m.
hyponeustonique

●NEUTRO— cf. neutron
  neutrophage
  neutro-pompé
NEUTRONO— cf. neutron
  neutronographier

●NEUTRONIC— cf. neutroni-
que
  neutronicien

●NEUTRONO— v.
NEUTRO—

●NIGÉRIAN— cf. nigérien
  nigérianisation

●NITRO— [azote]
  nitro-carburation
  nitrojection

●NITROGÈN(E)— n.m.
  nitrogénase
—NITROGÈN(E)— n.m.
  dénitrogénisation

●NITROSO— cf. nitreux
  nitrosohème

●—[N]ITRURATION n.f.
  ionitruration

●—NIVEAU n.m.
  téléniveau

●NIVEL— cf. niveler
  nivelance

●NIV— [neige]
  nivéolien
NIVO— [neige]
  nivologie
  nivologue
  nivométéorologique

●—NO— v. [ÉCO]NO—

●NOCTI— [nuit]
  noctilumineux

●NODI— [nœud]
  nodifuge

●NODULAR— cf. nodulaire
  nodularisant

●—NOM n.m.
  pictonom

●—NOMIE [loi, norme]
  taphonomie

●—NOMIQUE [relatif aux lois
de]
  anthroponomique

●NORADR[ÉN]— cf. noradré-
naline
  noradrénergique

●NORDIC— cf. nordique
  nordicité

●NORM(A/O)— cf. normal
  normatendu
  normothymique

●—NORME n.f.
  euronorme

●NOSO— [maladie]
  nosoacousie
  noso-politique

●NOXO— [nuisance]
  noxologie

●NUCI— [noix]
  nuciculture

●—NUCLÉAIRE adj.
  sidéronucléaire
NUCLÉAR— cf. nucléaire
  nucléariste
NUCLÉO— cf. nucléaire
  nucléodensimètre
  nucléohumidimètre
  nucléométrie

●—NUCLÉASE n.f.
  endonucléase

●NUCLÉ(O)— [noyau]
  nucléant
  nucléation
  nucléosome

●—NUCLÉOL(E)— n.f.
  anucléolaire

●NULL— cf. nul
  nullateur

●NUMÉR— [nombre]
  numérisé
  numérisateur
  numérisation
  numériseur

●NUTRI— cf. nutritif
  nutripompe

●—NUTRITIONNEL adj.
  antinutritionnel

●—NYME v. —[O]NYME

●—NYMIE v. —[O]NYMIE

O

●OBJETT— cf. objet
  objettiste

●—OBLIGATAIRE n.m.
  euro-obligataire

●—OBTENTION n.f.
  électro-obtention

●OCCITANO— cf. occitan
  occitanophone

●OCCLUS— cf. occlusion
  occlusal

●—OCCULTATION n.f.
  radio-occultation

●OCÉAN(O)— cf. océan
  océaniste
  océanopolitique

●[O]CHR— [jaune pâle]
  dystrochrique

●OCTO— [huit]
  octopamine
  octopôle

●—[O]CULAIRE adj.
  hélioculaire
OCULO— cf. oculaire
  oculodirectomètre
—OCULO— cf. oculaire
  électro-oculographie

●—[O]DE cf. électrode
  cryode

●ODO— [chant]
  odologie

●ODONTO— [dent]
  odontotomie
—[O]DONTO— [dent]
  ostéodontokératique

●—[ODONTO]LOGIE n.f.
  périodontologie

●ODORO— cf. odorant
  odorographe
  odorologique

●**ŒNO—** [vin]
œnomel

●**—[OG]ICIEL** cf. logiciel
progiciel

●**—OÏDE** [qui ressemble à, en forme de]
cannabinoïde
caucasoïde
europoïde
euskaroïde
flyshoïde
framboïde
hominoïde
monadoïde
opioïde
protéinoïde
pygmoïde
viroïde

●**—OIR** [outil]
brassoir
cassoir
retouchoir

●**—OIR** [lieu d'une activité]
élevoir

●**—OIRE** [propre à]
complexificatoire
identificatoire
illocutoire
locutoire
perlocutoire

●**—OIS** [habitant de]
béninois
kinois
phnompenhois

●**OLDOWAY—** n.pr.
oldowayen

●**OLÉO—** [huile]
oléofuge
oléogéologue
oléohydraulique
oléophile
oléoplastique
oléopneumatique
oléoprise
oléoréseau
oléoserveur

●**OLFACTO—** [odorat]
olfactomètre
—**OLFACTO—** [odorat]
électroolfactogramme

●**OLIG(O)—** [peu nombreux]
oligandrie
oligoclonal
oligodynamie
oligodynamique
oligohalin

●**OLIGOMÈR(E)—** n.m.
oligomérisation

●**OLIGOPOL(E)—** n.m.
oligopoleur

●**OLISTO—** [glissant]
olistostrome

●**OMBR(E)—** n.f.
ombrière

●**OMÉGA—** n.m.
omégatron

●**OMNI—** [tout]
omniphonique
omnipolaire

●**—ON** v. **LI—** cf. lion

●**—[O]N** [ensemble minimum, particule]
binon
bion
caviton
chronon
collapson
dyon
épigaion
épipédon
euédaphon
exciton
gluon
hémiédaphon
hexon
icron
intégron
magnon
mnémon
parton
pédon
plasmon
scintillon
soliton
symbion
synthon
tripton

●**ONCO—** [tumeur]
oncogène
oncologie
oncornavirus
oncostatique

●**—ONIQUE** v.— **ÉLECTRO-NIQUE**

●**ONIRO—** cf. onirique
onirodrame

●**—[O]NIUM** [ion à charge positive]
charmonium
géonium
paracharmonium

●**—[O]NTE** [individu]
endosymbionte
épibionte
macrobenthonte
planctonte
protobionte

●**—[O]NTOLOGISTE** n.m.
néontologiste

●**—[O]NYME** [nom]
acronyme
apothiconyme
ethnonyme
exonyme
hyperonyme
isochoronyme
néonyme
paléonyme
pélagonyme
polisonyme
potamonyme
sélénonyme
théonyme
—**NYME** [nom]
esquimaunyme

●**—[O]NYMIE** [dénomination]
acronymie
choronymie
régionymie
—**NYMIE** [dénomination]
insunymie

●**OO—** [œuf]
oozoïde

●**OPACI—** cf. opacité
opacimétrique

●**OPÉRABIL—** cf. opérable
opérabilité

●**—OPÉRATEUR** n.m.
téléopérateur

●**—OPÉRATION** n.f.
téléopération

●**OPÉRATIONAL—** cf. opérationnel
opérationalisation
opérationalisme

●**OPERCUL(E)**— n.f.
  operculage

●**OPHIO**— [serpent]
  ophiophage

●**—OPHTALMOLOGIE** n.f.
  ergophtalmologie

●**OPI**— cf. opium
  opioïde

●**OP[T]**— v. OPTIQUE

●**—OPTÈRE** v. HÉLI—

●**OPTIM(I)**— cf. optimum
  optimateur
  optimiscope
  optimiscopie

●**—OPTIQUE** adj.
  supraoptique
  thermooptique
  OPTO— cf. optique
  opto-détecteur
  optomécanique
  OP[T]— cf. optique
  optron
  optronique

●**ORAL**— adj.
  oralisation

●**ORBITAL(E)**— n.f.
  orbitalaire

●**ORBIT(E)**— n.f.
  orbiteur
  ORBI[T]— cf. orbite
  orbiton

●**ORDIN(AT)**— cf. ordinateur
  ordinacarte
  ordinartiste
  ordinatique

●**ORDONNANC**— cf. or-
donnancer
  ordonnanceur

●**—ORDONNÉ** adj.
  superordonné

●**OREILLONN**— cf. oreillon
  oreillonné

●**ORGAN(E)**— n.m.
  organelle

●**ORGANIC**— cf. organique
  organicité

●**ORGANITO**— cf. organite
  organitogenèse

●**ORGANO**— cf. matière organique
  organogénétique
  organohalogéné
  organosoluble
  organostannique
  organovégétatif

●**ORNIÈR(E)**— n.f.
  orniérage
  orniérer

●**ORNITHO**— [oiseau]
  ornithomélographie
  ornithophage

●**—OROGÈNE** cf. orogénique
  synorogène

●**—[O]RPHINE** v.   MOR-
PHIN(O)—

●**—ORTHÈSE** n.f.
  cinorthèse

●**ORTHO**— [droit]
  orthologie
  orthopantomographie
  orthophoto-élévation
  orthophotographe
  orthophotographie
  orthophotoplan
  orthotopique
  orthoxénique

●**OSCILLO**— cf. osciller
  oscillo-battant

●**OSCILLOSCOP(E)**— n.m.
  oscilloscopie

●**—OSE** [maladie]
  arbovirose
  chenilose
  dermatophilose
  érinose

●**—OSE** cf. glucose
  agarose

●**—OSITÉ** v. —ITÉ [qualité]

●**OSMO(S)**— cf. osmose
  osmopile
  osmorégulation
  osmosat

●**—[O]SMOTIQUE** adj.
  anisosmotique
  hyperosmotique
  hypoosmotique
  isosmotique

●**OSTÉO**— [os]
  ostéométrique
  ostéophagie
  ostéopraticien
  OSTÉ[O]— [os]
  ostéodontokératique

●**—OTE** cf. zygote
  parthénote
  hétérocaryote

●**—[O]TE** [partisan de]
  vidéote

●**—OTE** [marqué par]
  éocraniote

●**OTO**— [oreille]
  otocône

●**OUOLO**— cf. ouolof, wolof
  ouolophone

●**OURL**— cf. ourler
  ourleuse

●**OUVRABILI**— cf. ouvrabilité
  servo-ouvrabilimètre

●**OVNIO**— cf. Objet Volant
Non Identifié
  ovniologiste

●**OVO**— [œuf]
  ovoculture
  ovoimplantation
  ovoproduit
  —OVI— [œuf]
  anti-oviposition

●**—OVULATION** n.f.
  inovulation

●**—[O]X** v. OXYGÉNO—

●**OXY**— v. OXYGÉNO—

●**—[O]XYDATION** n.f.
  autoxydation
  photooxydation
  thermooxydation
  OXYDAT— cf. oxydation
  oxydatif

●**OXYGÉNO**— cf. oxygène
  oxygénomètre
  OXY— cf. oxygène
  oxybrasage
  oxychloration
  oxycline

oxyduc
oxy-forage
oxymètre
oxynaute
oxy-thermomètre
—[O]X cf. oxygène
héliox
hydrox

P

●P[A]— cf. pale
panémone

●—PACIFIQUE n.m.
circumpacifique

●PAG(E)— n.f.
pager

●—PAGIN— cf. paginer
infra-paginal

●PAIDO— [enfant]
paido-pathologie

●—PAIN n.m.
micropain
néopain

●PAL— n.m.
palfeuilles

●PALAT— [palais]
palatabilité
—PALATO— [palais]
électropalatographe

●PALÉO— [ancien]
paléoaltimétrie
paléoanthropologie
paléobiologie
paléodémographie
paléodémographique
paléoécologique
paléoécologiste
paléomagnéticien
paléonégritique
paléonyme
paléophénologie
paléosurface
paléotempérature
paléovallée
paléovertébriste

●PALETTIS— cf. palettiser
palettiseur
—PALETTIS— cf. palettiser
dépalettiseur

●—PALYNO— cf. palynologie
palynologique
palynologue

●—PAMINE cf. dopamine
octopamine

●PAN— [tout]
pancratie
pansémique
pansubstratiste
—PAN— [tout]
orthopantomographie

●—PANIQUE n.f.
antipanique

●PANTO— cf. pantographe
pantofore

●—PAPIER n.m.
thermopapier
PAPÉR— cf. papier
papérisation
papérisé
—PIER cf. papier
plapier

●PAPOU— cf. Papouasie
papouan

●PARA— [contre]
parabruit
paramoustique
parasismique
parasurtension

●PARA— [à côté de]
paracharmonium
parachimie
PAR[A]— [à côté de]
paramin
parapprentissage

●PARALLÉLIS— cf. paralléli-
ser
parallélisable

●PARAMÈTR(E)— n.m.
paramétré
paramétrisation

●PARAPROSEX— cf. parapro-
sexie
paraprosexique

●—PARASITAIRE adj.
xéno-parasitaire

●—PARASITO— cf. parasite
parasitocénose

●—PARC n.m.
préparc

●PARCHEMIN— cf. parchemi-
ner
parcheminabilité

●PARCLOS(E)— n.f.
parclosage

●—PARCOURS n.m.
vitaparcours

●PARENTAL— adj.
parentaliste
—PARENTAL— adj.
déparentalisé
—PARENTAL adj.
tétraparental

●PARISIAN— cf. parisianisme
parisianisation

●—PAROLE n.f.
préparole

●PARQUET— n.m.
parquetier

●PART— cf. particule
parton

●PARTHÉN— cf. parthénogé-
nèse
parthénote

●PARTURI— cf. parturition
parturiel

●PASSIV— cf. passiver
passivable

●PAST— cf. pâte
pastification

●PASTEURIS— cf. pasteuriser
pasteurisable

●—PASTEURISATION n.f.
radiopasteurisation

●—PASTILLAGE n.m.
dépastillage

●—PASTILLEUR n.m.
dépastilleur

●PASTORAL— adj.
pastoralisme

●—PATERNAL— cf. paternel
dépaternalisé

●—PATHE [relatif à la maladie]
naturopathe
sociopathe

●—PATHIE [maladie]
gammapathie
PATHO— [maladie]
pathotype

●—PATHIQUE [relatif à la maladie]
xénopathique

●—PATHOGÈNE adj.
phytopathogène

●PATHOGÉNIC— cf. pathogénique
pathogénicité

●PATHOLOG— cf. pathologique
pathologiser

●—PATHOLOGIE n.f.
écopathologie
ichtyopathologie
paido-pathologie

●PATIN— cf. patiner
patinable
—PATIN— cf. patiner
autopatinable

●—PATINAGE n.m.
antipatinage

●PATRI— [père]
patrilocalité

●—PATRIE n.f.
sympatrie

●PAUCI— [peu nombreux]
pauciclonal
paucimicrobien

●—PAUSE n.f.
kymatopause
plasmapause

●—PAYSAGE n.m.
pédopaysage

●PÉAG(E)— n.m.
péagier

●PÉCEL— m.d.
pécélisation
pécéliser

●PECTO— cf. pectine
pectolytique

●PÉDAGO— cf. pédagogie
pédagothèque

●PÉD[O]— [sol]
pédochimique
pédofaune
pédon
pédopaysage
—PÉD— [sol]
épipédique
épipédon

●PÉDODONT— cf. pédodontie
pédodontiste

●PÉDOGÉN— cf. pédogénèse
pédogénisé

●—PÉDOLOGIE n.f.
morphopédologie

●—PÉDIE [éducation]
hypnopédie
hypnosopédie
relaxopédie
rythmopédie
suggestopédie

●—PÉDIQUE [relatif à l'éducation]
hypnopédique
suggestopédique

●PÉG(U)— [adhérer]
pégosité
pégueux

●PÉJOR— cf. péjoratif
péjorer

●PEL— cf. peler
pelable

●PÉLAG— [haute mer]
pélagonyme

●—PÉLAGIQUE adj.
infrapélagique

●PELL(E)— n.f.
pelleur
—PELLE n.f.
tractopelle

●PELLET— cf. pelleter
pelletable

●PELLI— cf. pellicule
pelliplacage
pelliplaquer
pelliplaqueuse

●—PELLICULAGE n.m.
dépelliculage

●PENDUL— cf. penduler
pendulage

●PÉNÉ— [presque]
pénéstable

●PÉNÉ— cf. pénétration
pénévane
PÉNÉTRO— cf. pénétration
pénétrométric

●PÉNO— cf. peine
pénologue

●—PENSION n.f.
prépension

●PENTA— [cinq]
pentacoordination
pentaradié

●—PEPTIDE n.m.
décapeptide

●PER— [totalement, au-delà]
perdeutérié
perlocutoire

●PER— v. PERM—

●PERCEPTIVO— cf. perceptif
perceptivo-moteur

●—PERCUTANT adj.
roto-percutant

●PÉRÉIO— [transporter au-delà]
péréiopode

●PERFO— cf. perforateur
perfo-marteau

●PÉRI— [autour]
péricline
périglomérulaire
péri-informatique
péritélévision

●PÉRIODE— n.f.
périodemètre
—PÉRIODE n.f.
thermopériode

●—PÉRIODICITÉ n.f.
biopériodicité

●—PÉRIODIQUE adj.
biopériodique

●**PÉRI[ODONTO]—** cf.
périodonte
périodontologie

●—**PÉRIPHÉRIQUE** adj.
semi-périphérique

●**PÉRIPHYTO—** cf. périphyton
périphytophage

●—**PERL(E)—** n.f.
déperlance
PERL(I)— cf. perle
perliculture
perlurée

●**PERM—** cf. perméable
permsélectif
permsélectivité
PER— cf. perméable
pervaporation

●**PERMÉ—** v. **PERMÉABI-
LITÉ**

●**PERMÉABILI—** v. **PERMÉA-
BILITÉ**

●—**PERMÉABILISATION** cf.
imperméabilisation
reperméabilisation

●—**PERMÉABILITÉ** n.f.
électroperméabilité
PERMÉABILI— cf. per-
méabilité
perméabilimétrie
PERMÉ— cf. perméabilité
perméat

●**PERMU—** cf. permutation
permulettres

●**PERTURBO—** cf. perturbation
perturbographe
perturbographie

●**PES—** cf. peser
pesard

●—**PESAGE** n.m.
télépesage

●—**PESEUR** n.m.
télépeseur

●—**PESTIQUE** adj.
bovipestique
capripestique
suipestique

●**PÉTRO—** [roche]
pétrogénétique

●**PÉTROL(I)—** cf. pétrole
pétrolerie
pétroligène
PÉTRO— cf. pétrole
pétro-dollar

●—**PHAGE** [qui mange, qui se
nourrit de]
détritiphage
endophage
euryphage
guanophage
nématophage
neutrophage
ophiophage
ornithophage
périphytophage
planctonophage
séminiphage
spongiophage
sténophage
vitrophage

●—**PHAGIE** [fait de manger]
caudophagie
ostéophagie

●—**PHAGIE** [fait de détruire]
mycophagie

●**PHALLO—** cf. amanite phalloïde
phallotoxine

●—**PHARMACIE** n.f.
agropharmacie
biopharmacie

●**PHARMACO—** [médicament]
pharmaco-cinétique
pharmacosimulation

●—**PHARMACOLOGIE** n.f.
chronopharmacologie

●—**PHARMACOLOGIQUE**
adj.
chronopharmacolo-
gique

●—**PHASE** n.f.
acrophase
écophase

●—**PHASIE** cf. aphasie
néophasie

●—**PHÉN—** [briller]
ténophénisation

●**PHÉNO—** cf. phénomène
phénotexte

●**PHÉNOL—** n.m.
phénolmètre

●—**PHÉNOLOGIE** n.f.
paléophénologie

●—**PHILE** [qui aime]
barophile
chalcophile
endophile
exophile
fuchsinophile
hélophile
hygromagmatophile
oléophile
ripiphile
sidérophile
technophile
—**PHIL—** [qui aime]
dermatophilose
toxiphilie
toxophilie

●—**PHIT—** v. —**PHYTE**

●**PHNOMPENH—** n.pr.
phnompenhois

●—**PHOB—** [peur]
scotophobine

●—**PHOBE** [qui résiste à]
pyrophobe

●**PHŒNICI—** [palmier]
phœnicicole
phœniciculture

●**PHON—** v. —**PHONE** [voix,
son]

●—**PHONE** [qui concerne les
sons]
cryptophone
gigaphone
icophone
picophone
sémiophone
visiophone
PHONO— [qui concerne les
sons]
phonomorse
—**PHONO—** [qui concerne les
sons]
hypnophonothérapie

●—**PHONE** [instrument de mu-
sique]
aérophone

éoliphone
géophone

●—PHONE [qui parle une langue]
africanophone
amérindophone
berbérophone
celtophone
créolophone
dialectophone
endophone
ethnophone
exophone
lusophone
luxembourgeophone
néerlandophone
occitanophone
ouolophone
sinophone
swahiliphone

●—PHONE [voix, son]
idéophone
isophone
PHON— [voix, son]
phonatome

●—PHONÈME n.m.
diphonème

●—PHONER cf. téléphoner
visiophoner

●—PHONIE [traitement des sons]
ambiophonie
cryptophonie
holophonie
psychophonie
tétraédrophonie
tétraphonie
visiophonie

●—PHONIE [collectivité qui parle une ou plusieurs langues données]
africanophonie
créolophonie

●—PHONIQUE adj.
ambiophonique
omniphonique
visiophonique

●PHONO— v. —PHONE [qui concerne les sons]

●PHONOSTYLISTIC— cf. phonostylistique
phonostylisticien

●—PHORE [qui porte]
élytrophore
iodophore
thermophore

●PHOSPHORIQU(E)— adj.
phosphoriquier

●PHOT(O)— [lumière]
photique
photocapteur
photochrome
photocopolymérisation
photocoupleur
photocycliser
photocycloaddition
photocyte
photodédoublement
photo-dégradable
photodégradation
photodétecteur
photodimère
photodimérisation
photodissocié
photodurcissable
photo-électrolyse
photoénergétique
photoexcitation
photoformage
photokératoscope
photométéore
photomorphogenèse
photooxydation
photophysique
photopolarimétrie
photoproduit
photoréfractif
photorespiration
photosome
photostyle
photothermique
photothermométrie
—PHOT— [lumière]
euphotique
—PHOTE [lumière]
isophote

●PHOTO— n.f.
photo-fracturaction
photogéologue
photogéomatique
photomosaïque
photorécit
photorépéteur
photorépétition
phototitrage
phototitreuse
photo-usinage
photozonage
—PHOTO— n.f.
orthophoto-élévation

●PHOTO— cf. photosynthèse
photohétérotrophie

●—PHOTOCHIMIE n.f.
électrophotochimie
PHOTOCHIM— cf. photochimie
photochimiste
PHOTO— cf. photochimie
photoélectrochimie

●PHOTOCOAGULAT— cf. photocoagulation
photocoagulateur

●—PHOTOGRAMME n.m.
microphotogramme

●—PHOTOGRAPHE n.m.
orthophotographe

●—PHOTOGRAPHIE n.f.
hydrophotographie
orthophotographie
radarphotographie
strobophotographie

●PHOTOLYT— cf. photolyse
photolytique

●—PHOTOMÈTRE n.m.
bathyphotomètre
biophotomètre

●—PHOTOMÉTRIQUE adj.
cytophotométrique

●—PHOTOPLAN n.m.
orthophotoplan

●PHOTOSYNTHÉT— cf. photosynthétique
photosynthétiser

●—PHOTOTHÈQUE n.f.
interphotothèque

●—PHRASE n.f.
holophrase

●PHRÉATO— cf. nappe phréatique
phréatologie

●PHYLLIT— [feuille]
phylliteux
PHYLLO— [feuille]
phyllosilicate
phyllosphère

●—PHYLOGÉNIE n.f.
écophylogénie

●—PHYRIQUE cf. porphyrique
  aphyrique

●PHYSIOGRAPH— cf. phy-
  siographie
  physiographique

●—PHYSIOLOGIE n.f.
  chronophysiologie
  écophysiologie

●—PHYSIQUE n.f.
  photophysique

●—PHYTE [plante]
  gypsophyte
  héliophyte
  hydrophyte
  PHYTO— [plante]
  phytobenthos
  phytocartographe
  phytocide
  phytoclimatique
  phytocosmétique
  phytomasse
  phytoneuston
  phytopathogène
  phytoprotecteur
  phytosociologique
  phytosociologue
  PHYTON— [plante]
  phytoncide
  —PHYT— [plante]
  aphytal
  —PHIT— [plante]
  symphitie

●—PHYTOTRON n.m.
  chronophytotron

●PICO— [divisé par 10⁻¹²]
  picogramme

●PICO— [infiniment petit]
  picophone

●PICTO— [image]
  pictonom

●PIDGIN— n.m.
  pidginisation

●—PIER v. PAPIER

●PIERROS— cf. pierreux
  pierrosité

●PIÉTIN— cf. piétiner
  piétinage

●PIÉZO— [pression]
  piézogoniomètre
  piézopneumatique

piézorésistif
piézo-résistivité

●PIGNONN— cf. pignon
  pignonnerie

●—PIL(E)— n.f. (amas)
  dépileur
  dépileuse

●—PILE n.f. (générateur)
  osmopile

●—PILONN— cf. pilonner
  antipilonnement
  méga-pilonneuse

●—PINCE n.f.
  électropince

●PION— n.m.
  pionisation

●—PIPE n.f.
  génépipe

●PIPET(T)— cf. pipetter
  pipetage
  pipetteur-diluteur

●—PISTÉ cf. pister
  prépisté

●—PISTO— cf. pistolet
  pistosceller

●PIVOT— n.m.
  pivoterie
  pivoteur

●PLA— v. PLASTIQUE n.m.

●—PLACAGE n.m.
  pelliplacage

●—PLACODES n.f.pl.
  microplacodes

●—PLAGE n.f.
  équiplage

●PLANCHO— cf. planche à
  roulettes
  planchodrome

●—PLANCTON n.m.
  holoplancton
  nanoplancton
  pseudoplancton
  PLANCT(O)— cf. plancton
  planctologie
  planctologiste
  planctonte

PLANCTONO— cf. plancton
planctonophage

●—PLANE cf. aéroplane
  deltaplane

●PLANÉT(O)— cf. planète
  planétésimal
  planétologie
  planétologue

●PLANO— cf. plan
  planosol

●—PLANTÉ cf. planter
  clairplanté

●—PLANTEUSE n.f.
  plastiplanteuse

●—PLAQU— v. PLAQUER

●—PLAQUE n.f.
  néoplaque

●—PLAQUER v.
  pelliplaquer
  —PLAQU— cf. plaquer
  pelliplaqueuse

●PLAQUETT(E)— n.f.
  plaquettaire
  —PLAQUETT(E)— n.f.
  déplaquetté

●PLASM(A)— n.m.
  plasmachimie
  plasmapause
  plasmon

●—PLASMATRON n.m.
  duoplasmatron

●—PLASME cf. protoplasme
  acholéplasme
  spiroplasme

●PLASMIFIC— cf. plasmifier
  plasmification

●—PLASMINE n.f.
  céruloplasmine

●—PLASTE n.m.
  proplaste
  PLASTO— cf. plaste
  plastoglobule

●—PLASTICITÉ n.f.
  superplasticité
  viscoplasticité

●—PLASTIE cf. galvanoplastie
  électroplastie

●PLASTIFICAT— cf. plastifi-
cation
   plastificateur

●—PLASTIQUE n.m.
   oléoplastique
PLASTI— cf. plastique
   plasticulture
   plastiplanteuse
   plasti-rivet
PLASTO— cf. plastique
   plastoglobule
   plastogramme
   plastographe
   plastojoint
   plastosoluble
PLA— cf. plastique
   plapier

●—PLASTIQUE adj.
   superplastique
   viscoplastique
PLASTO— cf. plastique
   plastoélastique

●PLASTO— v. —PLASTE

●—PLATE-FORME n.f.
   transplate-forme

●PLAX— [plaque]
   plaxage

●PLÉIO— [plus]
   pléiotope

●PLÉO— [nager]
   pléopode
—PLÉON [nager]
   protopléon

●PLÉR— [plein]
   plérème

●PLÉTHYSMO— [augmenta-
tion]
   pléthysmographie

●—PLEXE cf. complexe
   exciplexe

●—PLEXEUR cf. multiplexeur
   diplexeur

●—PLI n.m.
   bi-pli

●—PLOT n.m.
   triplot

●PLURI— [nombreux]
   pluriarc
   pluribus

   pluricotomie
   pluri-culturel

●PLUVIO— [pluie]
   pluviolessivage

●—PLUVIOMÈTRE n.m.
   spectropluviomètre

●PNEUMATIQU(E)— n.m.
   pneumatiquier
PNEUMATIC— cf. pneu-
matique
   pneumaticien

●—PNEUMATIQUE adj.
   oléopneumatique
   piézopneumatique

●PNEUMO— cf. pneumatique
(n.f.)
   pneumo-hydraulique

●—PO v.— POLAIRE

●—PODE [pied]
   péréiopode
   pléopode

●—POIDS n.m.
   surpoids

●—POINTÉ adj.
   autopointé

●—POLAIRE adj.
   omnipolaire
—PO cf. polaire
   vapo
   isovapo

●—POLARIMÉTRIE n.f.
   photopolarimétrie

●—PÔLE n.m.
   octopôle

●POLIS— [ville]
   polisonyme

●—POLISSAGE n.m.
   micropolissage

●—POLITIQUE n.f.
   noso-politique
   océanopolitique

●—POLLEN n.m.
   allopollen

●—POLLUTION n.f.
   équipollution
   isopollution

POLLUO— cf. pollution
   polluorésistant

●POLY— [plusieurs]
   polyaccidenté
   polyalcalin
   polyalcénamère
   polyampholyte
   polyathlon
   polycatégorie
   polycombustible
   polycytogénie
   polydisperse
   polydisque
   poly-eau
   polyfusé
   polyfusion
   polyion
   polymolécularité
   polyprescription
   polyrécupérant
   polysaprobe
   polythèque
   polytherme
   polytope

●POLYMÈR(E)— n.m.
   polymérique
   polymériste
—POLYMÈRE n.m.
   biopolymère
   copolymère
   ectopolymère

●POLYMÉRIS— cf. polyméri-
ser
   polymérisat
   polymériseuse

●POLYSPERMI(E)— n.f.
   polyspermique

●POLYTECHN— cf. polytech-
nique
   polytechnisme

●PO[M]— cf. pomme de terre
   pomate

●POMP— v. POMPÉ

●—POMPE n.f.
   nutripompe

●—POMPÉ adj.
   neutro-pompé
POMP— cf. pompé
   pompable

●—PON— [peine, fatigue]
   dysponèse

●—PONCTURE [piqûre]
dermoponcture

●PONT— n.m.
pontal
—PONT n.m.
micropont

●POPULI— [peuplier]
populiculteur
populiculture

●—PORE n.m.
millipore
—POR(E)— n.m.
transporisation
PORO— cf. pore
porogène

●—PORT n.m.
autoport

●—PORT cf. aéroport
adacport
cosmoport

●PORTABIL— cf. portable
portabilité

●—PORTANCE n.f.
déportance

●—PORTEUR n.m.
déporteur
électro-porteur
tracto-porteur
●—PORTEUR adj.
frigoporteur

●PORTIONN— cf. portion
portionneuse
—PORTIONN— cf. portion
préportionné

●PORTIQU(E)— n.m.
portiqueur

●—POSITIF adj.
interpositif

●—POSITION n.f.
anti-oviposition

●POST— [après]
post-conceptuel
postexuvial
postformable
postformé
post-gradué
postlevée
post-mix

●—POSTAGE n.m.
publipostage

●—POT n.m.
multipot

●POTAM[O]— [fleuve]
potamonyme

●POTENTIALIS— cf. potentialiser
potentialisateur

●—POTENTIEL n.m.
biopotentiel
POTENTIO— cf. potentiel
potentiostat
potentiostatique

●—POTENTIEL adj.
isopotentiel

●—POTENTIOMÉTRIE n.f.
chronopotentiométrie

●—POUSSIÈRE n.f.
micro-poussière

●—POUVOIR n.m.
agripouvoir

●POUZZOLAN(E)— n.f.
pouzzolanique

●—PRATICIEN n.m.
ostéopraticien

●—PRAXIQUE adj.
gnosopraxique

●PRÉ— [avant, devant]
pré-accélérée
préadhérisation
préalliées
préannonce
préarchivage
prébiotique
précouche
précuire
prédalle
prédécoupage
prédoseur
préédition
préemballage
préencollage
préexponentiel
préexuvial
préfromage
préhiver
préimprégné
pré-langage
pré-mix
préparc

préparole
prépension
prépisté
préportionné
préprofessionnelle
préréchauffe
préréduction
préréduit
prérotation
présargonique
présonorisation
pré-tension
prétête
prévaporisage
prévis

●PRÉCESSIONN— cf. précession
précessionner

●PRÉFORM— cf. préformer
préformeuse

●PRÉM— [avantage]
prémiale

●—PRÈNE cf. PRopylÈNE
alloprène

●PRÉOPÉRAT— cf. préopératoire
préopératif

●—PRESCRIPTION n.f.
polyprescription

●—PRÉSENCE n.f.
coprésence

●PRESSO— cf. compression
pressothérapie

●PRESSOSTAT— n.m.
pressostatique

●PREST— cf. prestation
presté

●—PRÊT adj.
foutouprêt

●—PRÉVENTION n.f.
hémoprévention
séroprévention
PRÉVENTIONN— cf. prévention
préventionniste

●PRÉVENTO— cf. médecine préventive
préventologie
préventologue

●PRIMATO— cf. primate
   primatologue

●PRIM(E)— adj.
   primal
   primale

●—PRISE n.f.
   oléoprise
  PRISO— cf. prise
   prisomètre

●—PRIVE [privé de]
   insulinoprive
   sialoprive
   thymiprive

●—PRIX n.m.
   surprix

●PRO— [premier, devant]
   procyte
   proplaste

●PRO— [substance favorable à]
   prodrogue

●PRO— cf. pronom
   pro-verbe

●PROCÉDUR(E)— n.f.
   procéduriel

●—PROCESSEUR n.m.
   microprocesseur
  —PROCESSOR— cf. processeur
   microprocessorisé

●PRODUCTIV(E)— adj.
   productiviste

●—PRODUIT n.m.
   ovoproduit
   photoproduit
   surproduit

●PROFESSIONNAL— cf. professionnalisme
   professionnalisation
   professionnaliste

●—PROFESSIONNELLE adj.
   préprofessionnelle

●PROFILO— cf. profil
   profilométrie
   profilothèque

●—PROFILOGRAPHE n.m.
   transversoprofilographe

●PR[OG]— cf. programme
   progiciel

●PROGRAD— cf. progradation
   progradant

●PROGRAMMA— cf. programme
   programmathèque

●PROGRAMMABIL— cf. programmable
   programmabilité

●—PROGRAMMÉ adj.
   thermoprogrammé

●—PROJECTEUR n.m.
   rétroprojecteur

●—PROMPT— adj.
   téléprompteur

●—PROPHYLAXIE n.f.
   dipsoprophylaxie

●—PROPRIÉTÉ n.f.
   bipropriété

●PROSOPON— [masque]
   prosoponie

●PROSPECTIV(E)— n.f.
   prospectiviste

●PROT—, —PROT— v. PROTON

●—PROTECTEUR n.m.
   cryoprotecteur
   hépato-protecteur
   phytoprotecteur
   thermoprotecteur

●—PROTECTION n.f.
   hyperprotection

●—PROTÉGÉ adj.
   autoprotégé

●—PROTÉINE n.f.
   bioprotéine
  PROTÉIN— cf. protéine
   protéinoïde
  PROTÉO— cf. protéine
   protéogenèse

●PROTHÉSI— cf. prothèse
   prothésimètre

●PROTIDO— cf. protide
   protidosynthèse

●PROTO— [premier, avant]
   protobionte
   proto-cellule
   protocorme
   protocritique
   proto-écriture
   protogalactique
   protogalaxie
   protopléon
   protostellaire

●PROTON— n.m.
   protonation
  —PROTON— n.m.
   autoprotonisation
  —PROTON n.m.
   diproton
  PROT— cf. proton
   protique
  —PROT— cf. proton
   aprotique

●—PROTONIQUE adj.
   subprotonique

●PRUCH(E)— n.m.
   prucheraie

●PSAMM(I)— [sable]
   psammique
   psammivore

●PSEUDO— [faux]
   pseudo-compatibilité
   pseudofruit
   pseudo-lien
   pseudoplancton
   pseudo-temporel

●—PSOPH— [bruit]
   isopsophique

●—PSYCHANALYSE n.f.
   ethnopsychanalyse

●PSYCHIATRIS— cf. psychiatriser
   psychiatrisation

●—PSYCHIE [esprit]
   tachypsychie

●PSYCHO— cf. psychologique
   psychoacoustique
   psychocallisthénie
   psychophonie
   psychostat

●—PSYCHOTIQUE adj.
   antipsychotique
  PSYCHOT— cf. psychotique
   psychotisant

●PUBLI— cf. publicité
publipostage

●—PUITS n.m.
gigapuits

●—PULPOTOMIE n.f.
biopulpotomie

●PULS— cf. pulsation
pulsateur

●—PULSEUR n.m.
calopulseur

●PULVÉRI— [poussière]
pulvérimètre

●—PULVIN— cf. pulvinar
cryopulvinectomie

●—PURGATION n.f.
répurgation

●—PYCNIQUE adj.
isopycnique

●PYGM(I)— cf. pygmée
pygmiforme
pygmoïde

●PYRÉNÉ— cf. Pyrénées
pyrénéiste

●PYR(O)— [feu]
pyroclastique
pyro-métallurgie
pyrophobe
pyrorésistance
pyrradiomètre

●PYROLYS(E)— n.f.
pyrolysat
—PYROLYSE n.f.
hydropyrolyse

●PYROPHORIC— cf. pyrophorique
pyrophoricité

Q

●QUADRIMESTR(E)— n.m.
quadrimestriel

●QUADRI(N)— [quatre]
quadrigramme
quadrinaire

●—QUAI n.m.
abriquai

●—QUALIFICATION n.f.
déqualification

●QUANTO— cf. quantité
quanto-historien
quantomètre

●—QUARK n.m.
antiquark

●QUASI— adv.
quasi-atome
quasi-fission

●QUATERNAR— cf. quaternaire
quaternarisation
quaternariste

●QUÉBÉC— n.pr.
québéciser

●QUOTIENT— n.m.
quotientmètre

R

●R— v. RE—

●—RACE n.f.
métarace
RACI— cf. race
raciation

●RACIN(E)— n.f.
racinaire

●RA[D]— v. RADIO [rayonnement]

●RADAR— n.m.
radarphotographie
—DAR cf. radar
lidar
sodar

●—RADIATEUR n.m.
épiradiateur

●—RADIÉ adj.
pentaradié

●RADIO— [rayonnement]
radioconservation
radiodurcissable
radioécologie

radiogreffage
radiohéliographe
radiomutant
radiooccultation
radiopasteurisation
radioralliement
radiorestaurateur
radiothermomètre
—RADIO— [rayonnement]
téléradiothermique
RA[D]— [rayonnement]
radappertisation
raduration

●RADIO— cf. radiographie
radioautographie
radio-immunologie

●RADIO— n.f.
radio-bus
radiogénique
radiomodélisme
radiomodéliste
radiovision

●RADIOCHRONOLOG— cf.
radiochronologie
radiochronologique

●—RADIOMÈTRE n.m.
pyrradiomètre

●RAFFIN— cf. raffiner
raffinade

●—RAIL n.m.
télérail

●—RALENTISSEUR n.m.
turboralentisseur

●—RALLIEMENT n.m.
radioralliement

●RAPHI[A]— n.m.
raphiale

●RASSISS— cf. rassis
rassissage

●RATIO— [taux]
ratiomètre

●—RAYONN— cf. rayonner
thermorayonnance

●RE— [à nouveau]
recomposé
reconfigurable
reconfiguration
reconfigurer
reformage
rejuvénilisation

rejuvéniliser
re-marque
reminéralisateur
reperméabilisation
regélisol
resocialiser
retorchage
RÉ— [à nouveau]
réenculturation
réenraillement
répurgation
R— [à nouveau]
réjection

●—RÉACTEUR n.m.
bioréacteur
thermoréacteur

●REBOIS— cf. reboiser
reboiseur

●REBONDI— cf. rebondisse-
ment
rebondimètre

●—RÉCHAUFFE cf. ré-
chauffer
préréchauffe

●—RÉCEPTEUR n.m.
adrénorécepteur
chémorécepteur
stimorécepteur

●—RÉCIDIVISTE n.m.
multirécidiviste

●—RÉCIT n.m.
photorécit

●RECOUVR— cf. recouvrir
recouvreuse

●RECTILIGN(E)— adj.
rectilignité

●—RÉCUPÉR— cf. récupérer
polyrécupérant

●RÉCUPÉRABIL— cf. récupé-
rable
récupérabilité

●RECYCL— cf. recycler
recycleur

●RECYCLABIL— cf. recy-
clable
recyclabilité

●—RÉDUCTION n.f.
préréduction

●—RÉDUIT adj.
préréduit

●RÉFÉRENC— cf. référencer
référençage
référencement

●—RÉFLÉCHI adj.
rétroréfléchi

●—RÉFLECTANCE n.f.
équiréflectance
RÉFLECTO— cf. réflectance
réflectoscope

●—RÉFLECTOMÈTR(E)
n.m.
microréflectométrie

●—RÉFLEXION n.f.
rétroréflexion

●—REFOULEUR n.m.
antirefouleur

●RÉFRACTAR— cf. réfrac-
taire
réfractarité

●—RÉFRACTIF adj.
photoréfractif

●—RÉFRIGÉRÉ cf. réfrigérer
aéroréfrigéré
hydroréfrigéré
RÉFRIGÉR— cf. réfrigérer
réfrigérable

●—REFROIDIE adj.
super-refroidie

●RÉGÉNÉR— cf. régénérer
régénérat

●RÉGIO— cf. région
régionymie
régiosélectivité
régio-spécificité

●—RÉGLABLE adj.
téléréglable

●—RÉGRESSIF adj.
autorégressif

●—RÉGULARITÉ n.f.
stéréorégularité

●RÉGULARO— v. RÉGU-
LIER

●—RÉGULATION n.f.
macrorégulation

microrégulation
osmorégulation

●—RÉGULIER adj.
stéréorégulier
RÉGULARO— cf. régulier
régularologie

●—RELAIS n.m.
baro-relais
thermorelais

●RELATIONN— cf. relation
relationniste

●RELATOSCOP(E)— m.d.
relatoscopique

●—RELAXANT adj.
myorelaxant

●RELAXO— cf. relaxation
relaxopédie

●RELIEF— n.m.
reliéfé

●—RÉMANANT adj.
thermorémanant

●RENOUVELABIL— cf.
renouvelable
renouvelabilité

●RÉPERTORI— cf. répertorier
répertoriage

●—RÉPÉTEUR n.m.
photorépéteur

●—RÉPÉTITION n.f.
photorépétition

●—REPROGRAPHIE n.f.
microreprographie
téléreprographie
REPROGRAPH(E)— cf. re-
prographie
reprographe
reprographiste

●—RÉSEAU n.m.
oléoréseau

●—RÉSERVATION n.f.
surréservation

●—RÉSIST— v. RÉSISTI-
VITÉ

●—RÉSISTANCE n.f.
pyrorésistance
thermorésistance

●—RÉSISTANT adj.
  polluorésistant

●—RÉSISTIVITÉ n.f.
  piézo-résistivité
  —RÉSIST— cf. résistivité
  piézorésistif

●—RÉSONANT adj.
  ferrorésonant

●RÉSORB— cf. résorber
  résorbeur

●—RESPIRATION n.f.
  photorespiration
  RESPIRO— cf. respiration
  respirométrie

●RESPONSABIL— cf. responsable
  responsabilisation

●—RESTAURATEUR adj.
  radiorestaurateur

●—RESTAURATION n.f.
  dé-restauration
  néorestauration

●—RESTITUTION n.f.
  stéréorestitution

●RÉT[I]— v. RÉTICUL(E)—

●—RÉTICULATION n.f.
  autoréticulation

●RÉTICUL(E)— n.m.
  réticulant
  RÉT[I]— cf. réticule
  rétifiant
  rétification

●RETOUCH— cf. retoucher
  retouchoir

●—RETOUR n.m.
  antiretour

●—RETOURN— cf. retourner
  retournable

●RÉTRACTO— cf. rétraction
  rétractomètre

●RÉTRO— [arrière]
  rétrochargeuse
  rétrocombustion
  rétrocroisement
  rétrodonation
  rétro-inhibition
  rétro-inhibitrice

rétroprojecteur
rétroréfléchi
rétroréflexion
rétrovirus
RÉ[TR]— [arrière]
  rétrusion

●RÉVER— cf. revers
  révertant

●RÉVERBÉRO— cf. réverbération
  réverbéromètre
  —RÉVERBÉRO— cf. réverbération
  chronoréverbéromètre

●RHEGMA— [faille]
  rhegmagenèse

●RHÉO— [couler]
  rhéocrène
  rhéographe

●RHIZO— [racine]
  rhizogénèse
  rhizogénétique

●RIGIDI— cf. rigide
  rigidimère

●RILSAN— m.d.
  rilsanisation
  rilsanisé

●RIO— Relative Ionospheric Opacity
  riomètre

●RIP— cf. riper
  ripable

●RIPAR— [rive]
  riparien
  RIPI— [rive]
  ripiphile

●—RIVET n.m.
  plasti-rivet
  RIVE— cf. rivet
  rivelon

●RIVO— cf. rivetage
  rivomètre

●RIZI— cf. riz
  rizicultivable

●—RNA— Ribo Nucleic Acid
  oncornavirus

●RO— cf. rotationnelle
  rovibronique

●RODENTI— [rongeur]
  rodenticide

●ROMAND— cf. Suisse romande
  romandicité

●ROMP— cf. rompre
  rompage

●RÔN— cf. rônier
  rôneraie

●RORI— [rosée]
  rorifère

●RO[T]— v. ROTO—

●—ROTATION n.f.
  prérotation

●—ROTATOIRE adj.
  conrotatoire
  disrotatoire

●ROTO— cf. rotatif
  roto-percutant
  RO[T]— cf. rotatif
  rotrode

●ROTOMOUL— cf. rotomoulage
  rotomoulé
  rotomouleur
  rotomouleuse

●—ROULEUR n.m.
  transrouleur

●—ROULIER n.m.
  transroulier

●—ROUT(E)— n.f.
  ferroutage

●—RRAGIE cf. hémorragie
  microrragie

●RTL— Radio-Télé(vision) Luxembourg
  rtloptère

●RUDIMENT— n.m.
  rudimentation
  rudimenter

●RUPO— [saleté]
  rupologie

●—RUPTEUR n.m.
  thermorupteur

●—RURAL— adj.
   déruralisation
R[UR]— cf. rural
   rurbain
   rurbanisable
   rurbanisation
   rurbanité

●RUTILO— cf. rutile
   rutilo-basique

●—RYTHME n.m.
   biorythme
RYTHMO— cf. rythme
   rythmologie
   rythmopédie

●—RYTHMIQUE adj.
   biorythmique
RYTHMIC— cf. rythmique
   rythmicité

●RYTHMO— v. —RYTHME

S

●—SALIN— adj.
   désalination

●—SALURE n.f.
   dessalure
   sursalure

●SAPRO— [pourri]
   saprotrophie

●—SAPROBE adj.
   polysaprobe

●—SARGONIQUE adj.
   présargonique

●—SATURATION n.f.
   isosaturation

●—SATYRE n.m.
   antisatyre

●SAUMO— cf. saumure
   saumoduc

●SAVAN(I)— cf. savane
   savanicole
   savanisation

●SCAL— [échelle]
   scalant

●SCALP— n.m.
   scalpage

●SCANO— [observation par balayage]
   scanographe
   scanographie
   scanographiste

●—SCELLAGE n.m.
   auto-scellage

●—SCELLER v.
   pistosceller
SCELL— cf. sceller
   scelleuse
—SCELL— cf. sceller
   thermoscellabilité
   thermoscellable
   thermoscelleuse

●SCÉNARI— cf. scénario
   scénarithèque

●SCÈN(E)— n.f.
   scénisation

●SCHÉMATO— cf. schématique
   schématologie

●SCHI[ZO]— [division]
   schizoïte

●—SCIAPHILE adj.
   hémisciaphile

●—SCIE n.f.
   thermoscie

●—SCIENCE n.f.
   ethnoscience
   mégascience

●SCINTILL— cf. scintiller
   scintillon

●SCISSOMÉTR(E)— n.m.
   scissométrique

●—SCOLARISATION n.f.
   déscolarisation

●—SCOPE [appareil pour l'observation]
   agglutinoscope
   coloscope
   duodénoscope
   fibroscope
   filigranoscope
   fœtoscope
   jéjunoscope
   logiscope

   maquettoscope
   optimiscope
   photokératoscope
   réflectoscope
   statoscope

●—SCOPE cf. épiscope
   antiscope

●—SCOPE cf. stéréoscope
   interprétoscope

●—SCOPIE [observation]
   bactérioscopie
   bulloscopie
   coloscopie
   défectoscopie
   fibroscopie
   optimiscopie

●SCOR— cf. scorie
   scorifiable
   scorification

●SCOTO— [obscurité]
   scotophobine

●SCRIPTO— [écrit]
   scriptovisuel

●SCYTHO— cf. Scythe
   scythologue

●SÉCANT— adj.
   sécantielle

●—SECTORIELLE adj.
   autosectorielle
   intersectorielle

●SÉDIMENT— n.m.
   sédimentable

●SÉDIMENTOLOG— cf. sédimentologie
   sédimentologiste

●SÉGRÉG(E)— cf. ségrégation
   ségréger
   ségrégeable

●SEIGNEUR— n.m.
   seigneurage

●SÉISMO— cf. séisme
   séismotectonique

●—SÉLECTIF adj.
   cardio-sélectif
   permsélectif

●—SÉLECTIVITÉ n.f.
   permsélectivité

régiosélectivité
stéréosélectivité

●SÉLÉNO— [lune]
sélénonyme
—SÉLÈNE [lune]
circum-sélène

●—SÉMANT— cf. sémantisme
désémantisation

●—SÉMANTIQUE adj.
ectosémantique
endosémantique

●—SEMBLABLE adj.
auto-semblable

●SEMI— [demi-]
semi-actif
semi-comparatif
semi-continu
semiendoparasite
semi-humide
semi-mécanique
semi-membrane
semi-périphérique
semi-soufflage

●—SÉMIE cf. polysémie
métasémie

●SÉMINI— [graine]
séminiphage

●SÉMIO— [signe]
sémiogénèse
sémiophone

●—SÉMIOTIQUE n.f.
ethnosémiotique

●—SÉMIQUE cf. polysémique
pansémique

●SÉNÉGAL— n.pr.
sénégalisme

●SÉNO— cf. sein
sénologie
sénologue

●—SENSIBLE adj.
thermosensible

●SENSO— [capter]
sensotrode

●—SÉQUENCE n.f.
bioséquence
chronoséquence
climaséquence
clinoséquence

hydroséquence
lithoséquence
toposéquence
SÉQUENC(E)— n.f.
séquenceur
séquencé

●SÉQUENTIAL— cf. séquentiel
séquentialiser
séquentialité

●—SÉRIALIS— cf. sérialiser
désérialisateur

●SÉRO— cf. sérum
séroprévention

●SÉROTONIN(E)— n.f.
sérotoninergique

●SERPENT— n.m.
serpentage

●—SERR— cf. serrer
autoserrant

●—SERRAGE n.m.
auto-serrage

●—SERVEUR n.m.
oléoserveur

●SERVO— [asservi]
servocoulomètre
servo-ouvrabilimètre

●SESSILI— cf. sessile
sessiliflore

●SÉT— [soie]
sétosité

●SEXO— cf. sexe
sexo-thérapeute
sexothérapie

●—SEXUÉ adj.
hyposexué

●—SHUNT n.m.
isoshunt

●SIALLIT(E)— n.f.
siallitisation
—SIALLIT(E)— n.f.
fersiallitique

●SIALO— [salive]
sialoprive
—SIAL— [salive]
hyposialie

●SIDÉRO— [fer, acier]
sidérobactérial
sidérobactérie
sidéronucléaire
sidérophile

●—SIGNE n.m.
métasigne
supersigne

●—SILICATE n.m.
phyllosilicate

●—SILO n.m.
auto-silo
SILO— n.m.
silothermométrie

●—SILT— [limon]
désiltage

●SIMII— [singe]
simiiforme

●—SIMILITUDE n.f.
autosimilitude
vérisimilitude

●—SIMULATION n.f.
pharmacosimulation

●SIN(O)— [Chine]
sinique
sinophone

●SINTÉRIS— [fritter]
sintérisé

●—SIROP n.m.
iso-sirop

●—SISMIQUE adj.
parasismique
SISMIC— cf. sismique
sismicien
SISMO— cf. sismique
sismotectonique

●—SITO— cf. site
sitologie
sitologue

●—SKI n.m.
héliski
vélo-ski

●—SO— cf. sound
sodar

●—SOCIAL adj.
macro-social
SOC[I]— cf. social
sociatrie

●—SOCIALISER v.
 resocialiser

●—SOCIATION cf. association
 bi-sociation
 consociation

●—SOCIER cf. associer
 bi-socier

●SOCIÉT— cf. société
 sociétal
—SOCIÉT— cf. société
 intersociétal
SOCIO— cf. société
 socioacousie
 socio-affectif
 sociobiologie
 socio-centré
 socio-cognitif
 socio-écologie
 sociolecte
 sociopathe

●—SOCIOLOGIE n.f.
 gérontosociologie
 macrosociologie
 toposociologie

●—SOCIOLOGIQUE adj.
 phytosociologique

●—SOCIOLOGUE n.m.
 phytosociologue

●—SOCLE n.m.
 durisocle
 mollisocle
SOCL(E)— n.m.
 socleur

●—SODIQUE adj.
 thermosodique

●SODO— cf. sodium
 sodocalcique

●—SOL [terre]
 andosol
 aridosol
 planosol
 vertisol
—SOL— [terre]
 andosolisation

●—SOL v. —SOLUBLE

●—SOLAIRE adj.
 électrosolaire
SOL— cf. solaire
 solarchitecture

●SOLIT— cf. solitaire
 soliton

●—SOLUBLE adj.
 organosoluble
 plastosoluble
—SOL cf. soluble
 cytosol

●—SOLVANT— n.m.
 désolvantisation
—SOLV— cf. solvant
 désolvation

●—SOME [corps]
 nucléosome
 photosome
 virosome

●—SOMMEIL n.m.
 électrosommeil

●—SOMNIAQUE cf. insomnia-
que
 dyssomniaque

●—SONDAGE n.m.
 télésondage

●—SONDE n.f.
 aquasonde
 bathysonde
 catasonde

●—SONORISATION n.f.
 présonorisation

●—[SO]PHROLOGIE n.f.
 hypnosophrologie

●—SORBER cf. absorber
 chimisorber

●—SORPTION n.f.
 électrosorption

●—SOUDABILITÉ n.f.
 thermosoudabilité

●—SOUDAGE n.m.
 micro-soudage

●—SOUDER v.
 thermosouder
—SOUDÉ cf. souder
 mécanosoudé

●—SOUDURE n.f.
 mécanosoudure
 thermosoudure

●—SOUFFLAGE n.m.
 semi-soufflage

●—SOUILL(E)— n.f.
 ensouillage
 ensouiller
 ensouilleuse

●SP[A]— cf. espagnol
 spanglais

●—SPATIAL adj.
 héliospatial

●—SPÉCIFICITÉ n.f.
 régio-spécificité
 stéréospécificité

●—[S]PÉCIFIQUE adj.
 juxtaspécifique
 transpécifique

●—SPECTRAL adj.
 multispectral

●SPECTRO— cf. spectre
 spectrocolorimètre
 spectropluviomètre
 spectrozonal

●—SPÉINE n.f.
 bactospéine

●SPERMO— cf. sperme
 spermologie
 spermovélocimètre

●—SPHÈRE n.f.
 cénosphère
 cryosphère
 écosphère
 héliosphère
 mémosphère
 microsphère
 phyllosphère
 turbosphère

●SPIN— n.m.
 spineur

●SPIRAL(E)— n.f.
 spiralage
 spiraleuse
—SPIRAL(E)— n.f.
 trispiralage
SPIRO— cf. spirale
 spiroplasme

●—SPIRALISATION n.f.
 déspiralisation

●SPIRO— v. SPIRAL(E)—

●—SPONDYLE n.m.
 holospondyle
 monospondyle

●**SPONGIO**— [éponge]
   spongiophage

●**SPOR(E)**— n.m.
   sporal

●**SPOROBLASTO**— cf. spo-
roblaste
   sporoblastogénèse

●**SPUMO**— [écume]
   spumogène

●**SQUELETTE** n.m.
   cytosquelette
  SQUELETTO— cf. squelette
   squelettogène
   squelettomètre

●**STABILITÉ** n.f.
   thermostabilité

●**STABLE** adj.
   eurostable
   pénéstable

●**STADE** n.m.
   interstade

●**STAGIAR**— cf. stagiaire
   stagiarisation

●**STANDARD** adj.
   bi-standard
   mono-standard

●**STANNIQUE** adj.
   organostannique

●**STASIE** [base, arrêt]
   eustasie

●**STASSAN**— cf. Stassano
   stassanisateur

●**STAT** [stable]
   airstat
   alternostat
   chemostat
   chlorostat
   coccidiostat
   fongistat
   potentiostat
   psychostat
  STATO— [stable]
   statoscope

●**STATION** n.f.
   géostation
   monostation
   multistation
  STATIONN— cf. station
   stationnel

●—**STATIONNAIRE** adj.
   instationnaire

●—**STATIQUE** adj.
   chromostatique
   gynécostatique
   intensiostatique
   lipostatique
   nématostatique
   oncostatique
   potentiostatique

●—**STATISME** n.m.
   hyperstatisme

●**STATISTO**— cf. statistique
   statistographie

●**STATO**— v. —STAT

●**STATO**— cf. statoréacteur
   statofusée

●**STATOR**— n.m.
   statorique

●—**STELLAIRE** adj.
   protostellaire
  STELLAR— cf. stellaire
   stellarateur

●**STÈM(E)**— n.m.
   stémiste

●**STÉNO**— [étroit, réduit]
   sténophage
   sténotope
   sténotopie

●**STEPP(E)**— n.f.
   steppisation

●**STÉRÉO**— [solide]
   stéréoduc
  —**STÉR**— [solide]
   allostérique

●**STÉRÉO**— [relief, structure]
   stéréologie
   stéréominute
   stéréorégularité
   stéréorégulier
   stéréorestitution
   stéréosélectivité
   stéréospécificité

●—**STÉRILISANT** adj.
   chimiostérilisant

●**STÉROÏDO**— cf. stéroïde
   stéroïdogenèse

●**STIGMAT**— [marque, image]
   stigmateur

●**STIMO**— cf. stimulus
   stimorécepteur

●—[S]**TOCK**— n.m.
   transtockeur

●**STOR(E)**— n.m.
   storiste

●—**STRAT(E)**— n.f.
   monostratal
  STRATI— cf. strate
   stratifil
  STRATO— cf. strate
   stratodyne
   stratotype

●—**STRATIGRAPHIE** n.f.
   biostratigraphie
   magnétostratigraphie

●—**STRATIGRAPHIQUE**
adj.
   biostratigraphique
   chronostratigraphique
   magnétostratigra-
phique

●**STRATO**— v. —STRAT(E)—

●**STROBO**— [rotation]
   strobophotographie

●—**STROME** [trame de fila-
ments]
   biostrome
   olistostrome

●—**STRUCTURAL** adj.
   isostructural
   ultrastructural

●—**STRUCTURE** n.f.
   gélistructure

●—**STYLE** n.m.
   photostyle

●**STYLO**— n.m.
   stylodosimètre

●**SUB**— [sous, insuffisant]
   subantarctique
   sub-compacte
   subnéolithique
   subprotonique
   subsurface
   subthermal

●**SUBÉR(I)**— cf. suber
  subéraie
  subériculteur
  subériculture

●—**SUBSISTANCE** n.f.
  auto-subsistance

●—**SUBSTANCE** n.f.
  mucosubstance

●**SUBSTANTIV**— cf. substantif
  substantivité

●**SUBSTITUT**— n.m.
  substitutisme

●—**SUBSTRAT**— n.m.
  pansubstratiste

●—**SUCRE** n.m.
  aminosucre
  SUCR(O)— cf. sucre
  sucrochimie
  sucrosité

●—**SUFFISANCE** n.f.
  autosuffisance

●—**SUFFISANT** adj.
  auto-suffisant

●**SUGGESTO**— cf. suggestion
  suggestologie
  suggestopédie
  suggestopédique

●**SUI**— [porc]
  suipestique

●**SUICIDO**— cf. suicide
  suicidogène

●**SULFOXYD(E)**— n.m.
  sulfoxydation

●**SUMMIT**— [sommet]
  summital

●**SUPER**— [au-dessus, plus important]
  superamas
  super-bactérie
  super-choc
  superconducteur
  superdominance
  superfrac
  supergalaxie
  supergène
  superordonné
  superplasticité
  superplastique

  super-refroidie
  supersigne
  supersynthèse

●—**SUPPLÉMENT**— n.m.
  antibio-supplémentation

●—**SUPPLÉMENTÉ** cf. supplémenter
  antibiosupplémenté

●**SUPRA**— [au-dessus, plus important]
  suprafluidité
  supralittoral
  supraoptique

●**SUR**— [par-dessus, supérieur]
  suraccélération
  sur-ajustement
  surbotte
  surbouchage
  surcimé
  surdimensionnement
  surdoué
  suremballage
  suremballeuse
  surfacturaction
  surhybridation
  surpoids
  surprix
  surproduit
  surréservation
  sursalure
  survaloir
  surverse
  survitrage

●—**SURFACE** n.f.
  aérosurface
  paléosurface
  subsurface

●—**SURJET**— n.m.
  surjetage

●—**SURMO[I]**— n.m.
  surmoïque

●—**SURTENSION** n.f.
  parasurtension

●—**SURVEILLANCE** n.f.
  immuno-surveillance
  télésurveillance

●—**SURVEILLÉ** adj.
  autosurveillé

●—**SUSCEPTIBILITÉ** n.f.
  chronosusceptibilité

●—**SUTURE** n.f.
  géosuture

●**SWAHILI**— n.pr.
  swahiliphone

●—**SYLLABIQUE** adj.
  logosyllabique

●**SYLVO**— [forêt]
  sylvocynégétique

●—**SYLVICULTURE** n.f.
  agrisylviculture

●**SYM**— v. SYN—

●**SYMBI[O]**— cf. symbiose
  symbion
  —**SYMBI[O]**— cf. symbiose
  endosymbionte

●—**SYMBIOTIQUE** adj.
  télésymbiotique

●—**SYMPHOR**— [qui est conforme à son intérêt]
  égosymphorie

●**SYN**— [ensemble]
  synéclise
  synorogène
  syntectonique
  syntoxique
  syntype
  SYM— [ensemble]
  sympatrie
  symphitie

●**SYNAPTO**— cf. synapse
  synaptogénèse

●—**SYNCHRONE** adj.
  géosynchrone

●**SYNDESMO**— [ligament]
  syndesmochorial

●**SYNERG**— cf. synergie
  synergiste

●**SYNTAXICAL**— cf. syntaxique
  syntaxicalisation

●—**SYNTHÈSE** n.f.
  hémisynthèse
  protidosynthèse
  supersynthèse
  thiosynthèse
  tomosynthèse

SYNTH— cf. synthèse
synthème
synthon

●—SYNTHÉTIQUE adj.
biosynthétique

●SYSTÉMATIC— cf. systéma-
tique
systématicité

T

●TABA[C]— n.m.
tabaculteur

●TABLEAUT— cf. tableau
tableauter

●TACHY— [rapide]
tachylalie
tachypsychie
—TACHE [rapide]
isotache

●TACO— Tomographie Axiale
avec Calculatrice
tacographe
tacographie

●TACTIL(E)— adj.
tactilisme

●—TACTIQUE adj.
atactique
topotactique

●—TACTISME n.m.
nécrotactisme

●TALUT— cf. talus
talutage

●TANGENT— adj.
tangentiale

●—TANT v. —MUTANT

●TAPHO— [tombeau]
taphonomie

●TAPHRO— [fosse]
taphrogenèse

●TAR— v. —TARER

●TARAR(E)— n.m.
tararage

●TARDI— [lent]
tarditectonique

●—TARER v.
détarer
TAR— cf. tarer
tareur

●TARSII— cf. tarsien
tarsiiforme

●—TAXIE [arrangement, clas-
sification]
chétotaxie
TAXO— [arrangement, classi
fication]
taxoentropie

●—TAXON— n.m.
intertaxonique
intrataxonique

●—TAXONOMIE n.f.
chimiotaxonomie
cytotaxonomie

●—TAYLORISATION n.f.
détaylorisation

●TCHAD— n.pr.
tchadique

●—TECHNICIEN n.m.
agrotechnicien
héliotechnicien
monotechnicien

●—TECHNIQUE n.f.
cryotechnique
galvanotechnique
—TECHNIE cf. technique
géotechnie

●—TECHNIQUE adj.
géotechnique
TECHNO— cf. technique
technème
technogénie
technophile

●TECHNO— cf. technologique
technomorphologie

●—TECHNOLOGIE n.f.
biotechnologie

●TECT— [couvert]
tecticien

●—TECTE [constructeur]
métallotecte
TECTON— [constructeur]
tectonisation

●—TECTONIQUE n.f.
embryotectonique
néotectonique
séismotectonique
TECTONIC— cf. tectonique
tectonicien

●—TECTONIQUE adj.
sismotectonique
syntectonique
tarditectonique

●—TECTURE v. ARCHITEC-
TURE

●TEINT— cf. teinter
teinteuse

●TÉLÉ— [au loin]
téléaction
téléconférence
télédocumentation
télégerbeur
télégestion
téléinformatique
télélecteur
télélimiteur
téléloupe
télélunette
télémanipulation
téléniveau
téléopérateur
téléopération
télépesage
télépeseur
téléradiothermique
télérail
téléréglable
téléreprographie
télésondage
télésurveillance
télésymbiotique
téléthermal
téléthermographie
téléuniversité

●TÉLÉ— v. TÉLÉVISION

●TÉLÉCOMMAND— cf. télé-
commander
télécommandable

●—TÉLÉMÉTRIE n.f.
biotélémétrie

●—TÉLÉMÉTRIQUE adj.
biotélémétrique

●TÉLÉSCO— cf. téléscopique
téléscomètre

●—TÉLÉVISION n.f.
macro-télévision
méso-télévision
microtélévision
péritélévision
TÉLÉ— cf. télévision
téléfilm
télémicroscope
télé-miroir
téléprompteur
télévisible

●TÉLÉVISUAL— cf. télévisuel
télévisualisation

●—TÉLOMÈRE n.m.
fluorotélomère

●—TEMPÉRATURE n.f.
cryo-température
paléotempérature
TEMPÉR— cf. température
tempérage
tempéreuse
—TEMPÉR— cf. température
détempéreuse

●—TEMPOREL adj.
pseudo-temporel

●—TEMPS n.m.
équitemps

●TENDÉRO— cf. tendre
tendéromètre
tendérométrique

●—TENDU adj.
normatendu

●—TENEUR n.f.
isoteneur

●TÉNO— cf. Tenoual
ténophénisation

●—TENSION n.f.
équitension
prétension
TENSIONN— cf. tension
tensionneur
—TENSIONN— cf. tension
détensionnement
TENSIO— cf. tension
tensio-fissuromètre
—TENS— cf. tension
neurotensine

●TÉPHRO— [cendre]
téphrochronologie

●TERM(E)— n.m. (échéance)
termaillage

●—TERME n.m. (mot)
multiterme
uniterme

●—TERMINOLOGIE n.f.
métaterminologie
TERMINO— cf. terminologie
terminographe
terminographie
terminographique

●TERRITORIAL— adj.
territorialisme

●—TERTIAIRE adj.
agro-tertiaire

●—[T]EST n.m.
inductest
mutatest

●—TESTÉ cf. tester
autotesté

●—TÊTE n.f.
prétête

●TÉTRA— [quatre]
tétraparental
tétraphonie

●TÉTRAÉDRO— cf. tétraèdre
tétraédrophonie

●TÉTRAGONAL— adj.
tétragonalité

●—TEXTE n.m.
extra-texte
génotexte
inter-texte
phénotexte
TEXT(E)— n.m.
textimage

●—TEXTILE n.m.
géotextile

●—THANASIE cf. euthanasie
aristothanasie

●THANAT(O)— [mort]
thanatique
thanatocénose

●—THANATOLOGIE n.f.
anthropothanatologie
ethnothanatologie

●THÉÂTRO— cf. théâtre
théâtrologue

●—THÉCAIRE cf. bibliothécaire
cartothécaire
cinémathécaire
médiathécaire

●THÉO— [dieu]
théonyme

●—THÈQUE cf. bibliothèque
algothèque
bandothèque
cassétothèque
diathèque
gazothèque
hémérothèque
joujouthèque
lithothèque
ludothèque
matériathèque
médiathèque
microfichethèque
microthèque
pédagothèque
polythèque
profilothèque
programmathèque
scénarithèque
vidéothèque
vinothèque

●—THÉRAPEUTE n.m.
cothérapeute
sexo-thérapeute

●—THÉRAPEUTIQUE n.f.
chronothérapeutique

●—THÉRAPIE [traitement]
ambiothérapie
aromathérapie
chronothérapie
cothérapie
diétothérapie
hypnophonothérapie
pressothérapie
sexothérapie
vidéo-thérapie

●—THERMAL adj.
acrothermal
hyperthermal
subthermal
téléthermal

●—THERME [chaleur]
ectotherme
endotherme
héliotherme
polytherme
thigmotherme
THERMO— [chaleur]
thermoanémomètre
thesmocapsulage
thermocapsuleur
thermocinétique
thermoclastie
thermoclastisme
thermocollable
thermocompression
thermoconducteur
thermocoupage
thermodésorption
thermodilatable
thermoéconomie
thermoélément
thermofixation
thermo-fluide
thermoformable
thermoformage
thermoformé
thermofractionnement
thermofrigorifique
thermofusible
thermogénie
thermogénique
thermohalin
thermo-hélioélectrique
thermo-humidostat
thermo-hygromètre
thermo-impression
thermolecteur
thermomagnétique
thermomaturation
thermominéral
thermomoule
thermo-mousse
thermooptique
thermooxydation
thermopapier
thermopériode
thermophore
thermoprogrammé
thermoprotecteur
thermorayonnance
thermoréacteur
thermorelais
thermorémanant
thermorésistance
thermorupteur
thermoscellabilité
thermoscellable
thermoscelleuse
thermoscie
thermosensible
thermosodique
thermosoudabilité
thermosouder

thermosoudure
thermostabilité
thermovision

●—THERMICIEN n.m.
héliothermicien

●—THERMICITÉ n.f.
exothermicité

●—THERMIE n.f.
héliothermie
hydrothermie
xérothermie

●—THERMIQUE adj.
actinothermique
aquathermique
bathythermique
biothermique
héliothermique
hydrothermique
photothermique
téléradiothermique
zymothermique

●—THERMOGRAMME n.m.
bathythermogramme

●—THERMOGRAPHIE n.f.
téléthermographie

●—THERMOMÈTRE n.m.
géothermomètre
oxy-thermomètre
radiothermomètre

●—THERMOMÉTRIE n.f.
photothermométrie
silothermométrie

●THERMOSTAT— n.m.
thermostatage
thermostater
thermostatisation

●THIGMO— [contact]
thigmotherme

●THIO— [soufre]
thiosynthèse

●THIXO— [agitation par contact]
thixotropique

●THYM(I/O)— [thymus]
thymiprive
thymoleptique

●THYMIQUE adj.
normothymique

●THYRISTOR— n.m.
thyristorisé

●—TI— [symbole chimique du titane]
naticite

●—TIMBRAGE n.m.
détimbrage

●—[T]ION [action résultat de l'action]
accrétion
aléation
compaction
exertion
—ATION [action, résultat de l'action]
adhésivation
ambulation
antibio-supplémen-
tation
carbonylation
circination
complexation
conscientisation
déamidation
décentration
déchromatation
décrémentation
déhafniation
délamination
denticulation
désalination
désolvation
deutération
encapsidation
encapsulation
engrammation
falciformation
gémellation
globalisation
hydroformilation
hydrofugation
incapsulation
incrémentation
intercuspidation
maternisation
méthanation
nucléation
pervaporation
plasmification
protonation
psychiatrisation
raciation
raduration
rudimentation
sulfoxydation
—[I]FICATION [action, résultat de l'action]
aridification
brunification
cornification

lithification
pastification
rétification
scorification
vitrification
—ISATION [action, résultat de l'action]
algorithmisation
allitisation
amorphisation
andorranisation
andosolisation
anthropisation
aridisation
austénitisation
autoprotonisation
axénisation
banlieusardisation
bénéluxisation
bidonvillisation
bilinguisation
brumisation
carriérisation
celtisation
céphalisation
céramisation
chimisation
circularisation
clinicisation
communautarisation
conteneurisation
contextualisation
continentalisation
coptisation
corsisation
cratonisation
créolisation
cryogénisation
cyclodimérisation
décalcarisation
décréolisation
démanganisation
dénitrogénisation
déruralisation
désamérisation
désémantisation
désolvantisation
dimérisation
discrétisation
électronisation
épigénisation
fardélisation
fidélisation
finlandisation
glaciellisation
glauconitisation
globulisation
historicisation
hydrodimérisation
hydrophilisation
hygiénisation
informatisation
instantanéisation

ivoirisation
jumboïsation
linéarisation
marinisation
marocanisation
méristématisation
micronisation
modélisation
modularisation
molécularisation
mylonisation
néolithisation
neuroleptisation
nigérianisation
numérisation
oligomérisation
opérationalisation
oralisation
papérisation
paramétrisation
parisianisation
pécélisation
photodimérisation
pidginisation
pionisation
préadhérisation
professionnalisation
quaternarisation
radappertisation
rejuvénilisation
responsabilisation
rilsanisation
savanisation
scénisation
siallitisation
stagiarisation
steppisation
syntaxicalisation
tectonisation
télévisualisation
ténophénisation
thermostatisation
transporisation
typologisation
viabilisation
zaïrisation

●**—TIQUE** v. **—INFORMATIQUE**

●**—TIQU(E)— n.f.**
détiqueur

●**—TITR— cf. titrer**
phototitreuse

●**—TITRAGE n.m.**
phototitrage

●**TOIL(E)— n.f.**
toiliste

●**TOLÉRANCE— n.f.**
tolérancement

●**—TOLÉRANT adj.**
trypanotolérant

●**—TOMIE v. —ECTOMIE**

●**TOMO— [coupe]**
tomoanalyseur
tomodensitomètre
tomodensitométrie
tomosynthèse

●**—TOMOGRAPHIE n.f.**
échotomographie
orthopantomographie

●**TON— n.m.**
tonétique

●**—[T]ON cf. piston**
orbiton

●**—TONICITÉ n.f.**
monotonicité

●**—TONIQUE adj.**
monotonique

●**—TONO— cf. tonus**
eutonologie
—TONE cf. tonus
écotone

●**TOP— n.m.**
topage
topé

●**—TOP— v. TOPO—**

●**—TOPE v. TOPO—**

●**—TOPIQUE adj.**
orthotopique

●**TOPO— [lieu]**
topocodeur
topodème
toposéquence
toposociologie
topotactique
topotype
—TOP— [lieu]
chémotopie
sténotopie
—TOPE [lieu]
climatope
écotope
édaphotope
monotope
pléiotope

polytope
sténotope

●—TORCH— cf. torcher
retorchage

●TORCH(E)— [brûleur de gaz]
torchage

●—TORDU adj.
détordu

●TORSAD— cf. torsader
torsadage

●TORTILL— cf. tortiller
tortilleur

●TOUFFET— cf. touffe
touffetage

●—TOURISME n.m.
agritourisme

●—TOX [poison]
équitox

●TOXI— v. —TOXIQUE

●—TOXICITÉ n.f.
ciliotoxicité
cytotoxicité
écotoxicité

●—TOXICOLOGIE n.f.
écotoxicologie

●—TOXICOSE n.f.
mycotoxicose

●—TOXINE n.f.
amatoxine
phallotoxine
TOXINO— cf. toxine
toxinogène

●—TOXIQUE adj.
catatoxique
ciliotoxique
ichtyotoxique
syntoxique
TOXI— cf. toxique
toximètre
toxiphilie

●TOXO— [tir à l'arc]
toxophilie

●—TRACEUR n.m.
isodensitraceur

●—TRACTÉ adj.
autotracté

●TRACT(O)— cf. tracter
tractage
tracto-chargeur
tracto-grue
tractopelle
tracto-porteur

●TRADUCTO— cf. traduction
traductologie

●TRAITABIL— cf. traitable
traitabilité

●—TRAITANCE cf. sous-traitance
co-traitance

●—TRAMER v.
détramer

●TRAN[S]— [au-delà, à travers]
transculturation
transculturel
transdisciplinarité
transfecter
transfection
transfermien
transflectif
transfrontalier
transligneur
translinguistique
transmanche
transpécifique
transporisation
transsexuel

●TRAN[S]— cf. transport
transbus
transcasier
transconteneur
transélévateur
transgerbeur
transneige
transplate-forme
transrouleur
transroulier
transtockeur

●—TRANSDUCTEUR n.m.
phototransducteur

●TRANSITIV— cf. transitif
transitivisme
transitiviste

●TRANSLAT— cf. translater
translaticien
translatique

●—TRANSMETTEUR n.m.
neurotransmetteur

●TRANSMISS(O)— cf. transmission
transmissif
transmissivité
transmissomètre

●—TRANSPLANTATION n.f.
autotransplantation
xénotransplantation

●TRANSPLANT(O)— cf. transplanter
transplantectomie
transplanteuse
transplantologue

●TRANSVERSO— cf. transversal
transversoprofilographe

●TRAPP(E)— n.f.
trappage

●TRAUMATO— cf. traumatisme
traumatogène

●—TREMPE n.f.
autotrempe
hypertrempe

●TRÉPID— cf. trépider
trépideur

●—TREUILLAGE n.m.
hélitreuillage

●TRI— [trois]
tricapteur
trichromatique
trigemme
trimétallisation
triplot
trispiralage

●TRINGL[E]— n.f.
tringlerie

●TRIPT— [broyé]
tripton

●—TRITI— cf. tritium
deutériotritiure

●TRITI[C]— [blé]
triticale

●—[T]RODE cf. électrode
rotrode
sensotrode

●—TROGN— cf. trognon
  étrognage
  étrogner

●—TROMPE n.f.
  ventilo-trompe

●—TROMPEUR adj.
  détrompeur

●—[T]RON [appareil, dispositif]
  météotron
  omégatron
  optron

●—[T]RONIQUE v. ÉLEC-
TRONIQUE, adj.

●—TROPE [incliné vers]
  barotrope
  homéotrope
  hydrotrope
  viscérotrope

●—TROPHE [qui se nourrit]
  biotrophe
  ectotrophe
  endotrophe
  mésotrophe
  mixotrophe
  nécrotrophe

●—TROPHIE [nourriture]
  saprotrophie

●—TROPHIQUE adj.
  gonotrophique

●—TROPICAL adj.
  euro-tropical

●—TROPIQUE adj.
  thixotropique

●—TROPISME n.m.
  bigyrotropisme

●—TROPISTIQUE adj.
  antitropistique

●—TROU n.m.
  monotrou

●TRUITO— cf. truite
  truitomètre

●TRUQU— cf. truquer
  truquiste

●—[TR]USION cf. protrusion
  rétrusion

●TRYPANO— cf. trypanosome
  trypanotolérant

●TUB(E)— n.f.
  tubectomie
  tuberie

●—TUBULE n.m.
  microtubule

●TUF— n.m.
  tufacé

●—TUILAGE n.m.
  entuilage

●TULIP(E)— n.f.
  tulipage
  tuliper
  tulipeuse

●—TUMORAL adj.
  antitumoral

●TUNNEL— n.m.
  tunnelier

●TURBIN(E)— n.f.
  turbinier

●TURBO— [tourbillon]
  turbosphère

●TURBO— [turbine, à rotor]
  turbochargé
  turbo-classeur
  turbofiltre
  turboforeuse
  turbogénérateur
  turbogroupe
  turbomixeur
  turbomoléculaire
  turboralentisseur
  turbochargé
  turbomixeur
  turbomoléculaire

●TURBUL— cf. turbulence
  turbulateur

●—TUSS— [toux]
  antitussif

●—TYLE [saillie]
  ectotyle

●—TYPE n.m.
  allotype
  antibiotype
  cytotype
  haplotype
  hémotype
  idéotype

  lectotype
  pathotype
  stratotype
  syntype
  topotype
—TYP(E) n.m.
  idiotypique
TYPO— cf. type
  typogénique

●—TYPIE [empreinte, modèle]
  allotypie
  idiotypie
  uvatypie

●TYPO— v. —TYPE

●TYPOLOG— cf. typologie
  typologisation

●—TYPOLOGIQUE adj.
  hémotypologique

U

●UFO— Unidentified Flying
Object
  ufologue

●—ULE [diminutif]
  faunule

●ULTRA— [extrême]
  ultrafiltrat
  ultramonochromatique
  ultranettoyage
  ultrastructural
  ultravide
—ULTRA— [extrême]
  cryo-ultramicrotomie

●ULTRASONO— cf. ultrason
  ultrasonographie

●—[UM]ÉE cf. fumée
  brumée

●UN(I)— [un]
  unaire
  unialgal
  uniclassiste
  unimodal
  uniterme

●—UNIVERSITÉ n.f.
  téléuniversité

●—[UR]BAIN cf. urbain
  rurbain

●URBANIS— cf. urbaniser
  urbanisable
  —[UR]BANIS— cf. urbaniser
  rurbanisable

●—[UR]BANISATION n.f.
  exurbanisation
  rurbanisation

●—[UR]BANITÉ n.f.
  rurbanité

●—URE [résultat de l'action]
  barrure
  brouture
  champlevure
  débiture
  échaudure
  fasciature

●—URE [sel]
  chalcogénure
  deutériotritiure

●—URÉE n.f.
  perlurée

●—URGENCE cf. résurgence
  exurgence

●—URGIE v. —MÉTALLUR-
GIE

●—USCRIT cf. manuscrit
  magnétuscrit

●—USINAGE n.m.
  photo-usinage

●—USINE n.f.
  bio-usine

●UVA— [humide]
  uvatypie

V

●VA— cf. valeur
  vapo
 —VA— cf. valeur
  isovapo

●VACUO— [vide]
  vacuologie

●—VALLÉE n.f.
  paléovallée

●—VALOIR v.
  survaloir

●—VANE [scissomètre]
  pénévane

●—VANTAIL n.m.
  guillo-vantail

●VAPO— [vapeur]
  vapocraqueur
  vapocraquage
 —VAPOR— [vapeur]
  pervaporation

●—VAPORISAGE n.m.
  prévaporisage

●VASI— cf. vase
  vasicole

●VÉGÉTAL— n.m.
  végétalien
 VÉGÉTI— cf. végétal
  végétivore

●—VÉGÉTATIF adj.
  organovégétatif

●VÉGÉTI— v. VÉGÉTAL

●VÉLO— n.m.
  vélo-ski

●—VÉLOCIMÈTRE n.m.
  spermovélocimètre
 VÉLOCIMÈTR(E)— n.m.
  vélocimétrie

●—VENIN n.m.
  anavenin

●—VENTILATEUR n.m.
  moto-ventilateur

●VENTILO— cf. ventiler
  ventilo-trompe

●—VERBE n.m.
  pro-verbe
 VERBO— cf. verbe
  verbo-iconique

●—VERGE— n.f.
  envergeur

●—VERGLACER v.
  déverglacer

●VÉRI— cf. vérité
  vérisimilitude

●—VERMIN(E)— n.f.
  déverminage

●—VERSE n.f.
  surverse

●—VERTÉBR(E)— n.f.
  paléovertébriste

●VERTI— cf. vertical
  vertisol

●—VÉSICUL(E)— n.f.
  dévésiculeur

●—VESTIBULAIRE adj.
  juxtavestibulaire

●VIABIL— cf. viabilité
  viabilisation

●VIAND(E)— n.f.
  viandeux

●—VIBRANT adj.
  antivibrant

●VIBRO— cf. vibration
  vibro-abrasion
  vibro-arracheur
  vibrocarottage
  vibro-carottier
  vibrocasseur
  vibrocompacteur
  vibrocoulé
  vibrodépoussiéreur
  vibroflottation
  vibrofonceur
  vibrogène
 —VIBR— cf. vibration
  rovibronique
  vibronique

●VIDE— n.m.
  videmètre
 —VIDE n.m.
  ultravide

●VIDÉO— [voir]
  vidéobus

●VIDÉ[O]— n.f.
  vidéo-animation
  vidéobus
  vidéocarte
  vidéo-cassette
  vidéo-codage
  vidéocommunication
  vidéodisque
  vidéogramme
  vidéographique
  vidéologie
  vidéote
  vidéothèque
  vidéo-thérapie

●—**VILLE** n.f.
  interville

●—**VINIFICATEUR** n.m.
  autovinificateur

●**VIN(O)**— cf. vin
  vinerie
  vinothèque

●**VIR(O)**— v. —VIRUS

●**VIROS(E)**— n.f.
  virosé

●—**VIRULENT** adj.
  hypovirulent
  VIRULI— cf. virulent
  virulifère

●—**VIRUS** n.m.
  myxovirus
  oncornavirus
  rétrovirus
  VIR(O)— cf. virus
  virogène
  viroïde
  virosome

●—**VIS** n.f.
  prévis

●**VISCÉRO**— cf. viscère
  viscérotrope

●**VISCO**— cf. viscosité
  viscodoseur
  viscoélastique
  viscoplasticité
  viscoplastique

●**VISIBILI**— cf. visibilité
  visibilimètre

●—**VISIBLE** adj.
  télévisible

●—**VISION** n.f.
  radiovision
  thermovision
  VISIO— cf. vision
  visioconférence
  visio-moteur
  visiophone
  visiophoner
  visiophonie
  visiophonique

●—**VISITEUSE** n.f.
  mini-visiteuse

●**VISONN**— cf. vison
  visonnerie

●**VISS**— cf. visser
  visseuse

●—**VISUEL** adj.
  scriptovisuel

●**VITA**— [vie]
  vitaparcours

●**VITR**— [corps vitreux]
  vitrectomie
  vitrification

●—**VITRAGE** n.m.
  survitrage

●**VITRO**— [verre]
  vitrocéramique
  vitrocristallin
  vitrophage

●—**VOCALISÉ** adj.
  dévocalisé

●**VOCO**— [voix]
  vococodeur

●**VOLU**— cf. volume
  volu-contact

●—**VORE** [qui mange]
  arénivore
  détritivore
  psammivore
  végétivore

●**VOÛT**— cf. voûte
  voûtement
  —**VOUT**— cf. voûte
  dévoutage
  dévouteur

●—**VOYANT** n.m.
  malvoyant

●—**VOYELL(E)**— n.f.
  voyellé

●**VULCA**— [volcan]
  vulcamètre

W

●—**WAGONN**— cf. wagon
  enwagonneuse

●**WOLOF**— n.pr. v. OUOLOF
  wolofisé

X

●**XÉNO**— [étranger]
  xénobiotique
  xénogreffe
  xénomètre
  xéno-parasitaire
  xénopathique
  xénotransplantation
  —**XÉN**— [étranger]
  gnotoxénie
  gnotoxénique
  hétéroxénique
  holoxénique
  orthoxénique

●**XÉRO**— [sec]
  xéromorphe
  xéroradiographie
  xéroradiographique
  xérothermie

●**XYL(O)**— [bois]
  xylème
  xylochimie
  xylochronologie

Y

●**YEUS(E)**— n.f.
  yeuseraie

Z

●**ZAÏR(E)**— n.pr.
  zaïrisation

●**ZÈBR(E)**— n.m.
  zébrâne

●**ZÉG**— ZEro Growth
  zégisme
  zégiste

●—**ZÉRO** n.m.
  auto-zéro

●—**ZOÏDE** n.m.
  oozoïde
  —**[ZO]ÏTE** cf. zoïde
  schizoïte

●—**ZONAGE** n.m.
   cartozonage
   photozonage

●—**ZONAL** adj.
   bizonal
   spectrozonal

●**ZON(E)**— n.f.
   zoneur
—**ZONE** n.f.
   anchizone
   biozone
   catazone
   épizone
   lithozone

●—**ZOOLOGIE** n.f.
   cryptozoologie

●—**ZOOPLANCTON** n.m.
   microzooplancton

●**ZYMO**— [fermentation]
   zymothermique

TABLE DES MATIERES

Publications du Conseil international de la langue française
103, rue de Lille - 75007 Paris

TERMINOLOGIE et LINGUISTIQUE

Revues
    La banque des mots
    Le français moderne
    Langues et terminologies

Etudes et dictionnaires
    La néologie française aujourd'hui
    Orthographe et grammaire, politique nouvelle
    Petit guide de la néologie
    Manuel pratique de terminologie
    Régionalismes québécois usuels
    Langage médical moderne
    Vocabulaire de la radiodiffusion
    Vocabulaire de la chasse et de la vénerie
    Vocabulaire de la publicité
    Vocabulaire de l'environnement
    Vocabulaire de l'océanologie
    Vocabulaire des sciences et techniques spatiales
    Vocabulaire de l'hydrologie et de la météorologie
    Vocabulaire de l'administration
    Vocabulaire d'écologie
    Vocabulaire de la radiographie
    Vocabulaire de la géomorphologie
    Vocabulaire de la topographie
    Vocabulaire d'astronomie
    Vocabulaire de la micrographie
    Vocabulaire technique du tabac
    Lexique photo-cinéma
    Dictionnaire forestier multilingue
    Dictionnaire d'agriculture
    Dictionnaire commercial
    Petit vocabulaire-mémento de l'olivier
    Enrichissement de la langue française
    Macrothésaurus des sciences et des techniques
    Répertoire des dictionnaires scientifiques et techniques
    Dictionnaire de termes nouveaux des sciences et des techniques
    CILFOTERM (microfiches)

Colloques
    Colloque sur les relations entre la langue anglaise et la langue française (Paris, 1975)
    Le français en contact avec : la langue arabe, les langues négro-africaines, la science et la technique, les cultures régionales (Sassenage, 1977)
    Coopération entre la langue arabe et la langue française - Agriculture, environnement, zones arides (Hammamet, 1978)
    La prospective de la langue française (Sassenage, 1981)